ГИЛЬЕМ БАЛАГЕ

МЕССИ

Гений футбола

Москва
2017

УДК 796.332(092)(82)
ББК 75.578
Б20

Messi by Guillem Balague

Балаге, Гильем.

Б20 Месси. Гений футбола / Гильем Балаге ; [пер. с англ. Людмилы Степановой]. – Москва : Эксмо, 2017. – 624 с. : ил. – (Иконы спорта).

ISBN 978-5-699-78710-4

В этом издании известный спортивный журналист Гильем Балаге приводит полный и тонкий анализ «феномена Месси», обращаясь к его ближнему кругу – тренерам, коллегам, друзьям, семье. Какими качествами нужно обладать, чтобы стать «золотым мальчиком футбола»? Чем нужно пожертвовать, чтобы добиться такого успеха? Как достичь вершин, но остаться обычным человеком? Несмотря на многочисленные преграды и проблемы со здоровьем, Месси осуществил свою мечту, занимаясь любимым делом и работая над собой, – и его история по-настоящему вдохновляет.

УДК 796.332(092)(82)
ББК 75.578

ISBN 978-5-699-78710-4

ОГЛАВЛЕНИЕ

ПРЕДИСЛОВИЕ
Алехандро Сабельи

Я был назначен тренером национальной сборной после розыгрыша в Аргентине Кубка Америки. Команда была расформирована, несмотря на то, что не проиграла ни одной встречи: дважды сделала нулевой счет и победила Коста-Рику в третьем туре, затем сразилась вничью с Уругваем в четвертьфинале и лишь потом потерпела фиаско на одиннадцатиметровых ударах. Когда команда, в которую входят игроки такого уровня, выступает на подобных турнирах, любой сочтет провалом ситуацию, когда они не становятся чемпионами. Даже в том случае, когда у них нет ни одного проигрыша.

Естественно, когда начинается очередной этап развития и приглашен новый тренер, игроки ощущают прилив надежды. Все мы были очень расстроены тем, что не смогли достичь на Кубке Америки определенных высот. Я понимал довольно противоречивые чувства игроков: несмотря на разочарование, у нас было достаточно сил, чтобы двигаться вперед со вновь обретенным оптимизмом.

Впервые я поговорил с Лео в Барселоне. Это было в 2011 году, вскоре после моего назначения тренером сборной. Я собирался лично познакомиться со всеми игроками, которые играли в европейских командах. Сначала я отправился в Португалию, затем – в Испанию. Я не был лично знаком с Лео, но хотел пообщаться с ним и с Хавьером Маскерано, с которым уже встречался раньше – он был капитаном команды. Я намеревался предложить Лео стать капитаном национальной сборной. Главная цель моей поездки заключалась в том, чтобы познакомиться с игроками, особенно с теми, кого я не знал, в частности, с Лео, но для меня также весьма значимым оставался вопрос о капитане команды. Я считал, что всем спортсменам жизненно важно признать в Лео лидера команды, который будет в этом качестве вести игру в привычной для него манере.

Мы встретились втроем, а затем я отправился в Италию, чтобы в это время они могли обсудить между собой все вопросы и дать мне согласованный ответ. По-моему, именно Хавьер позвонил мне, чтобы сказать, что Лео согласен быть капитаном.

После той первой встречи мы встретились в Индии, на одной из первых игр национальной сборной – товарищеском матче против Венесуэлы, а позже – в Бангладеш против Нигерии. Но если какой-нибудь матч и мог стать символическим началом новой эры сборной, то это, безусловно, была игра против Колумбии в южноамериканских отборочных встречах Бразильского чемпионата мира 2014 года. В Барранкилье у нас был трудный момент, но, к счастью, парни смогли переломить ход матча, который проходил при удушающей жаре. Мы проигрывали 1:0 после того, как Дорлан Пабон забил нам гол с подачи Маскерано, но Месси сравнял счет прежде, чем Агуэро почти в конце довел игру до 2:1.

Я часто говорю, что в футболе все определяют игры, дающие толчок, требующийся для движения в новом направлении. Я думаю, что эта игра была именно таким стартом, потому что после нее мы начали создавать сплоченную команду, а когда игроки становятся единым целым, появляются результаты. Если футболисты с удовольствием играют вместе, они достигают гораздо большего. Это самый лучший способ и, полагаю, единственный путь преодолеть имеющиеся слабости.

Меня спрашивают, создал ли тот матч не только национальную сборную, но и самого Лео, поскольку именно после той игры в Аргентине его начали воспринимать совершенно по-другому. Да, я думаю, тот матч изменил многое, но был в судьбе сборной и Лео и другой важный момент – 29 февраля – день, когда мы играли со Швейцарией. Это было замечательное зрелище: в тот день Лео сделал хет-трик. Этот прием удавался ему в «Барселоне» неоднократно, но впервые получилось забить три мяча в футболке цветов своей страны – Аргентины. В тот год он забил еще раз три гола в матче с Бразилией, но игра против Колумбии была полезна не только с точки зрения футбольного мастерства и тренерских возможностей, она реально вселила в нас уверенность, которой нам так не хватало.

Могу сказать, что Лео – очень спокойный человек. Он прирожденный лидер благодаря своим невероятным способностям и великому таланту, при этом, что еще важнее, его первенство признают все остальные. Мне всегда хотелось обеспечить всем футболистам свободу, в том числе и Лео. В жизни они подвергаются довольно мощному прессингу, и я старался сделать так, чтобы они могли хотя бы в команде чувствовать себя естественно. Звание капитана накладывает огромную ответственность, но Лео знает об этом и принимает ее – этот статус помог ему повзрослеть. Лидерская позиция Лео весьма благотворно сказывается и на его товарищах по команде.

Его разговоры с товарищами по команде и личные беседы, разумеется, остаются за кадром, но я могу сказать, что внутри группы царит радостная и спокойная атмосфера, в отличие от окружающей нас действительности. Создание такой атмосферы – крайне важно.

Необходимо очень многое, чтобы Месси мог показать, на что он способен. Лео должен чувствовать себя достаточно комфортно и, прежде всего, ощущать свободу. Ему необходима достаточная гибкость в действиях, чтобы он мог точно знать, что можно делать все необходимое в каждый конкретный момент. Так что, по правде говоря, я обсуждал с ним только минимум – лишь то, что было абсолютно необходимым. Я не хотел оказывать на него дополнительное давление, потому что футболисты и без того понимают важность игр и своего личного вклада в победу.

Когда вы говорите о Месси, следует упомянуть о развитии его таланта, потому что в спорте важно не только добиться успеха, но и закрепиться на вершине. Получение одного за другим четырех «Золотых мячей» является признаком большого успеха. Очевидно, что завоевание этой награды единожды – достаточно трудное дело, но способность заслужить этот приз четыре раза – доказательство того, насколько сильно улучшилось мастерство игрока. В течение последних нескольких лет он стал первоклассным футболистом и наработал невероятное мастерство, что делает его поистине выдающимся игроком. Уровень достигнутого им мастерства трудно поддерживать, не говоря о том, чтобы поднять его, но так или иначе Месси это удается.

Я уверен, что этому феноменальному успеху способствовало получение звания капитана сборной Аргентины: Месси было необходимо заставить всех вокруг убедиться в том, что он растет как человек и как игрок.

2012 год был очень успешным для Лео в национальной сборной – это явилось результатом обретенной им зрелости, ведь он стал старше. Что вы делаете, когда вам говорят, что футболист достиг пика своих возможностей? Оставляете его, позволяя действовать согласно своим планам и представлениям? С моей точки зрения, важно продолжать обучение и развитие. Ни один игрок никогда не будет слишком хорош, чтобы оставить его без конструктивных советов и руководства.

Чтобы понять невероятные достоинства Месси как игрока, вам следует просто посмотреть стартовую игру 2013/14 сезона против «Леванте», которую «Барселона» выиграла со счетом 7:0. Когда Лео намерен отобрать мяч, он делает это решительно и уверенно, и в результате всегда достигает своей цели, что и было продемонстрировано в той игре: Месси отобрал мяч и забил третий гол. Я видел, что он забил гол головой так, как будто для него это совершенно естественно. Лео – один из тех экстраординарных игроков, которые в трудных обстоятельствах становятся только совершеннее.

В «Барселоне» было решено, что Лео играет в центре, мы в сборной повторили это просто потому, что позиция срабатывала хорошо. В этой зоне Лео получает больше мячей, а чем больше он их получает, тем лучше для всех остальных. Поскольку Лео зрелый, уверенный и умный игрок, он не позволяет увести себя в сторону от решения поистине важных вопросов. Игуаин и Агуэро открывают ему поле, а Ди Мария действует на флангах, теперь Лео, находясь в центре, может решить со своего места, как повести игру. Ясно, что с такими партнерами их общая игра становится более мощной.

Чтобы все сработало так, как задумано, я прошу всех игроков сделать еще одно дополнительное усилие, чтобы вернуть мяч назад, помочь тем, кто находится сзади, и еще немного пожертвовать собой. Лео должен защитить их, где бы он ни находился во время игры – в пределах доступных ему возможностей. Никто не просит, чтобы он совершал чудеса, главное то, что делают с мячом Лео и другие члены команды. Именно здесь его работа приносит свои плоды.

Обычно лучшие спортсмены мира выступают в лучших командах мира, именно они участвуют в большинстве матчей, и их игровой сезон длится дольше. Естественно, это выделяет их из всех прочих футболистов. Важно, чтобы они дошли до своего пика на чемпионате мира. Некоторые спортсмены достигают этой точки, другие – нет. Даже если у вас есть команда, которая играет хорошо, выглядит единым целым и похожа на настоящую, – именно это наша сборная показала на товарищеской встрече против Италии 14 августа 2013 года, – надо помнить, что ни одна команда, в которой играет Месси, никогда не будет такой же без него. Мы должны постараться избавиться от представления, что невозможно достичь победы без Месси. Такое понимание серьезно влияет на боевой дух команды, поэтому в тот день, несмотря на отсутствие Лео, мы сыграли отлично. Никто не сомневался, что мы можем выжить и без него, но при этом он незаменим. И в том, что я говорю, нет никакого противоречия.

Месси – наш символ, наш знаменосец. Это невероятный игрок, который играет в невероятной команде. Возможно, он самый великий игрок в истории футбола.

ВСТУПЛЕНИЕ
Где Лео?

Этот вопрос задавал каждый, кто заглядывал в класс средней школы Хуана Мантовани, где учился Лео. Школа расположена неподалеку от его дома в южном районе Лас-Эрас аргентинского города Росарио.

Лео пропустил неделю занятий, а раньше, за исключением недолгой болезни, с ним такого никогда не случалось. Его парта пустовала, а в свободное время, когда кто-то начинал игру, ситуация выглядела еще непонятнее. В школе Хуана Мантовани не было футбольного поля, и на небольшой узкой площадке всегда было полно мальчишек. Это тесное пространство и так не очень настраивало на футбол, а уж без Лео игра и вовсе не шла.

Его никто не видел уже несколько дней.

Шел сентябрь, до начала учебного года оставалось три месяца – в Аргентине он начинается в декабре. В это время проходили экзамены, а Лео не было. Кто-то спросил у его знакомых, не собирается ли он сдавать экзамены в другое время или, возможно, его взяли на работу на этот период.

Нет, извините.

Может, сегодня он был?

Его товарищи по команде «Ньюэллс Олд Бойз» (Newell's Old Boys) (NOB) – футбольного клуба Росарио, в котором Лео играл во втором составе, – задавались тем же вопросом. Он пропустил уже несколько тренировок в спортивном центре Мальвинас и не пришел на матч в выходные.

«Гепатит, – сказал кто-то в клубе. – У него гепатит».

А что, очень может быть. Никто точно не знал, что это такое, но название ужасало – казалось, если вы подхватите эту болезнь, то никогда уже не сможете играть в футбол. «Да, у Маэстро гепатит». Вполне возможно.

Маэстро. В прежние времена, в начальной школе, Месси звали «Коротышка» (Эль Пики), но для ровесников в команде он был именно Маэстро (других звали Кларк Кент, Галициец, Борзая, Кореец: в аргентинском футболе никого не называли настоящими именами и фамилиям). Даже список команды составляли таким образом: имя, дата рождения, рост и прозвище – Мышонок, Битум, Коротышка ...

Куда же Маэстро отправился?

Адриан Кориа, главный тренер футбольной команды, куда входил и Лео, приглядывал за этой разношерстной компанией, но и он не знал, куда делся его подопечный. Странно исчезать в сентябре, а еще более странно, что с пропажей Месси у тренера появилась проблема: победить без Лео было намного сложнее. Кто-то позвонил Кике Домигесу – бывшему тренеру: «Представления не имею, где он сейчас может быть». Однако тренер предположил, что могло что-то произойти: Лео всегда был надежным парнем, но когда он в прошлом году отправился на просмотр в «Ривер Плейт» (футбольный клуб в Буэнос-Айресе), то тоже ничего никому не сказал. Может быть, его наконец-то взяли в «Ривер Плейт»? Кто-то напомнил, что у Лео может быть гепатит.

За несколько дней до этих событий в доме Месси зазвонил телефон. «Приезжайте быстрее и привозите мальчика». Они так долго ждали этого дня, а теперь вдруг все завертелось так быстро: им нужно было срочно подготовиться к поездке в Европу.

В «Ньюэллсе» ничего не было известно. Ни тренер, ни технический директор, никто из игроков в клубе не знали, что происходит. Ни Лео, ни его отец Хорхе, который всегда заботился о карьере сына, решили никому ничего не говорить, и это было нетрудно: оба были очень осторожны и одинаково скрытны – одного поля ягоды.

Городская газета Росарио *La Capital* посвятила мальчику целую полосу – первую! Это было 3 сентября 2000 года. Под заголовком «Исключительный маленький Прокаженный» (так называли игроков его клуба, сыгравшего в 1920-х годах благотворительный матч для клиники прокаженных) снимок улыбающегося Лео – голова наклонена, одет в майку со знаком «NOB». Он всегда будет «Прокаженным» – преданным сторонником клуба «Ньюэллс», который был для него в юности всем – клубом, в котором он в составе своей юношеской команды не так давно завоевал титул чемпиона, что было предметом особой гордости. Тихим голосом (было трудно заставить мальчика улыбаться на камеру) чемпион поделился с журналистом некоторыми своими мечтами. Он хотел быть учителем физкультуры и, естественно, играть в первом дивизионе.

А еще войти в аргентинскую национальную молодежную сборную. До этого было еще далеко, конечно, но у него была мечта – стать членом национальной сборной. Он любил курятину. Его любимая книга? Нуууу... Библия. Первое, что пришло ему на ум. Он не из тех, кто любит читать книги. Если бы он не был футболистом, какой другой вид спорта он бы выбрал? Я должен отвечать на этот вопрос? Не знаю, возможно, гандбол. Ах, да, он видел себя учителем физкультуры – единственный урок в школе, который ему нравился. Он вполне мог бы стать физруком.

Интервью было напечатано в приложении к газете, посвященном «красно-черным» (цвета маек клуба «NOB»). Текст заметки начинался со слов: «Лионель Месси – игрок десятого дивизиона – нападающий команды. Еще мальчиком он был одним из самых перспективных в Leprosa Academy игроков, перед которым открывалось потрясающее будущее. Несмотря на свой маленький рост, Лео удается обойти игроков одного за другим, протекая между противниками, как капля, и увеличивая счет, но самое главное, что в этот момент он наслаждается игрой». В 1997 году Лео не стал звездой обложки этого приложения. Эту честь предоставили Клаудио Парису из основного состава, который несколькими днями ранее принял решение остаться в клубе.

Черно-белая копия статьи пересекла Атлантику.

Хорхе, Лео и друг семьи, который поехал с ними в аэропорт Эзейза, обсуждали эту статью по пути из Росарио в Буэнос-Айрес. Они добирались туда три с лишним часа – дорога показалась длиннее, чем была на самом деле, потому что была скучной, прямой, с одними дорожными знаками и бесконечными просторами. Лео, сидя на заднем сиденье, смотрел в окно.

Это было 17 сентября 2000 года. Воскресенье.

Из Эзейзы, сообщив об отъезде только самым близким и директору школы, они отправились в Барселону: в дороге им предстояло провести 24 часа.

«Первая поездка прошла отлично, потому что это было совершенно новое переживание. Я никогда прежде не летал на самолете, никогда не совершал столь долгих путешествий, и я наслаждался всем этим до тех пор, пока самолет не начал тихо двигаться...» (Лео Месси в интервью *Revista Barça*).

Память может сыграть с нами злую шутку: в полете их несколько раз застала турбулентность. Когда подали обед, Лео не смог есть – он спал, вытянувшись на трех креслах сразу в своих коротких брюках на тощих ножках. Его тошнило, болел живот. Он спал урывками и чувствовал себя совершенно отвратительно.

Несколько лет спустя он достаточно часто ощущал подобную тошноту перед тем, как выбежать на поле, поэтому порой спрашивал себя, было ли то болезненное ощущение, испытанное во время первого полета, действительно вызвано турбулентностью.

Компания прибыла в Барселону в полдень понедельника, 18 сентября, через семь месяцев после того, как было записано домашнее видео, где одни увидели в Месси нового Марадону, а другие — близкие — разглядели подлинный талант, который должен был помочь ему стать отличным футболистом, если все пойдет по намеченному плану.

Кто-то принес Месси килограмм апельсинов, чтобы он занимался с ними в течение недели. Семь дней спустя была сделана запись, на которой он делал 113 ударов по апельсину и 140 ударов по футбольному мячу, не позволяя им коснуться пола.

Рядом лежал теннисный мячик. «Дайте его Лео» — двадцать девять ударов подряд. Попробуйте сами и посмотрите, сможете ли сделать хотя бы три. Правда, у Лео было преимущество — он каждый день тренировался с мячом с утра до вечера. Во время игр, между ними, дома, на школьном дворе. Каждый божий день.

Восемь лет спустя MasterCard выпустила рекламу, используя некоторые из этих записей — вы можете посмотреть ее на YouTube.

С февраля, когда было записано это видео, члены семьи Месси спрашивали себя: «Когда мы поедем? Куда мы поедем? А мы поедем?»

Это стало темой ежедневных обсуждений, проходивших с волнением и неуверенностью.

На этом видео Лео был в майке клуба «Ньюэллс» и выполнял похожие на слалом пробеги и ведение мяча. Эти пленки оказались на столе Хосепа Марии Мингельи — известного агента многих игроков, имеющего серьезное влияние в Барселоне. Он также был членом каталонского клуба. Поначалу Мингелья не был особенно уверен в успехе — возраст мальчика и проживание его на другом континенте вызывали сомнения, которые разделял не он один. Тем не менее несколько месяцев спустя, отчасти убежденный впечатляющими техническими навыками Лео, продемонстрированными на записи, а отчасти под напором настойчивых коллег, поверивших в яркое будущее мальчика, он решил поддержать Месси и убедил «Барселону» позволить мальчику принять участие в испытательной игре.

Незадолго до этого «Реал Мадрид» тоже активизировался, пытаясь заключить с Месси контракт.

Из своего офиса Мингелья позвонил в Аргентину и предложил семейству Месси как можно быстрее собирать вещи и приезжать в Барселону. «Привозите мальчика». Лео должен был впервые лететь на самолете и пересечь Атлантику.

В конце лета из самолета на землю Барселоны ступил 13-летний аргентинский мальчик с чемоданом, гениальными ногами и мечтой об успехе. Он приехал бороться за место под солнцем в знаменитом футбольном клубе очень далеко от дома.

Те, кто видел его впервые – такого маленького, думали, что «Барселона» совершила ужасную ошибку. Столько усилий... и ради чего? Как кто-то столь маленького роста может стать хорошим футболистом?!

«Я стал поклонником «Барселоны» во времена Роналдо, а вскоре после этого появилась возможность сюда приехать. По правде говоря, я тогда очень волновался и стремился в клуб, чтобы увидеть все своими глазами, потому что до этого я слабо представлял себе реальную картину. Но попав в «Барселону», я еще не знал, насколько трудно мне придется» (Лео в интервью *Revista Barça*).

В тот день в Барселону прибыл не Лионель Месси, а просто взволнованный ребенок.

В песне Дэйва Садбери «Король Рима» говорится, что когда вы живете на свалке вроде Уэст-Энда в Дерби, вам не удастся воплотить свои мечты в жизнь. «Я знаю это» – говорит кто-то, кто хочет бросить вызов судьбе. «Человек может ползать, а может научиться летать / И когда вы живете так / земля кажется ужасно близкой».

В Росарио в 2000 году было как никогда трудно научиться летать. Клуб «Ньюэллс» отказал семье Месси в помощи – для увеличения роста Лео нужны были инъекции гормонов, которые стоили дорого. Если бы клуб заплатил, юный гений никогда бы не уехал из Аргентины.

До сих пор никто не слышал о спортсмене, пересекшем Атлантику в столь юном возрасте в поисках футбольного счастья: никогда еще 13-летние парнишки не уезжали из Аргентины, а европейские клубы не имели привычки заключать контракт с иностранными игроками такого нежного возраста. Ни у кого и никогда не было такой возможности, поэтому в Лас-Эрас никто не имел ни малейшего представления о том, что происходит. У Лео гепатит? Да? Может быть...

Мингелье сказали, что если «Барселона» готова оплатить стоимость дорогого лечения гормонами роста и предоставить работу отцу, то это будет достаточным условием для передачи им мальчика и Лео может приехать. Были звонки в «Реал Мадрид» и «Атлетико Мадрид», но они не сказали ничего конкретного. Если в «Барсе» проявят интерес, лучше быть с «Барсой» – это было единодушное мнение всех тех, кто занимался организацией перехода Лео в клуб.

Хосеп Мария Мингелья: Многие из тех, кто участвовал в организации этого контракта, не привыкли заключать договоры с такими молодыми игроками. Например, я начал переговоры с Пепом Гвардиолой, когда ему было 20 лет, таким образом, я стал его первым агентом в то время, когда он уже входил в основной состав. В то время еще не был разработан механизм работы с игроками 12, 13 и 14 лет, который сегодня четко отработан. Когда знакомые в Аргентине заговорили о необычном мальчике, моей первой реакцией было недоумение: право, что мы будем делать с мальчиком этого возраста? Поначалу у меня возникли определенные сомнения относительно Лео, но, в конце концов, я начал относиться к нему более серьезно. Я посмотрел запись, где он берет мяч фактически из собственных ворот и ведет его, обходя чуть ли не тысячу человек – да... он поразил меня, как никто другой. Несколько месяцев спустя я поговорил с президентом «Барселоны» Жоаном Гаспаром, спортивным директором Антоном Парерой, а также с техническим директором и советником президента Карлесом Решаком.

Карлес Решак: Однажды мы Мингельей играли в теннис, и он сказал, что знает одного мальчика – настоящее чудо... что-то вроде Марадоны. Но я много раз слышал нечто подобное, чудес не бывает. Позже Мингелья сообщил, что парень живет в Аргентине. Я подумал, что мальчику, наверно, восемнадцать или девятнадцать лет, но, когда Мингелья признался, что тому – 13, я заявил: «Ты с ума сошел, что ли? Неужели ты думаешь, что я в это влезу... Да ни за что».

Хоаким Рифе: В то время я был директором Академии в «Барселоне», и именно мне, в конечном счете, предложили мальчика. Карлес Решак был техническим директором клуба и, естественно, больше внимания уделял основному составу. Карлес Решак был хорошим другом Хосепа Марии Мингельи, который представил парня футбольному клубу «Барселона» – таким образом, именно он выслушал все, что тот счел необходимым рассказать о нем.

Карлес Решак: Это определенная процедура. Если мне говорят, что, например, в Сарагосе есть необыкновенно талантливый ребенок, я выясняю, кто он, где играет и куда я должен пойти, чтобы посмотреть на него. Затем я посылаю двух или трех человек, чтобы собрать о спортсмене информацию, и затем, если один из них говорит «да», а другой – «нет», я еду смотреть сам, и мой голос оказывается решающим. Позже возникает необходимость найти ему место в команде и решить множество других вопросов. Бывает другой сценарий: бывший игрок «Барселоны», скажем, Ривалдо, сообщает, что в Бразилии есть двенадцати- или тринадцатилетний мальчик, просто фантастический футболист. Я сразу же беру его слова на заметку: когда кто-то уровня Ривалдо говорит вам нечто подобное, это стоит принять во внимание. Если то же самое я услышу от простого знакомого, то не буду спешить с выводами. Однако даже если Ривалдо предложит поехать и посмотреть на юного гения, то я откажусь. Если он такой маленький и находится так далеко, пусть приезжает ко мне сам: мы вместе с тренерами Академии в течение пятнадцати дней понаблюдаем за ним, и если в течение первых нескольких дней он будет немного возбужден, ему придется справиться с собой. Представьте себе, что мы отправляемся в Аргентину или туда, где живет этот парень, а он в это время заболевает или не может играть по какой-то другой причине. Он должен быть невероятно хорош, чтобы мы нарушили все устоявшиеся правила и нормы.

Хосеп Мария Мингелья: Родители с мальчиком все равно собирались уехать из Аргентины. Если бы им не удалось закрепиться в «Барселоне», то они стали бы пробовать попасть в другие клубы. Я сказал Карлесу, что мальчик должен пройти курс лечения, за который в его стране клубы не хотели платить, и что «Барселона» должна будет взять на себя эти расходы.

Карлес Решак: Мингелья, которому я очень доверяю, сказал мне: есть парень, про которого говорят, что он – настоящий феномен. Что будем делать? После того, как Мингелья получил видео, на котором Лео демонстрировал владение мячом, прошло несколько месяцев. Было много раздумий: не знаю, он живет слишком далеко, он слишком молод – мы не могли принять решение... Это были месяцы неуверенности для семьи Месси: они недоумевали, что произошло с записью, интересен ли еще Лео, почему никто не выходит на контакт?

Карлес Решак: В результате я сказал Мингелье, что не готов отправиться в путь только для того, чтобы посмотреть на мальчика двенадцати лет... Если бы ему было хотя бы восемнадцать или двадцать... Так или иначе, именно тогда я сказал ему, что на Пасху, или на Рождество, или в какое-то другое время –

мы должны определить дату – нужно привезти мальчика с семьей и оставить у нас на пятнадцать дней.

Хоаким Рифе: Я сказал Решаку, что организовал игру, где он сможет посмотреть мальчика.

Гаспар, Парера, Рифе, Мингелья, Решак... Правящая элита «Барселоны» решила посмотреть на 13-летнего мальчика, приезжающего из Аргентины. Тяжеловесы. Присутствие команды «стариков» не осталось незамеченным тренерами Академии, которые в течение последующих двух недель должны будут оценить Месси и принять в отношении него окончательное решение.

Родольфо Борреллль: Я помню, что однажды в офисе кто-то показал мне две черно-белые копии статьи из аргентинской газеты, в которой говорилось о Месси. Чуть позже мне сообщили, что этот мальчик приезжает на просмотр. Я решил разыскать те бумажки, чтобы перечитать статью, потому что впервые столкнулся с аргентинскими терминами «gambeta» – дриблинг и «enganche» – сцепка, которые авторы статьи использовали, чтобы описать игрока, выступающего прямо за бомбардиром. Они сказали мне, что мальчик будет в моей группе, потому что он родился в 1987 году. Я всегда говорил, что главная причина, по которой я впервые занялся Месси, состоит в том, что я отвечал за тренировки мальчиков моложе 14 лет. Я знаю, что вы слышали, как тысячи тренеров утверждают, что были его первыми наставниками, но это неправда.

В аэропорту Эль-Прат в Барселоне семью Месси встречал Хуан Матео из офиса Мингельи, который и доставил их к агенту. В лифте пересеклись пути Месси и Чики Бегиристайна – будущего спортивного директора «Барселоны» и ближайшего помощника Мингельи. «Мы из Аргентины», – сказал кто-то из семьи Месси. Тогда Чики, взъерошив волосы Лео, сказал: «Этот мальчик, должно быть, очень хорош, но слишком мал».

После разговора с каталонским агентом Хорхе и Лео отправились в отель «Plaza». «Барселона» не оплачивала расходы на эту поездку: они никогда не делали ничего подобного. Мингелья, который знал владельца отеля, расположенного на площади Испании, позаботился, чтобы семейство Месси поселилось в номере 546 с отличным видом: за окном высился Барселонский выставочный центр, вдалеке можно было полюбоваться на Национальный дворец и фонтан Монжуик, который освещался по ночам в ритме звучащей на площади музыки; немного ближе находились башни, обрамлявшие улицу Avenida Reina Maria Cristina и возведенные для проведения Всемирной выставки 1929 года, а на переднем плане располагался знаменитый фонтан на площади Испании – классическая аллегорическая скульптурная группа, символизирующая реки, втекающие в три моря, омывающие берега Пиренейского полуострова.

Лео Месси оставил свои чемоданы в номере. Молодой футболист чувствовал себя немного лучше, но все еще был слаб после тяжелого перелета. Несмотря ни на что, Рифе сообщил Хорхе, что хочет увидеть Лео на тренировке. Сегодня. В шесть часов. Он должен пойти.

Родолфо Боррелль был его первым тренером в ФК «Барселона».

Родо, ныне директор Академии Liverpool FC, в сезоне 2000/01 года отвечал за юношескую команду «Барсы», которая позже станет широко известной. Сеск Фабрегас, Жерар Пике, Марк Педраса, Марк Валиенте, ВикторВаскес, Тони Кальво, Сито Риера, Рафаэль Бласкес – одна из лучших юношеских команд, которые когда-либо существовали в «Барселоне». Теперь в ней должен был появиться игрок, который прибыл с чем-то вроде собственной, уже сложившейся репутацией.

В тот вечер понедельника руководители Академии (Квиме Рифе, Кике Костас, Хуан Мануэль Асенси, тренеры Родольфо Боррелль, Хави Льоренс и Альберт Бенайжес) встретились на полях номер два и номер три рядом с Мини-стадионом – одно с травой, другое с искусственным торфом, – чтобы понаблюдать за успехами всей группы юниоров и, особенно, за новым мальчиком.

Карлес Решак не присутствовал на этой игре, поскольку уехал в Австралию, чтобы наблюдать за играми на Олимпийском футбольном турнире в Сиднее, где выступало много известных молодых игроков (среди них Тамудо, Хави, Пуйоль, Заморано, Суазо, Мбома, Лорен и Это'О). Вопрос об аргентинском мальчишке не требовал его присутствия: Решак принимал решения, касающиеся основного состава, а не учеников Академии. Если присутствующие убедятся в талантах молодого человека, то с парнем, порекомендованным Мингельей, заключат контракт. В противном случае этого не случится. Карлес организовал просмотр – в настоящее время от него больше ничего не требовалось.

В свой первый тренировочный день Месси чувствовал себя совершенно спокойным. Его все еще немного тошнило после поездки, но он был на своем месте, потому что начинала сбываться главная мечта жизни. В его распоряжении было две недели (в школе не отпустили на больший срок), когда он должен был продемонстрировать все, что он может делать с мячом. Это было легко.

Представьте себе, что вы никогда не видели стадион «Камп Ноу» или «Мини-Эстади».

Лео не видел.

Добравшись до полей, смежных с «Мини-Эстади» – «Камп Ноу» в миниатюре – «Блоха» задержался, прежде чем войти в раздевалку. Шагая в одиночестве, он чувствовал сильное смущение. Его мучила чрезвычайная застенчивость. Он начал переодеваться, еще не войдя в раздевалку, и закончил уже внутри, вдали от остальной группы – в углу, в полном одиночестве. Стоя. Сжавшись. Представьте себе людей, никогда не видевших Лионеля Месси, вроде этой группы игроков того же возраста или тренеров, которые лишь краем уха слышали о нем.

«Он такой маленький», – сказали подростки. Родо тоже был в раздевалке. «Сядьте, молодой человек» – обратился он к Лео, потому что этот парень даже не поздоровался, когда вошел, во всяком случае, звук, который он издал, не был похож на приветствие.

Для Сеска и Пике, которые тоже переодевались в этот момент, аргентинец был просто еще одним мальчишкой, который приехал на просмотр в «Барселону». Среди приезжих редко бывали иностранцы, не больше одного-двух человек. Ежемесячно прибывали несколько новых мальчиков. Пока Лео переодевался в углу, Родо обратился к группе: «Будьте осторожны с ним, он очень маленький, не задавите его».

Пике: В ту первую неделю Лео выбрал полную изоляцию: если рядом оказывалась группа людей, разговаривающих или смеющихся, он отодвигался на самый край скамьи. Был очень замкнутым, тихим, погруженным в себя.

Сеск: Приехало столько новых игроков, что мы не обращали на него особого внимания, но я отлично помню его первый день.

Молодые игроки глядели на него насмешливо: он перебинтовывал лодыжки.

Пике: Он был очень молчалив, почти ничего не говорил, и никто даже представить не мог, что произойдет через несколько минут.

Он был ростом один метр сорок восемь сантиметров.

С е с к: У него были довольно длинные волосы, а речь – мягкая и тихая, с аргентинским акцентом, он говорил едва слышно. По правде говоря, он вообще почти не говорил. Он был тихоней. Мы думали, что этот тип зря занимает здесь место...

Все так думали.

Один из помощников Боррелла заволновался. Он увидел, как Месси перевязывает ноги, и спросил, не травмирован ли он. «Нет-нет, это просто аргентинский обычай. Чтобы избежать растяжения связок».

Из группы 12–13-летних мальчишек продолжали доноситься язвительные замечания: «Настоящий карлик».

Месси выбежал на поле следом за Пике, который казался вдвое его выше: Лео доставал ему до пояса.

Хорхе стоял на трибуне и слышал, что говорили вокруг: «Он очень маленький, слишком маленький».

Группа начала разогреваться с мячом. Все были сосредоточены на работе с мячом. Один удар, два, три... десять, одиннадцать, двенадцать. «Он не опускает мяч», – сказал один из зрителей. Двадцать, двадцать один...

С е с к: Когда он начал бить по мячу, мы все увидели, что он сильно отличается от остальных мальчиков, которые приезжали на просмотр.

Постепенно Родольфо Боррелль начал переводить ребят из группы на отработку голевых ударов. И когда очередь дошла до Лео... начались проблемы.

С е с к: Он сразу же сделал из меня совершенного дурака. У меня был особый талант к обороне и умение справляться с возникающими на поле ситуациями. Теперь я потерял это умение. Раньше я мог легко перехватывать мяч – не знаю, как мне это удавалось. Лео заставил меня выглядеть невероятно глупо, вы даже не поверите, насколько. Ладно, если бы это произошло только в первый раз, когда вы этого не ожидаете и немного расслаблены. Но он проделывал это со мной снова и снова.

Месси был великолепен – юркий, целеустремленный, последовательный. Молодежь веселилась, наблюдая за движениями новичка. Он завоевал уважение группы. С этого момента любой, кто называл его «карликом», делал это с восхищением, даже страстью. Можно было услышать, как с трибун доносилось: «О, ничего себе. Это – что-то невероятное».

Лео приезжал на «Мини-Эстади» и соседние с ним футбольные поля на метро – четыре остановки по Зеленой линии. Поскольку ежедневных тренировок не было предусмотрено, он с отцом и одним из коллег Мингельи проводил время, прогуливаясь около порта, иногда посещая музеи, хотя не проводил там много времени – искусство не производило на него большого впечатления. Туристическим автобусом они съездили к собору Святого Семейства, посетили зоопарк и Старый Город. Вторник был свободным днем, а в понедельник, среду и четверг он был частью команды и вместе с ними тренировался на поле. В пятницу спортсмены были сконцентрированы на тактике, и роль Лео была менее активной. Выходные также были свободными днями, потому что он еще не мог участвовать в официальных играх.

Стоял сентябрь – все еще солнечно, жарко, но не так мучительно, как в августе – наиболее подходящая погода для прогулок в любое время дня. Аргентинская компания пользовалась этим: утром ехали в Ситжес на пляж, а затем посещали футбольный матч. В первую же субботу Месси посмотрел игру «Барселоны» против «Расинг Сантандер» на «Камп Ноу». Парни Лоренцо Серры Феррера, не самого популярного из тренеров «Барселоны», победили со счетом 3:1. Лео сделал фотографию, сидя на трибуне. Стадион был огромным, но шума толпы почти не было слышно.

Они хотели пойти 26 сентября на отборочный матч Лиги чемпионов между «Барселоной» и «Миланом», но не смогли достать билеты. Итальянцы победили со счетом 2:0.

Оставшееся время Лео проводил с мячом. Они играли головой в теннис в спальне отеля, он выносил мяч на террасу, чтобы обыгрывать воображаемых противников, и беспрерывно жонглировал мячом, а еще смотрел телевизор.

Лионель мало говорил, но не был робким – скорее погруженным в себя интровертом. Он очаровывал любого взрослого, который подходил к нему, но в первые дни односложно общался с товарищам по команде. Когда он уходил с поля, время начинало тянуться убийственно медленно – ему нужно было дождаться возвращения из Сиднея Карлеса Решака, потому что только он мог дать добро на подписание с ним контракта.

На поле он был совсем другим: рядом с новыми товарищами по команде он не казался робким мальчиком, который совсем недавно спокойно ел пиццу, гамбургеры, пасту или просто шел, погруженный в свои мысли.

Когда он оставался вечером один в комнате, то доставал толстый шприц-ручку и при свете прикроватной лампы делал укол в ту ногу, которая в тот день нуждалась в инъекции.

Все повторялось на следующий день: удары по мячу, поездка в город, пицца, тренировка во второй половине дня. Инъекция.

«Лео, делай то, что ты умеешь. Забери мяч, никому не пасуй и двигайся к цели» – Хорхе Месси советовал сыну использовать талант, который привел их в Барселону, при этом он помнил о настойчивых требованиях тренера Боррелла играть в футбол, выполняя один или два удара по мячу. «Мы должны продемонстрировать им твою игру, тебе надо показать себя». Лео особенно хорошо удавался дриблинг: в то время как остальная часть группы пасовала и покорно оставалась на своих местах, Месси действовал по-другому.

Так проходил день за днем. Он тренировался вместе командой юниоров А и в конце испытательного курса должен был сыграть с командой юниоров В. Отец наблюдал за ним с трибуны или стоя, облокотившись на забор, разделявший два поля.

Однажды Лео забил пять голов и дважды попал в штангу.

Он играл сам по себе, но делал это настолько убедительно и с таким талантом, что не стоило и пытаться исправить его. «Один удар, Лео!» – кричал Родо, но он забывал об остальных игроках команды. «Один или, самое большее, два удара». Для него не имело значения, что ему говорили. Лео играл, как он это делал всегда: легкими ударами, с невероятной скоростью, текуче, дриблингуя вправо и влево. Игрок с мячом – это больше, чем футболист, между ними есть огромная разница.

На другой день он забил шесть голов.

Хорхе не был уверен, приносит давление на сына пользу или вред. В какой-то момент друг Мингельи предложил награждать Лео за голы подарками. Например, если ему нравился рюкзак или футбольные бутсы, то он мог получить их в обмен на забитые голы – скажем, на пять голов. Его отец не был уверен, что это сработает, и предпочел не вмешиваться, но трудности мотивировали Лео. Однажды он забил четыре мяча, но один удар пришелся сначала по столбу ворот и только потом прошел в них. «Нет, нет, это не засчитывается», – сказали ему. Лео взбесился: «Мяч действительно попал в ворота!» Под угрозой оказался полный комплект спортивной одежды. Последовало горячее обсуждение ситуации. В конечном счете Лео получил подарок.

После первой недели тренировок бывший игрок «Барселоны» Мигели, работавший с молодежными командами клуба, попросил показать ему мальчика из Аргентины. Ему указали на Лео, который как раз был на тренировке. «Вон тот маленький парнишка, там, в середине поля». Он посмотрел на него. Мяч порхал над его левой ногой – Лео ждал указаний. «Мне не обязательно смотреть, как этот мальчик играет в футбол – по тому, как он стоит, можно понять, что парень – хороший футболист». Вот так. И ничего больше.

Не в бровь, а в глаз.

Было уже поздно – около восьми часов вечера. Мигели продолжал наблюдать за игрой: «Почему с ним не заключают контракт? Этот мальчик похож на Марадону больше всех, кого я когда-либо видел». Мигели знал, о чем говорит – он играл в «Барселоне» центральным защитником вместе с Диего.

Но шли дни, а никто ничего не говорил ни Хорхе, ни Лео. Они ждали решения Рифе и возвращения Решака, который все еще был довольно далеко от Барселоны.

Месси должны были вернуться Аргентину – шли занятия в школе, а Лео уже пропустил довольно много дней. Хорхе настаивал на том, что они не могут оставаться дольше, чем на неделю, а шел уже восьмой день.

Все шло наперекосяк.

В мифах о Месси есть спорный момент: утверждают, что некоторые тренеры «Барселоны» не верили в талант Лео, сомневались в необходимости подписывать с ним контракт и говорили одно в лицо, а другое – у него за спиной. Их имена произносятся шепотом, потому что некоторые до сих пор работают в клубе. Другие сделали успешную карьеру вдали от Камп Ноу, но, если информация будет обнародована, это может им повредить. Интерпретация ситуации Решаком еще сильнее сбивает с толку. «Кто-то мог бы сказать: да ладно, он слишком маленький, такие должны играть в мини-футбол. Настольный футболист... самый обычный!»

Но на самом деле просмотр прошел очень хорошо, более того – он имел решающее значение. Всего пяти минут на одной из тренировок было достаточно, чтобы продемонстрировать талант Лео. С тренерской точки зрения, уже не было необходимости в появлении Карлеса Решака на поле номер два или три, чтобы понаблюдать за Месси, его решающий голос уже не имел значения.

Но именно Решак должен был созвать собрание, из-за чего семейству Месси следовало оттянуть свое возвращение в Аргентину, но оказалось, что нет никого, кто был бы готов взять на себя ответственность за возможную ошибку (или, в лучшем варианте развития событий, успех) подписания контракта с 13-летним аргентинским мальчиком.

Чем же были вызваны колебания в отношении Месси?

Прежде всего, вовлечение в обсуждение тяжеловесов клуба (Решак – заочно, Мингелья, Антон Парере, Рифе) о потенциальной передаче юного футболиста было доказательством того, что происходило нечто особенное, необычное. Лео явно находился под защитой высокопоставленных лиц: участие такого количества значимых персон свидетельствовало о том, что определенно происходит что-то неординарное. По крайней мере, именно так все выглядело для тех, кто находился поблизости и наблюдал за развитием событий. Коллеги Родольфо Борреля провели много времени, присматриваясь к Лео, о нем, казалось, судачил весь город. Дебаты в основном шли не о его таланте, а о том, как использовать индивидуальность спортсмена, вписав ее в продуманную коллективную стратегию клуба.

Но интерес этих колоссов был не самым странным в данной ситуации.

В 2000 году сама идея притащить мальчишку из Аргентины в Испанию казалась сумасшествием: так никто не делал.

Таланты Лео были очевидны для всех. Анонимный источник, видевший его в течение тех двух недель в клубе, описывал Лео как *las ostia en patinete*, что буквально означает «собачьи яйца», а переводится приблизительно как «что-то, перемещающееся со скоростью молнии». Тогда он был таким же, как сейчас, но только в миниатюре – еще одно наблюдение из того же источника. Было бы нечестно высказать предположение, что причина, по которой тренеры не захотели его тогда взять, заключалась в том, что Лео был слишком маленьким. Было что-то еще.

Сейчас считается совершенно нормальным привезти в клуб мальчика любого возраста из любой точки земного шара. Имеются документальные свидетельства о сражениях за возможность заключить контракт с детьми, которым исполнилось всего восемь лет. Но в 2000 году это было новостью дня.

Всего за пять лет до этого при подписании контрактов с мальчиками 12–13 лет *(Infantile)* из Матаро, Гранноллерса, Сантпедора (городов, расположенных менее чем в часе езды от Барселоны) считалось, что они живут очень далеко, только подростки 14–15 лет *(Cadetes)* приезжали в Барселону со всех концов Испании.

А теперь вдруг заговорили о том, чтобы принять приехавшего молодого аргентинского парня, которому было всего 13 лет... стоп!

Много копий сломалось по этому поводу, но все в то время сходились в одном: независимо от того, насколько хорош игрок в юном возрасте, никто не может дать гарантию, что он станет футболистом первого состава или профессионалом. Ребенка забирают из семьи, лишают привычной среды и помещают в ситуацию, где у него нет никаких гарантий.

Конечно, сегодня Месси — лучший игрок в мире, и его история прогремела повсюду, но тогда тренеры молодежных футбольных команд не определяли его будущее, они просто обсуждали возможные риски. Клуб всегда проявлял осторожность, когда шла речь о подписании контрактов с игроками из отдаленных областей Испании, когда их отрывали от дома и школы. Совершенно логично, что в случае с Лео нужно было продумать те же самые моменты. Ориол Торт, один из самых известных скаутов, лидер и идеолог Барселонской Академии, всегда утверждал, что наилучший возраст игрока, чтобы подписывать с ним контракт, — 15 или 16 лет. Так было принято в 2000 году.

Так что же было в случае с Лео: недостаточная компетентность тренеров, как гласит легенда, или разумное опасение, вызванное уверенностью, что отрыв мальчика от привычной среды повлияет на его семью?

Был реальный пример — Андрес Иньеста. Мальчиком 12 лет он принял участие в Национальном турнире в Брунете, где играли команды первой лиги Чемпионата Испании (La Liga). Как это всегда происходит на важных турнирах, различные клубы послали своих скаутов. Лучшими игроками турнира были: Иньеста из Альбасете и Хорхе Тройтейро из Мериды. В то время не было приза за второе место, но дебаты начались по поводу того, кто из этих двух ребят лучше. «Барселона» приняла это к сведению, поговорила с семьей Иньесты и проработала детали контракта с игроком прежде, чем решить, что он должен остаться дома, а они будут следить за его успехами. Идея заключалась в том, чтобы взять его в Ла Масия (кузница юных талантов «Барселоны») два или три года спустя, когда он достигнет подросткового возраста (14—15 лет).

Отец Тройтейро не был готов спокойно принять поражение, поэтому он отправился на машине из Мериды в Эстремадуру в Западной Испании, через всю страну, чтобы попасть в головной офис «Барселоны»: его сын должен стать футболистом, в этом не может быть никаких сомнений. Он знал, что у клуба имелась положительная информация о мальчике, и семье пришла в голову идея обратиться в «Барселону». Старший Тройтейро ставил условие: либо клуб подпишет с ним контракт прямо сейчас, либо он отправится в Мадрид, в Валенсию или куда-нибудь еще. «Барселона» сообщила семье о том, какое воздействие их решение может оказать на душевное состояние мальчика, на его обучение в школе, но отец упорствовал. Это был его сын, и он собирался сделать ему карьеру в крупном клубе.

«Барселона», несмотря на возникшие вначале сомнения, уступила давлению, потому что мальчик – чрезвычайно способный левый крайний игрок – был очень талантлив, и было ясно, что вскоре он себя проявит в играх второго эшелона. Но в Ла Масия не было мальчиков его возраста. Что же сделала «Барселона»? Они вызвали Иньесту, который тоже был родом из Ла Манчи, чтобы он составил компанию Тройтейро – так он не будет чувствовать себя одиноким.

В конечном итоге Хорхе Тройтейро был уволен из Ла Масия за недисциплинированность, а Иньеста, который провел в слезах долгие месяцы в сельском домике, где жили начинающие игроки «Барселоны», не имевшие собственного жилья, несколько лет спустя забил гол, который впервые принес Испании звание чемпиона мира.

Так что в известной Академии Барселоны всегда витают оправданные страхи, сомнения и надежды, и, несмотря на разработанную сегодня методику поиска талантов, все равно нет никаких определенных гарантий успеха.

Родо Боррелль спросил Лео после восьми дней тренировок – он по-прежнему думает, что подписать контракт с «Барселоной» – хорошая идея? Лео ответил – «да». Ему не очень импонировали тренировочные методы в Росарио – там большее внимание уделялось физической подготовке, а здесь большая часть занятия проходила с мячом, что Лео очень нравилось. Он наслаждался этим и успел понять, насколько крупным был этот клуб. Это была достойная цель.

Он хотел здесь остаться.

Спустя десять дней после приезда Месси в Барселону практически все увидели его талант футболиста. Все было сделано. Он потратил почти две недели, которые должен был заниматься в школе, но было ясно, что любой клуб захочет получить Лео. Для «Барселоны» этот опыт стал уникальным, и никто не хотел рисковать: все ждали Карлеса.

Хорхе был готов вернуться домой. «Останьтесь еще на день, Решак вернется в понедельник», – сказали ему.

Президентский советник наконец прибыл из Сиднея и встретился с Рифе. Им предстояло решить много накопившихся проблем, и одной из них был аргентинский мальчик. «Пусть он играет в команде с более старшими ребятами. Я хочу посмотреть, что произойдет, когда он будет играть с более крупными мальчишками», — сказал Решак.

Карлес Решак: Я принял участие в обсуждении, где мой голос был решающим, потому что, если бы мои подчиненные просто посоветовали подписать контракт с Лео, я не стал бы раскошеливаться.

Заключительный просмотр состоялся 2 октября, в шесть часов вечера. Вместо глинистой поверхности, на которой Лео играл большую часть времени, ему придется играть на третьем поле с искусственным покрытием, расположенном напротив «Мини-Эстади».

Наступил решающий момент. Пути назад не было. На следующий день Лео и Хорхе должны были возвращаться в Аргентину. Все сто сорок восемь сантиметров Лео должны были оказаться лицом к лицу с подростками, которые были старше его на два года.

Многие приехали, чтобы посмотреть на Лео: Мигели, Рифе, Кике Костас, Хави Льоренг, Альберт Бенайжес, а также Родольфо Боррелль, у которого Лео тренировался в течение последних десяти дней. Все они сидели на скамейке запасных.

Игра началась. А Карлеса Решака все еще не было.

Он приехал позже, после обеда. Он лишь недавно приехал из Австралии и сказался сдвиг часовых поясов.

Две минуты спустя Карлес поднялся по ступенькам, ведущим к полю.

Карлес Решак: Я, как обычно, шел к полю и остановился, когда увидел, что Лео получил мяч.

Решак вошел в дверь, взял угловой флажок и прошел за воротами.

Карлес Решак: Его было легко увидеть, потому что он был просто крошечным, разве нет?

Месси получил мяч в центре поля и начал вести его, обходя всех, кто оказывался у него на пути.

Хорхе Месси: Карлос появился, а Лео начал двигаться.

Карлес Решак: Как я уже говорил, я шел позади ворот и продолжал идти...

Лео провел мяч мимо двух игроков, обошел вратаря. Счет открыт.

Хорхе Месси: Отличная игра. Гол!

Это был их единственный гол, команда, где играл Лео, проиграла со счетом 2:1.

Решак добрался до скамьи запасных, где собрались все тренеры.

Карлес Решак: Мне потребовались семь или восемь минут, чтобы составить мнение. Я пошел, чтобы сесть на скамью, и...

Спустя десять минут после прибытия Карлес Решак покинул поле номер три. Он всего несколько минут посидел на скамье, где собрались тренеры молодежных команд, развернулся и вышел тем же путем, каким пришел сюда.

Все ожидаемо, но он же едва взглянул на Лео!

Хорхе Месси решил, что Решак не уделил Лео внимания, которого тот заслужил после всех дней ожидания. «Заметил ли Карлес то, что удалось сделать Лео?» – спрашивал себя Хорхе. Конечно, этого было достаточно для того, чтобы оставить его в клубе. Не следует терять надежды.

В конце игры Лео ничего не сказал. Как всегда, он просто молча слушал.

Часть первая
В РОСАРИО

Глава 1

«ПАСУЙ, ЛЕО!» НО ОН НИКОГДА НЕ ПАСОВАЛ

Каждое воскресенье: последний – дурак!

Как бы ни складывались обстоятельства, в выходные Лео обязательно приходил к своей бабушке Селии и там, на маленьком бетонном пятачке перед домом, играл в «собачку» с братьями Родриго и Матиасом. А иногда они играли в фут-теннис. Приходили их кузены – Макси и Эмануэль, а несколько лет спустя у Клаудио и Марселы, тети и дяди Лео, родился третий кузен, Бруно.

Два камня служили стойками ворот. Там были забиты первые шесть голов. Так начиналась игра.

Бабушка Лео и ее дочери, Селия и Марсела, занимались на кухне приготовлением пасты с густым пряным соусом. Их мужья, Хорхе и Клаудио, и дедушка Лео – Антонио, оживленно болтали, сидя на диване в небольшой узкой столовой или на пороге, постоянно приглядывая за играющими детьми. Они смотрели на удары по мячу, замечали, как Эмануэль обходит партнеров по игре, а Лео – такой маленький, но как же сложно отобрать у него мяч!

«Хорошо, Макси, хорошо!» – кричал Хорхе, который играл во втором составе «Ньюэллс Олд Бойз», пока его не призвали на военную службу.

Пора садиться есть! Дети были голодны, но все равно отказывались бросить игру.

Перед тем как приняться за еду, надо было вымыть руки. Все заняли места за столом этого скромного дома с двумя спальнями, из которого никому никогда не хотелось уходить. Здесь все воскресенья подряд собирались все родственники: Клаудио, Хорхе, Селия, Марсела и их дети, которые всегда хотели играть в футбол. Иногда на диване устраивался ночевать один из внуков, чья очередь была остаться в этот день в доме бабушки. Они обожали свою бабушку Селию, и не только за восхи-

тительную пасту или рис. Селия была одной из тех бабушек, которые никогда ни в чем не могли отказать своим внукам.

Еда съедалась в одно мгновение. После восхитительного ужина, подхватив мяч, пятеро мальчишек с молочными леденцами в зубах направлялись к городской площади округа Бахада.

Там они заканчивали то, что было начато ранее, или начинали новую игру. Иногда они играли по четыре часа без остановок, а порой и еще дольше.

Часто крупные мальчики: Родриго, родившийся в 1980 году, Макси, появившийся в 1984 году, и Матиас, 1982 года рождения, – бросали вызов младшим мальчикам – Лео с 1987 года и Эмануэлю с 1988 года – он был отличным вратарем.

По ним били по очереди и намного жестче, чем на футбольных матчах юниоров. Намного. Лео и Эмануэль хорошо получали от расстроенных старших мальчишек. Особенно Лео. «Матиас, осторожней!» – кричал Хорхе.

Лео бегал за мячом, как безголовый цыпленок, а затем, когда получал его, казалось, что никогда больше не выпустит. У него вздувались вены от напряжения, лицо краснело, как помидор, – именно таким его запомнил дядя Клаудио. И не дай Бог, если он проигрывал! Он начинал плакать и закатывал истерику, набрасываясь на любого, кто пытался утешить его. Ему необходимо было продолжать игру до победы.

«Игра всегда заканчивалась ужасно: мы обязательно дрались. Даже если мы выигрывали, мой брат злил меня, потому что знал – я обязательно рассержусь. Это всегда заканчивалось ужасно – я рыдал и бесился» – из рассказа Лео аргентинскому журналу El Grafico.

Часто происходили столкновения с соседскими мальчишками. В воскресных матчах, проходивших на небольшой площадке неподалеку от дома бабушки, мог принять участие кто угодно. Команда Месси /Куччиттини никогда не проигрывала. Матиас объясняет это так: «Поначалу они не хотели играть против нас, потому что Лео и Эмануэль были еще маленькими, но, в конце концов, они их признали. Лео было девять лет, и он играл против восемнадцати- и девятнадцатилетних парней, которым не удавалось остановить его».

Стоит ли удивляться, что из такой талантливой семьи вышло несколько футболистов?

Юношеская сборная «Ньюэллса» заключила контракт с Родриго, когда ему было всего 11 лет, раньше он – как и все Месси – играл за «Грандоли». Он был очень результативным центральным нападающим – быстрым и хорошо тренированным. Родриго выбрали в своей возрастной категории, чтобы представлять Росарио на междугородних встречах. Лео рассказал «Коррьере делла Сера», почему его брат рано ушел из футбола. «Да, он был очень хорош, но, к сожалению, попав в автокатастрофу, сломал большую и малую берцовые кости, а если с вами тогда происходило что-то подобное, это становилось концом карьеры. Возможно, ему также недоставало упорства, чтобы стать профессионалом. Он обнаружил, что его тянет к кухне, и решил быть шеф-поваром».

Матиас год пробыл защитником во втором эшелоне «Ньюэллса», потом бросил футбол, но несколько лет спустя вернулся: последним клубом, в котором он играл, был «Club Atlético Empalme Central», участвовавший в соревнованиях региональной лиги Росарио. Матиас играл там до тех пор, пока ему не исполнилось 27 лет.

Максимилиано, старший из трех сыновей Марселы и Клаудио, кузен Лео, имел рост один метр шестьдесят пять сантиметров. Он регулярно забивал голы, играя в бразильской команде «Esport Clube Vitoria» чемпионата серии А, проходившем в Аргентине, Парагвае, Мексике, а также за бразильский клуб «Фламенго». Во время своей первой тренировки в парагвайской команде «Либертад» он разбил голову, но, будучи упрямым и упорным человеком, вернулся в футбол. Через день после преждевременного рождения его дочери Валентины, которая провела первые несколько дней в инкубаторе, он играл за «Фламенго». В тот же самый вечер Месси забил три мяча подряд для «Барселоны» в игре против «Валенсии» и посвятил эти три гола Валентине.

Эмануэль из Росарио, как и все остальные ребята из детской компании Лео, с кем он начинал в «Грандоли», сначала год был вратарем в «Ньюэллсе», а затем отправился в Европу, где стал левым полузащитником. В 2008 году он приехал в Германию, чтобы стать запасным в «TSV 1860» Мюнхена, а в следующем году перешел в основной состав. Он играл в испанском «Хироне» во втором эшелоне. Теперь этот футболист ростом сто семьдесят семь сантиметров играет в парагвайском «Club Olimpia» в первом дивизионе. Одно время он хотел играть за «Ньюэллс» с Макси и Лео.

Бруно родился в 1996 году и не участвовал в более ранних уличных соревнованиях, хотя позже с удовольствием играл в дворовых матчах и считался весьма перспективным футболистом клуба «Ренато Чезарини», базирующегося в Росарио, откуда вышли Фернандо Редондо и Санти Солари – сын одного из основателей клуба. Бруно похож на Лео внешне и манерой игры: он похоже бегает, бьет по мячу и торжествует, забив гол. Но следует соблюдать осторожность, сравнивая их. В феврале 2012 года на своей страничке в Twitter и Facebook Бруно пишет: «Жизнь без футбола совсем иная», но сегодня снова пытается вскочить на подножку того скорого поезда под названием «футбол».

Лео уехал в Барселону, когда ему было всего 13 лет, так что семейные обеды и футбольные матчи теперь случались очень редко. Мальчики росли, и жизнь разводила их в разные стороны, но в глубине души каждого остался кусочек детства – как и в каждом из нас.

Селия, бабушка Лео, умерла, когда ему было всего 10 лет.

Извилистое русло реки Парана, Памятник национальному флагу и Мемориал национального флага, два больших футбольных клуба и люди. Прежде всего, люди. Вот что может увидеть любой, кто посетит Росарио.

Что же это за город – Росарио?

Росарио расположен в 300 километрах от Буэнос-Айреса. До него – три часа по прямой, как стрела, дороге, которая разрезает огромную долину, соединяя родной город Лео и столицу Аргентины. В Росарио нет безумной толкотни большого города, это довольно изолированный, небольшой, но весьма гордый городок (жители требуют называть себя жителями Росарио, а не провинции Санта-Фе, к которой относятся в административном порядке). Здесь проводятся местные дерби: «Прокаженные» против «Негодяев», «Ньюэллс Олд Бойз» против «Росарио Сентраль»; половина жителей города против другой половины – самая страстная игра из всех, как полагают горожане, несмотря на то, что накал порой доводит до насилия.

«Прокаженными» именуют тех, кто причисляет себя к клубу «Ньюэллс», потому что сто лет назад они и «Росарио Сентраль» были приглашены принять участие в благотворительном матче для клиники, где лечили прокаженных. «Ньюэллс» принял предложение, а «Росарио Сентраль» – нет. С этого дня соперников «NOB» называют «Негодяями» (по-испански, кстати, это слово звучит знакомо для русского уха – «канальи»).

Въезжая по автостраде из Буэнос-Айреса, вы видите справа от кольцевой дороги море лачуг, выкрашенных в цвета «Росарио Сентраль», которые свидетельствуют, что это город «Негодяев». Но совсем скоро надписи на других домах убеждают вас, что Росарио – город «Прокаженных», потому что не меньшее количество зданий гордо носят цвета этого футбольного клуба. Окна этих лачуг, служащих домами множеству семей в предместьях Росарио, выходят на автостраду. Это бедные кварталы, где в домах земляные полы, а люди ездят на старых, совсем не винтажных мотоциклах без защитных шлемов. Через некоторое время бедность остается позади, и на смену убогим районам появляется индустриальный ландшафт.

В Росарио может возникнуть впечатление, что водители восхищаются пейзажем или чем-то увлечены, потому что ни один из них не обращает внимания на дорожные знаки или разметку. Возможно, это так и есть, а, может быть, дело в том, что, как говорят некоторые аргентинцы, дорожные знаки придуманы, чтобы помешать вам двигаться вперед.

Но еще до того, как вы доезжаете до конца автострады, перед вами появляются впечатляющие контуры современного города с ломаными линиями небоскребов. Теперь дорогу окружают деревья, и внезапно вы замечаете гигантскую современную фабрику, здание, покрытое снаружи лабиринтом труб, которые добавляют пейзажу странное индустриальное очарование. Жизнь растений обеспечивает река Парана – важнейшая речная артерия, приносящая с собой плодородную почву, в прежние времена служившая единственным источником богатства для этих мест. Затем начинается город, в который вы въезжаете через новый парк. Теперь с обеих сторон дороги мелькают двухэтажные здания. Кольцевая дорога поворачивает на широкий проспект, окруженный высокими, величественными старыми городскими кварталами.

Из Росарио, последнего человеческого жилья на границе с пампасами, деревни, притворяющейся городом, вышли, чтобы бросить вызов истеблишменту: Че Гевара, певец Фито Паэз, мультипликатор и писатель Роберто Фонтанарроса и великие футболисты Марсело Бьелса и Сесар Луис Менотти. Именно на этом куске земли обосновались тысячи европейских иммигрантов. Именно здесь родился культовый аргентинский символ: впервые был поднят сине-белый флаг Аргентины, созданный в 1812 году как знак отличия от испанских войск, с которыми боролись аргентинцы.

На пути к центру города раскинулся парк Независимости, описанный журналистом Эдуардо ван дер Кооем как место, «где город начинает демонстрировать свой собственный стиль и индивидуальность». У парка начинается изящный бульвар Ороно, похожий на парижскую открытку. В этой массе мощных деревьев и густой листвы спрятался стадион клуба «Ньюэллс». Улицы становятся узкими, и на многочисленных перекрестках вы никак не можете понять, у кого преимущественное право проезда – кажется, что правым будет тот, кто попал туда первым. Белые стены кажутся серыми, в кафе высокие потолки, большие венецианские окна из цельного стекла, откуда открывается приятный вид, и маленькие столики. В таких кафе мужчины часто проводят время, глядя на симпатичных девушек, в то время как дамы, включая достаточно пожилых, любят восторгаться телосложением молодых парней, каждый из которых выглядит вполне достойным, чтобы быть футболистом.

Любой аргентинец подтвердит, что самые красивые женщины в его стране – из Росарио. Причиной тому неотразимое соединение сербских и итальянских генов, которые, объединяясь, создают удивительную красоту – светлые волосы и глаза и оливковую кожу. Натуральное питание способствует тому, что у жителей Росарио здоровый и сияющий цвет лица. Росарио – один из самых производительных сельскохозяйственных районов страны: город окружен сельскими районами, специализирующимися на соевом масле и пшенице. Молодежь здесь растет здоровой и сильной.

Вы не увидите здесь показательно выставленных футболок ни одного из соперничающих клубов, ни национальной сборной, хотя футбольные поля есть везде, иногда даже одно поле на два городских квартала. Здесь есть пять или шесть лиг, и многие футболисты играют не за одну: закончив одну игру, они садятся на мотоцикл и отправляются на другую, играть за соседей. В Росарио любой, кто не бегает на поле, имеет отношение к футболу: организатор, тренер, рефери или кто-то еще. Включая женщин.

«Росарио отличается от других городов своей уникальной страстью к футболу», – говорит Херардо (Тата) Мартино, бывший менеджер «Ньюэллса», работающий в «Барселоне». – Пригороды Росарио – конвейер игроков, футбольная фабрика, которая производит таланты. Футбольный талант – главная мечта всех мальчишек города. Академия Росарио так важна, потому что сумела выпестовать таких великих спортсменов, как Вальдано, Батистута и множество других, среди которых Лионель Месси – вишенка на торте».

Он мог бы назвать и Марио Кемпеса, Абеля Бальдо, Роберто Сенсини, Маурисио Почеттино и еще многих других. Действительно, десять игроков основного состава в команде Алехандро Сабельи при подготовке чемпионата мира 2014 года были родом из Росарио, включая Хавьера Маскерано, Эвера Банегу, Анхеля ди Мария, Эсекьеля Лавесси, Макси Родригеса, Игнасио Скокко, Эсекьеля Гарай... и, конечно, Лео.

Именно в Росарио была придумана «Церковь Святого Марадоны» (наполовину в шутку, конечно), посвященная Диего, которого здесь считают величайшим игроком в истории футбола. Каждый год 30 октября – в день его рождения – здесь проводят псевдорелигиозную церемонию в его честь, пародируя католический обряд. В 1993 году Марадона некоторое время играл за «Ньюэллс». Дебют Лео также состоялся в черно-красной майке.

Футбол в Росарио – это жизнь, а жизнь – это футбол. Дух города выражает один конкретный гол – согласно Книге рекордов Гиннесса – самый знаменитый в истории футбола. Это произошло 19 декабря 1971 года во время матча, сыгранного при удушающей жаре в Буэнос-Айресе между «Негодяями» и «Прокаженными». Это были игры полуфинала Национального чемпионата и единственный случай, когда эти два клуба встретились в столице страны.

Ни одна из команд не могла в этом матче забить гол в ворота соперника, шло сражение за контроль над полем. Затем, на 13-минуте, произошло нарушение правил рядом со штрафной площадкой «Ньюэллса». Альдо Педро Пой, нападающий «Росарио Сентраль», сумел туда прорваться и обратился к одному из операторов (что это было – предупреждение или предсказание?): «Готовьте свои камеры, сейчас что-то будет». Вот так все и произошло. Пой, борясь со своим опекуном, перед тем как уйти от него, взлетел в воздух, изогнув тело и вытянув руки. Гол. Удар головой в полете. Ну и что такого, что мяч попал в живот центрального защитника Ди Риенцо, сбивая вратаря с толку. Это был решающий гол: вечный конкурент был выбит в полуфиналах. «Росарио Сентраль» сумел выиграть финал – впервые в истории клуба «канальи» завоевали титул чемпиона, однако это не стало столь знаменательным, как удар в полете Поя. В течение последних трех десятилетий каждый год 19 декабря на поле Центрального стадиона происходит событие, носящее честолюбивое название *Organizacion Canalla* Латинской Америки: в этот день кто-то выполняет поперечный пас, и Пой воспроизводит свой полет. В последнее время, по словам самого Поя, проблема не столько выполнить удар, сколько снова потом подняться.

Таков Росарио. Таков футбол. Месси взялся не из пустоты, как и Альфредо Ди Стефано или Диего Армандо Марадона. Дело не только в пресловутом «аргентинском гене», но есть еще одно – все трое родились в стране, где каждый день футбол ведет вас к меньшей (признание соседей) или большей (всемирная известность, деньги) славе.

Но, как говорил Мартино в интервью для журнала *Panenka*, на улицах Росарио можно найти много прекрасного исходного материала и страсти к футболу, который так или иначе обязательно найдет выход. «Именно поэтому так важна работа Хорхе Гриффы. Это человек, который, перестав играть сам, отлично понимал, чего он хочет. У него не было стремления стать менеджером команды в клубе «Primera». Гриффа – создатель игроков, который никогда не предавал свои идеи. Начиная с середины семидесятых годов, в течение последующих 20 лет он многое сделал для NOB. Позднее он стал тренером молодежных команд в Бока, но всегда был одержим одной идеей: создавать новых игроков».

Гриффа обладает удивительным нюхом на перспективных игроков, свой несомненный талант в этой области он распространяет на своих помощников. Так, Марсело Бьелса был одним из его ассистентов, который колесил по стране из конца в конец, ведя неустанный поиск скрытых бриллиантов. Бьелса проехал тысячи километров на своем крошечном «Фиате-147», и его нелегкий труд принес огромную пользу «Прокаженным». «Ньюэллс» стал чемпионом в 1988 году, когда главным тренером команды был Хосе Юдика, а также в 1991 и 1992 годах, когда главным тренером стал сам Марсело Бьелса. Гриффа также сумел в решающий момент распознать талант Месси, хотя к тому времени его футбольная карьера еще была в самом начале.

В Росарио повсюду ощущается аромат футбола, но, как ни странно, в воздухе не пахнет Месси. Вы вряд ли найдете фотографии, рисунки или даже рекламные щиты с изображением Лео. Любой может рассказать вам пару историй о «Блохе», но считается вульгарным выставлять повсюду его портреты. Правда, возможно, горожане просто решили проявить уважение к его сдержанности.

Но для Лео Росарио – это все. Когда вы спрашиваете его о любимых местах в жизни, ответ один: «Мой дом и местность, где я родился».

В течение многих десятилетий семья Месси жила в небольшом домике в пригороде, приблизительно в четырех километрах к юго-востоку от центра Росарио, в предместье Ла-Бахада. Это типичный малоэтажный район, где не запирают парадные двери, а из окон несется музыка, болтовня и смех. Дети играют на улицах. Машин мало. Кажется, будто в Бахаде время остановилось. В этом сонном квартале, где живут в основном рабочие, на участке номер 525 на узкой Калье Эстадо де Исраэль стоит дом Хорхе Месси, который он построил собственными руками.

Его отец, дед Лео – Эусебио, по профессии был строителем, и Хорхе быстро научился делать все сам. Вдвоем они в выходные клали кирпич за кирпичом на земельном участке, купленном семьей, в 300 квадратных метров. Сначала дом был одноэтажным и того же размера, что и все другие здания на улице, с задним двором, на котором можно было играть. Одна стена выходила к дому Синтии Арellано, которая была одного возраста с Лео и стала его лучшим другом. Сегодня дороги там вымощены гораздо лучше, есть уличное освещение и водостоки. В доме надстроен второй этаж, есть забор (единственный на улице) и камера видеонаблюдения, но дом почти всегда заперт.

В этом доме Хорхе Месси, Селия Куччиттини и их четверо детей прожили первые годы семейной жизни. Лео вспоминает в интервью для «Коррьере дела Сера»: «Маленький дом. Кухня, гостиная, две спальни. В одной спальне спали мои мама и папа, в другой – я и мои братья».

Это была улица Лео – всего в 200 метрах находилось неровное поле без ограды, заросшее дикой травой, где дети играли в футбол. Рядом с полем стоял киоск, где работал Матиас в то время, когда Лео уже был в Барселоне. Он до сих пор стоит на том же месте, прямо рядом с домом, где жил Матиас, который позже передал его родственнику. Если пойти в верхний конец улицы, там вы увидите дом, где жила бабушка Селия, а немного дальше – двоюродные братья и сестры, а рядом – бабушка и дедушка по отцовской линии – Роза Мария и Эусебио Месси Баро, который до сих пор, в свои 86 лет, спустя много лет после ухода на пенсию, каждое утро встает, чтобы открыть скромную пекарню, устроенную им в своем доме. Пекарня работает вот уже 50 лет.

Здесь все начинается и все заканчивается. Это сплоченное семейство – та плодородная почва, на которой были взращены все Месси и Куччиттини. Лео предан своим родителям, брату, кузенам, дядям, но особенно матери: он вытатуировал ее лицо у себя на спине. «Он сделал это, ничего никому не сказав. Однажды Лео пришел и показал нам татуировку. Мы чуть не упали в обморок от шока. Мы и подумать не могли, что он сделает нечто подобное. Но это его тело, и мы ничего не можем ему сказать», – объяснял его отец в книге Сика Родригеса «Обучен побеждать», в которой собраны истории, рассказанные родителями самых известных выпускников школы Ла-Масия футбольного клуба «Барселона».

Здесь также живут лучшие друзья Лео, с которыми он до сих пор встречается всякий раз, когда выдается свободная минута. Для Месси Росарио и район Ла-Бахада олицетворяет детство, «истинную родину человека», как сказал бы поэт Рильке. Это место, куда ему хочется вернуться, что он постоянно и делает, место, которое он никогда не покидал, место, которое он воссоздал для себя в Барселоне, чтобы облегчить себе там жизнь.

При малейшей возможности Месси возвращается домой к семье. Именно в Росарио он отправляется всякий раз, когда у него возникает достаточно длинный перерыв в тренировках и играх, летом или на Рождество. Сейчас он бывает в городе не так уж часто, так как купил большой дом в предместье, но порой его можно увидеть разъезжающим на велосипеде по улицам родного квартала. Иногда он ездит и по соседним районам – например, летом 2013 года его видели в супермаркете, где он толкал перед собой тележку, наполненную сластями, вином и хлебом. Он целый день провел в Галегайучу, где, несмотря на то что он не снимал кепку, его легко узнавали и просили сфотографироваться. Ему пришлось привыкнуть к тому, что его постоянно фотографируют на улице. Никакой возможности избежать этого нет.

В родном городе у него есть подруга, с которой Лео связывают длительные отношения. Антонелла Роккуццо, как и Лео, родом из Росарио, кузина его лучшего друга, Лукаса Скалья, который играет за «Депортиво Кали» в Колумбии. Он познакомился с ней, когда ей было пять лет, и сегодня она – мать его сына Тьяго. Но все могло сложиться и по-другому. Антонелла и Лео на некоторое время расстались, когда он был просто мальчишкой, стремящимся привлечь ее внимание, а она – симпатичной маленькой девочкой, которой это было неинтересно. Лео отправился в Барселону, а когда вернулся домой на праздники, их роман вспыхнул с новой силой.

Обратите внимание: Роккуццо, Скалья, Месси, Куччиттини – все эти семьи – внуки и правнуки итальянских иммигрантов, которые приехали в Росарио из Реканати и Анконы, городков региона Марке в Италии. В Лионеле также течет испанская кровь. Росарио привлекал европейцев, главным образом испанцев и итальянцев, которые в первые десятилетия существования города составляли почти половину населения. Одна из прабабушек Лео, Роза Матеу и Джезе, родом из области в Пиренеях около Льейды под названием Бланкафорт-де-Траго-де-Ногуэра, ее привезли в Аргентину еще ребенком. Во время плавания по Атлантике она повстречала мужчину из Белькайр д'Урхель – Хосе Переса Соле. Когда вы покидаете родные края, возникающие новые привязанности становятся сильными и длительными, выступая для иммигрантов спасательным кругом. Это и есть настоящий Новый Свет – фундамент новой жизни. Роза и Хосе поддерживали друг друга в чужой стране во всех начинаниях. В конечном счете, они поженились в Аргентине, и у них родилось трое детей, одним из которых была Роза Мария, жена Эусебио Месси – мать Хорхе Месси – отца Лео.

Недавно «Коррьере дела Сера» провела интересный эксперимент, предложив Лео вспомнить корни семьи Месси.

– Они были из Реканати, как и Джакомо Леопарди.

– Кто он был?

– Великий поэт: *Sempre caro mi fu quest'ermo colle / e questa siepe, che da tanta parte / dell'ultimo orizzonte il guardo esclude.*

– Я никогда не слышал о нем. Извините.

– Возможно, вы слышали о Мадонне из Лорето. Это рядом.

– Нет. Извините. Где это?

– Регион Марке. Центральная Италия. Вам никогда не было любопытно навестить места, откуда родом ваши бабушка и дедушка?

– Нет. Я думаю, что мой отец знает это место. Он был там и видел наших родственников. Возможно, однажды я тоже съезжу туда.

– Но, по крайней мере, вы видели «Отель иммигрантов» в Буэнос-Айресе? Это место, где жила большая часть итальянцев в первое время по приезде в Аргентину.

– Нет, я его не знаю.

Затем журналист показал ему несколько старых черно-белых фотографий тех, кто отправился на поиски счастья в пампасы. Суровые женщины в платках и длинных черных юбках. Тощие босые дети. Огромные кастрюли для еды. Мужчины в темных пиджаках, белых рубашках и фетровых шляпах. Взгляд, устремленный в неизвестность, взгляд, который стоит того, чтобы быть запечатленным в печальной лирической песне.

Лео посмотрел на них с некоторым любопытством, но не более того. Для него все начинается и заканчивается в Росарио.

Семья Месси/Перес обосновалась в Лас-Эрасе. Рядом с домом Оливера Куччиттини, родителей Селии, которые также имели итальянские корни. Между Хорхе и Селией вспыхнул огонь любви, и они не стали тратить время впустую: в возрасте всего 15 и 13 лет они поняли, что произошло, и не стали бороться со своим чувством. Пять лет спустя, когда Хорхе возвратился с военной службы, они поженились.

Они планировали отправиться жить в Австралию. Стал бы австралийский Лео футболистом или даже звездой футбола? Мы вернемся к этому позже, но оказалось, что молодая семья Месси предпочла продолжать жить неподалеку от родителей. Селия в течение многих лет работала в мастерской, где делали магнитные катушки для промышленности, а Хорхе, как и все остальные иммигранты, был готов выполнять любую работу, которая обеспечит доход, – неважно, нужно ли с шести утра точить винты в мастерской или ходить от двери к двери, собирая ежемесячные медицинские страховки. Но он знал, что для того, чтобы обеспечить лучшее будущее себе и своей семье, он должен упорно трудиться. После четырех лет, проведенных в Академии «Ньюэллс Олд Бойз», он не стал футболистом, поэтому начал учиться по вечерам, с пяти до девяти, чтобы стать инженером-химиком. Ему потребовалось восемь лет, чтобы завершить обучение. Ему было 22 года, и его усилия приносили свои плоды.

Хорхе пошел работать на Acindar – один из главных заводов по штамповке стали в Аргентине. В 1980 году родился его первый сын – Родриго. Чтобы добраться до фабрики, расположенной приблизительно в 50 километрах от Росарио, ему приходилось ездить на работу на заводском автобусе. На заводе поощрялись конкурсы, и Хорхе, участвуя в них, стремительно поднимался по карьерной лестнице в компании, в конце концов став менеджером. На его зарплату без труда могли прожить трое или четверо: в 1982 году появился Матиас. Вот что говорит второй Месси/Куччиттини: «Мой отец был рабочим, но мы никогда ни в чем не нуждались, при этом он всегда был таким же скромным, как и сейчас. Мы всегда работали, чтобы обеспечить себе лучшую жизнь, – мой старик, моя старая мама, я... и все братья смогли учиться в лучших школах. Мы ни в чем не нуждались».

У них был дом, где всегда была хорошая еда, которую никогда не выбрасывали. Лео подтверждает это в интервью «Коррьере дела Сера»: «Мы едим блюда аргентинской или итальянской кухни: спагетти, равиоли, колбаса чоризо... Я обожаю говядину «миланеза». Моя мать умеет делать ее как никто другой. Исключительно. Обычную или с соусом, помидорами и с сыром сверху. Наша семья жила скромно, но бедными мы не были. Честно, мы ни в чем не нуждались».

Существует распространенное заблуждение относительно происхождения большинства аргентинских футболистов: их считают выходцами из низов, в то время как подавляющее большинство из них – отпрыски из того слоя населения, который можно классифицировать как средний класс. Это не беднота. Мало кто из футболистов родился в рабочих кварталах и добился успеха в аргентинском футболе, по крайней мере, после Диего Марадоны, который родился в трущобах Фиорито на юге Буэнос-Айреса.

По правде говоря, бедняки редко попадают на просмотры в футбольные клубы – порой вследствие отсутствия контактов, а иногда потому, что у них нет денег, чтобы оплатить обучение, купить комплект одежды и снаряжения, должным образом питаться или ходить в футбольную школу со всеми соответствующими затратами: без этого вряд ли кто-то из них станет профессионалом. А те ребята из низов, которым все же удается попасть в клуб, не приучены к непрерывным занятиям, у них нет настойчивости из-за отсутствия четкой семейной организации, а также потому что они живут в деревнях и общинах, где не приняты дисциплина и жертвенность, а средством отвлечения от окружающей действительности там являются наркотики. Поэтому из бедноты вышло очень мало профессиональных футболистов. Конечно, есть и такие – например, Рене Хаусман (чемпион мира 1978 года), Марадона (несмотря на то, что ему никогда не приходилось голодать), Карлос Тевес, Эсекьель Лавесси или Чипи Бариджо – сейчас он занимается тем, что возвращает футболу то, что тот дал ему: берет детей с улицы, кормит и обучает их в «Бахо Флорес». Но таких очень мало.

Аргентинские футболисты в основном происходят из среднего класса – части общества, которое испытывало большие трудности в последнее десятилетие двадцатого века, когда из-за инфляции песо ежедневно падал, а рост экономики Аргентины затормозился.

Будущее выглядело довольно мрачным.

Облик Аргентины в восьмидесятые годы значительно изменился. Фолклендская война 1982 года и освоение островов, занятых Великобританией, отвлекали внимание общественности от непрерывного и все усиливающегося провала экономической политики военной хунты, которая в то время управляла страной. Повсюду ощущалось социальное напряжение, постоянно увеличивалась инфляция. Надежды аргентинцев умирали вместе с людьми. Провал военной кампании вызвал взрыв негодования, который вылился в решительные действия, приведшие к свержению режима хунты. В декабре 1983 года в стране победила демократия.

Четыре года спустя страна оказалась на грани гражданской войны после того, как к власти пришла группа молодых офицеров, известных как «Раскрашеные лица» *(Carapintadas)*, под предводительством полковника Альдо Рико. Армия не могла больше терпеть оскорбления и решила положить конец судебным процессам, во время которых военных преследовали по суду за нарушения прав человека. Даже при том, что аргентинцы вышли на улицы, чтобы защитить демократию, и, несмотря на общенациональные забастовки по всей стране, включая Росарио, президент Рауль Альфосин поддался давлению и принял закон, освобождающий военнослужащих в ранге ниже полковника от ответственности за такие преступления, как исчезновение вследствие действий других лиц, незаконное задержание, пытки и убийства. Аргентинское правительство старалось скрыть позорное прошлое и отлакировать этот кусок истории.

Между 1984 и 1985 годом произошло около 15 взрывов в различных городах, включая Вилла Конститусьон, расположенного неподалеку от фабрики, где работал Хорхе Месси, что привело к хаосу – это было ответом оскорбленных аргентинцев, не желающих забыть темное прошлое и подчиниться шантажу военных. В последующие месяцы улицы городов по всей стране были заполнены протестующими, требующими поднять зарплату и вести более справедливую экономическую политику.

24 июня 1987 года, в самый разгар экономического и политического кризиса, почти через год после того дня, когда Марадона выиграл Кубок мира в Мексике, и на пятьдесят вторую годовщину смерти композитора и актера Карлоса Гарделя, родился Лионель Андрес Месси.

При родах возникли проблемы.

Доктора боялись, что им, возможно, придется применять щипцы, потому что диагностировали дистресс-синдром плода. Хорхе боялся последствий для ребенка, который, в конце концов, родился сам, правда, был более красным, чем обычные дети, и одно ухо у него было слегка деформировано. Врач Норберто Одетто заверил родителей, что этот дефект исчезнет через несколько дней.

Третий сын 27-летней Селии Куччиттини и 29-летнего Хорхе пришел в этот мир в итальянской клинике в Росарио. Он весил 3,6 килограмма, а его рост был 47 сантиметров.

Лео. Лионель. Так родители решили назвать ребенка. Легенда, что имя дали в честь любимого в семье Месси певца Лионеля Ричи, остается только легендой.

Хорхе отправился в бюро регистрации, согласившись с Селией в том, что младенца следует назвать Леонелем. Звучало хорошо, но не совсем правильно, по его мнению. Прибыв на место, он попросил выдать ему список других имен, которые он может использовать: отец не хотел, чтобы ребенка сокращенно звали Лео. В списке было английское имя «Лионель», которое понравилось Хорхе. Именно таким образом в документах появилось знаменитое имя. Дома произошел скандал, потому что (во имя всего святого, Хорхе!) все было сделано не так, как решено! Это была лишь небольшая ссора, но Хорхе не удалось переспорить судьбу – сегодня весь мир знает его сына как Лео. Единственным утешением для отца остается тот факт, что в Аргентине имя его сына пишется «Лио».

Лео начал ходить в девять месяцев, и часто можно было видеть, как он бегает за мячом, который его братья оставили дома. Лишь только поднявшись на ноги, Лео тут же начал стремиться выбраться за порог. Парадную дверь часто оставляли открытой, потому что автомобили в этом районе проезжали редко.

Однажды, когда мальчик вышел из дома на улицу, его сбил проезжавший мимо велосипедист.

Естественно, Лео закричал и заплакал. Казалось, ему не причинили вреда, однако, когда мальчик заснул, выяснилось, что его рука опухла, причем довольно сильно. В больнице определили перелом локтевой кости левого предплечья – первый признак слабой конституции. А также невероятную нечувствительность к боли.

На праздновании года Лео получил свою первую майку с логотипом «NOB», потому что вся семья, за исключением самого мятежного ее члена – Матиаса, который был «Негодяем», считала себя «Прокаженными».

Новый Месси уже в раннем детстве играл с мячом вместе с братьями. Футбол привлекал его больше, чем мультфильмы, поэтому на третий день рождения он получил в подарок мяч с рисунком из красных ромбов. «Присмотрите за ним!» – кричала его мать, когда он в четырехлетнем возрасте выходил погонять мяч со старшими мальчиками. «Моя мать позволяла мне выходить на улицу поиграть в футбол, но, поскольку я был младше других, ей всегда приходилось сидеть около поля, присматривая, не начинаю ли я плакать. Это сильно повлияло на меня», – рассказывал Лео в интервью колумбийскому журналу *Soho*.

Дальнейшее знакомо многим, особенно тем, кто рос с мечтой стать футболистом, и особенно тем, кто на самом деле стал им.

В постели Лео не мог спать, не чувствуя рядом мяча. Обычно он клал его себе в ноги и был в отчаянии, когда мяч забирали из постели. Для него футбол был неотъемлемой частью жизни: когда мать посылала Лео в магазин, он шел с мячом или вообще отказывался идти. Если мяча под рукой не оказывалось, он ухитрялся обойтись свернутыми сумками, футбольными гетрами или чем-то, что ему удавалось найти. «Лео выходил из дома с мячом, жил с мячом, спал с мячом. Его интересовал только мяч», – вспоминал Родриго Месси в видеофильме, показанном во время праздничного награждения «Золотым мячом» в 2012 году. Хорхе настаивает, что он занимался с друзьями и чем-то еще – катался на велосипеде, играл в шарики или на PlayStation с соседями, смотрел телевизор. «Он был нормальным мальчиком», – не устает повторять отец. Но при этом, «сколько я помню, мяч всегда был неподалеку», – все же признался Хорхе в интервью немецкому журналу *Kicker*.

Хорхе, который сам подавал надежды как центральный полузащитник в команде второго эшелона «NOB», рассказал Рамиро Мартину в книге о Лео «Месси: гений в школе футбола», что однажды Лео удивил всех.

«Однажды мы с сыновьями играли в «собачку» на улице. Мяч был у ног Родриго, а Лео стоял посередине, гоняясь за мячом. Внезапно он бросился в ноги брату и забрал у него мяч. Мы все удивленно посмотрели друг на друга. Никто не говорил ему сделать так. Это получилось совершенно естественно».

С этого момента все стали обращать внимание на мальчика и отмечать его талант. Все хвалили его, а Лео чувствовал себя счастливым, видя их радость, и сам был доволен собой. Как и любой другой мальчишка, он хотел больше играть с мячом, чтобы получать дополнительные порции внимания и радости. В интервью *El Grafico* Хорхе вспоминает, что «когда сыну исполнилось четыре года, мы поняли, что он не похож на остальных. Когда Лео был с мячом, тот буквально не отрывался от носков его ботинок. Мы не могли в это поверить. Став постарше, он начал играть со своими двумя братьями, семи и пяти лет, просто танцуя вокруг них. Это – дар божий, данный ему при рождении».

Тот маленький тихий мальчик, который проводил время дома или у тети Марселы, «которому нравился только футбол» (как вспоминает его подруга и соседка Синтия Ареллано), вскоре начал привлекать к себе внимание на узкой улочке Калье Эстадо де Исраэль. Дом Синтии – ровесницы Лео – стоял в Ла-Бахаде рядом с домом Месси. Они вместе учились в школе в младших классах, и он сидел в классе рядом с ней или позади нее во время экзаменов. С Синтией «Малявка» общался довольно много. («Так называли Лео. Однажды какой-то мальчик крикнул: «Иди сюда, малявка – и прозвище приклеилось», – вспоминает его лучшая подруга, ставшая психологом и учителем в школе для детей с затруднениями в учебе.) Синтия была человеком, убеждавшим его не бросать школу; объяснявшим другим, что Лео пытается сказать; тайком передававшим нерадивому ученику шпаргалки во время экзаменов; делившимся угощением и тайнами; помогающим и прикрывающим отсутствие мальчика в классе и тем, кто произнес маленькую ложь во спасение, соврав, что она – его кузина.

Именно Синтия узнала о дефиците гормонов роста, потому что однажды мать Лео попросила ее мать проследить за тем, чтобы Лео ежевечерне делал себе укол.

«Лионель был маленьким, всегда носился босиком и играл с мячом», – рассказывает другой сосед Месси, Рубен Маникабале. «Мы часто сердились на него, хватали и швыряли на землю, но он обычно вставал и продолжал игру».

Член семьи Кирога – соседей, живших напротив Месси, – вспоминал, что «большинство детей, в отличие от Лео, не играли весь день с мячом. Все расходились вечером по домам, а он продолжал играть один. Взрослые ругали мальчика за то, что он остается на улице допоздна, но тот все равно не мог расстаться с мячом».

«Когда он играл, порой по нему попадали мячом. Он падал и плакал, но вскоре поднимался и бежал снова. Видно было, что он отличался от других – умение, скорость...» – вспоминает Синтия.

Считается, что Родриго был первым, кто придумал прозвище «Блоха». По правде говоря, никто в родных местах так Лео не называет. В семье уверены, что так начал говорить о Месси мексиканский футбольный комментатор Энрике Бермудес, известный как один из самых престижных испаноязычных голосов, чемпион развлекательных программ. «Пес» Бермудес – он известен под этим прозвищем – был рокером, хиппи, певцом, статистом в кино и лишь потом прославился как диктор и создатель сотен прозвищ для футболистов (Адольфо Риос стал «Стрелком Христа», Рафаэль Маркес – «Кайзером Заморы», а Дэвид Бэкхем – «Синим башмаком», потому что носит обувь такого же цвета, как у смурфиков). Энрике принадлежит диковинное описание стиля игрока «Барселоны» Пепа Гуардиолы: «ваш, мой, берет, дает, ласкает, целует, передает». Сам Бермудес никогда не утверждал, что был создателем прозвища Месси. Кем бы он ни был, этот человек остается неизвестным.

В любом случае было ясно, что Лео – это нечто особенное. «Он – яркий луч света, посланный Богом. Знаете, как говорится, такой обязательно всего добьется. Он был футболистом с самого рождения», – вспоминает Клодия, мать Синтии, которая порой нянчилась с маленьким Лео.

«Он играл с мячом номер пять – таким большим, что мог бы забросить его куда угодно, но великолепно управлялся с ним, – вспоминает его брат Матиас. – Это было очень красиво. Любой, кто видел Лео первый раз, обязательно возвращался, чтобы посмотреть еще раз».

Казалось, что мяч, достававший ему до колена, просто прилип к его левой ноге и никогда не откатывался от нее слишком далеко. Легкие прикосновения боковой поверхностью ботинка позволяли ему удерживать контроль над мячом. Мяч всегда был рядом на земле, потому что необходимо было избегать ситуации, когда мяч подпрыгнет, отскочит от его колена или голени и отлетит туда, где его могут отобрать более старшие мальчики.

Мальчик обладал совершенно невероятной координацией движений и таким типом телосложения, которое помогало ему управлять мячом и обеспечивало скорость передвижения. Он бросал вызов старшим мальчишкам и неизменно блестяще играл против них. Действительно ли это был божественный дар или просто талант от природы? У нас еще будет время поговорить об этом подробнее.

Кроме всего (в эти минуты Лео краснел, как помидор), он любил соперничество. Месси всегда был достаточно храбр и очень не любил проигрывать. Несмотря на молчаливость, он был крепким парнем. Он часто приходил домой с коробкой, полной мраморных шариков, которые выиграл на улице. Он пересчитывал их и, если случайно какого-нибудь не хватало, приходил в ярость.

Селия: Когда Лео был маленьким, он был очень непослушным. Когда дома играли в карты, никто не хотел с ним играть, потому что мы знали, что рано или поздно Лео начнет жульничать.

Хорхе Месси: Он не хотел ни в чем проигрывать.

Селия: Если он не побеждал, то мог бросить все карты. Он часто не хотел идти в школу, просто говорил: «я не пойду».

Лео (в интервью для *El Grafico*): Однажды я подрался с кузеном у него дома, когда там была моя бабушка. Все были против меня, они вышвырнули меня из дома и сказали, что больше не пустят. Тогда я начал бросать камни в ворота и пинать их.

Селия: Когда я выставила Лео за ворота, он начал бросать в меня камни и кричал, что не вернется в полдень домой. Мне пришлось выйти и пригрозить, что я все расскажу его отцу, а мальчишка в ответ просто поглумился над этими угрозами. Он был очень избалованным, но при этом у Лео был достаточно сильный характер – полагаю, унаследованный от нас обоих, но в основном от меня. Он из тех людей, которые говорят, что думают: хорошее или плохое, и не пытаются скрыть раздражение или радость. От отца он унаследовал чувство ответственности и вырос очень порядочным человеком.

Эти качества Лео его родители пытались передать в документальном фильме *Informe Robinson*, созданным бывшим игроком «Ливерпуля» Майклом Робинсоном для Canal + Spain.

Маленькое поле футбольного клуба «Грандоли» окружено бетонными многоэтажками спального района в советском стиле – скромный район на окраине города. Некоторые говорят, что это довольно опасное место. Если вы бросите взгляд между зданиями, то сможете увидеть лодки, плывущие по реке к порту Росарио. Это поле – кусок ровной земли, обрамленной по краям полосками зелени, обозначающими боковые линии. Высокие блоки кажутся маленьким игрокам просто гигантскими – на самом деле очень малы сами игроки: дети пяти, шести и семи лет, и лишь некоторым около 12. Ворота – смесь бирюзового и ржавого оттенков – окаймляют вход на поле, забор вокруг поля не дает мячам улететь слишком далеко. Рядом с полем можно увидеть объявление, на котором написано: «Чистите обувь здесь». Трибуна состоит из трех рядов лавок, во втором ряду обычно сидели родители некоторых из детей, а также бабушка Селия. Она привела сюда маленького Лео за руку, чтобы он посмотрел, как играет ее внук Матиас. Родриго, который также носил красно-белую майку «Грандоли», уже играл в команде юниоров «Ньюэллса».

Лео периодически бьет мячом в стену.

Группу взял Сальвадор Рикардо Апарисио, худой, спокойный человек, уже сорок лет занимающийся обучением детей игре в футбол. В тот день один спортсмен не пришел, поэтому ребята 1986 года рождения не могли играть 7 против 7. Сальвадор подождал, чтобы посмотреть, не подойдет ли кто-нибудь еще.

«Возьмите его, возьмите его», – просит бабушка, показывая на пятилетнего маленького мальчишку, который в те дни еще не был известен как «Блоха».

«Он слишком маленький, сеньора. Его могут поранить», – отвечает Апарисио.

«И все-таки возьмите его», – настаивает Селия.

«Ну ладно, возьму. Но если вы увидите, что ребенок плачет или боится, заберите его с поля».

Таким образом, тренер взял его, несмотря на то, что он был на год моложе, чем остальные. В этом возрасте различие между детьми очень заметно. Вот так наша «Малявка» вышла на поле. Когда ему впервые послали мяч, казалось, что он его меньше.

А затем случилось то, что и должно было: все, как обычно. Мяч касается его правой ноги. Лео смотрит на него, мяч пролетает мимо. Мальчик не двигается.

Апарисио поднимает брови. Собственно, он этого и ожидал.

Лео получает следующий пас. На сей раз мяч попадает ему под левую ногу: собственно говоря, он просто ударяет его по ноге. Лео делает два шага, пристраивая мяч поудобнее, и легкими касаниями начинает двигаться по диагонали вдоль огромного поля, просачиваясь мимо всех, кто оказывается у него на пути.

«Бей, бей по мячу! – кричит Апарисио. – Пасуй, пасуй, Лео!»

Бабушка улыбается.

Лео не пасует.

Он очень маленький. Но с тех пор у тренера не было повода прогнать его. «Он играл так, как будто делал это всю свою жизнь: один против остальных тринадцати», – много позже вспоминал Сальвадор. В том же году он играл в остальных матчах в команде «Грандоли», хотя все остальные мальчики были 1986 года рождения. Команда выигрывала, завоевывая различные титулы.

Месси ничего не помнит о тех временах. Бабушка рассказывала ему, как он забивал голы.

Лео все время хотел играть: на площади, на улице, в одиночку, с кузенами, с братьями, но, как и любой другой ребенок, больше всего он хотел делать это в составе команды, одетый в форму. Таким образом, в возрасте пяти лет, в тот знаменательный день под присмотром Селии – его все время улыбающейся бабушки – фактически даже еще до того, как он пошел в начальную школу, Лео начал играть каждую неделю в игру, которую называют детским футболом (для ребят в возрасте от 5 до 12 лет) в клубе «Грандоли», расположенном неподалеку от дома, где он родился. Клуб находится по адресу 4700 по Лаферрере-стрит, он был основан в феврале 1980 года группой местных отцов семейств, лелеявших надежду организовать соревнования детей этого района.

Посмотрите видео: http://www.youtube.com/watch?v=9GFeiJEGjUo

Лео пять лет, но он уже демонстрирует ту самую непринужденность просачивания мимо соперников и смену темпа, которые мы можем видеть сегодня. И ту же радость победы. И ту же миниатюрность по сравнению с другими игроками.

Лео получает мяч и ищет промежуток, зазор, а затем движется, ведя его. Все соперники и соратники ринулись за ним. Если ему не удается пройти, он придерживает мяч и ищет проход на другом фланге, окруженный товарищами по команде и противниками. Вам следует принять во внимание, что в Аргентине считается вульгарным просто забивать гол – гораздо круче творить, помогать, связывать, оттягивая на себя противников. Именно поэтому многие думали, что в этом невероятном игроке практически не нужно ничего менять. Теперь редко раздавался крик: «Пасуй, Лео!» В любой момент, когда появлялась возможность двигаться вперед, Лео подводил мяч поближе к той стойке ворот, которая была дальше от вратаря. Удар. Гол.

Некоторым нравится рассуждать о том (вероятно, чтобы спровоцировать споры), что хорошо бы проверить, способен ли Месси играть холодным, зимним вечером на поле, которое размокло под дождем. Этим скептикам следовало бы посмотреть на рытвины, камни и маленькие кусочки стекла на неровном футбольном поле, где он играл за свою первую команду «Грандоли». Это поле было выделено для игр местными властями и могло использоваться только по вечерам, потому что днем на нем занимались школьники. Освещение также было весьма скудным.

Начиная с двухлетнего возраста Лионель и его бабушка по материнской линии, Селия, проходили пешком 15 кварталов, которые отделяют дом Месси от его первого клуба. Лео держал бабушку за руку и изо всех сил старался не отстать от нее. Под другой рукой он держал подаренный ему мяч. Они ходили сюда для того, чтобы посмотреть на Родриго и Матиаса. Потом только на Матиаса. И теперь, войдя в команду мальчиков, которые были на год старше, он ходил по тому же самому маршруту на тренировки по понедельникам, средам и пятницам. По субботам проходили игры.

«Она была очень доброй. Она жила для нас, внуков. Она выносила все наши фокусы, кузены дрались за право переночевать в ее доме. Я не знаю, понимала ли моя бабушка что-нибудь в футболе, но именно она приучила нас играть. Она была моей первой поклонницей, когда я только учился играть. Я всегда слышал ее поддерживающие крики», – рассказывал Лео в интервью для *El Mundo Deportivo* в те редкие минуты, когда погружался в личные воспоминания.

Селия не смотрела футбол по телевизору и не ходила на игры «Ньюэллса». Для нее футбол был тем, во что играли ее внуки. А для внуков жизнь вращалась вокруг их бабушки, главного ориентира этой матриархальной семьи итальянского происхождения, краеугольным камнем которой являлись взаимное уважение и поддержка семьи. Если Лео попросить вспомнить самые лучшие моменты его жизни, то его лицо озаряется радостным светом, и он отвечает: «рождение каждого из моих племянников», правда, следует учесть, что этот ответ он давал до рождения собственного сына.

Лео и его бабушка ходили пешком до «Грандоли» и обратно. Когда он начал ходить в школу, бабушка забирала его в пять часов вечера, они пили что-нибудь освежающее, а затем вместе с Матиасом шли на тренировку. «Это был прекрасный период нашей жизни, мы радовались успехам Лео, потому что с раннего детства он демонстрировал то, что ему даровала природа. Некоторое время спустя бабушка умерла, но все началось именно с нее», – говорит Матиас Месси.

«Пасуйте моему Лионелю, отдайте мяч этому мальчугану! Он способен забивать голы!» – кричала бабушка. Она понимала в футболе.

Из-за своих корней – в ней было больше латинской крови, чем в других, – ей меньше удавалось сдерживаться, и она чаще демонстрировала свои эмоции. Как и любой клуб в мире, «Грандоли» имел своих вечных конкурентов, противников, с которыми они боролись с самого первого дня существования. Это был клуб «Эльче», которым проигрывать было нельзя. Жесткие физические столкновения, которые иногда заканчивались обменом «любезностями» между отцами игроков, порой доходившими до стычек. На одном из таких матчей эмоции вышли из-под контроля, и Селия ударила одного из сторонников «Эльче» по голове бутылкой. «Прекратите валять дурака», – визжала она. Большего ущерба ей нанести не удалось, потому что в тот день, само собой разумеется, победил «Грандоли».

Вскоре после этого у Селии обнаружили болезнь Альцгеймера.

Журналист Тони Фриерос пишет в ранней биографии Лео «Месси: Сокровище Барселоны»: «Селия постепенно начинала терять память, испытывать затруднения с речью и смущать людей своим поведением, так что в последние месяцы ее жизни семье пришлось беспомощно наблюдать, как жизненная сила медленно поглощалась неизлечимой болезнью. Лео казалось, что он теряет часть себя самого».

Казалось, он видит, как ее покидает жизнь.

Бабушка Лео умерла 4 мая 1998 года, незадолго до его одиннадцатого дня рождения.

Селия так никогда и не увидела, как он играет в высшей лиге или в «Барселоне».

«Для всех это была огромная потеря, и мы испытывали сильнейшую душевную боль. По сей день я все еще мучительно переживаю, вспоминая, как Лео неудержимо рыдал, обнимая гроб», – вспоминает его тетя Марсела.

«Это был ужасный удар для меня», – говорит Лео.

С тех пор когда Месси радуется очередному голу, он смотрит ввысь и указывает на небеса. «Я часто думаю о ней и посвящаю ей все свои голы. Я хотел бы, чтобы она была здесь, но она ушла раньше, чем смогла увидеть мою первую победу. Это безумно злит меня», – признался он в интервью для *El Mundo Deportivo* в 2009 году.

«Бедная женщина, она никогда не видела его побед, хотя именно она была их катализатором», – говорит Альберто Арельяно, отец Синтии, сосед семейства Месси.

«Когда Лео делал карьеру, он делился со мной, что по ночам разговаривает со своей бабушкой и просит ее о помощи, – вспоминает мать Лео. – Это ужасно, что сегодня она не видит его. Кто знает, может быть, оттуда, где она сейчас, Селия видит, кем стал ее внук, и она счастлива, потому что очень его любила».

Лео верит в Бога, несмотря на то, что ходит в церковь не так часто, как все остальные члены семьи Месси. Но он должен быть благодарен своей бабушке за то, что она направляла его в те годы, когда формировалась личность. И за то, что она, безусловно, остается с ним. Единственный раз, когда он не поднял пальцы к небу после забитого гола – в знак приветствия своей бабушки, – был день после рождения его сын Тьяго – в тот раз он сунул большой палец в рот. Но после того единственного случая он продолжал возносить Селии благодарность, как обычно.

Впервые Лео покинул родные места, когда ему было 11 лет. Это было весной, в субботу. Он сел на автобус вместе со своим другом Диего Вальехосом, который был братом жены Матиаса. Они выросли в одном районе. Двое ребят совершили получасовую поездку на юг города, в район Villa Gobernador Gálvez.

Они поехали навестить могилу бабушки.

Лео играл в клубе «Грандоли» с пяти до семи лет. В команде ребят 1987 года рождения у него был номер 10, а его кузен Эмануэль был вратарем. В тот период повторялось два момента: они выигрывали практически все игры и – естественно – мяч все время был у Лионеля.

Каждая тренировка и каждая игра были важны, и перед каждой из них Лео готовил сам все до мельчайших деталей, не принимая ничьей помощи. Сначала бутсы – вымыть водой, а затем протереть тканью и пройтись щеткой, не забыть перебинтовать лодыжки. Он был похож на профессионала: маленький и смертельно серьезный.

Сальвадор Апарисио был его первым учителем и на тренировках заставлял ребят бегать трусцой, затем просил их немного расслабиться, после чего вводил мяч в игру. В те дни все занятие представляло собой игру, игру и еще раз игру.

Сальвадор (Дон Апа) сделал очень важное дело – он не открыл Лео, но помог развиться его безудержному таланту. Бывший железнодорожный рабочий, который умер от трещины черепа в 2009 году в возрасте 79 лет (свидетели утверждают, что можно было слышать, как у него из головы выходил воздух), никогда не считал, что сделал что-то выходящее за привычные рамки: «Я не открыл его, но был первым человеком, который вывел Лео на поле. Я горжусь этим».

Дон Апа, как и сотни безвестных тренеров и технических директоров, убедили десятки детей с соседних улиц в возрасте между 4 и 12 годами оторваться на некоторое время от улицы и провести время в «Грандоли», где их научат определенному порядку и сделают более счастливыми. Он снимал Лео – маленького, идущего в своей красно-белой майке, вьюном уходящего от защитников, получающего мяч в собственной штрафной площадке и проводящего его на поле противника, забивающего гол, а затем забирающего мяч из сетки ворот, чтобы положить его в центре и снова начать игру. И так снова и снова.

«Каждую игру Лионель забивал по шесть-семь голов. Он вставал в середине поля и ждал, когда вратарь выбьет мяч. Голкипер бил по мячу, товарищ по команде останавливал его, а Лео забирал мяч и устремлялся вперед, огибая противников. Это было что-то сверхъестественное». Именно такими словами описывал Лео Дон Апа, вспоминая те времена в различных интервью. «Когда мы выходили на поле, люди заполняли трибуны, чтобы посмотреть на игру Месси. Когда он получал мяч, то больше его никому не отдавал. Это было невероятно, но остановить мальчика было невозможно. Он выиграл в игре против «Аманесер», забив такой гол, который можно увидеть только в рекламных роликах. Я хорошо помню этот момент: Лео просочился мимо всех, включая вратаря. Как он играл? Так же, как играет сегодня, – совершенно свободно. Он был серьезным парнем и всегда крутился возле своей бабушки, был тихим, никогда не спорил. Если его били, он порой плакал, но всегда поднимался и бежал дальше. Каждый раз, когда я вижу, как он играет, я начинаю плакать. Когда я вижу гол в духе Марадоны, который забивает Лео, например тот, который он забил в матче против «Хетафе», я вспоминаю его маленьким, совсем маленьким...»

Давид Тревес, который сменил Дона Апу на его посту, ныне является президентом «Грандоли». Он гордо показывает трофеи, завоеванные клубом, и фотографии команды: «Вот Месси в майке, которая ему очень велика. Очень редко мальчики его возраста способны на такое», – заключает Тревес. «Говорили, что у нас растет новый Марадона. Лучший футболист в мире начинал здесь, его первая футбольная майка принадлежала нашему клубу. Он получал мяч, и каждое его движение закончивалось голом. Игра Лео решала все, даже если он попадал под удар». Это воспоминание Гонсало Диаса, который играл с Лео в те времена, когда тот был в «Грандоли» и, естественно, всегда побеждал.

Матиас Месси с удовольствием вспоминает те дни, когда сам мечтал стать футболистом. Он, родственники и зрители, собиравшиеся на трибунах у поля, были убеждены, что видят нечто особенное. «Очень часто из-за того, что Лео играл слишком хорошо, возникали проблемы. Некоторые тренеры посылали ребят из своей команды вывести брата из игры: они не могли забрать у него мяч честным путем, поэтому отнимали его другими способами. Это надо было видеть своими глазами, чтобы поверить. А иногда бывало, что игроки из другой команды аплодировали Лео. «Как ты это делаешь?» – спрашивали поклонники и конкуренты».

Часто кажется, что многие из воспоминаний о Лео описывают сегодняшнюю звезду футбола Лионеля Месси, а не того маленького мальчика, который отлично играл в детстве. Он, безусловно, неустанно забивал голы, но в то же время Лео был очень характерным спортсменом с яркой индивидуальностью, а не командным игроком, – а это большая разница в футболе. Пишущие о Лео говорят не просто о мальчике, а о ребенке, ставшем величайшим футболистом в мире, а это накладывает на живые свидетельства определенный отпечаток. Легко, оглядываясь в прошлое, боготворить тех, кто добился успеха. По той же самой причине трудно найти кого-либо, кто посмел бы добавить оценочное замечание «но при этом...»

В любом случае, в «Грандоли» играло много других спортсменов, подающих надежды. «Я видел несколько ребят, кто, возможно, и был похож на Месси, но ни у кого из них не было столько упорства и настойчивости», – говорит Гонсало Диас.

Ах да, настойчивость! Без этого качества вам не стать футболистом.

Хорхе Месси тоже мечтал стать футболистом, но после четырех лет в академии «NOB», как раз тогда, когда стал проявлять себя хорошим игроком и получил приглашение в основной состав, Хорхе отправили на военную службу. Вернувшись домой, отец Лео женился. В возрасте 29 лет, когда большинство футболистов достигает пика своего развития, в семье Месси родился Лео.

У Хорхе всегда были очень четкие представления обо всем, он считал, что должен учить примером, а не словом. Его философия проста: упорно трудитесь, будьте настойчивы, выказывайте сдержанность и умеренность – и вы добьетесь поставленных перед собой целей. Возможно, именно поэтому Лео не прельщается культом знаменитостей и его не ослепляет свет вспышек вокруг великих имен. Для Хорхе, как и для подавляющего большинства аргентинцев его поколения, футбол имеет лицо Марадоны, видеофильмами о котором Хорхе дорожил и часто показывал сыновьям.

Именно от отца Лео и братьям передался восторг перед человеком, который поднялся выше остальных, чтобы привести к победе свою команду, который соединялся с мячом в единое целое, выискивая возможности для следующего паса, ноги которого были способны создать целую симфонию движений. Образцом для подражания и игроком такого типа, как Марадона, для Лионеля, как и для многих ребят из его поколения, был Пабло Аймар, бывший игрок «Ривера». Лионель неоднократно говорил, что в детстве у него не было футбольных идолов, но ему очень нравилось смотреть, как играет Аймар. Но правда ли, что у него не было личных героев? Разве у каждого из нас нет личного кумира, в соответствии с которым выстраиваются жизненные ориентиры? Когда Лео в возрасте 12 лет попросили назвать идеал или определить кумиров, он определил двоих: родного отца и крестного Клаудио. В том же интервью он признался, что считает скромность и сдержанность величайшими из достоинств. Пожалуй, его отец согласился бы с ним.

Лео, как и его братья, разделял страсть отца к футболу. Хорхе – человек сдержанный, порой даже немного отстраненный, является вполне приличным центральным полузащитником, и маленький Лео мог видеть, как его отец играет со своими товарищами по работе на фабрике Acindar. Он понимал футбол – игру, которую так любил. Семья Месси каждые выходные отправлялась в клуб «Грандоли», чтобы посмотреть, как играют Матиас и Лионель. Однажды директор клуба спросил Хорхе, не возьмет ли он на себя ответственность за детей, родившихся в 1987 году? Тот согласился и стал вторым тренером Лео. «Мы были частью лиги «Альфи» – одного из независимых соревнований в Росарио. Было несколько категорий детей до 12 лет и юношеская группа. Соревнования проходили на поле для минифутбола», – рассказывал Хорхе Тони Фриеросу.

Новый тренер проводил занятия три раза в неделю, используя простые индивидуальные упражнения, всегда с мячом, чтобы улучшать технику, а также время от времени давал упражнения по тактике, которую молодежь изучила довольно быстро – они впитывали инструкции Хорхе как маленькие губки, нетерпеливые и восторженные. Лео никогда не делал ничего особенного, никогда не проводил дни, пасуя мяч правой ногой или обегая камни на своей более слабой ноге. Его отец никогда не требовал от него ничего подобного – Лео просто играл, и Хорхе всегда старался уважать его свободный дух.

Это было в 1994 году. Лео было тогда шесть лет.

Когда Хорхе выполнял обязанности тренера, его команда ни разу не проиграла. «Мы выиграли чемпионат лиги и все турниры, в которых принимали участие, даже товарищеские встречи. Возможно, это звучит несколько бестактно, но высокий уровень игры нашей команды сделал ее настоящей сенсацией, и в этой команде Лео сиял, как маяк», – давал Хорхе интервью аргентинской прессе. «В той команде – и я не преувеличиваю – он практически все выполнял отлично. Голы, опасные ситуации – он был единственным игроком, который выделялся на общем фоне. Говорить об этом не очень удобно, потому что мы родственники, но так оно и было», – сказал отец Лео журналу *Kicker*.

Журналист, который брал у него интервью, задавал вопросы, которые могли бы показаться банальными, но ответы от этого не становились менее захватывающими:

– Лионель как футболист: кто сделал больше заметок о нем – Хорхе Месси тренер или отец?

– Лео всегда был очень дисциплинированным и послушным игроком, делал то, о чем его просили. Он всегда запоминал то, что я говорил ему как тренер, и никогда не жаловался. Сегодня Лионель остается таким же. Он прислушивается к словам Франка Райкарда в «Барселоне» и играет там, где просит тренер. Так было всегда.

«В жизни есть три важнейших понятия: миссия, мечта и принципы», – добавляет престижный аргентинский спортивный психолог Лилиана Грабин. – Вы наследуете от своего отца способ, которым он идет по жизни, и принципы, которые он вам передает. Лео несет в себе сильную личность матери и спокойствие, терпимость и сдержанность отца: странная комбинация, подобная инь и янь. Но Хорхе также передал сыну смирение, самопожертвование и упорство».

Сын воспринял не только эти качества, он разделяет мировоззрение своего отца. Однажды Хорхе сказал, что самое значительное, что только может произойти с человеком, – это услышать, как прославляют его имя. Если вы мечтаете об этом, но что-то не складывается, мечта переходит к детям. Когда Хорхе увидел, как играет Лео, и понял, что у сына явный талант, то испытал чувство гордости за сына, выделявшегося из шеренги сверстников. Сыну же всегда хочется угодить отцу, и он будет пытаться сделать ему приятное. Хорхе открыл путь своему сыну: ты *сможешь* стать футболистом.

«У семьи были принципы, мечты о будущем и миссия – игра в футбол. У Хорхе была мечта, которую поддерживала вся семья. Очевидно, у Лео был талант, и мать с отцом были достаточно дальновидны, чтобы идти по пути, позволяющему сыну исследовать и развивать свой талант», – профессионально объясняет Грабин.

Впоследствии Хорхе, выполняя при сыне несколько функций – тренера, советника, менеджера, – помог Лео вести переговоры и преодолевать препятствия, возникающие на пути. Отец и менеджер Хорхе очень мало хвалил Лео по сравнению с всеобщим обожанием, которое его окружало, – скорее, он обеспечил ему перспективу. И, когда это было необходимо, он напоминал сыну о ценностях, которые считал наиболее важными. Он всегда твердо стоял на земле, особенно в случаях, когда слишком большой успех мог бы отвлечь Лео от большей перспективы, что, как мы увидим далее, вполне могло произойти.

Таким образом, Хорхе с самого начала был отцом, гидом, зеркалом, наставником, противовесом, героем для Лео. Человеком, за которым ему хотелось следовать, порой бунтуя и противясь. Хорхе всегда будет верным спутником сына на долгом жизненном пути и тем человеком, которому Лео доверяет и в кого непоколебимо верит.

Именно Хорхе решил, что в «Грандоли» они исчерпали себя. Вся семья ходила смотреть матчи, в которых принимали участие Матиас и Лео, но однажды не смогли заплатить за вход по два песо. Месси спросил, не может ли администрация один раз пропустить их бесплатно, на что был получен отрицательный ответ.

В тот день Лео в последний раз играл в майке цветов клуба «Грандоли».

Учительница Моника Домина вспоминает, как Лео ходил к ней в класс в начальной школе Лас-Эрас в то время, когда ему было лет семь-восемь.

«Лео был очень тихим мальчиком. К сожалению, всегда запоминаются те, кто плохо себя ведет, те, кто доставляет проблемы. Но он был тихим, вежливым, порой уходил в себя и старался никогда не показывать свои чувства. Он был закрытым ребенком, и его одноклассники, в частности Синтия, ощущали желание заботиться о нем. Синтия вела себя в отношении Лео как мать. Она была вдвое выше, а он был очень маленького роста, похож на детсадовского малыша с веселой мордашкой – совсем, как сейчас. У вас сразу же возникает желание обнять его! А в те времена этот порыв возникал еще чаще. В те времена учитель был второй матерью. Сейчас учителя уже не испытывают похожих эмоций, у этих молодых девушек нет нашего материнского инстинкта. Мы раньше делали свою работу совершенно иначе – я сажала Лео на колени, заботилась о нем. Теперь так не делают. Он был одним из тех, кто сильно напоминал маленького ребенка. Вы постоянно испытывали желание подхватить его на руки, посадить рядом с собой и поболтать с ним.

Лео был очень спокойным, он вообще редко говорил. Но одно я действительно очень хорошо запомнила: я старалась заставить его говорить. Я делала это как в свободное время, так и на специальных уроках, когда мы занимались рисованием. В это время я сажала его поближе к себе, но он ничего не говорил, только «да» и «нет» – ничего больше. При этом, когда я задавала Лео вопросы из области математики или задач на понимание, он отвечал, и это меня успокаивало.

Лео сидел в классе в первом ряду, но был очень застенчивым, ему было трудно принять участие в работе класса, но он выполнял задания и не шумел на занятиях. Он делал все хорошо и старался пройти тесты и сдать контрольные вовремя.

Мы, учителя, старались помочь Лео, а он в свою очередь делал все, что мог. Лео мог многое, но у него были другие интересы – его привлекал только мяч.

Он был нормальным, но не идеальным мальчиком. Лео не уделял много времени учебе. В седьмом классе он получил хорошие оценки. Директор школы разрешил опубликовать в газете оценки Лео, так что желающие могут увидеть их. Он был одним из лучших учеников по физкультуре, преуспевал на уроках труда и музыки. По чтению и математике у него была семерка – проходной балл, так что в целом он был одним из средних учеников.

Первая картинка, которую я вспоминаю, думая о Лео, – как он играет в футбол на школьном дворе, подхватывая мяч и двигаясь с ним. У ребят не всегда был с собой мяч, порой они играли чем попало: свернутыми в шар носками или полиэтиленовыми пакетами, а иногда делали мяч из пластилина или глины. Они играли во дворе со всем, что удавалось найти.

И все-таки мячом они играли чаще: у учителя физкультуры был шкаф, из которого они брали мяч, или приносили его с собой из дома. Они не знали, находится учитель физкультуры в школе или нет: если его не было, тогда за мячом присматривал другой учитель.

В те годы учителя давали мяч ученикам. Теперь так не делают. Сейчас дети используют мяч, чтобы врезать кому-нибудь по голове. Количество учеников не имело никакого значения, их могло быть и 100 человек, но все было в порядке. Ученики заботились друг о друге, поэтому мальчишкам разрешалось играть в футбол.

Все друзья считали Лео своего рода лидером, его ставили в центр, когда класс фотографировался, и очень любили. Ребята всегда ждали Лео: «пошли, поиграем!» Они восхищались им, потому что он блистал в игре. Он бежал с одной стороны двора на другую, и никто не мог поймать его – он был блохой, игрушкой, он наслаждался сам и доставлял удовольствие другим.

Лео никогда не проказничал, но его глаза без слов говорили вам, что это мальчик, который делает все так, как ему нравится. Я думаю, что это семейная черта... Я всегда хотела спросить его мать, какой он дома, потому что в школе он всегда вел себя очень хорошо, чтобы не потерять шанс играть в футбол. На уроке был тихим, но когда звенел звонок, несся из класса, и все бежали за ним вслед.

На перемене Лео можно было найти в большой комнате с двумя воротами, где было полно ребят, которые отчаянно хотели играть. Перемена становилась чемпионатом по футболу.

Раньше занятия в школе проходили следующим образом: 40 минут урока, перемена 15 минут, урок, перемена, а теперь уроки длятся час с 15-минутным перерывом. Ученики играли во время длинных перемен. Это было похоже на мини-матчи, потому что первый тайм они играли в первую перемену, а второй – во время следующей.

Лео отправлялся играть на четверть часа вместе с другими мальчишками и был как все, неважно, шла игра семь на семь или все против всех, но он получал мяч, и его игра заключалась в том, что он обходил всех на поле. Речь шла не об игре в футбол, а об умении вести мяч.

Я всегда рассказывала, что, когда его мать приходила со всеми его трофеями и останавливалась с гордостью у двери классной комнаты, то он не пускал ее внутрь и не хотел говорить о том, что делал. С самого раннего возраста Лео не хотел демонстрировать эту сторону своей жизни – он играл потому, что это ему нравилось и стало его страстью. Мальчик не собирался никому показывать, что лучше других, потому что это было спрятано в самых дальних уголках души. Он всегда хотел, чтобы к нему относились точно так же, как к любому другому мальчишке, не хотел выделяться. И сейчас он точно такой же, каким был тогда.

Лео – ангел в облике человека. Я часто встречаю его мать в супермаркете неподалеку от дома, потому что она не ходит по городу, громко заявляя всем и каждому: «Я – мать Месси». Она скромно ходит по магазинам, как любая другая женщина, скромно одетая, никакого самомнения и тщеславия. Я знаю матерей других футболистов, некоторые из них цедят сквозь зубы: «Яяяяя мммммать такого-тооооо». Селия – настоящая леди, простая и добрая, как и ее сын. Лео не сообщает всем и каждому: «У меня столько-то миллионов». Нет. Мне кажется, он живет самой простой жизнью, какая только возможна. Лео – такой. Семья – именно там ему сумели привить правила хорошего поведения, поэтому в школе он вел себя очень спокойно, скорее был погружен в себя».

Школа в Лас-Эрае, куда ходил маленький Лео, находилась не слишком далеко от его дома. Как только он оказывался на улице, казалось, что мяч просто приклеивался к его ногам. Он сразу же шел к стене, окружавшей армейские бараки, пересекал поле и попадал на улицу Буэнос-Айрес, как раз в том месте, где она выходит на площадь Хуан Эрнандес. Небольшое здание школы, с решетчатыми окнами, окрашенное белой краской с редкими вкраплениями зеленого, занимает одну сторону довольно неопрятной площади, окруженной деревьями, под которыми расставлены скамейки. Площадь вымощена плитами, между ними пробивается зеленая трава. Это – одна из тех редких школ, в которых дети хорошо себя ведут, в отличие от других школ Росарио, где обычно стоит сильный шум. Самая ценное здесь – не здание, а атмосфера и идеалы. Когда ребенок входит в здание школы, он уже знает, какого поведения от него ждут, ему известны принципы, которые ему следует понять, принять и поддерживать. Он знает о том, как важно оставаться частью местного сообщества, понимает значимость коллективных усилий. Это по-настоящему хорошая государственная школа.

Двор, ведущий к классам, с аркой входа и деревом, растущим в центре, был очень маленьким, чтобы в нем можно было заниматься чеканкой мяча или играть в одни ворота. По этой причине мальчики предпочитали собираться в других местах.

«Сейчас в школе сделали многоцелевую комнату, где проходят школьные собрания, но в те времена, когда здесь учился

Лео, ее еще не было: это было небольшое поле – место, где дети могли побегать или поиграть». Об этом рассказывает Диана Торрето, которая учила Лео, когда ему было шесть лет. Ее речь часто эмоционально прерывается, когда она вспоминает о том времени, когда «Блоха» учился в школе. «Мы ходили туда со всеми детьми, и я отлично помню (это до сих пор заставляет меня смеяться), как они бежали за мячом, и ни одному из них не удавалось отобрать его у Лео. Они прибегали ко мне и жаловались: мисс, он не отдает мяч! Они не могли отобрать у Лео мяч!»

«Он был очень счастливым мальчиком, – продолжает мисс Торрето. – Интровертом – да, но счастливым. Он всегда улыбался. У него было много друзей. Он очень нравился своим сверстникам. С ним рядом всегда была его семья – люди, которые постоянно интересовались им, спрашивали о том, что он делал в школе».

Таким образом, было три разных Лео: Лео с мячом, Лео дома и Лео в школе. Тихий и сдержанный мальчик в классной комнате и свободный, готовый бороться за победу – за ее пределами. Диана продолжает рассказ:

– Откуда возникла у членов его семьи, учителей и ровесников эта потребность постоянно защищать этого мальчика?

– Мне кажется, Лео сам вызывал потребность всегда следить за ним и заботиться – именно поэтому у него было столько друзей. Одноклассники очень любили Лео. Когда он демонстрировал свое владение мячом, они восхищались им. Лео излучал лидерство. Не уверена, что он сам осознавал это, но другие ясно видели в нем это качество. Довольно противоречивая ситуация, поскольку в классе он вел себя довольно тихо и был замкнутым. Но куда бы Лео ни шел после школы, его одноклассники немедленно отправлялись за ним. Он организовывал игру и вовлекал в дело своей жизни всех окружающих.

– Это просто невероятно – переход от интровертированности к лидерству...

– Да, он был двумя совершенно разными личностями.

– А если бы Лео не стал профессионалом, кем бы он теперь был?

– Я думаю, что он был бы в кругу своей семьи. Возможно, он создал бы собственную семью (что, кстати, сейчас и сделал) и гордился бы ею. Мы надеемся, что однажды он приведет к нам своего сына Тьяго, чтобы показать ему школу, в которой он учился. Учителя всегда на это надеются. Я всегда очень волнуюсь, когда говорю о нем.

«1993 год, шесть лет, плохо приспосабливается к школе, правилам гигиены, не демонстрирует стремления к учебе, не стремится что-то сделать руками, плохо проявил себя на занятиях музыкой, письмом и точными науками».

«1994 год, переход в класс Моники Домина. Плохо приспосабливается к школе, не проявляет творческого потенциала, не демонстрирует усердия в учебе».

«1995 год, восемь лет, впечатляющее развитие. Очень хорошо по математике. Очень хорошо по сочинению, хорошо по пересказу. Ни одной плохой оценки. Высший балл по физвоспитанию, очень хорошее поведение»

(Цитата из книги Тони Фриероса)

Лео поддерживали и защищали как взрослые, так и дети – ведь он был очень маленьким. Он отлично владел мячом и был хорошим ребенком, сыном и другом. У Лео была очень обаятельная улыбка. Он был сдержанным, погруженным в себя, осмотрительным, иногда осторожным. Никто не вставал у него на пути и не пытался задеть, по крайней мере, не в школе – там все стояли за Лео горой. При такой защите и всесторонней поддержке человеку намного легче стать яркой личностью, тем более футболистом.

Все дети проходят в школе через периоды нелегких испытаний, не имеющих ничего общего с учебой. Агрессивные группировки, жестокость, страх – такое происходит практически с каждым. Когда приходит ваша очередь, хорошо бы выйти из этой ситуации без потерь. Лео хорошо владел мячом, и это притягивало к нему людей, помогло ему стать уважаемым, любимым, нужным, обеспечило защиту. Он был маленьким и понимал это, но остальные ребята на улице игнорировали различие в росте, потому что он производил сильное впечатление на всех, кто играл с ним и наблюдал за его игрой. Лео никогда не запугивали. Драки случались, но за право играть с ним в одной команде, потому что это был вариант победы. В дворовых схватках лучше выигрывать, потому что поражения оставляют неприятный осадок на весь оставшийся день. Порой его даже приглашали поиграть в команды, состоящие из мальчишек старших классов, если оставались свободные места, потому что он был способен помочь победить своей команде. И Лео соглашался, спокойно ведя за собой остальных игроков. Тогда, как и сейчас, он руководил скорее действиями, чем словами.

Но невозможно было все сводить к футболу – учителя не могли попустительствовать этой страсти к мячу и к матчам на детской площадке и позволить ученикам дойти до такого состояния, когда их уже невозможно было заставить понять, что перемена закончилась. Задача учителей заключалась в том, чтобы заставить Лео оторваться от игры. Им ежедневно приходилось буквально оттаскивать его от мяча, рвать невидимую, но почти материальную связь с этим важным предметом.

– Сегодня учителя упоминают имя Лионеля Месси в качестве примера... чего?

Такой вопрос был задан Кристине Кастанейра, новому директору школы в Лас-Эрасе, которая не знала Лео и потому рассматривает такой феномен школы, как Лионель Месси, с определенной отстраненностью и даже с некоторым удивлением.

– Не знаю, не знаю... практически все, кто приходит в эту школу, знают о Лео, о том, что он здесь учился. Это ощущается постоянно. Сегодня я хочу создать уголок Месси, собрав туда все вырезки из газет, где о нем упоминается. Пока ничего подобного в школе нет.

– Будет ли это полезным уроком для учеников, послужит ли примером для подражания?

– Полагаю, что это наш долг, ведь в аргентинской культуре принято создавать мифы и легенды. Вряд ли успех Месси войдет в учебную программу, но было бы хорошо иметь что-то такое, что мы могли бы показать посторонним людям, которые приходят к нам отовсюду. Или ему самому, если он когда-нибудь вернется сюда, – ведь он здесь учился. Я преподаю уже 30 лет и всегда следую школьным методикам. Порой кажется, что я отступаю от установленных правил, но это не имеет особого значения. Не следует быть излишне строгими. Я убеждена, что необходимо создать уголок Месси, который будет служить напоминанием о том, что он учился в нашей школе.

– Лео – публичный человек – представляет собой ряд достоинств, заслуживающих похвалы.

– Конечно, прежде всего, потому что он является человеком, которым можно гордиться. У Месси есть достоинства, которые мне бы хотелось привить другим людям.

– Один мой аргентинский друг, футболист, хочет предложить правительству уговорить Месси произносить раз в месяц что-нибудь вроде: «Чистите зубы» или «Ведите себя в школе хорошо» – и он уверен, что вся страна бросится это выполнять. Не знаю, получилось бы это или нет...

– Да, это могло бы сработать...

Когда бабушка Лео водила его после школы на тренировки в «Грандоли», они пересекали старый квартал. Возможно, в будущем здесь появится бизнес-парк или теперь, когда совет сдал в аренду земли семье Месси, на этом месте раскинутся футбольные поля, где будут тренироваться молодые футболисты, связывающие с Лео свои мечты.

Если не было тренировок, то Лео встречался с приятелями, жившими по соседству, вроде Диего Вальехоса: «Мы часто многое делали вместе, всегда хотелось научиться какому-нибудь новому трюку, что-то попробовать. Мы не особенно хулиганили: порой портили мячом клумбы или использовали калитки домов в качестве футбольных ворот, или играли с пневматическим пистолетом. Если выйти из дома Лео и, повернув налево, спуститься по улице, то через 200 метров вы увидите неогороженную площадку: это аргентинский «Камп Ноу». Именно здесь Лео делал свои первые шаги в футболе. Именно там мы гоняли мяч, бегали и играли в прятки. Это было место наших игр».

Лео использовал железную дверь соседнего магазина семьи Фраготти для игры «в стенку» (короткий пас, затем молниеносный рывок вперед и снова получение мяча), чтобы не дать друзьям отобрать у него мяч. Это было время, когда он был свободен: не существовало явно обозначенных границ времени и пространства за исключением немногочисленных ограничений, установленных школой или родителями.

«Мы разрезали проволоку ограды, окружавшей старый квартал, чтобы иметь возможность играть там снова и снова», — вспоминает еще один сосед Лео, Вальтер Баррера. «Военные прогоняли нас оттуда, но дело в том, что это поле идеально подходило нам для игры в футбол, так как было покрыто замечательной травой, по которой никто не ходил. Играть на нем было невероятно удобно. Иногда военные заставали нас врасплох и тогда запирали в помещении, где у них было что-то вроде клетки. Но ничего страшного не происходило — они заталкивали нас в здание через одну дверь, а затем выпускали через другую, и больше ничего — просто хотели напугать нас».

Лео ходил в начальную школу в Лас-Эрасе, после чего продолжил образование, в возрасте 13 лет перейдя в среднюю школу Хуана Мантовани на Avenida Uriburu, также расположенную достаточно близко от дома, но ушел из нее всего через четыре месяца: свое будущее он видел иначе, к тому же в этой школе рядом с ним не было его задушевного друга — Синтии. Кое-что в жизни Лео начало меняться.

Сейчас Лео стал меценатом школы в Лас-Эрасе: за последнее десятилетие он пожертвовал средства, эквивалентные двухлетнему бюджету. В 2005 году он снова посетил свою школу. У одного из учителей был сын, который играл с Лео в футбол, и преподаватель максимально использовал этот контакт, пригласив Лео на празднование очередной годовщины школы. Лео пришел на праздник. В то время он еще не был настолько известным, как сейчас, но все же его появление стало знаменательным событием. Однажды вечером, два года спустя, он снова вернулся в свою школу, на сей раз, чтобы повидаться со своим кузеном, Бруно Бьянкуччи. Лео пришел, никого не предупредив об этом заранее, он шел, опустив голову, тихо, прячась за спиной матери Бруно, своей тети Марселы. Лео просто умирал от смущения.

Внезапно что-то щелкнуло у него в голове, и он начал общаться с детьми. Он обошел все классы, целовался, раздавал автографы и позволял себя фотографировать. Это были три незабываемых часа, как для учеников, так и для их родителей, яркое событие для школы, в которой, возможно, кроме игр на переменах, не происходит ничего особенно выдающегося.

Мальчик из первого класса, которому было не больше пяти лет, сказал своему другу примерно того же возраста и роста, одетому в такую же школьную форму: «Ущипни меня».

Глава 2
ЛЕО, НАЧАЛО

Правдивая история в двух действиях с воображаемыми встречами
Персонажи (см. Приложение с полным списком персонажей).

Мы слышим голоса товарищей по команде Лео, тренеров и технических директоров, соперников, соседей и других людей — всех, кто знал его в то время, когда он играл в «Ньюэллс», и кто сыграл определенную роль в его жизни. Они говорят о нем с трогательной привязанностью, однако в их словах можно услышать отзвук меланхолии. Легкая грусть сопровождает рассказы тех, кому в жизни повстречался гений.

Множество имен, и рассказ каждого очень важен — в конце концов, это не только история о Лео, но и о них самих. Но, читая эту главу, не давайте воли своему воображению: нет необходимости запоминать, кто и что говорит. В некотором смысле все персонажи являются частью одного — того, с кем Лео общался в

Росарио. Поэтому, если вы вдруг заблудитесь в этом водовороте имен, просто протяните руку ребенку, который не смог подрасти.

Действие происходит в Росарио, в конце девяностых годов, в последние прогрессивные годы Аргентины. Первый акт происходит в кафетерии в Мальвинасе – учебном центре для молодежных команд «Ньюэллса».

АКТ ПЕРВЫЙ

СЦЕНА ПЕРВАЯ

Голоса слышатся издалека. Сцена освещена единственной лампой.

– Где Лео?
– У него гепатит – так говорят.
– Ой.

Сцена темнеет, и появляются слова: ШЕСТЬЮ ГОДАМИ РАНЕЕ.

На экране пятилетний Лео Месси, который получает мяч и ведет его. Он не пасует его никому, просто находит путь и забивает гол. Он ведет мяч, обходя противников, перемещается из стороны в сторону, пока не получает возможность сделать точный удар в ворота вдали от вратаря. Забивает гол. Месси поворачивается и отбегает на свою половину, делая минимум жестов. Мелкими шагами, ожидая, когда можно снова начать игру. Позже его команда снова бьет по мячу, и первым – Месси: он снова движется к цели, опять обходя всех противников, которые оказываются у него на пути. Мяч ему почти по колено.

Это – игра, происходившая в Мальвинасе, – название имеет определенный скрытый смысл, – где молодежь «Ньюэллса» сражается командами по семеро (это еще называется мини-футболом). Спортивный центр делится на две части улицей Вера Мухика, и самое лучшее, самое ухоженное поле – номер один. Там есть трибуны. На этом поле проходит большинство игр. Именно оно снято на видео.

Из дома Лео невозможно было дойти туда пешком – это было слишком далеко, поэтому кто-то должен был привезти его в клуб – отец, мать, отец товарища по команде. Часто он приезжал на белом «Рено-12», которое принадлежало отцу его друга Агустина. Автомобиль двигался вниз по Урибуру-авеню до самого бульвара Ороно, а затем, пересекая парк Независимости (именно там находился стадион «Ньюэллса»), до Пеллегрини-авеню. Необходимо было свернуть налево, доехать до Франсия и через два квартала снова повернуть налево по Зебаллосстрит. Главные ворота были обозначены номером 3185. Внутри мож-

но увидеть фреску с именами игроков, входивших в основной состав. Имени Лео там еще нет.

Между входом в клуб и полем расположены два небольших здания: кафе со столиками и стульями и офисное помещение. Здесь всегда кто-то есть: отцы, отдыхающие с чашкой кофе или бокалом пива и разговаривающие о футболе; их сыновья в футболках «NOB», снующие туда-сюда; люди, раньше бывшие членами клуба, а теперь приезжающие посмотреть, что здесь происходит; друзья отцов...

В кафе Мальвинас беседует компания друзей, присматривая за детьми, которые играют на прилегающем поле. Они сидят за круглыми столиками, пьют кофе или пиво и болтают. Полдень. Некоторое время назад кто-то снял знак Мальвинас, который висел над входом, и теперь он стоит, ржавея, в углу. На стене позади сцены изображено двухэтажное здание. Дверь на первом этаже ведет к офисам, заваленным бумагами, трофеи – на полу, на полке. На втором этаже есть дверь, которая, как это ни странно, никуда не ведет. Никто не может объяснить, как это получилось. Возможно, деньги заканчивались, и их не хватило на то, чтобы добавить лестницу. Мало кто поднимается на второй этаж – все офисы клуба находятся на первом. На краю сцены, между актерами и зрителями, стоят футбольные ворота.

Габриэль Дихероламо (тренер, «NOB»): В тот день, когда его привели ко мне, я подумал, действительно ли это совсем другой игрок, чем я привык видеть?

Эрнесто Веккьо (тренер, «NOB»): У него была потрясающая техника. Никто не учил его – с ней родился.

Габриэль Дихероламо: Невозможно было ожидать, что столь миниатюрное создание может произвести столь ошеломляющее впечатление. Лео был человеком, который обязательно продумывал свои действия и затем выполнял задуманное: он шел справа налево, слева направо, через центр, двигался в глубину поля, и всегда его целью были ворота – он никогда не забывал о них.

Эрнесто Веккьо: Еще до того, как Лео пришел в «Ньюэллс», весь Росарио уже говорил о таланте маленького мальчика, который играл за «Грандоли».

Диего Ровира (№ 9, юниор в «NOB»): Я пришел в «Ньюэллс» в середине 1998 года. Моя первая тренировка проходила на поле Белла-Виста, где тренируются команды основного состава. Мы играли товарищеский матч против «Ренато Чезарини». Мы победили со счетом 7:0 или вроде этого. Три гола забил крошечный, чрезвычайно быстрый и очень ловкий парнишка. Я не знал там никого, но он был первым, кто привлек мое внимание. Это и был Лео.

В Росарио постепенно узнавали Лео, потому что он уже был звездой на межшкольных турнирах, вроде популярной лиги «Альфи». Здесь можно было встретить технических директоров, скаутов, тренеров – их взгляд был натренирован годами наблюдений за занятиями и матчами «детских» футбольных команд. Родриго и Матиас играли в младших разрядах «NOB», и именно средний брат предположил, что Лео готов играть за «Ньюэллс» на отборочных турнирах в начале сезона. В результате, в начале 1994 года, в возрасте шести лет и семи месяцев, он в течение нескольких недель играл в различных молодежных командах «Ньюэллса» во второй половине дня и по вечерам.

Роберто Менси (директор «NOB»): При выборе игрока вы прежде всего имеете в виду его технические качества, затем – его физические параметры, и, наконец, принимаете во внимание домашнюю обстановку в семье мальчика.

Кике Домингес (тренер, «NOB»): Согласно философии «Ньюэллса», которую проповедует Хорхе Бернардо Гриффа, бывший игрок «Атлетико Мадрид», в клубе должны быть самые лучшие футболисты, поэтому позволить себе роскошь потерять крупный талант тренеры не могут. Я сел в машину, припарковался и постоял пять минут, наблюдая за игрой, не выходя из машины. Если что-то привлекало мое внимание, я выходил из машины, шел на трибуны, тянущиеся вдоль поля, и спрашивал: «Это вы – мать того мальчика?» – «Да». – «Ваш мальчик уже подписал контракт с каким-нибудь клубом?» Если ответ был: «Да», то я говорил: «А он не хотел бы играть за «Ньюэллс»?» Мы крали перспективных спортсменов прежде, чем их могли увести у нас. В результате своего рода естественного отбора Лео всегда играл среди лучших в этой области.

Габриэль Дихероламо: Клаудио Вивас – он был помощником Марсело Бьелсы – приехал, чтобы повидаться со мной, и сказать, что нам стоит взять этого великолепного мальчика, который провел с его командой три или четыре игры, и несколько – с другими тренерами клуба, как, например, Вальтер Лучеро.

Кике Домингес: Когда вы сравнивали Лео с его соперниками с точки зрения мастерства, дистанция была огромна. Действуя против защитника, в восьми из десяти случаев Лео делал именно то, что он хотел. Один раз защитник правильно понял его действия и *почти* вернул себе мяч, но в другом случае потерял его. Разница в мастерстве была очевидна. Сегодня

Лео по-прежнему превосходит остальных игроков, правда, эти «остальные» выступают в «Реал Мадрид», в итальянской серии А, в премьер-лиге Англии...

Габриэль Дихероламо: В конце отборочного турнира мы спросили Лео, не хочет ли он играть за наш клуб.

Эрнесто Веккьо: Посмотрев, как он играет, мы поговорили с его родителями и пришли к соглашению. Он присоединился к «Ньюэллсу». Вся семья Месси – поклонники этого клуба.

За исключением Матиаса. Как мы знаем, он поддерживает «Росарио Сентраль».

Вот таким образом 21 марта 1994 года, немного не дотянув до седьмого дня рождения, Лео подписал контракт. Лео, рост которого был один метр 22 сантиметра, попал в клуб, где тремя месяцами ранее Диего Армандо Марадона, который готовился к чемпионату мира 1994 года, сыграл во время своего краткого пребывания в городе свою последнюю игру.

Хорхе Вальдано (бывший игрок «NOB»): «Ньюэллс» имеет очень хорошую школу в городе, который неразрывно связан с футболом, и расположен в области, являющейся одним сплошным огромным футбольным полем.

Кике Домингес: Я способствовал тому, чтобы ребята делали то, что получается у них лучше всего, и только доводил их умение до совершенства – именно так я создал себе репутацию в мире обучения футболу. Я никогда не кричал, не угрожал, не ругал, не оскорблял и не оказывал давление, как это делал мой отец в отношении меня и моих братьев. Поэтому если ребенок совершает ошибку, то моя задача, чтобы он понял, в чем ее суть, и не повторял – не из страха передо мной, а осмысленно.

Херардо Григини (бывший юниор «NOB»): Всем нам было по семь-восемь лет, мы играли на поле для мини-футбола и выполняли обычную тренировку для детей: немного работы на скорость, чеканка и тренировка техники. Но в то время самое главное было научиться играть в мяч ногами, «приручить» его. Мы тренировались по вторникам, четвергам и пятницам, а по субботам и воскресеньям были игры.

Кике Домингес: Да, мы проводили типичные тренировки – пасовали и останавливали мяч. Однажды один из тренеров спросил у своих учеников, сколько они знают способов бить по мячу. Они отвечали: десять, пятнадцать, двенадцать. Ну, по правде говоря, их почти двести. Вы можете остановить его даже спиной. А сколько существует способов пасовать мяч? Понимаете, в футбольной школе мы пытались научить детей всем премудростям: как передать мяч, как остановить его, как представить себе ход игры и понимать, что не всегда стоит делать длинный пас, чтобы забить гол.

Херардо Григини: Мы весело проводили время, прежде всего потому что мы были группой друзей. Мы не находились в школе или на работе, где никто ни с кем не разговаривает, – мы были приятелями. По правде говоря, я не мог дождаться момента, когда мы выйдем из школы, перекусим чем-нибудь и отправимся на тренировку.

Кике Домингес: Мы представляли ребятам ситуации, которые могут возникнуть во время игры. Иногда поощряли соперничество: игра в «собачку» к этому очень располагает, хотя всегда возникали споры – никто не хотел стоять в середине. Мы создавали среду, поощряющую спортивную хитрость, – хотя этому аргентинцев специально учить нет необходимости – это в полной мере продемонстрировал Марадона своим голом рукой.

В школе Мальвинаса существует шесть категорий команд для детей в возрасте между 6 и 12 годами. Хотя сейчас в школе «Ньюэллса» числится около 300 детей, говорят, были времена, когда в клубе состояло до 800 ребят. С этих земляных полей (сегодня поле номер один покрыто травой) вышли Бьелса, Сенсини, Бальбо, Батистута, Вальдано, Почеттино, Солари. И это только одна из школ, которых в Аргентине множество. Тысячи молодых ребят занимаются в таких школах, уверенные, что это – прямой путь к вершинам успеха. К сожалению, через несколько лет у многих из них футбольные мечты разбиваются.

Хорхе Вальдано: Я выходил из дома и оказывался на футбольном поле размером в 1000 квадратных километров – бескрайняя равнина, на которой лишь изредка встречались корова или одиночное дерево. Эта земля достаточно плодородна, что весьма важно, потому что в Аргентине есть и другие, менее богатые области, где проблемы с питанием не способствуют взращиванию великих футболистов.

В Росарио вы найдете все – страсть, ожидания, надежды, грусть и неудовлетворенность. Вы многое узнаете о футболе, но, прежде всего, здесь вы обретете друзей, поймете важность единения людей и примете участие в событиях, рассказы о которых останутся с вами на всю жизнь. Общепринятый образ Аргентины неразрывно связан с фут-

больным мячом. Аргентинцы разыгрывают свои жизни: даже если, в конечном счете, это окажется не так, вас не покидает чувство, что здесь вы можете научиться выигрывать, а это помогает детям становиться лучше. Детский футбол – чистый, славный, искренний и неповторимый, несмотря на то, что и сюда неумолимо приближается рынок. Некоторые легендарные технические директора (вроде Гриффы) создавали футболистов не на продажу, а растили их, помогая стать цельными и гармоничными людьми.

Кике Домингес: Очень важно то, какой у вас дух соперничества, потому что совсем не весело – пропустить четыре мяча подряд. Гораздо приятнее забивать голы и выигрывать. Но прежде всего в конце игры вы должны показать, что это просто игра – дети должны обменяться рукопожатиями и поздравить победителей, даже если вы проиграли со счетом 10:0. А если вы победили, необходимо поздравить проигравшую сторону, даже если они не хотят пожать вам руку, – никаких проблем. Мы разворачиваемся и идем домой, потому что порой нам самим не хочется этого делать...

Хорхе Вальдано: Хорхе Гриффа был гуру футбольного обучения в Аргентине, клуб «Ньюэллс» поддерживал его идеи, благодаря чему их академия оказалась в первых рядах.

Кике Домингес: Именно в «Ньюэллсе» Лео получил знание о технике, отточил мастерство и выработал определенное отношение к победе. Я всегда говорил своим парням: мы идем на поле, чтобы побеждать. Счет может быть 1:0, но мы надеемся на 2:0, 3:0, 4:0... и так далее, пока рефери не решит прекратить игру. Были случаи, когда мы побеждали со счетом 10:0 и даже 15:0, и, конечно, бывало, что матчи доходили до той точки, когда мальчики из команды соперников больше не хотели играть. Тогда задавали предельный счет – 6:0, после чего игра прекращалась.

Хорхе Вальдано: Когда Гриффа ушел, в клубе все изменилось, начались серьезные злоупотребления: например, фанатичные болельщики становились *владельцами молодых игроков.* Одно это говорит о моральном банкротстве, постигшем клуб. К счастью, новое руководство клуба быстро исправило это недоразумение.

Эрнесто Веккьо: Возможно, стандарт «детского» футбола немного снизился, но это – следствие изменений в общественной жизни. Есть мальчики, отцы которых не могут оплатить занятия футболом. Да, это бывает. Дети сегодня тоже другие: более непослушные, они огрызаются и не слушаются.

Раньше мальчишки были более управляемыми, теперь с ними намного труднее справиться. На конечный результат влияет отсутствие футбольных полей для занятий и современные технологии – дети предпочитают сидеть за компьютером и играть в PlayStation, а спорт их интересует все меньше и меньше. Это очень прискорбно.

СЦЕНА ВТОРАЯ

На затемненной сцене появляются кадры видеофильма.

Восьмилетний Месси бьет с обеих ног, он почти никому не пасует мяч, демонстрируя дух соперничества в те моменты, когда по нему попадают. Когда его сбивают с ног, он сначала останавливается, а затем снова продолжает игру. Даже в этом он не похож на остальных ребят. Затем, на пятой минуте, наступает типичная для Росарио ситуация: Месси и остальным ребятам, которые только что выиграли, тренер велит подойти и утешить своих побитых противников. Лео бежит к юному сопернику, лежащему на земле, сострадая поражению его команды. Конечно, он делает то, что ему сказал тренер, но никто не приказывал ему бежать к игроку, опускаться на колени и подхватывать соперника, лежащего на земле. В этом возрасте еще нет лицемерия, заставляющего ребенка проявить ложное сострадание. Ребенок делает то, что чувствует. Это спорт в его самом чистом виде.

Персонажи просматривают газету «Ole». Один из них начинает громко читать вслух: «Лионель Месси совершенно уверен, что его будущее не лежит в области тренерской работы. Он не представляет себе, как он дает инструкции, сидя на скамейке. Однако когда он начинает говорить о футболе, все его реплики заканчиваются одним и тем же, подчеркивая основные и самые важные для него элементы: команда, которая постоянно атакует, отличная оборона, сильнейшее давление, чтобы вынудить противника выполнять длинные передачи, много голов. Очень много. «Барселона» под руководством Пепы? Нет: «Машина ‘87» – непобедимая команда, которая вошла в состав детских команд «Ньюэллса»: Легуизамон, Печче, Джанантонио, Казанова, Скалья, Гонсалес, Хименес, Руани, Маццfolия, Браво, Миро и многие другие».

Джерардо Григини: Мне кажется, что само словосочетание «Машина ‘87» возникло намного позже. Я не помню, чтобы нас так называли.

Диего Ровира: Команда «Ньюэллса», где играли дети 1987 года рождения. Команда Кике Домингеса, отца Себа, того, который играет центрального защитника в «Велесе». В воротах стоял Хуан Крус Легуизамон, который сейчас играет в «Central Córdoba». Под номером 5 играл Лукас Скалья – настоящий монстр. Его называли «Осьминог», сейчас он в колумбийском «Once Caldas». Россо – в «Брешии», Григини играл в Италии. Леандро Хименес и Леандро Бенитес впоследствии присоединились к «Риверу». А также Лео, Ронкалья и я. Все говорят: команда «Ньюэллса '87» была непобедима. В 1999 году мы выиграли все матчи и почти все – в 2000 году. Игры шли со счетом 8:0, 7:2. Мы сбились со счета, вспоминая победы.

Джерардо Григини: В Росарио много говорили о нашей группе, потому что там были Лео, Хуан Крус Легуизамон, Лукас Скалья – все они были очень хорошими игроками. Мы начинали на маленьких полях, командой в семь человек. Один Лео стоил трех или даже четырех игроков.

Диего Ровира: Линия нападения была просто великолепной: Лео, номер 10, Ронсалья – номер 7 – очень быстрый игрок, бьет великолепные поперечные пасы. Добавьте сюда Берхессио. Какой парень, какой потрясающий футболист! И центральный защитник, номер 9 – я.

Тот же самый человек, что и раньше (это мог быть кто угодно), снова начинает громко читать статью в «Ole»: «Команда действовала очень сплоченно, напоминая колонию рабочих муравьев, что позволило им максимально использовать свой потенциал. И Лео уже в восемь лет отличался тем, что именно он оказывался движущей силой этой хорошо смазанной машины».

Диего Ровира: В 1999 году мы выступали в трех турнирах и выиграли их все. Наша команда победила во всех матчах этих состязаний – во всех 45, по 15 в каждом турнире – с ума можно сойти! Было одно исключение – матч против «Росарио Сентраль», которая сумела дать нам отпор, хотя в ответном матче мы разбили их со счетом 4:0. В тот день они ни разу не сумели подойти близко к нашим воротам – редко какой команде удавалось оказаться рядом с ними.

Кике Домингес: Из Аргентины Лео вынес естественную для латиноамериканца технику, такую же, как у Неймара, Рональдиньо, Рикельме: умение так управлять своим телом, чтобы приспособить его к мячу и направлять его. «Ньюэллс» привил ему настрой на победу.

Леандро Бенитес (бывший юниор «NOB»): Он был настоящей сенсацией. Мы выходили на поле, и наши противники говорили: «Я не поставлю на него и двух песо», но когда он получал мяч, то сдирал с них шкуру.

Диего Ровира: Однажды одному из помощников Кике пришло в голову поставить нас друг против друга – он решил, что это будет хорошей идеей. Одна половина «Ньюэллса» против второй половины. В первом полупериоде мы побеждали со счетом 3:0. Прекрасно. А во втором полупериоде? Четыре? Таким образом, вторая команда победила со счетом 4:3. Это был смешно. С Лео играть в футбол было просто смешно.

Эрнесто Веккьо: Он был настоящим чудом. Он был умен, у него был хороший короткий удар, и он умел играть, помогая своим товарищам по команде. Однажды на поле номер один в Мальвинасе вратарь передал ему мяч, и он двинулся от одних ворот к другим, после чего забил совершенно потрясающий гол. Вам ничего не нужно было ему показывать. Что вы можете показать Марадоне или Пеле? Единственное, что мог сделать тренер, это подправить небольшие дефекты.

Хуан Крус Легуизамон (бывший юниор в «NOB»): В Европе он стал известным после того гола, который забил в матче против «Хетафе», но для нас это было обычное явление – мы видели, как Лео забивал подобные голы как нечто само собой разумеющееся.

Диего Ровира: Лео... Я улыбаюсь, думая о тех чудесах, которые он вытворяет. Он настоящий монстр. Вот, например, пять голов, которые он забил в матче против «Байер Леверкузен»: кто еще мог бы забить пять голов в игре, уже не говоря о Лиге чемпионов? И как он делает его? Точно так же, как это было в «Ньюэллсе». С меньшим ускорением и эмоциями послабее, но точно так же.

Кике Домингес: У Лео была фантастическая координация для ребенка его возраста. Казалось, что мяч становится частью его тела. Если мяч идет высоко и нужно принять его головой, Лионель использует щеку, потому что знает, что это наилучший способ смягчить удар. Другой мальчик сначала примет мяч лбом, потому что знает, что это наиболее твердая часть головы и ею привычнее принимать удар. Почему Лео делает иначе? Потому что он не такой, как все.

Габриэль Дихероламо: Технически он был одарен так, как ни один другой мальчишка, которого я когда-либо видел. Он был так хорош, что приходилось менять его положение на поле много раз, чтобы он мог адаптироваться ко всем аспектам игры. Однажды я поставил его играть в качестве «свипера» – свободного защитника, и казалось, что он играл на этой позиции всю свою жизнь.

Кике Домингес: Я часто говорю, что не знаю, кто от кого большему научился – Лео от нас или мы от Лео.

Адриан Кориа (тренер, «NOB»): Они мне постоянно говорили: «Когда Лео играет, не надо тренировать команду».

Диего Ровира: Лео брал на себя несколько игроков и оставлял меня один на один. Так всегда происходило. Я должен был подготовиться, остановиться на последней линии наших противников и ждать: обязательно один на один. Если игра была сложная, что бывало нечасто, мы делали другой трюк. Легуизамон, вратарь, высматривал меня. «Фоли его мне!» – кричал Лео. Можете себе это представить: я был легкий и на голову выше соперников.

Хуан Крус Легуизамон: На одном из турниров организаторы собирались подарить нам по велосипеду каждому, если мы станем чемпионами. Мы добрались до финала, но матч начали без Лео – он просто не пришел, и мы проиграли первый период со счетом 1:0. Где он был? Лео опаздывал, потому что нечаянно закрылся дома в ванной, и ему пришлось разбить оконное стекло, чтобы выйти! Он приехал на стадион как раз ко второй половине матча, и мы победили со счетом 3:1 – все три гола забил Лео. Но, как я и говорил, мы сыграли миллионы игр. В нашей жизни было множество разных событий – мы жили вместе все детство.

Бруно Миланесио (бывший юниор в «NOB»): Помню, как я сказал своей бабушке, которая увидела, что я расстроен: Лео вывихнул лодыжку и не сможет играть на следующий день. Моя бабушка – хилер (народная целительница), она спросила имя больного мальчика. «Лео, Лео Месси» – сказал я ей. Она никогда не рассказывала мне, что именно сделала, к тому же я не хотел говорить Лео, что моя бабушка помогала ему. На следующий день Лео появился как ни в чем не бывало, отек на лодыжке прошел. Он принял участие в игре, и мы стали чемпионами. Несколько лет спустя я был в доме бабушки, и по телевизору показывали Месси, который играл за «Барселону». «Бабушка, помнишь его?» – спросил я. Она ответила, что не помнит. Я рассказал ей историю с лодыжкой. Теперь, когда она видит Месси по телевизору, она улыбается и хвастается: «Я однажды вылечила этого мальчика».

Джерардо Григини: Тогда нам не нужно было работать на команду, во всяком случае, особенно стараться для этого. Все было очень просто: мы должны были дать ему мяч, и дело сделано. Игра закончена. Он мог потерять его раз или два, но на третий и четвертый раз он забивал два гола. Гарантированно.

Анхель Руани (отец бывшего игрока «NOB» Лули Руани): В это трудно поверить, но Лео действительно забил около 100 голов в сезон во всех играх, в которых мы принимали участие. Если принять во внимание факт, что он пришел в «Ньюэллс» в 1994-м, а ушел – в 2000 году, то получается более 500 голов за все время его пребывания в детской группе – это просто невероятно.

Адриан Кориа: Вероятно, Лео не знал тогда, что быть маленьким – это преимущество: вы можете лучше вести мяч и оказываетесь более проворным и быстрым, чем все остальные.

Кике Домингес: Он пасовал мяч, но не просто бил его в вашу сторону, а скорее поднимал, заставляя пару раз подскочить вверх от его пальцев ног, и лишь затем делал пас. Лео – это футбол в самом точном значении этого слова. Не одержимость деньгами, нет, футбол – ради удовольствия и наслаждения.

Джерардо Григини: На поле «Ньюэллса» директора попросили Лео пожонглировать мячом перед игрой или между периодами. В одном случае, в Мар-дель-Плате, он делал это перед игрой, и поклонники бросали ему монеты. Пятнадцать минут прошли, а он все еще не потерял контроль над мячом. По-моему, в Перу он выполнил до 1200 ударов. В то время ему было девять лет.

Франко Казанова (бывший юниор «NOB»): Летом 1996 года, при прощании с легендарным игроком «Ньюэллса» и нынешним менеджером «Барселоны» Херардо Мартино, мальчики из команды в перерыве между таймами выполнили круг почета. Они были признанными чемпионами. Внезапно они остановились в середине поля и вытолкнули Лео в центральный круг. Трибуны завопили: «Марадо, Марадо!!» – когда Лео начал чеканить мяч.

Нестор Розин (бывший директор «NOB»): За каждые 100 ударов по мячу во время чеканки Лео получал мороженое, и однажды сделал больше тысячи ударов, потому что ему дали 10 мороженых.

Джерардо Григини: В 11 лет мы перешли от игры командами по семеро к игре командами по одиннадцать человек. Иногда играли в субботу – семерками, а в воскресенье – по 11 человек. Надо было привыкать. В игре против одиннадцати Лео выделялся еще сильнее – у него было больше пространства для игры. Он был очень быстрым и пролезал в такие зазоры, в которые явно не вписывался. Это было просто невероятно.

Адриан Кориа: Я играл с ним, находясь позади основного нападающего или, как это у нас называется, свободного, по тактической схеме 4–3–1–2.

Кике Домингес: Противники Лео пытались скрыть силу воздействия, которое он на них оказывал, но следили за ним взглядами с нескрываемым страхом. На детей в возрасте 10 или 11 лет он производил совершенно ошеломляющее впечатление.

Диего Ровира: Разговоры между защитниками противников были весьма примечательны:

– Мы не можем остановить этого мальчишку.

– Нет.

– Так что мы будем делать?

– Откуда я знаю? Разве тебе не говорили, что его просто нельзя остановить?

Они были правы. Однажды один из тренеров велел мне играть в обороне.

– Мама, они заставили меня играть в обороне, и к тому же я должен был следить за Лео! Мама, я даже не смог ухватить его за футболку, но я не собирался бить Лео.

Бедная моя мама. Она до сих пор вспоминает это.

Кике Домингес: Мы играли против «Morning Star», и их тренер подошел и спросил, не могу ли я увести Лео куда-нибудь во время перерыва? Конечно, я сказал «нет», потому что никогда не увел бы с поля Лео и вратаря Легуизамона.

Джерардо Григини: Однажды Лео выполнил пять обводок против одного игрока. Игрок бросился на землю и схватил его за ноги! Пять обводок одну за другой! И это при росте метр сорок, в то время как рост его противника был метр семьдесят. Он так развлекался. Он не делал это ради хвастовства. Нет, нет. Никогда не было никакого хамства, ничего подобного. В лиге «Rosario», «Oriental», «Rio Negro» – в округе были команды, которым нравилось играть грубо, раздавая удары направо и налево, но это не касалось Лео. О нем злословили, ему пакостили, но Лео ничего не отвечал им, а все доказывал игрой.

Кике Домингес: Я видел игры между аргентинскими футбольными командами невысокого ранга, которые превращались в настоящие бои на поле. «Это ничего, если ты сумеешь провести мяч мимо меня, в следующий раз я тебя отделаю, и пусть даже меня удалят с поля, тебе не удастся повторить то же самое». Такое здесь часто происходит. Так поступали бы и с Лео, если бы он остался здесь еще на какое-то время. Одно из небольшого числа указаний, которые я давал ему, заключалось в том, чтобы быстро отдать мяч, потому что, когда он его держал долго, защитники готовы были на все, чтобы его остановить. Дети, выполняя инструкции старших, а порой и по собственной инициативе, в случае, когда не могли остановить Лео, а он обходил их раз за разом, толкали его и пинали сзади. Я всегда советовал: «Убедись, что до этого ты избавился от мяча». Но для Лео играть, удерживая мяч (эту манеру вы можете видеть и сегодня), было совершенно естественным. Помимо всего прочего, у него был очень хорошо наметанный глаз, так что он отлично видел, когда кто-то приближается к нему, чтобы ударить. Нередко они не могли даже приблизиться к нему.

Адриан Кориа: Грубое отношение разжигало боевой задор – чем больше противники наезжали на Лео, тем упорнее он стремился вперед.

Анхель Руани: Однажды на поле клуба «Адиур» мы, родители, рассердились, потому что соперники все время пинали Лео, и попросили, чтобы тренер Габриэль снял мальчика с игры. В другой раз, во время игры у дома Велеса Серсфелда, один мальчик очень жестко отбирал мяч, и Лео, неловко падая, повредил руку. Его матери и моей жене пришлось отвезти его в больницу.

Кике Домингес: Только рефери могли защитить Лео. Поскольку он никого не бил, не протестовал, не хватал игроков за футболки, не насмехался над противниками, его хотелось защитить. Он был просто крошечным, с маленьким личиком и озорной улыбкой, но при этом стопроцентным мастером с невероятной преданностью делу. Он бегал больше всех других игроков.

Джерардо Григини: Лео был очень сильным. Многие вешались на него, пытаясь свались, но он был достаточно силен, чтобы с ними справиться. Он падал, вставал, снова падал – и снова вставал. Невероятно. Если кто-либо из нас падал, то оставался на земле и чаще всего начинал жаловаться. Но только не Лео: он падал, но по-прежнему продолжал работать с мячом. Не знаю, откуда в нем это, таких, как он, – один на миллион.

Кике Домингес: Он никогда не жаловался, несмотря ни на что. Я заметил, что в то время, как другие мальчишки свободно стояли и ждали, когда им передадут их футболки, Лео был единственным, кто отворачивался, чтобы снять футболку, стараясь сделать так, чтобы его никто не видел, и надевал красно-черную футболку с номером 10. Я думал, что это было следствием смущения, но однажды я увидел его без футболки и был ошеломлен – грудная клетка была настолько впалой, что смотреть на его грудь было просто страшно. У него были проблемы с костями – они оказались очень хрупкими, однако я никогда не видел, чтобы он даже вздрогнул или как-то иначе показал, что ему больно.

Однажды он упал, и падение привело к перелому запястья со смещением. Лео не играл в следующих играх турнира, который мы раньше называли мини-чемпионатом мира, но в первый день соревнований мы увидели, что он несет маленькую сумку. Мы были заинтригованы, всем хотелось узнать, что в ней такое, и я спросил одну из матерей других игроков. Та ответила, что он принес с собой обувь и наголенники... Лео был готов играть, но еще 15 дней ходил с гипсовой повязкой. Он сказал: «Я знаю, если я буду нужен Кике, он введет меня в игру». Я никогда не сделал бы этого, хотя в шутку спрашивал Лео, не хочет ли он сыграть во втором тайме. Несмотря на руку в гипсе, он с готовностью согласился. Я ни за что не стал бы вводить его в игру в таком состоянии. Снаружи это был хрупкий маленький мальчик, но внутри у него был очень прочный стержень.

Лео Месси однажды сказал: «Последний раз я чувствовал давление в то время, когда был футболистом «NOB», – мне было тогда восемь лет. С этого времени я двигаюсь в свое удовольствие». Когда он говорил это, ему было 23 года и он принял участие в двух финалах Лиги чемпионов, двух чемпионатах мира и финалах Кубка. Все было ерундой по сравнению с тем реальным давлением, которое он оставил на полях Росарио.

Гаццо (журналист): «Росарио Сентраль» и «Ньюэллс» играли в финале турнира, названного в честь моей радиопередачи «*Baby Gol*». Игра закончилась со счетом 2:2, а в ходе последующих пенальти ребята дошли до счета 22–22. В этот момент игрок «Росарио Сентраль» выполнил удар и промазал. Теперь все зависело от ноги Лео. Если бы он выиграл, то победителем турнира стал бы «Ньюэллс».

Кике Домингес: Однажды меня спросили, какое, на мой взгляд, самое важное качество Лео, и я ответил – его естественность. Все поведение Лео, с момента, когда он здоровается с вами и кажется очень сдержанным и необщительным, совершенно естественно. В 12 лет он заканчивал игру и обычно шел в дом друга Лукаса (кузена его жены Антонеллы), и там оставался на все выходные. Иногда по четвергам, после тренировки, он тоже шел туда, и порой проводил у Лукаса большую часть свободного времени! Само собой разумеется, его нынешняя жена тогда не обращала на него внимания. Сегодня он живет с этой женщиной, которую любил всю свою жизнь, и имеет от нее сына. Ему не нужно было устраивать пышную свадьбу, я вообще замечаю, что у Лео все происходит очень обычно, следуя естественному ходу событий. Национальная сборная Аргентины начала играть очень естественно, потому что они выходят на поле и выстраиваются в линию позади Лео. Моя мать, умершая три года назад, как-то сказала мне: «Знаешь, в чем различие между диктатором и лидером: диктатор навязывается, а лидер – тот, кого вы выбираете сами». И Лео, без криков, без какой-либо суеты, стал одним из тех, за кем следуют. Когда он забивал гол в «детском» футболе, все подходили, чтобы поздравить его, но когда гол забивал кто-то другой, он также подходил, чтобы обнять победителя. Мы говорим сейчас о Лео Месси, которому было 12 лет, а он уже был в Росарио кумиром, звездой, футбольным гигантом на юниорском уровне, каким сейчас является на мировой арене. Как правило, 12-летние ребята не могут действовать с такими рисками и выдерживать такое давление. Для него же способность забивать голы и бегать по полю с мячом, обходя всех противников, было совершенно естественным.

Гаццо: Турнир выиграл «Ньюэллс». Лео забил гол. Победный пенальти.

В январе 1996 года команда Лео выступала на международном турнире за Кубок Дружбы в Лиме. Это был его первый выезд за границу. Ему тогда было девять лет. Месси удивил всех своей способностью обрабатывать мяч, отличной техникой и взвешенностью. Уже в этом возрасте он сумел покорить мяч, сделать его послушным своей воле. Конечно, они выиграли соревнования. Им вручили приз в виде дельфина. Но ему пришлось пострадать ради того, чтобы играть в первом матче.

Габриэль Дихероламо: Когда мы добрались до аэропорта, там находились родители некоторых ребят из команды Перу. Каждая семья взяла одного из мальчиков – это было что-то вроде лотереи.

Кевин Мендес (сын семьи, в которую попал Лео): Однажды вечером он съел приготовленную на гриле курицу, и ему стало плохо. На следующий день он едва мог двигаться, а ему предстояло играть.

Габриэль Дихероламо: Лео почти плакал, так ему было плохо, у него имелись все симптомы обезвоживания.

Кевин Мендес: Когда Лео добрался до поля, он упал в обморок, и тренер сказал: «Вы занимаетесь игрой, а я отвезу Лео в больницу». Услышав это, мальчик вновь обрел самообладание.

Габриэль Дихероламо: Мы дали ему выпить изотонический раствор, и через полчаса он был на поле, выполняя чеканку.

Кевин Мендес: Он выпил лекарство и попросил разрешить играть. «Ньюэллс» выиграл со счетом 10:0, из которых Лео забил восемь – вряд ли кто-то сомневался, что он был самым лучшим игроком. Перед отъездом он подарил мне свою футболку.

Уильям Мендес (отец Кевина): На ужин мы пригласили Лео и еще одного мальчика из команды и попросили рассказать о своих целях. Ответ был прост: «Мы аргентинцы, и где бы мы ни были, сначала побеждаем, а затем возвращаемся домой».

Джерардо Григини: На поле, если мы пропускали мяч, Лео надувал губы. Он не хотел отдавать даже самой малости, всегда хотел выигрывать и ругался в случае провала, даже на футбольном поле. Если мы проигрывали, он преобразовывал свой гнев в способ выиграть – он забирал мяч и делал так, чтобы мы покидали поле победителями. Я помню несколько подобных случаев.

Адриан Кориа: Он был большим гордецом.

Джерардо Григини: Я очень хорошо помню турнир, который проходил в сельской местности. Мы отправились в Пухато и после 10 или 15 минут проигрывали со счетом 2:0. Лео сильно занервничал. Прошло всего восемь или девять минут, а он уже забил три гола. Вот так. На днях я смотрел игру, которую «Барселона» проиграла, и сказал себе: «Сукин сын, ты расстраиваешься!» Я узнал это выражение лица! Такое же, как и раньше! И тогда, как и прежде, за оставшиеся три или четыре минуты он забрал мяч и оказался лицом к лицу с вратарем. Почти ощущалось, что он говорит: «Черт побери, я это сделаю». За проигрыш он готов убить любого – в этом он просто невыносим!

Адриан Кориа: Ему было важно поставить точку. Если Лео проигрывал, это его мучило. На улице он любил собирать команды для игры в футбол. У каждого футболиста, достигшего вершины, вы обнаружите жажду успеха, стремление к славе.

Джерардо Григини: Мы проиграли чемпионат – турнир Артеага (что-то наподобие мини-Кубка мира, в котором участвуют игроки, достигшие 11-летнего возраста), и в этом была моя вина. Мы обыграли всех со счетом 8:0, 9:1 и так далее. Добрались до полуфиналов, где играли против команды местной лиги Росарио, с игроками, отобранными из восьми или девяти команд. Матч начался, их вратарь выбил мяч для атаки – в то время я играл на позиции центрального защитника, – но пробил мяч дальше, чем я думал, и я коснулся его головой, отдав форварду соперника, который бежал позади меня. Он забил гол, а потом они отрядили на оборону всю команду, и забить им хоть один мяч стало невозможно. Мы проиграли со счетом 1:0 в полуфинале. Лео был в ярости. Можете себе представить? Он не разговаривал со мной два или три дня. Он очень не любил проигрывать. Совершенно.

Кике Домингес: Наблюдая за командой 1987 года, у меня создалось впечатление, что Мацциа – форвард, который иногда играл с Лео, был до некоторой степени индивидуалистом. Я знал его недостаточно хорошо, чтобы сказать, что он в долгосрочной перспективе мог бы составить конкуренцию Лео, но, конечно, мог бы посостязаться с ним в таких аспектах, как техника и работа с мячом. Но мне пришлось расставить в команде свои приоритеты. Не лучшее сравнение, но Мацциа в команде был, как помятое яблоко в корзине. Мне было нужно, чтобы Лео взял на себя нагрузку всей команды, а этот парнишка делал то же самое, но на другом уровне. Поэтому я перевел его в команду'87 В, так что, если бы он вырос и впечатление, что он способен обогнать Лео, оправдалось, то это стало бы проблемой для них обоих – пришлось бы разобраться между собой в следующем году на поле в игре двух команд по 11 человек. На этом этапе футбол становится менее эмоциональным и более жестким, никто не поздравляет друг друга – детство кончилось. И отцов нет рядом, чтобы защитить вас, и более того, не приветствуется, если отец начинает совать нос в игру, – это вызывает неодобрительные взгляды. Происходит естественный отбор – выживает тот, кто доходит до следующего уровня. Лео справился, Мацциа – нет.

Джерардо Григини: Нападающие каждую игру завершали борьбой с Лео: все хотели забить больше голов. Ему нравится получать мяч, и если бы он мог, то играл бы двумя мячами: один для себя, а второй – для всех остальных! Если бы я мог проникнуть в его голову и понять, каким он был тогда, когда был с нами... Тренеры дали нам указание, от которого портилось настроение: Лео может делать то, что он хочет, и мы начали завидовать! «Почему он?» – спрашивали мы. «Отдайте ему мяч, – говорил Кория. – Пусть Лео сделает то, что он хотел. Это самый простой вариант».

Кике Домингес: На стадионе Мальвинаса мы всегда вели себя правильно: приветствие, объятие, поцелуй, рукопожатие. Так же, как со всеми. Но когда тренировка заканчивалась, Лео не хотел уходить домой, что мне очень нравилось. Временами нас просто заживо съедали комары, и отцы собирались в небольшие группки, в другие дни опускался густой туман, а Лео всегда хотел больше играть в футбол.

Клаудио Вивас (тренер, «NOB»): Когда мы играли матчи местного турнира, это происходило в Мальвинасе. За полем стояла маленькая открытая хижина, которую часто использовали для приготовления шашлыков, а рядом с ней стояло несколько столиков, где люди собирались, чтобы поесть, пообщаться, выпить. «Но, Лео, ты же не можешь играть здесь, где люди едят, ты же что-нибудь разобьешь...» – никакой реакции. Когда игра на поле заканчивалась, он продолжал, и его было не остановить. Иногда он просил отца отвести его на площадку подальше, через два земляных поля, чтобы он мог продолжать играть там с друзьями.

Адриан Кориа: Мяч в стену, и снова, и снова... Ему говорили: «Знаешь что, нам нравится эта стенка, мы за ней ухаживаем, мы красим ее, мы стараемся сделать так, чтобы она не пачкалась. Успокойся, скоро ты снова будешь играть, передохни». А он: «тук, тук, тук». Один из тренеров сказал мне: «Нет никакого способа остановить этого мальчишку, он проводит весь день за игрой, даже тогда, когда заходит солнце. И без света. И когда все спят».

Эрнесто Веккио: И даже если он болен. Однажды Лео вышел на поле Адиур после болезни, но непременно хотел играть. Я придержал его на скамейке. Мы проигрывали со счетом 1:0. Оставалось пять минут до конца, и я спросил Лео, не хочет ли он поиграть. Как только он ответил, что хочет, я попросил его пойти и выиграть матч. Излишне говорить, что мы победили.

Клаудио Вивас: Лео любит футбол: смотреть, как играют другие, и играть сам. Его семья жила недалеко от центрального стадиона Кордовы, и я обычно приходил и смотрел, как там играет один мой родственник. Я часто видел там Лео. «Central Córdoba», так же, как «Alavés» или «Eibar», – районные команды второго или даже третьего дивизиона.

Кике Домингес: В Академии были совершенно феноменальные игроки, просто бесподобные, но они застревали в низших дивизионах. Не состоялись. Лео уже в 12 лет был совершенно потрясающим игроком и остается им до сих пор. Этого очень трудно добиться. Жизнь подарила мне шанс тренировать трех совершенно фантастических игроков юного возраста: Макси Родригеса, «Билли» Родаса и Лео Месси. Самым невероятным потенциалом из них обладал «Билли».

Эрнесто Веккио: Родители Лео постоянно находились рядом с ним. Отец всегда стоял возле ворот: не говорил ни слова и не смешивался с толпой других отцов.

Кике Домингес: Все остальные отцы относились к Лео, как к собственному сыну, он был братом ребятам не только моей команды, но и в любой другой, в которой он играл. Мама Лео предпочитала держаться вместе с другими матерями, но Хорхе, его отец, как правило, стоял в стороне и держался особняком.

Эрнесто Веккио: Мы отправились на турнир в Канто-лао. Лео был в команде 1987 года. А членом команды 1986 года был Густаво «Билли» Родас, который впоследствии прославился тем, что в 16 лет дебютировал в первом дивизионе. Они были очень разными. Я с сожалением смотрю на сегодняшнее положение Родаса – по-моему, он играет в Перу, – мне грустно думать, что у него был необыкновенный талант, он мог бы достичь невероятных высот.

Кике Домингес: Я всегда говорю, что мое величайшее достоинство – и я всегда буду этим гордиться – умение бережно хранить и развивать то, что игроки получили от природы. Лео подобен произведению искусства, вышедшему из-под руки известного мастера: он не может не достичь высокого результата, это просто невозможно. Есть футболисты – и у нас есть пример величайшего в прошлом кумира – Диего, – которых сгубили пьянство, вечеринки, раздутое эго, ссоры... Лео не из таких.

СЦЕНА ТРЕТЬЯ

На темном экране мелькают следующие кадры.

http://www.youtube.com/watch?v=uBPnpziMFOQ

Лео десять лет. Товарищи по команде высматривают его. На нем футболка с красно-черным номером 10 во всю спину. Одним касанием он обрабатывает мяч, переигрывая вратаря. Лео не бьет по мячу, он скорее вкладывает его в ворота, а затем передает мяч за пределы этой области и входит в штрафную площадку, чтобы получить его назад от своего товарища по команде. Так же, как он неоднократно делал это раньше. И делает до сих пор. Позже, прямо после введения мяча в игру, он обходит одного, потом другого, затем третьего противника, а добравшись до края, бьет по мячу. На сей раз голкиперу удалось поймать мяч. Пришедший к Лео «кирпич» снова становится мячом, как только касается его левой ногой. Он разворачивает тело и забивает гол прострельным ударом. Затем он забивает другой гол после штрафного удара, один правой ногой, другой – левой. Отобрав мяч и обойдя несколько игроков противника, он посылает мяч высоко над головой вратаря.

Он мчится, чтобы обнять товарищей по команде. Когда прозвучал финальный свисток, униженные противники подходят к нему, чтобы попросить сфотографироваться или выполнить чеканку. Все останавливаются, чтобы посмотреть, как он доберется до ста ударов и больше.

Кике Домингес: Раньше мы разогревались с мячом на поле, поэтому когда ребята играли, то отдавали себе отчет, что видят перед собой мяч, а не «кирпич». Понимаете, что я имею в виду? Порой Лео проводил разминку. Я занимался бумагами, которые надо было подписать, и просил Лео занять мальчишек. Лео несся на поле. Если он двигал ногой определенным образом, все повторяли за ним это движение. Но ни я, ни он не заставляли игроков это делать – они делали так, потому что хотели скопировать его действия, Лео был эталоном, которому они хотели соответствовать. Все было совершенно естественно. Передо мной была картинка мамы-утки со своими утятами, которые всюду следуют за ней.

Джерардо Григини: У нас не было одного лидера. В группе было около 16 человек, и многие были способны принимать решения. Конечно, мнение Лео и мое было довольно весомым, а также ценили Леандро Бенитеса и Лукаса. Был еще Хуан, который хотел быть лидером, но в детстве нередко происходят стычки, и хорошо, что ему не позволили им стать. Лео не был тираном, навязывая всем свои суждения, но, скорее, был тем самым лучшим футболистом, за которым люди были готовы следовать.

Адриан Кориа: Обычно Лео выслушивал указания тренера с уважением. Он быстро все усваивал. Лео никогда не говорил «я разыгрываю мяч» и «я – лучший». Товарищи по команде любили его. Единственное, что не нравилось Месси, – упражнения, он любил играть. Один раз мне пришлось наказать Лео во время тренировок. Я не людоед и не армейский старшина, но мне всегда нравилось серьезное отношение к работе. Все выполняли упражнение, когда он начал играть с мячом. Я обратился к Лео несколько раз, но он игнорировал меня. В конце концов, я был вынужден сказать, чтобы он положил мяч и отправлялся домой. Десять минут спустя я увидел его с сумкой на спине – он стоял, прислонившись к стене, и смотрел на поле. Мне стало грустно и больно смотреть на это. «Ты умчался, не поцеловав меня», – крикнул я ему. Он возвратился, поцеловал меня, и я отослал его назад в раздевалку, чтобы он снова подготовился к тренировке. Он был застенчивым мальчиком, но упрямым, однако это был единственный случай, когда мне пришлось поступить с ним подобным образом.

Кике Домингес: Вы видели таких игроков, которые пытаются сыграть «в стенку» (короткий пас – молниеносный рывок вперед – снова получение мяча) и продолжают бежать, хотя то, что возвращается к ним, больше похоже на кирпич, чем на мяч? Лео делал именно так. Многие остановились бы на полпути, если не получили мяч назад так, как им хотелось.

Эрнесто Веккьо: Солнечным субботним днем в Мальвинасе мы играли против «Пабло VI». Лео получил мяч от вратаря и с ускорением помчался прочь из нашей зоны, двигаясь мимо игроков и огибая вратаря соперников, который, пытаясь остановить его, упал и подвернул лодыжку. Мальчик издал крик боли, который Лео, похоже, услышал, и вместо того, чтобы забить мяч в пустые ворота, остановился, повернулся и не только пошел помочь ему, но привлек внимание судьи, чтобы пострадавший мог получить медицинскую помощь. Это мне понравилось.

Кике Домингес: Лео был довольно осмотрительным: не кричал, не был слишком экспансивным, даже когда выкидывал какой-нибудь номер. Однажды «Ньюэллс» выдал нам клубные свитера, абсолютно красные с небольшими белыми вставками по бокам. Лео подошел ко мне и сказал: «Что вы будете делать, разукрашенный, как Дед Мороз? Вы очень на него похожи». В то время мои объемы немного вышли из-под контроля, и ничего не помогало! Нахал!

Диего Ровира: Тогда мы взяли за правило перекусывать днем у меня дома. Скалья, Бенитес, Лео и я. Мы собирались, чтобы поиграть в «Нинтендо». Как же мы смеялись! Пока моя мать готовила нам еду, мы открывали ящики платяного шкафа в моей спальне и надевали европейские футбольные майки. Мой отец – врач, который ездил на конференции и всегда привозил мне футболку с эмблемой клуба: «Барселона», «Манчестер Юнайтед», «Реал Мадрида». Я никогда не носил их: они лежали просто как подарки. Два ящика, заполненные футболками. И перед тем, как начать играть в приставку, каждый из нас выбирал по футболке. Григини, например, надевал футболку «Реал Мадрида». Лео – «Барселоны» – ту, которую они выпустили к столетнему юбилею, – наполовину алая, наполовину – синяя. Футболка Ривалдо. Он всегда делал одно и то же: приходил ко мне домой и шел надевать футболку «Барселоны». Лео в одной из моих футболок – такой забавный – казалось, что он надел ночную рубашку.

– Точно, я надену эту, – сказал он мне после того, как все вернули футболки в ящик. Все, кроме Лео:

– Ну, давай, верни ее мне.

Он попросил меня, улыбаясь.

– Да?

Это была моя единственная футболка «Барселоны». Еще бы я отдал ее ему!

Джерардо Григини: Он говорит, что фанат «Ньюэллса», но когда мы были детьми, он увлекался «Ривером». Я был фанатом «Ривера», Лукас – «Ньюэллса», а Леандро – «Боки». Лео был фанатом Аймара, который в то время играл в «Ривере», и мы обычно смотрели все его матчи. Мы много времени проводили вместе, а в выходные дни, когда мы должны были играть, мы оставались в пансионе.

Нестор Розин: Чтобы игра ребят была лучше, у нас был пансион, где могли пожить мальчики из отдаленных районов. Мы должны были быть уверены, что они хорошо поели и выспались.

Джерардо Григини: Лео, как бельчонок, спал на самой верхней койке, на третьем ярусе. Мы наслаждались жизнью, у нас была общая цель: хорошо провести время. В то время бутылка кока-колы стоила 1,25 песо. Это был 2000 год – проведение мини-чемпионата мира Arteaga, и мы провели около 20 дней, живя вместе в этом пансионе. Вечером предыдущего дня шел дождь, и всем хотелось выпить кока-колы, но ни у кого из нас не было денег. Это было время, когда в Аргентине только появились мойщики ветровых стекол у машин, стоящих на светофоре в ожидании, когда зажжется зеленый свет. Тогда мы и решили: «Пойдем мыть ветровые стекла! По крайней мере, получим немного мелочи». Лео решил измазаться грязью из придорожной канавы, и, когда люди выходили из супермаркета, он просил: «Монетку, сеньора?» Дама давала ему два песо. «Мелкую монетку, сеньора!» Полтора песо, два песо... В тот день мы купили 56 бутылок кока-колы!!! В будущем, когда у меня будут дети, я обязательно расскажу им, как мы дружили, как я играл и принимал участие в самых разных проделках вместе с лучшим в мире футболистом.

Кике Домингес: Я пообещал своему сыну Себастьяну, что, в случае его дебюта с любой командой – даже с «Бока» (хотя мое сердце навеки отдано «Риверу»), я отдам ему свой Ford Sierra. В тот же день, поскольку я был довольно сильно взволнован, я приехал на тренировку поздно. После я вышел из раздевалки и понял, что у меня нет ключей от машины Ford Sierra, которую я обещал сыну. Я забеспокоился и возвратился в раздевалку, но и там не мог найти ключи. В раздевалке меня встретили все ребята – они сидели тесной группой – Лео посередине, изображая, что он ведет машину, а она рвет с места. Ключи от Ford Sierra были у него в руке. «Вы их ищете, Дед Мороз?» – спросил Лео.

Джерардо Григини: В то время мы были так молоды, что не могли ходить на дискотеку. Поэтому договаривались с друзьями и приглашали девочек из нашего класса домой. Например, если был мой день рождения, то я приглашал к себе всех товарищей по футбольной команде и школьных друзей, и мы старались соответствовать. Всегда приглашали трех кузин Лукаса: Антонеллу, которая стала женой Лео, Карлу – самую младшую и старшую Паулу. Лео всегда, даже когда ему было 10 или 11 лет, любил Антонеллу. Правда, в то время она не отвечала ему взаимностью. Я полагаю, что впоследствии Лукас внес свой вклад в их отношения, и они узнали друг друга лучше. На вечеринках Лео был застенчивым, замкнутым, и мы обычно говорили ему: «Давай, Лео, не упускай возможность! Почему ты не веселишься, как мы? Когда ты играешь в футбол, ты намного храбрее, парень!» Но он был застенчивым и продолжал сидеть где-нибудь в углу.

Озорство? Мы были спокойными детьми. Самая серьезная проделка, которую мы устраивали, это попрошайничество ради «кока-колы». Чаще мы встречались у кого-то дома и играли на PlayStation. Иногда ходили в гости к Лукасу, у которого дома было два поля для мини-футбола, и мы собирались там, чтобы поиграть.

Джерардо Григини: Для меня было очевидно, что Леандро Бенитес, Лукас и Лео имеют все необходимые качества, чтобы играть в первом дивизионе. Однако я и представить себе не мог, что Лео станет лучшим в мире. «О чем ты мечтаешь?» – спрашивали мы друг у друга – мы постоянно говорили об этом. «Войти в первый дивизион», – всегда отвечал он. Он мечтал играть за «Ньюэллс». В его жизни произошли разные события, и Лео оказался в «Барселоне», но я думаю, что лет через пять, когда ему исполнится 30 лет, он вернется в родной клуб. Однажды Месси выиграл чемпионат мира – с божьей помощью мы выиграем следующий, – и он почувствует, что сделал то, что хотел. Он вернется домой. Во всяком случае, я так думаю.

Эрнесто Веккьо: Я всегда говорил, что у него огромное будущее, и я был прав. Мне бы очень хотелось, чтобы Родас достиг таких же успехов или Депетрис – парнишка с потрясающей техникой...

Адриан Кория: Я должен был некоторое время наблюдать за теми, кто собирался играть на большом поле командами по 11 человек. У Лео были проблемы с ростом. Никто в семье не мог заработать деньги, которые были необходимы для лечения, в котором он нуждался. Я обычно говорил Пепето (Роберто Пуппо, младший технический директор «Ньюэллса»): «У вас есть влияние и контакты, почему не попытаться помочь ему? Когда Лео станет лучшим игроком, чем Диего, он вернет вложенные в него деньги». Мне кажется, на инъекции было необходимо около 900 песо в месяц.

К счастью, у меня есть свидетели, которые могут подтвердить, что я нажимал на все рычаги. Они могут подтвердить, что, по моему мнению, он мог стать столь же великим игроком, как Диего. Иногда я напоминаю об этом Тата Мартино и другим своим друзьям, имеющим вес в мире футбола. Он, бесспорно, должен был стать яркой фигурой в мире футбола.

АКТ ВТОРОЙ

СЦЕНА ПЕРВАЯ

На темной сцене демонстрируется следующее видео – реклама «Адидас», в которой звучит голос Лео.

http://www.youtube.com/watch?v=hidTAhkEwZw

«Когда мне было 11 лет, у меня обнаружили дефицит соматотропина – гормона роста, и было необходимо начать лечение, чтобы я смог вырасти. Каждый вечер мне нужно было делать укол в ногу, вечер за вечером, каждый день – в течение трех лет.

Я был таким маленьким, что в 11 лет я был размером с восьми-, девятилетнего ребенка, или даже еще меньше. Это было очень заметно на футбольном поле и на улице, когда я стоял рядом со своими друзьями.

Мне говорили, что я всегда был самым маленьким: в школе, на футбольном поле, во дворе. Я очень отличался от остальных ребят. Так продолжалось до тех пор, пока я не закончил лечение и начал расти, как все.

Я думаю, то, что я был меньше остальных, позволило мне быть немного быстрее и проворнее и помогло мне лучше играть в футбол.

Благодаря этому я понял, что то, что поначалу казалось плохим и уродливым, преобразовалось в нечто весьма позитивное, и я сумел достигнуть многого и стать тем, кто я есть сейчас, благодаря тяжелой работе и огромным усилиям».

Изображение, спроектированное на большой экран: две маленькие ножки в коротких брючках, небольшой контейнер, похожий на пенал, в котором спрятан шприц. Как мы объясним позже в этом акте, он будет собирать шприц, а затем вводить иглу в ногу. Экран темнеет. Снова включается свет. Он повторяет процедуру: инъекция в другую ногу. Тем временем мы слышим голос аргентинского мальчика, читающего отрывки из следующих интервью:

Лео Месси для *El Grafico*: «Я был меньше, чем остальные дети, но на поле это не было заметно. Люди, которые видели, как я делал себе укол, пугались, и им становилось плохо. Меня же это не беспокоило и не причиняло боли. Куда бы я ни шел, я брал с собой шприц в футляре и клал его прямо в холодильник, например, если шел в гости. Вечером я вынимал его и вкалывал иглу прямо себе в квадрицепс. И так каждый вечер. Один день – в одну ногу, на следующий день – в другую».

На сцене снова загораются огни, но тени темны и глубоки. Уже довольно поздно, и те, кто сейчас сидит за столами в Мальвинасе, остаются, чтобы выпить последнюю кружку пива.

Нестор Розин: Когда Лео перешел из мини-футбола в настоящий, мы заметили его отличие от остальных, потому что «Ньюэллс» был известен своими крепкими и упитанными игроками из сельской местности, а он был очень маленьким.

Джерардо Григини: Лео делал инъекции так, как будто это было совершенно естественно. Он никогда не объяснял мне, для чего это делается. Он приносил с собой маленькие холодные коробочки, внутри которых лежали небольшие бутылочки с жидкостью. Устройство было похоже на карандаш с небольшой иглой и отверстием, куда он вставлял бутылочку, а затем вкалывал шприц в ногу. Неделя за неделей, каждый день. Перед сном. Семь дней в одну ногу, семь дней – в другую. Он делал это совершенно естественно, точно так же, как все остальное! Когда он заканчивал вводить лекарство, он вытаскивал иглу. При этом он не смотрел на нас так, как будто мы собирались расспросить его об этом. Когда мы жили в пансионе (приблизительно 16 ребят в возрасте около 11 лет), можете себе представить, как мы на это смотрели... Но мы не смеялись над ним и ничего не говорили об этом, ничего.

Хуан Крус Легуизамон: Если посмотреть на ноги Лео, то можно было увидеть, что они усеяны точечками проколов, но мы не знали точно, что это такое. Мы были детьми, а в этом возрасте многое остается незамеченным. Единственное, что нас интересовало, – игра.

Матиас Месси (брат Лео): Да, по правде говоря, семье было трудновато: дети не чувствовали это так сильно, потому что были очень молоды, но семья переживала.

Джерардо Григини: На тот уровень, которого достиг Лео, его привел талант и уверенность в своих силах. Думаю, что мало кто обладает такой силой духа в возрасте 10 или 11 лет, чтобы сказать: «Я сделаю это, потому что оно поможет мне в будущем». Он самостоятельно делал себе инъекцию перед тем, как лечь спать, потому что знал, что это должно реализовать мечту играть в первом дивизионе.

Лукас Скалья (лучший друг Лео, футболист): Он никогда не распространялся о том, что делает уколы.

СЦЕНА ВТОРАЯ

Семья Месси решила проконсультироваться со специалистом, потому что они видели: в 10-летнем возрасте Лео был намного мельче, чем другие дети. Были сданы медицинские анализы.

Мы видим на сцене врачебный кабинет, расположенный в старом доме, который несколько лет назад выделил доктору Диего Шварцштайну его отец. Он находился на первом этаже, и идти туда надо было по изящной деревянной лестнице, подобной тем, которые строили сто лет назад. Кабинет представлял собой небольшую комнату площадью в три квадратных метра. Неподалеку от врачебного кабинета имелась небольшая приемная. Мы видим доктора Шварцштайна в белом халате – он ищет нужные ему бумаги в ящике небольшого письменного стола. И вот он начинает говорить и рассказывать о прошлом.

...таким образом, мне сказали, что этот мальчик – самый лучший, настоящий феномен, но ему необходимо подрасти. Время от времени, когда медики «Ньюэллса» видели в клубе спортсмена, привлекшего их внимание и нуждающегося в эндокринологе, они вызывали меня. Так получилось, что Лео и его мать оказались в моем врачебном кабинете.

По правде говоря, я помню лишь часть событий того времени, остальное мне пришлось воссоздавать лишь впоследствии, потому что я стал вынужден рассказывать историю лечения Лео многократно. Кроме интервью, мне были любопытны эти события самому. Впервые он приехал ко мне в мой день рождения – удивительное совпадение. Это было 31 января 1997 года, если я все помню правильно. Он пришел со своей мамой, и я объяснил, как объясняю всем мальчикам, что доктора не могут помочь всем, кто хочет вырасти, а только тем, у кого есть проблемы с ростом, останавливающие его естественный процесс. У медицины нет способов помочь человеку вырасти. Мы только можем узнать, есть ли у больного проблемы, которые останавливают рост, и когда находим их, то пытаемся помочь. Я предложил сделать некоторые анализы.

Ребенок, размеры которого продиктованы генами, может быть доволен этим или нет, но медики не будут ничего менять.

Я занимаюсь подобными объяснениями потому, что иногда пациенты ожидают, что доктор даст им волшебную таблетку, которая позволит им играть в NBA, но ее не существует. Я объясняю им это, чтобы они не обольщались, а затем начинаю обследование. Я сразу заметил, что Лео был очень замкнутым мальчиком, не застенчивым, а именно замкнутым. Мне показалось, что он – явный интроверт. Застенчивый – это человек с комплексами, чувствующий себя отделенным от других. Я не думаю, что Лео относится к таким людям, скорее, он скрытный и осторожный. Ему требовалось время, чтобы открыться, прежде чем он начинал доверять вам.

Но поскольку Лео так же, как и я, очень любил футбол, лед довольно быстро был сломан. Мы поговорили о футболе: кто был его кумиром, кто из игроков нравился, где он играл, и так далее. Очень скоро между нами установились хорошие отношения, и я понял, что для мальчика имеет значение только одно – он хочет стать футболистом.

Когда я объяснил ему, что мне необходимо выполнить довольно жесткое и несколько неприятное исследование, я думал, что это может заставить его нервничать, но он ответил только: «Я хочу играть в футбол». Самым важным для Лео была необходимость вырасти настолько, чтобы суметь стать футболистом.

В любом случае, определение диагноза оказалось достаточно утомительным мероприятием, но мы справились с задачей относительно быстро. В конце 1990-х годов мы не имели четкой технологии биохимической диагностики, поэтому исследование шло достаточно долго. Порой в Аргентине очень трудно заставить органы национального здравоохранения позволить провести подобное исследование. Если исследования действительно показывают недостаточность соматотропина, необходимо сдать новые анализы подтверждения, чтобы быть абсолютно уверенным в диагнозе. К тому же одним из элементов, которые мы используем при постановке диагноза, является скорость роста, а единственный способ определить этот параметр – измерить кого-то сегодня, а затем повторить процедуру несколько месяцев спустя. В результате уточнение диагноза обычно занимает три или четыре месяца. В случае Лео, если я не ошибаюсь, на это потребовалось полгода.

Действительно, ему не хватало соответствующего гормона. Можно было генетически создать именно тот состав, которого не хватало организму Лео, и вводить этот препарат под кожу один раз в день. Лечение состояло в том, что в организм вводилось извне то, что в нем отсутствовало. Организм Лео не вырабатывал необходимый ему гормон, и его пришлось получать искусственно. Это было довольно дорогое лечение, оно стоило около 1500$ в месяц.

Я сказал, что ему придется делать себе уколы самому.

Доктор вынимает маленькую коробочку из шкафа, открывает ее и объясняет, что нужно будет делать.

Как он отреагировал? Я не помню. Полагаю, что он реагировал точно так же, как любой другой в аналогичной ситуации, потому что у меня в памяти не отложилось ничего необычного.

Шприц для таких инъекций похож на ручку, где вместо чернил заправляется соматотропин, а вместо пера – игла. Прежде всего я заправляю шприц, у которого есть регулятор, порцией препарата. Обычно в первый раз я делаю укол в своей операционной, а точнее, я помогаю пациентам делать укол, контролирую их, пока они не научатся делать это самостоятельно. Они могут делать укол в бедро, в живот, в руку. Это похоже на укол инсулина. Каждый выбирает себе тот участок тела, куда ему удобнее колоть, место, где укол причиняет меньшую боль. В результате Лео предпочел делать себе укол в ноги, а не в какое-то другое место.

Когда я даю эти шприцы своим пациентам, то успокаиваю, что волноваться не о чем, боли они не почувствуют. А они спрашивают меня: правда? Это не больно? И я говорю, что, если я сам сделаю укол в то время, пока они будут смотреть куда-то в сторону, скорее всего, даже не заметят, что я это сделал. Комариный укус причиняет большую боль. Эта инъекция выполняется с помощью иглы, которую вы едва можете увидеть. Эти иглы ежедневно меняются, никогда не ломаются, и они очень короткие – сейчас их длина не более трех миллиметров.

Я встречаюсь со своими пациентами достаточно регулярно. На этапе определения диагноза за шесть месяцев я виделся с Лео четыре или пять раз, и потом один раз в три месяца. В результате у нас возникли доверительные отношения, и мы начали разговаривать на разнообразные темы. Ключевой темой был футбол – он нравился нам обоим: Лео играл за «Ньюэллс», а я был спонсором клуба. Я обычно спрашивал его: как дела? Кто тебя тренирует? Ты смотришь игры команды первого состава? Через некоторое время у нас возникли отношения, которые выходят за рамки медицинской тематики. Я продолжал интересоваться событиями в жизни Лео. Однажды он пришел на прием со своим отцом, и я спросил его: как чувствует себя мать? В следующий раз, когда он пришел с матерью, я спросил его: как дела у отца? Он подробно отвечал мне, мы продолжали болтать, а наши отношения становились все доверительнее. Таков мой стиль работы.

Лео все время говорил мне: «Больше всего я хочу играть в футбол».

Я всегда пытался объяснить мальчику – как и другим пациентам, – что лечение не имеет никакого отношения к тому, станет он футболистом или нет. Я занимаюсь проблемой дефицита роста. Если бы кто-то хотел стать таксистом, то ему пришлось бы пройти тот же курс лечения, если, конечно, человек не мечтает стать таксистом-коротышкой. Разница в том, что человек низкого роста вполне может стать таксистом, но ему будет очень трудно стать футболистом. Тем не менее прямой связи с лечением здесь нет. Лечение может помочь вырасти, а рост, в свою очередь, может помочь продвинуться в футболе. И все равно Лео был совершенно уверен, что это тот путь, по которому он хотел бы идти.

Я не помню ни одного случая, чтобы Лео плакал, даже в моем врачебном кабинете. Я убежден, что, если вы прямо спросите его о самых худших моментах в жизни, когда он страдал больше всего, и о том, что причиняет ему самую сильную боль, я ни на минуту не сомневаюсь, что он и не вспомнит о своем лечении. Я не помню, чтобы этот процесс стал для Лео особенно травмирующим переживанием.

Естественно, если вы скажете любому молодому человеку о том, что у него есть проблема, которую можно решить с помощью инъекций, вы получите два вида реакции. Во-первых, он будет рад, услышав, что проблема легко разрешима. Или если не легко, то, по крайней мере, решается. А затем, когда проблема с ростом исчезнет и пациент начнет расти, как обычно, то ему удалось справиться с ограничениями, которые накладывает на них болезнь. Это делает человека счастливым. Но когда вы говорите ему, что решение проблемы заключается в том, чтобы делать себе инъекции в течение последующих двух тысяч дней или... ну, я не знаю... трех-четырех лет, это не очень обрадует. Но я не помню, чтобы реакция Лео выражалась в слезах.

Возможно, вы замечали, что хорошие футболисты не всегда выглядят, как атлеты: Криштиану Роналдо, который одновременно талантлив и массивен, – редкость. Обычно талантливые игроки довольно маленькие: Ортегита из Аргентины, который играл в «Валенсии», Марадона или Неймар – все они не крупные. Я думаю, что для того типа игры, который они демонстрируют, у них должен быть довольно низко расположенный центр тяжести, и они должны быть очень подвижными... Этим параметрам скорее соответствуют некрупные люди, однако разве не талант Лео и его способность работать с мячом сделала его тем, кем он является в настоящее время?

Доктор собирает бумаги на рабочем столе. Снимает свой белый халат. Консультация закончена.

Иначе говоря, лечение Лео вообще не оказало никакого влияния на его эмоциональное развитие. Но совершенно ясно, – мой рост 170 см, – что время от времени вы оказываетесь в весьма невыгодном положении, находясь рядом с вашими более высокими друзьями. Дети часто дерутся, это нормально, но если вы маленький, то можете попасть под раздачу. Если вы высокий, вам легче преуспеть. У девочек то же самое. Когда вы очень маленькая, приходится нелегко. У Лео обнаружилась патология развития – у него не хватало соответствующего гормона. Он был ниже того роста, который считается нормальным, что могло привести к развитию определенных черт характера, в чем-то подавить его, выработать неуверенность. Другими словами, когда тело не накладывает на вас определенных ограничений, ваша личность будет развиваться естественно. Но если человек уже является интровертом, то нехватка роста только добавит ощущения неуверенности в себе.

Является ли этот препарат допингом? Соматотропин использовался в качестве добавки взрослыми, которые не нуждаются в нем по причинам медицинского характера, с целью получения спортивных преимуществ. Но следует дифференцировать лечение соматотропином взрослого, который в нем не нуждается и пытается получить некую выгоду, от лечения ребенка по жизненно важным показаниям. В первом случае важно помнить, что при приеме больших доз могут возникать очень серьезные негативные побочные эффекты. Лео в тот момент был девятилетним мальчиком, и я не думаю, что он мог когда-либо представить себе такой вариант. К тому же, если бы вы могли спросить его: когда тебе было девять, десять, одиннадцать лет, что ты видел во сне? Я не думаю, что ему снилось, как он становится лучшим в мире игроком. Полагаю, что это превышало самые смелые его мечты. Знаете, когда я был мальчиком, мне приснилось, что на мне футболка «Ньюэллса» с номером 9. Я забил победный гол, который помог нам выиграть лигу, а потом, как мне подарили футболку номер 9 команды Аргентины, и я забил победный гол на последней минуте финала чемпионата мира. Если вам все же удастся осуществить то, что вы видели во сне, придется признать, что это превышает ваши самые смелые мечты. Лечение, которое прошел Лео, не стало причиной того, что ему удалось осуществить свою мечту. Он был девятилетним мальчиком, который любил футбол, точно таким же, как 99 процентов девятилетних мальчишек в Аргентине. Если предположить, что сегодня в «Ньюэллсе» то же самое лечение предложат ста мальчикам в возрасте между 8 и 10 годами – а там найдутся сотни семей вроде семейства Месси, – то тогда, при условии его абсолютной успешности, клуб смог бы ежегодно производить с помощью соматотропина приблизительно 10 или 12 новых Месси!

У меня есть сын, и в 1997 году, в то время, когда я назначал Лео лечение, ему было три года. Если это лечение было бы способно превратить любого мальчишку в лучшего игрока в мире, я скорее назначил бы его своему сыну, а не Лео.

К тому же, если я правильно помню, лечение было прервано, когда Лео было 15 лет. Уже в Барселоне. Тамошние специалисты решили, что увеличение роста создает ненужное напряжение в организме Лео и приводит к проблемам с мышцами. Я полагаю, что это не имело к нему никакого отношения, потому что каждый ребенок с дефицитом гормонов роста вырастает меньшим, чем должен был бы. Когда же лечение восполняет этот дефицит и у ребенка больше нет недостачи этого необходимого ему гормона, он начинает расти самым обычным образом, так же, как и его сверстники.

Это объясняет, почему лечение не действует как допинг: дело в том, что если у кого-то наличествует дефицит гормона, он находится в невыгодном положении по сравнению со всеми остальными. Восполнение дефицита гормона, в котором он испытывает недостаток, означает лишь то, что в то время, когда он больше не находится в невыгодном положении по сравнению с прочими людьми, у него не возникает и каких-либо преимуществ. Иначе говоря, добавляя гормон, он получает преимущество, но не по сравнению со сверстниками, у которых этот гормон уже есть от природы.

Это, конечно, было довольно дорогое лечение. Благотворительная помощь, которую организовали Хорхе Месси и Общественное здравоохранение, приносило огромную пользу в течение длительного периода. Беда в том, что в стране в 2000 и 2001 годах вся социальная система была разрушена, и во многих случаях подобное лечение прерывалось, что приводило к неустойчивости ситуации. Возможно, в тот момент «Ньюэллс» мог бы что-то сделать.

Я никогда не видел, как Лео играет в футболке клуба «Ньюэллс». Надеюсь, что однажды увижу это. Я наблюдал за его игрой по телевизору и видел вживую, как он играет за сборную Аргентины. Возможно, однажды я увижу его в красно-черных цветах родного клуба. В те давние дни, когда у него были сомнения относительно того, станет он футболистом или нет, я сказал ему: «Не беспокойся, и ты сможешь посвятить мне один гол. Я скажу тебе, где сижу, а ты подойдешь и посвятишь мне гол». Так что когда я с ним встречаюсь, то говорю: «Ты должен мне гол, помнишь?» Ха! В футболке «Ньюэллса» на нашем поле.

Доктор выключает все лампы, кроме одной, стоит перед дверью с надписью «выход». Он надевает шляпу, потому что все доктора обязательно носят шляпы.

Когда-то Лео смотрел на меня, как будто хотел сказать: «Вот – лучший доктор» и глядел на меня снизу вверх. Сегодня я с трепетом смотрю на Лионеля Месси, как будто хочу сказать: «Вот – лучший футболист в мире».

(Слышится детский голос): «А я вырасту?»

«Ты станешь выше Марадоны. Не знаю, станешь ли ты лучше, чем он, но наверняка станешь выше него».

Именно так я ему и сказал.

СЦЕНА ТРЕТЬЯ

Слышится голос аргентинского радиокомментатора, возможно Гаццо, говорящего о «детском» футболе в «Ньюэллсе». На стене большими буквами, появляющимися по одной, возникают следующие надписи:

В 10 лет рост Лео составлял 1 метр 27 сантиметров. Задержка роста.

В 11 лет рост Лео составлял 1 метр 32 сантиметра, вес – 30 килограммов.

В 12 лет рост Лео составлял 1 метр 48 сантиметров, вес – 39 килограммов.

Сегодня рост Лео составляет 1 метр 69 сантиметров – на два сантиметра выше Марадоны.

Мать, отец и дети: три мальчика и одна девочка собираются за маленьким столом в небольшой комнате. Они разговаривают. Отец доминирует, хотя все остальные тоже участвуют в беседе.

На экране одного из тех громоздких телевизоров, которые можно еще было встретить в Аргентине в 2000 году, демонстрируется Аргентина в кризисе.

Внезапно все огни гаснут, кроме одного. Единственного, освещающего лицо отца семейства. Тот поворачивается к аудитории и отвечает на вопросы, задаваемые ему человеком с низким голосом и немецким акцентом.

Из интервью, которое Хорхе Месси дал журналу *Kicker*:

Kicker: У вас было много проблем, вами владели страх и неуверенность?

Хорхе Месси: Ну, в конце концов, у меня была работа в Acindar, и там все шло хорошо. Это была эра *«один-за-один»* (один песо эквивалентен одному доллару), и моя зарплата 1600 песо в месяц была вполне приемлемой. За исключением того, что лечение Лео стоило 900 песо – больше половины того, что я зарабатывал. Мои социальные пособия покрывали лечение только в течение двух лет, что означало – третий год будет очень трудным.

Kicker: Лео был необходим, по крайней мере, еще один год, как объяснил эндокринолог Диего Шварцштайн, отвечавший за лечение.

Хорхе Месси: Да, и при этом не стоит забывать, что государство нам не помогало. Представители социальной защиты никогда не звонили мне, а я никогда ничего не просил у них. Возможно, помощь пришла, если бы мне удалось поговорить с некоторыми высокопоставленными людьми, но я был обычным гражданином без связей.

Kicker: Однажды вы сказали: «Сегодня я бы не смог этого сделать».

Хорхе Месси: Мы рискнули всем, хотя на работе были готовы ждать меня и посмотреть, как все обернется в Испании. Но бесконечные поездки вселяли неуверенность, это было нелегко выдержать.

Kicker: Что говорили в клубе, когда вы решились на встречу с руководством?

Хорхе Месси: Когда мы возвратились в «Ньюэллс», мне сказали, что оплатят лечение Лео, но ничего не сделали. Мы обсуждали этот момент много раз, и складывалось впечатление, что я пришел клянчить у них деньги. Они дали мне 400 песо, и больше ничего. Я считаю, что нас подвел не клуб, а люди, которые возглавляли его в то время.

Kicker: Короче говоря, если бы аргентинский клуб оплатил лечение, то Лионель не уехал бы из страны?

Хорхе Месси: Если бы они заплатили, то, естественно, сын остался в «Ньюэллсе».

Kicker: А что Лео думал по этому поводу?

Хорхе Месси: Он стремился уехать.

Огни гаснут.

СЦЕНА ЧЕТВЕРТАЯ

Серхио Левински, писатель, социолог и журналист, обращается со сцены к аудитории. На стене за его спиной проецируются изображения Аргентины в 1999, 2000 и 2001 годах: мы видим молодежь, играющую в футбол, стариков, пытающихся вытребовать у закрывающихся банков свои деньги, сердитых фанатов – самые разные картинки, связанные с темами, которые затрагивает Серхио.

Как пишут в книге «Детство с футболом» Сандра Коммиссо и Карлос Бенитес: «Одно дело – иметь мальчика, которому нравится футбол и который хорошо в него играет, и совсем другое – создать звезду спорта со всеми вытекающими последствиями». Введение к этой книге написал покойный юморист и настоящий гений Роберто Фонтанарроса – один из величайших рассказчиков современной Аргентины, который родился, как и Лионель Месси, в Росарио.

Книга разделена на семь глав, в одной из которых авторы делятся советами, как организовать и провести юниорскую тренировку, как избежать ошибок и улучшить физическую форму каждого ребенка, помня о том, что футбол стал бизнесом, в котором на детей оказывают давление родители, тренеры и агенты. В результате игра перестает быть удовольствием и становится псевдопрофессиональной обязанностью.

В своей вводной части Фонтэнарроса пишет, несколько оправдываясь: «Никто не имеет права разбивать мечты ребенка». Он задается вопросом – этично ли, что ребенок, которому всего 10 лет, должен взять на себя бремя кормильца семьи, играя в футбол.

В течение многих лет и до настоящего времени, особенно в двадцать первом веке, социально-экономический крах значительной части аргентинского населения (предположительно около четверти из 40 миллионов человек, согласно последней национальной переписи населения, проводившейся в 2011 году) принудил их делать карьеру в футболе, поскольку это был их единственный способ спастись.

Как мы дошли до этого? С одной стороны, следует понимать, что в период с 1999 по 2001 год Аргентина доживала последние годы плана экономического развития, который затянулся на четверть века. Он был разработан финансовыми олигархами и поддержан церковными властями. Этот период последовал за кровавым государственным переворотом, в результате которого с 24 марта 1976 года и до наших дней бесследно исчезло в общей сложности 30 000 человек.

План экономического развития предусматривал заем денег у североамериканских банков под очень высокие процентные ставки. То же самое сделала и остальная часть Южной Америки. В конце концов, страна оказалась должна столько, что это означало полное банкротство, при этом финансовую составляющую стали проверять серьезные международные организации, например Международный валютный фонд (МВФ).

В последнюю неделю 2001 года левоцентристский правительственный альянс Фернандо де ла Руа пал. Аргентинский народ, возмущенный многими годами финансовой некомпетентности, потребовал, чтобы представители этого блока ушли из власти, в итоге за неделю в стране сменилось пять глав правительства. В начале 2002 года правящий класс решил привести к власти, минуя выборы, сильного перониста (перонизм – идеология, связанная с политикой президента Хуана Перона) Эдуардо Дуальде.

Страна попала в ловушку, заблудившись между «*corralito*» – мерами, подразумевающими замораживание экономики, и «*corralón*» – политикой дестабилизации национальной валюты.

Перед кризисом крупные иностранные банки отозвали все свои фонды из страны, чтобы было невозможно забрать доллары – валюту, которую предпочитали аргентинцы, не доверяя собственной, чем усугубили положение. Был установлен невероятно низкий лимит суммы, которую можно было снять в банкомате.

В ходе возникшего хаоса были объявлены «банковские каникулы», когда определили паритет между долларом и песо. Когда, несколько дней спустя, банки вновь открылись, доллар стоил в три раза дороже. Внезапно многие люди обнаружили, что ценность их сбережений уменьшилась на две трети, и они ничего не могут с этим поделать.

Другими словами, банки ограбили людей. Это привело к манифестациям: пенсионеры разбивали окна банков молотками и палками. Естественно, вся уверенность в аргентинской банковской системе испарилась.

В это время, когда в государстве не было нормального обращения денег, правительство прибегло к политике печатания «пестрых бумажек» — ваучеров, которые в различных областях страны носили различные названия: «Patacones», «Lecor», «Lecop» или «доллар Тукумано». Они котировались ниже, чем песо, но некоторые фирмы принимали многие из этих ваучеров, так же, как доллары, песо и все виды кредитных карточек. Многие люди все еще помнят пустые обещания Дуальде о том, что те, у кого имелись долларовые счета, «получат доллары», а те, у кого были счета в песо, «получат песо».

Именно в тот период в начале двадцать первого века, в самые худшие моменты кризиса, который когда-либо испытывала Аргентина, футбол, всегда остававшийся любимым спортом аргентинцев, стал бизнесом.

Триумфы аргентинских команд в эти годы явились демонстрацией жизненного успеха, которого мог добиться любой представитель обанкротившихся классов общества, ежедневно сбиваемых с ног различными испытаниями, которые подбрасывает им жизнь. Для многих людей единственной надеждой в то время была возможность одному из членов семьи стать профессиональным футболистом и «спасти» свою семью от финансового краха. В те времена говаривали: «я — это я и мой американский дядя» (*'yo soy yo y mi tío de América'*). Аргентинцам помогали те счастливчики, которые преуспели и сумели устроиться зарабатывать деньги за границей.

Это было совершенно невероятное зрелище: огромные толпы безработных или просто отчаявшихся людей на трибунах во время игры первого дивизиона кричат «неудачник, барахло!» игроку только за то, что он потерпел неудачу в Европе, хотя следует иметь в виду, что именно этот крик символизировал. В девяностые годы все мы приняли участие в посеве семян жадности в душах наших детей. В то время заявление президента Карлоса Менема о том, что власть обеспечивает привилегию «жить без колебаний и угрызений совести», стало модной идеологией. Эта идеология проникла в футбол и проявилась в играх. В 2000 году мы пассивно наблюдали за игрой молодых профессионалов, которые страдали от ужасных оскорблений и брани со стороны своих родителей во время тренировок и на матчах. Игроки судорожно пытались подписать свои первые контракты с известными фирмами типа «Nike», агенты старались отыскать будущие таланты, а первые неудачи порождали у юных спортсменов неуверенность в себе.

Именно поэтому возрос уровень инцидентов в «детском» футболе, когда отцы набрасывались с кулаками на тренеров и рефери, клубы крали друг у друга игроков, на играх приходилось вызывать наряды полицейских, а боссы использовали в своих интересах тревогу, снедающую многие семьи.

В таких условиях стала обыденной ситуация, когда дети или юноши, спонсируемые крупными организациями, становились кормильцами всей семьи. В значительной степени это было вызвано тем давлением, которое оказывали на них родственники.

Некоторым из этих детей повезло встретить тех немногих великолепных тренеров, у которых на первом месте стояло беспокойство за их благополучие. Одним из таких тренеров был Карлос Тимотео Григоль, создавший в восьмидесятые годы весьма влиятельный «Ferro Carril Oeste», а в девяностые – «Gimnasia» и «Esgrima la Plate». «Он советовал нам купить дом, получив первый большой гонорар, и просто сходил с ума, если видел, как мы проносимся на автомобиле последней модели», – нередко вспоминают его бывшие игроки. Григоль был первым, кто настоял, поставив это условием игры в составе команды, чтобы игроки получали только хорошие оценки за учебу – это было нечто совершенно необычное. Кике Домингес и Эрнесто Веккьо также были в числе тех тренеров, которые выказывали подобную заботу и внимание о своих подопечных.

В начале восьмидесятых Диего Марадона стал основным примером такого молодого человека, который мог позволить себе содержать огромную семью. Клуб «Argentinos Juniors» купил ему дом, чтобы Диего вырвался из трущоб. В арендованном доме в Барселоне, куда Марадона переехал в 1982 году, он жил со своей невестой Клодией и множеством друзей, а также регулярно отсылал серьезные суммы родственникам.

В таких условиях оказалась семья Месси в 2000 году, столкнувшись с проблемой дефицита гормона роста у Лионеля. Было ясно, что без достаточного количества денег для оплаты лечения его рост останется недостаточным. Семья верила в его таланты, но когда «Ньюэллс» отказался платить за Лео, им пришлось взять дело в свои руки – как и тысяче других семей в стране. Они поняли, что стоит рискнуть и обеспечить сыну возможность пойти в его любимом виде спорта так далеко, как он только сможет.

Так семья Месси, со всей решительностью, собрав все свои душевные силы, решилась принять участие в приключении.

СЦЕНА ПЯТАЯ

В начале двадцать первого века произошел массовый исход аргентинских футболистов – они пересекали Атлантику, чтобы реализовать свои мечты. Во время кризиса футбольные школы по всей стране стали настоящими питомниками талантов. Футболисты становились имуществом и часто основным источником доходов клубов – учреждений, которые часто работали на директоров и хозяев. Таким образом, отъезд футболистов из страны стал нормой и только усугублялся в течение всего первого десятилетия двадцать первого столетия. В период с 2009 по 2010 год из Аргентины выехало почти 2000 футболистов – больше, чем из Бразилии, страны, которая исторически была продавцом футболистов номер один.

Мы находимся в кафе с высоким потолком. Люди сидят за столиками, пьют кофе. В углу стоит старый телевизор, по которому показывают тот же самый оживленный семейный разговор, который мы видели ранее, но без звука. С одной стороны сцены – большое стеклянное окно. Снаружи идет дождь.

Доктор Шварцштайн (эндокринолог): В те времена Аргентина стала страной, из которой старались уехать. Фактически, между 2000 и 2003 годом резко увеличилось число аргентинцев, прибывших в Испанию на заработки.

Лилиана Грабин (спортивный психолог): Нас просто «выбросили» из страны. Даже моя дочь уехала, она отправилась в США. Это был полный крах.

Серхио Левински (социолог): Хорхе Месси работал на фабрике Acindar, в компании, принадлежащей государству. Поскольку страна оказалась в столь печальном состоянии, рабочие беспокоились о своем будущем. Полагаю, что его отец учел все это и, видя, что у Лео есть талант футболиста, решил сделать ставку на его будущее.

Лилиана Грабин: То, что сделала семья Месси, было очень мужественным поступком. Они отказались от той судьбы, которую им готовили, сошли с пути, по которому пошло большинство людей. Вместо этого они сказали: «Я могу построить новую жизнь в другом месте, веря в лучшее будущее». Множество людей на их месте сказало бы: «Я никуда отсюда не поеду, я боюсь, безопаснее остаться на месте». Смелые уехали, и их предвидение будущего, способности и таланты позволили преуспеть на новом месте. Но не все люди способны на такое.

Серхио Левински: За последние несколько лет прошло три волны эмиграции аргентинцев. Первая — «Ночь длинных дубинок» (1966), когда страну покидали главным образом ученые. Этот период также получил название «Мильштейн», по имени ученого Сезара Мильштейна, получившего в 1984 году Нобелевскую премию по медицине. Он жил в Лондоне, и когда правительство предложило ему вернуться, это предложение запоздало. Второе поколение изгнанников уезжало главным образом по политическим мотивам – это произошло во время военной диктатуры, установившейся в 1976 году. Примером таких бежавших может быть журналист Эрнесто Экайзер. Третья волна – о которой мы сейчас говорим – 2000–2001 годы – экономическая эмиграция, в которую попала и семья Месси.

Лилиана Грабин: Аргентина выгоняет из страны людей каждые 10–15 лет. Земля, на которую наши бабушки и дедушки приехали, чтобы постараться заработать состояние, сегодня окончательно стала землей изгнания – уже два или даже три поколения живут при плохих правительствах, которые заставляют очень многих мечтать о возвращении в Европу.

Федерико Вайро (наблюдатель при испытаниях в «Ривер Плейт»): Я обычно ходил по Росарио, высматривая молодых игроков, которых здесь было много. Один мой друг пригласил меня посмотреть на Месси. Я решил, что он очень маленький. Его отец сказал мне, что он хотел бы, чтобы я посмотрел на него: ему было почти 12 лет, а я проводил тестирование 16-летних. Я сказал ему об этом, но отец Лео заявил, что его сын привык играть с мальчиками старше себя.

Эдуардо Абраамьян (бывший директор «Ривер», ныне покойный): Шел 2000 год. Месси было 12 лет, и его родители привели его в «Ривер» вместе с другим мальчиком по фамилии Хименес, с которым он играл в нападении в «Ньюэллсе». В первый же день, когда я увидел Лео, был поражен и позвонил Делему, который был техническим директором юниоров, чтобы тот тоже пришел посмотреть на него.

Леандро Хименес (бывший игрок): Мы вместе приехали на пробы. Мы ехали отдельно, на машине Федерико Вайро, а наши родители отдельно, на машине Хорхе Месси. Мы были очень напряжены: нас ждала проба в «Ривере»! Я был так возбужден, что даже забыл дома свои ботинки. К счастью, мой отец должен был приехать немного позже, так что он смог привезти их мне. С самого начала мы были просто шокированы, когда услышали, как тренер кричал на игроков «Ривера»: «Эти идиоты приехали, чтобы занять ваши места, так позаботьтесь о том, чтобы забить их на корню!»

На телевизионном экране показывают программу Informe Robinson *о Месси. Кто-то кричит: «Смотрите, это – Хорхе Месси!» Все поворачиваются к экрану и слушают Хорхе.*

Хорхе Месси (для *Informe Robinson*): Он встал в шеренгу футболистов, которые пришли на пробы, тренеры посмотрели на него и, видя, насколько он маленький, велели встать в конец. Мальчики начали выходить на поле для испытаний, Лео был последним, так что тренеры не позвали его. Я стоял у проволочной ограды и подсказывал, чтобы Лео не отвлекался и следил за очередью. Абсолютно ничто не происходило до тех пор, пока ответственный за проведение испытаний не повернулся к нему и не спросил: «Ты где играешь?» Лео ответил: «Позади основного нападающего». Тот велел Лео играть. Прошло две или три минуты, пока сын не получил мяч и не сделал то, что делал всегда.

Леандро Хименес: Когда он двинулся вперед, то первым делом пробросил мяч между ног центрального защитника противника, который был приблизительно двухметрового роста. А через секунду сделал это снова.

Хорхе Месси: Ответственный за испытания посмотрел на него вот так: [делает удивленное лицо] и спросил: «Кто его отец?» Тогда я обернулся и произнес: «Я». Он сказал: «Мы хотим взять мальчика». Лео лишь дважды коснулся мяча! Просто сделал несколько обманных движений, а затем попытался забить гол, вынудив голкипера спасать ворота. Они спросили меня, могу ли я отдать сына «Риверу». Я ответил, что Лео играет за «Ньюэллс», но если они готовы взять на себя переговоры о переходе в клуб «Ривер», то проблем не возникнет. Ответственный сотрудник «Ривера» заявил, что в таком случае они отказываются, потому что «Ньюэллс» будет просить за Лео деньги. Так или иначе, но процесс внезапно затормозился.

Леандро Хименес: Абраамьян попросил нас приехать еще раз во вторник. В тот день он ввел нас обоих в игру. Мы играли против группы мальчиков, которые также пришли туда для испытаний...

Федерико Вайро: Через десять минут я отозвал Лео, и он подумал, что я решил отчитать его за обход всех соперников. Но я сказал ему: «Не отдавай мяч никому, и если ты увидишь на своем пути меня, обходи и меня тоже».

Леандро Хименес: Мы выиграли со счетом где-то 15:0. Лео забил приблизительно десять голов. Абраамьян объявил, что они хотели бы заключить с нами контракт.

Федерико Вайро: Игра маленького Месси была достаточной гарантией того, что он сможет стать игроком «Ривер Плейт». Но в отделе юношеского спорта сочли, что он слишком маленький. Кроме того, мы должны были найти для него жилье, чего мы никогда не делали для юниоров.

Леандро Хименес: Перед тем, как вернуться в Росарио, и прежде, чем мы узнали, станем мы игроками «Ривера» или нет, Месси очень волновался: ему было всего 12 лет, а контракты с клубом были разрешены только достигшим 13-летия. «Как думаешь, я останусь с вами?» – спросил меня Лео. Мы уже решили, что если я поеду в Буэнос-Айрес, чтобы стать футболистом «Ривера», то буду жить с бабушкой и дедушкой. У Лео в столице никого не было. Я сказал, что он может приехать и жить со мной. Тем не менее, оказавшись в автомобиле, мы поспорили: Вайро ехал впереди со своим помощником, а сзади – Месси, еще один мальчик из Росарио и я. Я не помню имени того парня и больше его никогда не видел. Ни Лео, ни я не хотели сидеть посередине, Лео удалось сесть у окна. Я сильно разозлился и сказал ему: «Прекрасно, садись у окна, но тогда найди себе дом в Буэнос-Айресе». Тогда Лео посмотрел на другого мальчика и, несмотря на то, что видел того первый раз в жизни, попросил: «Тогда я останусь в Буэнос-Айресе с тобой, ладно?»

Несколько дней спустя я пожалел о своих словах, но Месси уже не было. Через своего отца, который поговорил с Хорхе, я узнал, что Лео не приедет в «Ривер», а причину они не сказали.

Федерико Вайро: Я настаивал, разговаривая с сотрудниками юниорского футбольного отдела, но они отвечали, что «Ривер» вряд ли понесет большой ущерб от потери этого малыша. Я убеждал, что это нечто исключительное, смесь Сивори и Марадоны, но они не обратили внимания на мои слова. Я думаю, что дело было в том, что группа бывших игроков клуба имела свои интересы в клубе «Ренато Чезарини», откуда взяли игроков больше, чем из «Ньюэллса». Полагаю, именно поэтому Месси не оставили в клубе.

Хорхе Месси повел Лео на пробы, чтобы оказать давление на «Ньюэллс», обещавший обеспечить лечение сына. Ему уже десятки раз приходилось идти и добывать необходимые деньги, и из необходимых 900 песо они дали ему только 400. Это было оскорбительно. В результате он решил отправиться в Буэнос-Айрес и посмотреть, что скажет на это «Ньюэллс». Когда директора клуба узнали, что Месси отправились в столицу, Алмирон, отвечавший в то время за «детский» футбол в Мальвинасе, пошел на переговоры. Вместе с тренером они просили Хорхе не забирать Лео из «Ньюэллса», заявив, что будут платить за лечение и все уладят. В результате семья Месси вернулась, снова вечер за вечером ожидая того, что им было обещано. Иногда они не могли поймать Алмирона, в других случаях у него не было денег для них. «Почему мы должны выносить это?» – спрашивали себя Месси.

СЦЕНА ШЕСТАЯ

Мы видим только маленький стол и телефон. С левой стороны сцены снова появляется отец семьи, которого мы раньше видели на экране телевизора. Он выглядит так, как будто на него упала бомба: человек понял, что не может справиться с проблемами своей семьи. Его сын, талантливый футболист, не может продолжать играть в собственной стране.

Он целыми неделями обсуждал это со своей женой, Селией, и с сыновьями, но они так и не смогли прийти к какому-то решению. Мечта об отъезде решала две проблемы: Лео мог стать футболистом, а семья надеялась улучшить свою жизнь теперь, когда экономический кризис в стране значительно уменьшил их доход. Хорхе боялся окончательного решения, семья обсуждала этот вопрос за ужином вечер за вечером. Но решение стало неизбежным: дорога семьи Месси уводила их из родного дома. Если кто-то готов понести расходы по лечению Лео и позаботиться о нем, отнесется к нему с добротой, то за этот клуб он будет играть все последующие игры и там проведет следующие годы жизни. Был разговор об Италии (но Лео никогда не проходил испытания в «Комо», как утверждал один из директоров итальянского клуба, наделенный слишком живым воображением), эта возможность также обсуждалась.

После испытания в «Ривере» посредники, связанные с престижным каталонским агентом Хосепом Марией Мингельей – представляющим многих игроков «Барселоны», вошли в контакт с отцом Лео.

Хорхе смотрит на их визитную карточку.

И поднимает трубку.

Глава 3
ДО СВИДАНИЯ, ЛЕО

«Кто это?» – спросил Карлес Решак, когда, пообедав и совершив неторопливую прогулку, он появился на трибуне, где несколько тренеров «Барселоны» следили за игрой. Это был риторический вопрос. Мальчик с мячом, как будто прилипшим к его ноге, с великолепной скоростью и мастерским умением обходить противников, вероятно, и был тем самым аргентинцем, которого пробовали в игре против более высоких мальчиков старшего возраста. Мигели и Рифе ответили Карлесу в унисон, не отводя взгляд от поля: «Месси».

– Черт побери, мы должны немедленно заключить с ним контракт!

Карлес хотел заключить контракт с ним немедленно: «Он был здесь в течение пятнадцати дней, и это на четырнадцать больше, чем нужно. Если бы марсианин проходил мимо и посмотрел на него, то и он понял бы, что это – нечто невероятное». Это было 2 октября 2000 года.

На следующий день Хорхе и Лео возвратились в Аргентину. «Не волнуйтесь, мы все уладим, и вы сможете возвратиться, когда начнется сезон. Или еще раньше», – пообещал Карлес. Но не все было так радужно.

Лео был иностранцем, и поэтому не имел права участвовать в национальных соревнованиях.

Лео был маленьким, как игрушечный футболист.

Лео было всего 13 лет.

«Барселона» должна была найти работу его отцу в соответствии с инструкциями ФИФА.

В тот момент в клубе возникли проблемы с основным составом, а это было приоритетным направлением развития «Барселоны».

Клуб должен был предложить Месси лучший контракт, чем обычно получают юниоры.

«Когда он станет суперзвездой – если станет, – нас здесь уже не будет», – сказал один из директоров.

Едва ли кто-то готов рискнуть.

«Вы действительно думаете, что он стоит связанных с ним проблем, Карлес?»

Этот вопрос задал Решаку президент клуба Жоан Гаспар.

Тем временем, несколько недель спустя, в Росарио все еще ждали ответа.

Ждал подросток, который все еще играл за юниорскую команду «Ньюэллса».

Ждал его отец, не уверенный, как правильно поступить с настоящей и будущей работой.

Ждала его семья, не зная, следует им паковать сумки и оставлять привычную жизнь или нет.

Прошел месяц.

Несмотря на то, что было принято решение о том, что столь рано проявившемуся таланту этого мальчика следует позволить расцвести в идеальной атмосфере, часы складывались в дни, дни – в недели, все напряженно следили за временем... и ждали.

Прошел еще месяц. Наступил декабрь.

Они сделали анализ мочи. Разве он им не понравился? Разве они не обещали? В то время электронные письма и факсы не использовались так же часто, как сегодня. Телефон звонил редко.

В результате «Барселона» получила ультиматум: или контракт будет подписан прямо сейчас, или мальчик будет строить свое будущее в другом месте. Привлекательных предложений поступило несколько: от «Милана», «Атлетико Мадрида», «Реал Мадрида» – который всего несколькими месяцами ранее нанес весьма болезненный удар «Барселоне», отхватив у них капитана каталонцев Луиша Фигу.

Решак настаивал в разговоре с каждым ответственным лицом, что стоит заключить с Лео контракт, а все остальные вопросы решать по мере поступления. Карлес искал доводы, способные убедить сомневающихся. «Мы относимся к вопросу очень серьезно», – говорится в сообщении Решака, посланном семье Месси. Но этого было недостаточно.

«Сыграем на пару, Карлес?» Предложение пришло от Хосепа Марии Мингельи, каталонского агента, известного тем, что именно он привел Марадону в «Барселону», человека, близкого к правлению, члена клуба и того, кто взял на себя расходы по приезду Месси на испытания. Эти двое часто встречались в теннисном клубе «Ротреуа», которым управлял сам Мингелья, и, как порой случалось, Орасио Гаджиоли из офиса Мингельи, гид Месси во время их визита в город, тоже подписался на игру.

Это было 14 декабря, спустя десять недель после того, как Лео и Хорхе посетили Барселону.

После игры они отправились выпить пива. День клонился к вечеру, мужчины лениво посматривали на корты клуба, и Мингелья начал разговор. «Карлес, мы должны позвонить семье: мы продолжаем говорить им, что все в порядке, но у нас все еще нет ничего конкретного, мы должны подписать контракт или что-то в этом роде». Орасио тоже настаивал: «Карлес, мы зашли достаточно далеко. Вы – технический директор клуба, вы должны подтвердить подписание контракта с Лео сегодня. В противном случае оставьте его, все нормально, вы идете своим путем, а мы – своим, вот так».

Семья Месси не хотела повторения того, что произошло с ними в «Ривере» – обещаний, не стоящих даже той бумаги, на которой они были написаны. Они достигли точки невозврата. «Барселона» вот-вот могла потерять Лео.

Тогда нетерпеливый Карлес, пренебрегая условностями, говорит: «Дайте мне листок бумаги».

– Официант, ручку и бумагу.

У официанта нашлась шариковая ручка, но не было бумаги. Офисы клуба были закрыты.

– Тогда здесь.

Он вынул бумажную салфетку из одного из тех маленьких металлических контейнеров, которые ставят на столики в баре.

– Вот, можете убедиться, что мы серьезно относимся к вопросу.

«В Барселоне 14 декабря 2000 года в присутствии господина Хосепа Марии Мингельи и господина Орасио Гаджиоли Карлес Решак технический директор FCB дает согласие на подписание контракта, независимо от согласия или несогласия других членов клуба, с Лионелем Месси, если оговоренные ранее суммы остаются в силе».

Вот так оно и было. Так, как задумали Мингелья и Орасио, узаконившие подпись на салфетке у нотариуса прежде, чем запереть ее в сейфе. Так, как задумал Решак, один из тех людей, кто способен быстро принимать решения. В футболе и в жизни. Это было джентльменское соглашение между друзьями. Как в былые времена, когда рукопожатие было свято.

Для некоторых эта салфетка – самый важный документ в новейшей истории футбольного клуба «Барселона».

Для других, например, Решака, это просто листок бумаги, не имеющий особого значения, призванный успокоить Хорхе и Лео. Несколько лет спустя это станет наиболее часто повторяемым анекдотом в карьерной истории аргентинца. Решак с тех пор стал известен во всем мире как человек, который заключил контракт с Месси.

Семья Месси никогда не увидела этот листок бумаги.

Но что стала делать «Барселона», достигнув соглашения, подписанного на бумажной салфетке?

«Когда игрок хорош, каждый может сказать: а я говорил, а я сразу понял, мне было совершенно ясно... А когда все идет не так, как надо, никто ни за что не возьмет на себя такую ответственность». Так говорит Карлес Решак, одна из наиболее значимых фигур в клубе, в который он вступил в 12-летнем возрасте и с которым у него был договор в течение более четырех десятилетий: как с игроком, как с помощником Йохана Круиффа, как с тренером и как с правой рукой нескольких президентов клуба. Карлес не может найти ни одного отчета о Лео, написанного собственной рукой, но это его совершенно не беспокоит. «Я не действовал в одиночку, я просто сказал им, насколько он хорош».

Хорхе Месси придает вкладу Решака намного большее значение. Он ни разу не видел Решака в те первые несколько месяцев, но всегда признавал, что если сегодня Лео играет за «Барселону», то тому есть две причины: настойчивость Карлеса и то, что они с Лео предпочли остаться в Барселоне, хотя его дочери пришлось возвратиться в Аргентину, поскольку она не смогла привыкнуть к жизни в Испании.

Хорхе и Карлес теперь хорошо знают друг друга. Они встретились – удивительное совпадение – в финале чемпионата Европы 2011 года на стадионе Уэмбли. Несмотря на то что этот стадион просто огромен, Решак сидел на трибуне прямо позади Хорхе.

«Иногда я смущаюсь, когда слышу разные истории о том, как я обнаружил Месси. Это меня не раздражает, но я думаю, черт возьми, все годы я играл в футбол, а теперь обо мне вспоминают только потому, что именно я обнаружил Месси, тогда как – я неоднократно говорил об этом – Лео сам показал себя». Хорхе смеялся, слушая Карлеса, когда он раз за разом повторял: «Какой храбрый мальчик, и вы – очень смелый человек, но мальчик! Мальчик!»

«Крутые мужики! Триумф Месси принадлежит только ему одному», – настаивает Решак.

Но прежде чем отпраздновать успех, надо было дорого за него заплатить. В декабре 2000 года, в то время, когда Хорхе и Решак еще не были знакомы друг с другом, в доме Месси зазвонил телефон. «Карлес подписал бумагу», – сказали Хорхе. Салфетки оказалось достаточно, чтобы успокоить семейство Месси, несмотря на то, что они были немного удивлены, услышав, что именно использовалось для достижения договоренности, тем более клубом, который всегда хвастался своей ясной политикой в отношении юниорского футбола и четкой организацией. По правде говоря, «Барселона» вступала на совершенно неизведанные территории. Теперь пришло время придать договоренностям форму соглашения, со всеми показателями, обещаниями и не одним неприятным сюрпризом.

В январе «Ньюэллс» хотел зарегистрировать Лео в аргентинской федерации, потому что, и это очень важно, «Блоха» еще не был зарегистрирован в клубе Росарио. Аргентинские клубы не требуют эту лицензию, пока футболист не достиг возраста 13 или 14 лет. Если бы «NOB» сделал этот шаг, проблема с переходом усложнилась бы: клуб Росарио мог настаивать на плате за передачу игрока. Поэтому необходимо было срочное подтверждение соглашения.

«Барселона» должна была согласиться с требованиями Месси, которые принял Решак: дом для семьи, переезд, затраты на лечение и работа для Хорхе Месси, частично потому, что ему пришлось бы уволиться с фабрики Acindar, и частично выполнить требования ФИФА, которая запрещает передачу иностранных игроков моложе 18, если их не сопровождают родители.

Лео не собирался жить в Ла-Мазии, где базировалась молодежь, приехавшая из других городов Испании и где была создана система поддержки переехавших. Это было редким, неслыханным требованием. «С первого момента родители Лео – и я могу это понять – хотели жить вместе с ним и заботиться о своем сыне. Не было ни одного другого игрока, который сказал бы: я приеду со всей своей семьей и намерен расположиться в Барселоне», – говорит Жоан Гаспар, президент клуба, который дал заключительную отмашку на подписание контракта, хотя никто не давал ему никаких гарантий. Это – всего лишь одна из многих маленьких драм, которые существуют в мире футбола: из-за имиджа вице-президента в течение 22 лет и президента без какого-либо титула, удерживаемого в течение двух с половиной лет, во время которых футбольный клуб «Барселона» перенес серьезный кризис, к нему относились без должного уважения.

В первой команде непопулярный Луи ван Гал объявлял врагом любого, кто позволял себе сомневаться в нем. Голландец, который никогда не знал, как объяснить свои проекты, был тем не менее ключевой фигурой и продвигался в клубе, действуя за закрытыми дверями и смело внедряя свои методы, делая ставку на Академию и проявляя настойчивость в позиционной игре, которая оказалась столь полезной многим тренерам, пришедшим вслед за ним. Многие не любили Луи, и он не всегда заключал наиболее правильные контракты: в его планы так и не вписались Хуан Роман Рикельме, Хавьер Савиола и многие другие.

Это было бурное время в истории ФК «Барселона» – эпоха, названная Хорхе Вальдано периодом «исторической безотлагательности возвращения к лучшим временам». «Реал Мадрид» выигрывал все игры, заключив летом 2000 года контракт с Луишем Фигу, звездой «Барселоны». «Я привел в клуб множество игроков, которые не принесли ему успеха: Джованни, Рошембак. Когда игрок терпит неудачу, это ошибка президента клуба, даже при условии, что президент не сам выбирает контракты на подпись, а просто следует советам тренеров. Когда контракт не срабатывает, тренеры исчезают», – рассказывает Гаспар.

Информация, полученная о Лео, была совершенно ясной: «Превосходная способность к дриблингу, невероятная скорость с мячом в ногах, низкий центр тяжести, который обеспечивает ему отличное равновесие при движении, мастерство, активность, большая сила для своего возраста, хорошая способность к восстановлению – может сделать за игру восемь-десять спринтов. Мальчику нравится раз за разом пытаться забить гол, отличный бомбардир, умен, обладает быстрым мышлением, иногда несколько излишне жадный до игры, хотя в его случае это – достоинство вследствие его прямоты, отличной интуиции и универсальности игры в любой атакующей позиции. Есть лишь один недостаток – маленький рост, но ребенок проходит лечение соматотропином».

Еще один расход для «Барселоны» – лечение. «Мальчик – не дешевый», – сказал президент клуба Хоакину Рифе, директору юниорской футбольной Академии.

Бюджет Академии в то время составлял приблизительно 13 миллионов евро в год, что было довольно скупо. Каждой возрастной группе выделяли свою долю, а на Месси нужно было отдать значительную часть бюджета. Это было одной из главных причин горячих перепалок, громких споров и тихих интриг, происходивших до и после истории с бумажной салфеткой. «К чему столько встреч?» – спросил Рифе. Решак поддержал его. Вероятно потому, что эти встречи были призваны затормозить принятие решения. Хорхе Месси сказал Рифе: «Мой сын будет великим футболистом «Барсы», поэтому все затраты окупятся».

На тех встречах, где присутствовали тренеры и правление, президент настаивал на том, что не намерен даже думать о 13-летнем мальчике. Ему лучше подписать контракты с двумя-тремя игроками, чтобы разбить «Реал Мадрид». Скорее всего, никто и предположить не мог, что всего три года спустя Лео будет дебютировать в первой лиге. «Если вы заключите с ним контракт, то это станет отличным заделом на будущее», – убеждал всех Решак. Это был сильный аргумент, который обычно способен произвести впечатление и прельщает большинство директоров.

Гаспар, однако, объясняет все иначе. «Карлес был достаточно близок ко мне, президенту, он был человеком, которому я доверял, потому что прекрасно разбирался в футболе и игроках. Мы встретились в клубе в моем офисе, как делали это достаточно часто. Мы говорили не только о Месси, мы обсуждали много разных вопросов, и в какой-то момент Карлес сказал мне, что Лео – исключительный игрок, которого мы не можем себе позволить упустить.

– Все очень просто: если считаешь нужным – действуй.

– Согласны ли вы на особые договоренности в отношении него?

– Месси действительно что-то необычное?

– Да.

– Ну, тогда действуй».

Некоторые тренеры отговаривали президента от подписания контракта, но в основном его не хотели брать определенные члены правления. Директор юниорской системы, Жоан Лакуэва, был, возможно, единственным в правлении, кто активно поддерживал подписание контракта. Он доверял Решаку, поэтому начал создавать для Лео то, что Карлес описывал как «костюм по меркам» – своего рода юридическую поддержку той «договорной салфетки».

По возвращении из Барселоны Лео играл за десятую команду «Ньюэллса» (другое наименование команды юниоров в возрасте между 12 и 13 годами) под руководством Адриана Кориа, который теперь работает вместе с Тата Мартино, аналитиком матчей в «Барселоне». Он выиграл матч «Открытие» десятого подразделения и стал ведущим бомбардиром команды.

Большинство из тех, кто окружал «Блоху», даже не представляли себе, что произойдет дальше, хотя некоторые догадывались, что что-то затевается. Бизнесмен Росарио Нестор Касаль вспоминает день, когда он обедал с Хорхе Месси, и отец Лео сказал ему, что после большой демонстрации, выполненной его сыном, к нему обратился представитель «Барселоны» для разговора. В тот день Хорхе держал в руке визитную карточку этого человека.

Немного позднее отец сказал своему сыну: «Эй! Ты не поверишь! Ты отправишься в то же путешествие, что и Марадона! Представь, что ты едешь в «Барселону», а позднее возвращаешься и заканчиваешь свою карьеру в «Ньюэллсе!» Мечта была близка, как никогда.

Кике Домингес:
В октябре 2000 года я ждал, когда придут ребята, и увидел приближающегося Хорхе Месси, который всегда стоял особняком. Я поприветствовал его, и прекрасно помню то, что он ответил и как я был удивлен после следующего: «Можете наслаждаться последние два месяца, потому что потом я забираю Лео». «Куда? Вы никуда его не заберете!» — заявил я. «Нет, забираю», — повторил он. «В любом случае, — пошутил я, — пока вы не переводите Лео в Росарио Сентраль (потому что это действительно было бы предательством), все отлично». Когда тренировка закончилась, я разыскал Хорхе, чтобы разузнать о его планах, но он уже уехал. В следующую субботу мы играли вдали от своего стадиона. Я увидел Хорхе и остановил его: «Что это вы говорили мне на днях о Лео?» — «Да, — ответил Хорхе, — это правда. В течение последних двух лет мы оплачивали лечение сына при помощи медицинской страховки, которую я имею в Acindar и с помощью Ассоциации супервизоров металлообрабатывающей промышленности, но у меня больше нет медицинской страховки, и они прекратили платить по счетам, а я не могу позволить себе лечение сына». «Вы поэтому забираете Лео?» И Хорхе сказал мне: «Нет, не только поэтому, я пошел поговорить с Пупо (техническим директором юниоров в «Ньюэллсе»), и он сказал мне, что лечение Лео в бюджете клуба не предусмотрено». «Пупо сказал это? — спросил я. — И что вы ответили?» — «Ну, раз так, то я заберу Лео, что бы вы ни решили».

Иногда решения по определенным вопросам принимаются по причинам, которые не кажутся очевидными, но, тем не менее, важны. В Росарио говорили, что Пупо и Хорхе никогда не ладили. Все началось с Родриго, старшего брата Лео, который упустил шанс играть в одной из команд, которую набирала аргентинская федерация. Клуб допустил ошибку. Спортсмен был передан в «Central Córdoba» вопреки своему желанию и перестал играть за свой любимый «Ньюэллс». Разрушены две мечты. Почему Пупо был столь неблагосклонным к семье Месси? Возможно, он не желал давить на Лео, чтобы тот остался? Иногда ответственные сотрудники считают, что они знают больше, чем кто-либо. Но это не всегда так. Некоторым людям не нравится, когда им говорят, что они должны делать. Возможно, именно это стало причиной, но достоверно этого не знает никто.

«Ньюэллс» послал Родриго в клуб, находящийся у черта на рогах, с совершенно иным тренировочным режимом, – говорит сегодня Домингес. – У меня создалось впечатление, что Пупо, отказав Хорхе в лечении Лео, делал это по личной инициативе. Когда в «Ньюэллсе» узнали о том, что он сказал, что в бюджете отсутствуют деньги, они не могли поверить в случившееся: Идиот! Сумасшедший! – говорили все».

Хорхе провел шесть месяцев, взвешивая все варианты, стоит ли резко менять всю жизнь, и переговорил с каждым членом своей семьи. Однажды все они сидели вокруг обеденного стола. Родриго было 20 лет, Матиасу – 18, Лео – 13. Марии Соль было пять лет. Он стремился получить общее одобрение, прежде чем дать ответ «Барселоне». Оставался еще вариант Италии, но Испания вызывала меньше сомнений и была более привлекательной, к тому же, как только Лео получил известие от «Барсы», он уже не мог думать ни об одном другом клубе. Хорхе спросил каждого, одного за другим, включая маленькую девочку. Было многое, что следовало обсудить, не только будущее Лео.

Дело было не только в том, что у Лео хватало таланта, чтобы одержать победу с поддержкой учреждения, которое предложило самые серьезные гарантии и наилучшую финансовую поддержку. Следовало учитывать и многое другое: семья Месси хотела, чтобы Родриго продолжил играть в футбол. В это время «Central Córdoba» боролся за переход в первый дивизион, и Хорхе полагал, что Родриго достаточно способный, чтобы зарабатывать себе футболом в Испании. Кроме того, Матиас и Мария Соль росли бы в более стабильной стране и получили бы иные возможности, чем в собственной. Они говорили о ПЕРЕЕЗДЕ В ЕВРОПУ с большой буквы, о том, что многие хотели бы сделать на их месте, но не имели такой возможности.

В то время Лео сказал Родриго, что хотел бы завоевать «Золотой мяч». «Без этой безумной готовности дать Лео все, его великий высший талант терял смысл», – говорит сегодня его брат. Никто в семье не хотел препятствовать его успеху.

Да или нет?

Да, они готовы в путь. Да. Все поедут в Барселону. Да.

В этот момент из Барселоны прибыло окончательное соглашение.

8 января 2001 года был сделан решающий шаг. На обеде в каталонской столице, где присутствовали Жоан Лакуэва и Рифе, клуб завершил обсуждение деталей контракта: игрок получал 100 миллионов песет в год (600 000 евро), а также получал платежи за «права на лицо» – еще одно новое понятие для контрактов с юниорами. Кроме того, они платили деньги семье Месси, чтобы те могли арендовать квартиру, и около семи миллионов песет (42 000 евро) ежегодной заработной платы Хорхе – он собирался работать в Barna Porters – компании, принадлежавшей «Барселоне» и поставлявшей клубу сотрудников службы безопасности.

Как только Месси подпишет контракт, клуб начнет оплачивать лечение гормонами, которое, как было подсчитано, увеличит его рост до 1 метра 67 сантиметров (Лео вырос до 1 метра 69 сантиметров).

Семь дней спустя Карлес Решак написал официальное письмо, заверенное печатью клуба и адресованное Хорхе Месси, – обязательство соблюдать все, что было согласовано с его представителями в Барселоне. Спустя три дня Жоан Лакуэва послал еще одно письмо, подтверждающее финансовое соглашение.

После получения обоюдных согласий со стороны Барселоны и со стороны семьи Месси уже ничто не могло остановить подписание контракта. Конечно, Росарио остается в прошлом. Но оставалось сделать еще одно дело.

Хорхе и его друг прошли пешком 75 километров, чтобы вознести благодарность за завершение переговоров в храме Св. Николая Чудотворца. Они выехали в пять утра, им понадобилось 14 часов, чтобы совершить это паломничество. На последних 800 метрах к ним присоединился Лео, босиком. Домой они возвратились на машине. С большой бутылкой воды. Полумертвые от жары и напряжения.

15 февраля 2001 года, после нескольких недель подготовки и напряжения, после суеты с получением паспортов, разрешений на поездку и сбора чемоданов, семейство Месси начало свой переезд в Барселону.

«Лео исчез из «Ньюэллса» в конце чемпионата, – вспоминает Кике Домингес. – Эрнесто Бока, один из тренеров, позвонил мне и спросил о Лео, но я не знал, где он. Никто ничего не знал, клянусь, никто ничего не знал! Я сказал ему, что меня попросили спросить о Лео, но я не имею ни малейшего представления, что с ним произошло. А он ответил, что Лео больше нет в Росарио, потому что он разговаривал с членами его семьи и друзьями, и никто не знает, где они. Дома их нет. Проходит четыре, пять месяцев, и Эрнесто звонит мне снова: угадай, где Лео? В Барселоне! Я автоматически подумал о Барселоне в Эквадоре – самом близком городе с таким названием, потому что и представить себе не мог, что Месси поехал в Европу. Для нас другой континент все еще остается далеким царством «за тридевять земель», но Эрнесто объяснил мне, что речь идет об испанской Барселоне.

– Серьезно? А что он там делает?

– Играет за ФК «Барселона», который намерен оплатить его лечение.

– Эй, да это замечательно!

Мне стало намного лучше. Это меня очень обрадовало. Во-первых, мы узнали, где Лео, а во-вторых, успокоились, потому что мальчик попал в то место, где футболиста не просто используют, а будут всячески поддерживать. «Барселона» бесконечно далека от нас, это клуб, который дает вам все: оплачивает лечение и защищает. Нам сказали, что они также дали работу Хорхе, то есть, скорее всего, сказали ему: «Хорошо, обсудим позже, пойдете вы фактически на работу или нет». Обе стороны посадили и полили дерево, и теперь начинают пожинать плоды. Слава Богу, что Лео оказался там, где оказался.

Насколько я могу судить, – настаивает Кике Домингес – президент «Ньюэллса» должен был сказать следующее: «Как? Лео Месси играл за наш клуб? Давайте пойдем и спросим Пупо. Пупо! Это были вы? Да? Тогда вон отсюда! Как вы могли позволить такому игроку уйти! Не может быть, чтобы Пупо его не видел, он обычно наблюдал за тренировками!» Он был техническим директором юниорской группы и всегда решал, кто и что будет делать. У президента было достаточно проблем с первым дивизионом, и я уверен, что он ничего не знал о Лео».

Многие в Росарио повторяют, что президент «Ньюэллса» Эдуардо Лопес не сделал ничего, чтобы предотвратить отъезд Лионеля. «Никаких проблем, Месси может уезжать. У нас есть игрок лучше: Густаво Родас». Родас дебютировал в 16 лет, играя под номером 10 в национальной сборной, и стал чемпионом южноамериканского турнира детей «до 17 лет» в Боливии. Затем он снова был призван в сборную Аргентины, но не присоединился к ним. Родас не смог обосноваться в «NOB» и попытал счастья в «Tiro Federer», «El Porvenir», «Cúcuta» (очень скромных полулюбительских клубах), переехал в Перу, где играл за «Болоньези» и «Леон де Хуануко», а сегодня никто не знает, где он теперь. Возможно, Родас заполнил пустоту, оставленную Лео, с точки зрения таланта, но с каких это пор слишком большой талант стал проблемой?

Эдуардо ван дер Коой, журналист, написавший совместно с Рафаэлем Бьелсой, братом известного тренера Марсело, книгу «Сто лет жизни в красном и черном», идет еще дальше в объяснениях причин отъезда Месси: «Лео покинул «Ньюэллс», потому что мафия, управляющая клубом в то время, не поверила, что по-настоящему великое и блестящее могло уместиться в таком маленьком теле. Он уехал, потому что все бросили его в тот момент, когда тело мальчика нуждалось как в духовной, так и материальной помощи. Но «Ньюэллс» все еще считает Лео своим, а тот, в свою очередь, чувствует, что это – его клуб. О, он еще может вернуться, пусть даже тогда, когда его волосы станут совсем седыми».

«Ньюэллс» – клуб с историей, традиционно подпитывающийся своими юниорскими командами, которыми заслуженно гордятся. Но они еще и экспортеры – это клуб, который продает игроков своей Академии, о которых столько заботились. В 1988 году «NOB» стал чемпионом, воспитав каждого игрока, который начал этот сезон, каждую замену и всех тренеров – это был единственный главный момент в истории аргентинского футбола. «Именно с этого времени начался четырнадцатилетний процесс разрушения – заработал личный проект, который опирался на помощь судебной власти и другие социальные элементы, позволившие одному человеку разрушать клуб», – так один известный, но анонимный житель Росарио обращается к Эдуардо Лопесу, тогдашнему президенту «Ньюэллса». Этот же человек – глава синдикатов азартных игр в Росарио, владелец казино и других фирм, некоторые из которых привлекли особое внимание полиции. Многие обвиняют Серхио Альмирона, бывшего представителя левого крыла «Ньюэллса», победителя чемпионата мира 1986 года, бывшего в то время спортивным директором. Когда Хорхе Месси обращался к нему за помощью, он или не брал трубку, или встреча отменялась в самую последнюю минуту, или давал 40 песо на лечение, которое стоило в двадцать пять раз больше. Это был еще один член аргентинского клуба, который никогда не поддерживал Лео.

Президентские выборы 2008 года позволили сменить тех, кто стоял у руля клуба. Лопес оставался дважды, победил один раз и проиграл четырнадцать лет спустя. В промежутке он принял меры, чтобы выборы были приостановлены, оспаривая список кандидатов или обращаясь в министерство юстиции, чтобы не допустить голосования. С 2008 года клуб попытался возвратиться к тому, как он действовал в прежние времена: в 2013 году «Ньюэллс» снова стал чемпионом под руководством Тата Мартино, незадолго до того, как тот перешел в «Барселону».

Когда Селия, мать Лео, объявила в 2010 году: «Я говорю за себя, а не за моего мужа: для меня не существует «Ньюэллса», она имела в виду старый «Ньюэллс». Нынешнее правление очень симпатизирует Хорхе и Лео, настолько, что семья Месси даже вложила деньги в новую гимназию для Спортивного Города и во многие другие проекты. Некоторые даже рассматривают кандидатуру Хорхе в качестве директора клуба и видят Лео в красно-черной футболке. Когда-нибудь.

Как объявил Райт Томпсон, отъезд Лео оставил на сердце многих глубокие шрамы. «В течение многих лет Эрнесто Веккьо негодовал на своего бывшего игрока. Что-то произошло здесь, в этой школе, в чем Веккьо сыграл свою роль. Многие люди участвовали в этом. Должна быть какая-то благодарность. Вместо этого они стали известны как близорукие дураки, которые позволили легенде уйти. Официальный представитель команды прежнего «Ньюэллса», отвечающий за покупку соматотропина для Месси, все еще носится с квитанциями, которые очень похожи на подделки, пытаясь доказать, что он не принимал самое дурацкое решение в истории профессионального спорта».

А Лео? Когда в 2009 году его спросили, что он чувствовал в отношении «Ньюэллса», он принял решение быть дипломатичным. «Сердиться? – нет, потому что я не испытываю этого чувства. Я очень люблю этот клуб. Я пришел на его поле маленьким мальчиком и мечтал о том, чтобы однажды оказаться там».

Вот так. В Росарио Лео был окружен людьми, которые ценили его, защищали, поддерживали и помогли ему вырасти. Все они хотели увидеть, как он преуспеет. «Когда мы узнали, что клуб не собирался оплачивать его лечение, нам было очень грустно», – вспоминает Синтия Арellано. «Когда соседские мальчишки прощались с ним, я тоже была там. Он обнимал меня и говорил: не плачь, не плачь».

Люди, которые хорошо знали Лео, хотели его проводить. Месси уезжали, чтобы никогда не возвращаться. «Мы остаемся здесь, – говорили его друзья и родственники. – Вы очень храбрые. Удачи вам!»

«Мы покидали Лас-Эрас, и все наши друзья вышли, чтобы сказать нам слова прощания», – рассказывал Лео Кристине Куберо для каталонской газеты *El Mundo Deportivo* в 2005 году. – Они все вышли на улицу. Уезжала вся наша семья: мои родители Хорхе и Селия, мои братья – Родриго, Матиас, и моя младшая сестра – Мария Соль, которой тогда было пять лет. В тот день нам было так грустно, что мы с Матиасом сильно плакали. Это была очень мрачная поездка; мы скучали по нашим родным, моим дядям, по всем».

Сегодня, больше десятилетия спустя, он вспоминает ту поездку так, как будто это был сон, но в то время это было ужасной действительностью – они ехали на другую сторону планеты, и, казалось, он слышал звук, с которым корни его семьи вырывались из родной земли. Это происходит при каждом отъезде «навсегда» и создает сильное «эхо в сердце».

«Он уехал, и пару дней мы ничего не знали о нем», – вспоминает Джерардо Григини. – Возможно, знали его соседи. Он очень замкнутый человек, не из тех, кто, узнав о чем-то, должен пойти и рассказать всем. Вероятно, отец и мать приказали ему ничего никому не говорить. К тому же он ездил на испытания в «Ривер Плейт» и пробыл там в течение недели, а потом съездил в Барселону. Мы ничего не знали ни о «Ривере», ни об испытании в «Барселоне» – это выяснилось, когда Лео уже был в Испании».

«Я пришел поздравить его в отель, когда он приехал с национальной сборной в Росарио, чтобы сыграть с Бразилией, но он не смог спуститься в вестибюль», – вспоминает Веккьо. Спустились его родители, и я довольно долго разговаривал с ними. Единственное, что я сделал – это передал привет Лео, который когда-то был в моей группе. Он увидел меня и улыбнулся... Я помню этот момент».

Анхель Руани, отец Лули – друга Лео, вспоминает следующее: «Последний раз, когда я видел Месси, было на Рождество 2005 года: Лео с моим сыном и несколькими друзьями пришли домой приблизительно в пять утра. Они разбудили меня, чтобы пожелать мне «Счастливого Нового года!» Очень сердечно, не правда ли?»

«Я не видел его некоторое время, потом мы встретились на Кубке Америки в Венесуэле в 2007 году. Он подошел, чтобы поприветствовать меня. Это было очень приятно – он остался тем же самым ребенком, которого я знал в девятой и десятой командах. Он подошел и обнял меня... Вы должны помнить это: он тот же самый человек, которого я знал, когда он был совсем маленьким мальчишкой». Это воспоминание Адриана Кориа, который, будучи помощником Мартино в парагвайской национальной команде на чемпионате мира 2010 года в Южной Африке, увидел Лео снова после той яркой встречи. Кориа шел на учебное поле в тот момент, когда аргентинская сборная покидала его. Лео издали заметил его, снял свою футболку и отдал ее ему. Адриан повесил ее у себя в кабинете в Росарио.

Мальчик Леандро Хименес, который проходил испытание вместе с Лео в «Ривере», больше никогда лично его не видел после того, как тот уехал из Аргентины. И даже не разговаривал с ним. «Отправляясь в Барселону, он дал мне свой номер телефона, но я никогда не звонил ему. Не знаю почему. Перед последним чемпионатом мира я оставил ему сообщение на Facebook. Я написал, что Лео является источником гордости для всех аргентинцев. Он был благодарен за все полученные им сообщения. Но я также получил от него лайк», – улыбается Леандро. Сегодня Хименесу 24 года, он живет в Буэнос-Айресе и работает во внешнеторговой компании. Он больше не хочет играть в футбол, кроме как с друзьями по субботам. Он закончил свою футбольную карьеру, разочаровавшись в профессиональном спорте.

Григини, который провел шесть лет в Италии, пошел посмотреть матч «Интер» – «Барселона», но не стал просить у Лео билет или футболку. Несколько ранее он видел его в аэропорту, когда тот еще не был широко известен. «В то время мы держались на определенной дистанции друг от друга и не общались постоянно, Лео по-прежнему был очень застенчивым парнем. Думаю, он ответил бы: «да.., нет.., все нормально... знаешь, Барселона...» Я говорю о том времени, когда ему было всего 16 лет и Лео только начал играть. Что до меня, то мы должны были бы говорить целый день или хотя бы провести несколько часов вместе, чтобы что-то щелкнуло снова и мы могли вернуться к воспоминаниям типа «а помнишь, когда...» и всяким историям. Но вначале, если вы не видели его какое-то время, он был бы замкнут, отдален. Конечно, для меня он – кумир. Мне неинтересна футболка, меня бы устроил совместный обед или прогулка».

«В июне 2005 года я приехал в Англию, в Эвертон, – продолжает Григини. – Но там у меня начались неудачи: я попал в очень неприятную автокатастрофу – столкнулись два грузовика. Я сломал только малую берцовую кость, но мой друг, игрок Хулио Гонсалес, который путешествовал со мной, чуть не погиб. У него были множественные переломы, ему ампутировали левую руку. Несколько позже он все же вернулся к игре – круто! Позже у меня трижды был разрыв крестообразных связок – три раза подряд – и я выпал из игры на три с половиной года. У меня все сложилось хорошо, но судьба и жизнь следят за вами, и если они говорят, что футбол не для вас, тогда вам стоит пойти по жизни в другом направлении».

Диего Ровира: «Я должен был все рассказать родителям, что и сделал – после ужина. По сути это не была такая уже большая новость – я просто подтвердил то, что они все время предполагали. «Мама, папа, я бросаю футбол». Это было в марте 2011 года. Они поддержали меня, обеспечили деньгами. Мой папа произнес нечто вполне очевидное: это позор, сынок. Это действительно так и было. Он знал, как тяжко я пытался пробиться, он наблюдал за мной в сотнях игр, с Лео, в «Ньюэллсе»... меня все еще называют номером 9, который играл с Лео».

Очень трудно сделать карьеру в футболе.

И последнее воспоминание о прощании, на сей раз от Кике Домингеса: «Мы только что отыграли квалификационный турнир для чемпионата мира 2014 года, Аргентина – Уругвай в Мендосе и Чили – Аргентина в Чили. Позвали моего старшего сына Себастьяна, Макси Родригеса (Чудовище) и Лео. Трое в одной команде! И теперь они были намерены встретиться. Макси пришлось оставить команду из-за травмы и вернуться в Росарио, и Себастьян сказал мне: «Чудовище» возвращается и хочет встретиться, потому что кое-что для тебя приготовил. Я не знаю, что это, но он предупредил, что у него для тебя есть подарок». Прошло больше 20 лет с тех пор, как я в последний раз тренировал «Чудовище», и 13 – с тех пор, как я тренировал Лео. Макси принес мне футболку, подписанную ими обоими. Некоторые люди говорят мне: «Какие они неблагодарные, вы никогда не получаете никаких весточек от них». Нет, когда все идет от души, это происходит совершенно естественно. В тот день они подумали, что будет здорово послать мне футболку. Я очень благодарен им».

«Я знаю, что в каждой игре, которую играет Лео, есть капля и моего пота, – говорит Домингес – я чувствую, что имею некоторое отношение к жизни Лео, но ничего не прошу взамен и не звоню ему, я не нуждаюсь в этом. Однажды я видел Лео на телевидении в программе в его честь и сказал ему «привет». Но если Лео закроет глаза, когда вы спросите его, помнит ли он людей, которые принимали участие в его жизни... барабанный бой... и Кике Домингес будет упомянут среди названных имен, кратко, мимоходом... то для меня это намного ценнее, чем какая-либо футболка.

«Нет, я больше не тренер».

Реален ли тот Лео Месси, о котором говорят Домингес, Григини или Ровира? Или они видят Лео таким, каким хотели бы его видеть? С этим аргентинским восхищением в отношении того, кого они почитают как Мессию, становится трудным отделить образ от действительности, особенно когда страна все еще страдает от неразберихи и смятения. Когда в стране кризис, потребность в героях увеличивается.

Эта стадия жизни Лео подходила к концу, но она никогда полностью не закончилась для тех, кто находился рядом. Он остался с ними – в их памяти и сердце.

Между прочим, Хорхе так никогда и не забрал свою последнюю зарплату из Acindar.

Часть вторая

В БАРСЕЛОНЕ

Глава 1
ИТАК, БАРСЕЛОНА

Во время перелета из Росарио в Буэнос-Айрес Лионель Месси безостановочно плакал так, будто он никогда больше не вернется на родину. Безмолвно. Его лицо кривилось, по нему текли слезы. Он вздыхал и издавал всхлипы потерявшегося ребенка. Он плакал все 50 минут поездки до столицы.

Это было 15 февраля 2001 года. После приземления в аэропорту Эзейза и прежде, чем сесть на самолет, летящий в Барселону, члены семьи за столиком в кафе немного поболтали, чтобы отвлечься от того, что должно было произойти, и Лео успокоился. По пути в Испанию его тошнило, потом он заснул, и постепенно, с каждой милей, отдаляющей его от дома, как пишет Хорхе Луис Борхес, «море творило свою магию, печаль потери придет позднее».

Семья Месси прибыла в Барселону в холодный полдень. Они взяли такси и доехали до отеля «Ралли» на Травессера де лес Кортс напротив стадиона «Камп Ноу». Клуб пригласил их несколько дней спустя на встречу для получения подписанных контрактов, хотя, как ни странно, никто до сих пор не предложил оплатить лечение, которое Лео начал в Росарио.

В итоге директор Жоан Лакуэва согласился оплатить 2000€ из своего кармана, чтобы Лео мог ввести первые дозы необходимого ему препарата.

Они провели 15 дней в гостиничном номере, тренируясь, стараясь справиться с переживаниями и пытаясь привнести некоторую упорядоченность в окружающий их хаос новой жизни.

1 марта 2001 года, за столом гостиничного ресторана под пристальным взглядом Лакуэвы, молодой Лео Месси подписал свой первый двухлетний контракт с «Барселоной». Многие из директоров клуба смеялись над утверждением Лакуэвы, что ему

удалось справиться со всеми бюрократическими проволочками и гарантировать семейству Месси, что Лео наконец-то стал игроком «Барселоны». Они были убеждены, что этот контракт – пустая трата денег. Только время расставило все по местам и вознаградило Лакуэву, Решака, Рифе и Мингелью за их усилия.

Но эпопея на этом не закончилось: один директор – который сегодня скрывает свое имя – был невероятно разъярен, обнаружив, что соглашение было достигнуто без одобрения правления. Без какой-либо консультации с ним. Как мог мальчишка стоить клубу столько денег?! Этот директор не только отказался подписать документ, несмотря на то, что тот был уже подписан адвокатами команды и вице-президентом, но в приступе гнева даже разорвал его.

Тем не менее клуб утвердил контракт.

«Когда я слышу, как кто-то говорит, что заключил контракт с тем или другим парнем, знайте, это – ложь. Вы ничего не заключаете, это делает «Барса», – говорит Жоан Гаспар, возглавлявший клуб в то время. – Вы платили за него из собственного кармана? Нет, вы этого не делали, именно «Барселона» заключила контракт со спортсменом. Вы, возможно, были посредником в этом... но, на самом деле, ни с кем не заключили контракт. Говорят, что с Месси договор был подписан на салфетке. Ну, это не совсем так. Это забавная история, хороший анекдот, но контракт с Месси был подписан вице-президентом «Барселоны» Франсиско Клосой, он подписал его, потому что я дал добро».

Самое трудное было впереди – Месси нужно было приспособиться. «Барселона» нашла квартиру для семьи на Гран Виа Карлес III около «Камп Ноу», и семейство въехало в нее в начале марта, спустя две недели после прибытия. Это была большая квартира, с четырьмя спальнями, двумя ванными, кухней и балконом, который выходил на внутренний двор, где находился укрытый среди деревьев общественный бассейн, примыкающий к другому зданию. Лионель вставал за 15 минут до тренировки и успевал при этом добраться до поля вовремя. Благодаря удачному расположению квартиры Лео мог поспать немного дольше. Консьерж здания – как сообщает Луис Мартин из газеты «Эль Паис» (журналист, известный тем, что умеет задавать вопросы, которые никому другому просто не пришли в голову) – в течение пяти лет не догадывался, что парень, который каждое утро приветствовал его, играет за «Барселону». «Удивительно, правда? Просто я вообще не интересуюсь футболом, мне это не нравится», – сказал он Мартину.

Жители Росарио и области проделывали путь в несколько сот километров, чтобы посмотреть на игру Лео, а в Барселоне даже консьерж не знал, кто он такой.

С самого начала все пошло не так, как задумано. Мальчик действительно хочет быть футболистом? Давайте посмотрим, из какого теста он сделан. Впереди расстилалась дорога, усыпанная острыми камнями.

«Я не понимал окружающих: они все говорили на каталанском языке!» Спустя несколько лет после прибытия Лео оценивает свои первые дни в «Барселоне» со смесью волнения и раздражения. Как это часто происходит с любым новичком, вливающимся в группу ребят, Месси чувствовал робость и тревогу, он стеснялся вступать в беседу. Его принимали тогда со значительно меньшей чуткостью, чем люди делают это теперь. Во время первых учебных игр он очень редко получал мяч, товарищи по команде относились к нему не слишком доброжелательно, он чувствовал себя совершеннейшим аутсайдером. Уже тогда, в 13 лет, он понял, какую цену нужно заплатить, чтобы быть принятым – теоретически Лео занял в команде место одного из друзей тех, кто уже играл там.

Некоторые товарищи по команде рассказали Лео, что один из тренеров, который оценивал его уровень в первые недели, приказал ребятам действовать в отношении него довольно жестко, потому что не хотел, чтобы Лео остался в «Барселоне». Это был, как Месси объяснил позже в аргентинском ТВ-шоу *Sin Cassette*, «тот же тренер, который попросил, чтобы я играл в один удар и не старался обходить противников. Но, по правде говоря, я не слишком прислушивался к тому, что он говорит, а, как и раньше, делал то, что было для меня естественным».

Во всем мире – одна и та же история: как только подтверждается, что вы остаетесь в группе, вас тотчас принимают, а отношение товарищей по команде меняется кардинально. Но Месси никогда не забывал те первые недели, когда ему пришлось осознать свой статус лишнего. Он чувствовал, что должен завоевать свое место в клубе.

Будучи иностранцем, Лео не мог играть в официальных матчах в команде, соответствовавшей его возрастной группе. У него было разрешение играть в каталонской региональной лиге и в товарищеских встречах. Более того, Родольфо Боррелль, тренер команды, предпочел использовать его экономно, в соответствии с неписаным законом, согласно которому не следовало менять состав непобежденной команды в течение сезона. Этот закон неукоснительно соблюдался как с молодежью, выступающей на высшем уровне, так и с теми, кто уже стал чемпионами лиги и которым осталось продержаться всего семь игр.

В любом случае физическая хрупкость этого аргентинского футболиста была так очевидна, что на тренировках Боррелль приказал своим игрокам действовать с ним очень аккуратно. «Пожалуйста, не трогайте его, – попросил он своих защитников, когда Лео впервые вышел на поле для тренировки. – Он такой быстрый и такой маленький, что вы можете травмировать его». Двигаясь с невероятной скоростью, он искал возможность обойти противников – одного, другого, третьего... Во время одной из тренировок, когда Лео демонстрировал свои навыки, Сеск Фабрегас так и не смог отобрать у него мяч и как следует врезал ему ногой. «Сеск, пожалуйста, успокойся, он недавно приехал, не стоит так делать». А в следующий раз, когда Родольфо пришлось убеждать игроков быть осторожными с Лео, все в ответ только смеялись: «Как нам быть осторожными? Мы же даже не можем приблизиться к нему!»

«Это было просто невероятно – он подхватывал мяч и сразу начинал обходить всех, одного за другим – так он проводил каждую тренировку, забивая гол за голом. Для него не имело значения, кому», – вспоминает Виктор Васкес, который играл с Лео в течение нескольких лет в командах более низкого уровня. «Прежде нам не доводилось видеть что-либо подобное, потому что, в основном, мы играли на пас; Лео же получал мяч и шел. Мы говорили между собой, что он страшный индивидуалист, но так было только поначалу. Вскоре мы поняли, что должны радоваться, имея такого игрока в команде».

Когда тренеру надоело играть в пределах шести–семи–восьми голов, Боррелль захотел, чтобы его команда выступила в одном из турниров против более старших, чтобы его игрокам «дали жару». «Барселона» приняла его предложение и отправила их на турнир Pontinha в Португалию, где они сошлись с португальской, французской и немецкой командами, игроки которых были на два года старше, чем то знаменитое поколение Пике, Сеска, Васкеса, Марка Педрасы, Рафаэля Бласкеса и недавно прибывшего Месси, который тоже мог играть в этом неофицальном соревновании. Испанская команда выиграла три из восьми игр, и Лео чувствовал себя при этом совершенно комфортно.

Он прошел очередное испытание.

Не имея международных документов, которые «Ньюэллс» пока еще не выслал, 6 марта Лео получил временную лицензию от каталонской федерации, и клуб, ощутив силу команды Борелла

Infantiles A, решил, что Лео мог бы играть на более регулярной основе, если бы перешел в команду «Infantiles» B Хави Льоренса. Это был единственный случай в карьере «Блохи», когда он оказался самым старшим в группе.

В «Ньюэллсе» он проводил разминки, пока тренер был занят, в «Барселоне» же пока не получалось попасть в свою зону комфорта.

Но несмотря на то, что ситуация была новой для клуба и сложной – для вновь прибывшего, никто не сомневался в его таланте. Лео тренировался с Льоренсом четыре раза в неделю, с шести до девяти вечера. Он приходил незадолго до шести, собирал комплект формы, который клуб ему подготовил, переодевался и начинал тренироваться. После тренировки Лео никогда не торопился вернуться домой.

«Ты откуда? А где ты играешь?» – спрашивали его ребята на первых тренировках в команде «Infantiles B». Он был на год старше их, но намного меньше ростом. «*Enganche*», – отвечал Лео. Никто не знал точно, что значит это слово – это было чисто аргентинское выражение. Но в конце первой недели один из мальчишек подошел в Льоренсу, чтобы задать вопрос, который к тому времени становился уже чисто риторическим: «Он будет играть у нас долго?» Мальчик хотел, чтобы ответ был положительным, но тренер предпочел ответить уклончиво. Конечно, Лео был слишком хорош для этого уровня.

«Я хорошо помню один матч во время тренировки, – говорит тренер «Infantiles B». – Был угловой удар с нашей стороны, и Лео встал на край для защиты, как ему и сказали. Мяч попал к нему, он начал продвигаться к противоположным воротам, пересекая все поле, которое мы называем полем номер три, расположенное напротив «Мини-Эстади». Он обошел одного, второго игрока, которые были в нападении на другом конце, добрался до штрафной площадки противника, сделал еще два шага и затем совершил то, что Марадона сделал однажды против «Ред Стар»: замаскировал свой удар по мячу, выполнив маленький укороченный удар – свечу. Невероятно. Он забил гол и вернулся в центральный круг так, как будто ничего не произошло. Глядя на него, мы думали... черт побери! Лионель шел назад, не глядя на трибуны, прямо на середину поля, обнимая товарищей по команде. Когда игроки делают что-то подобное, они обычно смотрят на трибуны, чтобы проверить, добились они успеха или нет. Но только не Лео – тот просто шел своей дорогой. Этот эпизод я буду помнить всегда: шел, как будто ничего не произошло».

Немного позже Хави Льоренс написал отчет, о котором просил его Хоаким Рифе, подтверждая, что тихий Лео ростом 1 метр 47 сантиметров является «маленьким Марадоной» – маленьким по росту, но с большой скоростью и огромным мастерством.

Лео дебютировал в официальном матче в футболке «Барселоны» с номером 9 на спине, на поле Ампосты, в каталонской региональной лиге, в которой он имел право играть. Он забил один из трех голов, принадлежавших команде «Infantiles B», и, естественно, был отобран для следующего матча против спортивной школы Эбре. Этот матч проходил 21 апреля.

В тот день члены команды позавтракали вместе, и их фотографы вышли с ними на поле. Марк Байес, 10-й номер соперников, во время съемок занял место позади худенького Лео. Фактически звездой той команды был не Лео, который только что приехал, а Менди, бомбардир с отличными физическими данными.

Игра началась. Это было хорошей новостью.

Во время игры, которая была его вторым официальным матчем в категории Infantiles (игроки в возрасте 12–13 лет), он выполнил требования испанской федерации, которая теперь позволяла ему играть в национальных матчах, – правило, которое молодой тренер Альберт Бенайжес обнаружил почти случайно – дополнительное доказательство того, насколько неподготовленной была «Барселона» для таких, как Лео. Правило обязывало сыграть две игры, в противном случае пришлось бы перейти непосредственно в «Барселону» из следующей категории – «Cadetes B» (ребята в возрасте 14–15 лет) – во второй эшелон, не имея разрешения участвовать в двух промежуточных стадиях, в которых футболисты Академии Барселоны обычно играют, чтобы закрепить свой постепенный переход из разряда в разряд.

Не зная об обязанности иностранных игроков сыграть, по крайней мере, две игры в Infantiles, клуб повлиял на карьеру других футболистов. Лео же обошли эти неприятности благодаря случайному открытию Бенайжеса, но, например, Жильберто, мальчику из Бразилии, повезло меньше. Поскольку он не играл в командах «Infantiles» и не имел возможности подниматься по разрядам в обычном порядке, клуб решил передать его. Жильберто не смог приспособиться к другой команде и, покинув «Барселону», закончил свою карьеру, играя в низших лигах. Иногда грань между успехом и провалом очень узка.

А в это время на поле случилась беда.

Спустя несколько секунд после начала игры мяч попал к Лео на левом крыле, и он потерял над ним контроль. После вбрасывания Байхес, мальчик, который стоял позади Месси в момент коллективного фото команды, приготовился вбросить мяч на поле, но на его пути оказалась нога молодого аргентинца. Результат? Перелом левой малой берцовой кости. Первая серьезная травма за его карьеру, в течение двух месяцев она помешала ему играть. «Вы говорите, что это я сломал ему ногу? Матерь Божья!» – воскликнул Байхес несколько лет спустя, когда журналист из *Libero* рассказал ему, что произошло в тот день. «Дело не в том, что я не знал, что сломал ногу Месси, дело в том, что я не догадывался, что вообще кому-то сломал ногу». По сути дела, это даже не было столкновением.

«Лео получил травму прямо перед трибунами, – вспоминает Хави Льоренс. – Мы заметили, что произошло что-то серьезное, и отправили его в больницу, чтобы определить, что произошло. Поначалу мальчик извивался от боли, но вскоре успокоился и сказал, что сам поранился. В больницу поехал отец, потому что я должен был закончить игру. Лео беспокоился только об одном: «Что со мной? Я не буду играть долгое время?» Когда футболист получает травму, он думает: «Завтра я хочу ходить и бегать, а сейчас не могу. Через несколько дней у меня игра, а я не могу выйти на поле...» Это – все, о чем думал и Лео».

Месси пришлось ходить в гипсе. Иногда он приходил на тренировки на костылях, и тренер заметил удивительную силу воли этого 13-летнего мальчика: «Нам не нужно было поощрять его, все видели, насколько это сильная личность». Тем не менее самые близкие ему люди помнят, что он был очень расстроен и рассержен. Младшей сестре Марии Соль не нужно рассказывать о том, насколько трудно было увести брата с тренировки, оттащить от мяча. Порой, когда день тянулся нестерпимо долго, она, не говоря ни слова, просто держала Лео за руку.

Затем, в июне, спустя неделю после возвращения на поле, он получил растяжение связок в левой лодыжке. Шаг вниз! Еще три недели без игры. Его тело не просто было маленьким, оно было еще и очень хрупким. К концу этого неудачного периода, спустя четыре месяца после того, как он прибыл в Барселону, Лео сыграл всего в двух официальных играх и в одном товарищеском турнире.

Семья Месси провела лето того короткого и необычного первого сезона в Росарио. Селия отправилась домой еще раньше, чтобы побыть с сестрой Марселой, которой должны были сделать операцию на почках.

В течение тех первых месяцев в Испании кое-что изменилось. Было не ясно, возвратится Лео, которому исполнилось14 лет, в свой новый клуб или нет. Решит ли он после остаться дома или возвратиться в Барселону вместе со своей семьей.

Ходили слухи, что еще до того, как семья уехала из Росарио, Хорхе поговорил с кузеном своей матери, который жил в Льейде, в 122 км от Барселоны, прося его о поддержке. На самом деле они встретились несколько месяцев спустя, когда Месси уже жили в Испании. Семья отправилась в свое рискованное путешествие без какой-либо поддержки, надеясь только на себя, свои силы и ту взаимопомощь, которую они впятером оказывали друг другу, живя на улице Гран Виа Карлес III.

Все это сблизило семью в те первые месяцы жизни в Барселоне: они вместе проводили все свое свободное время, ели, делили радости и разочарования. Лео хотел открыть для себя море, и они все вместе отправились туда. «Мы пошли на пляж. Я жил в городе, где не было моря, а только река, так что нам было очень интересно пойти на пляж. Было холодно, что сделало нашу прогулку несколько печальной, но, тем не менее, пляж мне понравился», – сказал Месси Кристине Куберо в интервью для *El Mundo Deportivo* в 2005 году.

Хорхе пытался сделать так, чтобы неудачи не нарушали гармонию и единство семьи, но Лео не мог играть в футбол, а это было главной причиной, по которой они оказались в Барселоне. Клуб не платил того, что было обещано, более того, они не торопились оформить все необходимые документы. После сентябрьского испытания уже была заметна определенная небрежность по отношению к Месси, отсутствие должной настойчивости, и теперь, когда все было подписано и скреплено печатями, начали появляться определенные колебания, даже проявления беззаботности. Кроме того, не было ясности в ситуации с занятостью Хорхе, что вынудило его написать письмо президенту клуба, Жоану Гаспару, объясняя, что они чувствуют себя брошенными. «Ситуация в моей семье просто отчаянная: я выполнил все необходимые экономические требования до начала текущего месяца, когда должны были вступить в силу подписанные между нами соглашения, а сегодня я обнаруживаю отсутствие новых платежей без какого-либо уведомления. Нет никого, с кем бы я мог обсудить этот вопрос и получить совет относительно того, какие меры я должен предпринять». Это отчаянное письмо было написано 9 июля 2001 года. Много позже оно было напечатано в *El Grafico.*

Список обид становился все длиннее и весомее. Семья Месси чувствовала себя обманутой. Не столько клубом как учреждением, но теми, кто обещал заботиться о семье, включая некоторых представителей игрока. Лео был принципалом Барселонского футбольного клуба, или, точнее, единственным поводом для беспокойства: они хотели, чтобы он учился в школе, тренировался, правильно питался, хотели контролировать его физическое и гормональное развитие. Лео и его отец были единственными членами семьи, имеющими NIE (Numero de Identidad de Extranjero – идентификационный номер, необходимый для неиспанских подданных в Испании). Все остальные члены семьи страдали: Родриго не мог играть в футбол, Мария Соль ходила в государственную школу, где страдала от дискриминации, потому что была иностранкой, а Матиас, который оставил свою подругу в Росарио, чувствовал себя одиноким и брошенным. Благополучие семейной жизни постепенно улетучивалось.

Поскольку первый состав «Барселоны» испытывал неудачи, пытаясь выиграть различные титулы, весь клуб был в плохом настроении, и все – как внутри, так и вне его – считали Лео Месси чем-то вроде непонятного эксперимента. Давайте посмотрим, что из него выйдет, думали они. Лео был просто финансовым вложением, возможно, когда-то сработающим, но совет «Барселоны» не имел должного опыта, проницательности и понимания того, как обращаться с этим живым аргентинцем.

Тем временем Лео ходил в школу Lleo XIII, так же, как и все молодые «сине-гранатовые». Ему там не нравилось, поэтому оценками похвастаться было нельзя. Лео не был ленив, просто его не интересовала учеба, он, как и многие, открывал книгу на заданной странице и держал ее, уставившись на страницу стеклянным невидящим взором до конца урока. Он посещал занятия, но отсутствовал на уроке, подчинялся, но знал, что это досадная необходимость, чтобы стать профессиональным футболистом. Поэтому он делал то, что ему говорили, пусть и неохотно.

Иногда школьный автобус, который подбирал мальчиков в воротах Ла-Масия, уезжал без него. Учеба – да. Отдых – да. И PlayStation в любое время дня. Что-либо иное не слишком его интересовало. Он закончил первый год обучения в старших классах в Росарио, но в Барселоне забросил занятия за два года до возможного перехода в университет. Он все еще выделялся на уроках физкультуры, но вскоре оставил свои детские мечты стать учителем физвоспитания. Селия наверняка хотела бы, чтобы он учился лучше, прилагая больше усилий, на случай, если карьера в футболе не сложится, но невнимание Лео к школьным занятиям – источник многих семейных дискуссий – ему с готовностью прощали. Когда в 2004 году он поднялся по иерархической лестнице клуба, перейдя в возрасте 17 лет в команду «Барселоны B», ему уже некогда было посещать уроки, потому что он проводил очень много времени на тренировках и в спортзале, наращивая мышцы. У него было прекрасное оправдание, чтобы не учиться, уроки перестали быть необходимостью теперь, когда возможность стать профессионалом делалась все реальнее.

Но было еще кое-что, делающее учебу малопривлекательным занятием. В Барселоне он «выделялся»: приехал из-за границы, у него был акцент, иные привычки и обычаи, он был тихим и имел проблемы с ростом. Над ним смеялись. Он не мог преодолеть этого, просто хвастаясь своими футбольными навыками, не мог завоевать безоговорочное признание всех одноклассников, как это произошло в Лас-Эрасе, потому что в каталонской школе были и другие ребята – его товарищи по команде – не менее хорошие игроки.

Лео был вынужден приспосабливаться и наращивать «броню». На публике мальчик стал еще более замкнутым, чем был в Аргентине, и производил впечатление не по годам взрослого, серьезного, молчаливого. Он предпочитал слушать, сев в сторонке и глядя по сторонам. Не имея под рукой мяча, окруженный людьми более старшего возраста, он не был похож на нормального мальчика, часто казалось, что он просто отключился. Хорхе говорит, что Лео более ответственный, чем он, а мать добавляет, что у Лео спокойный, но очень сильный характер. Все это верно, но Лео был, прежде всего, мальчишкой, оторванным от своих корней.

В Росарио он жил жизнью здорового ребенка, пусть даже наполненной фантазиями. Он мечтал попасть во взрослую команду и играть в футбол. Войти в первый дивизион «Ньюэллса». Как братья и отец, он хотел стать футболистом. Позже начались тренировки, матчи, включая важную цель, которую ставили перед ним тренеры, одновременно призывая его вести себя ответственно – игра во взрослой команде. Ему постоянно задавали вопрос: «Ты же хочешь стать профессиональным футболистом, верно?» В 12 лет ему пришлось однозначно ответить на этот вопрос, потому что появился шанс уехать из страны. Футбол перестал быть просто игрой.

Внезапно мир жестко поделился на черное и белое. Да или нет? Он хотел стать профессиональным футболистом? Лео делал все необходимое, чтобы добиться этого. Он не возражал уехать за границу. Уже в таком раннем возрасте ему пришлось самому во всем разобраться и понять, что «да» – единственно правильный ответ. Он не мог ошибиться. Это не было давлением, обманом со стороны наставников, но в случае неудачи могли возникнуть пагубные последствия для семьи. Его отец оставил работу, матери пришлось уехать от остальных членов большой семьи, братья оказались вдали от своих друзей. А если ничего не получится – что тогда? Многие дети аналогичного возраста не выдерживали такой степени давления и переставали полноценно развиваться.

В сознании таких молодых ребят прорастает семя, брошенное когда-то, почти всегда неосознанно. В то время, когда Лео играл в «Infantiles», он слышал разговоры, что однажды он будет играть в первом дивизионе. В 11 лет он сказал брату Родриго, что хотел бы завоевать «Золотой мяч». Но сейчас все уже не было невинной мечтой семи- или восьмилетнего мальчика; сегодня Лео не мог допустить даже самую малую вероятность того, что он не достигнет своей цели и что все может кончиться весьма плачевно.

Такое происходит с большинством мальчишек, которые делают шаг от игры для забавы к игре, которой они хотят зарабатывать себе на жизнь. Но особенно с теми, кто сжигает мосты у себя за спиной: для них неудача недопустима. Если бы даже мысль о провале хотя бы на мгновение посетила их (а этого никогда не происходит), то их мир бы рухнул. Лео, как и многие другие 12-, 13-, 14-летние мальчики с полнейшей уверенностью говорил себе каждый день, что все будет хорошо. Но действительность – особенно при таком уровне ожиданий – редко соответствует мечтам.

Это удивительное мышление не только отвергает возможность неудачи, но также сопровождается подавлением эмоций. Все чувства, кажется, замерзают.

Лео Месси прибыл в Барселону в разгар «пужолизма» – политической программы, провозглашенной Жорди Пужолем, президентом Каталонии, в 1980 году. Эта программа действует и сегодня, поддерживаемая каталонским средним классом, церковью и интеллигенцией. Эта идеология должна была привести каталонскую нацию в постфранкистский период к социальной сплоченности.

Одной из первых директив программы было указание восстановить национальный ежегодный праздник 11 сентября. Эта дата жгла сердца каталонских националистов – она напоминала им о национальном поражении от войск испанских Бурбонов в 1714 году и унижении каталонского национального самосознания. Этот день был выбран специально, чтобы сыграть на ощущении собственной исключительности и создать образ жертвы, что отражало весьма популярную консервативную националистическую идеологию. Использование и стимулирование чувства дискриминации со стороны центрального правительства, базирующегося в Мадриде (что оправдывалось различными обстоятельствами как прежде, так и сейчас), было главным признаком «пухолизма» и его политического ответвления – партии «Конвергенция и Союз». Это часто приводило к недопониманию на международном уровне, поскольку многие наблюдатели путают Каталонию с консервативной националистической идеологией, утверждающей, что она говорит от ее имени. Пухолизм вполне намеренно извращает и утаивает тот факт, что существует много самых разных способов быть «каталонцем», и все они равно законны.

Тем не менее программа позитивной дискриминации пустила корни, поскольку региональное правительство склонилось перед фантазиями Пужоля и осуществило довольно много радикальных реформ, которые еще сильнее подпитали националистические настроения. Самой далеко идущей реформой было введение каталанского языка в программу всех государственных школ. Это возникло благодаря доктрине, поддержанной педагогом Александром Хили, который проповедовал идею о том, что студенты не должны быть разделены по языковому принципу. При этом он основывался на своем опыте преподавания в Квебеке и США. Его философия отражена в законе о политике в отношении языка (Language Policy Act) от 1983 года.

ФК «Барселона» занял центральное место в реализации политики «пужолизма». Многие считали его каталонской национальной сборной, и это представление использовалось политическими деятелями, чтобы разжечь и распространить националистические чувства, одновременно интегрируя недавно прибывших в Каталонию так, чтобы они обязательно «стали» каталонцами. Националисты использовали «Барселону», и клуб поддался этому давлению. Результатом этого было – и до сих пор остается – извращенное понятие, согласно которому для того, чтобы быть истинным каталонцем, вы должны поддерживать «Барселону».

Весной 2001 года фамилия Месси в клубе вообще не имела веса – в это время семья была просто еще одной группой южноамериканских иммигрантов. Они прибыли из Росарио за четыре месяца до конца учебного года, и сестра Лео, Мария Соль, должна была быстро влиться в систему государственного образования, которая требует, чтобы она выучила абсолютно новый для нее язык. Задержка платежей и негибкость политики «Барселоны» означали, что она не могла попасть в частную школу, где отсутствует языковой барьер.

Это было незадолго до ее шестого дня рождения.

Государственные школы должны привечать и поддерживать новых учеников, но большая часть уроков проходит на каталанском языке. Кастильский испанский язык вводится позднее. То, как приспособится ребенок иммигрантов, зависит от многих факторов: происхождение и социальные условия жизни других учеников, процент других детей иммигрантов (в школе, куда попала Мария Соль, их было мало) и, конечно, готовность ученика учиться и быстро приспосабливаться. Возможно, родители просто неудачно выбрали для Марии Соль школу, но в целом в каталонском обществе существует определенный конфликт, который, поощряя национальную гордость, часто приводит к социально-экономической дискриминации тех, кто не говорит на каталанском языке. Люди, называемые «sudaca» (унижающее слово, обозначающее лиц латиноамериканского происхождения – английский эквивалент «spic» или русский аналог «черные»), никогда не почувствуют ту же самую доброжелательность и одобрение, как люди, приехавшие из «белой» Северной Европы. Школы прилагали – и делают это и сейчас – сознательное усилие, чтобы устранить дискриминацию, но на улице, в магазинах – повсюду витал призрак ксенофобии.

Месси чувствовали себя оторванными от остальных жителей страны, они были «брызгами иного источника», как говорят в Аргентине. Так объяснил Сике Родригес в своей книге о родителях футболистов в Ла-Масия, в которой он привел слова Хорхе Месси: «Это были очень тяжелые перемены. Обычаи, особенности, ценности, еда... все отличалось. Нам пришлось начинать буквально на пустом месте. Фактически с нуля. Даже язык отличался. Мы должны были приспособиться к каталанскому языку».

Аргентинцы – гордые люди, почитающие свои корни и стремящиеся сохранить их. Возможно, никто не подумал о том, чтобы кратко преподать им историю Каталонии. Возможно, они поняли и оценили бы ее, начав сочувствовать региону, который, пострадав от дискриминации и подавления, теперь старался самоутвердиться, возрождая и закрепляя свой язык. Аргентинцы не понаслышке знают о притеснениях. Все дело в том, что интеграция в это непонятное им новое общество потребовала намного больше времени, чем ожидалось. В дополнение к эмоциональным сложностям и постоянным финансовым проблемам, невнимательность ФК «Барселона» ко все стремительнее возрастающему числу проблем Месси означала, что семейные ужины на улице Гран Виа Карлес III становились все более и более напряженными.

Ситуация становилась все более и более невыносимой. Мария Соль отпраздновала свой шестой день рождения. Семья приложила невероятные усилия, чтобы сделать этот день совершенно особенным, но было ясно, что ребенок несчастлив, поскольку начал понимать, что окружающий мир враждебен и неумолим. Селия и Хорхе страдали, видя ее плачущей каждый раз, когда ей надо было идти в школу. В поисках утешения Селия пошла на встречу с родителями в школе и спросила, могут ли учителя во время встречи говорить на испанском литературном языке. Ей прямо ответили: «Подождите, пока мы не закончим, тогда мы вам все объясним». Это было последней каплей – или им так показалось. Лео вспоминал об этом периоде в интервью аргентинскому журналу *Para ti* в июле 2005 года: «Мария Соль так и не приспособилась ни к школе, ни к каталанскому языку».

Несколько лет спустя, в 2009 году, «Блоха» дал интервью аргентинской телестанции TVR. Его спросили, как продвигается изучение каталанского языка. Месси признал, что поначалу он испытывал затруднения, но затем достаточно хорошо изучил его в школе. «Теперь мне легко», – сказал он. Интервьюер попросил его сказать «Добрый вечер, я – Лионель Месси» на каталанском языке, и Лионель, чувствуя, что на него смотрят и он вынужден чувствовать себя дискомфортно, сказал: «Хорошая блоха... и». Аудитория долго смеялась над его неспособностью закончить фразу.

Любопытно, что первое публичное политическое заявление, сделанное Лео Месси, было искренней защитой каталанского языка. 6 декабря 2012 он участвовал в шоу со своим спонсором – «Turkish Airlines», компанией, назначившей его одним из своих международных послов. Как часто происходит на подобных мероприятиях, правила и границы согласовывались между руководителем пресс-службы Лео и представителем отдела СМИ Барселоны по вопросам печати. Никто не рассчитывал на то, что один из присутствующих журналистов спросит об изменениях, которые министр просвещения, Хосе Игнасио Верт, хотел ввести в Закон об образовании, которые в Каталонии сочли нападкой на родной язык. По этому вопросу ФК «Барселона» выпустила свое коммюнике, доказывая необходимость включения каталанского языка в образовательную систему. «Каталанский язык и обучение ему в школах являются частью нашей самобытности и основным элементом социальной сплоченности наших людей».

Услышав этот вопрос, я посмотрел на главу пресс-службы Лео и представителя «Барселоны». Они посмотрели друг на друга. У них было несколько секунд, чтобы отреагировать, прежде чем Месси ответит. Я увидел, как представитель прессы Лео кивнул. Это было разрешением отвечать, но Лео, эксперт в уклонении от вопросов, не был готов. Он сказал, что, прибыв в Каталонию, рос, учился и развивался на каталанском языке и что у него никогда не было проблем с ним, потому что чем больше языков знает человек, тем лучше для него. Ответ Лео был признан образцовым всеми, кто его окружал.

Однако одиннадцать лет назад сильное ощущение отчуждения от этой новой культуры и изоляция привели к тому, что половина семьи Месси захотела возвратиться в Аргентину и остаться там.

Как уже говорилось, в конце этого трудного сезона Лео с семьей возвратились в Росарио на лето. Когда они встретились в доме в Лас-Эрасе, не было никакой возможности уйти от решения серьезной проблемы: Мария Соль собиралась остаться в Аргентине. Никому не хотелось больше видеть, как она плачет. Лео должен был решить, что он намерен делать дальше.

Хорхе Месси вспоминает в своем интервью для «Информ Робинсон»: «Однажды я спросил Лео, что он намерен делать? Решение оставалось за ним, если сын хотел возвратиться в Аргентину, то тогда семья вернется вместе». Хорхе предложил сыну свою безоговорочную любовь и полную поддержку. Цель была ясна: Лео хотел быть футболистом. Хорхе объяснял, что последствия его решения, независимо от того, какими они будут, рассматриваются не как поражение, а как еще один шаг к финишной черте и счастливому окончанию их пути. Лео наверняка понимал, что нет никаких гарантий того, что он одержит победу. Никаких. Но он оказался на перепутье и всего в 14-летнем возрасте должен был принять решение: или они все вместе возвращаются в Аргентину, или семья распадается.

«Лео посмотрел на меня, – продолжал Хорхе, – а затем сказал, что хочет остаться играть в футбол в Барселоне, чтобы добиться первого дивизиона. Это было решением Лео, именно его решением: никто его ни к чему не принуждал. Именно поэтому я отправился в Барселону с Лео, а Селия осталась в Росарио с остальными детьми».

Семье Месси пришлось разделиться.

Они хотели верить в то, что это будет лишь короткая разлука. Они, должно быть, полагали, что вскоре вновь соберутся все вместе. Когда вы знаете, что все происходящее временно, это добавляет вам душевных сил. Итальянские бабушка и дедушка Хорхе и Селии знали, что покидают свои семьи навсегда, когда уезжали из Европы. Аргентинские семьи, которые эмигрировали в Европу в начале этого столетия, разъезжались, зная, что они сделают все возможное, чтобы снова воссоединиться со своими близкими. Семейству Месси тоже было ясно, что они обязательно справятся с этой ситуацией, так или иначе. Нам трудно понять их, потому что такие люди, как Месси, несколько иначе смотрят на жизнь, чем большинство других. Кто готов оторваться от жены (или мужа) и трех детей, чтобы один из потомков смог добиться успеха в спорте, который был для него всем?

Хорхе признался в интервью для «Информ Робинсон», что его жена предпочла бы, чтобы вся семья вернулась домой, потому что в Барселоне детям казалось, будто они пересели на другой корабль, и они хотели домой. Сразу несколько негативных факторов незаметно проявилось в крайне неподходящий момент.

Вы помните об итальянском происхождении семьи, в которой все вращается вокруг мамы (la mamma). Лео должен был оторваться от матери, приезжая к ней всего дважды в год и разговаривая по телефону или через Интернет. Хорхе оставался в Барселоне, чтобы позаботиться о Лео. Родриго должен был присоединиться к ним несколько месяцев спустя, но пока с Лео в квартире с четырьмя спальнями на улице Гран Виа Карлес III был только отец.

Лео обожает свою мать, но его отец – тот человек, который говорил окончательное «да» или «нет». Эти отношения для многих остаются непонятными, поскольку сегодня Хорхе продолжает участвовать в жизни сына, управляя его делами. Он – отец, который является менеджером, и менеджер, который является отцом, со всем, что из этого вытекает. Но Лео никогда не забывает, что отец посвятил ему свою жизнь.

Селия, Родриго, Матиас и Мария Соль вернулись, чтобы жить в Росарио. Вернуться в Росарио? Спокойнее было думать, как предпочитал Наполеон перед Ватерлоо, что они не отступили, а просто пошли в другом направлении. Был ли Росарио пунктом назначения или пунктом отправления? Чем бы он ни был, вернувшись в Лас-Эрас, они снова почувствовали себя уверенно.

«У нас обоих были подруги, и мы остались в Аргентине, – вспоминает Матиас в программе «Информ Робинсон». – «При этом мы ощущали... что бросаем Лео одного... В то время он всегда говорил, что семья – самое важное, что у него есть, что мы всегда помогали ему, и это, в принципе, было верно, но в тот момент я особенно ощущал, что бросил его, понимаете? Именно поэтому мне не нравится вспоминать то время...» Последние слова он произнес неуверенно: поставьте себя на место Матиаса: его также оставили без отца и брата, которых он обожал.

Родриго также был искренним: «Мы не смогли адаптироваться. Это была наша общая проблема, но один человек что-то делал, а другие – нет. Поэтому все мы страдали по-разному. К сожалению, в конце концов, мы разъехались, но всегда приезжали к Лео. Два раза в год мы совершали путешествие в Испанию».

Мечта Родриго стать профессиональным футболистом частично угасла вследствие отсутствия возможностей, но главным образом – из-за недостатка стремления к успеху. Он стал поваром. Родриго возвратился в Барселону со своей подругой Флоренсией, чтобы помочь своему отцу и Лео, а также записаться на курсы поваров. В итоге его присутствие в городе обеспечило Лео ощущение увеличившейся семьи. Впоследствии Родриго стал походить на отца, а Лео выглядел одним из его сыновей.

Хорхе Месси признался, что, если бы ему снова пришлось принимать непростое решение и снова пережить события тех лет, он никогда бы не позволил семье разделиться.

Приблизительно в это время Месси собрался перейти в «Реал Мадрид».

Тем же летом 2001 года у «Барселоны» появился новый генеральный директор – Хавьер Перес Фаргуелл. Когда в августе Месси вернулся из Росарио, полный сил и готовый к новому сезону, «Барса» сообщил через комитет по статусу игроков в ФИФА, что документы о передаче Лео все еще не прибыли из «Ньюэллса», а без них его возможности играть серьезно ограничены. Тем временем Фаргуелл просмотрел первый контракт с Лео, составленный несколькими месяцами ранее, и был озадачен, отметив, что ему гарантировали 100 миллионов песет – чрезмерная сумма для мальчика, которого еще нельзя было использовать в полную силу. Это было не его решение, и поэтому он счел целесообразным отменить его.

Был пересмотрен контракт и составлен новый на меньшую сумму: вместо прежних 100 клуб собирался платить 20 миллионов песет в сезон (120 000€). По правде говоря, в «Барселоне» уже сталкивались с проблемой недопустимых расходов, выплачивая огромные гонорары молодым игрокам. Например, Аруне Бабангиде, который дебютировал в основной команде только в 15 лет и четыре года спустя был сдан в аренду клубу второго дивизиона «Терраса», где он был потерян для элитного футбола, а также крайнему нападающему Нано – эти двое получали такой же гонорар, что и игроки команды «Барселона В». Естественно, клуб отказывался дважды наступать на одни и те же грабли. Хорхе Месси объяснили, что существует лимит гонораров для юношей в Академии и они не могут перейти этот предел. Однако на предыдущих переговорах не было никаких упоминаний о пороге зарплаты.

Последовало несколько переговоров, во время которых предпринимались попытки достигнуть соглашения, но им не удалось устранить разрыв между старым контрактом и новым. Клуб предложил собраться всем ответственным за обеспечение Лео и обсудить этот вопрос. В разговоре приняли участие Мингелья, Жоан Лакуэва, Хайме Родригес из Департамента персонала, Хоаким Рифе, сотрудник по связям с игроками Карлес Наваль, управляющий директор Антон Парера, агенты и адвокаты. Неизбежно переговоры зашли в тупик, поскольку обе стороны отказались идти на компромисс. Один из директоров не мог понять, почему Хорхе и Лео не готовы принять предложение клуба и спросили: «Он думает, что он Марадона? Надо ликвидировать контракт, и пусть мальчик отправляется в Аргентину».

Одна эта фраза характеризует отношение некоторых членов клуба к Лео и отлично иллюстрирует очевидное отсутствие заботы и внимания. Команда Месси наблюдала за этим процессом с явным удивлением. Клуб явно не понимал и не мог оценить величину жертвы, которую принесла семья. Стало совершенно ясно, что бессмысленно продолжать и дальше ставить на эту карту все.

Казалось, переговоры рухнули безвозвратно.

На другом конце телефонного провода был Хорхе Вальдано, спортивный директор клуба «Реал Мадрид», который подтвердил, что «белые» готовы платить 20 миллионов песет в сезон, а возможно и больше. Но он не хотел воевать с «Барселоной», они были бы рады, что игрок захотел приехать как независимый человек.

От «Реала» не поступило никакого официального предложения, но это было не нужно – все знали условия. Во время переговоров все услышали тихое бормотание: «Я думаю, что мы перейдем в «Мадрид».

Наконец соглашение было достигнуто, но в процессе переговоров отношения оказались безнадежно испорченными. Хорхе Месси узнал, что некоторые люди, которым он доверял, обманули его – у этого открытия оказались страшные последствия. Писатель Роберто Мартинес говорит в своей книге «Barçargentinos»: «Хорхе Месси, больной и усталый от ожидания сообщений, которые все не приходили, прежде всего попросил разобраться в ситуации, окружающей Лео и его семью, и быстро решить проблемы».

Когда он понял, что ответа все нет, то встретился с новым генеральным директором клуба, чтобы обсудить, стоит ли ему оставаться в Барселоне или лучше возвратиться в Буэнос-Айрес. И тут его ожидал настоящий шок. Перес Фаргуелл сказал ему, что кое-кто из тех, кто организовал поездку Лео из Росарио, запросил у клуба огромные суммы денег, которые те не могли заплатить за 12-летнего мальчика. Отец Лео удивился и объяснил, что все, что его интересовало, – это какая-нибудь работа для него, оплата лечения Лео и возможность жить со своей семьей.

Представители Лео обещали Хорхе, что Лео заработает 100 миллионов песет в год, а у него самого будет работа. Первого так никогда и не случилось, а достижение второго заняло несколько месяцев. Хорхе узнал, что были проблемы с комиссионными, а это привело к лишению доверия, которое никогда не восстановилось. С тех пор отец Лео взял на себя ответственность за все дела своего сына – решение, которое привело к процессуальным действиям по иску одного из ставших лишним посредников. Эти судебные действия тянутся до сих пор и привели уже к двум решениям в пользу семейства Месси.

«Перес Фаргуелл, – продолжает Роберто Мартинес, – согласовал контракт с семьей и легализовал новое соглашение». Хорхе Месси утверждает, что «в действительности сумма в 3900€ в месяц включала его зарплату. Лионель, помимо этой суммы, получал бонусы, в зависимости от того, когда и сколько он играл, а также от победы или поражения». Новый контракт был подписан 5 декабря 2001 года, спустя девять месяцев после первого. Так был совершен беспрецедентный шаг: Лео, все еще не имея международных документов о трансфере, получал заработную плату как игрок команды «Барселона B», а Хорхе получил ссуду на то, чтобы провести некоторые строительные работы в их квартире в Барселоне – изобретательный способ обеспечить компенсацию семье.

Наконец все проблемы вне футбольного поля казались решенными, и звонить Вальдано не было необходимости.

Несколько лет спустя в интервью для *El Grafico* Лео объяснил, что он чувствовал в 14 лет, когда ему пришлось остаться одному с отцом в Барселоне. «Я оплакивал все, что мне пришлось оставить в Аргентине, но в то же самое время у меня была мечта, к которой я стремился. Я запирался в своей комнате и плакал, потому что не хотел, чтобы мой отец видел меня в слезах».

Молодежь в «Барселоне» следовала той же самой программе, которой там придерживаются и сейчас: автобус забирал их от ворот Ла-Масия и отвозил в школу, где ребята вместе ели, тренировались, после чего некоторые отдыхали в своих комнатах, в то время как большинство отправлялось в сельский дом, стоящий напротив стадиона, – сотни детей жили там до того, как в 2011 году был построен новый. Лео иногда отправлялся пешком из школы домой, чтобы съесть то, что ему приготовил отец, смотрел некоторое время телевизор, играл на своей PlayStation или дремал, после чего шел на тренировку. Обычно один.

Шли годы, и у него постепенно наладились отношения с товарищами по команде. В конце концов, он начал завтракать в Ла-Масии. Там, вместо того чтобы идти в школу, он получал помощь от учителя, который занимался с ним и с другими игроками, которые из-за поездок на матчи или из-за частых тренировок (а главным образом, вследствие отсутствия должного энтузиазма) не посещали регулярно школу Lleo XIII. Тем не менее у него все еще оставалось достаточно свободного времени.

После того как половина его семьи возвратилась в Аргентину, время, когда у Лео не было мяча в ногах, начало тянуться очень медленно. Хорхе делал все возможное для того, чтобы развлечь его. Он играл с сыном в приставку, они гуляли по El Corte Ingles или шли к Les Corts – жилому району, пересеченному длинной Авенида Диагональ. Там не было полей или парков, в которых можно было погонять в футбол, и Хорхе стал его компаньоном по городским прогулкам и приятелем в любых играх, временной заменой друзей, моральной поддержкой и основой жизни Лео в Барселоне. На этапе, когда большинство мальчиков подросткового возраста ищет любое оправдание для бунта против родителей, Лео, «мальчик-мужчина», ребенок с обязанностями и переживаниями взрослого, обрел защиту под крылом своего отца.

Когда происходит нечто подобное, то есть отцу приходится взять на себя обязанности двух родителей, у мальчика может произойти сбой в формировании личности, что тормозит естественный процесс его взросления, – это еще одна из жертв, которую приходится принести многим из тех, кто стремится стать профессиональным футболистом. Когда эти роли смешиваются и путаются, только одно останавливает личностный кризис – сосредоточение на том, почему вы сделали то, что сделали. Это, а также безусловная любовь тех, кто окружает мальчика, и становится тем, что связывает воедино все происходящее и позволяет понять и принять его.

Хорхе, следуя взятой на себя роли отца-одиночки, стремился воспитывать Лео, внушая ему твердые принципы, среди которых не в последнюю очередь – уважение к авторитетам и почтение к корням. И это ему удалось. Проблема любого родителя-одиночки, столкнувшегося с распадом семейной единицы, состоит в том, чтобы избежать излишней защиты своего чада. Тем не менее эта избыточная защита неизбежна, поскольку они пытаются отбиться от обвинений в том, что их ребенок недостаточно хорошо ухожен.

Но когда он говорит своему сыну: «Не забывай, что те, кто просит у тебя автограф, провели несколько часов в ожидании, когда ты появишься», как это бывало в некоторых случаях, кем он выступает в этом случае – менеджером или отцом? В худшем случае, когда отец оказывается неспособен четко разделить эти две роли, может возникнуть ситуация, о которой знают многие спортивные психологи: в то время, когда отец играет роль менеджера, сын чувствует себя сиротой. Тогда он вынужден искать человека, подходящего на роль отца, в другом месте. Специалисты утверждают, что это еще хуже – быть сиротой при живом отце: ребенок может вырасти обиженным на всю жизнь. К тому же в подобной ситуации у отца возникает чувство, что он не живет собственной жизнью, что он – один из числа поклонников. А в этом случае, говорят эксперты, люди ощущают потребность управлять всем, что происходит рядом с ними.

Но как же футболист справляется с подобной ситуацией? По большому счету, именно он ответственен за потрясения в семье. Все успешные игроки не только знают о принесенных им жертвах, но и чувствуют бесконечную благодарность за все, что сделали их отцы, матери, братья, сестры, потому что без их усилий они не стали бы теми, кем они являются. Более того, такие спортсмены несут в душе огромное чувство вины, потому что понимают, что сломали жизни самых близких им людей. Именно поэтому успешный сын, чтобы компенсировать потери, покупает родителям дом: он становится кормильцем. Кирпичи и раствор служат материальными доказательствами того, что их жизнь изменилась к лучшему.

А что насчет братьев? Здесь также наблюдается двойственное отношение: замечательно – думает большинство – если бы не ты, братец, жизнь не крутилась бы вокруг тебя, и мы жили бы совершенно иначе. Но с другой стороны, возможно, ты никогда не узнаешь, но ты раздавил нашу жизнь, потому что все и всегда сосредотачивалось на тебе. Кто бы хотел быть братом Лионеля Месси или Криштиану Роналду?

Возможно, из-за трудностей контакта с остальной частью семьи Хорхе признал, что не должен был разделять ее членов. Единственным положительным моментом во всей этой грустной истории, о котором он рассказал журналу *Kicker*, было следующее: «Очень удачно, что все происходило в то время, когда изменилась государственная финансовая политика «один к одному» между песо и долларом. Когда моя жена и остальные дети возвратились в Аргентину, а я остался с Лео в Барселоне, мы жили с ним всего на половину моей испанской зарплаты, а другую половину я мог посылать в Аргентину. Это означало, что вскоре после девальвации моя жена и дети могли безбедно существовать. Это действительно было очень здорово».

Вернувшись домой, Матиас научил мать пользоваться веб-камерой, благодаря чему она могла поддерживать контакт с Лео, который болтал с ней каждый день через Интернет и звонил каждые три дня. Селия плакала всякий раз, когда говорила со своим сыном и когда видела его по телевизору.

Клаудио Вивас, бывший помощник Марсело Бьелсы в «Athletic de Bilbao», еще один аргентинец в мире футбола, размышлял: «Вы жертвуете всем. Те, кто знает вас достаточно хорошо, знают, что творится в душе. По правде говоря, с социально-экономической точки зрения все отлично, но с эмоциями – неважно. Я знаю, что чувствуют мать или отец Лео, потому что, с одной стороны, хорошо жить здесь, в Европе, но за это чем-то обязательно приходится жертвовать». Любопытно, что меньше всего душевное состояние футболиста видно на тренировках, где игроки склонны скрывать все проявления слабости. Причина такого поведения, возможно, лучше всего объясняется английским игроком Джои Бартоном в интервью журналу *Football 24/7*: «Каждую субботу, перед тем как выйти на поле, происходит одно и то же. В гостиничном номере или дома, за несколько часов до начала игры, большинство игроков – не все, но многие – чувствуют себя очень уязвимыми. Ведь никто не хочет играть плохо, все хотят преуспевать, а демонстрация своих чувств – признак слабости. Но, многое испытав и пережив, я понял, что это не так. На самом деле нужно быть очень сильным, чтобы сказать: «Знаете что? Я немного нервничаю, и мне тяжело». Как только вы говорите об этом своим товарищам, это чувство почти полностью исчезает. Правда, некоторые люди возражают мне и громко кричат: «Я не возбужден. Меня ничего не беспокоит. Бла-бла-бла». Когда я вижу такую реакцию, я обычно говорю: «ну да, конечно!»

Если вы посмотрите на первые интервью Лео в Испании, на публичного Лео, то увидите взволнованного молодого человека, слишком зрелого для своего возраста. Когда ему было всего 14 лет, каталонская телевизионная станция TV3 посетила квартиру на улице Гран Виа Карлес III, чтобы взять интервью о том, как он приехал в Барселону, о первых шагах в клубе, и он общался с ними не хуже ветеранов. «Да, – сказал он – все хорошо, мне удобно, я совершенно спокоен». Они спросили его, каков его любимый аргентинский игрок, и он сказал: «Я хотел бы играть с Аймаром (в то время в «Барселоне» был Хавьер Савиола), – и Лео хватило здравого смысла добавить: – но мне также очень нравится Савиола». Лео дал много таких тщательно продуманных интервью. Не было заметно никаких следов стресса, поразившего семью.

Ни игроки, ни тренеры в Ла-Масия не знали, как Лео плакал по ночам в своей спальне. «Казалось, что он вполне хорошо со всем справляется, – вспоминает Алекс Гарсия, один из его тренеров в Академии. – Я думаю, что он ясно понимал, что он делает: «Мне пришлось жить отдельно от матери и братьев, потому что я хочу быть футболистом. Я не знаю, насколько высоко мне удастся подняться и сколько времени я продержусь, но я знаю, что хочу этого». Он знал, что исполнение его желания потребует жертв, что ему придется страдать ради этого. Я спросил его, как он себя чувствует, потому что, в конце концов, ему пришлось жить вдали от своей семьи, и он сказал мне: «Все хорошо, моя мама скоро приезжает вместе с братьями». Никакого проявления слабости на публике.

Но он был еще ребенком, и тщательно скрываемые чувства все же прорывались: после трех часов тренировок, если считать время на дорогу, переодевание, разминку, упражнения и душ после занятий, Лео всегда старался задержаться на поле подольше.

Для молодого футболиста, человека, который еще не стал своим в первом составе, одиночество выглядит следующим образом: шесть вечера в воскресенье – темно, если это зима, через несколько часов после утренней игры – дома. Впереди долгий вечер. Нет никого, с кем можно выйти погулять, некуда пойти, остается только лечь в постель сразу после ужина или телевизор, или – в случае Лео – «доброй ночи» отца... трудно, очень трудно.

Иногда Лео удавалось избежать таких длинных вечеров, отправляясь на обед в один из нескольких аргентинских ресторанов или играя на новом Xbox с товарищем по одной из молодежных команд. Он смотрел родное телевидение, где играла аргентинская лига. Его любимыми фильмами был аргентинский фильм «Сын невесты» (El hijo de la novia) и «Девять королев» (Nueve reinas). Любимый актер Лео – соотечественник Рикардо Дарин. Лео так никогда и не избавился от своего аргентинского акцента и придерживался обычаев своей страны. В конце концов, он воссоздал в Барселоне своего рода Росарио. «Я всегда говорила, что он – самый аргентинский футболист из Аргентины, которого я когда-либо знала», – сказала Кристина Куберо, которая была очень тесно знакома с ним в те времена, когда он делал первые шаги в Испании.

Но в действительности способность отключиться от окружающего вас чужого мира является единственным способом сохранить свою личность. Люди обычно говорят, что интеграция в непривычном новом обществе – лучший путь вперед для любого вновь прибывшего, но при этом вам приходится отринуть себя и все, чем вы дорожите, – а это смерть какой-то части себя. Футболист из Южной Америки чувствует себя обязанным прибыть в Европу, чтобы заработать деньги и завоевать авторитет, но обычно в конце карьеры он возвращается к своим корням. Он хочет, как и все остальные, умереть дома.

Лео не является таким типичным представителем (об этом мы еще поговорим), но он, конечно, самый настоящий аргентинец. Если бы аргентинец захотел описать себя, то, вероятно, он сказал бы следующее: эмоциональный итальянец, говорящий на испанском, думающий как француз и мечтающий стать англичанином (подслушанная тирада в баре Росарио). Лео – просто замкнутый человек, который обожает Аргентину. Его талант в работе с мячом помог отлично адаптироваться (намного легче быть принятым в чужой стране, когда вы талантливы в том, что делаете), но в его борьбе, сознательной или нет, за сохранение собственной личности, он опирался на поддержку своей среды (семья) в Барселоне, которая, несмотря на поддержку каталанского языка, никогда не заставляла его говорить на нем, а также аргентинского сообщества в Барселоне – группы людей, которая привечает всех только что прибывших с родины и разделяет гордость Лео за свои обычаи, акцент и еду.

«Блоха» часто ходил в аргентинский ресторан Las Cuartetas в квартале Сантало – первый, который он обнаружил. Место так нравилось Лео, что он ходил туда очень часто и почти всегда уходил последним. В другой раз, гуляя по городу, Месси наткнулся на другой аргентинский ресторан в Hostalrich – пригороде Барселоны. Этот ресторан ему тоже понравился, и он несколько раз забредал и туда. Вопрос: «А не поехать ли нам в Hostalrich?» – означал предложение провести некоторое время в Маленькой Аргентине.

В клубе попросили, чтобы Месси регулярно завтракал в Ла-Масии – для него, как и для других игроков, это было частью эндокринологической программы клуба в отношении питания игроков. В то же самое время врач клуба, Хосеп Боррелль, решил постепенно свести на нет лечение соматотропином, которое проходил Месси. В возрасте 14 лет определенная диета и подходящая программа физической подготовки, по мнению доктора, должны были помочь мальчику достигнуть своего максимального роста без дальнейшего гормонального лечения. «Вы не поверите, как он вырос в Испании», – вспоминал Хорхе Месси в *El Grafico.* Фактически всего за несколько месяцев он вырос на 29 сантиметров. Но он часто подменял диету едой в ресторанах своих аргентинских друзей, которые кормили его гигантским «миланским эскалопом» (Scaloppe Milanese) с картофелем и молочным пудингом на десерт.

После нескольких месяцев, проведенных в Росарио, брат Лео, Родриго, на долгое время вернулся в Барселону вместе с Флоренсией, которая стала его женой, и их маленьким сыном, Агустином, с которым Лео возился часами. В 2005 году он рассказывал Кристине Куберо: «Я всегда провожу время с ними. Пока жена моего брата готовит обед, я играю с мальчиком, а еще всегда укладываю его спать вечером. Прежде я пел ему колыбельные, но брат, невестка и даже ребенок смеялись над этим, поэтому теперь я просто хожу вокруг дома с маленьким Агустином на руках, но не пою, просто хожу. И вскоре он крепко засыпает. Когда-нибудь у меня тоже будут свои дети...» Его брат работал шеф-поваром на Hotel Rally и в El Corte Ingles и был знаком с Ферраном Адриа, легендарным поваром и владельцем El Bulli, хозяином цеха в Барселоне.

Лео опирался и на других людей, которых считал своими защитниками. Одним из таких людей был Пабло Сабалета – капитан команды «Argentinian Under 20», в которой Лео сыграл свои первые международные матчи. Их дружба окрепла, когда крайний защитник играл за «RCD Espanyol» Барселоны. Он охотно взял Лео под свое крыло, вытаскивая из ресторанов, когда тот начал становиться известным. Сабалета давал ему советы и помогал избежать сомнительных компаний.

После подписания в 2005 году нового контракта Месси переехал вместе с отцом в дом в Кастеллдефельсе и стал жить рядом со своим товарищем по клубу Рональдиньо, в то время как Родриго с семьей остался в Барселоне. Хорхе периодически возвращался в Аргентину, так что Сабалета часто составлял Лео компанию в его большом доме, который подавлял его, когда он оставался там в одиночестве. В жару они плавали в бассейне. Когда темнело или было холодно, Лео предлагал: «Приезжай, поиграем в PlayStation». Таким образом, Сабалета, часто в сопровождении других друзей, по четыре часа сидели вместе за игрой. Лео обычно побеждал. Однажды Сабалета приехал в дом у моря и увидел у парадной двери восемь коробок с новыми Xbox, которые прислали ему изготовители. «Возьми одну», – сказал Месси своему другу. Его дом неизменно был заполнен коробками с самыми разными предметами, присланными из разных фирм, и он охотно делился со своими друзьями.

«Приезжай, устроим барбекю», – мог сказать Лео Сабалете. И все, кто бывал в доме Лео, вскоре обнаружили, что он не знал, где находятся тарелки или столовые приборы, но, тем не менее, время они проводили весело. А если компания не хотела устраивать беспорядок в доме, то проводили день в La Pampa – еще одном местном аргентинском ресторане.

«Мы часто проводили время вместе», – говорит сегодня Сабалета, который составлял компанию Лео в полетах в Аргентину, когда их вызывали в национальную команду – поездках, которые Лео вскоре начал совершать регулярно. Это позволило ему поддерживать связь с собственной страной. «Я постоянно жил в Барселоне, а он – в тридцати километрах от города. Как только мы выходили из бара, он засыпал в машине и спал, пока я ехал. Я предлагал ему отвезти его домой. Прекрасно. Когда же мы добирались туда, то приблизительно через полчаса он говорил, что пойдет в дом своего брата – тот жил рядом со мной. Я был в ярости, и мы возвращались в город». Пабло и аргентинский форвард Мартин Россе, играющий за соперников из «Espanyol», обычно встречались с Месси в «Камп Ноу» и часто все заканчивалось совместным обедом. «Играя с ним, я обычно советовал ему успокоиться, чтобы он не начинал метаться туда-сюда, – вспоминает Сабалета. – Порой он раздражался. Возможно, что-то в игре шло не так, как ему бы хотелось, и он начинал сердиться, как любой из нас».

Лео купил собаку по кличке Фача – боксера, которого он обычно брал на прогулки в окрестностях Кастеллдефельса. Другой его друг, Оскар Унари, который сегодня играет за «Алмерию», тоже был очень близок ему в то время. «Если и есть что-то, о чем он никогда не станет говорить, что причиняет ему боль, то это – потеря корней. То же, что произошло и со мной. Я родом из небольшого городка, намного меньшего, чем Росарио, – в нем всего 15 000 жителей. В 13 лет я начал самостоятельную жизнь в Буэнос-Айресе, без отца и матери. Перебрался из городка с 15 000 жителями в бетонные джунгли».

Хавьеру Маскерано, как и многим другим, знакомо это ощущение. «Я слышал, как Лео говорил, что, когда он был моложе, у него бывали периоды, когда он возвращался с тренировки, запирался в своей комнате и говорил: «Я больше этого не выдержу». Это логично, такое бывало и со мной, при том, что я не уезжал настолько далеко от дома. Когда мне было тринадцать или четырнадцать лет, я также уехал из своего дома в Росарио в Буэнос-Айрес, чтобы добиться осуществления своей мечты. На этом трудном пути вы не знаете точно, что произойдет с вами в ближайшем будущем, возможно, вы впустую потратите драгоценное время. Вы думаете: «Я нахожусь здесь, и, возможно, я упускаю шанс реализовать множество интереснейших возможностей. Я не знаю, осуществится ли завтра то, чего я добиваюсь, стоит будущее этих усилий или нет». Сейчас жизнь прекрасна, поскольку все удалось. Вы отправляетесь на поиски своей мечты, и очень важно не бояться пробовать. Это естественно, что порой вам бывает плохо, что тут странного? Жизнь Лео заключается в игре в футбол: выходя на поле, ударяя по мячу, он чувствует себя счастливым. По правде говоря, мотивацией для нас служит наша страсть к этому виду спорта, так что нам следует всячески сопротивляться искушению сдаться».

«Вы отчаиваетесь и плачете, – говорит Педро, крайний нападающий Барселоны, который в 16 лет уехал с Канарских островов, чтобы попасть в Ла-Масию. – Это трудно, потому что у вас нет близкого человека, с которым вы можете поделиться своими проблемами. Да, вас окружают люди, много людей, которые работают в клубе, товарищи по команде, которые могут помочь вам, но в такие моменты вам необходим кто-то близкий – семья, родители. И когда вы можете общаться с ними только по телефону, вам трудно поделиться своими переживаниями, общение становится намного холоднее. К тому же у вас не ладятся отношения с другими мальчиками вашего возраста, которые не интересуются футболом, потому что вам неинтересно то, что интересно им. В нашей жизни все происходит очень быстро. У футболистов с самого раннего возраста есть невесты, у них быстро рождаются дети, они раньше созревают и живут необычайно интенсивной жизнью».

«Я всегда говорю, что мы слишком часто восторженно смакуем истории успеха, сочиняя книги о Лео, Пике, Фабрегасе, – говорит тренер Родольфо Боррелль. – Это потрясающие истории, но они – скорее исключение. Вы наверняка слышали множество грустных историй о футболистах, которые в двенадцатилетнем возрасте уехали из дома только для того, чтобы возвратиться в семнадцать, потерпев неудачу в школе и в футболе, с проблемами в семье, постаревшие за пять лет, проведенных вне дома и друзей».

Лео пришлось пережить много физических и психологических страданий, прежде чем он стал самым лучшим в том, что он делает. Чтобы дойти до финишной черты, вам понадобится много сил и придется принести много жертв. А еще необходима настойчивость. Все это было за много лет до того, как Месси перестал плакать после разговора по телефону со своей мамой.

Глава 2
ПУТЬ К ВЕРШИНАМ

Р о д о л ь ф о   Б о р р е л л ь, его первый тренер в Барселоне:

Если он и страдал, то мы этого не замечали. Все, что мы как тренеры видели, — парень наслаждается сильнейшими эмоциями, которые дарит ему игра. Оглядываясь назад, я думаю, возможно, это было единственное время, когда он сам получал удовольствие. Он всегда был выдающимся игроком, но, что необычно для такого молодого человека, Лео сумел взвалить на свои плечи огромный груз ответственности. Это серьезное бремя для 13-летнего парня, и, возможно, подобное давление могло сломать кого угодно, но на Лео оно оказало прямо противоположное воздействие. Он был совершенно уверен в том, что сумеет всего добиться, и эта абсолютная вера в свою судьбу позволила ему справиться со всеми проблемами и все преодолеть.

Помимо всего прочего, он был невероятно страстным игроком. Я никогда не видел спортсмена с подобным рвением. Лео отчаянно старался тренироваться, бегал по полю, делал все, что ему говорили. И когда мы заканчивали тренировку, он спрашивал, можно ли ему сделать еще и свободные удары. Другие ребята уходили, а он все еще хотел продолжать тренировку! В свой свободный день он внезапно появлялся, чтобы понаблюдать за другими командами, и я клянусь, что, если бы мы попросили, он присоединился бы к ним! Господи, ведь это был его свободный день! Любой игрок наслаждается своим днем отдыха, идет в кино или встречается с друзьями. Но не Лео. Возможно, это было его представление об отдыхе. Играть в футбол. А может, ему больше нечем было заняться.

Я хорошо помню случай, когда я позвонил в спортзал на «Мини-Эстади», незадолго до того, как его команда собиралась начать учебную тренировку. Я больше не был его тренером, поскольку он ушел из Infantiles за год или два до этого. Как и все другие тренеры, я проводил там много времени, наблюдая за игроками, болтая и знакомясь с наиболее перспективными спортсменами. В конце концов, это часть нашей работы в клубе — наблюдать.

Это был один из тех дней, когда ребятам разрешили провести некоторое время в спортзале. Его тренер тогда не приехал, и произошедшая сцена до сих пор стоит у меня перед глазами. Там были Виктор Васкес, Пике, которые растянулись на матах и перебрасывали между собой теннисный мяч, а Месси, чертенок, работал самостоятельно. Как будто с ним был тренер. Я не уверен, что он все делал правильно, возможно, он делал не то, что следовало, но я помню, насколько это было необычно.

Несколько часов спустя я встретил его напротив «Мини-Эстади», остановил и сказал: «С таким отношением к делу ты можешь попасть в основной состав, а можешь не попасть, но в любом случае ты станешь профессионалом, потому что то, что тобой движет, твоя страсть к футболу — удивительно».

Я не помню, ответил он мне что-нибудь или нет.

У Лео берут интервью на каталонском телевизионном канале TV3. Его первые месяцы в Барселоне были не самыми успешными: поначалу он играл только в товарищеских встречах, а во втором официальном матче с командой Infantiles B он получил травму. Лео возвратился в Росарио, чтобы прийти в себя и начать все снова после возвращения в Барселону. В новом сезоне он играл более регулярно и забивал голы.

Интервьюер: Теперь поговорим с Лео Месси, одним из игроков из низших разрядов клуба, который недавно дважды одержал победу. В прошлом сезоне он вообще едва мог играть, потому что получил травму. Я полагаю, что вы счастливы возвратиться, чтобы играть с вашими товарищами по команде и забивать голы?

Месси (у него еще голос не сломался – он все еще мальчик): Да, в прошлом сезоне я принял участие всего в одной игре и через несколько минут второго тайма получил травму, но теперь вернулся и очень счастлив.

Интервьюер: В прошлом сезоне вы не могли как следует развиваться и наслаждаться игрой за свою новую команду. Тем не менее наши зрители знают, кто вы. Вы приехали из клуба «Newell's Old Boys».

Месси: Да, «Newell's Old Boys» из Росарио, Аргентина.

Интервьюер: «Ньюэллс» вырастил нескольких великих игроков. Первым на ум приходит Маурисио Почеттино. Он теперь в «PSG», а когда-то играл за «Espanyol».

Месси: Из Росарио еще приехали Сенсини и Батистута, из моего города вышло много великих игроков.

Интервьюер: Для тех, кто вас не знает: Лео играет под номером 10, классический аргентинский номер 10, «enganche», как говорят в вашей стране. Как бы вы описали себя как футболиста?

Месси (глядя в сторону, нерешительно): Нууу... не знаю, я не умею описывать себя.

Интервьюер: Но совершенно ясно, что вы играете позади форварда, в середине поля, используя большую свободу передвижения – это одно из ваших достоинств.

Месси: Да.

Интервьюер: Теперь об этом сезоне. Какова ваша цель? Влиться в «Барсу»? Обрести форму и ритм, которые вы имели в Аргентине и которые, возможно, вы пока были не в состоянии обрести здесь?

Месси: Да, этого пока не хватает, после травмы мне еще надо найти свой ритм игры.

Интервьюер: Так говорит Лео Месси, будущая звезда, один из перспективнейших игроков футбольного клуба «Барселона».

Следует добавить, что Лео всегда изо всех сил старался объяснить, что сделало его тем, кто он есть.

СЕЗОН 2001/02: ПРОРЫВ

Восстановившись после травм, Лео начал сезон 2002/03 года в команде «Junior B», которую тренировал Альберт Бенайжес. Мальчики 1987 года рождения – историческое поколение игроков Ла-Масии, куда входили, среди прочих, Сеск Фабрегас и Жерар Пике, переодевались в одной раздевалке в течение двух с половиной сезонов. Эта команда, обычно играющая по схеме 3–4–3, заслуживает особого упоминания как пример одного из величайших поколений, когда-либо выходившего из Ла-Масии. В начале сезона обычная расстановка игроков была следующей:

Дани Планкерия; Марк Валиенте, Пике, Карлос Альгар; Сеск, Рафа Бласкес, Роберт Хириберт, Марк Педраса; Тони Кальво, Виктор Васкес и Хуанхо Клаузи.

А Месси?

Вопрос с передачей Лео в «Барселону» все еще не был решен, поэтому он пока не имел права на участие в национальных соревнованиях. Когда он играл в команде Бенайжеса, он располагался на левом фланге, между линиями. Вспоминает тренер команды «Junior B»: «Мы давали ему волю, потому что для той системы, в которой мы играли, он подходил нам лучше всего. Но у Лео была тенденция передвигаться к средней линии, туда, где он действительно хотел находиться. Он знал, что, совершив несколько сложных пробежек, окажется перед воротами». Поэтому Лео не торопился вписаться и приспособиться к дисциплине. Марк Педраса играл в качестве *«enganche»* позади Виктора Васкеса, и только когда тот ушел в «Espanyol», эта позиция перешла к Сеску и – иногда – к Лео. «Месси был очень тихим, спокойным мальчиком, но вы могли бы многое прочитать по выражению его лица. Даже когда вы видели его вместе с товарищами по команде, он казался каким-то заброшенным и несчастным. Это – правда», – вспоминает Бенайжес.

Категория «Юниоры» была разделена на две части: Junior A (17-летние) – игравшие в лиге с Junior B из «Espanyol», и Junior

В (16 лет) из «Espanyol», которые были соперниками «Барселоны». Это было молчаливое соглашение между двумя крупными каталонскими клубами, чтобы команды категории А могли поделить титулы между собой. Поэтому поколение 1987 года соперничало в лиге против команды юниоров «Espanyol A», другими словами, против ребят, которые были на год старше, чем они. Некоторые из них продолжили играть в La Liga – это игроки типа Серхио Санчеса, сегодня играющего в «Малаге», и Марка Торрехона – теперь он в «Racing Santander».

Но впервые в истории каталонских соревнований команда Junior B стала чемпионами, выиграв у команды А: в двадцать третьей игре сезона, за семь игр перед концом чемпионата, на стадионе «Damm», команда 1987 года выиграла Лигу! В последнем матче против другой городской команды, Сеск, Пике и Рафаэль Бласкес (еще одна жемчужина Барселонской Академии, карьеру которого загубила ужасная автокатастрофа), забивали голы, чтобы выиграть с приятным счетом 3:0. Команда Junior B также завоевала Кубок Каталонии и, по сути, почти все звания, кроме Кубка Nike, где они проиграли в полуфиналах в игре с «Атлетико Мадридом». Выигрыш Лиги у «Espanyol» совпал с переменами на скамье тренеров: Бенайгес передал команду бывшему игроку «Барселоны» Тито Виланове, который закончил свою игровую карьеру в скромном клубе «Gramenet» из-за травмы колена. Ему обещали, что после выхода в отставку он возглавит команду Академии.

В начале 2002 года в середине сезона Виланова начал свою работу в качестве тренера, и в то же самое время – удивительное совпадение – пришло коммюнике от ФИФА, в котором объявлялось долгожданное решение в пользу «Барселоны» в их споре с «Ньюэллсом», все еще отказывающимся согласиться на передачу Лео без компенсации со стороны испанского клуба. ФИФА согласилась, что у 13-летнего ребенка должен быть шанс стать профессиональным футболистом, если он этого хочет.

15 февраля Месси был зарегистрирован в Испанской футбольной федерации. Наконец, спустя год после его прибытия в Барселону, ничто больше не могло помешать ему играть на любом соревновании. Одним препятствием стало меньше.

«Парни, – сказал на следующий день серьезный Виланова своим молодым подопечным в конце тренировки. – У нас есть новый игрок». Они все посмотрели друг на друга, не находя нового лица. «Лео Месси! Подписаны его документы на игру с нами». Все игроки радостно аплодировали и поздравляли молодого аргентинца.

17 февраля, стадион «Can Vidalet». Противники – «Esplugues de Llobregat». Месси начинает игру на скамье запасных. Он выходит на поле во втором тайме, чтобы дебютировать на национальном чемпионате. Лео забивает три гола. Окончательный результат: 1:14.

Тито начал использовать его в качестве номера 9 в центре. Впервые он играл в положении ложного номера 9, неуловимого игрока между линиями, из-за чего ему трудно было бить по воротам. Сеск, который обычно играл перед защитой под номером 4, переместился в позицию за Месси, чтобы стать организатором игры.

Иногда говорили, что истинной звездой того поколения был Виктор Васкес, молодой человек, обладавший невероятным мастерством и талантом забивать голы – он закончил играть в основном составе в матче против казанского «Рубина», где играл вместе с Лео. К сожалению, он получил травму и больше никогда не выходил на поле в футболке «Барселоны».

«В игре по схеме 3–4–3, до Тито, Лео играл широко, но с новым тренером мы с Месси начали играть как основные нападающие или заполняли бреши позади. Постепенно мы наработали взаимопонимание, – объяснял Васкес. – Мы отлично работали вместе. Если нам надо было быстрее продвинуться вперед, то ставили Месси забивающим, потому что он был самым быстрым и ему можно было передать мяч. Если в другой игре защитники оказывались более агрессивными, то я выдвигался вперед, а Месси играл позади. А Сеск – позади нас обоих! С ума сойти!»

«Тито был первым, кто начал регулярно ставить Лео в особое положение, – вспоминает Карлес Решак. – Тито приехал, чтобы сказать мне, что в команде есть невероятно одаренный тип – настоящее явление. «О, да, я знаю, кого вы имеете в виду», – ответил я. Порой люди думают, что хорошо скоординированная команда возникает случайно, сама по себе, но эта команда состояла из очень хороших игроков, а Тито знал о футболе очень много. Он всегда работал как тактический интеллектуал на тренировках. С тех пор карьера Лео начала стремительно развиваться. Когда Месси был маленьким, на его игру было интересно смотреть, потому что он забивал больше голов, чем все остальные, поскольку он мог обойти трех-четырех игроков, порой даже перебарщивая. Мы думали, что когда он вырастет, то мы подскажем, чтобы он прекратил перехватывать у всех мяч и начал больше передавать его другим. Но было необходимо сначала позволить ему вырасти. Тито был первым, кто заставил его войти в игру с планом, с определенной тактикой. У «Барселоны» вообще есть одно преимущество: эта команда лучше, чем другие, поэтому может позволить себе играть так, как пожелает. В результате можно пробовать ставить игроков в самые различные положения и больше экспериментировать».

«Тито говорил с нами обо всех других командах так, как будто они были превосходными», — объясняет игрок команды юниоров Хулио де Диас Хорди Жилю в своей книге «Открытие Сеска Фабрегаса». «У него были все данные о командах других юниоров: сколько голов забил тот или иной форвард, является игрок особенно быстрым или владеет той или иной специфической техникой. Подобные разговоры о наших противниках всегда помогали игрокам оставаться деятельными, активными и мотивированными. Он давал нам достаточно информации, чтобы удостовериться, что мы не стали слишком самонадеянны, одновременно сводя с ума своими стратегиями. Тем не менее мы всех их побили!»

Тито Виланова знал, что у него в руках нечто совершенно исключительное: ему нравилось стремление к лидерству Пике, мастерство и стремление к соперничеству Сеска. Бласкес,Васкес и защитник Марк Валиенте. Но у Лео было что-то еще. «Я никогда не видел такого требовательного к себе парня, как он, — говорит бывший тренер «Барселоны», — иногда он играл просто фантастически, но затем покидал поле рассерженным на себя, потому что полагал, что мог добиться большего успеха». Фактически все они в команде «Junior B» были такими, но Лео оставил их далеко позади.

После той игры в «Can Vidalet» Лео сыграл еще шесть матчей и отпраздновал победу Лиги — свой первый титул в «Барселоне».

«Мы смотрели вперед и видели Месси, — вспоминает Виктор Васкес, который продолжил свою карьеру в «Брюгге». — Мы говорили: черт побери, дружище, я чувствую, что мы сделаем здесь что-то потрясающее. Мы были намного лучше любой другой команды. Я никогда не видел столь блистательной команды, чем та, которой они были в нижнем дивизионе. Иногда мы, не напрягаясь, могли выиграть со счетом 10:0, и главный тренер говорил: «Эй, да побегайте!» А мы обычно отвечали ему: «А зачем?» В этом просто не было необходимости, нам передавали мяч, и за три-четыре прохода мы были там, где хотели».

«Они были совершенно необыкновенной группой игроков, истинными победителями. Им всем было по пятнадцать-шестнадцать лет, но у них уже была зрелость двадцатидвух-, двадцатитрехлетних людей», — говорит тренер Алекс Гарсия, который принял их от Тито в следующем году. «Все знали, что Месси, Пике и Сеск отличаются от других. Они были оплотом команды, и все принимали это как данность. Об этом легко говорить теперь, вглядываясь в прошлое, но факт в том, что ни в одной другой команде не было столь великолепных игроков». Сеск честен: «В любом случае, если бы в тот момент нам сказали, что однажды наша тройка войдет в основной состав «Барселоны», то мы все в один голос заявили бы, что это невозможно. Ну, может быть, один, ну два, но трое?»

«Однажды я сказал Лео, что мог бы совершенно спокойно сесть на скамью и оставить его наслаждаться футболом. По правде говоря, я видел в нем нового Марадону», – признается Тито.

«У Лео были качества, которыми он совершенно отличался от нас, – вспоминает Сеск. – Говорят, что я был очень хорош, что Пике был великолепен, но дело в том, что у каждого из нас были похожие черты. Мы были лучше, но ничем заметно не отличались от других, у Месси же были качества, которые выделяли его из общей массы. Вы знаете, что он собирается обойти вас, и делает это в любом случае. Вы тысячу раз видели его игру по телевизору, и говорите: «Как так получается, что они не могут забрать у него мяч, и он всегда свободно идет, куда хочет?» Даже зная о его движении и ожидая его, вы все равно не можете ему помешать. Серьезно, это дар свыше».

«Я был директором футбольной школы в Вильярреал, – говорит Хуан Карлос Гарридо, бывший босс клуба «Кастеллона». – Наши пути пересеклись, когда Месси играл против моих команд, и я помню, как он обычно выигрывал игру практически в одиночку. Между ним и остальной частью игроков была огромная разница. В первый раз я увидел его на летнем турнире, организованном в Вильярреале для ребят в возрасте 14 лет. Финальная игра этого турнира была между «Барсой» и «Вильярреалом». Полупериод. Сначала «Вильярреал» побеждал со счетом 1:0, а затем Месси во второй половине игры вышел на поле. Игра закончилась со счетом 1:3. Месси забил все три гола. Это было похоже на переворот, просто что-то невероятное».

Президент Жоан Гаспар иногда проводил субботнее утро на полях «Камп Ноу», наблюдая за проходившим там матчем, в одиночку или в сопровождении Карлеса Решака. «Я никогда не говорил, что номер 10 будет лучшим игроком в мире. Я никогда не говорил этого. Да, он был очень хорош, но не более. Я не утверждал этого, и мне никогда не приходило в голову, что он достигнет тех высот, на которых находится сейчас. Но Лео получал мяч и делал нечто, чего не могли сделать все остальные. И это странно, потому что он был очень застенчивым молодым человеком, но на поле он становился лидером. И более того, ему это нравилось.

Если Месси мог, то обходил не двух, а трех противников. Он был быстрым, практичным и очень упорным – не старался избежать физической борьбы, не боялся блокировки. Лео был одним из тех мальчишек, которые производят самое сильное впечатление».

Эта молодежная команда обучалась так же, как большинство команд в Академии, на полях рядом с «Мини-Эстади», приблизительно в 500 метрах от «Камп Ноу» и пространства за Ла-Масией, где тренировались старшие игроки. Тем не менее их пути почти не пересекались, при том, что трое из них были соотечественниками Лео: Хуан Роман Рикельме, Роберто Бонано и Хавьер Савиола.

Рикельме был великолепным нападающим полузащитником, который диктовал темп игры, хотя порой бывал неприветлив и холоден. Но он играл в «Камп Ноу» со старшими ребятами в национальной команде. Хуан Роман был в глазах Лео одним из величайших людей. Когда их пути пересекались на барбекю, организованных Мингельей в Барселоне, Лео вдруг становился еще меньше и глядел на кумира со склоненной головой, с глазами, размером с блюдца, доставая макушкой лишь до подбородка Рикельме, – весь его вид свидетельствовал об с очевидной робости и даже страхе. Со своей стороны, Савиола и Бонано обычно останавливались и спрашивали его, как идут дела, время от времени приглашали его на мороженое и заводили с ним разговор. Когда Лео особо нуждался в их поддержке после неудачи в следующем сезоне, они подставили ему свое плечо.

Основной состав футбольного клуба «Барселона» спустя год после ухода Луиша Фигу и Пепе Гуардиолы страдал от отсутствия лидера. Деньги, которые были получены в результате продажи португальского полузащитника, были глупо потрачены на игроков, которые не добились успеха: Эммануэль Пти, Марк Овермарс, Альфонсо Перес, Жерар Лопес и других, которые оказали мало влияния на результат: Рикельме и Савиола. Карлесу Решаку никогда так и не удалось склонить поклонников на свою сторону, и команда, с Ривалдо и Клуивертом в качестве ее звезд, закончили борьбу четвертыми в Лиге в полуфинале Лиги чемпионов, проиграв «Реал Мадриду». Возник организационно-правовой кризис, Жоан Гаспар не получил достаточной поддержки от поклонников, и в конечном счете клуб пять лет не имел ни одного титула Лиги.

В те первые годы Лео все еще переодевался в углу раздевалки, вдали от остальных. Его товарищи по команде держались на расстоянии, не зная, что ему сказать и как вытянуть его из его кокона. Казалось, его окружает невидимая защитная стена.

Во время перерывов в тренировках Лео пил воду в одиночестве, держа мяч под рукой или прижимая его ногами, но всегда рядом с собой. Он развлекался, постукивая по мячу, в то время, как все остальные говорили о своих планах на день, о школе или о своих подружках.

Он шел в душ первым или последним – когда в раздевалке больше никого не было. Чаще он оказывался там первым, переодевался за пять минут и затем мчался, чтобы встретить отца, который обычно ждал его снаружи. Его товарищи по команде думали, что он не хотел идти в душ вместе с ними, что он боится их.

Иногда он говорил «до свидания», иногда – нет. Обычно он просто поднимал руку и тихо произносил: «увидимся завтра».

Так было до того, как ветераны группы решили наладить контакт с новичком из Аргентины.

Неудивительно, что первым к нему подошел Жерар Пике. Этот шутник спрятал его одежду в то время, пока Лео был под душем, перевесив ее на другой крючок. Лео возвратился с полотенцем вокруг бедер и не мог найти свои вещи. Он заволновался. Пятеро или шестеро мальчиков начали смеяться, но быстро вернули ему одежду, прежде чем ситуация вышла из-под контроля. «Ты откуда? Как ты попал в эту команду? – спросил Пике. – Ты можешь рассказать нам – мы не кусаемся».

«Извини, я просто молчаливый», – ответил Лео.

Пике открыл ему дверь. С этого момента он стал больше разговаривать. Но не намного.

«Мы думали, что он немой», – говорит Сеск, смеясь.

«Месси очень застенчив, и я думаю, что он всегда будет таким, несмотря на то, что сейчас он немного лучше сходится с людьми. Он очень уважительно относится к людям. Некоторые считают, что поскольку он – лучший игрок в мире, то важничает и надувается, превознося себя. Но я думаю, что такой вариант поведения скорее подходит таким игрокам, как Криштиану Роналду, но не Лео. Поведение Месси скорее выглядит, как: «Я не чувствую себя здесь комфортно, интересно, что этот человек собирается мне сказать». Вот что вспоминает Виктор Васкес, который попытался обнаружить какие-либо общие интересы с ним: «Мы попытались ввести его в группу, но он чаще всего говорил: «Нет, мне это неинтересно, я лучше пойду домой». Он был из тех мальчишек, которые предпочитали быть со своей семьей. Он не был похож на остальных ребят. Мы могли провести весь день смеясь и шутя, пойти в кино или в «El Corte Ingles», а то и просто болтаться по окрестностям, где могло произойти что-то интересное».

Лео не жил в Ла-Масии, поэтому не участвовал в вечерних посиделках на втором этаже, где были расположены спальни и где мальчики встречались, чтобы делать уроки. Точнее, где они должны были делать уроки. Иногда кто-то выключал свет. Тогда какому-нибудь неудачнику доставался подзатыльник – обычно это был Пике, нахальство которого было вполне достаточным поводом для такой шутки. Все это делалось не всерьез, и Пике веселился вместе со всеми остальными. Но Лео с ними не было.

«Он был очень застенчивым, – вспоминал защитник Ориол Паленсия в книге Хорди Жиля. – Месси выходил и играл, больше ничего. Он не был одним из тех, кто лезет в центр и говорит что-нибудь вроде: давай, дай команде больше, мы должны работать упорнее, двигайтесь, ребята – или что-то подобное. Лео обычно был на заднем плане, но его игра была совершенно иной, чем у остальных. В «Infantiles A» ему было намного труднее, потому что его физические недостатки были более заметными. Он был очень хорошим, быстрым, умелым игроком, но при этом маленьким. Компенсируя свой физический недостаток, он стал невероятно быстрым. Но прошел целый год, прежде чем Лео открыл рот – или нам так казалось. Он раскрылся по-настоящему, только когда мы отправились играть несколько турниров с командой «Junior B»».

Семья Лео настаивает, что он не застенчивый, а просто сдержанный. Это стоит повторить еще раз, потому что различие крайне важно, потому что сдержанность – это то, чему мальчика научили дома, некий кодекс поведения, внушенный еще в Аргентине. Лео говорил лишь по необходимости, на поле, уважая коллектив и принимая любую роль, которую ему назначали. Не больше и не меньше. Поведение мальчика, кроме всего прочего, было вызвано особым статусом иностранца, приезжего – в конце концов, он был чужим в этой стране.

Последствия для любого молодого человека, вынужденного покинуть свою страну и приспособиться к странной новой среде, слишком многочисленны, чтобы их здесь перечислять. Тем не менее есть одно общее – способность таких детей взрослеть быстрее, чем местным ровесникам. Им трудно приспособиться к незнакомой культуре и освоить новый язык, они чувствуют себя уязвимыми и, как любое существо, выдернутое из его естественной среды обитания, быстро развивают в себе навыки выживания, которые часто проявляются в недостатке доверия, по крайней мере, до тех пор, пока не завяжутся новые дружеские связи. Часто лучшая форма самозащиты – слиться с окружающим фоном, быть незаметным, не казаться угрозой, а если вам повезет, то наслаждаться защитой любящей семьи.

Давление, которому подвергаются юные футболисты, стремящиеся к вершине, заставляет их взрослеть раньше времени, поскольку они пропускают естественное эмоциональное развитие в детстве. Они входят в жестокий взрослый мир и внезапно попадают под такой прессинг, который был бы тяжел даже для многих 30-летних. Еще больше испытывает молодой футболист-иммигрант. Тем не менее в этом мужчине-мальчике остается запертый ребенок, и порой вы можете услышать его жалобный крик... Это делает характер таких детей достаточно сложным, и многим людям бывает трудно их понять.

«Лео умен, он знает, когда необходимо быть хорошим, когда можно шутить, а когда надо стать серьезным, – объясняет Сеск. – Я хорошо это вижу. Многие из нас здесь время от времени выходят из-под контроля, срываются с цепи, говорят, не думая, но Лео очень умный, он знает, как справляться со своими порывами, когда выбрать правильный момент. Мы видим его на поле, но дома или в раздевалке он всегда знает, что и когда должен сделать».

Но мальчик-иммигрант – все еще просто мальчик.

И этот мальчик проявляется в игроке в те моменты, когда он сердится на то, что его заменили, когда он ссорится с противником или товарищем по команде. Никто не совершенен. Можем ли мы принять это? Подобные конфликты провоцирует внутренний ребенок, живущий в каждом из нас. Семья Лео и клуб хотели бы максимально использовать эту важную составляющую его характера: без внутренней детскости все удовольствие от его игры может исчезнуть. Те, кто хорошо его знает, уверены, что если Лео сохранит в себе качества ребенка, то продолжит получать удовольствие от игры, а в противном случае станет просто футбольным автоматом.

Поскольку отчасти Лео – все еще ребенок, он плачет. Это не только слезы человека, который скучает по матери или братьям, не только личное. Это еще и слезы, которые текут после проигрыша.

«Я видел, как он плакал после одной игры, по-моему, это был матч против «Espanyol», – вспоминает Виктор Васкес. – Мы проиграли на их поле во время игр в Лиге. Мы были в команде «Yunior A», результаты этой игры ничего не решали, потому что мы все равно выиграли Лигу. В конце матча у нас с Лео появились некоторые возможности, но мы их упустили, потому что вратарь пресекал все наши попытки».

Им было по 15 лет. Виктор и Лео вошли в раздевалку вместе. Лео шел со склоненной головой, сел, Виктор – рядом с ним. Месси закрыл лицо футболкой, как он сделал тогда, когда пропустил штрафной против «Челси» в полуфинале Лиги чемпионов в апреле 2012 года. «Я подумал, что он упустил довольно много шансов. Он играл неплохо, но мне казалось, что он расстроен. Потом я положил руку ему на плечо и спросил: «Что-то не так?» Когда я понял, что Лео не собирается отвечать, то потянул футболку и увидел, что Месси плакал. «Ни фига себе!» – подумал я. Он действительно переживал. Он не плакал громко, как это делают многие люди. У него просто слезы наполняли глаза и стекали по щекам. Это было очень тревожно. Лео сказал: «Мне жаль, что я не смог выиграть, мне так плохо из-за того, что я не смог помочь вам победить». Тогда я тоже подумал: «Черт побери, мы не смогли забить голы, и теперь, вполне возможно, мы потеряем шанс выиграть Лигу из-за этой чертовой игры». Он отчаянно зарыдал. И, конечно, несмотря на то, что в тот момент думал, я попытался утешить его, говоря: «Не волнуйся, мы все равно выиграем Лигу».

Слезы лились потоком, и Виктор продолжал говорить с ним, обещая, что они победят в следующий раз. Шутил. «Мы забьем три гола нашим следующим соперникам. Мы победим, вот увидишь. А теперь пойдем и поедим что-нибудь, и все забудется, поверь!» Лео ответил: «Хорошо, возможно, и так, но я очень расстроен, что не смог выиграть».

В следующей игре Лео забил хет-трик.

До конца сезона оставалось четыре игры, и после поражения они отставали на шесть очков от «Espanyol». Но их каталонские соперники проиграли две игры, а «Барса» выиграл все. Виктор и Лео запомнили тот день, когда Месси так плакал. Он первым сказал: «Видишь, как все может перемениться?»

Одно из испытаний, подстерегающих такого мужчину-ребенка – все усиливающееся понимание того, что он – не центр вселенной и в будущем все будет не таким, каким оно является сейчас. Жизненные ориентиры – дом, семья, друзья – начинают смещаться, поскольку мир начинает расширяться и в жизнь вторгаются новые события. Чем скорее этот урок будет выучен, тем лучше для эмоционального развития человека.

Когда Лео отправился в Италию вместе с командой «Юниор А», все обрело смысл, и он начал интегрироваться в группу. Он стал одним из них, а не аутсайдером, и его мир начал приобретать контуры.

ВикторВаскес рассказывает историю: «Месси ездил в Аргентину после серьезной травмы в команде «Infantiles», и когда возвратился, все было для него если не в новинку, то почти так. Он фактически начинал на пустом месте. Когда мы отправились в Италию, в Пизу, на турнир юниоров, мы поселились в отеле, который был немного похож на летний лагерь. Здесь мы проводили вместе двадцать четыре часа в день, начали шутить с ним, в результате чего Лео почувствовал себя более уверенно».

Это была юниорская команда Тито Вилановы, ее пригласили посоревноваться за приз Маестрелли в Пизе. Лео играл под номером 14 и стал главным голеадором и лучшим игроком турнира, который «Барселона» выиграла, разбив «Парму» в финале со счетом 2:0. А еще Месси выиграл виртуальную лигу на PlayStation.

«Я помню, как Пике в первый или во второй день утащил все вещи Лео из его комнаты: PlayStation, одежду, постель – все и оставил ему абсолютно пустую комнату. Мы спрятали все это в каком-то другом месте». Васкес хитро улыбается, вспоминая этот случай. «Бедный Месси. После еды он поднялся в комнату для отдыха, а мы всей толпой тихо двинулись за ним. Он не замечал нас, дошел до комнаты, посмотрел... и вдруг стал очень серьезным, глаза округлились, как два блюдца, и Лео заревел. Он действительно плакал, бедный парень. Бросился на пол: у меня все украли, у меня ничего нет, ни телефона, ни PlayStation, ничего... И Пике, смеясь, записал это на его же телефон. Все вещи Лео были спрятаны в другой комнате. Мы рассказали ему, что сделали, но только несколько часов спустя, и его товарищу по команде пришлось взять парня к себе в комнату, чтобы он мог успокоиться. Лео был просто выбит из колеи. Пике – большой шутник, в тот день мы здорово посмеялись».

Но с того момента все изменилось. Лео захотел стать частью динамичной группы, он немного знал их всех, и ему было известно, что они были здоровой командой с сильным соревновательным духом, что они уважали его – в этом, иногда странном мире футбола стать объектом шутки – признак уважения, принадлежности к команде. «Ну, Лео никогда не позволял себе принимать участие в выходках, которые позволяли себе Пике, Сеск или даже я, – говорит Васкес. – Но он много смеялся и активно вливался в нашу компанию, участвовал в совместных затеях. Например, вовремя он мог подшутить над вами, спрятав вилку или стакан с водой. Мы проводили много времени, играя с ним на PlayStation. Я никогда не играл столько в приставку, сколько во время того турнира, мы все время сражались. У нас было море свободного времени, и все это время мы устраивали турниры на PlayStation, где Месси всегда побеждал. Действительно *всегда*. Порой мы играли на деньги – ничего существенного, приблизительно 10 или 15 евро, и всегда шутили с ним: «Черт возьми, этот карлик всегда выигрывает!» Мы пытались оттащить его от PlayStation и побить в игре, называющейся «Золотой Гол». Мы запускали игру, которая длилась около часа, и всякий раз, когда один игрок пропускал мяч, он должен был уступить место другому. Месси играл в течение трех часов без перерыва, доводя нас до исступления!»

Виктор Васкес и Тони Кальво, два лучших друга Лео в «Барселоне», были первыми, кто назвал его «карлик» (enano). «А Лео, в отместку, говорил с нами на аргентинском сленге. Мы не понимали ни слова», – говорит Кальво. Оскорбление будет оскорблением, если оно воспринимается как таковое, а Лео знал, что его называют так безо всякого злого умысла, так что отклонить прозвище означало проявить непочтительность к группе, что могло быть сочтено признаком слабости.

«Во время той поездки мы увидели абсолютно другого Лео, – говорит Сеск. – Я не знаю, помогли ли мы ему почувствовать себя более комфортно, но, безусловно, мы уделяли ему больше внимания. Иногда, когда вы видите такого интровертированного парня, это создает большие проблемы, потому что, с одной стороны, вы не хотите, чтобы он думал, что вы не впускаете его в свою компанию, но при этом не хотите, чтобы он думал, что заслуживает особого внимания. Вы должны соизмерять, что и как делать. Мы были подростками и обычно сбивались в небольшие компании: без алкоголя или чего-то в этом роде, но все же... Лео открылся... представьте, насколько он открылся, если все до сих пор помнят ту поездку... Он был все еще сильно интровертирован, но в Италии произошел определенный позитивный сдвиг».

В Барселонском аэропорту левый полусредний нападающий Роберт Хириберт должен был попросить что-то у кого-то, с кем не был знаком. Он не мог набраться храбрости. Без чьей-либо подсказки Лео встал и задал вопрос от своего имени. Мальчики посмотрели друг на друга. Когда они вернулись в Барселону, квартира Лео превратилась в место встреч для игры на PlayStation.

Как это часто бывает, со временем в команде выработались определенный порядок и единство. Каждый игрок нашел свое место и выполнял наиболее комфортную для него роль, которая определялась опытом и в результате все возрастающего взаимопонимания между членами команды. Команда начинала притираться. Поколение `87 провело вместе два с половиной года, прежде чем их покинули Пике и Сеск, и за этот период Лео прошел путь от неизвестного чужака до ценного члена команды, хотя порой все еще приходилось преодолевать незначительные помехи. В глазах своих товарищей по команде он был одновременно сильным и очень хрупким. В Росарио было много людей, которые были готовы что-то сделать для него: посадить на колени, позаботиться о нем – бабушка, школьная подруга, приятели по школьному двору, которые считали его своим лидером и всегда хотели видеть его в центре фотографии, тренеры, которые просили рефери заботиться о нем, и рефери, которых не надо было об этом просить.

Но в Испании странное сочетание физического развития, замкнутости, бесспорного таланта, футбольного стиля, уверенности в себе и в том, что он далеко пойдет, породило то, что часто вызывало у членов команды весьма противоречивые чувства. «Просто оставьте его в покое, парень может сам о себе позаботиться», – говорили некоторые товарищи по команде, соперничающие с Лео за реализацию собственных надежд стать первыми футболистами команды. «Вы должны беречь его», – говорили другие. Ощущение, что он нуждается в защите, больше не было единодушным теперь, когда Лео начал расти, но еще оставались те, кто понимал его уязвимость и пытался проявить внимание.

Лео и остальная часть компании перешла из команды Тито «Юниоры А» в команду «Юниоров В», которыми руководил Алекс Гарсия. Сезон 2002/03 года запомнился игрой молодого человека в матче «Барселона» – «Дамм» на одном из полей около «Мини-Эстади». «Барселона» побеждала со счетом 6:0, но Лео все еще искал возможность выйти один на один с левым нападающим. И – бац! Они врезали ему, потом еще и еще. В категории «Cadete» несколько мальчишек внезапно пошли в рост и внезапно стали выглядеть вдвое крупнее, чем остальные, а Месси попрежнему казался очень маленьким. «Они так врезали ему ногой, скажу я вам, – рассказывает сегодня Виктор Васкес, зажмуриваясь так, как будто этот удар пришелся по нему самому. – Это было просто бесчеловечно. Но Лео вставал снова и снова, хотя удары, которые он получал, были очень сильными. В тот день они чуть не убили его. Я помню, как Алекс поднялся со скамьи, чтобы вмешаться: мы все вышли на поле, и началась потасовка».

«Пике вступил в драку, защищая Месси. Его удалили, – говорит Сеск. – Пике подскочил при первой возможности, он подбежал со спины и сцепился с парнем ростом метр восемьдесят! Так или иначе, но он остановился и сказал им: «Не молотите его так, он не делает ничего плохого, а просто уверен, что всем нравится игра. Если вы не можете остановить его, тогда не останавливайте». «Пике – наш босс», – часто говаривал Месси.

«Если рефери не намерен тебя защищать, то это сделаю я», – сказал Лео Алекс Гарсия, укладывая его спать. «Блоха» был разъярен, не потому, что его так сильно избили, а потому что хотел продолжать игру. «Нормальная реакция, – говорит Виктор Васкес, – когда человек думает: «они бьют меня, потому что я очень хорош, и они не могут остановить меня, это здорово, но лучше всего будет, если меня отсюда вытащат». Но не в случае Лео – он хотел продолжать игру во что бы то ни стало, рассуждая так: «Пусть мне еще надают, неважно, но позвольте мне играть». Не забывайте, что мы выигрывали со счетом 6:0!»

«Некоторые из нас считали его совершенно беззащитным, – вспоминает Васкес. – Лео был очень хорош – с его головой, ростом, впечатляющей левой ногой, ведением мяча, скоростью... Он отлично играл, был хорошим человеком и другом, никто не хотел, чтобы ему причинили какой-нибудь вред. Вы просто вынуждены были помогать ему, иначе чувствовали себя не в своей тарелке. Как можно не помочь человеку, который смотрит на вас с таким выражением, будто просит: «Пожалуйста, помоги, ты мне нужен, чтобы помочь, потому что я должен приспособиться к этому уровню футбола, потому что я хочу быть здесь, и преуспеть!» Ваше сердце вступает в конфликт с головой, и вы понимаете, что должны протянуть руку помощи».

Виктор Васкес видел, как Лео занимался гормональным лечением у себя дома на улице Гран Виа Карлес III. В то время они уже встречались у Лео, чтобы поиграть на PlayStation, но иногда его отец прерывал их игру: «Пора делать укол». Лео покидал комнату, шел на кухню или в ванную и делал себе укол. Снова и снова. Через какое-то время Лео признался Виктору, что ему очень надоели уколы: «Я ненавижу это, ненавижу, но я должен делать их, иначе останусь карликом».

«С одной стороны, в клубе очень надеялись, что Лео вырастет, а с другой стороны, молились, чтобы Пике не стал слишком высоким, – рассказывает Алекс Гарсия. – В возрасте 14 лет этот центральный защитник уже имел рост один метр девяносто сантиметров. Еще несколько сантиметров, и, возможно, дни парня в футболе будут сочтены».

В «Барселоне» приняли решение прекратить лечение Лео гормонами, когда ему исполнилось 14 лет. В следующем году его рост составил один метр шестьдесят два сантиметра, а весил он 55 килограммов. При этом Лео все еще не мог как следует довести игру до конца. «Мне не хватает устойчивости и скорости, а еще я время от времени устаю», – говорил он в интервью в 2002 году. Он участвовал в добровольной индивидуальной программе физической подготовки, разработанной клубом, за которой наблюдали физиолог, спортивный доктор и тренер. В программе также принимали участие Жерар Пике и, время от времени, Хавьер Савиола.

Идея, как объясняет Тони Фриерос в своей биографии Месси, состояла в индивидуальном плане тренировок, соответствующим собственной мышечной структуре. Итоговый отчет, написанный в июне 2002 года после анализа 44 тренировок, был, в случае Месси, неоднозначен: «Игрок, который принимал участие в наименьшем числе тренировок. Он пропустил 12 занятий из-за проблем, связанных с рождественскими каникулами, и по болезни. Когда он был в состоянии тренироваться, он постоянно держался в тени своих товарищей по команде, действовал правильно, но не проявлял инициативы».

За очевидной хрупкостью аргентинца пряталась личность, готовившаяся бороться за свое место в футбольных джунглях. «Я не считаю его слабым. Ну ладно, возможно, он относится к тому типу людей, в отношении которых люди испытывают чувство, что они должны защищать их, потому что они их друзья, я понимаю это, – признает Сеск. – Лео может быть интровертом, может быть робким, возможно, он мало говорит, но при этом Лео – настоящий мужик». Фабрегас говорит о том, что никогда не чувствовал потребности влезать в драку в защиту Лео, потому что тот, когда это было необходимо, мог продемонстрировать стальную решимость и внутреннюю силу. Казалось бы, противник пытается вышибить дух из Лео, и вдруг он захватывающим финтом выскальзывает из-под его атаки, оставляя нападавшего ни с чем! И, что намного хуже, жертвой. Да, по мнению Сеска, Лео мог за себя постоять.

В одной игре юниорской команды Месси провел в отношении защитника легкий хлесткий удар мячом поверх противника, и когда игрок поймал мяч, то прошипел сквозь зубы: «ты, маленький ублюдок», что шло вразрез со всеми правилами. «Я – ублюдок? Я – ублюдок?» – закричал Лео, и ему пришлось заставить себя успокоиться. Тот особый ген, который в три года заставлял его выбрасывать карты, когда он проигрывал у себя дома, никуда не делся.

Время шло, Лео понял, где его место в группе и в клубе, и постепенно продолжал завоевывать доверие товарищей по команде. А они как футболисты знали, что не могут бить слабого, потому что нельзя позволить потерять игрока, который помогал им выигрывать. «Поначалу Сеск хотел убить его, когда понял, что не может остановить, – задумчиво рассуждает Васкес. – Он начал становиться тем Лео Месси, которого мы знаем сегодня, того, кто забивает по пятьдесят голов за сезон, и о котором лучше позаботиться. Он завоевал уважение всех нас».

«Только много позже мы узнали об одиночестве, которое он пережил, – признается Сеск. – Мы знали, что он был мальчиком, который жил со своим отцом и сильно скучал по остальной семье. Мы знали об этом, потому что нам рассказали тренеры, а не он сам. В тот момент наступил этап, когда приходилось решать – либо футбол судьба, либо нет, так что все мы были слишком озабочены попытками добиться успеха. У нас не было ни времени, ни стремления разобраться в том, что Лео делает и через что проходит».

«Я знаю, что он часами ожидал сообщений в Интернете, и не особенно обращал внимание на учебу...» Но он ходил в школу? «Да, да, ходил. Я не знаю, может, он просто рисовал, но он ходил...» Сеск шутит об этом, но для Лео и многих его товарищей по команде школа довольно скоро стала ощущаться как невыносимое занудство.

«Он был с нами в школе Ла-Масия, – говорит Виктор Васкес. – Половину времени он не поднимал головы, потому что ему не нравилось учиться. Да что там говорить, это никому из нас не нравилось!» Девятичасовой автобус, который отвозил их в школу Lleo XIII на Avenida Tibidabo, приходил вовремя, и часто ни Виктора, ни Лео внутри не было. Они находили школьные занятия скучными. «Мы добирались туда, включали музыку, разговаривали или играли в мобильные телефоны, иногда шутили с девочками – там были девчонки из теннисного и баскетбольного клубов. Мы кидались шариками из бумаги, шутили и, если Лео был там, пытались втянуть его в наши забавы, однако Месси всегда был очень застенчивым и постоянно жался по углам. Иногда мы играли в «крестики-нолики» или другую игру, в то время, когда учителя пытались чему-то научить нас. Заметив это, нам говорили: «Эй! Вы двое! Сядьте отдельно от остальных и делайте, что хотите, но перестаньте баламутить класс!» – Виктор смеется. – Так что мы включали музыку, открывали книгу, чтобы было похоже, что мы учимся – на случай, если войдет один из школьных директоров, – и все. Но мы не были хулиганами. Мы не хотели учиться, но не нарушали порядок в классе!»

Ориоль Паленсия описывал Хорди Жилю в его биографии Сеска, как тот и другие мальчишки проводили время в школе Lleo XIII: «Когда учитель разворачивался лицом к доске, мы брали куски туалетной бумаги и начинали размахивать ими и кричать «кыш, кыш». В других случаях мы отправляли машинку с дистанционным управлением ездить по классной комнате.

И Сеск был не единственным, кто забавлялся подобным образом, по правде говоря, он был более благовоспитанным, хотя, конечно, не был стыдливой мимозой. Пике занимался более жестокими шутками. Он дразнил старших ребят, которые его били, а он в ответ смеялся. Сеск предпочитал действовать втихую, дурачить, а Пике был намного более дерзким».

«Месси – одна из причин, почему я возвратился в «Барселону», – говорит Сеск после восьми лет, проведенных в Лондоне в «Арсенале». Он имеет в виду, что хотел бы вновь пережить те счастливые времена, тот смех, те шутки – «лучшие годы моей жизни», как он иногда описывает их. Со своей стороны, Лео просто вспоминает тот период как необходимую преамбулу, которая должна была неизбежно привести его к цели.

СЕЗОН 2002/03: ПРЕЕМСТВЕННОСТЬ

Первая команда «Барселоны» продолжала свой бесплодный бег. Менеджер Луис Ван Гал избавился от трех главных фигур клуба – Ривалдо, Абелардо и Серхи, – но оказался неспособен подписать контракты с игроками, которых он действительно хотел заполучить. Команда не реагировала на тренера. Он был уволен в январе, когда «Барселона» оказалась на тринадцатом месте. Пригласили Радомира Антика, чтобы он попытался поправить ситуацию, но все закончилось тем, что клуб стал шестым в Лиге – худший результат за пятнадцать лет. При этом они даже не прошли в четвертьфинал Лиги чемпионов. Ошибочное решение вернуть голландца, не понравившееся поклонникам, ускорило уход Хоана Гаспара в отставку в начале 2003 года. Клуб остался в руках совета директоров, который организовал летом выборы, результаты которых принесли клубу глоток свежего воздуха и, что важнее, молодость. Начиналась эра Хоана Лапорты и Сандро Розелла и Роналдиньо.

Тем временем над «Камп Ноу» витал расстроенный и яростный свист, трибуны были полны развевающихся протестующих белых платков. На грязных и заросших травой полях команда «Юниоров А» Алекса Гарсии творила нечто невероятное, настоящее волшебство, нечто, что должно было закончиться намного раньше, чем кто-либо ожидал.

Это был типичный стартовый матч команд из одиннадцати игроков, игравшийся по стандартной схеме 3–4–3: Планчерия, Валиенте, Пике, Паленсия; Сеск, Хирибет, Хулио де Диас, Месси; Хуанхо Клаузи, Франк Сонго'о и Виктор Васкес.

«Согласно их удостоверениям личности и судя по шуткам, которые они откалывали, это была компания пятнадцати- или шестнадцатилетних ребят, но, приходя на тренировки и играя в матчах, они, возможно, были на десяток лет старше, – объясняет Алекс Гарсия. – Они были мальчишками с менталитетом профессионалов, и во время тренировок приходилось их постоянно осаживать – настолько они рвались в бой. Такое соперничество в коротких матчах, четыре против четырех, пять против пяти! Невероятно, но мне приходилось останавливать их. И позже, в играх, они никогда не соглашались на победу со счетом 3:0, если могли победить со счетом 4:0 или 10:0. Если назначался пенальти, то за мячом бросались четыре игрока и начиналась ссора». Алекс Гарсия судил игру, находясь сбоку от поля.

«Со всем должным уважением к своим противникам они всю неделю соперничали друг с другом, чтобы в день игры чувствовать себя как на тренировке», – завершает Гарсия.

Месси играл у Гарсии в течение всего сезона – он был единственным тренером в команде низкого дивизиона, который может похвастаться тем, что в тот сезон Лео закончил кампанию без серьезных перерывов в игре. Месси был единственным, кто выступал в каждой игре, а также забил 36 голов, на пять больше, чем центральный нападающий Виктор Васкес: это был сезон, который создал взлетно-посадочную полосу, с которой стартовала карьера аргентинца.

Лео был мальчишкой, «очень маленьким для своего возраста, с большой копной волос – настоящей длинной гривой, очень тихий и уважительный. Он очень мало говорил, но много слушал. Я знал, что он слушал меня, потому что делал то, о чем говорили в раздевалке и между собой тренеры». Так вспоминает Алекс Гарсия, который часто видел, как Лео играл при Тито Виланове. Но если у Лео возникало сомнение относительно своих способностей, он превосходил самого себя в игре против мощной команды «Дамм». Это была его игра: Меси забил первый гол, пробросив мяч между ног одного из защитников, а также забил гол, который довел счет до 0:3. «В тот момент я осознал потенциал этого мальчика», – вспоминает Гарсия.

Лео считал себя *mediapunta* (полузащитником, который играет прямо позади главного бомбардира). «Он сказал мне, что ему не нравится оставаться на фланге, хотя он будет делать это, но возможность реализовать возникающие шансы резко сократятся. Это нормально, невозможно затормозить талант. Я просто немного сбил его с толку, заставив играть в различных местах, потому что хотел, чтобы он привык к игре в различных позициях. То же самое я делал с Сеском, ВикторомВаскесом... Я никогда не видел лучшей пары, чем Виктор и Лео, это было просто потрясающе».

Лео теперь полностью осознавал уровень, которого он достиг, и то, насколько он важен для команды, а еще понимал, какие возможности перед ним открываются. «Я помню один матч, который мы должны были сыграть на европейском поле. Чемпионат был под угрозой, – продолжает Алекс Гарсия. – Это происходило в будний день, потому что предыдущий матч был отменен из-за ливня. Я приехал к ним и объяснил, что очень важно выиграть схватку, потому что тогда у нас будет шанс выиграть в Лиге. Лео подошел ко мне, и я сказал: «сохраняй спокойствие». А он ответил мне: «не волнуйтесь, босс, я это сделаю». В течение десяти минут он забил три гола. Вот – бам, бам, бам. Кажется, мы победили со счетом 7:1. Ему было пятнадцать лет, и он был полон веры в свои способности».

Эта команда юниоров завоевала все возможные титулы. Они выиграли Лигу, чемпионат Испании, а также чемпионат Каталонии, известный сегодня как «Финал Маскарада» (*partido de la mascara*).

У тех, кто помнит ту игру, до сих пор мурашки бегут по телу. Все происходило на одном из вспомогательных полей около «Мини-Эстади», это была последняя игра сезона, «Барселона» против «Espanyol», и соперничество между этими двумя командами достигло пика.

Юниоры «Барселоны» победили со счетом 1:0.

Длинный мяч. Месси идет на него и подскакивает, пытаясь управлять им. Защитник «Espanyol» наталкивается на него, стремясь помешать ему, – внимание целиком сосредоточено на мяче.

Месси разворачивается и врезается лицом в защитника.

Раздавшийся звук можно было услышать на другом конце поля. Лео падает на землю, раскинув руки.

И лежит – абсолютно неподвижно – он ненадолго потерял сознание.

Другие игроки подбегают, чтобы посмотреть, что случилось, но никто не решается потрогать его. Видна кровь. Она бежит из носа.

Его отец в тревоге выбегает на поле с трибун. Он открывает ворота, ведущие на поле, и бежит по траве.

Лео не двигается. Его глаза широко открыты. Он снова пришел в себя. Его сознание пока затуманено, и он смущается. Что произошло?

Появляется доктор.

Несколько мальчишек сбиваются в кучу, они нервничают. И не они одни. Отец Лео внимательно рассматривает его – он хочет понять, что с ним случилось.

Лео спокойно встает. Его подхватывают, но нет, он хочет идти сам.

«У тебя сломана скула», – говорят ему.

Его отправляют в больницу FIATC. Диагноз подтвержден: перелом правой скулы. Он остается под наблюдением врачей в течение 24 часов. Лео спрашивает товарищей по команде о результате игры: 3:1 – говорят они ему, мы победили. Он отвечает, что постарается вернуться на финальную игру Кубка Каталонии, который должен происходить на следующей неделе.

Он говорит, что хочет играть в финале.

Два дня спустя Лео приходит в команду. Его щека скрыта под защитной повязкой.

«Как дела?» – спрашивают его.

«Со мной все отлично. Мне сказали – восемь недель, но я думаю, что все пройдет раньше. Они говорят, что я могу играть с маской – знаете, мне не нравится получать травмы».

«Но сейчас ты себя хорошо чувствуешь?»

«Да, да, я очень испугался, но все хорошо».

Больше всего он боялся пропустить важные матчи. Особенно теперь, когда все начинает налаживаться.

Он даже не упоминает о боли. Его болевой порог такой же, как и его терпимость к неприятностям, – в случае Лео он действительно очень высокий. Оптимист считает проблемы препятствиями, которые следует преодолеть. Пессимист видит в них бедствие. Лео относится к первым – он просто видит успех и триумф, какими бы ни были шансы.

Но пока похоже, что Месси не будет играть. Другие игроки волнуются: финал без Лео!

Савиола узнал о травме и послал ему футболку и свои наилучшие пожелания быстрого восстановления. Месси, пока еще только юниор, но он никогда не забыл этот жест «Кролика».

Капитан «Барселоны», Карлес Пуйоль, пострадал от подобной неудачи в начале сезона после столкновения с Франком де Боером. Специалист сделал ему пластмассовый протектор, который все еще находился в медицинском отделе клуба. Месси сказали, что он может играть, но при строгом соблюдении условия ношения маски. Сохранялся риск даже при наличии протектора, потому что при следующем столкновении могли возникнуть серьезные последствия, потребовавшие хирургического вмешательства.

Алекс Гарсия поговорил с Лео, прежде чем принять решение, будет ли тот играть.

«Ты знаешь условия, на которых сможешь играть. Доктор сказал: «даже не думайте об игре без маски».

«Да, босс, не волнуйтесь».

«Ты знаешь, что мне придется снять тебя с игры, если ты не сделаешь так, как я говорю. Мы рискуем твоей скулой. По-честному, тебе бы

следовало отдохнуть. Если ты снова получишь травму, то окажешься в операционной».

«Нет, не волнуйтесь».

Спустя семь дней после травмы те же команды встретились в финале, который проходил на Via Ferrea на стадионе Карнелла. Лео начал игру. Пластмассовый протектор был немного великоват для него, и он регулярно пытался подогнать его. Он его раздражал.

Игра идет полным ходом.

Через семь минут он получает мяч на фланге и начинает двигаться с ним. Пробегая, он поправляет маску, теряет мяч и выглядит раздраженным.

«Алекс, похоже, Лео не доволен маской, кажется, будто он не может хорошо видеть», – говорит Анхель Паломо тренеру.

«Босс, я вообще ничего не вижу», – немного позже подтверждает Лео.

Алекс говорит ему со скамьи:

«Послушай, Лео, помни, что сказал тебе доктор».

Он снова подхватывает мяч, снимает маску и, держа ее в руке, обходит одного игрока, затем другого. Теряет мяч.

Он подбегает к краю поля и бросает маску на скамью.

«Не волнуйтесь, босс, ничего не случится».

Он получает пас от Франка Сонго'о и забивает гол. Вскоре после этого он демонстрирует свои навыки и бьет мимо приближающегося к нему вратаря. Гол. Два гола за десять минут, они ведут в счете 3:0. Алекс Гарсия, опасаясь дальше искушать судьбу, настаивает, чтобы его заменили. «Да, босс, теперь я ухожу, ухожу». Но Лео хочет продолжать игру. Виктор Васкес и Пике, который позже был удален за ссору с тренером «Espanyol» Рамоном Герреро, забивают гол. Игра заканчивается со счетом 4:1.

«В тот день я понял, что Месси относится к футболу не только как к игре, но и как к командной игре, где все усилия важны: сверстников, тренера и также к спорту в целом. Усилия, которые Лео приложил в том матче, показали мне, что он был готов сделать все, что угодно для нас и для того, чтобы победить», – говорит Алекс Гарсия.

Хотя международная система скаутинга в то время была намного менее развита, чем сегодня, поколение `87 не могло не привлекать восхищенные взгляды иностранных клубов. Вот так и случилось, что в сезон 2002/03 года за командой «Cadete A» плотно следил «Арсенал», который надеялся заключить контракт не только с Сеском Фабрегасом, но также с Жераром Пике и Лео Месси.

Все началось с игры в Льорет-де-Мар против «Пармы». В тот день Пике не играл, но остальная часть компании была на поле.

Представитель «Арсенала» в Испании, Фрэнсис Каджигао, был удивлен: он только что был свидетелем чего-то совершенно невероятного и крайне необычного, а именно, умения работы с мячом Сеска и таланта Лео. Он провел весь тот день и еще много других, бесплодно разыскивая агента аргентинца, а затем возвратился, чтобы посмотреть на игру команды Алекса Гарсии на турнире MIC в Истере. В то время как «Барселона» сражалась против своего нового конкурента, Каджигао говорил по телефону: «Если бы я только мог найти кого-то, кто работает с этим аргентинским мальчиком...» Когда он закончил разговор, к нему приблизился один из представителей Лео в Испании, Орасио Гаджиоли, который подслушал эту беседу: «Полагаю, вы ищете меня».

В тот вечер Фрэнсис обедал с агентом и выразил интерес к Месси, который перешел в конкретное предложение, переданное отцу мальчика, Хорхе. С того момента началось общение между «Арсеналом» и семьей Месси. Другими целями были Сеск и Пике.

Отчет Каджигао был совершенно конкретен: Месси был «блошкой» пятнадцати лет с необычными качествами, хотя по-прежнему не обладал мощью, которая позднее добавится к его игре. Он был умен и имел невероятные способности. Были некоторые сомнения из-за его небольшого роста, но они легко перевешивались качеством его игры.

Каджигао был одним из немногих европейцев на этом турнире, а возможно, вообще был единственным, поэтому предложение от «Арсенала» было первым предложением Лео от иностранного клуба с тех пор, как он переехал в Барселону. Семья Месси выслушала предложения клуба, но они не собирались ничего менять. В любом потенциальном соглашении были ясно видны препятствия. Английский клуб не мог предложить семье квартиру, могли возникнуть трудности при получении разрешения на работу. Постепенно точки взаимного интереса практически полностью испарились. Но они оставили Хорхе сообщение: «В любое время, когда вы столкнетесь с проблемами, помните – наш клуб хочет получить вашего сына».

При этом «Арсеналу» удалось обеспечить подписание контрактов с Сеском и наполовину с Пике, который поехал в Лондон, чтобы посмотреть на условия для проведения тренировок. Все было согласовано и подтверждено, оставались только правовые вопросы, которые задерживали процесс: игрок еще не был достаточно взрослым, чтобы подписать контракт, и клуб предложил заключить устное соглашение, которое было бы подтверждено через год, когда ему исполнится 16 лет. Соглашение было идентичным тому, которое они заключили с Сеском, но агенты Пике отказались.

После чемпионата Каталонии остался только один барьер для прекрасного завершения сезона: чемпионат Испании. Сеск знал, что это будут его последние игры, и в 15 лет он покинет клуб своей жизни, свой город, своих друзей.

Алекс Гарсия видел, как он удручен, и спросил его, возможно, у него какие-то личные проблемы. Он сказал, что дело в том, что он получил предложение от «Арсенала», и, вероятно, ему придется переехать. Он чувствовал, что при наличии Хави и Иньесты, блокирующими его продвижение, ему нужно отправиться куда-то в другое место и посмотреть, достаточно ли он хорош для этой игры.

«Арсенал» держал переговоры в тайне, хотя соглашение и достигло ушей главы отдела юниорского футбола, Кимета Рифе, – вспоминает Альберт Бенайжес. – Но тогда, как раз перед приходом Хоана Лапорты, происходило много изменений, и в клубе возник своего рода вакуум власти, вызванный сменой руководства. В результате «Арсенал» заключил с Сеском контракт».

Команда «Cadete» выиграла чемпионат Испании, нанеся поражение командам «Espanyol», «Albacete», «Atletico de Madrid» и «Athletic de Bilbao» в финале. Месси не смог играть из-за некоторых бюрократических проблем: федерация сочла его «ассимилирующимся», или, говоря иначе, не испанцем, а лица, не являющиеся гражданами данной страны, не могли принимать участие в этом соревновании, несмотря на то, что им было позволено соревноваться в Лиге. Сеск, введенный в игру вместо Лео, стал лучшим игроком соревнования. Пике, Сеск и Лео оказались вместе на поле лишь летним вечером 2011 года.

В сентябре 2003 года Сеск уехал из Барселоны. В октябре того же года в клубе появилось новое руководство, и «Барселона» заключила контракт с Месси до 2012 года с отступным в €30 миллионов, которые увеличились бы до €80 миллионов, если бы он вошел в команду «Барселона B», и до €150 миллионов, если он войдет в основной состав.

«В то время я чувствовал себя невероятно одиноким, – вспоминает Виктор Васкес. – Сеск, Пике, Сонго'о покидали нас. Я поднялся по карьерной лестнице, перейдя в «Юниор А», как и Месси, хотя он стремительно перескочил в команду «Барселона С», где сыграл три или четыре раза и перешел в «Барсу B». Он продвигался намного быстрее, чем остальные, это было весьма впечатляюще. Я остался один, ну, в общем, не один, конечно, были и другие члены команды, но тех четверых, с кем я хотел бы общаться, больше не было. Слава Богу, мы продолжили выигрывать все матчи. Это по-прежнему была хорошая команда. Они ушли, но я остался, и играл за них! Это было наилучшее время моей карьеры, мы наслаждались, как дети, а по сути и были ими.

Я собираюсь назвать своего сына Лео. Мне нравится идея дать ему это имя. Не Леонель, не Леонардо, но Лео. ЛеоВаскес».

СЕЗОН 2003/04: ЧЕТЫРЕ СТУПЕНИ ЗА ГОД

«Барса» без ума от этого мальчишки» – такой заголовок появился на первой полосе ведущей аргентинской газеты *El Grafico* в августе 2003 года. Статья начиналась так: «Он аргентинец, побеждающий всех, кто играет в более низких разрядах. Футболист покинул «Ньюэллс» в возрасте 13 лет, поразив Карлеса Решака. Сейчас ему всего 16, но ему пророчат основной состав и сравнивают с Марадоной. Месси – чистый *potrero* (аргентинское слово, означающее футболиста, выучившегося играть на неровных полях): с ведущей левой ногой и невероятным мастерством забивать голы».

Диего Борински, журналист:
18 ноября 2003 газета «El Mundo Deportivo», крупная испанская спортивная газета, напечатала первую большую статью, посвященную Лионелю Месси, тогда еще только восходящей звезде. Статья вышла под заголовком «Звезда будущего». Статью сопровождала фотография: Лео, играющий в бесконечную «чеканку» с апельсином, который просто не падал на землю на беззвучно выжидающем «Камп Ноу». Это большая честь для меня — взять интервью у Лео и защитить то, что было издано и появилось в тот день на прилавках газетных киосков. Раздавались голоса людей, считавших, что это преувеличение. С того времени и до сих пор Лионель Месси, Лео, как он предпочитает, чтобы его называли, не перестает удивлять мир своими ударами и финтами. Апельсин — его напарник в то время — теперь покоится в герметично запечатанной фляге.

Журналист Роберто Мартинес действительно до сих пор хранит теперь всем известный апельсин в этой специальной упаковке.

В первое время Жоан Лапорта как глава клуба был очень либерален: улыбки и объятия «а-ля Кеннеди». После двух десятилетий старомодного и устарелого стиля управления клуб нуждался в полном пересмотре работы, и не в последнюю очередь в вопросах финансов. К июню 2003 года были проведены радикальные изменения: клуб модернизировал имидж, реструктурировал финансы и полностью перестроил инфраструктуру. Он также «каталонизировал» свой девиз и пересмотрел команду. В течение двух лет «Барселона» превратилась в один из самых признанных клубов, которым ныне восхищаются во всем мире.

Лапорта стал двигателем, который запустил все эти изменения, при поддержке Йохана Круиффа и спортивного вице-президента Сандро Розелла, который использовал свои бразильские контакты, чтобы привести в клуб, во-первых, Роналдиньо, а затем, позже, многих высококлассных бразильских футболистов. В тот первый сезон они привели в клуб Рикардо Куарежма, Рафу Маркеса, Хио ван Бронкхорста, а в середине сезона – Эдгара Дэвидса, который укрепил сильную линию нападения. Директор футбольного направления Чики Бегиристайн и тренер Франк Райкард составили остальную часть управленческой команды, которая намеревалась взять все самое лучшее из группы молодых и голодных футболистов.

После неудачного старта Райкард вывел свою команду на второе место в Лиге, выиграв у «Валенсии» Рафы Бенитеса. Роналдиньо забил 25 голов на всех соревнованиях, хотя его влияние, скорее всего, больше ощущалось вне поля, чем на нем. Его гипнотическое воздействие на поклонников, очарованных великолепной улыбкой и волнообразными движениями правой руки, вернули привязанность болельщиков «Барсы», снова получивших возможность гордиться своей командой.

Сандро Розелл внес свою лепту в изменения, происходящие в Академии. Хуан Коломер заменил Кима Рифе, отвечающего за молодежный состав, именно он рассказал о впечатляющих успехах молодого аргентинского парня, которого Розелл уже знал по работе с Nike – первым крупным брендом, который спонсировал Лео.

Тот сезон начался для Лео в июне с командой 16-летних, которую тренировал его соотечественник Гильермо Хойос, поклонник «Ньюэллса», недавно прибывший в клуб. Хойос никогда не видел Лео вблизи. На первой совместной тренировке все шло легко, Лео блистал с мячом. Уже через пять минут Хойос был поражен: «Месси был великолепен!»

Из-за чего же этот сезон стал незабываемым для Барселонской Академии?

Команда «Юниор В» поехала в Японию, чтобы принять участие в четвертом чемпионате Toyota International Youth Under 17 Football Championship. Их первыми противниками была голландская команда «Feyenoord». «Через четверть часа мы проигрывали со счетом 0:1, – объясняет Хойос в книге Тони

Фриероса. – Команде было трудно войти в игру... Я видел, что Лео сердится на поле, он начал просить передать ему мяч, и через полчаса игры он начал делать нечто потрясающее – обошел четырех защитников и вратаря, после чего дал убийственный пас Сонго'о». После четырех игр за Лео проголосовали, сочтя его лучшим игроком турнира. То же самое произошло на следующем турнире, проведенном в Ситгесе. И то же – в Сант-Висенс-де-Монтальт. И в Сан-Джорджио-дела-Ричинвельда в Италии. В последнем случае команда ребят, которым не исполнилось 16 лет, забили 35 голов в пяти играх, длящихся всего 45 минут. Они проиграли всего лишь один угловой. Но Лео на раннем этапе пропустил один пенальти. «Вратарь может сказать, что когда-то он сумел отбить пенальти, выполненное лучшим игроком в мире», – говорит Гильермо Хойос. В другом финале против «Ювентуса» Лео потребовал мяч и забил гол. На тренировках он, по требованию Хойоса, занялся пенальти. На решающей стадии его карьеры, следующим летом, это сослужило ему хорошую службу.

Тренер, который увидел в Лео прирожденного лидера, несмотря на его очень тихий нрав, дал ему нарукавную повязку капитана на несколько игр. «Я шокирован, Анхель, этот ребенок – точная копия Диего». Анхель Альколеа был помощником Хойоса. А Диего... есть только один Диего. До начала сезона, играя в команде «Юниор В», Лео проиграл всего одну игру против команды «Реал Мадрид».

Это было в тот момент, когда Пере Гратакос обошел одно из неписаных правил клуба, чтобы приобрести вихрь под фамилией Месси. Его встреча с Лео была случайной, но последствия ее будут просто ошеломительными.

Пере был тренером команды «Барселона В», которая играла во втором дивизионе Испании, на три уровня выше, чем команда «до 16 лет». Между этими двумя командами была «Барселона С» (игроки до 17 лет), а затем команда Гратакоса – первая, где заключаются профессиональные контракты. Перед началом сезона, где-то в августе, они делили поле около «Мини-Эстади» с молодежной командой. «Барса В» взяла себе половину поля, а остальная его часть делилась между двумя другими командами, – вспоминал он. – В то время как мои помощники готовились к тому, что мы собирались сделать, а я наблюдал за молодежью, в особенности за командой Гильермо Хойоса. И я увидел игрока, который принимал участие в коротком футбольном матче. Он был быстрым, словно наэлектризованным, и очень активным, владел мячом, прекрасно дриблинговал с ним и забивал голы».

Казалось, что у Лео, по сравнению с остальной частью группы, был дополнительный мотор, но что действительно произвело на Гратакоса впечатление, это скорость, которую спортсмен набирал с первых метров, и его эффективность на поле.

«Наша тренировка началась, и я сказал своим людям, что хочу некоторое время понаблюдать за этими игроками, поэтому приеду позже. В тот день Лео забил много голов. Когда он закончил, я сказал своему помощнику Арсени Комасу: «Я видел игрока у «Юниоров», который, как я думаю, должен тренироваться с нами». А он спросил: «В какой команде?» И я сказал: «По-моему, это была команда «до 16 лет», на что тот резонно предположил, что я сошел с ума. Тем не менее я заметил ему, что этот мальчик лучше, чем некоторые игроки, которые играют сейчас у нас в команде, и попросил посмотреть на него в течение недели, после чего мы сможеи принять решение. В конце недели он подошел ко мне и сказал: «Я думаю, что вы правы, он должен тренироваться с нами».

Гратакос и Комас отправились поговорить с директором отдела юношеского футбола, Хосепом Коломером. Они хотели взять Лео в команду «Барселона B». В той необычной команде «Юниоров» было еще несколько весьма выдающихся игроков, и Гратакос предложил перевести и их, чтобы замаскировать повышение Лео. Это были Ориоль Риера и Хорди Гомес. «Вы что, чокнутые?» – спросил у них Коломер, но все-таки одобрил их решение, хотя у него и были сомнения относительно телосложения Лео и того, сумеет ли он приспособиться на новом уровне. Однако Хосеп знал о значительных успехах мальчика. Всего два месяца спустя после начала тренировок под руководством Гильермо Хойоса 16-летний Лео начал соединять тренировки со второй командой «Барселоны» и игру с тренировками в команде «Yunior A» под руководством Хуана Карлоса Рохо.

«Они быстро перевели Лео и меня в команду «Yunior A», – рассказывал Жерар Пике. – Сеск только что уехал в «Арсенал». В этом возрасте обычно проводят сезон в команде «до 16», но Лео и я вошли в команду «до 17» и играли с футболистами на год старше, чем мы, и были отличной командой! Нашим тренером был Чечу Рохо, и в декабре они узнали, что я перехожу в «Манчестер», поэтому снова отправили меня в команду «до 16». Я пошел посмотреть команду Месси, и в матчах на Копа дель Рэй Лео в одиночку выигрывал все игры. Я помню один матч против «Osasuna» – это была игра «Лео против всего мира». При этом не забывайте, что соперники были отличной командой».

Месси забил 18 голов в 11 играх в команде «до 17 лет», один из которых был незабываемо точным ударом с левой ноги из центра поля, когда мяч вошел в финале товарищеского турнира в ворота, минуя вратаря «Betis».

У «Барселоны С» были проблемы – они выиграли только одну из своих 15 игр и находились в самом низу их группы в дивизионе – поэтому Гратакос и Коломер решили, что он должен играть за команду С, чтобы набраться опыта – это была его третья команда в том сезоне. «Мы видели, как он тренировался и играл с «Юниорами», – вспоминает Пеп Боада, тренер команды С – третьей команды «Барселоны». – Мы надеялись, что он способен дать нам что-то, и так оно и оказалось. У нас тогда был трудный период. Третий дивизион – очень тяжелый и коварный, а мы были командой с большим количеством молодых спортсменов. Лео появился как глоток свежего воздуха и правда во многом помог нам, и как группе, и каждому в отдельности. Мы барахтались в самом низу дивизиона, и Месси вдохнул в нас дополнительную энергию: в отличие от других, у него был дополнительный моторчик». Первая игра против европейской команды: победа «Барселоны С» со счетом 3:1.

Играя в этой команде, Лео забил пять голов в десяти играх, включая два гола за четыре минуты – это переломило ход матча против «Gramenet», который они проигрывали. Команда С вышла из кризиса.

Он играл за ту же команду на Кубке Испании против «Севильи». Работа по опеке уверенного в себе Месси пала на правого защитника: через восемь минут Лео забил три гола. То утро защитник никогда не забудет. Как его зовут? Серхио Рамос.

Месси продолжал делать огромные рывки вперед, он был всегда настроен позитивно и никогда не жаловался. «Он настолько любил футбол, что для него было трудно сказать кому-либо «нет», независимо от того, из какой тот команды, – говорит Боада. – Ему нужно было набраться сил, но тем не менее он сделал нас более способными дать отпор. Когда у Месси был мяч, это было откровение. Все остальные приходили в полный восторг и старались скопировать его стиль и технику. Это приводило к соперничеству, что было очень полезно для команды в целом».

«Впервые я увидел Лео приблизительно в 2003 году, – вспоминает Ферран Сориано, тогда недавно назначенный финансовым вице-президентом клуба. – Впервые о нем заговорил со мной директор отдела футбола Чики Бегиристайн: мы хотели найти способ облегчить его продолжающийся рост. Для начала мы перевели его в команду с более крупными мальчиками, которые помогли бы лучше протестировать его возможности. Помню об одном случае: он забил пять голов за одну игру, и мы сказали Чики, что так продолжаться не может. Мы должны были продвинуть его еще дальше».

Но Лео по-прежнему был физически слабым, и, несмотря на то, что он поднимался по карьерной лестнице, его физические данные продолжали создавать проблемы. «Нам было нужно нарастить ему мышцы, – говорит Гратакос. – Так, чтобы, когда он выйдет на поле против тридцатилетних мужчин, у него была достаточная масса тела, с которой так легко не справишься. Мы решили, чтобы Лео тренировался так же, как все остальные, но с большей физической нагрузкой».

Прекратив делать гормональные инъекции в четырнадцать лет, Лео должен был быть уверен, что его продвижение в футболе будет идти параллельно с ростом организма. В тот сезон, еще до вмешательства Гратакоса, Лео с отцом часто приходили на пустошь рядом с отелем «Juan Carlos» и «Камп Ноу», чтобы опробовать режим силовых тренировок, основанный на скорости и выносливости, начатый Гильермо Хойосом. Когда он начинал регулярные тренировки в команде «Барселона B» у Гратакоса, он сосредоточился на силе и скорости, стремясь увеличить массу мышц в ногах и укрепить нижнюю часть тела. Позже он попросил личного тренера Роналдиньо дополнить эту тренировку, надеясь уменьшить негативное влияние, которое могла оказать на столь юный организм столь суровая программа тренировок. А когда Лео не тренировался, он отдыхал, что было крайне важно для того, чтобы польза от физических упражнений не пропадала зря: каждый день у него была сиеста. Если он был дома – на диване.

Получалось, что Лео в результате тяжелой, но тщательно отслеживаемой работы постепенно рос.

«Мы тренировались в течение нескольких месяцев, – вспоминает Гратакос. – Обычно на тренировках я ставил его справа. Каждый вторник я встречался с Франком Райкардом, и мы говорили понемногу обо всем. Франк настаивал на том, чтобы копировать в команде B все, что существовало в основном составе. Роналдиньо играл слева, несмотря на то, что ведущей у него была правая нога, в то время как Хьюли был справа. Лео делал то же, что и Ронни, но справа; имея ведущую левую ногу, он со своими хитроумными пробежками пробегал издалека в опасную зону, двигался внутрь и забивал гол или противостоял защите. Иногда я ставил трех молодых игроков (Пако Монтанес, Ориоль Риера и Лео) в трех позициях нападения – это был способ помочь им развиваться».

Сначала, когда Лео попросили, чтобы он тренировался с командой В, с ребятами, которые были старше на четыре года, Лео чувствовал, что его опять выбили из колеи, и испытывал дискомфорт. Комплект для игры хранился в шкафу в раздевалке, и все должны были переодеваться на глазах друг друга. Лео, окруженный новыми лицами, не мог избавиться от своей застенчивости, и наклонив голову, забирал вещи и шел искать новое место для переодевания. Это была немного запутанная ситуация: он был игроком «Барселоны», но не какой-то конкретной команды. С одной стороны, это было удивительное время, потому что Месси двигался по карьерной лестнице с головокружительной скоростью, но, с другой, это очень сложно выдержать психологически.

День его дебюта в «Барселоне В» приближался. Неотвратимо. Но до этого его ждал сюрприз. Подарок.

ВОСКРЕСЕНЬЕ, 9 НОЯБРЯ 2003 ГОДА

Лео Месси забивает хет-трик, играя за команду Хуана Карлоса Рохо против «Граноллерз».

ВТОРНИК, 11 НОЯБРЯ 2003 ГОДА

Пере Гратакос встречается с Франком Райкардом, который уже работает в клубе в течение семи месяцев. Голландец активно интересовался мнением руководства Академии. Они говорили о молодежной организации клуба, об игроках.

– Кого вы получили на этой неделе? – спросил Франк.
– Мы пробуем Новелду.
– Ну, Пере, я надеюсь, что это не слишком нарушит ваши планы, но в тот же день они играют товарищескую встречу против «Опорту», и мне нужны все, вместе с национальными сборными.

«Барселона» была приглашена участвовать в открытии нового стадиона «Опорту», построенного как раз к европейским чемпионатам, которые должны были проводиться в Португалии в следующем году.

– Возьмите кого хотите. Можете выбрать из молодых игроков, которые недавно вошли в нашу команду, хотя они всего лишь юниоры: Ориоль Риера и Лео Месси, мальчик из Аргентины. Было бы хорошо, если бы вы могли взять их с собой.

– Ориоль и Месси?
– Да.
– Где они играют?
– Месси вы можете поставить на поле куда угодно.
– Уверены?
– Возьмите их, на следующей неделе мы встретимся, и сами скажете мне свое мнение.
– Хорошо, отлично.

СУББОТА, 15 НОЯБРЯ 2003 ГОДА

«Я пишу тебе, чтобы сообщить некоторые, действительно хорошие новости, как ты меня и просил. Сидишь? В ВОСКРЕСЕНЬЕ Я ПРИГЛАШЕН В ПЕРВЫЙ СОСТАВ НА ТОВАРИЩЕСКУЮ ВСТРЕЧУ ПРОТИВ «ПОРТУ» ИЗ ПОРТУГАЛИИ. ЭТА ИНФОРМАЦИЯ ДОРОГО ТЕБЕ ОБОЙДЕТСЯ. ПОЛУЧИ ПОДАРОК. ХАХАХА. Ну, я надеюсь, что вы все еще живы после этого сообщения. Я вас очень люблю. Молитесь за меня и пожелайте мне удачи. Чао, целую».

**Электронное письмо от Лео Месси другу,
в котором он сообщает ему о приглашении в команду**

В то утро первый состав – или то, что от него осталось – тренировался с некоторыми игроками команды В, которые должны были поехать в Порту на следующий день. Лео Месси был также приглашен, но в то утро он тренировался с командой «до 17 лет». В тот вечер он долго не мог заснуть. Он продолжал мысленно повторять себе, что это вечер перед возможным дебютом в основном составе ФК «Барселона». Он представил себе поездку в аэропорт и спросил себя, кто встретится ему в коридорах на пути к самолету, кто будет сидеть рядом с ним. Он представил, как сидит на скамье на стадионе. Его зовут на разминку. Дебют. Пусть даже в течение минуты или двух. Затем он заснул.

ВОСКРЕСЕНЬЕ, 16 НОЯБРЯ 2003 ГОДА

В аэропорту Прат Франк встретил мальчиков из команды В, которые присоединились к его подопечным, а также четырех юниоров – Хорди Гомеса, Ориоля Риеру, Хавьера Хинарда и Лео Месси, который теперь играл за пятую для него команду в этом сезоне – неслыханное явление для клуба. Фотокорреспонденты сделали несколько снимков команды, запечатлев серьезные выражения лиц самых молодых ее участников, хорошо маскирующих свой энтузиазм – настолько хорошо, что они казались совершенно невозмутимыми. Но, по правде говоря, во время этой первой поездки со старшими ребятами они были настоящим комком нервов. Пресса была в аэропорту в тот день для того, чтобы запечатлеть возвращение Рональдиньо из Бразилии, где он сделал две игры для своей страны и чье прибытие совпало с отъездом его товарищей по команде в Португалию.

Мальчики всюду ходили вместе. Говорили мало.

– Я думаю, что был последним, кто мог предположить, что поеду в Порту, – сказал Хавьер Хинард, вратарь.

– Мой отец сказал мне в четверг вечером – заметил Лео. – Коломер сказал ему, что, вполне вероятно, они возьмут меня в Порту, но это еще не было решено. Позднее они подтвердили свое решение, и отец сообщил мне. Я никому ни слова не сказал об этом.

– Ну, это появилось в газете, оттуда я все и узнал, – сказал Хорди Гомес.

Капитан команды Луис Энрике поприветствовал их в своей привычной дружелюбной и шутливой манере, которая сразу сломала лед и успокоила нервы.

– Парни, не забудьте это! – закричал Луис Энрике. Он указал на сумки, принадлежащие игрокам первого состава, которые их попросили притащить. – Привет, парни!

Знакомые лица (Рафа Маркес, Луис Гарсия и Хави, который все еще оставался в «Барселоне») и более опытные игроки Академии (Хоркера, Наварро, Олегер, Оскар Лопес, Рос и Сантамария) следили за тем, чтобы младшие ребята не отрывались от группы, и говорили им, куда идти и что делать. Все приглашенные ребята должны были добраться до их общей раздевалки. В тот день Лео, Ориоль, Хорди и Хавьер были просто именами, которые никто не собирался запоминать. Именами, которые, конечно, никто даже и не пробовал запомнить.

С командой, рядом с Франком Райкардом, стоял директор отдела футбола Чики Бегиристайн.

– Это хорошая игра для молодых.

– Вы видели Лео? – спрашивал Франк.

– Они говорили со мной о нем. Мы ехали вместе в лифте в тот день, когда он приехал в Барселону. Это тот, который играет за «Юниоров», так? Великий футболист, не так ли?

– Посмотрим.

– Он кажется очень маленьким, немного хрупким. Возможно, все это несколько рановато для него? Надеюсь, что его не травмируют.

– Давайте попробуем, чтобы посмотреть, что он из себя представляет.

– Вы храбрый малый, – язвительно заметил Бегиристайн.

– В группе есть очень маленький парень, это он? – спросил помощник Райкарда.

– Лионель Месси, – ответил спортивный директор.

Вместе с ним на чартерном рейсе полетели Хорхе Месси, Селия и брат Родриго. Спустя всего два года и девять месяцев после той первой семейной поездки в Барселону Лео собирался надеть футболку первого состава.

Перелет был недолгим, команда поела в отеле, пришло время отдыха, и, когда стемнело, они отправились на новый стадион «Estádio do Dragao» в Порту. Никто не помнит ничего о том, что Месси, как обычно, обошел поле, мокрое и неровное. Тем не менее стадион выглядел весьма внушительно: 50 000 мест на трибунах и крыша сверху. Прожектора уже заливали светом стадион. Противниками была команда «Порту» Жозе Моуриньо.

Вернувшись в раздевалку, Франк поговорил с командой, не подтверждая, будет ли играть молодняк. «Возможно», – единственное, что он сказал им на стадионе.

И затем он назвал игроков:

Хоркера; Оскар, Рос, Олегер, Фернандо Наварро; Маркес; Габри, Хави, Сантамария, Луис Энрике; Луис Гарсия.

В «Порту» играло несколько известных футболистов: Витор Баия, Секретарио, Карвальо, Манише, Тиаго.

Во время игры «Порту» воодушевилась, а «Барселона» позволила подавить себя. Ориоль Риера заменил Роса, Тиаго – Габри, Хорди Гомес – Сантамарию, а Экспозито – Луиса Гарсию. Было 25 минут до конца товарищеского матча. «Право, давай поставим и мальчика», – сказал Франк тен Кейту. «Разогревайся, сынок», – произнес Райкард, положив руку на плечо Лео – тот был возбужден, сердце громко стучало, но он хотел играть.

Ему было 16 лет и 145 дней, и он больше не мог ждать. На нем была футболка с номером 14 Йохана Круиффа.

Он разогрелся за десять минут. «Сынок!» – закричал тен Кейт. Пришла его очередь.

Он вошел в игру на семьдесят пятой минуте, заменив другого игрока академии, Фернандо Наварро. Футболка была ему велика.

Сидевшие на трибунах Хорхе и Селия не могли сдержать слез. «Это правда, мы действительно плакали. Для нас это было осуществлением мечты, потому что мы никогда не думали, что он дебютирует в тот день, – вспоминал Хорхе Месси в интервью для *Informe Robinson.* – Мы думали, что его присоединили, чтобы набрать нужное число игроков. А затем они вызвали его и предложили разогреваться. Нет, конечно, нет. И когда он вышел на поле, ну, в общем, да, мы плакали. Я полагаю, что это была награда за жертвы, которые ему пришлось принести».

Фернандо Наварро, который покинул поле с очень серьезным выражением лица и едва взглянув на дебютанта, творил историю, даже не осознавая этого: «Когда я вижу по телевизору, как Месси заменяет меня... Я практически выдохся. Я не играл в течение года из-за травмы и был расстроен из-за того, что мне пришлось уйти с поля. Ну что ж, теперь, глядя в прошлое, я понимаю, что Лео теперь лучший игрок в мире – или вообще самый лучший? И он заменил меня! Но помните – в тот момент меня сменил юниор!»

Лео мог забить два гола. Вскоре после выхода на поле у него образовался первый шанс: свободный мяч, который вратарь удачно перехватил, но вторая возможность была более определенная: он забрал мяч у вратаря, и при пустых воротах он решил, что у него меньше пространства, чем было на самом деле, и передал мяч Ориолю. Тот должен был забить гол.

«Конечно, я помню тот пас. То, что он сделал в тот день, раньше он делал и в молодежных командах. Некоторые из нас ничуть не удивились», – рассказывает Ориоль Риера.

Немного позже он сцепился за мяч с защитником, потерял контроль над движением по полю, которое не было гладким, и «Блоха» упал.

«Казалось, что он играл с нами всю жизнь, его движение по полю было невероятно естественным. В первый раз, когда мяч пришел к нему, он создал шанс для гола. Во второй раз он почти забил гол, – вспоминает тен Кейт. – Если вам пятнадцать или шестнадцать лет и в игре вроде той, против «Порту» при открытии нового стадиона, полного людей, вы делаете такое, значит, вы – что-то особенное. Франк и я посмотрели друг на друга. «Черт возьми? Вы это видели?» «Да, это было здорово», – подтверждает Чики Бегиристайн. «Я был возбужден, потому что провел весь матч на скамье, я думал, что Райкард даст мне дебют хотя бы в десять минут» – говорит Хинард, единственный из четырех юниоров, который не был введен в игру.

Как вспоминает Фернандо Наварро, на скамье Лео был главной темой для разговоров: «Мы были поражены его индивидуальностью, его дриблингом, его зрелостью. Ему было всего шестнадцать лет, и я не знаю никого, кто бы не нервничал на своем дебюте в первом составе. Но парень включился в игру так, как будто играли юниоры». «Барселона» проиграла со счетом 2:0, но Райкард обратился к молодежи, чтобы поздравить их с дебютом. То же сделал Наварро и старшие игроки. «Знаете что? Я никогда больше не напоминал ему, что был тем парнем, кто ушел с поля, когда он дебютировал – я играл против него несколько раз с «Майоркой», а теперь – с «Севильей». С тех пор прошло десять лет. На юбилее я буду во всех сводках новостей – мне придется потребовать авторское право!» Лео прокомментировал Хорди Гомесу и Ориолю Риере, что предпочтет отпраздновать свой дебют победой. «Тот первый шанс – мой позор», – сказал он им.

Райкард упомянул его на пресс-конференции: «Месси создал два голевых момента и почти забил гол. У него большой талант и очень многообещающее будущее».

«Я помню, как он шел мимо зоны прессы со склоненной головой, и даже присел, слишком смущенный, чтобы смотреть прямо в глаза, – говорит журналистка Кристина Куберо. – Я всегда говорила, что на поле у него есть необходимая сила, но вне поля он сжимается в комок».

Вот что он сказал журналистам: «Я всегда хотел дебютировать в первом составе, и теперь моя мечта сбылась. Я надеюсь, что в будущем смогу продолжать играть за основной состав... Внезапно мне дали эту возможность, которой я так долго ждал...»

– Моуриньо? Нет, он ничего не сказал, потому что ничего не знал об этом парне, – говорит тен Кейт сегодня о той давней игре.

После матча технический штат охватила явная эйфория. Хенк, Чики и Франк говорили о Лео.

– Посмотришь, что еще будет, Франк.

– Нам надо поставить его с Рональдиньо.

– Он бегает как пуля.

«Думал ли он, что окажется там, где он есть? – спрашивает Ориоль Риера. – Это вопрос, который мне задавали много раз за последние годы. Никто, возможно, и не предполагал, что он сумеет добраться туда, где он сейчас, да еще за такой короткий промежуток времени».

Той ночью Хио ван Бронкхорст, в то время бывший со своей национальной сборной Голландии, услышал телефонный звонок. «Я видел игрока. Он совершенно невероятный, колоссальный талант. Он будет новым Рональдиньо». Звонил тен Кейт. «Я не видел, как он играл, но когда Хенк сказал мне, насколько он хорош, я посмотрел видео на YouTube. Только видя, как он бежит с мячом, понимаешь, что перед тобой – нечто особенное».

Лео, совершенно счастливый, возвратился домой с родителями и Родриго. Они приехали на Гран Виа Карлес III в пять утра.

Месси отдал ту светло-коричневую футболку с номером 14 своей маме. Теперь она висит в ее доме в Росарио.

ПОНЕДЕЛЬНИК, 17 НОЯБРЯ 2003 ГОДА

Семья проснулась в конце следующего дня, но за стол они сели вместе. Паста «Миланезе» была приправлена счастьем. Перед обедом Лео послал несколько электронных писем друзьям. «Я реально счастлив, как все прошло, все относились ко мне реально хорошо, но теперь я просто ненавижу то, что люди начали говорить обо мне. Я надеюсь, что они будут говорить меньше. Даже при том, что все было реально хорошо».

ВТОРНИК, 18 НОЯБРЯ 2003 ГОДА

Пере Гратакос встретился с Франком Райкардом, как это обычно бывало по вторникам.

– Мы сыграли с «Новелдой» 2:2. Это было неплохо, с учетом того, что вы оставили нас с минимумом игроков – сказал ему Гратакос.

– Мы проиграли 2:0. Давайте посмотрим, как вернутся игроки национальной сборной, мы должны победить, Лига будет сложной.

– Да.

– Рональдиньо здесь уже с воскресенья, и он нормально тренируется.

– Да. Послушайте, Франк, а что насчет Месси?

– Ах, Пере. Игрок, который выходит на поле и через шестнадцать минут создает один голевой момент, почти забивает гол и становится человеком матча – этот мальчик должен быть с нами.

– Что мы сделаем?

– Позвольте ему продолжать играть с командой «Юниоров» или, лучше, с вашей командой B, но сделайте так, чтобы один день в неделю он тренировался с основным составом. Затем два дня, потом три. Давайте посмотрим, как он с этим справится.

Хавьер Хинард провел три года, играя в более низких разрядах команды «Барселоны», прежде чем он вернулся в родную «Майорку». Сегодня он играет во втором подразделении в Испании. Хорди Гомес играет в «Wigan». Ориоль Риера теперь в «Osasuna», он забил значительное число голов во втором дивизионе Испании.

Что касается Лео, тренеры согласились, что нет способов остановить этого молодого бычка. За столетнюю историю клуба только два футболиста дебютировали в более юном возрасте, чем Месси: Паулино Алькантара в 1912 году и нигериец Аруна Бабангида, который играл в конце девяностых при Луи Ван Гаале.

Лео ежедневно начинал тренировки с командой «Барселона B» и иногда присоединялся к основному составу. В позиционных играх и чеканке он не боялся столкнуться с игроками старше себя. Лео устраивался на новом месте, прочно вставал на ноги и, что еще важнее, обретал более уверенную и смелую манеру игры. Мало что может определить место футболиста в игровой иерархии лучше, чем то, как он просит мяч, как он возвращает его, как он держится вне центра, как он демонстрирует свой талант, как он упорно старается овладеть самыми сложными мячами – все это определяет положение игрока в группе. У шестнадцатилетнего Лео было всего две недели, чтобы продемонстрировать свои способности. В итоге он стал одним из «мастеров чеканки», как называли его тренеры.

В любом случае Гратакос знал, что у Лео свой стиль игры, он чувствовал, что тот слишком сильно берет игру на себя. Гратакос попытался исправить Лео, как до него это пробовали сделать другие тренеры в низших разрядах «Барселоны». «Это командная игра, Лео. Когда ты берешь мяч, ищи способ сделать пас. Когда мяча у тебя нет, делай все возможное, чтобы его тебе передали, чтобы ты тоже мог принять участие в игре», – кричал ему тренер. «А он внезапно обошел троих, провел мяч мимо вратаря и забил гол... и что я мог на это сказать?» – признает Гратакос. «Бывали тренировки, на которых у меня просто отвисала челюсть. Он всегда хотел победить – и во время тренировки, и на коротких матчах. Его мотивированность была просто невероятной. Иногда я говорил ему: «Если на матчах ты будешь играть с такой же страстью, что и на тренировках, нас никто не побьет».

5 марта 2004 года Лео позвали в команду «Барселона B», чтобы играть против «Матаро». Пере Гратакос так вспоминает об этом:

«Мы пошли потренироваться в парк рядом с Диагональю. Мы спускались к «Мини-Эстади». Я шел следом за Месси, потом обогнал, посмотрел на него и сказал: «Лео, как дела?»

«Все отлично, босс».

«Ты играешь в воскресенье».

Он просто посмотрел на меня.

«Не волнуйся, ты просто должен играть так же, как на тренировках».

«Хорошо-хорошо, босс».

«Если по какой-то причине ты не сыграешь хорошо или что-то пойдет не так, как задумано, не волнуйся: в следующее воскресенье ты начнешь снова. Если и в следующей игре ты не покажешь себя – никаких проблем. Но если после четырех игр ты не начнешь играть – я отошлю тебя назад, в команду «Юниоров».

«Хорошо, договорились, босс, большое спасибо».

«Ты стал намного сильнее, я вижу, что ты теперь почти на том же физическом уровне, что и остальные – это волновало меня больше всего. Просто играй так, как будто ты тренируешься».

«Хорошо».

«Конечно, Лео привык играть с командами «до 16» или «до 17», где забивал по три или четыре гола за игру, – вспоминает Пере Гратакос. – В команде Пепа Боады третьего дивизиона «Барселона С» он забивал один или два гола, что уже является настоящим подвигом. А когда он начал играть с нами, это подняло планку игры еще выше, потому что это был более высокий дивизион, крупные и опытные спортсмены. Физические данные Месси улучшились, что позволяло ему убегать от защитников, но он все еще не мог конкурировать с ними на равных. Первая игра была против «Матаро», и Месси сыграл средне: по-моему, дважды коснулся мяча, не больше». Это были двадцать восьмые выходные сезона, он начал игру, провел большую ее часть на поле, и на девяносто первой минуте его заменил Санчо. Месси получил «желтую карточку». «Барселона» победила со счетом 1:0.

Следующая игра проходила в Таррагоне. На трибунах сидели члены обоих клубов. Альфред (Чип) вспоминает:

«В то время Месси был очень хорошо известен в низших разрядах футбольного клуба «Барселона», как, например, ранее Жерар Делофе. В тот сезон я пошел посмотреть только одну из игр «Gimnastic de Tarragona». До этого по телевизору я уже видел, как молодой аргентинский парень дебютировал в команде B, которая показалась мне технически одаренной и классной. Если я правильно помню, он поднялся на значительное число ступенек по карьерной лестнице за очень короткий промежуток времени. Я хорошо провел время на той игре: всем, кто спрашивал меня на VIP-трибуне нового стадиона, почему я приехал в тот день, я отвечал одно и то же: «Лео Месси: запомните это имя, потому что он будет играть в основном составе «Барселоны» и станет звездой». Лео играл только в первом периоде, потому что Пере Гратакос заменил его в перерыве. Кого-то удалили, и игра стала очень агрессивной. Несмотря на то, что первая половина игры прошла очень хорошо, временами просто классно, я думаю, что Гратакос заменил его, чтобы защитить, потому что Лео тогда было всего шестнадцать лет».

Это было правильно: игра против «Nastic» происходила спустя восемь дней после его дебюта в игре против «Матаро», и Лео не играл вторую половину матча, который закончился со счетом 0:0. Гратакос продолжает: «Вторая игра прошла немного лучше, но не очень. В третьей игре он сыграл еще лучше, но не попадал в ворота, а Лео обычно привык решать исход дела, забивая. В тот момент он не сделал решающих действий и забеспокоился, потому что привык производить сильное впечатление везде, куда бы он ни пошел. С нами же он хотел этого добиться, но не мог».

Лео чувствовал, что не проходит тест, что у него не получается, что дела идут не так, как надо. Он выходил на поле очень напряженный и уныло уходил в раздевалку после игры.

«Лео, не волнуйся, играй так, как ты умеешь, голы придут», — сказал ему Гратакос.

«Началась четвертая игра против «Хироны». И Месси забил гол. Он был лучшим игроком на поле. Мы спустились в раздевалку, посмотрели друг на друга и обнялись. И тогда я сказал ему: «Я увижусь с тобой завтра на тренировке», — вспоминает Гратакос. — В том сезоне он сыграл с нами пять игр».

Так это было или несколько иначе — неважно. Как это часто бывает, легенда заменяет историю. Ту игру выиграла «Хирона» со счетом 1:0. В следующем сезоне, в игре второй лиги, «Барселона B» встретилась с «Хироной», и команда Лео победила со счетом 2:1: Месси забил свой первый гол с этой командой, выступив в общей сложности в семи играх.

Гратакос ничего не придумал. Тень легенды омрачила его память и, вспоминая те дни спустя много лет после того, как все произошло, Гратакос воспроизводит более красивую историю. Воспоминания иногда начинают жить своей жизнью. Читатель сам решит, какую версию первого гола Месси для команды «Барселона B» предпочесть.

Вскоре Гратакос понял, что игра Лео улучшается или ухудшается в зависимости от того, кто играет рядом с ним в нападении.

К концу того сезона, а особенно в следующем, когда Лео сыграл 17 игр в команде B, Пере стало ясно, что для того, чтобы использовать способности Лео по максимуму, нужно не совмещать его с форвардом, одержимым забиванием голов, а поставить его с сильными игроками вроде Хоана Верду и Серхио Гарсия, которым по нраву быть рядом с мобильным форвардом, вроде Лео. Он, возможно, был на четыре года моложе, но эти трое уже говорили на одном футбольном языке. Так, постепенно, Гратакос начал выстраивать команду, держа в голове Лео.

Планируя сезон с участием Месси, тренеры различных команд, в которых он играл, встречались каждый четверг и решали, какая команда нуждается в нем больше всего. В результате в том сезоне он провел часть времени в команде «до 16 лет» в последних трех играх Лиги, помогая им завоевать титул чемпионов, несмотря на проблемы с пахом, из-за которых он не мог тренироваться. «Кто-нибудь другой мог запутаться», – рассказывает Хуан Карлос Рохо. По правде говоря, в тот год Лео так полностью и не покинул команду «Юниоров»: он часто проходил мимо и видел, как играют его товарищи по команде – мальчишки его возраста, – и даже участвовал в технических переговорах команды между периодами.

В сезоне 2002/03 Месси забивал голы в четырех из пяти команд, за которые он играл: в общей сложности он забил 35 голов в официальных играх и больше 50 – на всех соревнованиях.

«Еще недавно у нас не было ничего, и вот внезапно мы добились всего, о чем мечтали, – вспоминает Хорхе Месси в разговоре с аргентинской прессой. – Это произошло настолько быстро, что у нас, как оказалось, не было ни времени, ни места, чтобы переварить это, отпраздновать, насладиться». Пере Гратакос любит говорить, что в том году у Лео было 10 отцов и 75 братьев – столько же, сколько тренеров и товарищей по команде.

Остается лишь одно сомнение: действительно ли было необходимо требовать столь много от шестнадцатилетнего мальчика? Не лучше ли для него было пройти каждую стадию процесса взросления? Думала ли «Барселона» о самом футболисте, когда вынудила мальчика быстро проскочить столько стадий в карьере? Или они просто были сосредоточены на победе на соревнованиях и способах сохранить свое место? Каковы были приоритеты в работе с игроком, которому исполнилось всего 16 лет? Каковы были физические и психологические нагрузки на футболиста, или, по сути, на любого человека, которого называют в команде особым игроком и к которому предъявляются особые требования: добиться победы любыми силами?

Спустя одиннадцать месяцев после его дебюта в Порту, за семь месяцев до первого матча в команде «Барселоны B», Лео выходил на поле в «Камп Ноу» с основным составом клуба на официальный матч.

В то же самое время он сделал запись следующей рекламы – в то время он все еще сотрудничал с Nike:

http://www.youtube.com/watch?v=TpG2mP586Yc

В ролике вы видите Месси и других многообещающих молодых игроков «Барселоны» (Джонатан Дос Сантос, Рикардо, Исма), играющих на пляже, на улице, на Рынке Бокерия в Барселоне, в раздевалке. Вы слышите гимн «Барселоны», который исполняют на расстроенной электрогитаре в стиле Джимми Хендрикса. В конце мальчики поворачиваются к камере. Последний, кто вышел после штрафного удара, был аргентинец.

«Запомните мое имя: Лео Месси».

Мир начал замечать Лео.

Глава 3
ЧЕМПИОН

Это землетрясение. Где? В Ла-Плате, Аргентина. Вы уверены? Очень похоже. Именно так это событие было зарегистрировано в Отделе сейсмографической информации департамента погоды в Астрономической обсерватории Ла-Платы. Подтверждено. Землетрясение. Зарегистрирован толчок силой больше шести баллов по шкале Рихтера.

Это было 5 апреля 1992 года. Футбольный матч шел полным ходом. Гол сотряс землю в прямом смысле этого слова.

В целом это была такая же игра, как и любая другая на поле «Estudiantes» в Ла-Плате. В этом не было ничего особенно незабываемого. Это была обычная местная игра: стычки и соперничество достигли своего пика, но это не было, конечно, соревнованием за чемпионство в Лиге или матчем за какой-то титул – всего лишь седьмые выходные турнира Clausura.

Игра превратилась в тяжелое физическое соперничество. На 54-й минуте игры уругвайский крайний нападающий Хосе Пердомо вот-вот должен был заработать прозвище, которое приклеилось к нему на долгие годы. Пробивали штрафной удар против команды хозяев поля «Estudiantes». Пердомо поставил мяч, сосредоточившись на воротах, находившихся приблизительно в 35 метрах от него. Марсело Йомо, вратарь, приготовился защищать свою шестиметровую площадку.

Пердомо двинулся вперед, нацелившись и собрав всю силу, которую смог в себе найти.

Вратарь мог только наблюдать, когда мяч пролетел, как ракета, точно внутри правой стойки.

Гоооол!!!!

На трибунах тысячи болельщиков «Gimnasia» поднялись, как один, и завопили с такой радостью и страстью, что их крик буквально встряхнул Ла-Плату. Такого никогда не происходило прежде, и, наверное, никогда не произойдет снова нигде в мире.

113-я игра между этими двумя командами закончилась победой гостей благодаря единственному голу, забитому Пердомо, получившему после этого прозвище «Землетрясение».

Футбол порождает страсть везде, где пускает свои корни, но в Аргентине он буквально переворачивает землю. Почему так? Как и везде, футбол отражает состояние общества, но в Аргентине это, кажется, отражение в кривом зеркале: все, от энтузиазма до легенды, умножается и преломляется. В этом есть привлекательность и... опасность.

Комментатор по внешней политике и экономике, Энрико Уденио в своей книге La Hipocresia Argentina (2008) рисует весьма пессимистическую картину. Он говорит: «Аргентина – это невротическое общество, в котором жители чувствуют себя нереализованными и вынужденными действовать самым самоубийственным образом. Это общество, которое в прошлом жаждало величия, но в действительности оказалось неспособным удовлетворить свои основные потребности, такие как жилье, еда, здоровье, образование и безопасность, вплоть до самых возвышенных требований, особенно духовных и интеллектуальных устремлений своих членов». Именно здесь таятся корни этой чрезмерной, болезненной страсти.

«Это – общество, члены которого не только не способны достичь благополучия, но и постоянно испытывают ощущение угрозы, – продолжает Уденио. – Подобная ситуация создает хронический стресс, признаки которого обычно проявляются в форме усталости, чувстве бессилия, депрессии, бессонницы и отказа реагировать на раздражители. Это – общество, которое рождает мечты и, когда они не реализуются, смотрит вокруг и ищет, на кого можно возложить за это вину. Аргентинцы очень быстро находят виноватых в застое – «дьявольские фигуры», – как называет их Уденио, – это разочарование и неудовлетворенность, которые превращаются в «психологическую иррациональность» и стремление видеть все в черно-белых тонах вместе с «акцентуированным эмоциональным принуждением». Это помогает вознести некоторых представителей этого общества на уровень богов с той же самой скоростью и легкостью, как и превратить их в демонов», – завершает этот автор итальянского происхождения, который с детства жил в Латинской Америке.

Испанский философ Хосе Ортега-и-Гассет видел то же самое сто лет назад: «Аргентинец – лихорадочный идеалист: представляет свою жизнь такой, какой она в действительности не является, проводит жизнь в поисках своего идеала. По сути, аргентинец – это то, каким он себя воображает».

Сначала все начиналось очень хорошо: богатые земли, изобилие, цель долгого пути иммигрантов. «Эльдрадо половины Европы», – как сказал писатель Маркос Агуинис в своем эссе «Ужасное наслаждение быть аргентинцем» (El Atroz Encanto de Ser Argentinos). Пятьдесят лет назад это все еще была одна из самых богатых стран в мире, породившая множество художников, ученых, политических деятелей и писателей.

Но по мере того, как Аргентина все дальше дрейфовала от своего «великого предназначения», которое почти скрылось за горизонтом, футбол стал сосредоточием всех надежд разочарованной страны. «Я думаю, что мы – страна, которая полагала себя предназначенной для великих свершений, больших успехов, но что-то пошло не так, как надо», – размышляет писатель Эдуардо Сакери, по роману которого «La pregunta de sus ojos» был поставлен фильм «Тайна их глаз», получивший премию «Оскар». «Нам очень трудно примириться с этим. Мы оказались не предназначенными для величия, но, тем не менее, мы отлично играем в футбол – поразительно хорошо. Помните, что нас не так уж и много. Мы говорим, что в Бразилии фантастически играют в футбол, но там живет 190 миллионов человек, а в Аргентине нас – максимум 40 миллионов, но мы все еще можем быть популярными и держаться как одна из лучших футбольных команд в мире».

Но эта чрезвычайная страсть к футболу означает, что аргентинцы ослеплены не только успехами (полагая, что они наконец достигли Земли обетованной), но также и поражениями. Они полагают, что все хорошее и плохое происходит исключительно с ними. «Наша «неизбежность величия» является чистой выдумкой. Бог не аргентинец, и нет смысла утверждать, что Аргентина – лучшее место в мире... По крайней мере, теперь мы можем смеяться над собой, что было далеко не всегда, особенно, когда мы были заперты в узких рамках национализма», – настаивает Маркос Агуинис.

«Аргентина лежала в руинах в течение полутора поколений, и мы до сих пор не достигли дна, – утверждает Лилиана Грабин. – Когда вы не можете чувствовать себя аргентинцем по какой-то причине и начинаете терять ощущение принадлежности своей стране, вы принимаете любую идею, которая дает надежду. Футбол дает нам ощущение самодостаточности, которое позволяет нам чувствовать себя прочно стоящими на земле. Вы говорите «Я аргентинец», и слышите: «Марадона», а теперь еще и «Месси» и «Папа Римский». Да, это – Аргентина».

Как ни странно, двое из недавних беженцев из Аргентины стали двумя самыми известными людьми в мире: Папа Римский Фрэнсис и Лео Месси. Королева Нидерландов Максима – еще один пример выходца из Аргентины, хотя и на другом уровне. Есть много аргентинцев по рождению, умерших за границей и достигнувших международной известности: Че Гевара, Хосе де Сан-Мартин, Хорхе Луис Борхес, Хулио Кортасар, Карлос Гардель. Лилиана объясняет: «Казалось, что вы можете полнее ощущать себя аргентинцем, живя за пределами страны, а не внутри ее. Те из нас, кто живет здесь, вынуждены принимать как данность мрачные факты о коррупции и разочарование от того, что люди больше не поют государственный гимн. Те, кто уезжает, уносят с собой идеал родины и чувство патриотизма, которое легче поддерживать вдали от страны».

Но всегда футбол – замена официальной религии. Серому миру низких экономических показателей, безработицы, неверия и общего разочарования футбол придает цвет, украшает жизнь людей. В стране, терпящей неудачу практически в каждой области, только футбол еженедельно обеспечивает положительные результаты. Как комментирует Серхио Левински: «Многие заходят настолько далеко, что готовы утверждать: государственный герб следует заменить аргентинской футболкой, потому что она более точно отображает то, чем является Аргентина, чем все прочее вместе взятое. Это единственная область, в которой мы побеждаем».

При этом футбол – прекрасная питательная среда для расстройства, неосуществленных мечтаний, источник демонов, богов и всей гаммы человеческих эмоций – хороших и плохих. Сакери добавляет: «В стране, где нас приучили, что каждый сам по себе практически всегда, где процветает пылкий индивидуализм, национальная сборная – единственное, что нас объединяет, потому что даже аргентинец, ставший папой римским, оказался неспособным нас объединить. После его избрания мы начали драться не на жизнь, а на смерть, выясняя, был он хорошим человеком или плохим».

Что поставлено на карту в аргентинском матче: принципы, гордость, мировосприятие или просто некие преимущества и титулы? «Футбол всегда дает любому парню из бедного района право иметь то, что было отобрано у него еще в колыбели: гордость». В этом убежден футбольный тренер и интеллектуал Анхель Каппа: «В футболе я могу стать кем-то в самом глубинном смысле этого слова. Я обретаю чувство собственного достоинства и уважение людей. В пригородах тому, кто лучше всего играет в футбол, обеспечено самое глубокое уважение. Какие еще у него есть средства не только стать известным, но заявить о себе как о личности? Только мяч. Умение хорошо играть имеет огромное значение».

Игра на поле идет не только ради очков, но еще и ради возможности обрести чувство собственной значимости, завоевать восхищение окружающих. Практически все мужское население и большой процент женщин играют или вовлечены в организацию подобных соревнований. «В пригороде человек, который не играет в футбол, – редкость. Игра служит отправной точкой для формирования всех жизненных правил, – продолжает Каппа. – Футбол учит, как быть храбрым, чтобы победить страх перед поражением, перед неудачей, перед потерей мяча. Он также учит поддерживать баланс между успехом и поражением, потому что вы знаете, что порой совершенно глупая малость может означать различие между успехом и поражением. В результате вы становитесь мудрее. В глубине души вы понимаете, что можете преуспеть в игре или проиграть, потому что иногда вы удачно бьете по мячу и он ударяет в штангу, а в другой раз вы промахиваетесь по мячу, а он все равно попадает в ворота. По-моему, это очень важно. Но, прежде всего, речь идет об уважении».

Ныне, как и повсюду, аргентинский футболист стал наемным работником, парнем, имеющим хорошую работу. «После массированной индустриализации шестидесятых «фабричная этика» перешла в футбол, затмив чистую радость игры, и разрушила это чувство гордости, о котором мы говорили ранее, – анализирует Каппа. – В итоге мы создаем стандартных игроков, как на поточной линии. В целом, футболист, произведенный подобным образом, зарабатывает все больше денег, поскольку владельцы крупных капиталов быстро ухватились за футбол как за бизнес-нишу – спортивная одежда, телевидение, радио и т. д. В результате двадцатилетние парни вроде Рональдо Насарио и Рауля превратились в унылую молодежь с кучей денег».

Помимо того, что аргентинский футболист стал наемным рабочим, он, как уже говорилось, снова оказался эмигрантом: между 2009 и 2010 годом Аргентина «экспортировала» около 1800 футболистов, в то время как Бразилия – 1440. «Очень хорошие, хорошие и просто средние – все уезжают, – добавляет Анхель Каппа. – По сути все уезжают. А здесь, в Аргентине, играют только те, кто собирается уехать, и те, кто возвратился в конце своей карьеры».

Хороший футболист уезжает, а поклонники, страдающие от огорчения шесть дней в неделю, остаются и позволяют себе унестись на волне страсти на стадионе... именно так и возникают землетрясения! Это – футбол в Аргентине. Сакери резюмирует это в виде двух сценариев. «Для меня футбол имеет два лица. С одной стороны, это то, что мы называем *campito* [мини-поле] – кусок бесплодной пустоши без ворот, где дети собираются поиграть в футбол. Обычно это поле располагается довольно далеко от города. Другой вариант – группа людей, беснующаяся на трибунах, – так мы здесь смотрим футбол. Нам трудно усидеть на своем месте... Я иду со своим сыном, чтобы посмотреть за игрой, и я, человек взрослый, говорю: «Давай лучше сядем и посмотрим игру». Но я не могу это сделать, потому что сын говорит мне: «Нет, давай пойдем туда, откуда плохо видно, где палит и слепит солнце, где нас будут толкать в течение всей игры, но где мы будем кричать и скакать вместе со всеми остальными». Это форма непрерывного коллективного обсуждения, когда кто-то отпускает комментарий, кто-то другой его высмеивает, а еще кто-то огрызается. А потом вы мудро анализируете матч с типом, которого даже разглядеть не можете, потому что он стоит на две ступеньки позади вас, и вы не можете даже обернуться и посмотреть на него».

Танго, вернувшееся наконец в мир танца, несмотря на то что сегодня не столь популярно, как несколько десятилетий назад, многое говорит о том, что значит быть аргентинцем. «Оно выражает негодование, страх, печаль и лукавство», – объясняет Маркос Агинис. Действительно ли это в генах у аргентинцев? И существует ли специфический «аргентинский ген»? Проявляется ли он в футболе? Как в противном случае объяснить, что трое из лучших игроков в истории футбола, ставшие символами эпохи, – Альфредо Ди Стефано, Марадона и Месси – были аргентинцами? Да, сюда следует включить Ди Стефано. Те, кто его не знает, должны послушать разговор Хорхе Вальдано с Кларин: «Он руководил игрой и был тем, кто нарушил все правила своего времени. Он был режиссером: королем замка, разрушающим устои, сильным, невероятно талантливым. Он не был типичным аргентинским футболистом своей эпохи. Его талант был необычным».

Эти трое родились в стране с населением меньшим, чем у многих других чемпионов мира (Бразилия, Англия, Франция, Испания, Германия, Италия). Возможно, дело в том, что они играют на улицах или на ухабистых полях: «Техника улучшается на хороших полях, не на плохих», — говорит бывший игрок «Реал Мадрида» Сантьяго Солари. Возможно, дело в том, что в Аргентине делается больший акцент на силу игрока и навыки дриблинга в обход коллективной игре. Играют ли и чувствуют футбол в других странах так же, как в Аргентине? Анхель Каппа любит определять аргентинского футболиста как носителя исторических генов. «Были, — я говорю именно «были», а не «есть» — фундаментальные понятия, которые вы впитываете, слушая, смотря, еще до того, как начинаете ходить. И еще есть скромность, которая обязывает вас стремиться к совершенству. Скажем иначе: если я не могу сделать что-то сам, если у меня нет умения или таланта, то, по крайней мере, я могу передать мяч своему товарищу. Хулиганы никогда не были самыми уважаемыми людьми — ими обычно были те, кто лучше всех умел играть в футбол».

Каппа и другие тренеры верят, что все меняется и что теперь, когда победа завоевана, все будет хорошо. Возможно, это новая мантра, возможно, новый ген. Но есть и нечто неизменное, сколько бы времени ни прошло. «Аргентинский футболист — это личность с высоким чувством собственного достоинства, которое помогает ему добиваться превосходных успехов даже в самые трудные времена, — объясняет заслуженный тренер. — То, что очень плохо для жизни, может быть очень полезным в соревновании — я имею в виду тот факт, что аргентинские футболисты уверены, что они намного лучше, чем это есть на самом деле».

А стиль? Существует ли аргентинский стиль игры? В 1912 году *Standard* — одна из трех англоязычных газет, выходивших в Буэнос-Айресе, — с удивлением отметила, что футбол и регби, импортированные с Британских островов, были приняты в Аргентине с большим энтузиазмом. Характер молодых уроженцев страны описывали как «неистовый и импульсивный». Англичане настаивали, что главное в этих видах спорта действовать в духе «честной игры», и повсюду пропагандировали этот идеал, стремясь привить аргентинцам правила «джентльменского поведения». Переизбыток эмоций следовало поставить под контроль.

Но, как и в любой другой стране мира, где футбол стал народной игрой, местное население сделало все по-своему. В Аргентине движущей силой нового вида спорта стали испанские и итальянские иммигранты, которые вместе с местными креолами, выходцами из центрального района страны – Буэнос-Айреса – были полны решимости дистанцироваться от британцев. У этих «новых аргентинцев» росло ощущение национального самосознания, они стремились играть в понравившуюся им игру по своим правилам. Они плевали на «честную игру». Когда вы покинули свою страну, чтобы начать новую жизнь в чужом государстве, вы хотите преуспеть. Вы хотите победить. Учтивость – это для тех, кто наслаждается роскошью досуга и привилегиями. Аргентинская игра была мотивирована желанием победить. Это чувство вело иммигрантов в их ежедневной борьбе за выживание.

Антрополог Эдуардо Аркетти в своей книге «Место рождения аргентинского спорта» *El potrero, la pista y el ring: Las patrias del deporto argentino* (2001) (примерный перевод «Пастбище, площадка и ринг: место рождения аргентинского спорта») описал захватывающие взаимоотношения между футболом и танго, способствовавшие развитию аргентинской мужественности. Первое признание аргентинских футболистов в двадцатом веке совпало с расцветом танго как музыкального направления и эротического танца, чьи сложные хореографические движения помогли идентифицировать его с аргентинским культурным потенциалом. Точно так же аргентинский футбол постепенно начал отвергать британскую сосредоточенность на физической силе и порядке, вместо этого перенося акцент на креольские качества проворства и виртуозности движения – особенно в дриблинге, или, как его еще здесь называют, *gambeta.* Дриблинг – это обман противника, а у аргентинцев, нравится им это или нет, обман является частью культуры.

Международные достижения национальной команды (бегуны на Олимпийских играх 1928 года и на чемпионате мира 1930 года), а также европейский турнир «Юниор Бока» в 1925 году закрепили славу виртуозности аргентинцев в глазах европейцев и сделали дриблинг, пас и удар характерными элементами их стиля игры. Европейцы, как можно прочитать в *El Gráfico,* были убеждены, что аргентинцы «играли в футбол, как будто сочиняли мелодию». Позже, в 1940-х, команда «Ривер Плейт» породила понимание силы коллективной игры: внезапно оказалось, что красоту можно согласовывать.

Альфредо Ди Стефано играл в этой команде в качестве замены Адольфо Педернеры. «Белокурая стрела» (так он был известен в Испании) распространял свой стиль игры повсюду, куда бы ни направлялся как в качестве игрока, так и в качестве тренера. Сидя на скамье в «Espanyol» и устав наблюдать за мячом, пролетающим над головами игроков, он остановил тренировку. «Из чего сделан мяч?» – спросил он молодых игроков. «Из кожи», – ответили ему.

«А чью вы берете кожу?» «Коровы», – сказали они. «А что ест корова?» – «Траву». На что Ди Стефано заявил: «Ну что ж... тогда играйте на траве!» Аргентинский футбол родился и развился в сельской местности, на пастбищах. На неровных кусках почвы рядом с постройками дети изучали искусство владения мячом и копировали приемы своих спортивных кумиров. Говорили даже, что точно так же бразильцы изучали свое мастерство удара и навыки владения мячом, играя босиком на песке, так что пустоши Аргентины стали хорошим учебным полигоном для обучения дриблингу и навыкам обвода противников, которые впоследствии станут исключительно аргентинским приемом.

Все это создает путь – «la Nuestra», как его называют. Наш Путь.

И так же, как Аргентина породила несколько самых великих футболистов в мире, включая Месси, так она манит их обратно, не только в географическом смысле, но и в духовном. Аргентинского футболиста, часто иммигранта, постоянно терзает потребность вернуться домой, дистанцироваться от давления профессионального футбола. «Я выслушала многих футболистов первого дивизиона, которые говорят: позор, что им не позволяют выйти и играть на неухоженных полях, – говорит Лилиана Грабин. – Им необходимо выбраться из города, потому что там почти не осталось подходящих мест. Многие люди советуют им не делать этого, потому что какой-нибудь «герой дня» может внезапно захотеть прославиться тем, что играл с известным игроком. Раз – и ноги сломаны! – говорят они. Но притяжение земли сильнее их, просто непреодолимо. Они выезжают из своего небольшого городка, чувствуют запах земли и не могут ему противиться. Они начинают играть с другом, с которым выросли, с тем, кто остался в пригороде. Для них это – возвращение к корням».

Анхель Каппа в своей изумительной книге «Близость футбола» (La intimidad del fubol) рассказывает, как однажды Рене Хаусман, звезда «Huracan Сесара» Луиса Менотти, исчез из тренировочного лагеря за день до игры. Тренер не мог поверить в это. Наконец до него дошло, что могло случиться. Менотти попросил своего помощника Пончини отвезти его на бедную *виллу* Хаузмана – «Бахо Бельграно». Когда они прибыли, то увидели людей, играющих в футбол, как это обычно бывает в конце недели. Хаузмана среди них не было. Облегченно вздохнув, Менотти уже думал о возвращении в отель, как вдруг его внимание привлек человек, сидевший на скамье. Это был Хаусман. «Что ты здесь делаешь?» – спросил тренер. Хаусман ответил: «Разве вы не видите, как играет одиннадцатый номер!» Этот неизвестный крайний нападающий занял место звезды в самой важной игре недели.

Существует масса примеров этого врожденного понимания ценности футбола для аргентинской души. «Ньюэллс» – всего лишь один из них. Клуб постепенно реорганизуется, после смены правления в 2008 году и при увеличении общественной поддержки все идет просто отлично. Они недавно выиграли Torneo Final 2013 года. Однако финансовые ограничения по-прежнему препятствуют развитию клуба. Лео Месси пожертвовал 22 000€ на улучшение Комплекса Мальвинас, где играет молодежь. Еще он оплатил спортзал для основного состава в спортивном городке в предместьях Росарио, и этим закладывает основу для своего возможного возвращения в дальнейшем.

Это – анонимное действие, о котором мало кто знает, но есть многие другие, менее известные люди, которые продолжают тратить свое время и талант на улучшение спортивных комплексов. Для игроков низших дивизионов был построен новый *пансион*, и доктор Шварцштайн взял на себя обязанность собрать часть денег для покупки самого необходимого: 40 матрасов по 50€ за штуку. Недавно основной состав организовал лотерею для болельщиков, в которой победители будут играть против профессионалов, использовать вместе с ними раздевалки и в течение одного дня жить жизнью футболиста. Собранные деньги помогли построить спортивный зал для младшего состава клуба.

Футбол в Аргентине – жизнь, а жизнь – футбол. И это объясняет, почему на самой вершине огромной пирамиды, состоящей из футболистов любого возраста и уровня, чиновников, тренеров и комментаторов, вы видите имена Ди Стефано, Марадоны и Месси. «Лео не мог родиться в Сирии», – сказал Сесар Луис Менотти. Без Ди Стефано (или Чарро Морено и Марио Кемпеса) никогда не возник бы Марадона. Без Марадоны у нас не было бы того Месси, которого мы знаем.

Таков Лео. Квинтэссенция аргентинских генов.

Журналист: Как вы отреагировали, когда Аргентину убрали из последнего чемпионата мира? [2002].

Месси: Я был здесь, в Барселоне. Я смотрел на игру команды низшего дивизиона вместе с другими парнями. Я плохо воспринял это — как и вся остальная Аргентина. А при этом окружающие меня ребята веселились.

Журналист: Вы сохранили спокойствие или ссорились с ними? Вы не похожи на драчуна.

Месси: Нет, нет. Игра закончилась, и я пошел домой... обычно я оставался там на весь день, но в тот день я пошел домой.

(Интервью из аргентинского документального фильма «Неприметное досье»).

Поражение вашей страны ощущается еще болезненнее, когда вы находитесь вдали от нее. Маленькая драма иммигранта заключается в том, что когда он находится вдали от дома и что-то в его жизни идет хорошо, то его триумф не особенно интересен тем, кто живет рядом с ним. Иммигранту-футболисту нравится возвращаться на родину, – только там можно ощутить, что он действительно преуспевает. Вернувшись домой в Лас-Эрас во время своего первого отпуска после заключения контракта с «Барселоной» и после дебюта в команде основного состава, едва ли кто-либо в Росарио особенно интересовался Лео. Это произошло намного позже, несколько лет спустя – учителя, организаторы, товарищи по команде, все начали вспоминать его почти как божественное явление в ореоле света, которое изменило всю их жизнь. «Я видел его, я трогал его, я был там», – это многое говорит об этих людях, равно как и о Месси, который приехал туда много позже.

В Аргентине футболистов различают по договорным отношениям, которые они имеют с клубом: во-первых, поклонники очень ценят тех, кто сумел завоевать какие-то титулы и провел больше времени дома. То же происходит во всем мире. Но второй тип – нечто очень аргентинское: вы – герой, если вас продали играть в основной состав. Третий тип – почти предатели: те, кто уезжает, даже не играя в первом дивизионе. Это даже больше, чем измена, поклонники толком никогда не принимают их как одного из своего круга. Месси никогда не переставал быть аргентинцем.

Испания сражалась за то, чтобы заставить его носить красную футболку.

Тренер «Юниоров» Алекс Гарсия упомянул в разговоре с испанским специалистом по набору футболистов Хинесом Менендесом, что у него есть превосходный мальчик, который пока не играл за свою страну. Хинес пошел посмотреть на него. Лео произвел на него сильное впечатление еще во время испанского чемпионата, когда Хинес подошел к нему: «Вы не хотите пойти к нам? Если вам не позвонят из Аргентины, вспомните о нас». Турнир «до 17 лет» должен был проходить в Финляндии, и в испанской команде были такие игроки, как, например, Давид Сильва и Сеск. «Вы приедете?» – спросили Лео и его отца. Лео на тот момент провел в Барселоне два года.

«Нет, спасибо», – ответили оба.

Лео никогда не играл за Испанию. Месси – аргентинец из Росарио, он – «Leproso». Но после этого предложения от Менендеса прошло несколько месяцев, прежде чем ему впервые позвонил член Федерации футбола Аргентины (AFA) и год – прежде чем он получил первое официальное приглашение войти в аргентинскую сборную. AFA потребовал присутствия «Лионеля Мечи» (так было написано) в тренировочном лагере в середине июня 2004 года. «Барселона» сказала, что они будут рады освободить его, но не сразу, потому что должны принимать участие в чемпионате «Copa del Rey Youth Cup».

До его отъезда в Буэнос-Айрес на первые сборы национальной молодежной команды произошла серия встреч, совпадений и странных недоразумений, прежде чем Испания оставила свои попытки убедить мальчика присоединиться к «La Roja».

Клаудио Вивас, помощник Марсело Бьелсы с командой Аргентины и «Athletic Bilbao», также был родом из Росарио и знал семью Месси еще до того, как Лео начал играть в футбол. Его отец, Хосе Вивас, основал футбольную Академию «Ньюэллса». Родриго Месси блистал рядом с Себастьяном Домингесом *(Negro)*, который потом вышел на международный уровень. Клаудио начал свою карьеру тренера, работая с молодежными командами «Ньюэллса». В клубе в команде 1987 был «карлик», о котором все говорили, и молодой тренер отправился в Мальвинас, чтобы посмотреть на игру, в которой принимала участие восходящая звезда. «Наблюдать за ним было настоящее удовольствие», – говорит сегодня Вивас.

Шли годы, Марсело Бьелса позвонил Вивасу и попросил его поддержать в начинаниях с национальной сборной. Возобновив контракт с AFA в 2002 году, оба были намерены в октябре, во время тура по Европе, поговорить со всеми игроками международного уровня, на которых они рассчитывали. Марсело хотел объяснить им, почему он возобновил свой контракт и каковы его планы. В Испании он встретился с вратарем «Барселоны» Роберто Бонано и центральным защитником «Espanyol» – Маурисио Почеттино. Клаудио мимоходом спросил их, как дела у Лео Месси. «Он громит всех в молодежных играх, Клаудио», – сказал Бонано. Вивас хотел знать больше. Марсело и его помощник остановились в отеле «Princesa Sofia» неподалеку от «Камп Ноу», и когда об их присутствии стало известно, многие друзья и агенты приехали к ним, чтобы поговорить. Напросился на встречу и джентльмен по имени Хорхе, аргентинец, который работал в офисе Хосепа Марии Мингельи. Вивас встретился с ним, хотя общение поначалу не складывалось: Хорхе был агентом – тем типом людей, которых Биельса обычно старался избегать.

– Есть один аргентинский мальчишка, на которого вы должны посмотреть, – сказал незнакомец.

– Почему это?

– Ну, если вы ничего не сделаете, мальчик будет играть за испанцев в команде «до 17 лет», – настаивал Хорхе с той уверенностью, с которой часто действуют агенты.

– Вы получили какую-либо информацию об этом мальчике?

– Удивительное совпадение, но у меня с собой есть видео.

– Принесите мне заодно пять полных игр.

В этом 12-минутном видео была нарезка лучших моментов игры Месси за «Барселону» против ребят на два года старше, чем он сам. Вивас хотел проанализировать все – хорошие, плохие и нейтральные моменты, его расположение на поле, качество его соперников и его товарищей по команде, был ли он самоотвержен, была ли это кратковременная вспышка или мальчик все время играет подобным образом, что он делает с мячом и что – без мяча. Ему был необходим более обширный материал, и он получил его, когда увидел все игры на пленках, доставленных в отель несколько часов спустя.

Вивас запустил первую ленту. Прошло несколько секунд. «Это... это... да это же карлик из поколения `87, которых раньше тренировал Габриэль!» Хорхе объяснил ему, что испанские скауты были готовы заплатить отцу Лео деньги за игру в национальной сборной, но семья хотела, чтобы мальчик выступал за Аргентину, впрочем, как и он сам. «Скажите отцу, пусть не волнуется, я постараюсь что-нибудь сделать», – предложил Клаудио.

До этого момента Марсело Бьелса понятия не имел о действиях, которые начал предпринимать Вивас, но его помощник почувствовал, что вопрос достаточно важен для того, чтобы поделиться с боссом. «Действуй на свое усмотрение, Клаудио, не трать впустую времени. Просто дай мне посмотреть материалы», – сказал Биельса. Он был удивлен. «Мы не можем потерять этого мальчика», – заключил он.

Из своего барселонского гостиничного номера Вивас позвонил Хуго Токалли, который работал с юниорами аргентинской сборной и тренировал команду ребят «до 17 лет».

– Трудно вывезти этого мальчика. Но когда вы вернетесь в Аргентину, приходите ко мне и возьмите пленки с собой, – сказал ему Токалли.

Вивас не мог понять это молчание. Он был уверен в экстраординарности таланта Месси, но не настаивал, потому что помимо этого мальчика у них с Марсело было много других важных дел. Вернувшись 22 ноября в Буэнос-Айрес, Вивас появился в тренировочном лагере ребят «до 17 лет» и передал информацию Токалли.

– Пожалуйста, не позволяйте этой возможности ускользнуть от нас.

– Мы проанализируем информацию.

– Если мы не будем действовать достаточно быстро – не из-за Лионеля, не из-за его отца, но, скорее, из-за давления Испании, – мы потеряем великого игрока.

Вивас настаивал, и Токалли ошибочно подумал, что у него есть некая личная заинтересованность в этом деле. Вивас расстроился: он всего лишь защищал интересы национальной сборной, а они что подумали? Приблизительно в то же самое время Карлес Решак, директор департамента футбола Барселоны, обратился в испанскую Федерацию, чтобы обеспечить Лео возможность играть за «La Roja».

Токалли по-прежнему не спешил с анализом материалов. В дополнение ко всем своим подозрениям, которые у него были (все они оказались полностью необоснованными), он не был уверен в необходимости тащить 16-летнего мальчишку с другой стороны океана со всеми затратами, сомнениями, проблемами с акклиматизацией и многочисленными другими неудобствами, которые это влекло за собой.

Вивас был очень расстроен. Марсело хорошо знал Клаудио, поэтому, когда он увидел, что тот выбит из колеи, решил поговорить с ним.

– В чем дело?

– Знаете, у меня была стычка в отношении этого мальчика – Месси, и я полагаю, что Аргентина, в конце концов, многое проиграет в этой ситуации.

– Давайте я поговорю с Токалли.

– Он сказал, что стоило бы взять этого парня с нами на тренировку. Национальная сборная часто воспитывала молодых людей, тренируя их так, чтобы они привыкли к динамичной игре, с которой обязательно столкнутся.

Немного позже Хуго Токалли получил настоятельный «совет» от вышестоящих членов Федерации, что все-таки надо посмотреть записи и действовать в соответствии с тем, что он на них увидит.

Токалли как раз собирался уехать в Финляндию, чтобы принять участие в чемпионате мира юниоров «до 17 лет» вместе с несколькими игроками, которые позже победили в чемпионате мира «до 20 лет» (Билья, Устари, Гарай). Он посмотрел игру Месси. «На видео было всего пять или шесть игр на синтетических полях, но сразу было видно, что это совершенно необычный мальчик, способный резко ломать ритм. Казалось, мяч просто прилип к его телу. Он за три секунды набирал разбег до 100 метров. Я был удивлен тем, как он почти отрывался от земли», – вспоминает Токалли.

Токалли позвонил аргентинскому тренеру Хосе Пекерману, бывшему в то время спортивным директором «Леганеса» в Испании, и попросил дать ему информацию о Лео. И услышал в ответ: «Гений». В то же самое время Токалли встретился с Хулио Грондоной, президентом AFA, с которым уже говорил об этом мальчике. Не было необходимости вызывать Лео, чтобы тренироваться с командой Биельсы. Грондона и Токалли решили немедленно организовать два международных товарищеских матча с Парагваем и Уругваем – так Месси мог официально надеть футболку аргентинской сборной. Оба матча судили рефери международной категории, поэтому могла быть подписана официальная бумага, которую затем пошлют в ФИФА, тем самым не позволяя Испании забрать у них Лео. При этом было необходимо установить осторожный, но срочный контакт с семьей Месси.

– Ладно, парни, либо вы ищете для него место, либо я сделаю это сам, но в любом случае мы уладим это дело, – сказал Грондона.

Администратор AFA начал искать номер телефона Хорхе Месси. Он перепробовал десять номеров, прежде чем набрал правильный.

– Вы Хорхе Месси, отец Лео?

– Да, верно.

Токалли поговорил с отцом Лео, а затем с ним самим. Они оба сразу же ответили положительно, без колебаний, потому что Лео очень хотел играть в сборной Аргентины. «Спасибо за звонок, мы очень счастливы». Токалли объяснил, что не мог позвать его на турнир 2003 года «до 17 лет», потому что уже собрал команду, но что вскоре можно рассчитывать на участие в игре «до 20 лет».

Лео написал об этом эпизоде в письме другу 17 ноября 2003 года: «Привет, Фаби. Я пишу тебе потому, что обещал сообщить, когда получу известие от национальной сборной. Несколько часов назад Токалли позвонил мне и моему старику, поздравил меня со всем, что до сих пор происходило, и сказал, что они собирались позвонить мне и пригласить на тренировки с ребятами 85 и 84 года рождения для участия в следующем турнире Южной Америки. Он сказал папе, что посмотрел видео с моим участием, но не позвал меня для участия в чемпионате мира «до 17 лет», потому что думал, что я был слишком маленький (так он сказал). Но подтвердил, что видел меня недавно и теперь думает, что со мной все хорошо. Ладно, Фаби, посылаю тебе огромный поцелуй. Чао!»

В Финляндии в августе 2003 года проходил турнир для команд «до 17 лет». Аргентина проиграла в полуфинале Испании, за которую играли товарищи Лео по юниорской команде «Барселоны». Фабрегас дважды забил гол, и команда победила со счетом 3:2. Эти две команды жили в одном отеле, и после матча Токалли спросил Сеска о «карлике». «Лео? Он настоящий монстр. Невероятный. Они хотели взять его в нашу команду, — сказал каталонский полузащитник. — Если бы он сегодня играл, то вы бы забили нам намного больше голов и вышли бы в чемпионы. Мы хотели, чтобы Лео играл за Испанию, но он говорит, что хочет играть с вами». Клаудио Вивас никогда ничего не говорил Лео о своих сомнениях и спорах по его поводу, считал, что это не нужно. Вивас верил, что рано или поздно Месси будет играть за национальную сборную. Возможно, это будет чуть позже, но обязательно будет...

Лео никогда не выглядел бы хорошо в испанской футболке... и не был бы счастлив.

> «Привет, Фаби, как дела? Ну вот, я пишу тебе, чтобы ответить на все вопросы, что ты задавал. Это правда, поначалу я был очень счастлив, когда обо мне написали в газете и сообщили по радио. Но теперь они меня доканывают. Я не могу дождаться, когда все это закончится, а они все время говорят обо мне. В любом случае я могу сказать, что все действительно «очень круто», и мне нужно о многом тебе рассказать, но я расскажу тебе все, когда закончу дела. Я объясню, как все было — шаг за шагом. Мне кажется, что дела идут действительно хорошо, но сейчас я думаю о матче в следующую субботу и надеюсь, что сыграю хорошо и мы победим. Так говорят мой старик и Колота».
>
> **Электронное письмо, посланное Лионелем Месси**
> **после своего дебюта в матче «Барселона» против «Порту»,**
> **датированное 20 ноября 2003 года**

Лео справился со всеми играми сезона, где достиг всех поставленных перед собой целей намного раньше срока. Он дебютировал в основном составе «Барселоны», поднявшись по карьерной лестнице не менее пяти раз. Он был приглашен аргентинской национальной сборной на несколько товарищеских встреч. А еще он завел в Барселоне друзей, пусть и немногих.

17-летний Лео поехал в Буэнос-Айрес за неделю до первой товарищеской встречи против Парагвая и был представлен команде перед первой тренировкой.

– Парни, это Лионель Месси, который приехал из Барселоны, – сказал Токалли.

Лео стоял сбоку от него, наклонив голову.

Вот как вспоминает об этом Пабло Сабалета: «Мы начали разогреваться, немного поиграли на маленьком поле и смогли увидеть, что он сильно отличается от остальных». Да, Лео не оставлял им ни единого шанса. «На первой тренировке Месси действовал так, что у нас челюсть отвисла. При его изменении темпа казалось, что защитники просто прибиты к полу».

Лео был одним из двух иностранцев в команде, вторым был Мауро Андрес Занотти, который играл в команде «Ternara» в Италии. И так же, как в том первым испытании, организованном Карлесом Решаком, его товарищи по команде были на несколько лет старше, чем он. Помимо Сабалеты, в команде, торопливо собранной воедино для того, чтобы Лео мог надеть аргентинскую футболку, были также Эсекьель Лавесси из «Estudiantes» Буэнос-Айреса и недавно взятый из «Генуи» Эсекьель Гарай. Игроки и не подозревали о причинах организации товарищеских встреч.

«Когда Лео вышел на разминку, то сделал это со своим обычным смирением, которое так хорошо его характеризует», – говорит Херардо Салорио, тренер команды, известный под прозвищем Профессор. «Первое, что я сказал ему: «Если вы хотите играть здесь первую скрипку, вам придется снять кольцо и подстричь волосы, маэстро». Он посмотрел на меня искоса, но ничего не сказал». В то время Салорио тренировал команды взрослых игроков, и его попросили помочь поработать с новым техническим штатом команд «до 20 лет». Салорио решил с первого дня установить твердые правила, которые он называл «мой путь, или основное направление». Лео был раздражен этим.

«Я начал слишком жестко, как будто они были взрослыми игроками. Мне не надо было так делать, – вспоминает теперь Салорио. – Несколько минут спустя я посмотрел на него и сказал перед всей командой: «Лео, я должен принести вам извинения перед всеми, я зашел слишком далеко, я ошибся. Я не должен был делать этого, вы не знали правил, поэтому приношу публичные извинения». Месси посмотрел на меня и улыбнулся, как будто сказав: «А он нормальный человек, этот тип». Такой была моя первая встреча с ним. Не такая, чтобы о ней можно было долго вспоминать».

Наступил день товарищеской встречи с командой Парагвая – 29 июня. Это был холодный вечер на недавно обновленном стадионе «Argentina Juniors», переименованный в Стадион имени

Диего Марадоны, который дебютировал там в 1976 году в игре против «Talleres». Платой за вход на игру, малоинтересную для фанатов, была газета – «Garrahan Children's Hospital» собирал бумагу для сдачи макулатуры. На дебюте Месси присутствовало всего 300 человек.

«Теперь можно подумать, что весь мир был на стадионе тем вечером, если поверить всем, кто говорит, что они это видели», – вспоминает Салорио.

В состав команды Аргентины входили:

Нерео Шампань, Рикардо Вильяльба, Эсекьель Гарай, Лаутаро Формика; Пабло Сабалета, Рене Лима, Хуан Мануэль Торрес, Матиас Абелайрас, Пабло Баррьентос, Пабло Витти, Эсекьель Лавесси.

Менеджер: Хуго Токалли.

Перед игрой начал моросить дождь, и в первой половине игры Аргентина вышла вперед со счетом 4:0. Пришло время ввести парня в игру.

«Он стоял всего в нескольких метрах от меня, и я сказал ему: «Давай, иди», – вспоминает Салорио. – Лео сидел, глядя на меня и как будто говоря: «Теперь моя очередь, да?» И я сказал: «Что? Не хочешь играть, что ли?» Он разогрелся и вышел на второй тайм».

В перерыве Лавесси и Абелайрас остались, а Франко Миранда и Лео с номером 17 на спине вышли на поле.

«Его не могли остановить», – вспоминает Сабалета. Лео сделал две голевые передачи. На восьмидесятой минуте, при счете 660, он подхватил мяч, оставшись незамеченным на краю центрального круга на половине противника. «Это было что-то невероятное, как тогда, так и теперь, – вспоминает «Профессор». – Он обходил всех. И я сказал: «У нас здесь звезда».

Месси мгновенно сорвался с места, затем, оказавшись лицом к лицу с защитником, сбил его с толку хитрым финтом и оказался перед незащищенными воротами. Это был его первый гол для Аргентины.

В конце они одержали убедительную победу со счетом 8:0. Матч показали на «TyC Sports», но запись не могли найти много лет, совсем недавно ее нашли и возвратили аргентинской Федерации:

http://www.youtube.com/watch?v=ro2fglSvcKQ

После того старта в большом футболе Рикардо Вильяльба должен был дебютировать в первом составе «Ривер Плейт», но сыграл только в одной игре. Он попытал счастье во втором дивизионе («Rafaela», «Defensa and Justicia»), а позже опустился еще ниже («Defensores de Belgrano a Metropolitan B»), прежде чем возвратился во второй дивизион («Aldosivi»). Рене Лима, который вышел из младших разрядов «Ривера», отправился на несколько месяцев в Израиль, а затем перепрыгивал из клуба в клуб первого и второго дивизиона в Аргентине, прежде чем переехал в Чили, где теперь играет в «Cobreloa». Франко Миранда играл в Швеции и Шотландии («St Mirren»), а теперь играет за «Sportivo Belgrano». Матиас Абелайрас, которого заменил Лео, играл за «Puebla de Mexico», перейдя туда из «Vasco de Gama». От него отказались в «Glasgow Rangers» после провальных испытаний. На дороге к вершинам полно препятствий, для некоторых они оказываются непреодолимыми.

Затем команда поехала на следующую товарищескую встречу, на сей раз с Уругваем. Лео вошел в игру в начале второго тайма, когда счет был 1:1 благодаря голу Пабло Витти. Месси забил два гола (на 47-й и 56-й минутах) и сыграл значительную роль в четвертом голе. Вспоминает Салорио: «Вратарь передал мяч левому защитнику, Лео был приблизительно в десяти метрах от них. Он оказался там первым! Затем он прошел мимо одного игрока, мимо вратаря и оказался на крошечном пространстве между стойкой и линией ворот, поэтому он просто толкнул мяч, чтобы Лавесси мог войти и засунуть мяч внутрь. Я сказал тогда: «Вау, здесь происходит нечто поразительное!»

Заключительный счет 4:1 отразил различие между этими двумя командами. «Месси – это что-то невероятное!» – кричал заголовок спортивной газеты *Olé*. «Я сказал Лео, что в декабре мы возьмем его тренироваться с нами, потому что хотим взять его с собой на чемпионат Южной Америки в Колумбии 2005 года», – говорит Токалли.

В то холодное лето Лео возвратился в Росарио, чтобы провести там остальную часть праздников. Он ходил по улицам, и никто не узнавал его – это были последние дни его безвестности.

Чемпионат Южной Америки начался 13 февраля 2005 года, и четыре лучшие команды отправлялись соревноваться следующим летом на чемпионат мира в Голландии. После тех двух товарищеских встреч Месси был включен в сборную. Он с разрешения «Барселоны» прибыл в декабре, чтобы присоединиться к сборной (эта игра проходила в середине сезона), несмотря на то, что уже дебютировал в основном составе двумя месяцами ранее в матче против «Espanyol». Сабалета, капитан команды, был на два года старше Лео и вскоре оказался рядом со вновь прибывшим, поскольку это входило в его обязанности. «Однажды я сел с ним, чтобы обсудить все, что мы думаем, спросить, в чем он нуждается, сказать ему, что мы на его стороне. На все он отвечал довольно резко – он и так был человеком команды».

Панчо Ферраро, тренер «Gimnasia de Jujuy», с января взял на себя ответственность за команду «до 20 лет» после звонка от Хосе Пекермана – нового тренера основной команды. В январе он поехал в Колумбию, где сидел на скамье вместе с Токалли, продолжавшего тренерскую работу с командой «до 20 лет», прежде чем стать помощником Пекермана. «Именно там я впервые увидел Месси, – говорит Ферраро. – В первых двух играх чемпионата Южной Америки против Венесуэлы и Боливии он сидел на скамье. Первый тайм команда играла ужасно, но во втором все переменилось, потому что на поле вышел Лео».

У «Блохи» было другое телосложение, но на шестидесятой минуте он вышел против Венесуэлы и сделал 2:0 (окончательный счет был 3:0), завоевав звание Человека матча. Лео сменил Гарая. Против Боливии он вышел после перерыва, заменив Баррентоса. Через пять минут после начала Месси сделал пробег из центра, обошел всех противников и забил гол. Тринадцать минут спустя он снова забил мяч в ворота, чтобы завершить матч со счетом 3:0.

Лео был в стартовой команде для следующего матча против Перу, хотя это было скорее исключение, а не правило: он показался только в трех из девяти игр. «Он страдал от недостатка мощи, игры были очень напряженными, а некоторые стадионы находились на довольно большой высоте, и мы поняли, что он утомлен», – вспоминает Токалли. «Выходя во второй половине матча, он сеял замешательство в рядах противника», – добавляет Ферраро. Поскольку, выходя в первой половине, Лео выступал не так успешно, Токалли и Ферраро предпочитали оставлять его на скамье:

– Панчо, мы должны говорить с Лео.

– О чем? – Ферраро и Токалли говорили, прихлебывая *мате* [аргентинский чай].

– Мы должны поговорить с ним, потому что мне не кажется, что он так же хорош, как в тот момент, когда встает со скамьи. А что, если мы сделаем как прежде – посадим его на скамью и выпустим играть только во второй половине?

– Хорошо, Хуго, возможно. Давай поговорим с ним.

«Мы пошли проведать его. Он жил вместе с Лавесси, – вспоминает Панчо Ферраро. – Хуго сообщил Лео, что мы надумали, и Месси поддержал нас. Это не расстроило его. Напротив. «Я хотел сказать вам то же самое», – заявил он. Иногда вы спрашиваете себя, как воспримет ваши слова тот или иной тип игрока. Все зависит от того, как вы разговариваете с ним. Это зависит от того, как вы сядете, как посмотрите на него, какие выберете слова. Лео нас понял».

Соревнование продолжалось. Аргентина победила в четырех играх, а четыре провела вничью. 6 февраля они должны были играть последний матч против Бразилии. Победа гарантировала третье место и поездку на чемпионат мира в Голландию. На шестьдесят пятой минуте Лео сменил на поле Нери Кардозо, счет был 1:1. Барриентос был убежден, что Лео доведет счет до 2:1, забив победный гол – первый против бразильской команды, которая всегда была одной из лучших. Колумбия, с лидирующим по голам Уго Родальегой, была второй, а Аргентина – третьей.

Лео подтвердил, что теперь достиг того уровня, которого от него все ожидали. Он никогда не сомневался в этом, но влияние, которое он оказал на турнир, заставило его захотеть большего. Однако он понимал, что тело накладывает определенные ограничения, поэтому прислушался к совету Токалли: «Работай с личным тренером, как Рональдиньо».

Именно это он и сделал после возвращения в Барселону, иногда устраивая по две тренировки в день. Спустя три месяца после того, как он стал одним из лидеров команды «до 20 лет», Лео забил свой первый гол для «Барселоны» в одной из девяти игр того сезона, когда играл в основном составе. Сезон стал одним из самых незабываемых событий в его спортивной жизни.

Прежде чем полететь в Нидерланды на чемпионат мира, Лео отправился в Росарио и впервые, пять лет спустя, возвратился на поля «Ньюэллса». Некоторые люди порадовались его возвращению, однако его узнали далеко не все. Те, кто был с ним знаком раньше, рассказали о нем остальным: «Это тот парень, который вынужден был уехать, тот, из «Барселоны». Они расспрашивали его о новом доме, о том, как идут дела в национальной сборной. Чемпионат мира «до 20 лет» привлек внимание аргентинской публики. Команда, которая выступила беспрецедентно хорошо на этом уровне, добившись трех побед на последних пяти соревнованиях, была очень сильной. Они собирались в Голландию и были намерены завоевать титул чемпионов мира.

Этот чемпионат имеет очень длинную и интересную историю, это самый важный из всех турниров для игроков младших разрядов всего мира, где можно увидеть массу новых ярких спортсменов. Трудно предсказать, что там произойдет: замена в первой игре может стать автоматическим стартером и закончить чемпионат лучшим игроком турнира. Этот чемпионат часто становится лучшей стартовой площадкой для феерической карьеры.

В 18 лет Марадона обеспечил команде Аргентины ее первый титул чемпиона мира «до 20 лет» на чемпионате мира в Японии. В Чили в 1987 году Югославия прославилась благодаря таким игрокам, как Роберт Прозинеки, Звонимир Бобану и Давору Сукер. У Португалии было свое золотое поколение – Луиш Фигу, Жоао Пинто и Руи Коста, которые стали чемпионами в 1991 году. В 1997 году Франция подготовилась к атаке на звание чемпионов мира, выпустив на поле Давида Трезеге и Тьерри Анри, несмотря на то, что Аргентина с Пабло Аймаром выиграла турнир. В 1999 году титул завоевала Испания с Хави Эрнандесом и Икером Касильясом – это был знак перемен. В 2001 году победила Аргентина (главную роль в этом сыграл Хавьер Савиола), а финал 2003 года был отмечен противостоянием Дани Алвеса и Андреса Иньесты.

Пятнадцатый турнир должен был проходить в Голландии с 10 июня по 2 июля. Испания привезла таких игроков, как Фернандо Льоренте, Сеск, Альбиоль, Хосе Энрике. Колумбия привезла Фалькао. У Бразилии был Рафина (теперь он играет в мюнхенском «Bayern») и масса других игроков, которые все еще играют во внутренних лигах своих стран.

Аргентина дала Лео отдохнуть еще несколько дней, потому что он был единственным игроком, приезжающим из Европы, но когда команда была собрана, он предпочел тренироваться со всеми. Возможно, это казалось незначительной деталью, но тем не менее товарищи по команде оценили его поступок: «мы все одинаковые» – подход, который работает всегда.

Когда Токалли, Ферраро и Сабалета увидели Лео на встрече перед отъездом команды в Голландию, они обнаружили совершенно нового Месси, по сравнению с тем, кого видели четырьмя месяцами ранее. «Мы заметили, что он сильно развился за эти месяцы», – вспоминает Панчо Ферраро, который был единственным тренером команды «до 20 лет». «Мы заметили, что Лео в очень хорошей физической форме, – вспоминает Хуго Токалли. – Он стал сильнее, более пружинистым. Мы помнили, каким он был в Барселоне, но сегодня Месси приехал, демонстрируя доказательства всей работы, которую он проделал над своим телосложением, тактикой и техникой».

Он сделал еще один огромный прыжок вперед, на сей раз физически. В возрасте почти 18 лет его рост был 169 сантиметров, а вес – 64 килограмма.

Состав аргентинской команды на этом турнире:

Вратари: Оскар Устари, Николас Наварро, Нерео Шампань.

Защитники: Лаутаро Формика, Густаво Кабраль, Хулио Барросо, Эсекьель Гарай, Давид Абрахам.

Полузащитники: Хуан Мануэль Торрес, Габриэль Палетта, Лукас Билья, Пабло Сабалета, Патрисио Перес, Эмилиано Арментерос, Родриго Аркуби, Фернандо Гаго, Нери Кардозо.

Нападающие: Серхио Агуэро, Густаво Оберман, Пабло Витти, Лионель Месси.

«Мне очень нравится смотреть европейский футбол, – вспоминает Густаво Оберман. – Лео дебютировал в первом составе «Барселоны», но играл не слишком часто. Я знал это. Мы видели его на чемпионате Южной Америки, но даже зная о его физиологических проблемах, он вызывал всеобщее восхищение: товарищей по команде, прессы... Все говорили: неужели это – преемник Диего? Тогда все ждали преемника Марадоны, кого-то, кто будет бороться за его корону. Мы часто говорили об этом в своем кругу».

Затем последовали сорок дней тренировок под эгидой «Профессора» Салорио. Он взял с собой книги и фильмы, изобретал новые образовательные игры и ежедневно старался преподносить сюрпризы своей команде, чтобы поддерживать их мотивацию. Но Салорио знал, как важны первые часы – когда все характеры изучены, когда люди узнают друг друга, выбирают себе компанию, – тогда все кусочки мозаики встают на свои места.

Серхио Агуэро (Кун) – игрок одного возраста с Лео, пришедший в сборную из «Independiente», был не единственным, кто любил смотреть телепередачи и матчи неаргентинской лиги или сидеть в Интернете. Он не обратил особого внимания, когда о Лео говорили как о перспективном игроке «Барселоны». В то первое утро команда сидела за завтраком: Месси сидел справа от Агуэро, а слева сидел Формика. Гарай расположился напротив них. Начался разговор о футбольных бутсах, и Лео сообщил, что недавно в США появилась новая модель. Агуэро посмотрел на него. Затем снова посмотрел, уже внимательнее. И спросил себя – кто это? Он должен был узнать его.

– Как тебя зовут?

«Я рассказал об этом Лео – вспоминает теперь Агуэро, – и Лео вспоминает это, точно, тогда он очень удивился. Ну... он посмотрел на меня и сказал: «Лионель». «О, – сказал я, – почти как меня. А фамилия?» «Месси», – ответил он. Я подумал, не отреагировал, но на меня посмотрел Формика. «Что?» – спросил я. – «Что?? Ты что, не знаешь, кто это?» Потом уже я начал понимать, что слышал о каком-то игроке из Барселоны, и подумал: «О, так это же он!»

«Конечно, это произошло во время еды, – со смехом вспоминает Агуэро. – Позже, когда мы вышли на тренировку, я сказал: «Этот парень просто летает». И после этого мы привыкли вместе смеяться до слез, отлично действовали вместе и даже делили одну комнату на двоих».

Да, на том турнире они жили вместе в одной комнате. «Я создал мини-сообщество Кун-Месси, – объясняет Херардо Салорио. – Почему? По двум причинам: они были самыми молодыми и имели похожие пристрастия (оба блестяще играли на PlayStation), а кроме того, я подумал, что могу подготовить этот дуэт для будущего аргентинского футбола».

Марсело Роффе, психолог аргентинской молодежной команды, согласился с решением Салорио, потому что Месси и Агуэро, который не был на чемпионате Южной Америки, оказались в довольно схожих ситуациях. У Хосе Пекермана и Федерации была потребность в ком-то, кто будет рядом с мальчиками и поможет им выразить свои чувства, соответствующие их возрасту в достаточно сложных для них условиях, то есть в присутствии психолога. «Впоследствии некоторым из них пришлось улучшить свою концентрацию – способ, при помощи которого они справлялись с давлением, учились принимать решения и справляться с чувством беспокойства перед игрой, – говорит Роффе. – Всегда существует предубеждение относительно моей работы. Но они поняли, что это может быть им полезным. Так и оказалось». Лео и Кун стали общими детьми, в основном, потому что были самыми младшими. И иногда их физические данные и невинный вид (хотя обоим было уже по 17 лет) производили обманчивое впечатление. «Я помню, как однажды ночью услышал странный шум. Это было в половине пятого утра. Я спал, когда зазвонил телефон, – вспоминает Салорио. – Я предупреждал ребят, что не хочу, чтобы им в комнату кто-либо звонил – семья или пресса, что все требования должны проходить через меня. Я поднял трубку, это был Кун: «Я боюсь, я слышу шум...» Я ответил: «Спи, ты настоящая головная боль, ничего не происходит!» Конечно, он был ребенком – услышал шум и испугался».

Оберман, который не считал себя начинающим, был еще одним замкнутым футболистом, трудно идущим на контакт с незнакомыми ему людьми. Это было типичное поведение многих игроков тех первых лет команды. «Я думаю, что Лео чувствовал то же самое, – говорит сегодня форвард из «Quilmes». – Я был новичком, и мне было трудно подойти к нему, расспросить, как дела, потому что я не знал его, но проходил день за днем, и мы увидели, что он просто нормальный парень, который не пытался выпендриться, не повышал голос, занимался своим делом, не хвастался, никого не высмеивал. Вполне нормальный парень, с которым нам – да и кому-то другому тоже – было бы очень трудно поссориться – он играл за лучшую команду в мире, но был счастлив прийти и играть на уровне «до 20 лет». Это очень непросто – спуститься на уровень ниже, на такое не каждый способен».

Лео хотел выигрывать в команде Аргентины. Теперь, когда он погрузился во взаимоотношения национальной сборной, он не собирался позволить кому-либо убрать его из нее. Он чувствовал, что после того, как ему подарили возможность играть на чемпионате Южной Америки, это – его место, его уровень. Поэтому чем раньше он мог выиграть, тем лучше.

Первая игра была против сборной США. Собрав команду в раздевалке стадиона «Арке», Панчо Ферраро покрыл доску числами и начал называть имена: «номер один – Устари Устари, два – Кабрал, три... и далее – Витти и Оберман».

Месси оставили на скамье запасных.

ГРУППОВОЙ ЭТАП
Аргентина – США
11 июня 2005 года, Стадион Арке, Энсхеде
Ожидаемое число зрителей: 10 500
Рефери: Терье Ходж (Норвегия)

За три дня до начала чемпионата стало ясно, что Хосе Соса собирался пустить в ход Витти. Но на тренировке он взял пас и, изо всех сил стараясь справиться с мячом, вышел из себя и неловко упал, сильно подвернув руку. Это была серьезная травма, и, когда потрясенная команда поняла серьезность его травмы, Ферраро решил остановить тренировку. Когда он направлялся к раздевалкам, к нему подошел Даниэль Мартинес, доктор команды. «Панчо, последите за Лео, у него небольшое растяжение подколенного сухожилия, но ничего особенного, о чем стоило бы беспокоиться».

Немного позднее подтвердились худшие опасения. У Сосы диагностировали перелом запястья. В команду позвали Патрисио Переса из «Велеса». Пресса подняла крик, что Лео, будучи *enganche*, собирается заменить Сосу в позиции позади основного нападающего. Несмотря на возраст, Месси стоял, по их мнению, в одном ряду с Сабалетой, Гаго и Билья – одними из лучших игроков в команде.

«Я думал, что Месси поставят играть с Витти, – говорит Оберман. – Я не часто играл в молодежных командах, принимал участие всего в трех товарищеских встречах. У меня были хорошие результаты на чемпионате в первом дивизионе, и я думал, что буду включен в список из 21 игрока, поэтому был очень рад, когда это подтвердилось. Я никогда не думал, что окажусь новичком. Впоследствии, когда мы приехали на чемпионат мира и я увидел своих товарищей, то подумал, что довольно сложно быть членом такой команды».

«Я много думал об этом, – говорит Панчо Ферраро, – и решил, что Лео может пойти на скамью запасных, а если он мне понадобится, то я выпущу его во второй половине». Как на чемпионате Южной Америки. Витти был одной из звезд «Росарио Сентрал», и циркулировали слухи, что он собирался подписать контракт с «Атлетико Мадрид». Он был наиболее перспективным игроком, а Оберман, Месси и Агуэро должны были сражаться между собой, чтобы попасть на глаза отборщика на другую позицию нападения. В конце концов, Витти сыграл всего три матча в том чемпионате и провел еще один год в «Росарио Сентрал», прежде чем стать членом клуба «Atletico Banfield», где так никогда и не приобрел популярности. При этом спортсмен так и не расцвел, даже перейдя в один из аргентинских гигантов – «Independiente». Он отправился на Украину, затем в Канаду, прежде чем перешел в перуанскую команду, где стал победителем чемпионата «Universidad de San Martin» в Лиме. Затем его передали в «Universidad de Deportes» в той же самой Лиге. В 18 или 19 лет граница между успехом и провалом чрезвычайно тонкая, и только со временем можно понять все точно.

На том чемпионате мира Витти должен был начать раньше Месси рядом с Оберманом. «Когда Панчо зачитывал вслух имена начальной группы, я чувствовал себя немного странно», – вспоминает Густаво Оберман. «Все смотрели друг на друга, как будто произносили по тысяче слов», – добавляет Сабалета. Казалось странным, что тот, кого многие считали лучшим, не играет. Лео ничего не сказал, просто опустил глаза. На пути к полю его отсутствие в цепочке идущих футболистов было главной темой беседы. «У него были проблемы на чемпионате Южной Америки», – говорили некоторые из них. «Возможно, Панчо напуган тем, что его очень активно подталкивали к этому решению», – добавляли другие. Лео с серьезным видом уселся на скамейке запасных. Никто с ним не заговаривал.

«Это было просто потрясающе, что я участвовал в той игре, я отлично сыграл, и после этого тренеры внесли еще некоторые изменения в состав. Меня продолжали включать в число основных игроков!» – говорит Оберман, все еще удивляясь этому. Основной состав сборной Аргентины выглядел следующим образом:

Оскар Устари; Хулио Барросо, Густаво Кабраль, Габриэль Палетта, Лаутаро Формика; Пабло Сабалета, Лукас Билья, Фернандо Гаго, Эмилиано Арментерос; Пабло Витти и Густаво Оберман.

Ферраро даже не пришло в голову в первой половине игры бросить взгляд на скамью запасных и заметить, насколько Лео расстроен: «Я был весь в игре». Ферраро нужно было больше скорости и устремленности вперед, потому что у США была достаточно глубокая защита. За шесть минут до перерыва Чад Барретт открыл счет. Ферраро приказал Лео разогреться, потому что хотел заменить им Арментероса, но замена уже не сыграла никакой роли. Аргентина проиграла со счетом 1:0.

Лео с мрачным лицом возвратился в раздевалку.

ГРУППОВОЙ ЭТАП
Аргентина – Египет
14 июня 2005 года, Стадион «Арке», Энсхеде:
Ожидаемое число зрителей: 8500
Рефери: Массимо Бусакка (Швейцария)

В конце игры с командой США в раздевалке собрались старшие игроки (Билья, Сабалета и другие). Решение было принято еще до того, как дискуссия вышла из берегов. Лео должен был играть – ведь он был лучшим. Он вышел во второй половине игры, хотя это и не отразилось на счете, но с точки зрения скорости и инициативы все изменилось. Полдюжины раз он получал мяч в середине поля и двигался с ним вперед. Месси сделал их лучше, и именно поэтому они сочли необходимым бороться за него. Они попросили Ферраро о встрече, и Сабалета рассказал ему, что решили игроки. Больше ничего говорить не потребовалось. Тренер согласился.

«Всякий раз, выстраивая команду, вы всегда защищаете лучшего игрока, потому что, в конце концов, делаете это для себя, – признается Оберман. – Если кто-то обеспечивает мне выход из трудного положения, я должен помочь этому человеку, позаботиться о нем, передать ему мяч и позволить чувствовать себя комфортно. Это происходит в любой команде мира».

Перед матчем с Египтом Ферраро внес изменения в основной состав. «Помимо Месси я забрал Нери Кардозо у Боки на фланге. Я не касался защитников. Защита, кроме Кабраля, который открыл дорогу для Гарая из-за двух желтых карточек в финале, всегда была одинакова: Устари, Барросо, Кабраль, Палетта и Формика. После этого шли Сабалета, Гаго, Хуан Мануэль Торрес, а позже Нери, Арчуби или Арментеро, три нападающих полузащитника». Оберман был назначен играть с Месси. Витти сидел на скамье. Для Агуэро чемпионаты мира начались слишком рано.

Именно в матче против Египта команда впервые увидела дух соперничества Лео. «На том чемпионате Месси показал, что у него есть характер, – говорит Оберман. – Его чертовски сильно ударили ногой. Я не уверен, что смог бы подняться после такого. Но Лео просто встал и продолжил играть, не пожаловался рефери. Я, наверно, ругался бы сильнее, чем он, – мне это свойственно. Я не могу сдерживаться. Я взял на себя ответственность и выразил протест. Как только он получил мяч и стал делать то, что он умел делать, мы были счастливы».

На сорок шестой минуте Месси забил гол, Сабалета – на девяносто первой. Аргентина победила со счетом 2:0.

Поражение в первом матче с США означало, что команда теперь будет играть за призовое место на следующем этапе против Германии, которая также стремилась к тому же результату. Аргентина должна была победить, но чтобы обогнать немцев, можно было сыграть вничью.

ГРУППОВОЙ ЭТАП
Аргентина – Германия
18 июня 2005 года, Стадион «Unive», Эммен
Ожидаемое число зрителей: 8800
Рефери: Бенито Арчундиа (Мексика)

Лео играл вторым основным нападающим в схеме 4–4–2, при том что большую часть матча провел на фланге. Он делал то, что диктовал ему инстинкт. «Вы никогда бы не смогли сказать Месси «стой здесь», потому что это не срабатывало. Вы просто позволяете ему играть и привыкаете к тому, чтобы максимально использовать создаваемое им свободное пространство», – говорит Густаво Оберман. Ферраро начинал понимать, что он должен создать условия, которые обеспечат Лео простор для действий и позволят ему действовать в своем естественном стиле, то есть так, чтобы все остальные могли пожинать плоды его усилий. Как откровенно признается его партнер: «Они попросили меня делать диагональные пробеги, чтобы помочь Месси – в этом случае ему было легче найти меня». Команда начала поддерживать Лео и нагружать его все большим числом обязанностей. Он принимал их совершенно естественно.

«Поначалу Месси был очень одинок в команде, но со временем все наладилось, – говорит Ферраро. – Я знал о его особенностях, потому что просмотрел все видео из Барселоны, и сказал всем остальным: «Мы должны быть с ним настороже. Иногда он даст вам мяч, иногда не будет этого делать. Напряженно ожидайте паса, потому что, возможно, вы ему понадобитесь, чтобы действовать как стена, чтобы отпасовать назад, или для финта, чтобы затем двинуться вперед. Максимально используйте пространство, которое он создает для вас». В то время я использовал его в центральных позициях, но начал ставить справа или слева с Оберманом. Я попросил мальчиков оставаться очень внимательными: если мы оттесняли противника на три четверти поля и у нас были свободные места, мы могли нанести урон любой команде, потому что были очень быстрыми, и не только нападающие, но и полузащитники, которые также забивали голы, Сабалета, Барросо...» Лео с готовностью принял одно из обязательств современного форварда: он стоял на первой линии обороны.

Игра началась. Как раз перед перерывом Месси начал играть с середины поля, обманул своих противников и, прежде чем выйти на простор, сделал точный навес на площадку. Оберман пропустил мяч, но Кардозо выдвинулся, чтобы забить гол. Счет 1:0. Это была сорок третья минута матча, как раз перед перерывом.

Во второй половине Торрес получил желтую карточку, а Агуэро вышел на замену Оберману. Торрес получил мяч, упал и поймал его рукой. Вторая желтая карточка: удаление с поля, остается десять минут. Следовало принять решение. Панчо Ферраро дополняет историю.

«Мой помощник Мигель Анхель (Тохо) спросил: «Кого выводим из игры?» Я попросил Билья, который уже разогревался, выйти на поле. Тохо спросил меня, кого я решил вывести из игры, и я сказал: «Месси». Лео был в сорока метрах от меня, пришел для замены, прошел мимо, и я, как всегда, похлопал его по спине, после чего он сел. Мы выиграли со счетом 1:0. Когда мы покинули стадион, нам, как обычно, передали запись игры. Перед ужином у нас было немного свободного времени, и мы с Тохо сели ее посмотреть. Именно тогда я увидел лицо Месси в тот момент, когда заменил его, – я пропустил это во время игры, но камера зафиксировала. Я сказал Тохо: «Стоп, стоп, Мигель, перемотай назад, что он и сделал. Я сказал ему, что не видел этого странного выражения на лице Лео».

Лео было трудно скрывать чувства, когда события развивались не так, как он хотел. У Лео появлялось такое выражение, которое один из его товарищей по команде описал как «лицо-задница».

«Он просто никогда не хотел уходить с поля, – вспоминает Салорио. – Лео – человек, который не хочет бросать игру, даже если он просто играет в шарики. У нас с ним была беседа. Я пошел поговорить с ним и сказал ему: «Ты неуважителен не только к тренеру, но и к тому игроку, который идет тебе на замену. Он тоже хочет играть, и он не выходит на поле, потому что его попросили об этом. Это зазнайство».

Ферраро продолжает: «Мы просмотрели видеозапись игры и отправились на ужин. После того, как мы закончили есть, команда поднялась и «Профессор» Салорио подошел ко мне и сказал: «Панчо, Лео хотел бы говорить с тобой». Я попросил, чтобы тот меня подождал.»

– Привет, Лео.

– Привет, Панчо, я хотел бы поговорить с вами.

– Отлично, в чем дело?

– Сегодня я был неправ.

– А в чем дело? – сказал я, притворяясь, что ничего не знаю.

– Ну, это... Я гримасничал у вас за спиной, я был неправ. Это потому, что, Панчо, я хочу играть.

– Это хорошо. Не волнуйся об этом, ладно? Но знаешь, что я тебе скажу – не делай ничего подобного ни с кем. Ты хотел играть под номером пять, центральным полузащитником? Нет, конечно, не хотел. После удаления с поля я должен был снять кого-то, и Агуэро только что вышел. Я сделал это не из-за прихоти. Я должен вывести Билью, потому что он – номер пятый, центральный полузащитник. Но не волнуйся, никаких проблем.

– Хорошо – сказал Лео, а затем он возвратился в комнату, где жил вместе с Агуэро.

Аргентина вышла в следующий этап, хотя и как команда, занявшая второе место. В любом случае ребята немного расслабились. Лео проводил свободное время, играя с Агуэро на PlayStation (по очереди играя то за Барселону, то за Аргентину). Игры не всегда были исключительно дружественными. «Однажды мы действительно подрались, всерьез, – вспоминает Лео в интервью *Mundo Leo TB*. – Мы решили, что, поскольку до конца турнира еще много времени, будет лучше, если мы станем играть, не пытаясь убить друг друга. Разумное решение». Много времени они проводили слушая музыку или просто болтая с ребятами. «Он чувствовал себя комфортно с Куном Агуэро, и это было мудрое решение – поселить этих двоих в одной комнате, – вспоминает Ферраро. – Лео играл с ребятами и смеялся, всегда смеялся. Кун был более веселым, но Лео всегда смеялся над тем же, над чем смеялись другие, в особенности Агуэро».

«Они очень разные: Лео интроверт, а Кун – экстраверт. Но говорят они одинаково и очень хорошо сочетаются, – говорит Салорио. – Лео ждет, что же сделает Кун, это его развлекает. А Куну нравится, что он заставляет Лео смеяться». Агуэро выполнил задачу по наполнению радостью небольшого мирка Месси. «Да... Лео ходил по тренировочному лагерю, выискивая ситуации, которые сделают его счастливым». Одной из дополнительных обязанностей Салорио в штате клуба было внедрение дисциплины и контроль над игроками. После не вполне верных шагов в отношении Месси в Южной Америки Салорио стал действовать немного тоньше. Однажды он застал Куна и Лео с пакетами чипсов.

«Я спал в той же комнате, что и Кун, мы должны были посещать одни и те же мероприятия, – вспоминал Лео в превосходном интервью с Мартином Соуто для *TyC Sports*, когда казалось, что он забыл о работающих камерах. – Если вы опаздывали, вас штрафовали. Внизу, в отеле, стоял автомат, который продавал конфеты и закуски: жевательную резинку, конфеты, чипсы. Нам запретили покупать что-либо из этого, и в девять часов все должны были быть в своих комнатах. Внизу также стоял единственный компьютер, и мы обычно спускались, чтобы поиграть на нем некоторое время перед наступлением «комендантского часа». Мы спустились вместе, и Кун сказал: «купим что-нибудь в автомате?» Мы так и сделали и спрятали то, что купили, под футболками. Было три минуты десятого, дверь лифта открывается, и перед нами – Профессор... а Кун пытается следить за тем, чтобы чипсы не выпали».

– Здорово, не так ли? – спрашивает Салорио.

– Да.

– Ладно, давайте договоримся кое о чем. Съешьте их, потому что не хорошо покупать еду и выбрасывать ее, но пусть это будут последние чипсы, которые вы купили. Хорошо? Наслаждайтесь.

Салорио разрядил ситуацию. «Иногда игрокам дают плитку шоколада, и я ее конфискую. Но когда они выигрывают игру, то я разрешаю съесть каждому члену команды по плитке. Я обычно носил шоколад с собой в сумке, и во время тура всегда брал ее с собой, так что прямо после последнего матча мы ели шоколад, конфеты, булочки».

Салорио решил сформировать «правительство» игроков, в котором были назначены министры – он уже практиковал подобное. Игроки были разделены на семь департаментов: уборка, порядок и опрятность, экономика, министерство покупки подарков на день рождения, министерство особых распоряжений и министерство развлечений, которое должно было каждый вечер в семь часов ставить новый фильм, а также распределяло книги. Затем Профессор попросил каждое министерство назвать своего лидера. Неизбежно игроки выбирали тех, у кого был самый сильный характер, так, чтобы они могли защищать свои интересы у Салорио. Ребята с менее выраженным характером неизбежно попадали в менее важные департаменты. Таким образом, отношения в команде стали развиваться более естественно. Более жесткие департаменты издавали законы и накладывали наказания. А еще брали большие штрафы. На собранные деньги (где-то 600–700$) они покупали подарки на все дни рождения, которые праздновались в том месяце. На оставшиеся деньги купили компьютер в качестве награды тому, кто выиграет большее число матчей, и играли на нем до десяти или одиннадцати вечера, по одному или командами. Они постепенно становились единым целым.

«Профессор был звездой, – сказал Лео Мартину Соуто. – По правде говоря, они могли бы серьезно наехать на нас, но они были бывалыми тренерами и понимали, что делают. Сейчас я со смехом вспоминаю все это, потому что отлично помню, сколько выволочек я от них получил».

Лео не был лидером какого-либо из «министерств», и это, возможно, было доказательством положительного впечатления, которое он с самого начала произвел на команду: как футболиста его считали стоящим, но вне поля он был маленьким, и не только по размерам. «Он не пил *мате*, – вспоминает Салорио. – Позже он привык к этому напитку, но тогда не пил, в отличие от большинства ребят. На поле Лео был настоящим убийцей, вне поля – нет».

Лео выстроил свой маленький и управляемый мирок внутри команды: он смеялся вместе с Куном Агуэро, а когда на него наезжали большие компании ребят, то он по большей части полагался на Устари. А такое происходило довольно часто: во время еды, а также когда они шли на тренировку или возвращались с нее. Его товарищи по команде часто шутили по этому поводу. «Уски, они говорят, что мы – устойчивая пара. Это тебя тревожит? Это тебя тревожит? Скажи мне, – спрашивал Лео у Устари. – Потому что, если это тебя тревожит, я пойду и скажу им что-нибудь, вот прямо сейчас!»

Он не был храбрым, как вспоминает вратарь. «Однажды Лео заставил меня пойти и спросить Профессора, нельзя ли ему подольше остаться у нас в комнате. Я сказал ему: «А сам-то почему не пойдешь?» Он ответил: «Нет, потому что он послушает тебя, и...» Он был просто мальчиком, мальчишкой. Мы раньше сдвигали кровати в моей комнате, и Месси мог спать посередине».

Но как только он пересекал белую линию игрового поля, Лео становился человеком с таким сильным духом соперничества, которому не нужны друзья. «На одной тренировке мы играли короткую игру, – вспоминает Устари. – Он бил приблизительно с полутора метров, и удар был такой, как будто он хотел снести мне голову! Лео попал в меня, и я сказал ему: «Ты что делаешь?» А он смотрел на меня как... настоящий убийца защитников. Однажды мы работали с мячом, смеялись, а затем внезапно началась игра, и... да, это был уже совсем другой человек. А ведь это была просто тренировка».

Устари обнаружил его слабое место и понял, как можно до него достучаться, чтобы избежать голов, которые он обычно забивал ему (у вратаря мало возможностей докопаться до нападающего, он неизбежно проигрывает в футбольной конкуренции). «Ты никогда не забиваешь со штрафного удара», – сказал я ему. Так оно и было. И это было верно. Как ни странно, но Устари считал, что должен изменить игру Лео к лучшему, поэтому он обсудил эту проблему с ним. «Ты не забиваешь со штрафного удара, потому что не хочешь, но если бы ты попрактиковался...» Именно это Лео и сделал. И он начал забивать голы, сделав это обязательной частью тренировок.

«Я забиваю только потому, что начал специально тренироваться делать это», – сказал он Уски.

Они финишировали вторыми в группе, из-за чего Аргентине выпала тяжелая участь играть с их следующими противниками – сильной командой Колумбии с такими игроками, как Радамель Фалькао, Фредди Гуарин и Уго Родальега.

1/8 ФИНАЛА
Аргентина – Колумбия
22 июня 2005 года, Стадион Unive, Эммен
Ожидаемое число зрителей: 8000
Рефери: Клаус Бо Ларсен (Дания)

Перед игрой Салорио намеревался «посеять раздор». Он искал врага, на котором можно сосредоточиться, и нашел его в лице тренера противника. Группа игроков и аргентинских тренеров пила мате, когда они увидели Эдуардо Лару, тренера Колумбии, который спускался вниз по лестнице. «Он спускался, как типичный мужчина Буэнос-Айреса – будто собирался танцевать танго, крепко сжимая маленькую сумочку, и я сказал остальным: «Посмотрите на него, он уже покончил с нами, он думает, что уже побил нас». Это была неправда! Бедняга просто шел по городу, так же, как и мы! Но все, конечно, присоединились ко мне и сказали: «Вы правы, посмотрите на этого сукиного сына!»

В тот вечер Профессор придумал новую игру: своей неведущей ногой вы должны забить гол пластмассовым мячом в маленькие воротца с расстояния приблизительно в 20 метров.

Во время самого матча, спустя шесть минут после того, как игрок Колумбии забил гол (Отальваро, 52-я минута), Месси играл один-два с Кардозо, который возвратил ему мяч. Его возможность для удара сужалась, поэтому «Блоха» решил бить. «Парень вспомнил вчерашнюю игру, – вспоминает Профессор. – Когда ситуация начала обостряться, он подумал: «Если я хорошо забивал мяч вчера вечером, то почему я не должен забить его сейчас?» И он забил мяч с очень острого угла». Он отбежал и ликовал с той радостью, которая обычно сопровождает первый гол. Баррозо забил еще один гол в дополнительное время, и Аргентина вышла в четвертьфинал.

Это была первая полная игра, которую Лео играл за аргентинскую команду. Она положила конец любым спорам о том, достоин ли он занимаемого места. «Есть быстрые игроки, а есть очень техничные, – анализирует Оберман. – Рикельме – великий техничный игрок. Хесус Навас из Испании действительно очень быстрый, но у него нет такого контроля над мячом, как у Месси. Рикельме фантастически контролирует мяч, но у него нет скорости Месси. У Месси есть и то, и другое. Такое очень редко встретишь».

ЧЕТВЕРТЬФИНАЛ
Аргентина – Испания
25 июня 2005 года, Стадион «Арке», Энсхеде
Ожидаемое число зрителей: 11 200
Рефери: Бенито Арчундиа (Мексика)

На следующем матче Аргентина должна была соперничать с европейскими чемпионами и реальными фаворитами, которые могли выставить таких игроков, как Давид Сильва, Фернандо Льоренте, Хосе Энрике, Алексис и Сеск Фабрегас, с которым Лео вновь встретился после двух сезонов, проведенных Сеском в лондонском «Арсенале». За день до игры, вечером, Месси встретился с Сеском в отеле, где команды находились в день игры. В прошлый раз они виделись в команде «до 16 лет» в «Барселоне», и оба дебютировали в соответствующих взрослых командах международного уровня. Сеск впервые узнал о дне рождения Лео, когда один из его аргентинских товарищей по команде закричал из комнаты: «Лео, с днем рождения, приятель!» «Стоит ли так суетиться», – подумал Лео.

«Вечером перед игрой двое моих нападающих подрались! – вспоминает Салорио. – Я делал один из своих мотивационных докладов, показывая видеофильм, и при вспышке света увидел, что Месси дерется с Оберманом. Шум, гам, никто ничего не понимает, даже тренер. И все галдят о чем-то совершенно глупом – я пошел так, ты двинулся так, толчок, удар, ситуация накаляется, кто-то начинает сердиться, наносит удар, другой отвечает ему... дурость! А на следующий день у нас матч с Испанией. Я вызвал их обоих: «Что происходит?» Они сбивчиво объяснились со мной, обменялись рукопожатием... и пошли спать! Разобраться не удалось, а когда в чем-то нельзя разобраться, надо отправить всех спать и попытаться уладить все утром. Недавно один мой друг дал мне очень хорошую книгу – она и сегодня лежит у меня на ночном столике. Книга называется «Почему люди совершают глупости?» или что-то в этом роде. Вот и они совершили глупость. Было четыре часа утра, я просматривал книгу, выискивая, что бы я мог им прочитать оттуда, но не находил ничего подходящего, пока не наткнулся на главу, посвященную подросткам. Утром они оба проснулись с лицами, похожими на отшлепанные задницы. Тогда я сказал им: «Прежде, чем мы начнем, нам надо поговорить». Я прочитал главу и позвал их обоих. Я передал им книгу и сказал: «Положите сюда руки и поклянитесь, как на Святом Евангелии, что вы не будете повторять свои глупости, потому что вы нужны нам. Прекратите мутузить друг друга. Если мы собираемся победить Испанию, нам нужны все силы, какие у нас есть». Остальная часть команды засмеялась. Они обнялись, и все было забыто».

После решения этой проблемы Салорио нужен был новый крючок, чтобы ребята сильнее стремились победить в следующей игре. «Я спросил себя – как мне добраться до печенок этих парней? В результате я рассказал им следующую историю: во времена правления Перона мы были очень богатой страной, а Испания была очень бедна. Мы стали постоянно посылать им три полных корабля зерна... Это правнуки тех, кого мы спасли от голода. То есть я хочу сказать, что их бы тут не было, если бы мы не накормили их. Именно поэтому сегодня мы должны замочить их. Как вы понимаете, история была как исторически, так и фактически немного неточной. Первый же мяч, который получил их номер 9, Льоренте, Кабрал срезал. Он ударил и мяч, и человека, а затем направил палец вверх. Панчо сказал мне: «Какого черта вы им наговорили?» – «Ничего, Панчо, я ничего такого им не сказал». – «А что за чертовщину он несет?» – «Откуда я знаю, о чем они там говорят!» Кабрал подошел ко мне и сказал: «Вы знаете, что я ему сказал? Я рассказал ему о лодках!» А Льоренте посмотрел на него так, как будто хотел сказать: «О чем бормочет этот тип?»

Испанская команда была не просто фаворитом, они лучше играли в футбол, и Панчо Ферраро изменил тактическую схему, чтобы организовать более глубокую защиту. Матч до семидесятой минуты шел со счетом 1:1, но с каждой минутой Лео начинал все сильнее влиять на игру. Его точный пас из глубины внутреннего поля участка нашел Обермана, который сделал бросок поверх вышедшего из ворот голкипера. Эти двое, устроившие драку предыдущим вечером, объединились на футбольном поле, чтобы в ключевой момент забить решающий гол.

«Это была единственная игра, в которой я не принимал участия с самого начала, – вспоминает Оберман. – Это была невероятно сложная и трудная игра. До определенного момента мне не удавалось забивать голы, и я пришел на игру в плохом настроении: я попал в штангу и разбил мячом лицо вратарю... Когда я забил гол, первым, кто подошел и поздравил меня, был Лео: «Знаешь, а я ведь говорил тебе, что ты забьешь гол».

Две минуты спустя мяч снова попал к Месси, и, не позволяя ему коснуться земли, он перебросил мяч поверх головы первого защитника, двинулся вперед, а затем самыми легкими касаниями сделал следующее: обошел еще одного защитника, после чего захватил мяч и отправил его в ворота левой ногой, увеличив счет до 3:1. В конце игры Лео на пути в раздевалку радовался вместе с остальной командой и пел, как это любили делать мальчишки до и после игр, когда они побеждали: «Оле, оле, оле / оле, оле, оле, ола / оле. Оле, оле / каждый день, я очень тебя люблю / ооооо, Аргентина / это чувство / оно неутолимо», размахивая своими свитерами и футболками над головами. И «Аргентина будет чемпионом, / Аргентина будет чемпионом / и мы посвящаем эту победу всем матерям, которые нас родили». Внезапно в двери раздевалки постучали. Это был председатель Испанской футбольной федерации Анхель Мария Виллар.

– Парни, тише – закричал Салорио.

– Нет, нет, твою мать, оставьте их, – настаивал Виллар. – Мои парни ходят с кольцами, длинными волосами, мобильными телефонами последней модели. Ваши же совершенно нищие, у них нет длинных волос, они бегают и отдают игре всех себя – они крутые. Пусть вопят! Вива, Аргентина!

Внезапно события в жизни Лео начали развиваться с невероятной скоростью. Одновременно стало происходить множество разных событий, и Лео шел вперед семимильными шагами. Он был приглашен в национальную сборную. Раз. В стартовый состав. Два. Апробация. Три. Решение проблем команды. Четыре. И теперь, на последнем этапе его стремительного подъема, «Барселона» добавила еще одно окошко для новой галочки. Перед полуфинальной игрой с командой Бразилии, в которую входили Рафинха, Фелипе Луис, Ренан и Диего Соуза, Лео подписал свой первый профессиональный контракт с основным составом ФК «Барселона». Это был третий контракт, которое он подписал с клубом, только на сей раз его стоимость составляла 150 миллионов евро. Пять. «В Голландии? Даже я не знал об этом, – говорит сегодня Панчо Ферраро. – Но он не выглядел как-то необычно. Он ходил куда-то с директорами клуба, но мне не показалось, что он выглядит как-то не так...» Он снова сделал несколько шагов по пути к мечте, но сделал это со своим обычным отсутствием видимых эмоций.

Очевидно, что все внимание Месси было сосредоточено на предстоящей работе, в особенности на испытании, которое ожидало национальную сборную: полуфинал чемпионата мира. За два часа до игры он выслушал трех старших товарищей, каждый из которых заботился о нем и помогал ему максимально полно использовать свой талант, поддерживал его на пути к своему первому турниру в составе аргентинской национальной сборной.

Во-первых, Панчо Ферраро. «Я сказал им: «Вы можете ошибиться в игре против Колумбии или Боливии, но нельзя делать ошибок в игре против Бразилии, потому что, если вы ошибетесь, они вас задавят». Я ненадолго включил видео, выключил его и затем начал говорить о том, чем сильна команда Бразилии, и о том, что мы собираемся сделать. Затем внезапно Лео сказал: «Не волнуйтесь, завтра мы победим». Он адресовал эти слова мне, но чувствовалось, что говорил со всеми».

Капитан, Пабло Сабалета, принимал участие в предыдущем финале чемпионата мира «до 20 лет», когда Бразилия выбила Аргентину в полуфинале. Теперь эти два соперника встретились в Голландии на том же этапе чемпионата, в том же самом отеле. «Запомните, мы не сможем смотреть на бразильцев, если проиграем, – они будут рядом с нами, и нам придется смотреть, как они празднуют победу, видеть их радость за едой, во время тренировок... Лучше победить!» Сабалета также напомнил им о необычной ситуации, с которой они столкнулись. «Когда настала моя очередь как капитана говорить, я сказал, что мне подарили возможность последний раз сыграть в финале чемпионата мира в этом возрастном отрезке, и я не хотел упустить ее. К тому же двумя годами ранее они выбили нас из игры. По этой причине мы должны сделать все, что в наших силах, чтобы победить».

Перед выходом на разминку Салорио подготовил сообщение. «Только что умер Эмилиано Молина, один из лучших друзей Куна Агуэро и один из вратарей команды «Independiente». Интернет был под запретом, поэтому я сам сообщил им об этой новости несколькими днями ранее. И... мы дошли до полуфинала, впереди был матч с Бразилией. И вот что я сказал им: «Парни, в воскресенье у нас будет особое преимущество в этой игре, потому что с нами будут играть три вратаря. Мы используем Устари, Лукаса Молину и другого Молину – Эмилиано – двое последних умерли в течение шести последних месяцев. Они будут сражаться вместе с нами с небес, и мы не можем проиграть. Давайте сделаем дело». Все были потрясены и полны эмоций, а я ушел».

ПОЛУФИНАЛ
Аргентина – Бразилия
28 июня 2005, Стадион «Galgenwaard», Утрехт
Ожидаемое число зрителей: 16 500
Рефери: Массимо Бусакка (Швейцария)

«Не волнуйтесь», – сказал Лео. Седьмая минута. Он берет мяч на левом фланге и после нескольких ударов чувствует, что наступил подходящий момент для того, чтобы запустить ракету с края поля в ворота. «Он забил его, пробив из угла», – вспоминает Ферраро.

Но надо было сделать еще очень многое. Сабалета работает с мячом, проходит мимо бразильского защитника в штрафную площадку. Теряет мяч. Подбегает бразильский центральный защитник, чтобы вернуть мяч, и капитан аргентинской команды падает на землю. Мяч катится свободно. Нога защитника поднимается, и голова Пабло оказывается между мячом и ногой бразильца. «Один из их защитников хотел возвратить себе мяч, и я просто блокировал его головой. Это была инстинктивная реакция», – говорит Сабалета. Ферраро сделал мысленную пометку, заметив этот отважный поступок.

На семьдесят пятой минуте Бразилия уравнивает счет ударом головой, выполненным Ренато после штрафного броска. Игра идет напряженная, без перевеса какой-либо одной стороны, дело идет к назначению дополнительного времени, но игра аргентинцев теперь полностью сосредоточена на том фланге, где играет Лео. Он – звезда, и все надеются на него.

Прошло 93 минуты, Лео получает мяч слева и после быстрого пробега по флангу оказывается на краю штрафной площадки – один на один с центральным защитником противника, который вышел, чтобы заблокировать его. Оставив позади этого игрока, Месси добирается до боковой линии, а затем делает навес к одиннадцатиметровой отметке. Кун Агуэро не достает до мяча, но тот оказывается в ногах у Сабалеты, который бьет по мячу левой ногой. Мяч ударяется в двух защитников, прежде чем находит путь к воротам.

Гол. ГООООЛ!

Сзади к Пабло, почти сходя с ума, подбегает Лео, размахивающий руками так, как будто собирался взлететь. Он кружится вправо, и Пабло вслед за ним, затем влево, на большой скорости. Лео присоединяется к обнимающейся группе, крича и подскакивая. Несколько секунд спустя, когда рефери свистит, завершая игру, они делают это снова и снова. Аргентина добралась до финала.

— Правда ли, что, когда вы говорили по телефону с Диего, вы пообещали ему кубок?

— [Громко смеясь.] Это было невероятно. То, что лучший игрок в мире должен был потрудиться, чтобы поговорить со мной. Вот это да! Он попросил, чтобы я возвратил кубок Аргентине. А я нахально заявил: обязательно! Я уже говорил с ним после того, как забил первый гол в своей карьере против «Альбасете» в испанской Лиге. Но каждая встреча с величайшим игроком уникальна.

(Журнал «Gente», июль 2005 года)

ФИНАЛ
Аргентина – Нигерия
2 июля 2005, Стадион Galgenwaard, Утрехт
Ожидаемое число зрителей: 24 500
Рефери: Терье Ходж (Норвегия)

Диего Армандо Марадона пообщался с командой по телефону при помощи своего друга – журналиста. У него был разговор и с Лео. «Привези домой кубок», – сказал он. Нигерия победила Марокко, и за день до финала Лео был награжден «Золотым мячом» как лучший игрок турнира. За ним шли два нигерийских игрока, полузащитник Джон Оби Микель и левый защитник Тей Тайво. После получения приза Лео подготовил футболку, которую будет носить под своей бело-синей курткой сборной.

Панчо Ферраро подготовил ребятам видео. И, поставив палец на кнопку перемотки, сказал: «Знаете, я люблю смотреть на высокий удар над головой, красивую игру, проброс мяча между ног соперника, но вы посмотрите на это». И он нажал кнопку Play. Они увидели ситуацию, в которой Сабалета сунул голову между мячом и ногой противника. «Вот что сделал ваш капитан». Лео засмеялся. Остальные тоже. Ферраро добавил: «Если и завтра у нас будет то же отношение к игре, мы выйдем в чемпионы».

«Многие из нас в последний раз играли на чемпионате «до 20 лет». Отчасти прелесть этого уровня заключается в том, что насладиться им можно только один раз. Очень важно не упустить свой шанс». Именно об этом хотел сказать им капитан.

Состав команды Панчо Ферраро был: Оскар Устари; Лаутаро Формика, Габриэль Палетта, Эсекьель Гарай, Хулио Барросо; Пабло Сабалета, Фернандо Гаго, Хуан Мануэль Торрес, Родриго Аркуби; Лионель Месси и Густаво Оберман. Позже к ним присоединились Кун Агуэро (заменил Обермана, 57-я минута), Эмилиано Арментерос (заменил Арчуби, 61-я минута) и Лукас Билья (заменил Гаго на 72-й минуте).

Идя к тренеру, Лео шел по коридорам довольно тихого «Utrecht's Galgenwaard Stadium». Он не говорил ничего такого, что кому-нибудь запомнилось. Сам Месси тоже не может вспомнить, что говорил что-то значительное. «У него спокойный характер, очень спокойный, – говорит Сабалета. – Обратите внимание, как он бьет пенальти – с ледяным спокойствием».

Тридцать восьмая минута. Лео получил мяч на левом фланге и выполнил одну из своих пробежек, на сей раз приблизительно 40 метров, обойдя нескольких игроков. Он входит в штрафную площадку. Деле Аделейе пытается вернуть мяч, но у него это не получается. В отчаянии он наносит ему сильнейший удар, пытаясь отобрать мяч. Явное пенальти. Лео без спешки встает, не выказывая эмоций, и идет к одиннадцатиметровой отметке.

Сабалета, будучи капитаном команды, должен был сам пробить пенальти или, по крайней мере, решить, кто должен это сделать. «Это должен был сделать тот, кто умеет уверенно забивать голы», – говорит Пабло. После фола Месси, который провел месяцы, выполняя пенальти по требованию его прежнего тренера Гильермо Хойоса, подхватил мяч с серьезным выражением на лице. Посмотрел на него и, почти не разбегаясь, раз, два, три...

Арсен Венгер говорит: «Чтобы добраться до очень высокого уровня, вы должны верить в себя больше, чем это можно логически оправдать. У всех великих спортсменов есть эта способность к нелогичному оптимизму. Ни один атлет никогда не достигал своего максимального потенциала, не имея способности убрать из своего сознания даже малую тень сомнений».

...четыре, пять коротких шагов...

За эти 40 дней, проведенные в тренировочном лагере, команда видела явные изменения в характере Лео. Особенно во время финала. Эмоции группы (дошедшей так далеко, поговорившей с Марадоной, выбравшей лидера) резко контрастировали с хладнокровным спокойствием Месси, с помощью которого он уже оказывал влияние на поле и превращался в сильного и спокойного лидера группы.

...он умело располагает мяч справа от вратаря.

«Он ударил по мячу с необыкновенной простотой и внутренним спокойствием, как будто это ничего для него не значило» (Сабалета).

«Было известно, что он один из тех, кто хорошо бьет пенальти, но мы не знали, насколько спокойным он при этом будет и что он просто медленно вкатит мяч в ворота» (Оберман).

...и мяч мягко вкатывается в ворота вдали от вратаря, Ванзекина, который бросился в противоположном направлении.

Лео только улыбнулся глазами, его взгляд говорил: «Конечно, я забил». Он поднял верхнюю футболку, чтобы показать ту, которая была под ней, со словами: «Для Мари, Бруно, Томи, Агуса (Посвящается его сестре, племянникам, Агустину и Томасу, и кузену Бруно)».

На пятьдесят второй минуте Нигерия сравняла счет, и 20 минут спустя Куна Агуэро сбили с ног. Снова явный фол. И снова Лео берет мяч.

Если первый пенальти – нечто, что обычно не делает игрок левой ведущей ногой (то есть нацеливающий удар влево), то второй, после трех шагов, и самым легким касанием, посылает мяч к другой стойке ворот, когда вратарь опять бросается в неправильном направлении.

«Он не выглядел обеспокоенным даже в финале чемпионата мира. Он выполнял пенальти так, как будто играл у себя на заднем дворе. Оба пенальти были совершенно разными» (Панчо Ферраро).

Лео поднимает футболку. В этом случае немного менее восторженно.

Игра закончена.

Вот так это было. Пятый чемпионат в категории «до 20 лет» с участием Аргентины. А затем начались прыжки, шутки, с лица Лео не сходила широкая улыбка. Получая свои медали, они обсуждали обтягивающие платья, в которых щеголяли сотрудницы, приветствовавшие посетивших награждение сановников. Затем они ушли, чтобы снова прыгать и шутить до тех пор, пока не пришло время получить заключительный приз – Кубок чемпионата мира.

«Час пробьет – придет Спаситель»: чемпион и лучший игрок турнира, каким был Марадона в 1979 году, призер «Золотой бутсы» как лучший бомбардир (на один гол больше, чем Фернандо Льоренте и украинец Олександр Алиев). Сабалета дразнил его, напоминая, что если бы он не забил эти два пенальти, то не выиграл бы «Золотую бутсу». В полном восторге оба позировали вместе с принцем Уильямом-Александром, мужем Максимы Зорригиеты, королевы Нидерландов аргентинского происхождения.

Команда вернулась в отель, и «Профессор» настоял, чтобы они проявили уважение к другим командам, которые тоже проводили там вечер. Так что никаких вечеринок, ничего подобного, просто долгий праздничный ужин, и все.

О чем думал Лео? Месси вспоминал этот чемпионат как одно из лучших событий своей жизни. Даже после всего, чего он достиг в своей карьере, тот период был для него важным началом в его жизни (национальная сборная, чемпионат мира, новая группа людей). Лео приехал из другой страны и хотел быть признанным в своей собственной. На отборочном этапе он был одним из многих, его стойкость была под вопросом, равно как и его физическая сила. На решающих стадиях борьбы он стал определяющим фактором, потому что уравновешивал силу колумбийской команды. Две минуты волшебства и один помощник – и вот вам гол команде Испании, затем победа над Бразилией. Несмотря на то, что Месси уже дебютировал в Лиге и даже однажды выиграл в игре за «Барселону» в том же самом сезоне, именно в Голландии Лео Месси действительно взлетел к вершинам.

«Что вы говорили ему, чтобы придать дополнительный толчок?» – спросили у Салорио. «Мы сделали его диким бойцом, почти дьяволом – аргентинец всегда хочет победить. Мы сказали ему: «Смотри, если мы проиграем, нам придется убраться отсюда, потому что они забьют нас до смерти». Я не мог отправиться с Панчо и Лео на чемпионат Южной Америки из-за стресса, но наслаждался чемпионатом мира. Есть одно незабываемое воспоминание, которое я унесу с собой в могилу: игроки приехали за мной, подхватили меня и трижды подбросили в воздух. И тогда я сказал: «Черт побери, должно быть, я многое сделал для этой группы ребят, что они приезжают за мной, в то время как я просто сижу в углу и аплодирую им...»

«Кун чуть с ума не сошел, мы все были очень счастливы, – добавляет Оберман. – Я помню, что напевшись, нагулявшись и навеселившись, когда мы все немного успокоились, я подошел к Лео и сказал: «Знаешь, когда-нибудь я скажу своим детям, что играл с тобой в футбол, потому что ты станешь одним из великих». Помню, как он засмеялся, а затем застенчиво коснулся моего плеча. Я и правда считал, что он будет великим футболистом, но не был в этом уверен. Он превзошел мои ожидания. В шутку мы говорили: теперь у Пекермана не будет проблем с подбором команды для чемпионата мира 2006 года, потому что ему придется взять Месси».

Оберман пришел из аргентинских «Юниоров», и во время празднества ему в голову пришла мысль: «Мы играли с мальчишкой, который был членом одного из самых значительных клубов в мире, а он относился к нам так, как будто пришел из команды того же уровня, что и мы, скромно и даже с тревогой, потому что порой раздражался во время игры или стонал, когда вы не пасовали ему или еще что-то в этом роде. Я всегда старался идти вслед за его инстинктом, и всегда – с огромным уважением. Играть с ним было одно удовольствие».

Густаво Оберман больше не играл за сборную своей страны. Его сыну пять лет, и он фанат Месси, Неймера и Рональдо. Когда он сказал сыну, что играл с Месси, ребенок даже не поверил ему:

– Когда он играл за «Барселону»?

– Нееeет, в Аргентине.

– А когда ты играл за Аргентину?

И Оберман поставил видео с голом, который он забил Испании после паса от Лео, тот момент, когда комментатор начинает набирать темп: «...Гаго, Месси, Оберман... гооооол!!»

– Смотри, смотри, папа!! Мама, мама!! Папа играет с Месси!!

— Вы мечтали об этом моменте?

— Не буду вам лгать: я всегда мечтал играть и быть чемпионом вместе с национальной сборной, но пока этого не произошло, я не знал, насколько это прекрасно — делать круг почета в футболке своей страны.

— Вы знали, что вдохновили всю Аргентину?

— Это было невероятно — прием, который нам устроили, я поверить не мог в то, что подобное возможно. Теперь я просто хочу быть с семьей, наслаждаться жизнью с моими мамой и папой [Хорхе, 46, и Селия, 44], моими братьями и сестрами [Мария Соль, 11 лет, Матиас, 22 — он зеленщик, и у него есть киоск в центре Росарио, — а также Родриго, 25 лет, который живет с Лео и Хорхе в Барселоне, где он учится, чтобы стать поваром], и с моими племянниками.

— Весь мир сравнивает вас с Марадоной. Как вам удается не потерять в этой обстановке голову и мыслить разумно?

— [Он краснеет и не отвечает] ... Мы с моей семьей пережили много тяжелых моментов. Но, как они говорят, это было похоже на сон обо мне. Я все еще не вернулся на землю. Это что-то уникальное, чего я никогда не забуду. Победа на чемпионате мира была самым счастливым моментом моей жизни.

(Журнал Gente, июль 2005 года)

После победы Лео написал матери письмо по электронной почте: «Мама, я поверить не могу, что это произошло со мной. Я щиплю себя, чтобы убедиться, что я не сплю». Он вернулся в Аргентину героем, футболистом, которого ждала нация. Его имя на следующий же день появилось на страницах *L'Équipe*, *La Gazzetta dello Sport*, *El Mundo Deportivo* and *AS*.

«Я полюбил национальную сборную, когда мне было шестьдесят лет. Когда вы слышите свой государственный гимн, это будоражит кровь. Это было серьезное основание для гордости – иметь возможность тренировать и вести к победе не одного только Лео Месси и Серхио Агуэро, но всю команду, – говорит Ферраро. – Это был звездный час моей карьеры. Всего пять тренеров в истории Аргентины могут сказать: «Я был чемпионом мира»: Менотти, Билардо, Пекерман, Токалли и я. В аэропорту Эзейза висит плакат с нашими портретами – я обнимаю Месси и Устари. Это был лучший момент в моей жизни».

Все должны были возвращаться в Буэнос-Айрес, каждый в свой собственный дом, к своим собственным делам. В аэропорту игроки с удивлением увидели сотни фанатов, ожидающих возможности поприветствовать их. Телекамеры, радиомикрофоны, фотографы. Когда они вышли из зала прибытия, все выискивали Лео, тонущего в море журналистов. Его дядя, Клаудио, и его отец, Хорхе, приехали забрать его и решили принять приглашение известной телевизионной программы. После этого, поскольку было раннее утро, Лео заснул в машине, везущей его в Росарио вместе с Формикой и Гараем, которые тогда играли за «Ньюэллс».

То, что произошло дальше, отлично описал Тони Фриерос в биографии Лионеля Месси. Синтия Ареллано, школьная подруга Лео, оповестила местных молодых людей, чтобы те могли подготовиться, собрать деньги и украсить улицы флагами и надписями. «Лео – наша национальная гордость» – так было написано белой краской. Были и другие надписи, например: «Привет, чемпион!» Они ждали его приезда до полуночи, чтобы прибыть с барабанами и петардами наготове. И с тремя телекамерами. Они мерзли, ожидание все затягивалось и затягивалось. Большинство людей отправились спать.

Приблизительно в пять утра они услышали звуки приближающейся машины. Включили камеры. На машину начали бросать конфетти. Раздались крики: «Лео едет, Лео едет». На самом деле приехал усталый, замерзший молодой человек, который очень хотел лечь спать, но он сразу же собрался: поприветствовал всех, поцеловал, дал интервью.

Мальчик, который пять лет назад уехал в слезах, возвратился Чемпионом мира.

Глава 4
ФРАНК РАЙКАРД. ПУТЬ К ВЕРШИНАМ

«Мы знали, что Месси станет лучшим игроком, чем Рональдиньо. Помню, я сидел в кабинете и прочитал в газете о том, что мы собираемся купить Рафаэля ван дер Ваарта. Я посмотрел на Франка. Мы только что видели команду «Барселона В» с Месси, играющим в ней главную роль. Франк сказал: «А ведь нам не нужен ван дер Ваарт».

(Хенк тен Кейт)

В течение сезона 2004/05 года «Барселона» продолжала проводить необходимую реструктуризацию, гарантирующую, что мяч наверняка окажется у Рональдиньо. Франк Райкард одобрил уход Эдгара Дэвидса, Патрика Клуиверта, Михаэла Рейзигера и Филипа Коку, в то время как Луис Энрике и Марк Овермарс решили уйти на покой. Это был конец целой эпохи, а молодая команда Хоана Лапорты помогла клубу вновь обрести оптимизм. Благодаря деньгам, полученным от трансферов, пришли отличные игроки: Деку (из команды «Порту», которая только что выиграла Лигу чемпионов), Людовик Жули («Монако»), Беллетти («Вильярреал»), Эдмилсон («Лион»), Хенрик Ларссон («Селтик»), Сильвиньо («Селта») и Самуэль Это'о, за которого «Барселона» должна была заплатить 12 миллионов евро «Майорке» и столько же – «Реал Мадриду». Этот список – ядро новой «Барсы», которая начиная с того момента полагалась на комбинацию в центре поля с Рафой Маркесом, Хави и Деку (Иньеста был в это время свежей парой ног) и квалифицированным и результативным нападающим в виде Это'о, Жюли и Роналдиньо.

Хорошие результаты и значительные преобразования привели к тому, что в декабре 2004 года Роналдиньо был назван ФИФА Игроком года. Но еще недоставало титула, который должен был доказать, что Барселоне в конце концов удалось вырваться из пятилетнего периода неудач.

Лео Месси дебютировал в основном составе во время товарищеской встречи против «Порту» в ноябре 2003 года, но двери «Камп Ноу» так и остались закрытыми для этого горячего новичка. Неужели Франку Райкарду этот талантливый 17-летний мальчишка казался совершенно бесполезным, несмотря на то, что очень быстро прогрессировал? В клубе то и дело раздавались голоса сомневающихся, то же самое говорила семья игрока – почему он не играет? Как Лео воспринимал ограниченное число возможностей в основном составе? Как могло повлиять то сложное время на любого подростка, не говоря уже о таком, который входил в элитную команду? Клуб предложил, чтобы с Лео поработал аргентинский психолог, выбранный Хосепом Коломером, директором клуба, отвечающим за Академию.

Роль спортивного психолога очень трудна – игроки не воспринимают его всерьез, и все же некоторые специалисты берут на себя эту роль, считая ее неотъемлемой частью принадлежности такому престижному учреждению. Футболисту обещают полную конфиденциальность, но игроки нередко имеют устойчивое подозрение, что любая работа с психологом идет совершенно с иной позиции. Поначалу Лео принял предложение Коломера, но это было незадолго до того, как он сообщил клубу, что у него нет желания продолжать общаться с тем, кому он не доверяет. И это доверие было полностью разрушено, когда доктор привел на занятие группу студентов-психологов, чтобы те посмотрели, как хорошо он работает с игроком. Все это не соответствовало целям Лео, который перестал посещать эти встречи. Он был уверен, что сможет справиться с давлением, возникающим вследствие того, что он находится в шаге от включения в основной состав – главным образом потому, что не чувствовал этого давления.

Его физическое развитие не останавливалось: с августа 2003 года по апрель 2004 года Лео набрал 3,7 килограмма, прежде всего в виде мышц. Маленький Лео был теперь в прошлом. Его сила теперь росла не столько в спортзале, сколько на тренировках и из-за постоянного присутствия в стартовом списке «Барселоны В». Вера, продемонстрированная Хосепом Коломером, и настойчивость других тренеров, таких, как Гильермо Хойос, Алекс Гарсия, Тито Виланова и Пере Гратакос, вселяла в него уверенность, становясь важным витамином роста. «Когда он перестанет прогрессировать, мы закрепим его на том уровне, на котором он окажется в этот момент. Но зачем останавливать его до того, как он достигнет этого уровня?» – сказал директор отдела молодежного футбола отцу Лео.

В те дни казалось, что если футболист не имеет бороды и усов, то он не может играть во взрослой команде. То, что произошло в «Порту», было результатом необходимости, а не ясной стратегией – для мальчика его возраста было почти невозможно войти в команду Райкарда. Так что, думал Месси, возможно, они считают, что я достиг своего предела. Пока он должен продолжать упорно трудиться в «Команде В», которой руководил Гратакос.

Гратакос знал, что Франк Райкард полагается на игроков своей команды, проверенных и очень опытных, которые стояли на пути Месси, но, тем не менее, в своей команде Лео был подающей надежды звездой, и он начал регулярно долбить стену. И постепенно в воротах «Камп Ноу» появились трещины.

В связи с исключительными обстоятельствами был подготовлен тренировочный режим, специально подогнанный под физические характеристики Лео, и он начал объединять свои тренировки в команде В с тренировками с командой Райкарда. Голландец сказал семье игрока, что увидел у Лео некоторые «невероятные особенности», но настоял на том, что их следует «стараться использовать постепенно и в надлежащее время».

Гратакос знал, что в его обязанности входит привить игроку определенные навыки, которые он еще не включил в свою игру и которые были необходимы, чтобы он смог вписаться в команду второго дивизиона В. Было нелегко заставить его изменить некоторые свои плохие футбольные привычки. Довольно часто ветераны команды (мало кому из них было больше 21 года) жаловались тренеру, что Месси не выполняет действия по защите, которые от него требуют. «Он не выполняет прессинг», – говорили они. Пере хорошо понимал это и напоминал аргентинцу на тренировках, что игра продолжается и после того, как он потерял мяч. Однако тренер конфиденциально сказал своим подопечным, что они не должны забывать о том, что Лео сделал для команды: «Да, он не занимается прессингом, но вы ведь помните, что он делает, когда мяч у него? Не волнуйтесь, парни, мы будем с ним работать».

Прыжок вверх для 17-летнего игрока оказался довольно трудным делом. По сравнению со своим звездным взлетом из младших разрядов, казалось, что в первые месяцы с «командой B» Лео сдает позиции. Несмотря на то, что он постоянно играл, в первых 12 играх Лео забивал голы только в пяти случаях, включая один гол против «Хироны» во второй игре. Ему было трудно убежать от защитников и принести пользу команде.

Команда тоже ворчала. В сентябре команда «Барселона B» отправилась играть против команды «Сарагоса B». Технический штат считал, что они дали правильные инструкции и надеялись на положительный результат, хотя все кончилось убедительным поражением со счетом 3:0. Лео покинул поле крайне расстроенным, и как только он вернулся в раздевалку, то зарыдал. Его реакция удивила Пере Гратакоса: «Следует иметь в виду, что Лео играл хорошо! Мы должны были ободрить его, сказали, что он должен быть упорным и улучшить свою игру и что мы должны извлечь из этого поражения позитивные моменты». Он был единственным «сине-гранатовым», кто заплакал на том пятом матче лиги третьей группы второго дивизиона. Для большинства эта игра была точно такой же, как и любая другая.

Месси каждый день тренировался с Гратакосом, кроме одного раза в неделю, когда он встречался с основным составом. Этот один день недели превратился в два, затем в три. Сомнения, выраженные техническим штатом Райкарда, начали постепенно рассеиваться, хотя голландец все еще сдержанно относился к Лео. «Он подходит нам, он – хороший игрок, но определенные аспекты его игры следует улучшить», – ответил он, когда его спросили о Лео. Тренер не хотел торопить события. Помощник Райкарда, Хенк тен Кейт, думал, что Лео вполне готов. Затем однажды в октябре Роналдиньо и Деку сказали им обоим, что они напрасно тратят время: «Месси должен быть здесь, играть с нами».

Тен Кейт – «плохой полицейский» рядом с «хорошим» Райкардом, занимался тем, что удерживал Роналдиньо на пути добродетели и обычно уравновешивал крепким словом и дубинкой то, что его рассудочный, склонный к психологическим рассуждениям босс старался добиться пряником. Они отлично работали в тандеме.

«Барселона» искала защитников, способных носиться по всему полю, с характером и необходимым пониманием футбольного стиля. Джио ван Бронкхорст отлично соответствовал этим требованиям, и с ним был заключен контракт – его взяли из «Арсенала» после начального периода аренды. В то время голландские футболисты были очень модными – их воспитывали практически так же, как и юниоров «Барселоны». Джио, сегодня работающий помощником управляющего Рональда Коемана в «Feyenoord», и Хенк, последнее время работавший тренером в голландской команде «Спарта Роттердам», встретились в 2013 году в ресторане в Роттердаме, чтобы вспомнить о приходе Лео Месси в основной состав.

Джио все еще говорит о Лео с улыбкой человека, который знает, что, возможно, делил раздевалку с лучшим представителем своей профессии. Тен Кейт говорит, что через 20 лет он хотел бы оглянуться назад, на свою карьеру, не только как «тренер, который работал с Месси». Ни в коем случае. Хенк просто был тренером. И точка.

Тен Кейт: Мы организовали ему дебют в матче против «Порту» в сезоне 2003/04 года, когда он был подростком, прежде чем он начал тренироваться с нами. Впервые я познакомился с ним в аэропорту на пути в Португалию. Нам сказали, что он очень хорош, а в тот день нам были очень нужны игроки. Мы подумали – почему нет? Позже мы пригласили его тренироваться с нами на более регулярной основе.

Ван Бронкхорст: Рональдиньо сказал на первой тренировке с Лео, что этот мальчик, возможно, будет лучше, чем он сам. Все засмеялись. «Да ну тебя!» – ответили они. Я не помню деталей, единственное воспоминание, которое у меня осталось от его первой тренировки с нами, – это общее ощущение приятного удивления. А у вас?

Тен Кейт: Я помню одно. С первых минут бразильцы взяли его под свое крыло. Перед стартовой тренировкой мы обычно выполняли *рондо.* У нас была группа испанских игроков (Пуйоль, Олегер, Хави, Иньеста), затем была вторая группа бразильцев с игроками вроде Это'о и Рафа Маркеса. Сильвиньо сказал ему: «иди сюда, сынок». И он присоединился в рондо к бразильцам. Сильвиньо принял его и с того момента стал ему как отец.

Ван Бронкхорст: Если на экране телевизора вы видите футболиста, который просто блистает, вы можете выкрикнуть: «какой великий игрок!» Но реально понять, насколько хорош тот или иной игрок, вы можете, только если будете тренироваться вместе с ним. Именно это произошло у меня с Бергкампом, Генри и Рональдиньо. Если вы играете с ними каждый день, то начинаете понимать, что они особенные. Что касается Месси, уже после первой тренировки было понятно, насколько он хорош – я никогда раньше не приходил к подобному заключению так быстро! Даже с теми тремя, при том, что они – суперзвезды.

Тен Кейт: В это время была огромная разница между основной командой и молодыми парнями в «Команде В», которые играли на два дивизиона ниже. Иногда мы опирались на игроков вроде Хоана Верду, возможно, лучшего из резерва, но он был недостаточно хорош для того, чтобы занять место более крупных игроков. Но Лео...

Ван Бронкхорст: Несколько недель спустя мы сыграли тренировочный матч между командой В и основным составом. Месси, играя за «Команду В», обычно действовал в середине поля, эту область защищал Тиаго Мотта – опорный полузащитник. Месси повсюду брал над ним верх.

Тен Кейт: Несмотря на то, что Месси хорошо сыграл в Порту, несмотря на его уверенность в себе и удивившие нас качества, прошло некоторое время, прежде чем мы убедились, что он готов дебютировать в официальном матче. Приблизительно год. Почему? В той команде у нас было много отличных игроков. Жюли справа, Это'о – нападающий, Деку как капитан в центре и Роналдиньо слева, потому что нам надо было его где-нибудь поставить. Мы заключили с ним контракт, взяв его из «Пари Сен-Жермен», но когда у него нет мяча, он совершенно не действует в защите, поэтому мы поставили его на фланге. Хави играл не в каждой игре, Иньеста – и того меньше. Представьте себе, насколько сильная команда у нас была. Лео начали приглашать в команду в сезоне 2004/05 года, но довольно много матчей он просидел на скамье запасных.

Ван Бронкхорст: «Команда В» и команды более низкого уровня играли по схеме 3–4–3, а он был *enganche*, с номером 10, прямо за нападающим. Таким образом, в схемах 4–3–3, которые мы использовали, для него не было места в той позиции, в которой он обычно играл.

Тен Кейт: В дублирующем составе он был почти как второй нападающий. Но система не важна, важно положение, которое он занимает, когда находится на поле. Он не мог играть в центре. Наш передний центральный форвард должен был быть сильным и способным играть спиной к воротам, а, получив мяч, развернуться. Лео не слишком хорошо подходил для этой роли.

Ван Бронкхорст: Что тренеры говорили между собой обо всем этом, о его развитии?

Тен Кейт: Франк несколько скептически относился к столь рано проявившимся возможностям Лео. «Мы должны подождать», – сказал он. У нас была проблема, потому что он был очень хорош, просто у нас не было для него достаточного числа возможных вариантов. Он продолжил тренировки с нами, все чаще и чаще, но мы не использовали его в игре. Кого мы бы стали снимать? Его время еще не пришло.

Ван Бронкхорст: Поскольку я был левым защитником, мне часто приходилось опекать Месси на тренировке, потому что вы ставили его справа от атакующих. Вы видели, что для него каждый мяч – как последний, он был сильно мотивирован на каждой тренировке. При каждом нападении. Это было похоже на Роналдиньо, когда он изъявлял желание тренироваться: вы могли видеть, что оба были счастливы и улыбались. И, конечно, не было никакой возможности остановить их.

Тен Кейт: Они прикончили бы любого, кто встал бы у них на пути. Всякий раз, когда у Лео оказывался мяч, он показывал свою силу. Иногда у вас есть игроки, которых вы заставляете сделать немного больше. С ним вам приходилось накидывать ему петлю на шею, чтобы хоть немного сдержать его.

Ван Бронкхорст: Я помню те хорошие тренировки, потому что у нас было несколько действительно великих игроков. Иногда мы разогревались в раздевалке перед выходом на поле, и я, только увидев, как Ронни, Деку или Лео выделывали с мячом нечто невероятное, я чувствовал себя готовым тренироваться. Какое удовольствие! Нужно ли было вам давать Лео много инструкций? Я не помню, чтобы тренерам приходилось постоянно следить за ним.

Тен Кейт: Не часто, правда. Эти люди так талантливы и так умны – это обычно идет рука об руку. Они с полуслова понимали все, что мы хотели от них на поле. Большая часть того, что Лео делал на поле, шло изнутри. Мы попытались научить его стать профессионалом: заботиться о себе, тренироваться. Иногда бывало три игры неделю, и если бы он не тренировался как безумный, то не смог бы выступать так часто. Месси должен был привести свои физические способности в соответствие со своим энтузиазмом. Когда он начал играть, уровень его достижений то поднимался, то опускался, но это нас не волновало, потому что вы видели – это молодой мальчик с невероятными качествами. Логично, что 17-летний игрок должен испытывать недостаток устойчивости.

Ван Бронкхорст: Мне раньше нравилось, когда за день до игры проводилась действительно хорошая тренировка – это был хороший знак. Мы начинали с рондо, затем шли упражнения в зависимости от того, кто были нашими противниками, и, наконец, играли 11 против 11 на маленьком поле. И Лео играл так, как будто от этого зависела его жизнь. Было невозможно не дать ему шанс, рано или поздно.

Тен Кейт: Иногда я говорил Франку: «Вы это видели?» Он просачивался между двумя или тремя игроками, хотя между ними не было ни малейшей щели. И у него был очень сильный удар. У обычного игрока вы можете уловить намерение по движению ноги, по тому моменту, в который он отводит ногу назад и бьет – все за долю секунды, но времени оказывается достаточно, чтобы защитник мог заблокировать. Когда бьет Лео, кажется, что его нога не двигается, и все же мяч отлетает от его ноги с невероятной силой.

Ван Бронкхорст: Кажется, что он думает быстрее всех нас. Или перед его глазами встает рисунок игры, который позволяет ему точно понимать, как все будет развиваться и какие движения требуются. Это напоминает научную фантастику. Все, что я вижу, – это мяч и много ног. Он видит решение.

В командах более низкого уровня Лео не принял бы игру на фланге, потому что там он должен был ждать, когда к нему попадет мяч, а это случалось не часто. Но тренеры часто заставляли его играть на всем поле, нередко справа. Это обычная практика: правому защитнику трудно осуществлять защиту от игрока с ведущей левой ногой, и Лео мог пробиться на половину противника и бить чаще, чем это удавалось ему, когда он играл на правом фланге. Но постепенно Месси начал выходить за пределы этой своей позиции и начал появляться в серединной зоне. Там ему нравилось играть больше, он чувствовал, что на этом участке может принести команде больше пользы. В любом случае он знал, что для того, чтобы подняться в основной состав, ему нужно принять наложенные на него обязательства. Месси не мог играть в этой зоне, потому что груз нападения падал на Роналдиньо, который при этом терял значение как игрок на левом фланге. К тому же у него не было достаточного статуса для того, чтобы выдвигать свои требования: в тот момент задача Лео заключалась в том, чтобы встать рядом со взрослыми парнями и остаться там. Но спустя 11 месяцев после его дебюта и после сотни тренировок с Франком Райкардом и Хенком тен Кейтом Лео полагал, что он готов сделать мощный рывок вперед.

И Райкард был с ним солидарен.

После шести игр, в которых «Барселона» не потерпела ни одного поражения, клуб стал лидером с отрывом в 16 очков благодаря основательной защите, голам Это'о и волшебной игре Роналдиньо. Следующая игра была назначена на 16 октября, на дерби в Монжуике – базе клуба «Espanyol». Лео вышел вместо Деку за восемь минут до конца матча, который все еще шел очень активно. Сине-гранатовые вели со счетом 1:0, несмотря на то, что доминировали большую часть игры. Это не была замена, сделанная просто для того, чтобы успокоить поклонников. «Действуй на правом фланге и ищи просвет, сынок, – сказал тен Кейт. – Рассчитывай использовать свою скорость для прохода между крайним фланговым и центральным защитниками». Месси совсем не оставалось времени для того, чтобы что-то успеть сделать. «Барселона» победила с единственным забитым голом.

В 17 лет и четыре месяца Месси стал самым молодым игроком, который когда-либо представлял клуб на официальном соревновании.

Отец забрал Лео, и они поехали на квартиру на Гран Виа Карлес III, всего в трех улицах от «Камп Ноу». Как утверждает журналист Роберто Мартинес: «Он рос всего в трех улицах от оглушительного гула стадиона – так с чего бы ему бояться большой аудитории? Он играет в «Камп Ноу» как будто на собственном заднем дворе, за исключением того, что там его окружает 100 000 человек».

Тем вечером Лео не говорил о своем дебюте или об игре, фактически вообще ни о чем не говорил. У него не было особого повода для празднования: это было только начало. Он еще не ничего не достиг, он только начинал свой путь. Однако в его комнате тишина была оглушительной – в его мозгу бился гул приветственных аплодисментов в тот момент, когда он вышел на поле «Камп Ноу».

После 20 минут следующей игры против «Osasuna» Месси провел следующие семь игр на скамье запасных, включая захватывающую победу со счетом 3:0 над «Реал Мадридом».

Сидя позади Райкарда, Лео наблюдал, как Рональдиньо, на пике своих возможностей, радуется победе, часто сопровождая свой триумф типичным серфинговым жестом.

«Райкард, то, как он вел меня, шаг за шагом, без какого-то реального давления... Я иногда не понимал, почему меня не позвали в команду или почему я не играл. Теперь я смотрю на это беспристрастно и понимаю, что он без всякой спешки отлично поспособствовал моему развитию. Я очень ему благодарен, потому что он всегда знал, что будет для меня лучше всего».

(Лео Месси для Barça TV, 2013 год)

«Факт, что первым тренером Лео в команде высшего уровня был Райкард, оказался для него очень полезен, – объясняет Сильвиньо. – Райкард всегда был добродушным человеком, истинным джентльменом, который всегда беспокоился обо всех». Трудно найти кого-либо, кто мог бы сказать что-то недоброе об этом голландском тренере.

Франк придерживается философии, согласно которой тренер должен тратить на тренировку лишь около 20 процентов своего времени. Остальная часть должна быть израсходована на спокойное выполнение всего, что необходимо сделать в данный конкретный момент: иногда он становится старшим братом, отцом или коллегой. «Я думаю, что он несчастлив, давай-ка пойдем и узнаем, в чем проблема», – бывало, говорил он одному из своих помощников. Футболисты могут иногда быть очень жестокими, постоянно выискивая слабости в тех, кто их тренирует, но они более расположены подчиняться, когда видят, что тренер к ним искренне привязан. А также когда он показывает, что так же связан с мячом, как и они, и испытал те же сомнения, ревность и радость. В этом смысле Райкард удовлетворял всем требованиям – прежде, чем стать священником, он прошел путь послушничества.

Он быстро начал относиться к Лео с тем же отцовским чувством. Тренер обнимал его, демонстрировал интерес к его жизни вне поля, шутил, прежде чем сесть на поезд, Райкард становился аргентинцу все ближе. Месси чувствовал себя с ним комфортно. И был ему вечно благодарен. Молодой игрок мог произвести сильное впечатление, играя в командах более низкого уровня, но однажды менеджер дал ему возможность играть – футболисты никогда не забывают человека, который делает этот значимый для них шаг. «Неважно, если ты ошибешься, – сказал ему Райкард. – Ты все равно будешь играть снова». Эта вера в него помогла Лео. Их отношения не были чисто профессиональными. Франк родился в Амстердаме, но он – сын иммигрантов (его отец родом из Суринама), и он был лучшим игроком в районе, в школе, в младших командах клуба «Аякс». Он сочувствовал тем игрокам, которые были «отличны от других», включая Роналдиньо, потому что сам в прошлом носил подобное клеймо. Еще он знал, что футбол принадлежит футболистам. Райкард постоянно напоминал каждым жестом, в каждой беседе, что он здесь, чтобы помогать игрокам. Эта проницательная тактика, вместе с честностью, помогала Франку добиваться от игроков того, что он хотел.

Райкард больше говорил с другими игроками, особенно с Роналдиньо, но он приложил сознательное усилие, чтобы привлечь к себе обычно замкнутого Лео, заставить доверять себе. Ронни, Это'о и Сильвиньо неизменно становились лидерами на обычных командных встречах, в то время как Лео говорил очень мало. Только если его спрашивали. При этом его ответы часто были односложными. Лео, с которым Райкард имел дело в течение первых нескольких лет, старался лишь выполнять приказы, и голландец использовал созданное им тесное сотрудничество для того, чтобы облегчить вхождение аргентинца в элиту клуба.

Месси вышел из своей квартиры на Гран Виа Карлес III утром в день матча против «Альбасете» – тридцать четвертого матча в лиге в сезон 2004/05 года. Начиная с дебюта против команды «Espanyol», Лео принял участие всего в пяти играх в команде основного состава во внутренней лиге, но всего по нескольку минут, а также девять минут в матче команды «Барселона В», да еще один кубок и один матч Лиги чемпионов. Когда Райкард позвонил ему, чтобы пригласить на товарищеский матч, Лео знал типовую процедуру: он должен был приехать в «Камп Ноу» в 11:00. Желающие могли немного позаниматься в спортзале или получить массаж. Если оставалось время, Лео играл в футбольный теннис в раздевалке. Игру начали Сильвиньо и Роналдиньо, который часто больше выкладывался на ней, чем на самой тренировке. Бразильцы максимально использовали широкое прямоугольное пространство с тремя стенами между спортзалом и местом, где они переодевались. Они разметили линии на полу с помощью клейкой ленты и натянули поперек эластичный бинт в качестве сетки. Они играли один на один, максимум три удара до возвращения мяча. Играли до тех пор, пока кто-нибудь не набирал 11 очков. Сильвиньо считал себя достаточно квалифицированным, чтобы бросить вызов Роналдиньо; иногда он действительно выглядел лучше и часто побеждал. Фактически, в конце концов, от побил всех. Сильвиньо стал королем футбольного тенниса. Пока не появился Лео.

Месси стал рассматривать футбольный теннис как еще одну задачу. Это была просто игра, но здесь ставки были выше, чем победа в незначительном спортивном матче: эта игра обеспечивала престиж в рамках командной иерархии.

Вначале Месси ждал своей очереди, чтобы начать играть, но вскоре начал активно искать противников. Он был лучшим. И самым упорным, всегда готовым сыграть матч и даже провести турнир.

«Мы играли перед матчами, а особенно часто – после тренировок, – вспоминает бывший левый защитник «Барселоны» Фернандо Наварро. – В конце концов, они устроили стеклянные стены, сделав как бы клетку или настоящие ворота, довольно высокие. Теперь матчи стали довольно темпераментными и очень интенсивными. Но это было здорово, потому что это означало, что наша техника значительно улучшилась. Месси был лучшим, он обычно ставил эти ворота у колонны – там сбоку была колонна – и он всегда старался поставить ворота там, где вы не могли до него добраться». Джио попытался побить Лео: «Мы могли закончить тренировку в час и провести весь день, до шести вечера, играя. Но вам могло не повезти столкнуться с Месси. Он был настоящим монстром».

Несмотря на то, что это было просто пространство, где игроки забавлялись после ежедневной рутинной работы, тренеры следили за этими матчами в футбольный теннис: там проявлялся дух соперничества, свойственный тому или иному игроку, его характер. Если игрок всегда играл на одном и том же уровне, это красноречивее всяких слов говорило о его амбициях. Тренеры могли проверить технические навыки участника игры, и по тому, насколько увеличивалась частота его пульса, менялось его психическое состояние, понимали, включился он в игру или нет, спокоен он или сердит...

В дни матча команда после тренировки отправлялась в соседний отель «Princesa Sofia», чтобы поесть и отдохнуть.

Матч против «Альбасете» был сыгран в мае. В Лиге осталось сделать всего четыре игры, при том, что противники в основном были повержены, Райкард призвал к организованности и сосредоточенности. С одной стороны, у «Мадрида» был вратарь Касильяс, отлично защищающий ворота, а с другой – Рональдо в команде Бразилии, мастерски забивающий мяч в ворота, и они одержали шесть побед подряд. Эти команды шли след в след за «Барселоной», которая большую часть сезона оставалась на самом верху. Игра оказалась сложнее, чем ожидалось: «Альбасете» сдержал «Барселону», которой без временно отстраненного Хави было трудно настроиться на нужный ритм. Иньеста вышел вместо Хави, но оказался неспособен обеспечить команде необходимую подвижность, чтобы прорвать плотную защиту. Несколько диагональных ударов Жюли, неудачный удар Это'о и чрезмерная демонстрация сверхтехничных выкрутасов Роналдиньо, который старался свести все к центру и тем сужал игру, привели к проблемам у «Барселоны». Затем, через час игры, Это'о выполнил удар с края зоны, с которым Рауль Вальбуэна, весь вечер игравший очень уверенно, не смог справиться.

До конца оставалось семь минут, «Барселона» выигрывала со счетом 1:0. Тен Кейт предложил Лео разогреваться. Это'о посмотрел на скамью и сделал жест, показывающий, что он не готов уйти. Но его заменили. Месси подошел к Райкарду, который заговорил с ним так небрежно, как будто тот сыграл уже в ста играх: «Играй, как ты умеешь. Закрепись справа». Лео посмотрел на своего тренера, ожидая дальнейших инструкций. Но их не было. Вот так.

На сорок второй минуте сердитый Это'о ушел с поля, не глядя обменявшись рукопожатием с Лео, не сказав ни слова тен Кейту, который выговаривал ему за такое поведение. Он вошел в раздевалку и начал пинать там вещи. Никому не нравится, когда его заменяют, и меньше всего – когда заменяют мальчишкой. Райкард сказал впоследствии, что не видел этого проявления гнева: «Мы думали, что это был подходящий момент, чтобы вывести такого мальчика, как Месси».

Игру следовало выиграть. Счет 1:0 требовал полной сосредоточенности. До финального свистка оставалось три минуты плюс дополнительное время. Рональдиньо подошел к Лео. «Я намерен дать тебе пас, чтобы ты забил гол. Завтра твое имя будет на первых полосах газет», – сказал он Лео.

Правый нападающий бразильской сборной настиг Месси в тот момент, когда тот оказался в одиночестве, и Лео одной гладкой свечой обыграл вратаря. Вальбуэна потребовал объявить офсайд, и рефери согласился. Но этого не было. Вратарь понял это и взъерошил гриву Лео в знак извинения.

«Я передам его тебе снова», – настойчиво заявил Ронни.

Когда закончилось основное время, Ронни, находясь в позиции *mediapunta*, подъемом ноги забросил мяч за спины защитников «Альбасете». Месси позволил мячу подпрыгнуть один раз и изящным ударом послал мяч поверх головы Вальбуэны. Это был его первый гол для основного состава ФК «Барселона».

А затем произошло нечто невероятное.

Лео бежал, вытянув руки вверх и сцепив кисти. Он остановился и повернулся, глядя, кого он мог бы обнять. Ронни подошел к нему, наклонился, Лео вскочил ему на спину, и бразилец понес мальчишку на спине. Мальчик забил гол. Победа в Лиге была всего в одном шаге.

В тот день команда праздновала гол и победу на поле. Поклонники занимались тем же самым. В раздевалке царила эйфория. Победа в следующей игре, с поражением «Реал Мадрида», впервые за пять лет вернула бы «Камп Ноу» титул чемпионов. Весь мир хотел бы потрогать того, кто забил гол: «Поздравляем, сынок», – говорили они. А еще: «Осторожнее с ним, Ронни. Он может занять твое место. Он уже теперь забивает голы».

Лео прошел в зону прессы. «Все в раздевалке ко мне хорошо относятся, но с Ронни у меня особые отношения, отсюда и поздравления. Я хотел бы посвятить этот гол моей семье. Моей матери, которая сейчас в дороге, и племяннику, который скоро родится». Жена Родриго была беременна и должна была вскоре родить.

У Хорхе Месси до сих пор мурашки бегут по коже, когда он вспоминает тот день: «Вы слышите, как люди скандируют: Месси, Месси, Месси! Это – самое прекрасное, что может когда-либо с кем-то произойти». Его сын стал самым молодым игроком в истории клуба, который сумел забить гол. «Я очень счастлив за него, – сказал Райкард на пресс-конференции. Этим голом он показал, насколько талантлив».

Вратаря команды «Альбасете» Вальбуэну товарищи дразнили: «Ты остановил Роналдиньо, а затем тебя застал врасплох его маленький приятель». Он сохранил мяч с той игры – у него было предчувствие. Сегодня он говорит, что ни за что не обменял и не продал бы его. Мяч, который участвовал в первом серьезном голе, забитом лучшим игроком в мире, хранится в доме Рауля Вальбуэны.

Лео Месси возвратился домой. Они смеялись над тем, что за три минуты он забил два гола в почти идентичной ситуации. Он поужинал и лег спать.

На следующий день, когда Лео сидел за обеденным столом вместе со своей семьей, он получил приглашение на ланч. Это был Марадона. Они впервые поговорили. Диего поздравил Лео. В следующий раз он обратился к Месси несколько месяцев спустя, на чемпионате мира «до 20 лет».

> «Я всегда говорил, что с того момента, как я вошел в раздевалку, Роналдиньо и все другие бразильцы — Деку, Сильвиньо, Мотта — приняли меня, благодаря им многое пошло намного легче. Но особенно помог Роналдиньо, потому что он был звездой команды. Я многому научился у него. Я благодарен ему за то, как он отнесся ко мне с самого начала. Роналдиньо был тем человеком, благодаря которому в «Барселоне» многое изменилось. Это было плохое время для команды, и с его приходом произошли значительные перемены. В первый год мы ничего не выигрывали, но все просто влюбились в него. После этого мы начали завоевывать различные титулы, и все были просто счастливы. Я думаю, что «Барселона» должна всегда быть благодарна за все, что он сделал для нее».
>
> **(Лео Месси в интервью Barça TV, посвященном десятой годовщине прихода Роналдиньо в клуб)**

«Как дела, братишка!» – сказал Ронни Лео в первый раз, когда их пути пересеклись на автостоянке клуба. Бразилец уже слышал, как люди говорили о «Блохе». Несколько дней спустя, после его первой тренировки с основной командой, Роналдиньо позвонил своей подруге, журналистке Кристине Куберо: «Я только что закончил тренировку с парнем, который превзойдет меня», – сказал он ей. «Не преувеличивай», – ответила Кристина.

«Первая тренировка! Отлично помню, – вспоминает Куберо. – Ронни позвонил мне только для того, чтобы сказать это. Он много раз говорил: «Ты не представляешь, что этот парень творит на тренировках, он невероятно хорош». Вот что говорил Роналдиньо, победитель на чемпионате мира, в то время считавшийся лучшим в мире! И Деку тоже был с ним согласен».

Как вспоминает тен Кейт, не Сильвиньо, а именно Деку во время одной из первых поездок Месси с первой командой сказал: «Эй ты! Иди сюда. Ты – единственный аргентинец, который будет сидеть за нашим столом». Они выделили Лео место за столом для иностранцев. Месси, зная о неписаных правилах группы, понимал, какая это честь: Роналдиньо был новым лидером «Барселоны», пришедшим из бразильской команды, лучшим в мире футболистом, по мнению ФИФА и любого, кто что-то знал о футболе. И он будет сидеть за одним столом с ним! После того, как вы выберете свой стол, вы его уже не меняете – так принято в футболе. «Лео раньше проводил время с каталонцами в Ла-Масии, но он аргентинец, и он чувствовал себя как дома, с нами, латиноамериканцами – Маркесом, Ронни, Деку, Эдмильсоном и мной, – объясняет Сильвиньо. – Я думаю, что Лео чувствовал себя более комфортно, сидя за столом, где ему не нужно было ничего говорить. Он просто сидел, смотрел и застенчиво смеялся. Месси все очень быстро схватывал, он наслаждался».

Все это объясняет жест Роналдиньо, «опекуна» Лео, который нес его на спине после гола в матче против «Альбасете». «Когда Лео пришел в «Барсу», у него было преимущество – он мог расти рядом с Роналдиньо, который был в своей лучшей форме, – объясняет бывший директор Жоан Лакуэва. – Месси был похож на гриб в тени дерева, которым был Роналдиньо. Он набирался сил. В то время как люди уделяли больше внимания великим деяниям великого Роналдиньо, Месси постепенно превращался в достойного игрока первой команды».

Роналдиньо показывал ему реальный жесткий мир соперничества в футболе, жизни в элите, механику действий на игровом поле. Ронни знал, как использовать прессу, поэтому он удостоверился, что они не обратят свое внимание на молодого аргентинца слишком рано. Если Лео плохо играл, Роналдиньо шел в зону прессы и отвлекал СМИ. Если кто-то был излишне агрессивен к нему на поле, бразилец или Деку заботились о мальчишке. «Роналдиньо раньше много говорил с ним о футболе, – вспоминает Кристина Куберо. – Он говорил что-то вроде: «Скройся на фланге и выходи, когда я тебе скажу». Он учил его следить за игрой NBA и извлекать из нее уроки – тому, чем он сейчас просто одержим. Ронни научил применять определенные элементы баскетбола в футболе, объяснил тонкости блокирования, а также пояснил, как читать игру. Он рассказал Лео о футболе намного больше, чем кажется посторонним людям».

«Ясно, что Рональдиньо сделал для него много хорошего, но также было и плохое, – комментирует Хенк тен Кейт. – Но если положить хорошее и плохое на чаши весов, то результат окажется для Лео положительным. Он был хорошим примером, показывая, что надо делать. А также – чего делать не надо».

В испанском футболе есть выражение «осторожно с крестными отцами» (*cuidado con los padrino*). Это значит, что надо быть осторожным с подходом «я забочусь о мальчике», потому что это – просто еще один способ наложить на него некие ограничения. На поле есть только один мяч, и обычно у него только один хозяин. Когда товарищи по команде смотрят на кого-то с почтением, они смотрят так на одного игрока. Возможен лишь один ориентир, а не два. Если вам приходится выбирать одного из двух, возникает конфликт. Тогда все, включая Лео, восхищались Ронни.

Великий игрок способен быстро определить, кто способен занять его место и реагирует на это согласно одному из двух сценариев: либо он не слишком благосклонен к тому, кто придет за ним (говорят, что Хуан Роман Рикельме действовал именно таким образом), или он заботится о нем и помогает ему, как Рональдиньо действовал в отношении Месси. Но с одним негласным условием: не запрыгивай на мое место, помни, что ты должен мне за то, что я для тебя делаю. Защита, обеспечиваемая при этом несколько извращенном внимании родительского типа, позволила Лео заблистать, но также и послужила способом управлять им.

Рональдиньо также сделал многое, чтобы продемонстрировать Лео все возможности и за пределами футбольного поля. Ронни, Мотта и Деку были лидерами этой группы очень талантливых футболистов и вне футбола. Один раз в месяц команда вместе выходила куда-нибудь пообедать, и Лео присоединялся к ним, хотя его голос редко был слышен на фоне этой шумной болтовни. «Так было даже тогда, когда он говорил», – рассказывает ван Бронкхорст. Но 17-летний парень был просто загипнотизирован тем, что осознал как преимущества признания, статуса звезды. Рональдиньо жил полной жизнью и показал ее подростку, каким был Лео, который до этого времени проводил жизнь либо на футбольном поле, либо дома. Он показал ему, как жить на полную катушку.

Было легко попасть под влияние Ронни, но затем начали появляться первые признаки того, что бразилец ходит по лезвию ножа. На еженедельных встречах избранных директоров и технического штата клуба Месси упоминался нечасто. Большинство бесед посвящалось Роналдиньо.

Впервые за пять лет «Барселона» выиграла в Лиге, и Лео, который играл в первой команде всего 77 минут, включая дебют в Лиге чемпионов против донецкого «Шахтера», ликовал вместе с Тиаго Мотта, когда автобус с победителями пробивался по городу в «Камп Ноу». Он был малышом, который скакал вокруг бразильцев, называвших его «братишка» (*irmao*), талисманом группы. Лео плясал вокруг них с улыбкой на лице. Ему было что праздновать: целый сезон, за который он так много добился. На стадионе ему сказали, что его брату и невестке, Флоренсии, пришлось покинуть трибуны «Камп Ноу», потому что у нее начались роды. Лео быстро покинул празднование: его невестка собиралась подарить ему племянника. В тот день родился Августин.

В теплые первые дни курортного сезона Райкард настойчиво заявил: «Да, Лео особенный, в нем есть дух соперничества, но он еще должен созреть, пока он еще не полностью сформировался». Райкард хотел продолжать защищать его. Со своей стороны, Месси понял, что достиг уровня, который соответствует его возможностям, и его ни в коем случае не должны рассматривать ниже, чем он есть. Возраст ничего не значит. Ему было 17 лет, но он знал, что мог принести добычу в общий котел, что его законное место – с Ронни, с Деку, с Хави. За последнее время он также сыграл 17 матчей в команде «Барселона B», которая закончила сезон на седьмом месте, им не хватило всего четырех очков, чтобы они могли перейти во второй дивизион группы А. Это были его последние игры с той командой.

Отдохнув и будучи удовлетворенным своим дебютом и тем, что сумел забить свой первый гол, выиграть титула чемпиона лиги и стать дядей, Лео Месси отправился в Голландию на чемпионат мира «до 20 лет».

Он завоевал титул чемпиона, и за него проголосовали как за лучшего игрока турнира.

Внезапно его жизнь понеслась со все возрастающей скоростью.

Те несколько месяцев лета 2005 года, возможно, стали самыми лихорадочными во всей его карьере. В дополнение к своему вкладу в игру на международном уровне, Лео Месси мог отпраздновать новый контракт с «Барселоной» – третий, подписанный в день его рождения в Голландии во время чемпионата мира «до 20 лет».

Первый контракт имел позорную форму «соглашения на салфетке». 4 февраля 2004 года был согласован второй: в нем был обозначен выкуп контракта за €30 миллионов, если он играл бы в «Барселоне С», €80 миллионов, если он бы числился в «команде В», и €150 миллионов – если он будет играть в первой команде. Это был, несмотря на молодость Лео, все-таки контракт с игроком «Барселоны В», и он действовал до 2012 года: в первый год он зарабатывал 50 000€ в год плюс 1600€ за игру. В последний год эти цифры были, соответственно, 450 000€ и 9000€ за игру. В контракте было интересное условие: в первый год ему заплатили 5500€ в качестве компенсации, если Месси ставили в игру в своей обычной позиции. В последнем сезоне эта сумма достигла 50 000€. «Барселона» оплатила четыре перелета «Аргентина – Барселона», ежегодное жилищное пособие в 9000€ и списала ссуду в 120 000€, которая была дана Месси в его первом контракте, чтобы компенсировать множество трудностей, с которыми он столкнулся в те первые годы. Оглядываясь в прошлое, некоторые люди из его окружения пишут, что Лео жил тогда «с протянутой рукой». По существу, он был счастлив принять все, что ему предложит Жоан Гаспар.

Новое правление во главе с Жоаном Лапорта, понимающим трудности, которые пришлось пережить Лео, ценящим его храбрость и силу духа перед лицом такого количества испытаний, было целиком на его стороне. Но, как и любое новое начинание, они должны были заложить устойчивое начало, основанное на открытости и доверии. «Мы попытались действовать как посредники между различными группами людей, утверждавшими, что они представляют Лео и что они принимали участие в его спортивной карьере в то время, когда ему было двенадцать лет», – вспоминает бывший президент Лапорта.

«Помимо этого, возникло много бюрократических проблем, за которые мы взялись со знанием дела, и это помогло успокоить страхи отца Лео в отношении того, что право сына играть в футбол оказывается под угрозой. Таким образом нам удалось добиться взаимного доверия. То, что мы делали, безусловно, защищало интересы одного из наших игроков, что, естественно, также отвечало интересам «Барселоны». Так мы начали строить новые отношения с Лео, делая его интересы приоритетными, как он того заслужил».

В результате «Барселона» начала выстраивать свои финансовые соглашения с Лео таким образом, чтобы высокие качества Лео как игрока признавались и соответственно вознаграждались. «С точки зрения работы с Лео, мы решили сделать контракт с ним более перспективным, – объясняет тогдашний спортивный вице-президент клуба Ферран Сориано. – Мы подумали: каждый год будем садиться и говорить о том, сколько еще заплатить Лео. Мы не говорили Хорхе, что будем почти каждый год увеличивать зарплату его сына, но и он, и Лео знали, что в начале каждого сезона этот вопрос обсуждается. Мы знали ценность этого игрока, знали о его достоинствах на футбольном поле и осознавали, что он ничего никогда не просил. Мы перемещали Месси с уровня на уровень, ставя перед ним задачи, которые становились все более и более трудными, и мы хотели открытым текстом заявить: «Не волнуйтесь о деньгах. Мы будем заботиться о вас».

Третий контракт был подписан на чемпионате мира «до 20 лет» в Утрехте. Директор отдела футбола Чики Бегиристайн поехал в Голландию и встретился с Лео и его отцом перед полуфинальным матчем против Бразилии. Месси достиг совершеннолетия, и его рабочий контракт, подписанный отцом, мог теперь быть заменен контрактом, подписанным самим игроком. Но это было сделано с некоторой поспешностью. По контракту он должен был быть игроком «Барселоны» до 2010 года – на два года меньше, чем предыдущий контракт, но с большим финансовым вознаграждением. Лео должны были платить как игроку первой команды, и он никогда не должен был снова вернуться в команду «Барселона B». Его доход составлял 90 000€ в год в 2004 году, 110 000€ – в 2005 году, а в последний год – 450 000€. Если бы он сыграл 25 игр, то получил бы еще миллион, и дополнительный миллион, если бы он сыграл 45 игр. Месси также должен был получить бонус в 225 000€ в октябре 2005 года. Стоимость контракта оставалась на уровне €150 миллионов.

«Мы были совершенно уверены в этом игроке: с этого момента его участие в первой команде очень важно», – сказал тогда Чики Бегиристайн. Он полагал, что Лео мог «изменить ритм и динамику многих игр».

Этот контракт был лишен юридической силы еще до того, как начал действовать, и три месяца спустя был подписал новый контракт. Такова была скорость «эффекта Месси».

С самого начала Сильвиньо радостно принял роль доверенного лица, лучшего друга, гида и защитника, которую выполняли в предыдущих командах другие люди, а именно Григини, Устари и Виктор Васкес. «Мы много говорили о футболе, Лео не тот человек, который разговаривает, он скорее готов слушать. А мне всегда нравилось говорить о жизни, о делах, обо всем, – говорит вышедший сегодня в отставку бразилец. – Лео не очень любит поговорить, пошутить, но он очень быстро соображает и мгновенно реагирует на ваши слова каким-нибудь тонким замечанием. Он всегда говорит, что он – не Сильвиньо... Он обычно говорил мне: «Ладно, Сильви, иди к прессе и скажи им все, что нужно, а затем туда пойду я, и мне уже не нужно будет ничего говорить».

«Месси знал, что Сильвиньо очень любит его, что ему нравится присматривать за ним, он отлично подходил на роль отца», – добавляет Эйдур Гудьонсен, исландский игрок, пришедший по контракту из «Челси» в 2006 году. Если Роналдиньо был падшим ангелом на левом плече Лео, то Сильви, глубоко преданный христианин, был ангелом на его правом плече. «Сильвиньо – хороший человек, с какой стороны ни посмотри. Он много смеется, отпускает шутки, но он очень религиозен и хороший семьянин, любит свой дом, и у него очень ясное представление о том, как должна протекать правильная жизнь».

«В семнадцать лет Лео уже точно знал, что хочет и имел очень твердые представления по ряду проблем, – утверждает Сильвиньо. – Мы могли подойти к нему, чтобы дать совет, объяснить то, что произошло, а он говорит, что знал об этом. Как живет «Барселона», что происходит в футбольном мире, различные истории в СМИ...» Эти отношения еще сильнее укрепились во время тура «Барселоны» летом 2005 года в Корею, Китай и Японию.

Лео отправился на тур как чемпион мира, победитель Лиги и со своим первым профессиональным контрактом. Впервые он был полностью признанным членом первой команды, с безопасностью и престижем, которые обеспечивает такое положение. Месси мог начать наслаждаться тем, что стал равноправным членом группы. Он повсюду следовал за бразильцами. «Он не знал ни слова по-английски, поэтому повсюду ходил вместе с нами, – сказал Сильвиньо, который провел два года в «Арсенале» и один – в «Манчестер-Сити». Я знал язык достаточно, чтобы поменять валюту, так что я делал это для него. Однажды я принес деньги в его комнату и когда вошел, то услышал крик из комнаты Лео: «Идите, идите, нет, оставьте это. Просто уходите». Это кричал Лео, он был крайне возбужден. Я подумал: «Что здесь происходит?» Я вошел и увидел, что там был китаец, который пытался убрать комнату. Он не понимал ни слова из того, что говорил ему Лео.

Я чуть не умер от смеха: «Давай, Сильви, скажи ему, что достаточно, хватит, прикажи ему уйти». И я ответил: «Я не собираюсь говорить ему что-либо, оставь его в покое». А затем я подумал: «Интересно, чем все это кончится?» и тут Лео, с его сильным аргентинским акцентом, говорит: «Иди, иди!» И как китайский парень мог его понять?»

Тем летом Лео также нашел себе женщину, которая подходила на роль матери. «Когда мы отправились в Китай, я была беременна, и у меня очень сильно проявлялся материнский инстинкт, – вспоминает Кристина Куберо. – В тех поездках Лео обычно много времени проводил со мной, и позже Райкард спросил меня: «О чем он говорит с вами?» О доме, о Росарио, реке Турбио, о своих друзьях... мы говорили о самых обычных вещах, которые он помнил с тех пор, как был мальчишкой. И Райкард часто говорил мне: «С нами он не разговаривает». У него были проблемы с выражением своих чувств и мыслей. Однажды я спросила Лео: «Почему ты так мало говоришь?» А он ответил: «Потому что я предпочитаю слушать; если мне нечего сказать, зачем говорить?» В той поездке я обнаружила любопытную деталь: когда Лео доверяет вам, то смотрит вам прямо в глаза».

Это было признаком того, что вас впустили в его личное пространство.

«Я был бы счастлив играть даже всего одну секунду, – сказал «Блоха» вечером перед дебютом в полной национальной сборной. Хосе Пекерман требовал вознаградить Лео за его захватывающее выступление в чемпионате «до 20 лет» двумя месяцами ранее, позвав его на товарищеский матч Аргентины против Венгрии на стадионе «Ференца Пушкаша» в Будапеште.

Через 11 минут после начала второго периода аргентинский менеджер попросил тренера по физподготовке Эдуардо Уртасуна объяснить Лео, что от него требовалось с точки зрения тактики. Уртасун попросил Лео разогреться, прошептал несколько слов на ухо и поцеловал его. На шестьдесят четвертой минуте Пекерман подозвал Месси. Габриэль Милито подошел к Лео, чтобы подбодрить его. На его спине был номер 18, совпадавший с его возрастом. Лисандро Лопес был заменен – первый замененный аргентинец в игре.

Получив мяч в первый раз от Скалони, Лео увеличил скорость игры. Когда он получил мяч во второй раз, он побежал по центру поля. Лео был на поле в течение 92 секунд. Венгерский защитник Вилмос Ванчак схватил Лео за футболку, и «Блоха» отреагировал, круговым движением отбросив руку, чтобы избавиться от захвата. Но его вращающаяся рука ударила Ванчака по горлу, и он упал на землю, закрыв лицо руками.

«Лео Месси потребуется много времени, чтобы забыть лицо Маркуса Мерка, немецкого рефери в той игре «Венгрия–Аргентина», которая была его дебютом в полноценной международной команде», – написала Кристина Куберо в *El Mundo Deportivo*, свидетельствуя о событиях того дня, 17 августа 2005 года. Хуан Пабло Сорин, Лионель Скалони, Габриэль Хайнце и Роберо Айала – все они подбежали к рефери и попытались убедить его, что действие Лео было чисто защитным и не заслуживало желтой карточки. Мерк не согласился и с преувеличенными эмоциями поднял вверх красную карточку. Ванчак получил желтую.

Лео не мог поверить в происшедшее и пошел, коротко взглянув на трибуны и нервно теребя пояс своих шорт. В конце концов, он опустил голову и покинул поле. Хуго Токалли, помощник Пекермана, напомнил ему, что будут другие игры и другие дни, когда он сможет носить футболку клуба. «В тот момент Месси был совершенно сокрушен, – пишет Куберо. – Он даже не вспомнил, что Скалони подошел, чтобы обнять его, или что к нему подходил Эрнан Креспо. Он не слышал, как стадион начал скандировать его имя. Месси ушел в слезах, плача как ребенок, это были слезы огорчения, гнева и горечи. Массажист команды остался с ним в раздевалке».

«Знаете, кто был в толпе? – вспоминает Кристина Куберо. – Жозе Моуриньо, который приехал, чтобы повидать одного из своих игроков. После удаления с поля я увидела Моуриньо на трибуне и спросила: «Жозе, что вы здесь делаете? Что вы думаете о том, что только что произошло?» И он ответил: «Это безумие, рефери сумасшедший, как он мог сделать такое с этим мальчиком, ведь он такой хороший парень? Скажите ему, пусть не волнуется, скажите ему от меня – пусть не теряет спокойствия».

Когда игроки вернулись в раздевалку, победив со счетом 2:1, они увидели, что Месси сидит в углу и все еще плачет. Один. С опущенной головой. «Они все подошли к нему, чтобы ободрить парня, – продолжает Куберо. – Все уверили его, что он теперь один из них. Он дебютировал в цветах своей страны – небесно-голубой и белый – а они вдребезги разнесли его мечту. Но он должен понять, что подобное порой происходит».

Он прошел через зону прессы в сопровождении Пабло Сабалеты, который в тот день также дебютировал в национальной сборной, и Хуго Токалли. Тренерский состав приказал ему ничего никому не говорить. Месси смотрел на собравшихся журналистов жалким взглядом.

Ему нечего было сказать. «Осмелился бы Мерк отослать такого уважаемого игрока, как Рикельме по той же самой причине?» – вопрошала аргентинская и каталонская пресса. «Мерк хотел добиться известности, – говорили они. У Эрнана Креспо также было запасено несколько резких слов для рефери: «Он не уделил внимания систематическим фолам венгра и ограничился удалением Месси... Я не знаю, было ли это потому, что их тренер был его соотечественником (Лотар Маттаус) или по какой-то другой причине. Восемнадцатилетний парень осуществлял свою мечту, дебютируя в игре за свою страну, и не может быть наказан подобным образом. Рефери должен был это понимать».

Маркус Мерк теперь на пенсии, он был назван Международной федерацией футбольной истории и статистики (IFFHS) лучшим рефери первого десятилетия двадцать первого века. Он не хотел говорить об этом событии. «Я никогда не комментирую игры», – сказал он. Его расспрашивали в зоне прессы, но взгляд судьи был ответом на все вопросы.

Любопытно, что Мерк даже не упоминает об этом инциденте в своей автобиографии. Соавтор его книги, Оливер Траст, говорит: «Я помню, что он с самой молодости говорил мне, что намерен быть очень строгим в отношении любых нарушений, где бы они ни происходили и кто бы их ни совершал, а также каким бы известным ни был игрок. Мерк хотел, чтобы его работа в качестве рефери «имела структуру» – то есть была последовательна. Это был для него один из наиболее важных моментов работы. Он должен был показать Месси красную карточку, несмотря на то, что жалел мальчика. Он чувствовал и до сих пор чувствует глубокое уважение к мастерству Месси».

По дороге в отель распевающий Скалони пытался ободрить команду, но Лео сидел один, глядя в окно. Лео Франко взъерошил ему волосы, пытаясь отвлечь от темных мыслей. Безуспешно.

«В тот вечер я шесть часов провела с Лео, а он плакал, плакал, плакал, – вспоминала Куберо. – Чтобы успокоить его, я сказала: это – первая игра, у тебя будут еще тысячи игр».

По прибытии в барселонский аэропорт он разоткровенничался для компании «RAC1»: «Я бежал мимо венгра, который пытался схватить меня за футболку. Я попытался освободиться, как только мог, но рефери интерпретировал это как удар локтем. Я очень разозлился. У меня было всего несколько минут на игру, но в любом случае он все неправильно понял». Он покинул аэропорт со своим братом Родриго и Пабло Сабалетой.

На обратном пути Лео не перемолвился с Сабалетой даже парой слов.

Только-только удалось осушить слезы, как лето преподнесло другой неприятный сюрприз. Месси снова пал жертвой бюрократии. За несколько лет до этого произошла задержка его трансфера в «Барселону», а на сей раз это был вопрос паспортов. Лео пришлось стать зрителем традиционной прелюдии сезона – гостевого матча двухматчевого раунда испанского финала Суперкубка, на сей раз против «Betis» на стадионе «Benito Villamarín». В заключительной части его даже не позвали в команду. Что происходит? Каталонская газета *Sport* назвала это «делом Месси». Лео был назван «иностранным игроком», как Рональдиньо, Рафа Маркес и Самуэль Это'о. У «Барселоны» уже было три иностранных игрока – разрешенный максимум. Как же тогда получилось, что он отыграл семь игр в предыдущем году?

«Барселона» утверждала, что Месси является «ассимилированным» игроком – фигура, созданная испанской футбольной федерацией – футболистом, родившимся за пределами Европейского союза и проведшим пять сезонов в более низких разрядах клуба. Федерация не была в этом уверена. Решение было неоднозначным. У Лео был только аргентинский паспорт, и после гола, забитого «Альбасете», он больше не играл, потому что «Барселона» подозревала, что клубы могли бы счесть его незаконно участвующим игроком и оспорить законность матчей. Клуб предпочел убрать его с поля до тех пор, пока не будет внесена окончательная ясность.

Любопытно, но в УЕФА не было проблем с участием Лео в играх. Он уже играл в матче Лиги чемпионов в предыдущий сезон, но когда «Барселона» проверяла, можно ли выставлять Месси на игры в Европе, УЕФА дала отмашку всего три дня спустя – здравый смысл подсказал им, что если он уже играл, то может сделать это и снова.

Тем временем Лео продолжал тренироваться так, как будто собирался играть в следующей игре, и его решительность удивляла тех, кто был мало знаком с ним. Но неопределенность ситуации требовала, чтобы представители клуба, ответственные за подобные вопросы, разобрались с этим как можно быстрее. В случае, если решение все же не будет найдено, обсуждалась даже возможность сдачи игрока в аренду.

Сезон начался, и в кулуарах постоянно обсуждался вопрос будущего Лео. Возможно, если его нельзя ввести в команду из-за бюрократических проволочек, то ему нужно разрешить расти и развиться с другой командой? Так, по крайней мере, предлагали близкие Лео и, что удивительно, технический штат «Барселоны» согласился с этим предложением. Тренеры активно искали решение, которое позволило бы избежать конфликта: молодой аргентинец был сильным игроком, его мастерство заслуживало большего времени игры, но приоритет *был* у Рональдиньо. «Почему бы нам не сдать его в аренду на год?» – прозвучало предложение в кабинете Райкарда. Хорхе Месси получил предложения от нескольких испанских клубов «Льейда», «Сарагоса» и других европейских команд. Самое привлекательное предложение пришло из Италии («Интер Милан» был самым настойчивым), но были предложения и от других лиг (например, «Glasgow Rangers»), но, что любопытно, не было ни одного предложения от английских клубов.

Вот как это объяснял бывший президент «PSV» Роб Вестерхоф: «Шел 2005 год. У меня были хорошие отношения с президентом Лапорта, и он сказал мне, что у него есть молодой парень, очень сильный игрок, которого надо сдать в аренду, потому что он не может играть в Испании. У нас была хорошая репутация, Гус Хиддинк был нашим тренером, мы только что выиграли Лигу и вошли в полуфинал Лиги чемпионов». «Espanyol» также попробовал перетянуть Лео к себе, пытаясь использовать в своих интересах близость Лео с Пабло Сабалетой, их правым защитником. «Наш тренер, Мигел Анхель Лотина, все время говорил о том, что я должен убедить его», – вспоминает Сабалета. Клубы начали вести переговоры об аренде. «Мы отправляемся в «Espanyol», – говорили в доме Лео.

Кубок Жоана Гампера в «Камп Ноу».

24 августа на традиционном летнем товарищеском турнире Жоана Гампера перед началом сезона, где происходит представление команды поклонникам, шла игра в «Камп Ноу» против «Ювентуса» Фабио Капелло с нападающими дель Пьеро и Ибрагимовичем. Это было первое представление команды, почти полностью укомплектованной после подписания двух новых контрактов с Марком ван Боммелем (из «PSV») и Санти Эскерро (из «Athletic de Bilbao»). Райкард решил дать Лео место в стартовом составе команды, демонстрируя тем самым симпатию и поддержку после беспокойного лета. Двумя другими форвардами были Ларсон и Роналдиньо. В защите «Ювентуса» отсутствовал Турам, но и без него в команде было много отличных игроков – Зебина, Ковач, Каннаваро и Кьелини. И с первой же минуты...

Лео попросил мяч.

Обозначился по обоим флангам и прошел по центру.

Начал пробег от центра.

Обошел противников в штрафной площадке.

Пробросил мяч между ног Фабио Каннаваро.

Отобрал мяч у Патрика Виейры, который, потеряв его, развернулся и нацелил удар в лодыжку Месси. Желтая карточка, одна из трех, полученных итальянской командой при попытках остановить Лео.

Бесстрашно играет, несмотря на агрессию «Ювентуса».

Обеспечивает возможность для первого гола.

Обходит противника. Удар по воротам.

Передает мяч грудью.

«Я все время спрашивал Зебину: «Кто этот мальчишка?» И мы начали давить его» (Патрик Виейра)

Тренер «Ювентуса» Фабио Капелло, стоявший у боковой линии рядом с Райкардом, разговорился с голландцем во время игры. «Отдайте мне этого парня, на год, в аренду. В любом другом месте он сразу будет стартером в первой команде». В ответ прозвучало вежливое «Нет»: «Я думаю, Фабио, что через три или четыре месяца мы разберемся в проблемах с паспортом».

«Он говорил с Франком, потому что Франк и Капелло отлично ладили, – вспоминает Хенк тен Кейт. – Он предлагал не только аренду, но и возможность покупки».

Итальянский тренер признается сегодня: «Когда я увидел Месси, он просто поразил меня. Поскольку законодательство не позволяло ему играть за «Барселону», я воспользовался случаем, чтобы спросить у моего друга Франка, не могли бы мы получить его, пусть даже в аренду. Но он сказал мне «нет, ни в коем случае, Месси обязательно будет играть уже в этом году с нами. Месси – гений, тот, кто может выиграть любую игру. На мой взгляд, он один из величайших игроков в истории футбола, его место рядом с Пеле, Круиффом, Ди Стефано или Марадоной, даже при том, что он еще не выиграл ни одного чемпионата мира».

Райкард считал, что Лео уже заслужил аплодисменты 91 000 присутствовавших на стадионе зрителей, поэтому на восемьдесят девятой минуте заменил его Жюли, который с того дня признал, что дни Лео, как стартера, закончены.

После завершения матча со счетом 2:2 «Ювентус» взял кубок на пенальти.

Лео был назван «Человеком матча».

Фабио Капелло говорил о Месси на пресс-конференции. «Я никогда не видел игрока такого качества и с такой индивидуальностью в столь юном возрасте, ставшего членом такого уважаемого клуба. Месси – великий спортсмен, он может сделать с мячом все, что ему захочется. Я рад, что такой молодой парень может делать для футбола нечто настолько важное. Такое не каждый день можно увидеть. Это хорошая реклама нашей игры».

Решак добавляет: «В конце игры Капелло вышел и сказал: «сегодня родилась звезда». Да, черт возьми, звезда была с нами в течение пяти лет, но слова Капелло подтолкнули события, и с этого времени все заговорили о Месси. Слова Капелло об одном из наших игроков, сказанные с невероятным энтузиазмом, не находили отклика у тех, кто не желал их слышать.

Журналист Рамон Беса вспоминает тот вечер: «До тех пор никто не замечал Месси. Теперь все рассказывают различные истории, проще всего в этом отношении журналистам: я знал его, я открыл его, я уже писал о нем... Но мне кажется, что в тот момент, когда Капелло объявил Месси звездой, люди начали говорить: «черт, если Капелло так считает»... Это очень типичное явление – пока кто-то со стороны не покажет нам, чем мы владеем, мы сами этого не замечаем. У меня создается впечатление, что до этого момента не все в клубе поддерживали Месси. В ФК «Барселона» всегда были проблемы работы с талантами. В те дни Чики Бегиристайн позвонил Хосе Пекерману. Вот как вспоминает об этом «Профессор» Салорио: «Директор «Барселоны» позвонил нам однажды и сказал: «Что вы сделали с Лео? Вы изменили его отношение». Он сказал Пекерману: «Это совсем другой Лео, совсем не тот, которого мы посылали на чемпионат мира». Мы привили ему определенную агрессивность, не стремление бить всех подряд, а просто бояться поражения: в испанском втором дивизионе «Барселона B» результат чередовался: проигрыш, проигрыш, выигрыш, ничья, ничья. Здесь мы должны победить или нам конец. Здесь очередь из двадцати человек, надеющихся разорвать нас на куски».

«Ювентус» был готов заплатить хорошие деньги, но поистине астрономическое предложение пришло от «Интер Милана». Сообщение, полученное Бегиристайном и Лапортой от тех, кто был близок к игроку, было четким и ясным: «Если Лео не может играть в испанской лиге, если с бюрократическими проволочками не разберутся, то он поедет в Италию».

«Когда поступило предложение от «Интер Милана», это был единственный раз, когда возник реальный риск, что Лео покинет «Барселону». Так вспоминает Жоан Лапорта, которому пришлось применить весь свой дар убеждения и дипломатии и полностью использовать доверительные отношения с отцом Лео, чтобы помешать его отъезду.

«Интер» понял, что это их шанс получить футболиста, за которым они следили в течение трех последних лет. Вот как вспоминает об этом Ферран Сориано. «Были моменты кризиса, поступали различные предложения. Я помню одно от «Интер Милана», одно – от «Реал Мадрида»... Но у Хорхе всегда была уверенность, что мы поддержим Лео, обязательно позовем и предложим новый контракт, который обеспечит ему ту стабильность, которая была необходима».

С этим не было никаких проблем, но в сентябре 2005 года ситуация настолько усложнилась, что для ее разрешения требовалось использовать весь возможный такт.

«Хорхе позвонил мне и попросил приехать в офис», – объясняет Лапорта. Президент «Барселоны» не знал, о чем пойдет разговор. «Мне нужно сказать вам нечто очень важное» – начал Хорхе Месси. Отец Лео спрашивал мнение как президента клуба, так и своего друга, он хотел поделиться с Лапортой своими мыслями.

Хорхе сказал ему, что «Интер Милан» хочет заключить с Лео контракт на сумму в три раза больше, чем «Барселона», и их совершенно не пугает стоимость покупки в €150 миллионов.

Жоан Лапорта тоже говорил с Месси как президент клуба и как друг: «Первое, что я сказал ему, что мы и не думали о продаже Лео. Во-вторых, я поставил себя на место отца: «Смотри, ты хочешь добиться денег для своего сына, это естественно, и чужой клуб гарантирует ему будущее; но карьера здесь также обеспечена с финансовой точки зрения, и более того, здесь он обретет славу». Я немного рисковал, потому что в тот момент у нас было всего несколько хороших результатов. У нас была команда, которую любила половина мира и которая начала становиться ориентиром для других клубов. Но тогда мы еще не добились сегодняшней славы».

Хорхе Месси знал, что в словах Лапорты была определенная правда. Лео считал себя частью команды, и его спортивные перспективы выглядели вполне хорошо. Еще он ценил очевидную привязанность Лапорты к своему молодому игроку. Беседа о будущем Лео пока не завершилась ничем определенным.

В это же время на ужине в Мадриде Массимо Моратти, владелец и президент «Интер Милана», сказал Хоану Лапорте, что хочет пригласить Лео в Италию, что ему нравятся игроки с ведущей левой ногой и что Месси – это нечто особенное. Руководитель «Барселоны» ответил, что при всем своем уважении у клуба нет намерений отпустить Лео.

Возможно, Лапорта думал, что вопрос закрыт, но в течение трех напряженных осенних дней все могло кардинально перемениться.

Команда «Барселоны» отправилась в Германию, чтобы играть с «Werder Bremen» – самой сильной командой, с которой они сталкивались в своей группе Лиги чемпионов. УЕФА дала разрешение Лионелю играть, несмотря на то, что он не мог принимать участие в испанской Лиге, но Райкард на всякий случай взял с собой дополнительного игрока, чтобы исключить любые проблемы.

14 сентября, утром в день матча, Хорхе Месси встретился с Чики Бегиристайном, чтобы поговорить об интересе «Интер

Милана». Встреча прошла не особенно хорошо. Они договорились держать его в клубе до декабря, и если бюрократические проблемы будут продолжаться, «вся Испания и вся Европа его хотят, поэтому аренда Лео не станет для нас проблемой», – сказал ему Бегиристайн.

Но затем было упомянуто то, что стало камнем преткновения. Клуб, помня о том, что всего за три месяца до этого был подписан новый контракт, совершенно не рвался обновить его, несмотря на давление, оказываемое на них «Интер Миланом» и невероятно успешное лето Месси. Позиция «Барселоны» была четкой: подождать и посмотреть, разрешат ли Месси играть, затем проанализировать его выступления и только после этого начать говорить о новом соглашении. Отсутствие щепетильности, выказанная клубом на фоне успехов Лео, с одной стороны, полное международное признание и победа на чемпионате мира «до 20 лет», с другой, а также то, что Лео продолжал тренироваться с той же интенсивностью, несмотря на неспособность играть, раздражала его отца. Он ожидал от клуба предложения пересмотреть контракт сына.

В то утро он сказал: «Мы уходим». Дорога в «Интер» выглядела в тот момент более вероятной, чем когда-либо, итальянцы начинали произносить цифры и обещали разобраться с трансфером в течение следующего сезона. Выглядело так, как будто ситуация дошла до пика. Из близкого круга Лео поступил звонок Феррану Сориано, ему было сказано, что они думают об уходе из «Барселоны».

В день матча с «Werder Bremen» Райкард решил поместить Месси среди запасных вместе с Сильвиньо, оставленным на трибуне. Лео вышел на шестьдесят пятой минуте вместо Жюли, встал на правом фланге, и ему несколько раз удавалось изменить к лучшему ход игры: он несколько раз обошел игроков противника, обошел Кристиана Шульца, противостоящего ему защитника, который проиграл оба поединка. После внутреннего паса от Роналдиньо Лео оказался лицом к лицу с защитником противника, но Шульц успел только схватить его за футболку в штрафной площадке. Пенальти. Роналдиньо превратил его в счет 2:0. «Барселона» победила.

«Месси важен для нас», – объявил Райкард после игры. «Конечно, я заинтересован в том, чтобы бюрократические проблемы были как можно скорее решены, чтобы я мог играть в Лиге, но я спокоен», – сказал Месси. На трибунах Ферран Сориано и другие члены правления, снова впечатленные действиями аргентинца на поле, были близки к нервному срыву. Мы должны разобраться с его будущим, и немедленно – был единодушный приговор. «Мы можем встретиться завтра?» – спросили они Хорхе Месси.

На следующий день в десять часов утра в офисе «Камп Ноу» встретились нервничающий Жоан Лапорта, Сориано, Чики Бегиристайн, Алехандро Этксебаррия (один из влиятельных людей клуба, которого очень уважали Лео и все футболисты) и Хорхе Месси.

Президент публично повторил то, что сказал отцу Лео конфиденциально: «Да, «Интер Милан» сделал астрономическое предложение, но там мальчик заработает только деньги, тогда как в «Барселоне» у него будут и деньги, и слава. «Хорхе поверил тому, что я ему сказал, – вспоминает Лапорта. – Лео хотел остаться с нами, отец хотел, чтобы он остался, но мы не могли соответствовать предложению «Милана», который был готов заплатить за контракт €150 миллионов в дополнение к увеличению зарплаты игроку в два или три раза. Я хотел поднять ему зарплату, потому что он заслужил ее. Деньги всегда помогают, но это не то, что делает вас счастливым – говорил я Хорхе: если бы он отправился в Италию, то ему пришлось бы играть совершенно иначе, чем он привык играть здесь... и так далее. Я говорил практически все, о чем я думал в тот момент».

Хорхе Месси сказали, что Лео будет играть больше, чем Жюли. К тому же на той встрече Лео получил кое-что еще: прямую связь с президентом клуба. «Для нас дело Лео стало очень щепетильной и необычной ситуацией», – повторяет Лапорта.

«Барселоне» удалось воспрепятствовать тому, чтобы Лео перешел в «Интер Милан».

Итальянцы не хотели выкупать контракт, вместо этого они намеревались обратиться в суд по поводу непропорциональности между тем, что Лео зарабатывал, и тем, что просили заплатить за него итальянцев. «Но у меня были очень хорошие отношения с Моратти, и он понял, что мы решительно не собираемся продавать Месси, поэтому не стоит двум таким знаменитым клубам сталкиваться по подобным вопросам, – утверждает Лапорта. – Вскоре после той встречи мы сказали Моратти, что Лео и Хорхе решили остаться с нами. Я думаю, что это положило конец действиям Моратти. Каждый год поступало некое предложение или производились какие-то действия. Но этот случай был единственным, когда возник реальный риск того, что он покинет нас». После той встречи началась серьезная работа по составлению нового контракта.

Растущая известность Лео делала жизнь на Гран Виа Карлес III все более и более неудобной. Однажды, когда он вышел из квартиры, кто-то бросился сверху на его машину, требуя автограф и отказываясь отойти, пока его не получит. У Лео не было ни ручки, ни бумаги, и ему пришлось взять их у одного из тех, кто ехал с Месси в автомобиле. Поэтому новый контракт должен был включать премию, предусматривавшую оплату за новый дом и сад. В Кастельдефельсе.

Лео и Хорхе хотели, чтобы контракт действовал до 2013 года, то есть заканчивался за год до чемпионата мира. В этом случае, если бы он не играл, то мог бы свободно перейти в другой клуб и при этом быть в достаточно хорошей форме, чтобы не пропустить чемпионат. Именно поэтому дома у Лео турнир 2014 года всегда считался самым важным для него – ему будет 27 лет, то есть чемпионат придется на самый пик его карьеры. Еще один пример дальновидности и осторожного планирования будущего в семье Месси.

Хорхе Месси отклонил первое предложение «Барселоны», но когда клуб изменил несколько пунктов и цифр, соглашение наконец было достигнуто. Это произошло всего за два дня до того, как Лео запланировал перейти в «Интер». Это был его третий контракт за 18 месяцев.

«Барселоне» удалось добавить один год к контракту в отличие от того, что требовала семья Месси, доведя срок до 2014 года, но все остальное касалось нового финансового положения Лео, что ставило его на уровень игрока среднего класса в первой команде. В первый год он должен был заработать 900 000€, а к концу 2014 года – €3–5 миллионов, включая все права на изображения. В первый сезон он должен получить премию в 250 000€, которая пойдет на покупку нового дома. Если он будет играть по крайней мере 45 минут в 60 процентах игр, то получит дополнительную премию в 280 000€ в первый год, постепенно доходя до 800 000€ в последний. Кроме того, он также получал одноразовую оплату за возобновление контракта в размере €2 миллионов. Выкуп контракта сохранялся в размере €150 миллионов. Контракт, составленный в сентябре, вступал в силу с января 2006 года.

Хорхе Месси попросил, чтобы клуб поторопил урегулирование всех бюрократических проблем. Ему было сказано, что за несколько дней они будут решены. С одной стороны, испанские футбольные власти выглядели так, как будто они уже почти добились благоприятного для Месси и «Барселоны» решения, но у каталонского клуба был свой туз в рукаве: его окончательное решение.

Параллельно с процессом, который тянулся в футбольной лиге с невыносимой медлительностью, аналогичные проблемы начались двумя годами ранее, когда Хорхе Месси дал клятву верности испанской конституции. Немного позже Хорхе и его жена попросили испанского гражданства для своего сына, который был все еще несовершеннолетним. И вот, наконец, 26 сентября 2005 года Лео Месси обрел испанское гражданство, о чем была сделана запись в Гражданском бюро регистрации. Он больше не был иностранным игроком. Пропустив шесть игр лиги, Лео Месси смог принять участие в седьмом матче сезона.

«В течение всего лета я не видел, чтобы мой сын нервничал», — сказал отец Лео.

> Я не считаю, не говорю и не соглашаюсь с тем, что перед нами новый Марадона. Я предпочитаю говорить, что перед нами новый Месси. Впереди у него долгий путь. И он может вырасти как футболист. У него есть врожденное мастерство, которое позволяет ему играть в самых разных позициях. Мы должны быть благодарны, что он способен взять на себя ответственность за то, чтобы играть в любой позиции, на которую мы его ставим, что всегда приносит пользу команде.
>
> **(Франк Райкард в 2005 году)**

Сезон 2005/06 игрового года был пиковым для команды Франка Райкарда. С приходом Ван Боммеля и Эзкерро и уходом Херарда Лопеса по истечении его контракта работа команды была идеально налажена, в нее входили те же основные игроки, как и в предыдущем сезоне, когда они выиграли Лигу. На все позиции имелось по два игрока, и коллективная синхронизация, которая возникла в предыдущем сезоне, сохранилась и в следующем.

«Реал Мадрид», который не одержал значительных побед за последние два года, добавил Робиньо к своему списку звезд, куда уже входили Роберто Карлос, Дэвид Бэкхем, Рональдо и Зинедин Зидан, которого когда-то Месси спросил, не могли бы они поменяться футболками. Лео делал такое только с Гаго, Аймаром и несколькими друзьями, он слишком стеснялся, чтобы попросить об этом кого-то еще. Зидан, который радостно согласился, был счастливым исключением.

Рональдиньо подтвердил свой статус новой величайшей звезды футбола, когда в декабре 2005 года его второй год подряд назвали Игроком года по версии ФИФА.

Приблизительно в то же самое время бывший игрок «Барселоны» Рональд де Боер завтракал с Франком Райкардом, и Франк начал анализировать игру аргентинца. Тот видел его только по телевизору. «Я видел этого мальчика, Месси, но по правде говоря, он не произвел на меня особого впечатления». Франк посмотрел на него с удивлением. «Тебе стоит посмотреть на него во время тренировки, Рональд. Он делает такое, что никто больше не в состоянии сделать. Нам даже не нужно ему что-либо говорить. Мы можем просто оставить его, чтобы он делал то, что умеет. Инстинктивно».

Но Райкард был готов говорить подобное только в частной беседе. В конце одной тренировки тен Кейт остановил журналиста Роберто Мартинеса, который пристально следил за Лео и писал о нем в *El Mundo Deportivo.* «Послушайте, Роберто, полегче с мальчиком, – сказал тен Кейт, надеясь немного снизить накал страстей. – Он хорош, но не настолько, как вы пишете».

Но попытки тренеров затормозить не соответствовали возможностям, которые говорили сами за себя: появление Лео с 19-м номером на спине означало, что Жюли уже больше не был предпочтительным вариантом. Игроки «Барселоны» получали премию за то, что отыгрывали в 60 процентах всех матчей, и все они считали свои появления на поле. «Иногда один из игроков говорил мне: «Босс, у меня 58 процентов, мне нужны еще две игры, поставьте меня!» – вспоминает тен Кейт. Это стало обычной шуткой – спрашивать Жюли, какой процент он отыграл. «Сорок восемь процентов! – сказал он ван Бронкхорсту. – Лионель играет».

«Таким образом, – добавлял Джио, – тебе не хватает двенадцати процентов. Лео!! Лео!!! Жюли говорит, что ему нужно двенадцать процентов! Помоги ему!» – обычно со смехом кричали аргентинцу защитник и все остальные.

Спустя десять дней после подписания нового контракта Месси уже был в стартовом составе команды на игре против «Udinese» во втором матче Лиги чемпионов. У Лео, после выступления против «Ювентуса», это была еще одна крайне энергичная игра. Вот как описал ее Рамон Беса в *El País*: «С помощью Месси, Человека матча, «Барселона» разбила команду «Udinese» с Роналдиньо в роли главного снайпера. Потрясающее мастерство аргентинца сорвало планы итальянцев». Барселона уверенно победила со счетом 4:1.

В ноябре Лео забил свой первый гол на соревновании против «Panathinaikos». Райкарду особенно понравилось давление, которое он проявил, чтобы заставить голкипера совершить ошибку: Лео перехватил мяч, а затем поднял его над головой вратаря, перекрутил и после этого забил гол. Это был третий гол из пяти, принесших убедительную победу команде со счетом 5:0.

«Барселона» вышла в 1/8 финала, где им предстояло встретиться с «Челси» Жозе Моуриньо.

Но до этого было первое появление Месси в классическом составе в Бернабеу. До этого сезона он сыграл только два полных матча, против «Osasuna» и «Panathinaikos», тренер пытался защитить Лео и соблюсти статус-кво каждого игрока команды. Его помощники больше не были уверены в том, что это было правильной реакцией на его инстинктивную потребность и качество, и сказали голландцу: он готов к старту, даже против «Мадрида», пришло время забыть старые порядки – Жюли был, конечно, на шаг ниже Лео. Пойдя против своих инстинктов и следуя совету своих помощников, Райкард решил включить его в стартовый состав команды из 11 игроков в матче против «Реал Мадрида», хотя даже за два часа до игры он не говорил об этом Месси, чтобы не оказать на него слишком сильного давления. Лео думал, что будет заменой. «Это было удивительно», – впоследствии сказал он.

В составе присутствовали все звезды, «Барселона» подтвердила, что она действительно лучшая команда на тот момент. Все глаза были устремлены на Роналдиньо, который забил два гола и затем получил неожиданный подарок: весь Бернабеу аплодировал ему стоя. Нападающих «Барселоны» – Ронни, Это'о и Месси – невозможно было остановить, аргентинец на правом крыле одержал победу в своем личном сражении с Роберто Карлосом. Больше не было разговоров о том, кто лучше среди новых лиц – Лео или Робиньо. Эта победа положила конец всем словесным сражениям. На пятьдесят девятой минуте Иньеста вышел на замену Лео. Да, Месси был готов к крупным матчам.

13 декабря в «Кампе Ноу» он получил приз «Золотой мальчик», которым Tuttosport награждал лучшего игрока в возрасте до 21 года. Уэйн Руни шел вторым с большим отрывом. После награждения Ронни подошел к Лео и сказал ему, что однажды, в не слишком отдаленном будущем, ему вручат и «Золотой мяч» – тот самый приз, который всего несколько дней спустя получил сам бразилец.

Это был год торжества.

Лео играл одну игру в команде Франка Райкарда под номером 10, позади нападающего. Спустя три месяца после его дебюта в матче против «Порту» команда «Барселоны», с множеством замен и молодых игроков из «команды В», организовала товарищескую встречу за закрытыми дверьми с донецким «Шахтером» Бернда Шустера. Лео заменил Луиса Гарсию, и тен Кейт предложил разрешить ему действовать свободно. В возрасте 16 лет он подчинился. Но после возвращения во вторую команду и несколько месяцев спустя в первую, Лео сделал так, чтобы иметь возможность играть на фланге. Это было сделано для то-

го, чтобы позволить ему держаться подальше от водоворота, царящего в центре поля. Тренеры также надеялись максимально использовать его скорость при соперничестве с защитниками, надеясь, что он будет делать диагональные пробеги, которые будут привлекать к нему защитников и создавать большее пространство для других игроков. Даже Райкард знал, что время, проведенное Месси на фланге, будет недолгим.

Положение Лео на фланге было не просто тактическим ходом.

Переход Лео в первую команду «Барселоны» проходил в несколько этапов: первый – тактический, а второй должен был помочь определить, какую роль он будет играть в команде. Эти две стадии были неразрывны. Когда тренер начал позволять ему входить в элиту, стартовый состав был полон звезд. Ядро формировалось из Рональдиньо, Деку и Это'о. Лео дополнил эту группу своими особыми качествами. Райкард не был готов изменить установившийся порядок, невидимую, но все же столь прочную и важную систему сдерживания и противовесов, которая управляла командой. Месси играл на правом фланге и, как любой молодой игрок, который достигает вершин, был готов повиноваться приказам, делать то, что ему говорят, с той же степенью ответственности, которую он выказывал на всех уровнях в Ла-Масии. Не будучи типичным крайним нападающим и несмотря на то, что ведущей у него была левая нога, он сразу же продемонстрировал свои достоинства. И тогда в жертву было принесено самое слабое звено – Людовик Жюли.

Лео быстро вписался в свою маленькую роль на границе фланга, но очень скоро он начал стремиться выйти на простор и пытаться делать шаги, более соответствующие его пониманию игры, уходить с флангов. Начала осуществляться вторая стадия его развития как тактика.

Хорошие тренеры знают, что, если игрок продолжает стучать в дверь, требуя больше пространства, вы оказываетесь перед необходимостью открыть и впустить его. Но в экосистеме, которой является группа футболистов, если новый парень хочет вторгнуться на территорию других игроков, он может обнаружить, что те, кого это может затронуть, не собираются позволить ему продемонстрировать свое превосходство, а тренер может решить подрезать ему крылья, потому что не хочет дестабилизировать коллектив.

Райкард обещал Месси, что позволит ему играть в центре, но первые годы игры с основной командой не дали ему этой возможности. Фактически, Лео пришлось ждать прибытия Пепа Гвардиолы, прежде чем начался второй этап его развития как тактика игры.

Самая показательная игра эпохи Райкарда с Лео Месси в стартовом составе, но на фланге, была игрой с «Челси» на Лиге чемпионов, проходившей в феврале и марте 2006 года.

За год до этого «Челси» выбил «Барселону» в самом начале нарастающего соперничества между этими двумя клубами. Это закончилось тем, что они трижды встречались в течение трех последующих сезонов. В тот раз сине-гранатовые выиграли первый матч со счетом 2:1, но менеджер «Челси» Жозе Моуриньо обвинил Франка Райкарда в том, что в перерыве он разговаривал с рефери, Андерсом Фриском. Угрозы убийства, которые последовали за удалением Фриском Дидье Дрогба, заставили рефери покончить со своей судейской карьерой. Моуриньо был временно отстранен на две игры. В ответном матче в Стамфорд-Бридже, после захватывающего начала, когда лондонцы лидировали со счетом 3:0, «Челси» разбил каталонцев со счетом 4:2. Гол Терри в последние секунды игры, несмотря на нарушение правил со стороны Рикардо Карвальо в отношении Виктора Вальдеса, которое не было признано рефери, решило судьбу игры. «Барселона, – великий клуб, но она только один раз за сто лет победила в Лиге чемпионов, – сказал Моуриньо, поднимая тем самым ставки любого будущего противостояния. – Я только несколько лет тренировал команду, и вот уже выиграл его».

22 февраля 2006 года, на первом этапе 1/8 финала, произошел разговор о реванше в матче между, возможно, двумя самыми лучшими командами Европы в то время, у каждой из которых был свой, совершенно отличный способ игры и два совсем разных тренера. «Атмосфера была очень напряженной. Все чувствовали это», – вспоминает Асиер Дель Орно, в то время левый защитник «Челси». Португальский тренер, как обычно, определил, как следует играть: поливальные машины сделали из поля грязевую ванну, мяч едва катился, и команды, казалось, были готовы взаимно уничтожить друг друга. Возможно, именно по этой причине Иньеста остался на скамье запасных, а в центре «Барселона» собрала все свои мышцы: Деку, Эдмилсона и Мотту. Три форварда были теми, кого и ожидали увидеть. Роналдиньо слева, но с указанием свободно двигаться, Это'о был нападающим, а Лео Месси – на правом фланге.

Та игра была прекрасным наглядным примером игры аргентинца под руководством Райкарда. С самой первой минуты он показал свое стремление идти в атаку, активно выходя один на один с противником. Команда ждала, что сделает Месси, несмотря на то, что ему было всего 18 и другие игроки должны были бы взять на себя больше ответственности.

Месси, с номером 31 на спине, отреагировал ударом в ворота, создав первый опасный момент для «Челси», и устраивал прессинг каждый раз, когда терял мяч, что сделало его угрозой номер один для защиты противника.

Дель Орно с самого начала знал, что перед ним быстрый и смелый противник.

«Тактически мы были очень хорошо организованы, – объясняет Дель Орно. – Моуриньо подробно продумал матч, намереваясь заблокировать продвижение «Барселоны». В центре стояли такие игроки, как Маке-

леле, Лэмпард и Эссьен, которые обеспечивали защиту, но Месси все же сумел пройти через них. Два или три раза он сталкивался со мной, и я пытался остановить его всем моим опытом и возможностями, которые были в распоряжении».

В одном случае Лео прошел мимо него, и в следующий раз, когда Дель Орно остановил его жестким перехватом мяча на уровне колена, оставившем след бутсы на правой ноге аргентинца, рефери не сделал защитнику предупреждение.

«Месси не предпринял ответных мер. Он ничего не сказал. В футболе между защитниками и форвардами существуют способы поквитаться, но не в этом случае», – заключает Дель Орно.

А затем наступил момент, который запомнит весь мир. Тот, который стал главным моментом встречи.

Тридцать шестая минута.

Приблизительно посередине справа Лео получил мяч. Сильный удар заставил Роббена подумать, что мяч перелетит через линию. Но Месси думал по-другому.

«Блоха» рванулся побороться за мяч, нагнав его приблизительно в трех метрах от углового флажка. Там все время имеется крайний нападающий. Роббен защищал мяч, в то время как Лео сделал попытку обойти Роббена справа, затем слева. Голландский крайний нападающий ошибочно попытался атаковать противника плечом и потерял равновесие. Лео воспользовался возникшим преимуществом, чтобы обойти его слева.

Лео подхватил мяч в угловой зоне.

Роббен нырком бросился вперед с двух ног, но мягкий удар аргентинца превратил его маневр в проброс мяча между ног противника. Оставив игрока «Челси» на земле, Лео поспешил за мячом, когда...

«Я видел, что защитник приближается ко мне, агрессивно, с опасными намерениями...» (Лео)

«Я попытался остановить его...» (Дель Орно)

«и я подскочил...» (Лео)

«...и он прошел мимо меня...» (Дель Орно)

«...и именно поэтому он не достал меня...» (Лео)

«Он начал кататься по земле, и меня удалили» (Дель Орно).

Дальше произошла свалка с участием Пуйоля и Роббена, который не мог понять, что ему говорят, плюс общая напряженность – они почти подрались. Через несколько секунд рефери показал защитнику «Челси» красную карточку.

«Месси умен, все выглядело так, как будто был страшный удар, но в действительности ничего особенного... Лионель, без сомнения, преувеличивал».

«Если говорить об этой игре, то самое печальное то, что, по их словам, нарушения не было, – говорит Сильвиньо. – Все довольно ясно. Дель

Орно чокнулся и на полной скорости попер на Лео. Это была красная карточка».

«Это было помешательство», – вот как комментирует события Хенк тен Кейт.

«Но Лео вел себя безупречно, – вспоминает Сильвиньо. – Если это – нарушение, то нарушение, если красная карточка, то так тому и быть».

«Я ничего не сказал защитнику. И он мне. Это – часть игры, таков футбол. Он старался сделать все возможное для блага своей команды, – объясняет Месси. – Да, произошел инцидент, но после этого матч продолжался как обычно»

Да. Игра продолжалась.

После инцидента Лео не прятался, несмотря на то, что толпа на Стэмфорд-Бридже освистывала его каждый раз, когда он касался мяча. После того столкновения и до конца игры он не сказал ни слова. Всю вторую половину игры его силы подпитывала наэлектризованная атмосфера матча. Он хотел играть. Лео отправился навстречу новому сопернику, Пауло Феррейре, который передвинулся на левый край защиты, с другой стороны находился Жереми, который сменил Джо Коула.

Удаление с поля обеспечило Моуриньо необходимое оправдание безголевой ничьи. Месси хотел изменить это, но команда его не поддержала.

Лэмпард выполнил штрафной удар, Вальдес ошибся, и мяч попал в Мотта. В свои ворота. Развитие игры становится благоприятным для «Челси».

Лео продолжал требовать мяч. Он был самым активным из форвардов, продолжая искать слабые стороны противника, чтобы переломить ход игры, придавая команде уверенность и смелость. Рефери проигнорировал пенальти за нарушение в отношении «Блохи».

За двадцать минут до конца матча Рональдиньо выполнил штрафной удар. Мяч отскочил от головы Джона Терри и с помощью Рафы Маркеса попал в ворота. Счет сравнялся – 1:1.

Восемь минут спустя мексиканский центральный защитник получил мяч на своей половине и выполнил навес к дальней штанге, где Это'о встретил его ударом головой, что обеспечило победу со счетом 2:1. Первое поражение Жозе Моуриньо дома за 49 матчей.

«Мы отомстили за поражение в предыдущем году», – с улыбкой говорит тен Кейт, вспоминая эту игру.

Лео выполнил пять ударов по воротам, один из которых попал в перекладину. Он был удален с поля и добавил интенсивности игре блестящего, но непостоянного Роналдиньо.

Нет, эта игра была не для Месси. Теоретически. Но аргентинец показал себя в Стамфорд-Бридже больше, чем вся команда. В этом драматичном матче он родился как звезда. «Лучшая игра в мире футбола за много лет», – писал Сантьяго Сегурола в «El País». Высший момент игры во взрослой команде.

Выступление Месси оказало такое влияние, что Рональдиньо и Это'о, которых ФИФА назвало первым и третьим лучшими игроками года соответственно, воспринимались как актеры второго плана. Он поднялся не на одну, а на две ступеньки по иерархической лестнице. После его выступления на матче против «Udinese» и превосходной игры в Bernabeu его игра на стадионе в Стэмфорд-Бридже произвела неизгладимое впечатление. И неудивительно, что и у себя дома – теперь никто даже не думал занять его место в команде. После этого матча Жюли лишь изредка стал принимать участие в игре.

На пресс-конференции Жозе Моуриньо разыграл второй акт спектакля. «Вам легче разобраться во всем происходящем, чем мне, – ответил он журналистам, когда его спросили об удалении с поля Дель Орно, – потому что у вас есть мониторы. Я думаю, будет лучше, если вы скажете мне, что произошло, потому что я не хочу оказаться в трудной ситуации. Счет матча 1:2. Что мы можем сделать? Можем ли мы временно отстранить Месси за то, что он устроил театр? Да, он устроил театр. Каталония – место с древней культурой, и они [имеется в виду каталонские СМИ] знают, что такое театр. Театр – это прекрасно».

Две недели спустя «Камп Ноу» ответил Моуриньо советом: «Сходите в театр, Моуриньо, сходите в театр». В ответном матче Лео сначала не выходил за пределы левой боковой линии, но всего через несколько минут он начал пробиваться слева к центру: он был способен выдержать жар и рвался туда, где творились голы. Затем внезапно, на 25-й минуте игры, он рухнул прямо на поле. Травма. Растяжение мышцы.

От расстройства Лео начал колотить руками по земле. Его хрупкое тело снова было намерено не допустить его в игру.

Райкард подошел к Лео и повел его в раздевалку. Правая рука Лео обхватила талию тренера, он спрятал голову в пальто голландца. Ему было необходимо это объятие.

Барселона сыграла со счетом 1:1. Но попадание в четвертьфинал [где они должны были встретиться с «Benfica»] досталось им дорого: Месси снова был остановлен на взлете.

Месси почувствовал острую боль, когда налетел на Уильяма Галласа, но продолжил играть, надеясь, что это неважно. В следующий момент не было никакого контакта ни с каким другим игроком, но он упал на землю, понимая, что получил травму и что это не обычная судорога. Когда в 2010 году портал Goal.com попросил Лео Месси указать два ключевых момента в его карьере, первое, что пришло ему на ум, был тот вечер в «Камп Ноу»: «Моя первая серьезная травма».

Была порвана мышца наверху бедренного бицепса на правой ноге, которая позволяет спринтерам быстро стартовать. Скоро Месси будет ее отлично знать. «Четырехсантиметровый разрыв», — сказала «Барселона». «Пяти», — спорила пресса. Это была вторая травма этой мышцы за месяц. Первая выбила его из колеи на двенадцать дней, после чего он возвратился к занятиям. Возвращаясь к прошлому, следует сказать, что это произошло слишком рано. На сей раз ему пришлось отсутствовать на тренировках и играх шесть недель. Полтора месяца спустя он все еще не был готов к игре. Лео, который сыграл в этом сезоне 25 игр, провел 79 дней, не выходя на поле.

В футболе говорят, что мышечные травмы случайными не бывают, что их вполне можно избежать. Если мышца рвется, то это происходит потому, что во время разминки что-то сделано не так, как надо. Это может быть следствием образа жизни игрока или из-за того, что он уделяет своему телу недостаточно внимания. Возможно, Месси, несмотря на то, что отдыхал в предыдущее воскресенье во время игры против «Depor», пришел на игру с накопившейся мышечной усталостью. Возможно, он недостаточно восстановился после предыдущей травмы мышцы. Кое-кто говорит, что он не разогрелся должным образом. Возможно, причиной травмы стало его столкновение с Галласом.

Но, по правде говоря, не существует никаких точных научных тестов, которые могут объяснить мышечные травмы. Есть только подозрения и страхи, а также потребность в предупредительных мерах. Клуб должен взять на себя часть вины за травму, потому что они не проконтролировали игроков столь полно, как это делается в настоящее время: за три сезона у них произошло двадцать подобных мышечных травм у двенадцати различных игроков.

Когда Франк Райкард призывал Лео соблюдать спокойствие, он все это имел в виду.

Конечно, в то время Месси не знал границ возможностей своего тела, как не знает и сегодня. Его не беспокоило, когда он заканчивал игру с травмированными лодыжками и икрами, с ногами, покрытыми синяками, царапинами и пузырями. Это была жизнь, которую он выбрал, это была часть игры. Но две травмы в течение месяца показали, что что-то не так. Это не казалось тревожным сигналом, но Лео начал интересоваться — что же происходит с его телом?

Ответить было не просто, но Месси не нужно было ломать голову, чтобы узнать ответ. Когда он пришел в первую команду, он все еще был подростком, и вне поля он начал отрываться.

Дело было не в том, что он не вылезал с вечеринок, скорее, вопрос был в отсутствии упорядоченности в жизни. В еде, в распорядке дня.

Помимо этого, Лео слишком быстро взбирался по лестнице успеха. Жизнь завертелась слишком быстро, и это отвлекало. Возможно, ментально он был готов к более быстрому развитию событий лучше, чем большинство игроков его возраста, но внезапные изменения физических требований и новые стрессы, возникающие вследствие игры в элитной команде, пережить было трудно. Каждые несколько месяцев он оказывался на новом уровне. Это приносило все новые проблемы – игра становилась быстрее, сражения – тяжелее, темп – выше. Увеличивалось внимание к нему общественности, была выше потребность в победе, требовался больший отклик на увеличенные ожидания. Первая команда была местом, где для того, чтобы выжить как профессионалу, важно было проявить особую заботу о себе, регулярно спать, жить по часам, правильно питаться. Это были жизненно важные требования, если он действительно хотел блистать в футболе.

Иногда, чтобы узнать свои границы, надо совершить ошибки.

Иногда Лео ел в Ла-Масии с командой «Барселона В», а затем, позже, снова – в одном из аргентинских ресторанов. Обычное меню там состояло из нескольких пирогов с мясом, потом эскалоп «Миланезе». Лео очень любил эти 200 граммов мяса, которое опускают в яйцо и панировочные сухари с томатным соусом, ветчиной и сыром, после чего запекают в духовке, обязательно с жареным картофелем и всегда без салата. А на десерт – мороженое из подслащенного молока с шоколадом. Иногда он брал то же самое и тарелку пельменей с мясом. Всегда запивал водой или кока-колой. Алкогольных напитков Месси не пил.

Официанты обычно шутили, говоря с ним: «Немного рыбы вам бы не повредило». На что он отвечал: «Ха-ха! Рыба пусть плавает в воде». Если оптовые торговцы рыбой или мясом дарили ему аргентинские королевские креветки, Лео настаивал, чтобы их отдали отцу, а ему в следующий раз принесли немного аргентинского мяса. Время от времени он ходил в воскресенье в полдень в ресторан и уже оттуда шел на поле, особенно когда тренер в последние месяцы своей работы в клубе разрешал игрокам приезжать на стадион прямо перед игрой. После блинчиков с мясом, эскалопа или пасты играть было трудно. «К тому времени, когда я доберусь до стадиона, все переварится», – говорил Лео.

Если после тренировки не было игры, то он отдыхал, просыпался около четырех и съедал пиццу. Затем ел арахис в шоколаде. Если Лео хотел пить, то выпивал полтора литра кока-колы. Полное отсутствие пищевого контроля. Он жил жизнью студента.

Лео напоминал автомобиль повышенной комфортности, который должен ездить на бензине, а в него заливали дизельное топливо. Иногда это может сойти вам с рук, но в конечном счете двигатель выйдет из строя.

Неправильный образ жизни Лео привлек внимание правления, которое приняло решение следить за его развитием, удостоверяться, что он правильно поел три раза в день, чтобы стать сильнее. «Этот парень как росток – его надо посадить в землю, потому что без этого он не вырастет», – такой комментарий прозвучал в зале заседаний. Но, несмотря на беспокойство, в то время ничего не было сделано для того, чтобы заставить Лео изменить свои привычки. По сути, и клуб, и игрок прождали по крайней мере несколько лет, прежде чем принять решения, которые побудят его понять важность контроля питания.

Пока он выздоравливал, год, который мог бы стать годом Месси, стал годом «Барселоны»: в четвертьфинале команда победила клуб «Benfica», так что в полуфинале они встретились с «Миланом», и Лига была у них в кармане.

Теперь Лео бежал наперегонки со временем, чтобы быть готовым к финалу Лиги чемпионов, который должен был состояться 17 мая, через десять недель после травмы. Если бы все пошло согласно плану, то он был бы готов.

Глава 5
ФРАНК РАЙКАРД. ЗАКАТ

Лео верил, что будет готов к финалу Лиги чемпионов.

> «Игра в финале — всегда замечательное событие, более того, это соревнование — одно из самых важных после чемпионата мира, если не самое важное из всех. Было бы действительно замечательно — играть в нем и выиграть».
>
> **(Лео Месси, 2006 год))**

«Мы двое должны были тренироваться вместе, утром и после обеда, – рассказывает Хуанхо Брау, личный тренер Лео. – Силовая тренировка и физиотерапия по утрам, спортзал днем. Каждый день. Кроме того, Лео должен был плавать. А остальное время он должен был проводить дома, отдыхать, спать. В течение одного месяца, каждый день. Месси должен был выздороветь. Он не мог пропустить великий день матча в Париже. К тому же это был год чемпионата мира.

10 апреля, за неделю до первого этапа полуфинального матча против «Милана» и за пять до финала, Лео Месси наконец был готов вернуться к тренировкам с остальной командой. Он пропустил предыдущие шесть матчей и оба этапа четвертьфинала Лиги чемпионов. Если он отреагирует достаточно хорошо, Райкард намеревался взять его в Италию, но оставить на скамье запасных, используя во второй половине игры только для того, чтобы подразнить гусей. Лео чувствовал себя готовым ко всему.

Тен Кейт тоже не вполне понимал ситуацию. Перед первым групповым занятием он спросил врачей о «Блохе». С точки зрения медицины, с игроком все было в порядке, но доктора рекомендовали, чтобы Месси выполнял индивидуальную работу. Месси настаивал, что готов тренироваться как обычно. Кейт встал на его сторону. «Лео, я поговорил с доктором, он сказал, что ты еще не восстановился на все 100 процентов. Ты рискуешь пропустить еще больше матчей».

«Нет, я чувствую себя прекрасно!»

Тренеры всегда будут говорить, что именно футболист несет ответственность за собственное тело, именно он решает, пригоден он для тренировки или нет. Только он сам чувствует, что творится у него внутри. На той тренировке пятнадцать минут Лео чувствовал себя отлично и решил выполнить штрафной удар.

Кейт обратился к нему и попросил не делать этого. «Оставь, Лео. На всякий случай, а то будет хуже...»

Лео направил мяч поверх планки. И почувствовал, что мышца снова порвалась.

Новый разрыв в том же самом месте.

В ноге и в сердце.

Клуб сказал, что Лео сможет снова играть перед концом сезона Лиги, поскольку это не было разрывом, но никто не рискнул предсказать, когда точно он вернется на поле. Они объяснили, что травмированный бицепс его правой ноги нуждается в большем количестве кислорода, чем он получал.

В официальном заявлении было сказано: «Во время последней фазы лечения спортсмен испытывал дискомфорт в травмированной области и значительное мышечное утомление. Поэтому было решено продолжить лечение и восстановление мышцы, которое продлится до тех пор, пока игрок не сможет возобновить тренировки без тревожных симптомов. Вследствие существующего положения вещей Месси не будет участвовать в следующей игре».

Чтобы понять истинную суть медицинского заключения, следовало читать между строк. Доктора имели в виду, что у Лео не было опыта поведения при подобных мышечных повреждениях. Его желание играть было сродни наказанию самого себя. Лео возвратился раньше срока потому, что хотел возвратиться на поле как можно скорее. Его мышцы, отвечающие за скорость, требовали большого количества кислорода, и их исцеление было медленным процессом. В его возрасте, естественно, он не знал, как «читать» сигналы своего тела, и предположил, что ему лучше, чем было в действительности.

Вернувшись домой, Лео не хотел ни с кем говорить. Снова неудача. Последние тесты подтвердили, что это был новый разрыв мышцы, несмотря на то, что клуб хотел скрыть это. То есть это означало, что процесс восстановления придется начинать по-новой. С Хуанхо Брау. Силовые тренировки и физиотерапия по утрам. Спортзал днем... все то же самое.

Лео и Брау отправились в Росарио, подальше от тех, кто хотел побыстрее вернуть его на поле и от различных отвлекающих факторов. В Аргентине они посмотрели на гол Жюли против «Милана», который привел «Барсу» в финал. Он отпраздновал его лишь приглушенным «Гол!». Он мог попасть на финал, лишь сидя на скамье запасных. Он определенно сделал бы это и продолжил упорно трудиться, чтобы это произошло.

Время шло быстро – вскоре им надо было уезжать. Финал должен был состояться 17 мая, через пять недель после его последней неудачи, через неделю после полуфинала.

В начале мая Лео уже чувствовал себя достаточно хорошо. Хуанхо Брау велел ему набраться терпения.

Месси попросил Райкарда включить его в команду и начал тренировки вместе со всеми за три дня до финальной игры против «Арсенала» в Сен-Дени, Париж. Лео тренировался с первым составом команды в воскресенье в «Камп Ноу». И снова, в понедельник. За два дня до финала.

Во вторник Франк Райкард пришел на последнюю пресс-конференцию перед финалом. Он сказал, что было бы неправильно называть «Барселону» фаворитом на фоне команды «Арсенал», в которую входили такие игроки, как Тьерри Анри, Роберт Пирес, Эшли Коул и Сеск. Он также не хотел давать никаких ключей к разгадке физического состояния Лео. Он взял с собой в Париж всю команду, но должен был оставить в запасе двух игроков. «Я ничего не буду решать до завтра», – сказал голландец. Журналисты продолжили попытки получить интересующую их информацию. «В эмоциональном плане команда чувствует себя прекрасно. Месси? Посмотрим, что будет завтра. Мы рады, что Лео выздоравливает, но давайте посмотрим, потому что впереди еще одна тренировка, а он провел вместе с командой всего две. Еще ничего не ясно».

После пресс-конференции Райкард встретился с командой. В тот вторник днем, на французском стадионе, боевой дух «Блохи» был силен, как никогда. Он сделал сильный удар. Это'о сумел блокировать его, но потом нетвердо стоял на ногах. Мышца Лео выдержала.

Но Райкард и тен Кейт уже приняли решение и сообщили Месси о нем после тренировки в день перед финалом, лично, в пустой раздевалке рядом с той, которую использовали игроки. Они подождали, пока Лео не присоединится к ним.

Франк сказал ему, что считает Лео не вполне здоровым, и не собирается брать его в заключительный состав команды. Кейт кивнул, соглашаясь.

Хенк проводил тренировки и не видел его обычную взрывчатую игру. Он не считал, что Лео сможет справиться с давлением и ритмом финала.

Они оба знали, что отстраняют его от самого важного матча клуба. Но с другой стороны, ему было всего 18 лет. «Я уверен, ты будешь играть еще во многих финалах, но этот наступил слишком скоро», – сказал ему Кейт.

Лео рассердился. Разъярился. Не на Райкарда, а на Кейта. Это было написано на его лице, его эмоции явственно проявлялись в дрожащих губах.

Его глаза наполнились слезами.

Голова опустилась. Ни звука. Его спокойствие было совершенно бесстрастным. Он сделал вдох, затем выдох и снова затих. А затем закричал: «Как вы себе это представляете?! – рассказывает Кейт о том дне. – Восемнадцатилетний ребенок, который не может играть из-за собственных просчетов?»

Согласно отчету технического персонала, в апреле Лео совершил серьезную ошибку. Он не понял сообщения, которое посылало ему тело. Урок на будущее – думали они – потому что, если бы он не переживал из-за той неудачи, он был бы важным элементом команды «Барселоны», готовящейся играть свой пятый финал чемпионата Европы и завоевать свой второй приз на самом крупном соревновании Европы.

«Это самые трудные моменты в работе тренера», – утверждает Хенк тен Кейт. Хави уже был зрелым игроком и знал, что он мог и чего не мог сделать. Ему уже делали операцию в результате травмы связки, и он возвратился к тренировкам с командой, но понял, что физический уровень пока далек от идеального. Центральный полузащитник не играл с командой в течение пяти месяцев и знал, что не готов к финалу. Он собирался остаться на скамье запасных и принимал это решение. Поскольку он не был взрывным игроком, Райкард надеялся, что игрок мог при необходимости быть полезен в управлении игрой. Эта проблема была решена достаточно легко. Но вопрос с Лео был намного более сложным.

«Слезы текли из его глаз и бежали по щекам», — эмоционально вспоминает тен Кейт.

Франк встал и обнял его.

Хави Эрнандес не играл в финале ни одной минуты. Физическая форма Андреса Иньесты также обсуждалась тренерским составом. Он начал игру на скамье запасных, потому что Райкард и тен Кейт предпочли укрепить центр физически более сильными Ван Боммелем, Деку и Эдмилсоном. «Будьте осторожны, Франк, — сказал ему его помощник. — Поговорите немного с Андресом, потому что он вот-вот взорвется — ожидал, что будет играть».

Остальная часть команды должна была принять участие в характерной для Райкарда схеме азартной игры, которую он использовал на крупных играх: вместо того, чтобы нападать на защитников, Олегер Пресас и Джио ван Бронкхорст играли в оборонительной манере. Им было поручено не подталкивать форвардов слишком далеко и защищать спины Жюли и Рональдиньо.

Что касается Лео, тренеры считали, что его отсутствие на матче должно было послужить ему уроком и научить прислушиваться к другим и к своему телу.

Месси не мог наслаждаться финалом. Он был жестоко разочарован и почти не помнил довольно странное начало игры, с очень ранним удалением с поля вратаря «Арсенала» Йенса Леманна (на восемнадцатой минуте), гол головой Сола Кэмпбелла, который вывел «Арсенал» вперед, и введение в игру Хенрика Ларсона, который помог Это'о и Беллетти победить и положил начало тому, что казалось неизбежным периодом славы и европейских титулов.

Сидя на трибуне, Лео не ощущал удовольствия от личного участия в победе, не чувствовал, что имел право стать частью праздника, поэтому сразу пошел в раздевалку, как только услышал финальный свисток.

По окончании матча Кейт остановился покурить в туннеле. Лео прошел мимо него с опущенной головой. Быстро.

Лео оставался в раздевалке, предпочитая дистанцироваться от команды, скрывая свое расстройство. Как рассказывает Хуанхо Брау: «если он говорит «нет», это «нет», если он говорит «да», это – «да». В нем нет никакой двусмысленности».

Лео нет на единственной фотографии из Сен-Дени. Он не хотел касаться кубка. Даже тронуть свою медаль. Он в одиночестве рыдал в углу раздевалки.

Посреди всеобщего ликования Брау решил отыскать Месси. Он сказал ему:

«Лео, в игре против «Челси»... о том позорном ударе, об удалении... Если бы ты не был здоров, то мы не вышли бы в следующий круг».

«Внезапно как будто лампочка загорелась у меня в голове», – вспоминает Сильвиньо.

«Мы все праздновали победу в Лигеч, и внезапно я понял, что Лео нет с нами. Я пошел в раздевалку, он сидел там в тренировочном костюме «Барселоны». С ним был администратор по экипировке и Хуанхо Брау. Я подошел к Лео, мы поговорили. «Давай, Лео, пошли на поле». Он был подавлен, очень. Райкард думал так же, как и я: «давайте пойдем и вытащим его» – и мы трое оказались в раздевалке. Через некоторое время тренер вернулся на поле, но я оставался там еще в течение нескольких минут. Я поговорил с ним и сказал: «Не волнуйся, ты скоро все поймешь. Мы поговорим о том, что здесь происходит, и ты будешь смотреть на все иными глазами. Будет много других важных матчей, успокойся». Я понял его. Лео не нужно было говорить мне ни единого слова, я отлично понял, что происходило. И я оставил его в покое. Я вернулся на поле, чтобы продолжить праздновать победу».

«Как же я пропустил финал Лиги чемпионов? Не знаю, буду ли я в состоянии пережить еще один такой день... некоторые футболисты по десять лет ждут подобной игры», – продолжал повторять Лео.

Казалось, Лео снова стал маленьким мальчиком.

Однако Сильвиньо не согласен с тем, что это была реакция ребенка. Скорее это был юноша, который понимал, что ему могла больше не выпасть возможность играть в финале. «Он думал, что мог бы помочь нам, – говорит Сильвиньо. – Он упустил совершенно особый момент, незабываемый матч и отличную команду. Весь вечер и весь следующий день я пытался заставить его понять, что это не конец света.

«Думаю, он многое понял в тот день». Это сказал Сильвиньо, но все, кто видел его в тот день, согласны с ним.

Другие игроки «Барселоны» не вполне понимали его реакцию. «Ваша команда только что победила, вам восемнадцать лет, все у вас хорошо, команда выигрывает кубок, вы едете на чемпионат мира... Было странно, что он так отреагировал», – сказал Макси Лопес в зоне прессы. Для тех, кто не думает, как Лео, это было просто незначительной неудачей. Можно рассердиться, не более. Многие футболисты, вернувшись в раздевалку, сказали ему, что он был таким же чемпионом, как и они.

Деку, который принял его медаль, повесил ее на шею Лео в раздевалке. «Когда-нибудь ты поймешь, какой это был великий вечер», – сказал он Месси.

Но Лео не хотел ничего слушать. Он сидел в темном углу и хотел там остаться.

Тем не менее, благодаря распространяющейся повсюду радости его товарищей по команде, он начал постепенно выныривать из глубин своего горя. Кто-то притащил кубок в раздевалку, чтобы он смог наконец коснуться его и сфотографироваться с ним.

«Сейчас я понимаю, что должен был наслаждаться тем финалом намного больше, чем тогда мог. Не думаю, что много игроков получают шанс выиграть Лигу чемпионов. Я был очень молод и не хотел праздновать это событие. Тогда Рональдиньо, Деку и Мотта принесли мне кубок, и это – самое прекрасное воспоминание. Сегодня я сожалею, что не насладился им на поле, хотя впоследствии я сделал это. Я был там, и это нечто совершенно необыкновенное». Так сказал Лео четыре года спустя.

Он вышел из раздевалки и по пути к тренеру натолкнулся на Кейта. «Я думаю, что Лео вскочил мне на спину или что-то в этом роде, – вспоминает Хенк. – Его лицо изменилось, теперь парень улыбался. Все были за него, он чувствовал, что его любят, как мне кажется. А затем я вспоминаю обратный перелет домой, когда Месси схватил микрофон. Мы сидели на верхней палубе самолета, вместе с игроками и директорами, а семьи сидели на нижней палубе. Но весь самолет мог все слышать через динамики. Лео схватил микрофон и сказал: «Господин президент, пожалуйста, я не хочу еще одни часы, я хочу машину». Месси сдал экзамен по вождению как раз перед финалом, за две недели до него, и у него уже были часы за выигрыш в Лиге, поэтому он сказал это. Нам всем подарили по Ауди. S3, как мне помнится».

«Переговоры» относительно премий на этом не закончились. Лапорта врезался в счастливого Лео: «Ну что, Лео. Счастлив?» Он сидел в одном из последних рядов и сказал мне: «Я уже осмотрел несколько квартир». Он шутил. Все мы засмеялись. Лео продолжил шутку: «с гаражом, чтобы парковать машину».

«В конце концов, он вылез из своей раковины, и все было прекрасно, – утверждает Сильвиньо. – Помню, мы праздновали тот финал как безумные. Когда мы возвратились в Барселону, улицы была заполнены людьми. Незабываемо».

Сезон закончился победой в Европе и в Лиге, звезды «Реал Мадрида» остались позади, уступив двенадцать очков. Самуэль Это'о был признан главным бомбардиром, он забил 26 голов. Камерунец и Рональдиньо были выбраны в XI FIFPRO – лучшую объединенную команду футболистов сезона.

В 2012 году в *El País* Лео Месси более вдумчиво проанализировал тот период: «Райкард – тот человек, которому я обязан практически всем. Он верил в меня и дал дебют, когда я был еще ребенком. Именно он знал, как обращаться со мной, знал, что нужно оставить меня в покое, когда я не понимал и не любил его, знал, почему делал все это, и только благодаря ему произошло все последующее».

Команде предстояло совершить много значительных деяний, но в то время никто еще не знал, что финал в Париже был практически началом конца.

«Это было захватывающе – видеть, как на наших глазах мальчишка становился лучшим игроком в мире всего за несколько месяцев». У Эйдура Гудьонсена, который пришел в следующем сезоне вместе с Турамом и Дзамброттой, был, конечно, особый взгляд на успехи Лео. Но у его комментария есть дополнительный аспект. Эйдур и Лео чувствовали друг в друге аутсайдеров в маленьком мирке «Барселоны». Викинг и аргентинец общались, не понимая ни слова из того, что говорил другой: «Я не понимал Лео: он говорил очень медленно или очень быстро, обычно со своим грубым аргентинским акцентом. Я просто переспрашивал: «что он сказал?» Я думаю, что это смешило его, но, несмотря на взаимное непонимание, нам действительно было хорошо, мы смеялись над шутками друг друга. Или над тем, что мы считали шутками.

«Мне казалось, что это интересное упражнение – видеть его значительное развитие, игру ради игры, и пытаться понять, что он думает, – продолжает исландский форвард. – И это было совсем нелегко, потому что то, что вы видите снаружи, даже для его товарищей по команде было парнем, который увлечен футболом, живет и дышит им, а остальное время проводит дома, спит или играет на PlayStation, и все. Но я всегда чувствовал, что за этим скрывается нечто значительно большее. Должно быть что-то еще».

Бывший футболист «Челси» сразу понял превосходство команды, которая только что выиграла два больших соревнования и сосредотачивала все свое внимание на вечной улыбке Рональдиньо. «Когда Ронни говорил о футболе, а он делал это часто, вы могли видеть очень внимательного Месси, смотрящего на него с видом преданного поклонника. До начала сезона мы отправились в Соединенные Штаты, и когда Ронни вышел от тренера, казалось, что к нам прибыла кинозвезда. Он был настоящим мужчиной, а Лео – мальчиком, который восхищался лучшим игроком в мире и играл с ним в одной команде, – вспоминает Гудьонсен, который все еще был удивлен тем, что они пригласили его присоединиться к ним за столом. – Это был стол шутников. Сильвиньо стал моим переводчиком, он и объяснял мне всю ту ерунду, которую они обычно несли».

После года успеха, в сезоне 2006/07 года «Барселона» начала терять дух соперничества. Вначале это было не слишком заметно, но уход Ларсона, Габри и Ван Боммеля, а также снижение уровня игры лидеров раздевалки (особенно Рональдиньо и Деку) имело эффект. Хенк тен Кейт также ушел в «Аякс», что способствовало постепенному распаду команды.

Влияние помощника Райкарда было очень сильно. Завоеванный титул чемпионов лиги, конечно, был следствием таланта, но также были заблаговременно приняты меры, чтобы предотвратить снижение уровня команды. «Если вы хотите получить ключ к получению титула и понять, что произошло позднее, внимательно изучите матч против «Betis» на стадионе «Бенито Вильямарин, – это была проблема, затронутая тен Кейтом в беседе с Джио ван Бронкхорстом. «Ты поймешь причину, почему мы выиграли, помнишь, приятель?» «Барселона» довольно тускло играла в начале сезона, сделав вничью с «Alaves» и «Валенсией» и проиграв «Атлетико Мадриду». Единственная одержанная ими победа была в матче против «Майорки». Незадолго до того, как они после этого отправились в Севилью, чтобы провести встречу, о которой говорил тен Кейт, Франк Райкард тренировал своих одиннадцать лучших игроков, не допуская зрителей. Рональдиньо и Деку сначала надели майки стартового состава, но, в конце концов, он не взял ни одного из них.

До того момента только две звезды были один раз вне игры вследствие травмы. Раздевалка ходила ходуном.

Официально Райкард говорил о ротации: «Рональдиньо и Деку сыграли четыре игры за десять дней, и я решил предоставить им возможность отдохнуть, потому что нам предстоит решающий матч во вторник с «Udinese» в «Камп Ноу», а они – очень важные игроки. Я хочу, чтобы они расслабились, а затем, в воскресенье, снова начали тренироваться».

Настоящая причина была иной: до Райкарда дошла информация, что часть раздевалки негодовала на поведение этих двух игроков: Деку часто летал в Бразилию и отсутствовал на тренировках, а Роналдиньо не был настолько профессионален, как должен был. Некоторые игроки раздражались, и группа, включавшая голландца, каталонцев и Это'о, сообщила тен Кейту о своем недовольстве. Они только что завоевали первый из двух титулов Лиги, и было необходимо исправить ситуацию, подать пример, или «команда распадется», – сказали тренеру, который немедленно отреагировал, отстранив этих двух игроков от матча с «Betis».

По пути в Севилью Хенк тен Кейт сделал очевидное для команды заявление: «Парни, мы должны победить во что бы то ни стало». Райкард прежде никогда не предпринимал столь серьезных дисциплинарных мер, и его следовало поддержать победой. В том матче Это'о пропустил пенальти. Почти час счет был 1:1, но затем камерунец дважды забил гол, во второй раз забрав мяч у Макси Лопеса и ударив по нему. «Во вратарской площадке нужно думать быстро», – сказал ему Это'о. В этом матче Месси не принимал участия.

Сезон закончился хорошо, они завоевали два крупных титула, но в следующем сезоне негативная динамика поведения звезд только усилилась. Месси был единственным светом в конце туннеля, в котором с каждым днем становилось все темнее: он был единственным игроком, который стал лучше по сравнению с предыдущим сезоном и продолжил свое развитие. Лео получал меньше травм и отсутствовал всего неделю после растяжения лодыжки, которое произошло во время матча с «Реал Мадридом», закончившемся со счетом 2:0 в пользу противников «Барселоны». Это поражение породило предположение, что клуб, также потерпевший поражение от Севильи со счетом 3:0 на европейском Суперкубке в августе, не сможет достичь хороших результатов на важных матчах.

Но в ноябре, в матче против «Сарагосы», Месси сломал пятую плюсневую кость на левой ноге. На сей раз это не было следствием неправильного образа жизни. Сломанные кости стали причиной неудачи: Лео не мог играть больше двух с половиной месяцев.

«Неспособность помочь команде приводит в бешенство. Вы находитесь в раздевалке вместе с ними, вы вместе проводите время перед матчем, но вы знаете, что они выйдут на игру, а вы – нет», – сказал Месси Рамиро Мартину в декабре 2006 года.

Лео вернулся в «Барселону», которая продолжала терпеть неудачу в серьезных играх. Они проиграли матч против «Ливерпуля» Рафы Бенитеса в одной восьмой Лиги чемпионов. В этом европейском поединке Бенитес понял, что следует пресечь диагональные пробеги Месси и поставить Альваро Арбелоа левым защитником, потому что у того вела правая нога и он был хорошим защитником. Умное решение. Лео был эффективно выведен из игры.

Затем, 10 марта 2007 года, в «Камп Ноу» последовал ответный матч – еще одна возможность прийти в себя после европейского похмелья. Длинноволосый Месси, вернувшийся после травмы, весьма мощно играл в различных матчах, однако ему было трудно забивать голы. Он постепенно перехватывал инициативу в игре, в то время как Рональдиньо постепенно отходил в тень.

Это показало готовность аргентинца брать на себя ответственность за игру. В матче против «Реал Мадрида» он затмил даже Это'о, который обычно требовал особого внимания. Ронни играл невыразительно и был заменен между периодами, когда в результате удаления с поля Олегуера в первой половине игры тренер решил перетасовать команду.

Он решил, что «Блоха», захватив контроль над боковой линией, будет представлять достаточную опасность для противника. Месси не делал ничего плохого: предпочитал диагональные пробеги, беспокоил правого защитника, Мигеля Торреса, стал угрозой на фланге и знал, когда ждать мяча, как это было в случае с первым голом, уравнявшим счет после первого мяча, забитого Руудом ван Нистелроем.

Это'о отправил мяч налево, где Лео оставался один. У него было достаточно пространства для маневра, и он послал мяч в дальний угол, победив Икера Касильяса.

Лео сорвал с себя футболку. Под ней была другая футболка с надписью «Fuerza, tio» (Сила, дядя). «Я посвятил гол дяде, который потерял своего отца. Он — мой крестный отец, мой второй отец, и я хотел послать ему отсюда всю свою поддержку», — объяснил он после матча.

Ван Нистелрой вывел «Реал Мадрид» вперед с помощью пенальти, но Лео продолжал блистать, и благодаря ему команда продвинулась дальше. Уравнивание счета началось с классической игры Рональдиньо, затем переместилось в штрафную площадку, где он играл один-два с Это'о, но удар бразильца был отражен Касильясом. Мяч упал у ног Месси, и он плавно отправил его в ворота: 2:2 на 27-й минуте игры.

Во время одной из самых напряженных минут первой половины матча произошло удаление каталонского защитника Олегера. Вальдес сумел не допустить хет-трика Ван Нистелроя, но Серхио Рамос в третий раз вывел «Реал Мадрид» вперед, и 90 минут закончились.

В дополнительное время Роналдиньо послал пас Месси, который находился в безвыходном положении, будучи окруженным игроками противника. Первым ударом по мячу он начал диагональный бег по полю, и центральный защитник Иван Эльгера попытался остановить его продвижение, бросившись на землю. Месси объяснил дальнейшее в зоне прессы:

– Все произошло очень быстро. Эльгера оказался у меня на пути, я попытался пройти мимо него, мне это удалось, и я оказался один на один с Касильясом...

Он ударил по воротам, обыграв вратаря «Реал Мадрида».

– Что вы подумали, когда увидели, что мяч вошел в ворота?

– У нас было достаточно времени, чтобы выиграть, но в конце это стало невозможно. Это позор, потому что у нас было достаточно сил, чтобы добиться победы.

– Что вы говорили друг другу, когда праздновали?

– Мы говорили, что нам нужно было еще немного времени, чтобы выиграть. Мы были в «Камп Ноу», так что должны были победить.

– Думали ли вы в какой-то момент, что матч проигран?

– Матч был сложный. Вдобавок ко всему, мы только что играли с «Ливерпулем» и устали.

– Почему вы несколько раз поцеловали свой значок после третьего гола?

– Поскольку я многим обязан «Барселоне» за все, что они сделали для меня.

«Матч Месси, который я помню лучше всего, – вспоминает Сильвиньо. – Мы вместе отпраздновали последний гол, потому что, когда он его забил, я находился ближе всех к нему, и мы торжествовали без слов. Я имею в виду, что мы вопили – слов действительно не было».

«На мой взгляд, сегодня Месси выше любого другого игрока. У него есть дополнительный двигатель», – признал Это'о в тот вечер, когда ему пришлось сойти с пьедестала.

Гудьонсен весьма эмоционально рассказывает собственную историю с другой точки зрения: «Если бы Месси не рванул вправо, у него не было бы достаточного пространства для третьего гола, да!» Тот матч показал, что Лео перешел из юности в зрелость. «В тот сезон Месси играл без напряга, – говорит Гудьонсен. – Все критики смотрели в другую сторону, на других игроков. Самое простое в футболе – быть талантливым игроком, тогда как самое сложное – вновь и вновь подтверждать свой талант. Когда появляется игрок такого класса, то, если в матче или в течение месяца все идет не так, как ожидалось, всему находится оправдания. Самое трудное для такого таланта – постоянно демонстрировать великолепную игру. Казалось, Лео был готов взять на себя эту ответственность».

«Великие игроки показывают себя в наиболее важных матчах, – говорит бывший президент клуба Жоан Лапорта. – Лео никогда не скрывался, особенно в матче против «Реал Мадрида». Его две самые крупные стычки произошли с «Espanyol» в молодежной команде и с «Реалом» во взрослой команде. Он знает, как здорово играть в таких матчах и чего от него ожидают. И он рад, когда наступает время таких матчей». «Проигрыш в матче против «Реал Мадрида» – это ужас. Я помню тот матч, который мы проиграли, и мой уравнивающий третий гол», – сказал Лео Луису Мартину в *El País* в конце 2007 года. – Я всегда хочу побить «Реал Мадрид». Вдобавок ко всему, тот матч стал важным моментом в моей карьере. Я только что возвратился после травмы и решил не упускать шанса, но с того дня все вошло в нужную колею, и я стал играть намного чаще».

В первых восьми играх против «Мадрида» Месси забил семь голов. Несколько лет спустя, в марте 2013 года, ему удалось сравняться с рекордом Альфредо Ди Стефано, забившего больше всего мячей в матчах между этими двумя крупными конкурентами. Рекорд был 18 голов. Время шло, и Лео постепенно утверждал себя как игрока для крупных матчей.

Ничья поставила «Барселону» выше «Реал Мадрида» и «Севильи», которые поначалу возглавляли турнирную таблицу. Девятнадцатилетний Лео позабыл кислый привкус финала Лиги чемпионов, в котором не смог себя показать, а также травму, которая помешала ему прибыть на чемпионат мира в Германии в наилучшей форме. Его имя не сходило с первых полос газет.

Начиналась эра Месси.

> Я жду движения защитника и играю с ним. Как только я понимаю, что он делает, то совершаю обманный маневр, показывая, что намерен пойти одним путем, тогда как иду совсем другим. Я продолжаю смотреть на ноги противника, а не на мяч. Я знаю, где мяч. Я знаю, что он там…
>
> **(Лео Месси, 2007 год)**

В марте 2007 года клуб вознаградил его за успех новым семилетним контрактом. Финансовое вознаграждение было значительным. Он менялся от €1,8 миллиона в год до €6,5 миллиона в 2006/07 сезоне, хотя часть увеличения оплаты соответствовала платежам с предыдущего и переходила в новую кампанию. В следующий сезон он должен был заработать €4,5 миллиона, и эта сумма постепенно повышалась до €6,2 миллиона в 2014 году. Сумма выкупа контракта оставалась той же – €150 миллионов.

Его влияние на игру отражалось в цифрах.

На заключительных стадиях этого переходного сезона «Барселона» дошла до полуфинала в Коппе-дель-Рэй, где она играла против довольно скромной команды «Хетафе». Результат первого этапа (весьма впечатляющий – 5:2) оставил «Барселону» на грани финала, но ту встречу будут помнить благодаря голу, достойному Марадоны. Его забил Лео Месси – двенадцать фантастических секунд, когда он сломал темп игры, обманул пятерых защитников, которые бросились вслед за ним – шестьдесят с лишним метров, которые останутся в памяти потомков.

Двадцать девятая минута матча. Месси получает мяч в центре поля на своей половине центрального круга. Он отрывается от Паредеса и Начо и начинает бежать к воротам.

«Я нахожусь на центральной линии и обхожу первого защитника. Я не делаю проброса между ногами противника, даже если мои действия выглядят именно так», – рассказывал Лео Месси в 2007 году в аргентинской телевизионной программе «*Sin Cassette*».

Лео бежит дальше.

«Я вижу, как Это'о освобождает поле...»

Центральный защитник Алексис не может остановить его, Беленгер приближается к нему, но прежде, чем ему удается остановить его, Лео уходит и продолжает свой бег между ними.

«Когда я добрался до края штрафной площадки, то сделал обманный маневр, уходя влево, защитник попался на него, и я прошел между двумя центральными защитниками, поскольку между ними оставалось небольшое свободное пространство».

Теперь вратарь, Луис Гарсия.

Друг Гарсии, Роберто (Утка) Аббонданциери, бывший вратарь «Boca Juniors», сидел на скамье запасных и несколько дней спустя сказал Лео: «Слава Богу, это не был я!»

Лео обошел его справа и почти с невозможного угла перебросил мяч поверх Котело последним из тринадцати ударов.

«Мяч опустился прямо передо мной в нужном месте, и я сделал обманное движение, как будто собираюсь ударить по воротам, но затем я сдвинул его влево. Удар был немного сильнее, чем нужно, и мяч откатился от меня. Я подумал: «я его теряю». Я собирался ударить по мячу правой ногой, когда увидел игрока, который выжидал удобного момента, и немного приподнял мяч».

Марадона, чемпионат мира 1986 года, матч против Англии. И Месси забивает гол.

«Когда я был ребенком, я забил несколько таких голов, но, возможно, этот был самым лучшим». Лео забил свой лучший гол правой ногой.

Сильвиньо: «Во время той игры я сидел на трибуне. Бернд Шустер был тренером «Хетафе». Месси бежал с развевающимися длинными волосами, обходил противников, ведя мяч, а затем оказался рядом со штрафной площадкой...»

Гудьонсен: «Я обхватил голову руками. Вы можете увидеть это по телевизору. Был момент, когда я подумал: «Господи, я нахожусь на поле, когда был забит гол, о котором всегда будут помнить. Это – снова Марадона против Англии!»

Сильвиньо: «...удивительный гол. Все в «Камп Ноу» вскочили и вот... Я был просто поражен».

Гудьонсен: «И парень начинает радоваться так, как будто не произошло ничего особенного. Мы на поле все стояли молча. Мы и наши противники. Я начал кричать ему: «Невероятно, невероятно!!!»

Хуанхо Брау: «Знаете, Хави или Рональдиньо потратят на одну десятую секунды больше, потому что они подумают о том, что собираются сделать. Месси не думает о том, что намерен сделать. Он просто делает это».

Андрес Иньеста: «Это был захватывающий гол, прекрасная комбинация дриблинга, обхода соперников и финального винта. Очень сложно. Это напоминает гол Марадоны, главным образом, из-за стартовой позиции».

Деку: «Как только мы вошли в раздевалку, я сказал ему, что его гол был похож на гол Марадоны».

Хуанхо Брау: «Он обычно говорил мне, что не хотел копировать Марадону, что он не думает о том, что собирается сделать, а это происходит у него естественно».

Деку: «Это голы, которые остаются в истории. Это самый красивый гол, который я когда-либо видел, а не забывайте – я видел Роналдо, Марадону и Роналдиньо. Сегодняшний гол прекрасен. Я думал, что он попробует сыграть один-два, находясь рядом со штрафной площадкой, но...»

Сильвиньо: «В раздевалке он не шутил об этом, не говорил: «Да, я повторил гол Марадоны, что дальше?» Ничто подобного. Лео уважает своих соперников, товарищей по команде, он не из тех, кто всегда готов хохмить или хвастаться. Он следует своим собственным, очень строгим нормам поведения. Даже через пять лет не скажет: «Ах! Вы видели, как я прошел мимо того игрока? Посмотрите на мой великолепный бросок...», никогда. Хотя с нами такое случалось!»

Хуанхо Брау: «Когда Месси забил гол, он не думал, что это было похоже на Марадону. Это произошло позже, когда все ему сказали об этом. Ему позвонили из Аргентины и сказали: «Мы так волновались!» Но он все еще не придает этому большого значения».

Сильвиньо: «Мы кричали на него, пытаясь быть похожими на телевизионного комментатора: «какой гол, какой удивительный гол!» – и он смеялся».

Деку: «Я был так счастлив за него. Он невероятно скромный и достойный человек. В восемнадцать лет он приходит в «Барселону», а в девятнадцать он забивает такой гол. Это впечатляет».

Гудьонсен: «Это был сложный период, но Месси появлялся на поле на разных стадиях того спортивного сезона и всегда приносил пользу команде. После того гола в матче против «Хетафе» на него начали смотреть совсем другими глазами. О, он проделывал такое со взрослыми игроками! Он обошел пять или шесть профессионалов высшего дивизиона!

Необходимо было проверить, смог бы Лео перенести те моменты блестящей игры, на которые только он был способен, на игру длиной в 90 минут, но постепенно сомнения таяли. Сможем ли мы обойтись без Рональдиньо? «Ну, да», – начали говорить люди. И он начал принимать все, что ложилось ему под ноги, как будто это было совершенно естественно. И расти, расти, расти. Карлос Сальвадор Билардо (аргентинский тренер команды-победителя на чемпионате мира 1986 года): «Я все еще думаю, что «гол Марадоны» – самый лучший. Игроки все время гнались за ним, а центральные защитники выстраивались в шеренгу наподобие ступенек лестницы: первый – Батчер, затем – Фенвик. Месси отбежал на тридцать два метра, и возле него никого не было. Именно поэтому он бьет по мячу правой ногой, более слабой. Он толкает его носком, а левой ногой ведет. Защитникам оказывается очень трудно ударить или остановить Лео, потому что он почти подскакивает вверх и одновременно быстро устремляется вперед. В конце концов, центральные защитники предпочитают держать свою линию и ждать его, что облегчает Лео работу».

Марадона: «Я сказал бы, что Месси – явление, у которого нет границ, но гол, который я забил, был не только более красивым, но он также был в матче против Англии в четвертьфинале чемпионата мира. Месси забил его в матче против «Хетафе», это был невероятный гол, но давайте не будем перегибать палку».

Шустер: «Мы должны были вломить ему, даже если бы это стоило нам карточки. Невозможно быть столь благородным».

А Лео? Что он говорил?

«Райкард поздравил меня. Я миллион раз видел гол Марадоны, но совершенно не собирался копировать его. Я не думал об этом и после гола в ворота «Хетафе». Я понял это, когда Деку подсказал мне. Я посмотрел оба гола: Диего и мой, когда их одновременно показали в телевизионной программе. Я слышал, что говорили люди, но ни на мгновение не задумывался о том, был мой гол лучшим в истории или нет. После гола и последующих шуток в раздевалке об этом больше не говорили. Мы даже не обсуждали этого в семье». Он посвятил свой гол Марадоне, который как раз в то время был доставлен в психиатрическую клинику.

С того дня защитники стали более плотно присматривать за Лео. Тот гол больше никогда не повторился, отчасти потому что защита стала уделять больше внимания его пробегам, а частично из-за того, что проявил серию ошибок «Барселоны», которые следовало исправить. Вы не сможете подготовить подобный гол на тренировке, но можно избежать ситуации, когда он становится необходимостью: есть намного больше коллективных и более легких способов забивать голы.

Вот что сказал Райкард Месси некоторое время спустя. Голландец уверен, что это был лучший совет, который он когда-либо давал ему: «Заканчивай игру: бей или играй заключительный мяч, но не продолжай дриблинг». Он хотел, чтобы Месси перестал постоянно устраивать слалом, слишком много дриблинговать и вступать в поединки с каждым игроком, с которым сталкивался на поле. Такое могло происходить несколько раз за сезон, но не в каждой игре. Тренер посоветовал ему не истощать свои силы, а скорее шагать, чтобы сыграть решающую роль в заключительной трети. Он попросил его держаться ближе к штрафной площадке.

Хотя тот гол помнят как гениальный удар Лео, один из тех, которые он многократно выполнял, играя в молодежных командах, в профессиональном футболе он оказался исключением, которое подтверждало правило.

Пепе Гвардиола также считал этот гол результатом скопления ошибок нападения (слишком сильное выдвижение вперед, недостаточное сотрудничество с товарищами по команде, слишком глубокая отправная точка, неверное расположение команды), что символизировало проблемы в команде Райкарда.

В тот вечер Лео обедал со своим отцом и Пабло Сабалетой. Он несколько раз повторял: «Но я искал Это'о, чтобы передать ему мяч».

Райкард думал, что после этого «Барселона» выйдет в финал и на ответном матче вывел Месси из команды. Однако они проиграли «Хетафе» со счетом 4:0, а 5:6 по совокупности – самый оскорбительный отсев в новейшей истории клуба.

Тем не менее можно было еще выиграть в Лиге. Они могли это сделать: несколько эффективных результатов принесли бы им желанный титул и подтвердили бы, что, несмотря на проблемы с дисциплиной, команда все еще готова творить историю. Но это не был год «Барселоны»: уравнивающий гол нападающего «Espanyol» Рауля Тамудо в «Камп Ноу» в последние моменты матча и уравнивающий гол команды «Betis», забитый в самую последнюю минуту, – оба ясно свидетельствовали о недостатке сосредоточенности. Они отдали титул чемпиона лиги «Реал Мадриду», который имел одинаковое число очков, но победил по среднему числу голов.

«Я наблюдал за игрой «Espanyol» с трибун, – говорит Хенк тен Кейт. – Месси извлек много уроков из своей жизни профессионала. Одним из них был проигрыш в чемпионате в матче против «Espanyol». Лео потерял мяч и не рванул назад, чтобы вернуть его. Он больше не делает этой ошибки».

В том матче Лео забил оба гола, после чего игра закончилась со счетом 2:2, включая один – рукой, когда он довел счет до 1:1. Месси подскочил, чтобы ударить мяч головой, и левой рукой перехватил мяч у вратаря. Моральная оценка этого гола может быть различной, в зависимости от доминирующего полушария. Как бы там ни было, хитрость считают заложенной в латинских генах – англосаксы никогда этого не примут.

Как человек, который знает оба мира, Гудьонсен пытается оценить этот гол с точки зрения футболиста. «Я играл с некоторыми южноамериканскими игроками, и мне кажется, что это – часть их культуры: они готовы сделать все, что угодно, чтобы мяч оказался между стойками ворот. По правде говоря, трудно праздновать такой гол, но мы проигрывали со счетом 1:0 и нуждались в победе, поэтому мы действительно порадовались ему».

Возможно, в футболе цель оправдывает средства. Обман существует как в латинском, так и в англосаксонском мире (разве это не обман – поднять руку, говоря рефери, что вы должны вбрасывать, когда вы были последним, кто касался мяча?). Но Лео сожалел о том, что забил этот гол, и никогда больше не делал ничего подобного.

Кроме победы на испанском Суперкубке в начале сезона, «Барселона» ушла на летние каникулы без каких-либо значительных титулов и с чувством, что круг замкнулся.

Было решено уволить Райкарда и избавиться от Роналдиньо. На встрече между Бегиристайном, Ферраном Сориано, Хоаном Лапортой и самим Райкардом тренер категорически заявил: «Я знаю, что необходимо сделать, и мы все сделаем правильно в следующем сезоне, все будет хорошо». Сказав это, он встал и ушел. Встреча продолжалась без него: «Что нам делать? Должны ли мы держать его в течение следующего года?» Лапорта настаивал на том, что команда и Франк заслужили этого. Из уважения к высоким достижениям предыдущего года было решено ничего не менять, хотя все знали, что Райкард потерял власть над командой.

Но следующий сезон не оправдал уверенности Лапорты и совета директоров.

> «Однажды Месси забил один из своих удивительных голов, обойдя, казалось, две сотни игроков. Когда он возвратился на свою половину поля, то посмотрел на меня. «Эй, не наглей, — сказал я. — Я забивал много таких голов». Он скорчил гримасу, как будто хотел сказать: «Придурок».
>
> **(Эдуардо Итурральде Гонсалес, бывший международный рефери)**

> «Дело в том... [он улыбается], что я играл со множеством игроков, и Лео — это что-то... совершенно необыкновенное, не так ли?»
>
> **(Тьерри Анри)**

Сезон 2007/08 года давал им второй шанс. Роналдиньо намеревался сделать как можно больше, попросив Лапорту позволить ему провести еще один год в клубе. Франк Райкард настаивал, что сможет остановить неуклонный спад команды. Клуб все же беспокоился и подписал контракт со звездой – Тьерри Анри из «Арсенала». Только представьте: Роналдиньо, Месси, Анри и Это'о в одной команде. Однако они не играли вместе ни одной минуты.

Кроме него, в клуб пришли Эрик Абидаль («Лион»), Габи Милито («Сарагоса») и Яя Туре («Монако»), который станет одним из основных игроков следующего ужасного сезона. В поисках улучшения ситуации клуб избавился от Жюли, Беллетти, Мотты, Савиолы и ван Бронкхорста.

Джио послал прощальное сообщение Месси. У Лео была фотография, на которой он был снят в профиль на Таймс-сквер в Нью-Йорке. Один. Посмотрев на этот снимок, ван Бронкхорст задал вопрос: «Разве это не здорово – иметь возможность хоть раз в жизни сняться в одиночку?» Скоро это стало для аргентинца слишком большой роскошью.

Несмотря на свои гарантии, Райкард в том году оказался неспособен переломить спад. Команда развалилась уже в декабре, что подтверждалось поражением в матче с «Реал Мадридом» в «Камп Ноу», единственный гол в котором забил Хулио Баптиста. «Тренер был слишком хорош для той раздевалки», – сказал Эдмилсон несколько лет спустя. Франк оставил команду такой, какой она была, несмотря на то, что Лео Месси чуть не снес дверь, отчаянно стучась в нее. Он мог дать намного больше, но его попросили проявить терпение и действовать на фланге.

Тем временем он начал становиться идолом трибун. «Порой мы шли на поле и видели людей с его именем на футболках. Это похоже на сон», – обычно говорила его мать, Селия.

«Это был сезон, когда мы стали действительно близки, обрели большую уверенность друг в друге. У нас даже было достаточно времени на личную жизнь, чтобы мы могли поговорить о серьезных вещах, – говорит Сильвиньо. – Со мной ему было очень удобно – я относился к нему как к взрослому и мог поговорить о том, что меня расстраивало, о том, что мне не нравилось, что со мной происходило, как мне приходилось нелегко. Таким образом, я нашел в нем того, кто был готов выслушать все, что мне нужно было высказать».

Мальчик становился мужчиной. Но в процессе взросления он колебался между обязанностями взрослого и меняющимся телосложением юноши. Тело бунтовало.

МЕДИЦИНСКОЕ ЗАКЛЮЧЕНИЕ СЕЗОНА 2007/08 ГОДА

14/09/07. Матч Австралия против Аргентины. Разрыв мышцы в правом подколенном сухожилии.

Пять дней вне игры.

«Помню, как он приехал в Аргентину, чтобы прийти в себя после разрыва мышцы, – говорит Панчо Ферраро. – Он прибыл в Росарио. Я все еще работал с национальной сборной. Он прибыл с утренним рейсом, мы с мальчиками и техническим штатом, Тохо, Фильолем, врачами завтракали. Там были шесть игроков из команды «до 17 лет», которыми руководил Тохо. Дверь открылась, и мы увидели Месси, его отца и доктора, которые приехали из Барселоны. Мы встали, чтобы поприветствовать их. Месси, должно быть, было около двадцати лет. Он сел рядом со мной, и я спросил его, что он хочет. «Кофе с молоком», – попросили мы официанта. У них было все: печенья, булочки, джем, «дульче де лече» (карамельный соус из сахара и молока; традиционный южноамериканский десерт). Ему принесли кофе с молоком, но мы говорили и говорили, а он сидел молча. Он не пил свой кофе. Я сказал ему, «Лео, пей» – а он ответил мне «да, да» – но не пил. Мы все говорили, кроме него. Немного позже я во второй раз сказал ему: «Лео, что случилось?», а он говорит: «Можно я пойду поем с мальчиками?» Я сказал ему: «Иди, Лео, иди». Он встал и подошел к другому столу. Это было здорово. Он чувствовал себя ближе к детям, он был все еще одним из них».

15/12/07. Матч «Валенсия» – «Барселона». Разрыв сухожилия бедренного бицепса на левой ноге, не той, которая была травмирована на матче против «Челси» в предыдущем сезоне. Чуть меньше пяти недель без футбола.

«Я помню его травму в матче против Валенсии», – говорит Гудьонсен. – Это вызвало у меня очень странное чувство. Внезапно мне в голову пришла мысль, что он играет как мужчина, но по сути еще мальчик. Он плакал в раздевалке. Там я видел мальчика, который не мог перенести шок от травмы и жить вдали от мяча».

04/03/08. Матч «Барселона» – «Селтик». Разрыв бедренного бицепса на левой ноге. Шесть недель без футбола.

Гордон Страхан (в 2005–2009 годах тренер Селтик): «Скауты предупредили нас, что этот парень – немного непохож на других. Немного, а? Лео дважды забил гол в первой игре. Каждый гол был прекрасен, он сделал рывок назад, чтобы воспользоваться представившейся возможностью и забить гол. Они побили нас со счетом 3:2. В ответном матче, почти в самом конце первой половины матча, Месси получил травму. Он бежал с двумя моими игроками и, должно быть, ощутил резкую боль. Это произошло прямо передо мной. Я видел, как он закричал. Я не кричал, могу вас уверить. Я думал: «Слава Богу, теперь можно немного расслабиться, потому что, кого бы они ни вывели на поле, он не будет столь же хорош, как Лео!»

В тот вечер Лео покинул «Камп Ноу» в слезах. Это была его третья серьезная травма за два года. Что происходит? Почему столько травм? Его тело меняется? Нужно что-то делать с питанием? Ему сказали, что стоит что-то сделать с формой ноги. Возможно, он не разогревался должным образом. К сожалению, не было сделано комплексного анализа ситуации, хотя клуб хотел защитить Месси и понять причины травмы. Прозвучало много глупостей, прежде чем прозвучало предположение, что проблема связана с лечением гормонами. Пуйоль отреагировал обвинениями в отношении прессы: «Вы оказываете давление на Месси, требуя, чтобы он играл, и теперь он получил травму, но на самом деле вам стоило бы выказать больше уважения к решениям тренера и врачей», – сказал он на пресс-конференции. Капитан отреагировал на суровую критику в адрес Райкарда после того, как тот оставил Лео в запасе на предыдущем матче против «Атлетико Мадрид» в Кальдероне.

Обязательность и дисциплина становились редкими явлениями в раздевалке «Барселоны». Предпринимались попытки сохранить единство – иллюстрацией этого служит нападение Пуйоля на прессу, – но игрок не получает травмы только из-за того, что пишут СМИ. На это влияют многие другие факторы, которые становятся настоящей причиной этих внезапных и частых временных отстранений от игры.

Жоан Лапорта получил медицинские заключения, в которых отвергалась вероятность того, что причиной травм является лечение гормонами. Вот как говорит об этом бывший доктор клуба Хосеп Боррелль: «Когда он приехал в Барселону, мы отправили его на частную консультацию у эндокринолога. Было принято совместное решение постепенно снизить, а затем и прекратить гормональное лечение. Его мышечные травмы не имеют никакого отношения к этому лечению. Суть в мышечной морфологии Месси: у него короткие мышцы и, основываясь на этом, мы должны работать практически весь день, чтобы воспрепятствовать их постоянному травмированию».

Лео провел без травм много сезонов в командах более низких разрядов. Его разрывы мышц и связок были новшеством, ясно продемонстрировавшим, что тело восставало против навязанных ему ограничений. Главным фактором риска была возможность неудачи, и Месси часто возвращался на поле слишком быстро, что задерживало или даже препятствовало полному исцелению, которого требовало тело. Орасио Д`Агостино, главный врач аргентинской национальной сборной, нашел еще одну причину, которую все предпочли игнорировать: «У вопроса, почему травмы Месси повторяются настолько часто, есть сложное объяснение, но для меня ключом являются требования, которые он налагает на себя. Он требует от себя больше, чем физически может дать, бегает больше, чем его тело способно выдержать. Его мучает навязчивая идея забивать голы. Но как вы сможете заставить мальчика его возраста понять все это?»

В то время Хорди Десола, специалист по спортивным травмам, выступая на каталонской радиостанции «RACi», провел интересную аналогию: «Месси – атлет чрезвычайно высокого уровня, который постоянно оказывает слишком большое давление на свое тело. Любой, кто вел автомобиль на скорости 190 км/ч на первой передаче, может видеть, что двигатель пострадал, но автомобиль не сломается, и его можно использовать и на следующий день. Если что-то подобное сделать с современным двигателем вроде тех, что используются в «Формуле-1», он сломался бы. Месси подобен автомобилю «Формулы-1» и, несмотря на то, что он обладает невероятной выносливостью, это за пределами его возможностей. Плохое питание или дурные привычки могли поспособствовать травмам, но это трудно определить. Мышцы, которые подвергаются таким колоссальным нагрузкам, очень уязвимы».

«Барселона» создала комитет, состоящий из Чики Бегиристайна и вице-президентов Марка Инглы и Феррана Сориано, который попытался найти решение. Они сказали Лео, что его мышечная масса сформирована из быстрых волокон, как у спринтера: они обеспечивают скорость, но всегда есть риск, что они порвутся. Он должен был заботиться о себе должным образом, чтобы это не стало хронической проблемой. Марк Ингла говорит: «Проблема заключается в том, что мы не могли заставить его стабилизироваться, у него постоянно была рецидивирующая травма мышцы, поэтому мы начали подходить к вопросу всесторонне. Чтобы контролировать Лео, мы разработали персональную программу растяжки и попросили его накачать мышцы. Он должен был выполнять ее каждый день и чрезвычайно дисциплинированно, чтобы мы могли набросать план, как получить от него максимальную пользу».

Клуб отреагировал на явные проблемы, требующие решения, но эта реакция была достаточно традиционной. У клуба был диетолог, который подготовил молочный коктейль, полный витаминов, для приема после тренировки. Лео ненавидел молочный коктейль. Хуанхо Брау стал личным физиотерапевтом Месси и даже отправился вместе с ним в национальную сборную. Лео получал массаж перед тренировкой, о нем заботились после занятий и матчей. Он постепенно изучал способы уменьшения своего участия во время тренировок и готовился к матчам, чтобы избежать новых травм. «Мы приходили на тренировочную площадку, а там уже были врачи, готовые лечить его, – вспоминает Гудьонсен. – Он напоминал мне Майкла Джордана: если у вас есть такой игрок, вы должны постоянно заботиться о нем, потому что он вам понадобится. Ни у кого не было ощущения, что несправедливо относиться к нему иначе, чем к остальным. У других футболистов были свои помощники».

В любом случае мышечные травмы не были простым совпадением. Двадцатилетний Лео был еще юнцом, который питался совершенно неправильно: гамбургеры, эскалопы, слишком много кока-колы, еда в любое время дня. Но в раздевалке все считали, что спортсмену все позволено, пока ты хорошо играешь. Это было одним из уроков, преподанных Деку и, в особенности, Роналдиньо.

— Почему вы приняли решение жить в Кастельдефельсе?

— Посетив много разных мест, мы выбрали Кастельдефельс. Он понравился и мне и семье. Тишина, покой, пляж, горы — все. Это место также расположено близко к «Барселоне» и «Камп Ноу», куда я ежедневно езжу тренироваться.

— Что вы знаете о Кастельдефельсе и куда вы ходите, чтобы сделать покупки и поесть?

— Я знаю футбольное поле Кастельдефельса. Я пошел туда в тот день, когда там играли против «Клуба Виланова» третьего дивизиона — там играет мой аргентинский друг. Я пошел туда с Сабалетой из «Espanyol». Когда я выхожу поесть, я иду в «La Pampa», «Ушуайя» или в какой-нибудь другой аргентинский ресторан. Я люблю мясо. К тому же моя семья в состоянии купить аргентинскую продукцию в городских магазинах, несмотря на то, что я предпочел бы пойти куда-нибудь, чтобы купить сладкий «medias lunas» [аргентинский пирог].

**(Интервью с Месси для La Voz,
независимой газеты Кастельдефельса, 28 мая 2008 года)**

Путь Лео к взрослой жизни на поле и вне поля проходил под руководством Роналдиньо, и внезапно дисциплина, все усилия и жертвы, которые вели его к вершине, были забыты, поскольку мир Ронни открыл для него новые и захватывающие возможности и ощущения.

Находясь в центре вихря, который представляла собой его новая жизнь, Лео наконец восстал против своего отца. В 18 лет он начал демонстрировать все черты подростка. Он хотел познать жизнь, которую еще не испытал, и это желание совпало с его приключениями в компании с Рональдиньо: он стремился к тому, чтобы его увели с пути истинного.

В сентябре 2005 года Лео Месси купил свой первый дом в Барселоне. В пятидесяти метрах от его бразильского наставника. Причина была очевидна, и дело было не только в общении. Это было также своего рода футбольное решение: намного легче стать ближе к Ронни, будучи его соседом, чем находясь вдали от него. Сабалета часто приезжал в его пляжный домик с двумя большими комнатами, наполненными коробками с обувью или с Xbox, где безостановочно играли в компьютерные футбольные игры, и Лео попеременно играл то за «Барселону», то за сборную Аргентины: «Иногда я выбираю себя. Иногда ворчу, что они не играют мной с той скоростью, с какой я играю в реальности. Но я выбираю себя и никому не отдаю мяч».

Другим гостем в его огромном доме был аргентинский вратарь Оскар Устари: «Он любит бывать с друзьями, с семьей; я часто замечал, как он говорил мне: «Разве ты не собираешься прийти навестить меня?», или когда я приехал в Барселону с женой, матерью, детьми, он сказал: «Не останавливайся в отеле, приезжай жить в моем доме, я предоставлю вам машину, так что вы сможете поездить везде, где захотите». И приезжая в национальную сборную, придя первым в комнату, он ждет меня с *мате*... Да, он живет в реальном мире. Я очень похож на него, такой же спокойный, и я не говорю ему все время «ты самый лучший, ты – то, ты – это». Я спрашиваю, как идут его дела, справляюсь о семье... Мы почти никогда не говорим о Лео-футболисте».

Рональдиньо также дебютировал в первом дивизионе в 17 лет, так что, как говорит Лео: «он понимал, через что мне пришлось пройти». После того как Ронни и Деку приняли Лео в свою компанию, они любили играть с небольшим мячом размером с теннисный мячик. Чеканка перед тренировкой. Если Ронни удавалось придумать новый способ ударить по мячу или играть с ним, он обычно смотрел на Лео с улыбкой. «Он делал гримасу, как бы говоря: «Видал? Сможешь так?» – вспоминает Месси в программе «*Sin Cassette*». – Он тренировался и несколько дней спустя идеально выполнял этот удар или движение. Я не такой, я не тренирую разные приемы. Мне стыдно, если я пытаюсь сделать что-то, а у меня не получается».

Но законы футбола безжалостны. В один день вы хороши, а на следующий – сошли со сцены. Личность звездного игрока нередко определяет его реакцию на неизбежность заката. Тренер ждет момента и поощряет его на открытое неповиновение, чтобы выжать его до последней капли.

Но Роналдиньо не реагировал ни на что, и все возрастающая, хотя и заслуженная критика бразильца причиняла Лео боль. «Что приходится перенести Роналдиньо, это ненормально, – говорил тогда Лео. – Самое лучшее, что мы могли бы сделать – это оставить его в покое. О Ронни много говорят, и не всегда о том, что происходит на поле. Мне это не нравится. У каждого из нас бывают взлеты и падения, сыграно много матчей. Ронни – пример для всех – нелегко быть лучшим игроком в мире и остаться в таком бодром настроении, как он».

«Лео был подростком, – комментирует его слова Жоан Лапорта. – Он играл рядом с лучшим игроком в мире. Просто представьте себе это. Вас переводят в первую команду, и лучший игрок в мире понимает, что вы – новичок, мальчик, по сути, являетесь лучшим игроком в мире. Лео, конечно, был подростком, которого очаровывал образ жизни Ронни. Я предпочитаю помнить положительные моменты. Ронни принял и поддерживал Лео, вместо того чтобы отторгнуть его. Все мы – люди, и все можем делать ошибки, но я думаю, что то, как он привечал Лео на поле, было очень хорошим отношением, к тому же Ронни принял его в компанию своих друзей. В то время Лео был мальчиком, и он общался с двадцатисеми- и двадцативосьмилетними мужчинами. Я полагаю, что реальный жизненный опыт очень важен, чтобы понять, что вам подходит, а что – нет, и Лео очень многому научился у Ронни, он определенно учился в каждом значении этого слова».

Да, действительно Роналдиньо не всегда был хорошим примером для Лео. «Затем пришел день, когда Роналдиньо, со своей вечной улыбкой, игрок, подаривший «Барселоне» чувство собственного достоинства, которое они потеряли за пять неудачных сезонов, позволил себе утонуть в мире бесконечных ночных гулянок, с последующим похмельем, от которого, выспавшись, он избавлялся на массажной кровати в раздевалке спортзала, – пишет уважаемый каталонский журналист Луис Каэнут в *El Mundo Deportivo.* После успешного периода (2004–2006 годы) Роналдиньо тренировался в одиночку после обеда с членом технического штата, который все знал о том, что Ронни любит и чего не любит, включая любимый цвет волос у женщин. Он соглашался не разглашать подобную информацию в обмен на эти дополнительные тренировки. Во время матчей, если он чувствовал себя вымотанным и думал, что уже сделал достаточно, Ронни говорил Райкарду, что у него проблемы с мышцами, и просил тренера заменить его. Он подавал плохой пример остальным членам команды.

В любом случае его закат не был обычным, но развивался с угрожающей скоростью. Что происходило с Роналдиньо? Спустя всего год после того, как его назвали лучшим футболистом в мире во втором сезоне подряд, он потерял любовь к спорту. Это был просто еще один способ потерять чувство собственного достоинства.

Но все когда-нибудь происходит в первый раз.

Что-то сломалось в душе Роналдиньо на чемпионате мира 2006 года в Германии. Бразилия добилась большого успеха после триумфа в Корее четырьмя годами ранее и завоевания Кубка Америки в 2004 году, а также Кубка Конфедераций в 2005 году. Они победили в своей квалификационной группе, в которую входили команды Хорватии, Японии и Австралии, с девятью очками.

Но команда (с такими звездами, как Роналдо, Кака, Кафу, Роберто Карлос, Лусио и Роналдиньо) играла не слишком хорошо. Роналдиньо, большой ребенок, вечно ищущий удовольствий, чувствовал, что его подвергают преследованиям. В некоторых случаях он звонил другу и просил помощи: ему нужно было проветриться, но он не мог выйти из дому из-за папарацци.

Бразильская команда использовала чемпионат мира для оправдания своего желания убежать от рутины, избавиться от гнета ограничений, накладываемых на них огромными ожиданиями, но эстафетную палочку подхватила новая мировая звезда, несмотря на весь опыт бразильцев. Они просто уничтожили Гану в 1/8 финала, но не сумели исправить перекосы в своей работе, что помешало им побить Францию в четвертьфинале. Это было огромное разочарование для страны, в которой оказаться вторыми расценивалось как поражение.

Именно тогда умерла любовь Роналдиньо к игре. Давление оказалось чрезмерным, казалось, он растерял свой энтузиазм в отношении спорта, которым он начал заниматься для собственного удовольствия. Он возвратился в Барселону, угнетенный этим ощущением.

В первые годы жизни в Барселоне он был окружен семьей: с ним был брат, сестра, мать. Но через некоторое время они начали проводить больше времени в Бразилии. Роналдиньо оставили одного, и у него не было особых причин бывать дома. Спортивные психологи говорят, что в случае с футболистами, достигшими вершины, чем труднее им пришлось, когда они добирались туда, где они находятся, — а это очень тернистый путь, – тем менее дисциплинированными они становятся, когда выпускают на волю другие потребности и чувствуют, что должны наверстать упущенное, компенсировать себе все то, что они потеряли или чем пожертвовали. Много людей предлагали Роналдиньо помощь. Даже некоторые из его товарищей по команде. Но он не слушал их. Он не хотел помощи.

Лео выслушивал Роналдиньо, видел, как тот страдает. Отношения между ними оставались важными для них обоих, несмотря на то, что постепенно баланс сил смещался. Теперь Роналдиньо нуждался в Лео больше, чем Лео – в Ронни.

Франк Райкард считал, что когда игрок начинает расти, становиться лидером, забивать голы, выигрывать, заполнять первые полосы спортивных газет, с ним нельзя подписывать контракт больше чем на три года. Когда он на гребне волны, контракты следует возобновлять ежегодно, независимо от уважения к спортсмену. Когда же футболист начинает двигаться по нисходящей кривой, его следует передать в аренду, несмотря на давление СМИ и поклонников, которые видят в нем неприкасаемого идола. Такое передвижение продлит карьеру спортсмену и защитит его от часто невыносимого давления – поддержания богоподобного статуса. Перемещение в клуб на одну ступень ниже, с меньшим количеством требований и ожиданий, обеспечит ему радостный прием. Его будут считать героем, и понижение уровня будет менее заметным. Это отличный способ завершить карьеру идола – был убежден голландский тренер – падение часто сопровождается синяками.

У Райкарда была своя теория, но в «Барселоне» он не занимался контрактами. К тому же между теорией и практикой всегда имеются существенные различия. Он был одним из тех людей, кто чувствовал себя обязанным и благодарным игрокам, предоставившим ему возможность показать себя как тренера. Он был готов пойти на компромисс вместо того, чтобы проявить твердую решимость и остановить бездельников, – единственное, что было необходимо сделать в тот момент. Нужно иметь достаточно смелости, чтобы принимать подобные решения, как для клуба, который позволяет игроку уйти, так и для самого профессионала.

Тем временем два сезона после чемпионата мира оказались для «Барселоны» неудачными. В первый год они еще сумели побороться за звание чемпионов Лиги и проиграли только по разнице забитых и пропущенных мячей, но в следующем году разница в очках с «Реал Мадридом» – чемпионом обоих сезонов, увеличивалась с каждым месяцем.

Лео встретился с Деку, Тиаго Моттой и Рональдиньо в Кастеллдефелсе или в Барселоне. Он не всегда оставался с ними до конца вечеринки. На следующий день они встретились на игре в *рондо.* «Мы играли в *рондо* в начале каждой тренировки, по десять в каждой команде», — вспоминает тен Кейт. Лео обычно присоединялся к бразильской группе, которая в одном случае состояла из одиннадцати игроков, а внутри было девять. Кто-то из тренерского состава попросил Месси, как самого молодого, сравнять составы. Он обращался к нему несколько раз — четыре, пять, шесть. Месси проигнорировал его — он чувствовал себя частью первой группы. В конце концов, Сильвиньо попросил его перейти во вторую группу. «Ну, у него такая натура, молодой еще...» — так считал один из тренеров. Такое случается только тогда, когда руководство не пользуется авторитетом.

В тот период падения в бездну «Барселона» пережила десять разводов или разделений. Самуэль Это'о предпочел держаться на расстоянии от этой группы, и его вражда с Рональдиньо постепенно разделила команду и клуб. Эти две звезды непрерывно насмехались друг над другом в СМИ, пока Это'о не взорвался на одной важной пресс-конференции, произошедшей вскоре после его возвращения после травмы.

«Следует помнить, что я всегда тренировался, даже когда у меня была травма», — сказал Это'о, устав от непрофессионального поведения многих своих товарищей по команде. Райкард публично обвинил его в нежелании играть в последние пять минут в последнем матче против «Racing Santander», а Рональдиньо подхватил критику камерунца в пресс-центре. Это'о больше не мог справиться с собой: «Если товарищ по команде говорит, что нужно думать об общих интересах, я соглашаюсь. Действительно, необходимо думать об интересах команды. Но я всегда думаю сначала о команде, и лишь потом — о деньгах».

Проблемы Рональдиньо обострились: с одной стороны, его результативность на поле снизилась, а с другой — поскольку он был лидером раздевалки, его своенравное поведение деморализовывало других. Директора клуба спрашивали себя — может ли он быть достаточно хорошим примером для Месси, который, без сомнения, являлся наследником бразильца. «Он должен уйти, он дурно влияет на этого мальчика, Лео видит, как ведет себя футбольная звезда. Он никогда не должен попасть в эту ловушку», — объяснил ситуацию один из ключевых руководителей на собрании правления.

Команда распалась. Лео по-прежнему позволял себе быть под влиянием бразильских «крестных отцов» и любого игрока, который не хотел следовать его примеру, лидеры «съедали». Одним из примеров этого стал Боян.

Внезапно Лео увидел некоторые последствия своего нового образа жизни. Он попал в аварию в Барселоне. Разбившись, он столкнулся лицом к лицу с возмущенным владельцем фургона, который, к счастью, оказался его поклонником и был счастлив прийти к соглашению. Расходились истории об инцидентах в барселонских ночных клубах. «Эффект Рональдиньо» приносил плоды, однако не те, которые были бы полезны для карьеры Лео.

Ронни учил его, что он должен и чего не должен делать как профессионал. «Он был лучшим тренером для Месси», – говорит сегодня тен Кейт, который пытался воспрепятствовать тому, чтобы он бездельничал в плохой компании. «У приятелей Рональдиньо была иная жизненная философия», которая была вредна для Лео, и тен Кейт раз за разом говорил ему об этом. Сильвиньо напоминал ему о том, что в жизни есть вещи более важные, чем ночные выходки. Лео выслушивал их речи с видом невинного ребенка.

Семья Месси часто ходила в аргентинский ресторан «Las Cuartetas» в Барселоне, где известность Лео привлекала к нему внимание. Однажды, закончив еду, Хорхе уехал первым, оставляя сына один на один с храбрыми посетителями, требующими автографы и фотографии. «Мне нужно спасать его?» – спросил один из официантов. «Нет, нет, пусть привыкает. В подобных ситуациях он не должен забывать, кто он, ему следует научиться жить с этим», – ответил Хорхе, всегда помнивший о тонкой грани, которая отделяет отца от менеджера.

В другой раз, когда они покидали автостоянку у «Камп Ноу», там была группа поклонников, ожидающая выхода звезд. Рональдиньо быстро прошел мимо. Затем появились Лео с Хорхе и тоже ускорили шаг. Отец приказал ему вернуться на стадион через другие ворота, подъехать к поклонникам, опустить стекло машины и подписать автографы всем, кто этого хотел.

Кто говорил эти слова – отец или менеджер? В любом случае, Хорхе показывал ему, что есть и другой способ быть звездой. Лео Месси, так же, как любому футболисту, пришлось поступиться юностью, чтобы стать профессиональным футболистом. Или, точнее говоря, у него была очень короткая юность: это время, которое он провел с Рональдиньо. Но мышечные травмы, последствие его беспорядочного образа жизни, потребовали от него изменить свое поведение. В сезон 2007/08 года, полный неудач и разочарований для команды, ему пришлось признать, что он не может более идти по тому пути, по которому он двигался ранее.

«Им нравилось быть вместе, – говорит Жоан Лапорта. – Это было что-то вроде игры. Это был счастливый период, но, как говорят, то, что поднимается, должно когда-то опуститься. И в тот год наступил крах. Можно найти тысячу и одну причину, но это было частью естественного развития ситуации. Лео многому научился, потому что он почувствовал вкус славы, несмотря на то, что ему не удалось играть в финале в Париже. Боль травм заставила его многое понять о себе. Я никогда не видел, чтобы у Ронни были плохие намерения в отношении Лео, напротив, он был очень искренним парнем. Ему нравилось веселиться, это верно, и неважно, кажется это кому-то несовместимым со званием профессионального футболиста или нет, надо помнить, что, прежде всего, они – люди.

Впоследствии, – завершает Лапорта, – жизнь все расставляет по своим местам. Лео отреагировал вовремя. У него было достаточно времени и природной сообразительности для того, чтобы сказать себе: «теперь мне надо исправить это». И травмы прекратились».

Происходила публичная «смена караула». Был необходим приход кого-то нового, ни с кем не связанного, чтобы Лео мог стать лучшим игроком, каким только мог быть. Он должен был освободиться от связей и друзей, которые отвлекали его.

В этот период спортивного затишья клуб переживал очень напряженный политический период. Сандро Розель, бывший вице-президентом с первых лет эпохи Хоана Лапорты, ушел в отставку, не получив поддержки в вопросах управления клубом. Он действовал исподтишка, подготавливая вотум недоверия президенту. Команда имела право отправиться на полуфинал Лиги чемпионов, где они должны были играть против «Манчестер Юнайтед» сэра Алекса Фергюсона с Криштиану Роналду, Полом Шолесом и Карлосом Тевезом. Но в Каталонии эта игра на выбывание интерпретировалась как конец целой эпохи, там хотели даже поменять состав совета директоров клуба. «Вы понимаете, что, если не победите сегодня, вам будет очень трудно продолжать?» – спросили Чики Бегиристайна на программе на «TV3» – канале, обычно довольно дружественно относившемуся к клубу.

«Оппозиция смогла создать высокий уровень напряжения и давления, они привлекли на свою сторону прессу, распускали слухи и создавали ненужные раздоры. Это привело к истерии в клубе», – вспоминает Ферран Сориано. Это давление не было результатом субъективного восприятия одного человека: за две недели до первого этапа, в то время как команда играла в «Камп Ноу», воры ворвались в офис и украли компьютер Лапорты, то же самое произошло позднее с базой данных, содержащей информацию о членах клуба. На Лапорту нападали со всех сторон.

Второй этап полуфинала игрался в Манчестере, после того, как первый закончился ничьей со счетом 0:0. По дороге на ланч с советом директоров Жоан Лапорта получил предупреждение: «У меня есть ощущение, что наши шеи в опасности, сегодня произойдет что-то важное, сегодня – конец». В тот день президент выплеснул свои эмоции в VIP-части трибун так, как никогда до этого не делал.

К тому времени Рональдиньо загадочно исчез из команды Райкарда. Ему нечего было больше дать команде, и голландец исключил его из списка игроков. В тот день произошла первая стычка между Лео и сконфуженным Ронни, который, разочаровывая всех в крупных играх, был обязан в том матче играть под номером 9 против своей воли. В Old Trafford Месси оказался лучшим игроком, организуя опасные атаки «Барселоны». Пол Шолес забил гол, и Лео пришлось выравнивать счет, но Ван дер Сар мешал ему. Матч прошел очень ровно, но неизбежно создавалось впечатление, что команда стала просто тенью того, чем она была ранее, и вскоре ее ждет развал.

«Манчестер Юнайтед» выиграл, год для Барселоны закончился просто ужасно. Третьи в Лиге, отставание от «Реал Мадрида» на 18 очков, команде пришлось выполнить «коридор почета» для чемпионов в Santiago Bernabéu. В результате в следующем сезоне «Барселоне» пришлось играть в отборочном раунде Лиги чемпионов. В полуфиналах Copa del Rey их вывела из игры «Валенсия» Рональда Коемена, которая продолжила соревнование и завоевала кубок.

Вместо того чтобы решать вопрос, «как мы должны заботиться о Месси», совету директоров пришлось решать, что делать с Франком Райкардом и как одолеть все возрастающее число врагов. Но, как признал Жоан Лапорта в эксклюзивной беседе с автором этой книги, было совершенно ясно, что запустить виток перемен следовало с помощью аргентинца.

– Я много раз замечал, что, когда вы что-то говорите ему или даете какой-то совет, Лео слушает и усваивает информацию. Был момент, когда он уже стал лучшим игроком в мире и не получил тех личных почестей, которые заслужил. Кака выиграл «Золотой мяч» в декабре 2007 года, а Лео был назван всего лишь третьим. Вторым был Рональдо. Я помню, мы говорили в самолете, и я сказал ему: «Лео, ты уже – лучший игрок в мире. В тот день, когда команда начнет выигрывать, ты станешь получать личные титулы». Ронни все еще был членом клуба, но даже он с самого первого дня понимал, что мы ищем кого-то исключительного. Мы ничего не выигрывали в течение двух лет, и это отразилось в голосовании за звание «игрока года». Я сказал ему об этом и думаю, что он был согласен со мной.

– Это был крайне разочаровывающий сезон.

– Нам было необходимо принять важные решения. Мы пришли к заключению – правление и директор отдела футбола, – что в команду следует привнести свежую кровь. И сменить лидера: я поговорил с отечественными игроками (Хави, Иньеста, Пуйоль, Виктор Вальдес), кто уже достаточно созрел благодаря тому, чему они научились у Деку и компании. Они должны были стать лидерами раздевалки. И естественно, Лео был бы ведущим лидером. С тех пор никто ничего не делал без одобрения Лео, которое он всегда выражал своим особенным способом.

– Правление решило, что следующим тренером должен стать либо Жозе Моуриньо, либо Хосеп (Пеп) Гвардиола. Вы выбрали Пепа, поскольку его хорошо знали в клубе и он хорошо знал клуб. На том знаменитом обеде после полуфинала Лиги чемпионов, когда Пеп сказал вам: «*No tindras colon*» [по-каталански «Вам духу не хватит»] о выборе его в качестве замены Райкарда, вы говорили о Лео?

– Естественно. Мы поговорили об игроках, которых он хотел и которых не хотел видеть в команде. И говоря о Лео, Пеп все время повторял: «это машина, он – настоящая машина». Гвардиола, когда говорил о Месси, всегда повторял, что он самый лучший. Обсуждали Ронни и Деку. В то время мы обсуждали, должен ли в команде остаться Это'о. Я думаю, что мы оказались правы, оставив его. Анри также почти полностью освоился и был в хорошей форме. Конечно, говорили и о Лео. Он должен был стать центральной фигурой.

Как только тот сезон закончился, Жоан Лапорта съездил в Кастеллдефелдс. В дом Рональдиньо. Ронни знал, о чем пойдет разговор, – президент уже сказал ему о запланированных изменениях, если команда ничего не выиграет. Пеп Гвардиола сказал президенту, что хотел бы вернуть этого игрока обратно, но полагает, что это невозможно. Лапорта считал своей президентской обязанностью сообщить о принятом решении лично игроку, который творил историю клуба. «Ронни, мы думаем, что наступил момент, когда ваше сотрудничество с «Барсой» закончилось». Беседа между игроком и президентом была достаточно эмоциональной. При этом присутствовала сестра Роналдиньо.

Обсуждали чемпионат мира, проходивший двумя годами ранее. Жоан знал, что он сильно повлиял на него и что он никогда не понимал, почему на него так негативно реагировали после поражения Бразилии. Они трое оценили ситуацию как несправедливую, полную чрезмерной критики, но Роналдиньо не смог оправиться после этого.

«Ронни, наши надежды не оправдались, и, как я уже говорил, мы больше не можем быть вместе. «Милан» хочет вас, «Манчестер Сити» хочет вас. Решайте», – сказал Лапорта Ронни.

Лапорта уже поговорил с Роберто де Ассисом, братом Роналдиньо и его агентом, о том, что «Барселона» приняла определенное решение. Самым интересным соглашением в плане финансовых условий был «Манчестер Сити», но игрока больше привлекал «Милан», и, в конце концов, с ним был заключен контракт ценой €25 миллионов.

Ронни сказал Лапорте, что он все понял и выбрал команду. Роналдиньо был счастлив, что Лапорта сам приехал к нему, чтобы все сказать лично. Он не мог забыть, как под Новый год многие в клубе хотели избавиться от него, но Лапорта убедил всех позволить закончить сезон. Из уважения и благодарности – Ронни заслужил это. Президент искренне считал так и сказал об этом футболисту, от всего сердца прощаясь с ним и обнимая. Лапорта не мог сдержать слез. И Ронни тоже.

Когда Жоан Лапорта покинул дом Роналдиньо, он глубоко вздохнул – это был вздох печали и облегчения. Он вынул телефон и набрал знакомый номер. «Слушайте, вы дома? Я сейчас приду. Я хочу, чтобы вы были первыми, кто узнает новость». Он позвонил Хорхе Месси, который вместе с сыном находился в доме рядом. Правление клуба приняло еще одно решение, о котором Лапорта хотел сообщить им.

Лапорта знал, что между Лео и Ронни сложились особенные отношения, и решил сам рассказать аргентинцу, что его друг больше не будет играть в клубе. А также о том, что правление хотело, чтобы Лео стал основным элементом команды.

«Лео должен взять на себя инициативу, унаследовать роль Роналдиньо, – сказал Лапорта со всей многозначительностью, которую требовала ситуация. – Возьми ответственность за команду на себя. Футболка номер десять – твоя».

Все время, пока шел разговор о его друге, Лео слушал, опустив голову, однако вызов принял. Он знал, что должен как профессионал сделать. Лапорта понял, что должен внушить своей новой звезде определенный энтузиазм: если бы он смог направить его в нужную сторону, то сумел бы склонить Месси на свою сторону. Лапорта сказал Лео, что отечественным игрокам будут предоставлены более важные роли, и поделился с ним планами технического штата. Тренером будет Хосеп Гвардиола. «Пеп понимает тебя, он очень хорошо знает клуб и считает тебя настоящей машиной», – сказал Лапорта. Дани Алвес и Эрик Абидаль подписали контракты, а Жерар Пике вскоре должен был присоединиться к ним.

«Заключите контракт с Пике, господин президент, заключите контракт с ним, он раньше защищал меня, когда мы играли вместе в подростковом возрасте», – попросил Лео.

Теперь, когда он собирался стать новым единоличным лидером, был поднят неизбежный вопрос: «Кого еще вы ввели бы в команду?» – спросил Лео Лапорта. Деку и Мотта уже были проданы, за ними следовали еще два друга Лео. Возможно, следующим будет Это'о. Формирующаяся команда теоретически была достаточно сплоченной, но она нуждалась в одобрении нового лидера. Семья Лео также участвовала в беседе. У всех в тот момент были смешанные чувства. Они видели печаль Лео, вызванную неизбежными переходами его друзей. Они помнили ту игру, в которой выиграл их сын, в то время как Рональдиньо восстанавливался после очередной травмы, и он триумфально поднял обе руки, показывая все десять пальцев. Это символизировало отсутствующий номер 10, его товарища. Но они также хотели заставить Лео понять, что Рональдиньо должен был уйти и что это в его интересах. А также то, что новые приобретения и решения об изменении команды должны помочь ему.

Лео все это понимал.

> «В конце концов, Франк не мог сердиться на парней. Даже когда он должен был сердиться, он не мог, потому что обожал их, ведь он выиграл с ними две лиги и Лигу чемпионов…».
>
> **(Чики Бегиристайн)**

Франк Райкард и Рональдиньо пришли в клуб в один из самых трудных моментов его истории и сумели вернуть ФК «Барселона» высокое положение. Люди, отвечающие за команду, включая правление, остановили свой выбор на долговременной футбольной модели, и заключительная нисходящая спираль была в конечном счете следствием успеха. К сожалению, нередко это труднее переварить, чем неудачу.

И Франк, и Рональдиньо были верными спутниками Лео в юности, они научили его быть профессионалом, познакомили с законами этого мира, но также они показали Лео путь в один конец, откуда ему удалось найти дорогу назад. «Когда я пришел в клуб, он был совсем мальчишкой, – говорит Эйдур Гудьонсен. – Два года спустя это был взрослый мужчина. Номер десять подходил ему, как перчатка – руке. Вы бы не увидели его на тренировке в спортзале или тренирующимся по многу часов сверх обязательных. Но он понял, что пришло его время. И он ухватился за это знание обеими руками».

Лео Месси оставалось сделать только одно.

Сегодня Рональдиньо сожалеет, что не мог пробыть в Барселоне еще несколько лет, чтобы насладиться взлетом «Блохи». Но, возможно, именно его отсутствие позволило Месси расцвести.

Когда они расстались тем летом, оба знали, что не будут видеться столь же часто или при тех же обстоятельствах. Расстояние разводит людей.

И, естественно, после нескольких разговоров между Барселоной и Миланом вскоре после того, как бразилец покинул Барселону, друзья потеряли контакт.

На Пекинском стадионе 19 августа 2008 года Бразилия встретилась с Аргентиной в полуфинале Олимпийских игр. Рональдиньо играл в ярко-желтом, Месси – в голубом и белом. Аргентина победила со счетом 3:0.

В конце матча Месси увидел фигуру опечаленного Рональдиньо.

Они обнялись, и это объятие соединяет их и сегодня.

Глава 6

ЛЕО НЕ ГЕНИЙ ОТ ПРИРОДЫ. НИ В КОЕМ СЛУЧАЕ

– Диего, Диего, это большая честь – приветствовать лучшего игрока мира в нашем городе.

– Лучший игрок уже играл в Росарио! Его зовут Карлович.

Так ответил Марадона, когда прибыл в Росарио в 1993 году в начале его краткого пребывания в «Ньюэллсе». Карлович. Это было похоже на любое другое югославское имя – имя иммигранта. Так оно и было. На улицах Росарио люди восклицают: Карлович?! Футбольная легенда, король двойного проброса мяча между ног противника. Человек, который, касаясь мяча, заставляет время остановиться. Однажды он избежал ловушки защитников, выполнив единственный удар пяткой. Такого, как он, больше не было. То, что делает Месси, что делал Редонду, что делал Марадона, было у него в генах. Не Диего, не Лео – Карлович. Он был самым великим игроком в футбол.

Так говорят.

Нет ни одного кусочка пленки, на котором снят Тринче Карлович, аргентинский футболист 1970-х. Вы можете найти газетные вырезки и странную фотографию, на которой снят длинноногий футболист с бакенбардами. Руки твердо упираются в бедра. Огромный. Футболист из пригорода. В статьях рассказывается о блестящих моментах, которые со временем, передаваясь из уст в уста, расцвечивались новыми подробностями. То же было и с его легендарной игрой.

Недавно Тринча, который физически был уже не в состоянии сделать то, что он некогда делал с мячом, спросили, что он чувствовал, когда слышал все эти рассказы, когда вспоминал, как его имя ревели трибуны, когда со всей провинции Санта-Фе собирались люди, чтобы посмотреть на него. «Скажите, – спрашивали его, – если повернуть время вспять, вы бы сделали что-нибудь по-другому?» В конечном счете, он сыграл в первом дивизионе всего две игры. Губы Карловича напряглись. «Неееет». Он повернул голову. «Неееет, сэр, не спрашивайте меня об этом...» Он закусил губу. Его лицо исказилось. «Нет, нет!» – и он заплакал.

В самом начале двадцатого века иммигранты со всей Европы заполонили Аргентину, стремясь использовать экономический бум в стране. Одним из них был Марио Карлович, югослав, который, как и многие его соотечественники, бежал от непрерывных катаклизмов на Балканах. Он поселился в регионе Бельграно на западе от Росарио, вместе со своей семьей. Семеро сыновей. В 1948 году родился самый младший – Томас Фелипе. Позже его прозвали *el Trinche* -«Вилка» – по-видимому, за то, что он был высокий и с тонкими ногами – хотя сам он игнорирует значение и происхождение своего прозвища. Как и все остальные дети в окрестности, он обожал футбол. В 15 лет его пригласили присоединиться к команде младшего разряда «Росарил Сентрал», и приблизительно пять лет спустя Карлович дебютировал в первом составе. Он сыграл второй тайм в первом дивизионе. И все.

Карлович был тем, что аргентинцы называют *volante* – игрок с левой ведущей ногой. Он имел класс и видение поля, но испытывал недостаток в скорости. Его техническое мастерство не произвело впечатления на тренеров того времени, в частности, на Карлоса Гриньоля, которому требовались физические данные, а не техническое мастерство. Но, несмотря на то, что рост Тринче составлял примерно 180 сантиметров, его строение не позволяло ему справляться с высокими мячами. Он не был «стандартным типажом».

Он был совершенно особенным.

Однажды команда готовилась уехать из Росарио в Буэнос-Айрес. «Он прибыл с маленькой сумкой, поднялся в автобус, кивнул водителю, проигнорировал всех остальных и сел сзади, – вспоминает известный журналист Санта-Фе Эдуардо Амес де Пас, который очень эмоционально описал ту эпоху в своей книге «Жизнь для футбола» (La vida por el futbol). – Десять или пятнадцать минут спустя, когда больше не пришел ни один игрок, он перешел вперед и спросил водителя, во сколько они уедут. «Как всегда, сынок, мы уезжаем в половину третьего – без четверти три». Ему надоело ждать, он вышел из автобуса, чтобы никогда больше не возвратиться. Несколько дней спустя выяснилось, что он отправился играть за клуб «Рио-Негро» в окрестности Бельграно на любительском турнире».

«Были некоторые обстоятельства, – загадочно объясняет он теперь, – кое-что, что мне не нравилось в команде, что заставляло меня чувствовать себя чужим. Вот я и уехал». Несколько месяцев спустя он вновь появился в «Central Córdoba» – третьем клубе Росарио, больше десятилетия бывшем его «домом», который всегда находился в тени *canallas* и *leprosos.* Именно там он выиграл чемпионат в дивизионе С и в 1973 году получил предложение перейти в дивизион В. Он носил футболку этого клуба более четырех разных периодов, сыграв в общей сложности в 236 играх и забив 28 голов. Его стиль и его волшебное мастерство, напоминавшее Хуана Романа Рикельме, навсегда запечатлелись в памяти жителей Бельграно и La Tablada, где расположен скромный стадион «Gabino Sosa» клуба «Central Córdoba».

Именно сюда четыре года подряд постоянно приезжал Марсело Бьельса, бывший тренер «Бильбао», только для того, чтобы понаблюдать за игрой Тринче. Теперь при входе на стадион есть фреска с изображением Карловича, созданная по требованию Канала+, – несколько лет назад его сотрудники приезжали из Мадрида, чтобы сделать о нем документальный фильм.

За три года, проведенных в «Central Córdoba», легенда о нем распространилась по пампасам. Однажды днем перед игрой против «Los Andes» – клуба в окрестностях Буэнос-Айреса – Карлович понял, что у него нет необходимого документа, который игроки должны были передать рефери, чтобы иметь право принять участие в игре. Документы остались в Росарио. Местный директор, который слышал о нем, но не видел его (матчи дивизиона В не транслировались по телевидению), подошел к одному из чиновников с простой просьбой: «Позвольте ему играть. Я знаю этого человека с длинными волосами и усами. Это – Тринче. Позвольте ему играть, потому что мы, скорее всего, больше никогда не увидим его снова».

Легенда о Тринче Карловиче приобрела статус общенациональной вечером 17 апреля 1974 года, во время игры на поле «Ньюэллса». Аргентинская команда Владислао Капа готовилась ехать в Западную Германию на чемпионат мира. Они искали команду, с которой могли бы сыграть товарищескую встречу в пользу Круга спортивных журналистов, и выбрали «Rosario Select XI». На рассмотрение были представлены десять футболистов первого дивизиона (по пять от каждой из двух главных команд Росарио – «Ньюэллс» и «Росарио Сентрал») и один – из второго дивизиона, номер 5 из «Córdoba» – Карлович. Они никогда не тренировались вместе и собрались на поле приблизительно за два часа до начала игры.

Стадион был полон. Не было никаких телекамер, никто не снимал матч, но те, кто там был (футболисты, тренеры, поклонники) плюс незабываемый радиокомментатор Оскар Видана с «LT8», все говорили о «танце Росаринца». Во всем блеске славы. Никто не мог остановить Карловича. Сам Тринче объясняет: «Я пустил мяч между ног защитника, а в тот момент, когда он обернулся, я сделал это снова. Я так всегда играю, но в тот день стадион просто сошел с ума». Двойной проброс мяча между ног соперника был выполнен не просто на каком-то игроке, а на Пансо Са – защитнике, собравшем больше всего трофеев Copa Libertadores в истории игры. В конечном счете, ужасно расстроенная национальная сборная прибегла к оскорблениям, когда они поняли, что все идет не так, как они рассчитывали. Первый период закончился со счетом 3:0. В раздевалке Владислао Кап подошел к правлению Росарио, чтобы попросить их убрать «этот номер 5». И он не шутил. Тем не менее Карлович вышел на поле и во второй половине матча.

Все закончилось незабываемой победой Росарио со счетом 3:1, и национальная сборная была осмеяна ликующим стадионом, который на этот раз не делал различия между canallas и leprosos. Это была слава и возвышенный футбол в его самой чистой форме. Это могло означать новый контракт или новый элитный клуб для Тринча, но Карлович всегда возвращался к тому, что Амес де Пас описывает как свою «первую любовь» – «пригород, его друзья и любительские турниры, где его статус гарантирован, где ему ничего не нужно было доказывать и он мог просто наслаждаться чистыми ощущениями игры. Когда он участвовал в этих играх, то всегда наслаждался, чего не было на более важных турнирах в Рио-Негро». Его соседи по Бельграно помнят, что *Тринче*, после тренировки или игры, продолжал играть на улице с мальчишками любого возраста, в любое время, на любом поле, которое было свободно для игры.

«Мне нравится, как играет молодежь, мне нравятся травяные поля, – вспоминает Тринче. – Сегодня их осталось мало, практически все начинают с синтетических покрытий, но раньше мы играли на траве – там было много травы. К тому же и мест для игры больше нет – каждый день исчезают все новые пятачки, пригодные для игры.

Прежде было много полей, теперь их нет. Знаете, почему мне нравится играть на улицах? Игрок, который идет на поле и смотрит на трибуны, где собралось 60 000 или даже 100 000 человек, как может наслаждаться игрой? Он не сможет играть, никогда. Эти люди на трибунах, их требования, их оскорбления...»

В 1976-м он подписал контракт с «Independiente Rivadavia» – клубом в городе Мендоса. Однажды в субботу ему пришлось уйти с поля прямо перед перерывом. Это было необходимо: если бы он этого не сделал, он опоздал бы на автобус, идущий в Росарио, а в воскресенье был День матери. В другом случае, в очень жаркий день, один из тех душных дней, когда все предпочли бы сидеть дома и ничего не делать, Тринче и нескольких его товарищей начали играть с мячом на площадке, на которую падала тень от нескольких деревьев. Они просто легко пасовали мяч друг другу, и никто не мог его у них отобрать. Приблизительно через десять минут рефери остановил игру. «Давайте, парни, играйте в футбол!» Тринче ответил: «Слишком жарко на солнце, реф!» Тринч был футбольным анархистом, что помешало ему дебютировать в первом дивизионе намного раньше», – пишет Амес де Пас. – Говорят, что он играл только тогда, когда хотел, когда чувствовал, что ему это нравится. Не думаю, что это правда. Он наслаждался игрой. Это было у него в крови. Но он никогда не считал футбол образом жизни, и при этом его не интересовали переговоры о контракте. Он хотел играть, и для него только это имело значение. Чистая радость игры».

Он провел в первом дивизионе всего один год, после чего вернулся в провинцию Санта-Фе, на сей раз в клуб «Colón», но сыграл всего две официальные игры: на его карьеру начали влиять мышечные травмы. Карлович возвратился в «Central Córdoba», где получил второе повышение. Он стал меньше тренироваться, у него снизилось стремление к игре. Говорят, что в одном из многочисленных клубов, за которые он играл за пределами Росарио, он попросил включить в контракт автомобиль. Когда ему предоставили машину, Карлович сел и поехал домой в Бельграно, чтобы больше никогда не возвращаться.

Однажды утром в день игры команда «Central Córdoba» собралась в Габино Соле, чтобы играть с командой из Буэнос-Айреса. Тринче не приехал: он проспал. Они отправились искать его, и он спустился к ним в одних трусах, с растрепанными волосами. Им пришлось в таком виде забрать его с собой в столицу. Никто не помнит, с кем они играли, возможно, это был «Альмагро», но в тот день «Central Córdoba» победила. 1:0. Гол забил Тринче. Все мы хотим, чтобы эти истории были правдой, а раз люди рассказывают их, значит, это правда, не так ли?

Тринче ушел из футбола, но после трех лет бездеятельности возвратился на игровое поле. Это было в 1986 году. Обычно он проводил матч без огонька, но чувствовал пас намного раньше остальных. Там он провел еще один, последний сезон. В течение нескольких лет его еще видели в пригороде, где он выполнял пасы длиной 40 ярдов и время от времени дриблингуя.

Карлович остается полной противоположностью Лео Месси: его слава и лучшие дни карьеры принадлежат Санта-Фе, за это его обожают в тех местах. Легенды о нем можно услышать в любом месте в Росарио. Это один из тех романтических, почти воспеваемых в стихах игроков, которых больше не существует. Вот как говорят о нем такие легенды и победители аргентинского футбола, как Сесар Луис Менотти, Хосе Пекерман, Карлос Гриньоль, Альдо Пой, Марсело Бьелса, Энрике Вольфф, Карлос Аймар и Марио Кильер. «Когда играл Тринче, подобных которому больше нет, я был совсем мальчишкой, – утверждает Тата Марино, уроженец Росарио, живущий теперь в Барселоне. – Он делал проброс между ног противника назад и вперед, люди обычно говорят о нем с восторгом, прежде всего – за его невероятный дух любителя. Он стал настоящим символом Росарио благодаря своей уникальной страсти к футболу. Он с одинаковым упорством мог играть матч чемпионата мира или игру с приятелями. У него было почти все, что нужно, чтобы стать одним из великих людей». Упор здесь надо делать на слово «почти».

«Что означает «стремиться к вершине»? – спрашивает Тринче. – По правде говоря, у меня никогда не было никакого другого стремления, кроме как играть в футбол. И прежде всего, я никогда не хотел уезжать далеко от родных мест, от дома родителей, куда я хожу почти каждый день, расставаться с Васко Артолой, одним из моих самых старых друзей. С другой стороны, я очень люблю уединение. Когда я играл в команде «Central

Córdoba», то если выдавалась возможность, предпочитал переодеваться один в подсобке вместо раздевалки. Мне нравится покой, в этом нет никакой неприязни к людям».

Оставив футбол, он работал каменщиком, но жизнь нанесла ему ужасный удар. Амес де Пас рассказывает: «Я не знал, что Тринче страдал от ужасного остеопороза, который разрушил его бедра и фактически сделал инвалидом». Тринче стучался в разные двери в поисках помощи, но безуспешно. «Первое, что я сделал, это поговорил со своим другом, известным врачом-травматологом и бывшим футболистом, Карлосом Лансельотти, – добавляет Амес де Пас, который решил исправить ситуацию. – Он сказал мне, что прооперирует его бесплатно, включая затраты на операцию и послеоперационный уход, но ему необходим протез. Сначала ему отказали из-за нехватки фондов, зарезервированных для подобных случаев. Пришлось обратиться в секретариат министерства здравоохранения. И наконец, в первые дни сентября, приказ приобрести протез прибыл».

Амес де Пас вместе с друзьями, его детьми и даже церковью Марадоны организовал вечер в знак признания Тринче с двумя благотворительными матчами. Стоимость входного билета составляла всего один евро. «Мы были крайне изумлены. Множество великих футболистов явились, чтоб принять участие в этих играх», – вспоминает старый журналист.

В тот день Томас Фелипе (Тринче) Карлович заплакал. Так же, как несколько лет спустя, когда его спросили, что бы он изменил в своей профессиональной карьере. «Нееет, не спрашивайте меня об этом».

Единственное, что интересовало Карловича – мяч, ему никогда не нравились обязательства. Он имел все необходимые качества для того, чтобы построить великую карьеру, но ему недоставало характера, дисциплинированности. «Казалось, как будто мяч притягивал Карловича, интеллектуальный мяч, которому нравилось выделывать разные трюки и тянуться за футболистом», – говорит Менотти. Любитель.

Говорят, что Тринче появился на сцене одновременно с тренерами, одержимыми физическим мастерством, которые стремились преобразовать футбол из искусства в нечто совершенно иное. По их словам, это был уродливый период для игры в Аргентине, хотя эти слова звучат несколько фальшиво. «Возможно, ему не хватало профессионализма, чтобы конкурировать в футболе на этом уровне», – утверждает бывший футболист и тренер Карлос Аймар.

Менотти добавляет: «Он никогда не обрел физических данных, которые могли поддержать его технические возможности. К тому же у него никогда не было никого, кто сопровождал или хотя бы понимал его. Это позор, потому что Карлович должен был стать одним из наиболее значительных игроков в истории аргентинского футбола. Я не знаю, что с ним произошло. Возможно, ему просто наскучил профессиональный футбол. Он просто любил хорошо проводить время».

Быть номером один, быть тем, на кого все смотрят, – это не для всех.

«Месси способен справиться с любой ситуацией, в которую попадает. Но до этого он многое прошел, много перенес, и все же справился, – говорит Панчо Ферраро. – Он не признает поражения. Есть люди, которые теряются и не могут увидеть путь вперед. Есть и другие, которые оказываются в середине бури и все же могут идти сквозь нее. Почему столько молодых людей не делает этого? Карлович – великий игрок. Родас – великий игрок, но по каким-то причинам ни один из них не сделал этого. Меня раздражает, когда люди говорят, что «ему не повезло». На самом деле они просто недостаточно старались. Они не шли и не боролись. Именно за это нужно чествовать игрока, достигшего вершины и оставшегося там. Игроки вроде Зенетти, Баттистуты, Самуэльса, Крепоса... я восхищаюсь ими. Теми же, кто пришел и ушел... нет!»

Вот взгляд с другой стороны. В интервью аргентинскому телеканалу «ТуС», данном с комфортного дивана в своем доме в Барселоне, Лео открывается:

– Говорили ли вы себе когда-нибудь: «Я – провалился, я бесполезен, я плох, я ничего не добьюсь, я не стану профессиональным футболистом»?

– Нет. Были игры, в которых я ничего не забивал или играл недостаточно хорошо. Я сам – свой самый суровый критик, так что я знаю, когда играю хорошо, а когда – ужасно.

– Но был ли у вас когда-либо тяжелый момент, когда вы думали, что больше не хотите быть футболистом?

– Нет. Отказаться от всего этого? Нет. Я знал, что моя мечта – играть в первом дивизионе, и мне нужно побороться за это. Были игры, в которых я ничего не добился, и сильно критиковал себя за это. Но сдаться? Нет.

– Вы когда-либо готовились к игре каким-то особым образом? Например, говорили с психологом, потому что прессинг при такой жизни очень большой, а это не каждый выдержит?

– Нет, я мало говорю, мне не нравится говорить о личном. Из меня очень трудно вытащить информацию о себе. Чтобы чувствовать себя комфортно, я должен находиться со своей семьей или очень близким другом, и даже тогда я склонен сдерживаться и не рассказывать о своих неприятностях. Повзрослев, я стал больше делиться со своей семьей, но вначале я даже с ними не любил говорить о себе.

– Никогда, даже с психологом?

– Нет, нет, мне не нравится это по причинам, которые я только что привел. Мне не нравится обсуждать личные моменты, и я думал, что если бы я пошел к психологу, то это была бы пустая трата времени, потому мне нечего ему сказать.

Хосеп Мария Мингелья говорит со значительной долей уверенности, что Лео «прибыл с необыкновенной планеты, с которой приходят только самые исключительные люди – архитекторы, врачи, скрипачи. Избранные». Интересно, что Хорхе Месси никогда не называл своего сына «гением». Многие люди говорят так, но, по правде говоря, определить его в такую категорию означает уменьшить количество жертв и объем тяжелой работы, которые вознесли его туда, где он находится. Самое слово «гений» предполагает, что его вознесение к вершинам неизбежно. Но *действительно ли он* – гений? Он, конечно, уникален, но лишь в определенном смысле, как и все другие люди, – одни только наши отпечатки пальцев доказывают это. Что выделяет Лео? Или, скорее, почему мы принимаем решение остаться в толпе, в то время как люди с ярко проявляющимся талантом поднимаются настолько высоко? Откуда появляется талант? Это – генетика, страсть, окружение? Сколько часов вы должны посвятить футболу, чтобы стать Лионелем Месси?

Его талант, несомненно, уникален. Он резко отличается от талантов Марадоны или Рональдо. Но помимо уникального умения обращаться с мячом, что заставляет Месси ежедневно стремиться быть все лучше и лучше? И не этот ли непрерывно работающий двигатель позволил ему подняться на вершину профессии? Как научиться запускать такой двигатель? Это врожденное свойство или нечто, что можно обрести?

В «*Outliers: The Story of Success*» – блестящем исследовании таланта и успеха, Малкольм Гладуэлл говорит, что биологи часто говорят об «экологии» организма: «самый высокий дуб в лесу вырастает таким потому, что больше нет никаких других деревьев, которые заслоняют ему солнце, потому что слой земли, в которой он растет, глубокий и богатый, потому что не было кроликов, поедающих его кору, а также потому, что ни один лесоруб не срубил его прежде, чем он вырос». Успешные люди вырастают из хорошего семени, но им все же нужна помощь и плодородная почва, отсутствие кроликов, а лесорубы должны выбирать другие деревья.

Педро Гомес, тренер, блоггер, преподаватель и спортивный психолог, подготовил для этой книги список из десяти навыков, которыми обладают те, кто выделяется в своей области. В данном случае десять особенностей, которые помогли Лео стать уникальным игроком. О необходимых жертвах мы уже говорили. Этот список послужит ориентиром для тех, кто хочет добраться до вершин своей профессии, в футболе или в любой другой области, а также касается тех, кто с надеждой думает о развитии своего ребенка. Подходит ли мой потомок для этого? Сможет ли он пойти далеко? Должен ли я вести его по этому пути?

Покойный актер Кристофер Рив, который больше других знал о взлетах и падениях, триумфе и боли, сказал, что «многие мечты кажутся поначалу невозможными, позже — невероятными, и, наконец, когда мы упираемся в них всеми своими мыслями, становятся неизбежными».

Лео решился стать одним из великих людей. Неотвратимо. Вот как, по моему мнению, он сделал это.

ЧТОБЫ «БЫТЬ СПОСОБНЫМ УЧИТЬСЯ», НЕОБХОДИМО:

1. СЕМЬЯ И ФУТБОЛЬНАЯ ОБСТАНОВКА

> «С точки зрения моего старика, я никогда не играл достаточно хорошо. Еще мальчиком я забивал четыре гола, но ему этого никогда не было достаточно. У него всегда было что сказать в качестве критики, и это заставляло меня каждый раз хотеть сделать все лучше в надежде, что он скажет «Ты хорошо играл». Но он редко говорил мне «Ты сыграл здорово».
>
> **(Лео Месси)**

> «Он играет, мы заботимся обо всем остальном. Я живу в Испании, а Матиас — в Аргентине. Я и наш отец занимаемся его делами… Звезда вроде Лео требует много внимания. Ему нужна система серьезной поддержки, потому что единственное, что его интересует, — это игра в футбол. Когда кто-то, как мой брат, достигает такого уровня известности и выдающегося положения в футбольном мире, он становится открытым для любых слухов и ложных сообщений. Люди судачат о его доходах, говорят, что он оторвался от знакомых людей, что его не интересует ничего, кроме футбола и известности. На самом деле те, кто близок Лео, знают, что ничего из этого не соответствует истине».
>
> **(Родриго Месси)**

С самого начала семья сомкнула ряды и решила выстроить защитную стену вокруг Лео. Он рос, и вскоре стало ясно, что нуждается в защите от различных заинтересованных в нем групп, которые стремились эксплуатировать его ради получения прибыли. Некоторые из них были доверенными партнерами, которые, как позже выяснилось, были мотивированы жадностью и личными интересами. Контракты подписывались торопливо, в них появлялись неожиданные пункты, которые были не в интересах Лео. Семья Месси до сих пор судится с людьми, которых они считали друзьями.

«У семьи был очень неудачный опыт общения с агентами, и в результате они теперь функционируют как семейная фирма, единственная цель которой заключается в том, чтобы гарантировать будущее Лео как футболиста, – объясняет Карлес Фолгуэра, директор Ла-Масии. – Их цель состоит в том, чтобы гарантировать, что никто не отберет деньги Месси, которые справедливо принадлежат Лео, ставшего известным брендом. Все они сотрудничают как сплоченный клан, но в лучшем значении этого слова».

Как уже говорилось, когда отец берет на себя функции менеджера, их отношения с сыном очень отличаются от нормальных отношений. В течение нескольких последних лет Хорхе решил потребовать от Лео комиссионное вознаграждение, как любой другой агент, проводя четкую границу между своими деньгами и деньгами сына и пытаясь преодолеть потенциальные трудности их взаимосвязанности. Считается, что получение заработной платы лучше, чем вообще отсутствие каких-либо денег или ожидание, что сын заплатит вам что-то, препятствует тому, что деньги могут стать проблемой, разводящей в стороны близких людей

Таким образом, по сути Лео живет в созданном им мире и делает это сознательно, потому что это – в его интересах. Это – признак практической сметки. «Он знает, что очень хорош в футболе и что в этом мире чем в меньшее число хитросплетений он ввяжется, тем лучше, – утверждает Фольгера. – Некоторые люди говорят, что он ограниченный человек, но на самом деле он отлично понимает, что какие-либо необычные действия могут привести к проблемам, поэтому и не делает ничего подобного. Ему дает советы его семья, тренеры и очень небольшое число близких ему людей. В конце концов, Месси очень домашний человек».

«За пределами футбольного поля это очень чувствительный человек», – говорит физиотерапевт Хуанхо Брау, один из тех людей, кто понимает Месси лучше других. Он познакомился с ним, когда Лео только вошел в первую команду Франка Райкарда, и в течение шести лет сопровождал его повсюду: в каталонском клубе, в национальной сборной, даже в отпуске. Он инструктирует Месси по поводу работы с телом, помогает восстановиться после травм, учит, как предотвратить их. Ежегодно они проводят сотни часов вместе, и Брау может сказать о развитии Лео не понаслышке. «Я чувствую себя частью «его людей» – очень небольшой группы, но он никогда не спрашивал меня, нравится мне это или нет. Если Месси поймет, что я замотался или что меня что-то беспокоит, то он попытается найти решение. Он просто скажет: «Что с тобой?», потому что способен чувствовать других и заботиться о своих людях».

Наличие проверенного, требовательного и понимающего окружения – необходимый фундамент для создания великого спортсмена. Но, возможно, более важным фактором, сформировавшим Лео, был семейный подход к игре (особенно положительная реакция во время *рондо* в «Estado de Israel», когда тому было четыре года), заставляющий мотивировать спортсмена и упорно трудиться, чтобы добиться успеха. Если человек, наблюдающий за вами – отец, бабушка или какой-то член семьи, – относится к вам как к Богу, то вы захотите быть готовым к дальнейшей борьбе, чтобы радовать их. Игра Лео была блестящей и спонтанной, но мальчик понял, что для того, чтобы подняться выше других ребят его поколения, которые играли с равным рвением и усердием, ему нужно обрести различные навыки и с их помощью обрести признание людей.

Футбол был большой ценностью в семье Месси, и, естественно, дети воспитывались сообразно симпатиям и антипатиям своих родителей. Если вы слышите дома «такой-то и такой-то – великий писатель» – или приходите в дом друга и видите, что семья читает что-то, то через мгновение будете думать: «я тоже хочу это делать». Если вам что-то нравится, в конце концов, вы делаете это частью своей жизни. Желание подражать и достичь признания является частью того рвения, которое определяет нашу сущность. Желания Лео формировались фантазиями его отца и всей семьи. Все мужчины этого семейства хотели стать профессиональными футболистами и рука об руку шли по дороге к этой мечте.

Ничто не случайно. Двое дядей Рафаэля Надаля играли в теннис во времена его детства. Одному из них, Мигелю Анхелю Надалю, бывшему центральному защитнику «Барселоны» и сборной Испании, пришлось выбирать между футболом и теннисом. В возрасте всего трех лет Рафа уже играл на теннисном корте. Его бабушка позднее вспоминала, что многие говорили, что мальчик очень неплох, и несколько раз ходила понаблюдать за ним и убедиться, что у мальчика действительно есть талант –

еще одно доказательство семейной сосредоточенности. У Манеля Эстиарте, который считается величайшим игроком в водное поло в истории, был старший брат, который занимался спортом и, несмотря на то, что Манель поначалу хотел стать пловцом, в подростковом возрасте он сменил вид спорта.

К тому же в детстве Лео был очень худым и почти карликом, поэтому признание в маленьком семейном мирке его впечатляющего футбольного таланта стало компенсацией за ограниченные физические возможности.

То, как к способностям футболиста относятся близкие ему люди, родители, тренер, другие игроки и сотрудники клуба, как его критикуют, определяет, как именно спортсмен будет понимать свой успех. Если ему постоянно говорят: «ты самый лучший» – это предполагает успех, победу и превосходство над другими. С другой стороны, если ему предлагают сконцентрироваться на «борьбе» и постоянно подталкивают, чтобы он улучшал свои навыки (философия Хорхе Месси), то человек старается выжать из себя все лучшее, что в нем есть, независимо от поражений и побед. Сколько раз мы слышали, как Лео говорит: «я еще могу многое сделать лучше»?

До того, как финансовый кризис поразил Аргентину, его семья жила в достаточном комфорте. Это позволило им стать частью мира футбольной Академии со всеми неизбежными расходами, которые это повлекло за собой. По правде говоря, за прошлые четыре десятилетия было очень мало аргентинских футболистов, вышедших из бедных районов. Такая относительная финансовая стабильность явилась частью защитной оболочки, окружающей Лео.

В этом он не отличается от подавляющего большинства тех, кто сумел добраться до первого дивизиона. Будучи избавленным от многих опасностей обычной жизни, футболист может свободно устремиться вслед за своей мечтой.

Более того: в «Грандоли», в «Ньюэллсе», на испытаниях в «Ривере» и «Барселоне» его заставляли играть против мальчиков старшего возраста, лучших в своей школе. То же самое происходило и на улице, где он играл против своих взрослых братьев. Его колотили, не глядя на возраст, не принимая жалоб и оправданий, – это закалило его личность и выработало решительность. А еще сделало обучение более сложным – на своих тренировках Тайгер Вудс сознательно загонял мяч в песок, чтобы усложнить задачу. Высококлассные игроки или просто старшие по возрасту – помогали улучшить Лео качество тренировок, а также усилить стремление к победе, целеустремленность и честолюбие. Не менее важным было правильное поведение тренера: выдающееся мастерство приходит в результате постоянного стремления к великой цели, которая порой определяется наставником – единственным, кто способен понять, достижима ли она.

Говорят, что одна из причин успеха Бразилии на футбольном поприще заключается в том, что ее игроки начинали на маленьких местных полях вроде тех, на которых Лео играл в Мальвинасе до 11-летнего возраста. Меньший мяч требует большей точности, большего числа пасов. Меньшее пространство усиливает контакт игрока с мячом. В «Ньюэллсе» Лео нашел клуб, который искал футболистов с координацией, техникой и тем, что тренер, Кике Домингес, называет «постоянной радостью». Потрясающая смесь.

Вскоре после свадьбы Хорхе и Селия задумались о том, чтобы переехать в Австралию. Лео мог родиться в Сиднее без поддержки страстной футбольной инфраструктуры и учреждений, которые выбрали его за координацию и технику. Это, а также соревнования с другими хорошими игроками и опыт его тренеров-ветеранов помогло вырасти Месси. Аргентинский ген был бы представлен только его отцом. Данных Лео для вхождения в футбольную элиту оказалось бы недостаточно.

Еще один характерный пример: высокогорная область Нанди в Кении породила больше марафонцев, чем любое другое место в мире. Дело не только в том, что природные условия помогают развитию тела, способного справиться с суровыми условиями марафона, кроме этого, эта область настолько бедна, что дети постоянно бегают в школу, которая находится в 20 километрах от дома. Успех зависит от социальных и географических условий, таким образом, намного легче стать элитным футболистом в Аргентине, чем, скажем, в Австралии. Сравните число профессиональных футболистов из обеих стран, которые играют в лучших лигах мира.

Для успеха на футбольном поприще вы также должны иметь великих соперников – таких, как те, с кем довелось сталкиваться Месси. Особенно показательны его отношения с Криштиану Роналду, с кем Лео постоянно соревнуется за трон короля футбола – это соперничество, несомненно, сделало их обоих лучшими игроками в мире.

Что для Лео сделал ФК «Барселона»?

Марадона говорит: «Я думаю, что Месси заставляет «Барселону» играть так, как он хочет».

Фактически клуб ничего не добавил к его представлению о футболе и к его стилю. Лео Месси продолжает быть 12-летним мальчиком, который всегда стремился забить гол, кто полагает, что футбол – это индивидуальное сражение между ним и защитой.

Когда Лео спросили, считает ли он себя сыном аргентинского или испанского футбола его ответ был совершенно определенным: «Несомненно аргентинского, потому что, несмотря на то, что я вырос и многому научился в Испании, я никогда не менял стиля своей игры и то, как я действую».

Когда он был маленьким мальчиком и только приехал в Барселону, Родолфо Боррелль попросил его поиграть на фланге, и Лео ответил категорическим отказом. «Я – *enganche*». Это было его способом попросить разрешение играть, как он хотел. Его товарищи по команде тех времен в Ла-Масии вспоминали, как во время тренировок ему было трудно работать в паре и что он намного больше наслаждался ударами по мячу или сложными задачами, для решения которых мог эксплуатировать свою скорость. «Мне было трудно пасовать мяч, я постоянно забывал делать это», – сказал Лео в интервью для *El Grafico* несколько лет назад.

Первые годы в «Барселоне» Лео настаивал на том, что он Лио – мальчик, который уехал из Росарио.

«Абсолютно все, что он делает сейчас на поле – двигается, бьет по мячу, опускает голову, разведывает возможность, чтобы отправить мяч в цель, – он делает так, как делал, когда ему было двенадцать лет, и он был на тридцать сантиметров ниже и на двадцать килограммов легче». Так говорит его бывший тренер в «Ньюэллсе» Адриан Кория.

«У Лео было то, чего я не видел во многих мальчишках, – говорит Хави Льоренс, у которого он тренировался в свою первую кампанию в Ла-Масии. – Когда он добирался сюда, идея вернуться назад им даже не рассматривалась, а здесь правило прямой игры не работает. Норма у нас – атаковать сзади с мячом, стараясь найти возможность горизонтального паса, и двигаться поперек поля. «Если я вижу цель и хочу забить гол, то почему я должен идти назад, если легче пойти вперед?» – Так думал Лео».

Футбольное мышление Лео Месси, его понимание игры воплощено в известном голе, подобном голу Марадоны, который он забил в матче против «Хетафе». Он играл подобным образом – естественно, не всегда одинаково успешно – в сотнях игр различного уровня. В молодежной команде «Барселона B» он делал то же самое: брал мяч в середине поля, и в его голове оставалась только одна мысль – постараться пройти мимо любого, кто оказывался у него на пути, включая вратаря. Позже, в команде первого уровня, Лео получал мяч, находясь позади главного нападающего. Он играл как ложный номер 10 и, в конце концов, забил много голов, врываясь далеко на территорию соперника. Концепция та же самая. Единственная разница – расстояние, проходимое игроком до момента гола.

Лео – бомбардир, который очень быстро двигается с мячом в ногах, как мало кто в истории футбола. Криштиану Роналду двигается очень быстро, если перед ним есть достаточно свободного пространства, но у него нет умения Лео действовать на полной скорости. Едва ли кто-нибудь в мире мог бы соединить три обхода противника без падения, и точно никто не способен собрать в единое целое такую силу, скорость и юркость. Только Марадона, который все равно был медленнее, может сравниться с Лео в техническом уровне.

Лео всегда хотел играть подобным образом, и «Барселона» предоставила ему возможность использовать свой талант.

> «Постепенно мне удалось больше играть на команду. Я не облегчал им задачу, потому что всегда был очень упрямым. «Барселона» многому научила меня, но они никогда не пытались изменить мой стиль».
>
> **(Лео Месси в El Grafico, 2009 год)**

Месси – «дитя аргентинских полей» – настаивает Адриан Кория. Последний раз, когда он говорил это, совпал с четырьмя голами Лео, забитыми в матче против «Арсенала» в Лиге чемпионов. Приблизительно в то же время, в апреле 2010 года, говорили, что коллектив «Барселоны» – лучшая команда в мире. Но большинство наступательных действий того вечера было продуктом индивидуальной игры, особенно четвертый гол, который Лео создал из ничего, глубоко забежав за защиту «Арсенала». Это не тривиальная деталь. Союз «Барселоны» и Месси – без сомнения, прекрасный союз между молодым, умелым и искренним игроком и командой, стиль которой нуждается в таком подходе. Но кто кому нужен больше?

Хави Льоренс, который был футболистом атакующего типа, пытался передать совсем молодым игрокам, находившимся на его попечении, свое понимание смелой тактики, но без ограничений последующих лет. На следующий год Алекс Гарсия, бывший защитник, намеревался определить определенные тактические параметры и позиционные стратегии для системы 3–4–3, которые использовались в Академии в целом. Эта система в целом учитывала свободу в нападении, но если мяч был потерян, требовала возвращения на исходные позиции. Он также требовал, чтобы игроки менялись своими позициями – это позволяло им понять чувства и обязанности тех, кто играл на других частях поля. «Но вы не можете приделать таланту тормоз, – говорит сегодня Алекс Гарсия. – Вы можете сказать Лео: не дриблингуй так много. Но затем он обходит двух противников и уходит вперед. И, в конце концов, он выигрывает вам игру». После Алекса пришел Тито Виланова, который сумел понять тихое восстание Лео против некоторых указаний тренеров, и настоял на игре с полученным мячом, но он был первым, кто ставил Месси на позицию второго нападающего – место, где он всегда будет играть, независимо от того, какие инструкции получит.

Тренеры, у которых играл Лео, не требовали, чтобы он становился более дисциплинированным, потому что думали, что со временем он сам станет более организованным. Кто-то другой должен был показать ему правильный путь. Тем временем они выигрывали матчи, главным образом, благодаря его действиям.

В командах юниоров «Барселоны» есть много футболистов, которые были лучшими в своей зоне, окрестности, городе, деревне – там, откуда они прибыли. Их объединяет мастерство. Но когда дело доходит до лучшего из лучших (например, Месси), им не предъявляют особых требований, потому что главная забота тренера – победить. Выигрыш заставляет наставника быть довольным тем, что он имеет, а постоянные успехи означают, что нет необходимости что-то менять в футболисте, который помогает ему побеждать. В случае Месси это не создавало больших проблем, потому что его талант был настолько велик, что он побеждал даже при незначительных тактических знаниях. Но были и другие случаи, менее успешные, такие как случай с Джовани Дос Сантос, который играет теперь за «Вильярреал» – невероятно способный игрок, талант которого не развился до такого же уровня, как у Лео, потому что его ошибки превысили достоинства. Сантос не попал в первую команду, потому что, несмотря на то что в свое время был самым талантливым представителем своего поколения, его не научили защищаться, работать и принимать на себя ответственность. Он играл, как хотел, в то время как тренеры перекладывали ответственность с одного на другого, а исправить положение было некому.

С таким небрежным отношением к себе Лео Месси провел формирующие спортсмена годы, делая то же самое, что он делал в 12 лет в Росарио.

Постепенно он начал наращивать мышцы, соблюдать специальную диету, проводить тренировки в спортзале. Но его футбольное мироощущение не менялось, и это привело к новым сомнениям в Ла-Масии. Принято считать, что одновременно с ростом футболиста растет и его талант, и развивается до тех пор, пока не достигнет предела. Никто не знает, почему так происходит. Месси прогрессировал физически, становился более крупным, но некоторые тренеры в Ла-Масии полагали, что его стиль игры не принесет успеха в первой команде, потому что в какой-то момент его неудержимость во время игры приведет к простою, как это всегда происходило. Его игра пострадает от ограничений из-за присутствия более крупных защитников и коллективной защитной игры – тактики, которую трудно сломать. Лео слишком сильно настаивал на том, чтобы играть по-своему, то есть обходить одного, другого, четырех игроков, а когда это не срабатывало – становилось ошибкой. Несмотря на это, Лео чувствовал себя способным на многое и играл настолько невероятно, что пытался забить гол всякий каждый раз, когда получал мяч. И, к удивлению многих, его талант продолжал развиваться.

Лео также обретал поддержку команды, потому что понял, что доверие к своим товарищам облегчит ему возможность делать на поле то, что он хотел, и позволит делать это наиболее эффективно. Карл Решак объясняет: «Месси относится к тому типу игроков, который и до прихода в «Барселону» хорошо играл, обладал достаточной интуицией и занимал правильные положения на поле: если при отскоке мяч попадал прямо к нему, можно было подумать: «везет же парню!» Но это не была удача, просто Лео на долю секунды раньше остальных понимал, куда движется мяч, это была особая интуиция. Но Месси развивался. Сначала он получал мяч, и каждый раз стремился сделать очередное блестящее движение, обходя трех или четырех противников и забивая гол. Были травмы, сцепленные зубы и все такое. Затем он обнаружил, что знает, как выбрать нужный момент, чтобы правильно сыграть. Месси развивался, учился играть в свой футбол в рамках команды». Решак попал в точку: «это его футбол».

Теоретически Ла-Масия рассчитывала на развитие таланта, ставшего причиной недавнего успеха первой команды, но трудно соотнести их позицию с выступлением Лео в сезон 2003/04 года, когда он играл за пять команд сразу.

«Возраст и груз возлагаемой на него все большей ответственности, значительно закалили характер Лео, – говорит Хуанхо Брау. – Я помню, что, когда он был ребенком, то всегда смеялся, его окружала некая аура. Затем его характер стал более твердым – это мы закалили его, футбол и «Барса» сделали это. Был период, когда его постоянно заставляли играть с командой, перед которой была поставлена задача – победить любой ценой. Он тренировался с понедельника по пятницу, а в четверг ему говорили, за какую команду он будет играть в выходные. О чем это говорит? Победа зависела от него. Мы сформировали его как игрока для победы, решающего, определяющего ход игры, необходимого».

«Барселона» поощряла тягу Лео к победе, которую он привез с собой из Росарио, клуб помог создать этакого агрессивного монстра, которого он носил внутри себя и выпускал во время матчей. Это закалило дух мальчика.

Фернандо Синьорини, бывший тренер аргентинской национальной сборной, подхватывает эту мысль: «Лео так стремительно развивался и был таким дорогим драгоценным камнем, что никто не смел сказать ему «нет». И я много раз думал о том, что действия, верные со спортивной точки зрения, часто бывают довольно вредными с общечеловеческой точки зрения – они не готовят игроков к реальной жизни. Занимаясь их развитием, мы не должны так сильно беспокоиться об их телах или победах – мы должны думать о людях, потому что нет никаких гарантий того, что они станут великими звездами, даже при том, что некоторые ими все-таки становятся».

Лео всегда просили победить. В 2013 году пришел Неймар, еще один футболист, которому нравилось играть по-своему, но его стиль игры не согласовывался со схемой, приносившей успех «Барселоне». Лео попросили разделить свой уровень влияния со вновь прибывшим. Человека с бешеным духом соперничества, который с младых ногтей нес на своих плечах ответственность за победу, было трудно отучить от подобных представлений. Он хотел нести эту ответственность и нуждался в ней.

Проблема с формированием молодых игроков заключается в том, что вместе с успехом произошла путаница: «Барселона» сочла работу, которую проделывали в Ла-Масии в течение предыдущих десятилетий, основной причиной успеха в эпоху Гвардиолы. Возможно, самым разумным объяснением было предположение, что титулы завоеваны благодаря коктейлю из таланта этого невероятного поколения. Игроки, которые извлекли уроки из таких элементов подготовки молодежного состава, как контроль над игрой, позиционирование, важность техники. При этом совершенно ясно, что клуб извлек большую выгоду из уникального таланта, которым руководил тренер, знавший, как смешать все воедино, после чего передал команду в руки Лео – совершенно особенной личности.

В течение блистательной эры Пепа Гвардиолы «Барселона» стала усиленно искать формулу для Ла-Масии, стремясь уловить принцип успеха и обнаружить новые драгоценности, новые имена, новые титулы. Но скудный урожай игроков Академии, собранный после прихода в 2008 году Педро и Серхио Баскетсов (только Тиаго приблизился к тому, чтобы стать профессионалом), позволяет предположить, что, возможно, то, что произошло между 2008 и 2011 годами, было уникальным и неповторимым явлением.

Попытка структурировать успех – это мутная, бесперспективная работа: функция Ла-Масии – обеспечить хорошую базу для футбольной доктрины, но объяснить успех, возникший в успешный период, попытаться привести его в систему и повторить, забывая о спонтанности того, откуда все возникло, означает проигнорировать неуловимую сущность футбола. Футбол – не математика.

Каким же был главный вклад ФК «Барселона» в Лео на поле? Размещение рядом с аргентинцем ряда выдающихся игроков (восемь чемпионов мира), кто созрел и подстроился под Лео, в частности Хави Эрнандеса и Андреса Иньесты – все трое достигли своего пика приблизительно в одно и то же время. За последние несколько лет у «Барселоны» были игроки, которые держались достаточно близко к области своих противников, что создавало больше вариантов, чтобы использовать талант аргентинца, к тому же они знали, как передать ему мяч. Если бы Месси не играл за команду уровня «Барселоны», особенно в середине поля, то не стал бы командным игроком, каким он является, потому что мяч не возвращался бы к нему столь легко и с таким мастерством, с каким это происходит, и не была бы выработана определенная тактика, которая позволяла Лео играть по-своему.

«Лео повезло встретиться с такими игроками, как Хави, Иньеста, Пуйоль, Баскетс, Пике, Сантуш, – добавляет Фернандо Синьорини. – И очень маловероятно, что это когда-либо повторится снова. Некоторые игроки – очень хорошие игроки – являются продуктами хорошей выучки, но Лео – это инстинкт в чистом виде. После этого и почти наверняка благодаря помощи Гвардиолы он начал лучше разбираться в игре и делать меньше ошибок.

Почти все его действия приносили пользу команде: эта неповторимая, уникальная личность делала свой вклад в командный результат, а это редкость в наши дни. Подобные игроки в ту ужасную эпоху культа индивидуализма, при той несправедливой системе, в которой нам пришлось жить, не понимали, что означает быть частью группы, что они – лишь кирпичик в пирамиде, которую следует построить, чтобы создать поистине великую команду».

Но чем бы были Хави или Иньеста без Месси? С самого первого дня все трое уважали друг друга, поскольку знали, что вместе смогут добиться большего, чем если каждый будет действовать поодиночке.

В течение многих лет в аргентинской национальной сборной у Месси не было тех же возможностей, что и в «Барселоне»: в клубе его с самого начала считали великим игроком и настоящим идолом, но в собственной стране Лео не был самым важным элементом команды, и до настоящего времени не был лидером сборной. Поэтому, когда мяч покидал Месси, он к нему не возвращался, и игру определяли другие игроки. Но с течением времени команда под руководством Алехандро Сабелья научилась пасовать мяч Лео и позволять выразить себя.

После нескольких лет неопределенности «Барселона» наконец предоставила Лео значительную поддержку, причем она была оказана не на поле, а вне его – пришел Жоан Лапорта. Поскольку Месси вырос как игрок, клуб решил помочь ему в финансовом отношении и дать ощущение безопасности – наиболее важное условие для элитных футболистов, не только материальное, но и в смысле статуса и иерархии, которые обеспечивают контракты. «Когда он стал профессионалом, – заключает бывший вице-президент Ферран Сориано, – мы неоднократно улучшали его контракт даже без требований Лео, чтобы он соответствовал вкладу спортсмена на поле – мы хотели, чтобы Месси был уверен, что мы всегда ценим его».

Это было крупное достижение для клуба, который ранее разрушил отношения с некоторыми из своих самых великих игроков: после пяти лет работы в клубе Йохан Круифф в 1978 году тихо ушел из «Барселоны» после недоразумения с правлением. Диего Марадона перешел в «Наполи» всего после двух сезонов, будучи не в состоянии сделать то, чего от него ожидали. Бразилец Рональдо пробыл в «Барселоне» всего один год. Роналдиньо, казавшийся необыкновенно успешным игроком, вошел в штопор настолько сильно, что покинул клуб, более не желая играть профессионально. «Барселона» всегда была достаточно сообразительна, чтобы успеть сказать Месси: «не переживай, мы все уладим», – настаивает Сориано. – Я думаю, что он получает деньги, которые мог бы заработать и в другом месте. Такое не всегда происходит, особенно с игроком, взятым из более низких разрядов, которые обычно получают меньше, чем взятые в клуб со стороны».

Гипотеза о том, что Лео может играть где-то в другом месте, довольно привлекательна – в конце концов, Лео не является порождением Ла-Масии: он – талант, пришедший извне, который не захотел менять свой стиль. Лео получал предложения, или, по крайней мере, близко сталкивался с такими клубами, как «Арсенал», «Ювентус», «Интер» и «Реал Мадрид». Его талант, несмотря на травмы, скорее всего, расцвел бы везде, куда бы он ни пришел. Каждая беседа, проведенная автором этой книги, заканчивалась вопросом: «Мог бы Лео одержать победу вдали от

«Барселоны?», и на него всегда отвечали утвердительно, хотя с различными оговорками. «Да, сумел бы, – подтверждает Карлес Решак. – Но, возможно, не в той мере, как здесь, потому что у нас он имеет намного больше возможностей играть по-своему, чем в других командах».

Хорхе Месси в интервью для *Kicker* придерживается того же мнения. «Возможно, добиться столь многого было бы сложнее в другом клубе, но я думаю, что это все равно случилось бы, принимая во внимание его способности. С такой техникой он прошел бы везде – бум, бум, бум – и мяч в воротах. Но в «Барселоне» Лео столкнулся с тактическим планом, с иным способом играть, иной философией игры». Бывший президент Барселоны Жоан Гаспар соглашается с ним: «Месси уже сам по себе – исключительный игрок. Но если рассматривать его в сочетании с Хави и Иньестой, то в целом получается нечто намного более значительное. Однако и сам по себе Месси процветал бы в любой команде мира».

«Ах, он мог бы отлично играть даже в Аргентине!» – добавляет тренер Клаудио Вивас, но Синьорини не соглашается с ним: «Для Лео было определенно лучше очутиться в «Барселоне», потому что на родине его наверняка измотало бы внимание страстных, но порой ядовитых и назойливых аргентинских поклонников. Я могу себе это представить: «карлик, я перережу тебе горло, сын шлюхи»... его ругали бы на чем свет стоит, плевали на него, били бы окна автобуса с командой... Представляете, что бы с ним было?»

Когда Лео напомнили, что в Англии некоторые говорят: «еще неизвестно, был бы он способен играть холодным, дождливым вечером в среду в Стоке», он засмеялся. Только дайте Пикассо карандаш, и он себя покажет. «Месси – прежде всего невероятный талант, непревзойденный. Он развился бы где угодно, но ему удалось попасть на плодородную почву, в систему, где о нем заботились и преданно ухаживали», – добавляет Ферран Сориано.

Пеп Гвардиола подбирал команду «по меркам» Лео, искал союзников, готовых играть так, как ему нравится. Но в последний год работы Пепа, а также под руководством Тито Виллановы, стало труднее поддерживать гармоничные отношения в команде, которая при случае демонстрировала чрезмерную преданность Лео. Как тренеры, так и игроки дистанцировались от своих обязанностей, их более всего беспокоили последствия расстановки игроков и протекция Лео в клубе.

«Он пришел с крайне индивидуалистичным стилем игры, к которому «Барселона» добавила командную игру, помогавшую ему в его скоростной игре, получавшейся у него так хорошо, – объяснил Жерар Пике летом 2013 года перед приходом Тата Марино и Неймара. – Это правда, что последние несколько лет атаки всегда заканчивал Лео. Мы играем так, как мы привыкли, и это всегда заканчивается его ударом. Я думаю, что это хорошо, потому что мы максимально используем мастерство Месси как лучшего игрока в мире. Но, честно говоря, когда его нет с нами, мы оказываемся в ужасно невыгодном положении».

ЧТОБЫ «ХОТЕТЬ УЧИТЬСЯ», НЕОБХОДИМО:

2. МОТИВАЦИЯ

«Я восхищаюсь способностью Лео постоянно учиться. Я не знаю никого, кто нашел бы столько решений для такого количества проблем в чем-то столь же переменчивом, как футбол».

(Андони Субисаррета, спортивный директор «Барселоны»)

«Мы живем, пытаясь стать лучше во всем, к чему стремимся, то же самое я чувствую в отношении футбола. Моя цель состоит в том, чтобы расти, чтобы не остаться с тем, что у меня уже есть. Я всегда говорю это. Я должен стать лучшим во всем».

(Лео Месси после получения четвертого «Золотого мяча», январь 2013 года)

«Лео – умный парень, – так говорит о нем Карлес Решак. – Он понял, как надо играть, и знает, как выбрать то, что необходимо сделать в тот или иной момент. Он мало говорит, но много слушает. Триумф Лео – просто еще одно событие, еще одна ступенька. Не осознавая, он делает именно то, о чем говорил Редьярд Киплинг в своем стихотворении: «Что бы ни случилось – триумф или бедствие – он с равным спокойствием относится к тому и другому».

Глаза Месси всегда широко открыты, его ум постоянно поглощает знания. Тем, кто входит в элиту, было намного легче добраться до вершины, чем продолжать становиться все лучше и лучше, и только немногие избранные оказываются способны, одержав победу, сохранять мотивацию – Лео знает, что, если он не будет стараться становиться лучше, он станет хуже.

«Если не с кем бороться, некуда стремиться, то вы перестаете действовать как можно лучше, на пределе своих возможностей, а просто устраиваетесь поудобнее, и инерция, которая позволяет вам по-прежнему плыть на волне успеха, делает вас слабее, – объясняет Педро Гомес. – Вы не заметите, как ваши возможности сократятся, и однажды вы проснетесь и поймете, что уже не годитесь для того, чтобы оставаться в элите». У Месси нет сомнений: «Я сам – свой самый жестокий критик».

Чтобы продолжать двигаться вперед, когда вы уже достигли таких высот, вы должны обладать любовью, даже страстью к игре, большей, чем у кого-либо еще. Как сказал продюсер суперуспешных фильмов «Жало» и «Челюсти» Дэвид Браун: «Успех зависит не столько от того, что вы делаете, сколько от того, насколько вы любите то, что вы делаете». Когда кто-то мотивирован личным интересом в большей степени, чем финансовой выгодой или улучшением социального положения, он получает огромное психологическое преимущество: ему легче бороться с трудностями, а упорство доставляет удовольствие.

Мотивация Лео идет из чрезвычайно сильного источника. Месси – христианин, хотя и не сильно воцерковленный. Он убежден, что после земной жизни нас ждет еще одна. Именно поэтому каждый раз, когда он забивает гол, благодарит свою бабушку за то, что она для него сделала. Он ощущает присутствие Селии в самые важные моменты его жизни, а она продолжает вдохновлять его.

3. ЧЕСТОЛЮБИЕ, ДУХ СОПЕРНИЧЕСТВА И СОСРЕДОТОЧЕННОСТЬ

«Он трижды победил в Лиге чемпионов, но хочет сделать это еще раз».

(Сильвиньо)

«Сколь бы болезненными не были инъекции гормонов, Лео делал это, потому что хотел стать лучше. Он хотел быть самым лучшим».

(Виктор Васкес)

«Мне жаль тех, кто хочет занять его трон. Месси — один из величайших игроков в любом значении этого слова. Он способен делать чудеса каждые три дня».

(Пеп Гвардиола)

«Я очень счастлив. Теперь я постараюсь становиться еще лучше, продолжать выигрывать, чтобы у меня было еще больше хороших воспоминаний. Я хочу и в дальнейшем добиваться того, что останется со мной навсегда»

(Лео Месси на празднике по поводу вручения «Золотого мяча», 2012 год)

«Я привык быть последним, кто уходит из раздевалки, — мне нравится там находиться. К тому же это самое лучшее, что я умею делать. Я люблю футбол, а тренировки — его важная часть».

(Лео Месси на том же торжестве)

В *«Seventies Gordon Training International»* опубликованы размышления о том, что можно выделить четыре основных типа футболистов. Они назвали это «четырьмя фазами ученичества». Ребенок, когда бьет мячом в стенку дома или играет на школьном дворе, не понимает, как мало он знает, насколько он хорош или плох (бессознательная некомпетентность). Когда он видит, что кто-то делает с мячом такое, чего он сделать не может, он признает свою некомпетентность и сознательно изучает новые навыки в Академии, чтобы улучшить свою игру (сознательная некомпетентность). И, наконец, много и упорно практикуясь, футболист оказывается в состоянии понять свою степень одаренности и играть на достаточно высоком уровне. Он обретает определенный уровень компетентности, который позволяет ему стать профессионалом – статус, в котором большинство футболистов ведут весьма комфортную жизнь (сознательная компетентность). Но есть еще вершина – самый высокий уровень, группа недовольных, которые не верят, что сделали это, просто потому, что они стали профессионалами. Именно к этой группе принадлежит Лионель Месси.

Эта последняя группа – немногие избранные – те, кому всегда всего недостаточно, кто не верит, что он самый лучший, кто хочет продолжать работать, чтобы достигнуть максимума. Они занимались так много, что их действия стали инстинктивной реакцией, и они выполняют их легко, не задумываясь (бессознательная компетентность).

«Лео часто говорил, что хочет быть лучшим. Он не произносил это с высокомерием, скорее как что-то, что обязательно произойдет в будущем, – объясняет Виктор Васкес. – Сеск, Пике или я тоже могли сказать это, но в нас жил страх перед знанием, что и до нас были игроки, игравшие в той же позиции, у которых был тот же стиль игры, но у Месси этого страха не было, потому что другого такого, как Месси, нет. Он особенный игрок».

Наличие ясных целей и задач помогает идти вперед: если вы не знаете точно, куда вы хотите дойти, вы никогда туда не доберетесь. Месси четко видел цель. Он не хотел быть известным, стать звездой. Он хотел стать лучшим футболистом, каким только сможет. «Все мы хотим победить, – размышляет Густаво Оберман. – Но, конечно, Лео, с теми качествами, которыми обладает, будет хотеть достичь большего, чем другие. Неплохой игрок хочет победить в одном матче, Месси же хочет выиграть турнир, получить «Золотой мяч». Если бы я был Месси, то я тоже хотел бы завоевать этот титул, но я не так хорош, поэтому и ограничиваюсь тем, чего могу добиться».

Оберман продолжает: «Лео хотел побеждать и во время тренировок, играя в мини-футбол, и он боролся за безнадежные мячи даже тогда, когда не играл в матче. Возможно, другой тип игрока, с теми же самыми качествами, как у Лео, будет играть на тренировках более спокойно, потому что ему не нужно демонстрировать свои возможности, но он, как Кун Агуэро и многие другие, заставляет вас играть по максимуму, потому что, если вы не играете с подобными игроками на пике своих возможностей, очень трудно будет не сдаться сразу: это чувство является их глубинной сущностью».

«Что?! – добавляет защитник «Манчестер-Сити» Мартин Демичелис. – Он будет бороться даже во время матча «Друзья Месси» – «Остальной мир»! В одной из игр Лео сказал нам: «Давайте, ребята, начинайте играть серьезно, а то мне скучно».

Этот характер, постоянно готовый к соперничеству, эта нацеленность на победу, этот поиск все новых достижений вызывают у Месси такое волнение, что в ряде случаев его рвало за несколько минут до начала матча. Это очень похоже на заполнение бака машины бензином перед началом гонки. Или на певца, который перед выходом на сцену, услышав аплодисменты, чувствует, что у него поднялась температура, а нервы натягиваются, как струны. Но в тот последний миг, когда он выходит на поле, тело приходит в норму и цель становится совершенно очевидной.

Спортивные психологи говорят, что в этом случае внимание игрока становится полностью сосредоточенным на стоящей перед ним задаче. Оно не рассеяно, а сконцентрировано. Многие из тех, кто проявил себя в науке, искусстве или спорте, чувствуют то же самое. Говорят, что Архимед был сосредоточен на своем эксперименте в то время, когда на его родной город Сиракузы напали враги. Согласно правилам, изобретателю и астроному нельзя было мешать, но он сидел, сосредоточившись на том, что делал, пока не заметил солдата. «*Noli turbare circulos meos*!» (Не тронь моих диаграмм!), – сказал ему Архимед, сидя на песке и рисуя. Римлянин убил его одним ударом.

Те, кто живет в разреженной атмосфере элиты, творят и живут в собственном мире, в который нет доступа простым смертным. Время от времени они вылезают из своего кокона и приходят в наш мир. Как актерам, им нужно научиться выходить из роли, то, что Лео пришлось научиться делать самому. Жан-Поль Сартр писал об актере, который в течение 15 лет играл роль Уильяма Шекспира, и однажды, когда хотел добиться свидания с девушкой, делал это так, как будто действительно был великим драматургом. Он забыл, что значит быть самим собой. Элитный футболист рискует оказаться запертым в собственном личном мирке. Лео пытается сделать так, чтобы его общение с племянниками, женой, сыном Тиаго, своими собаками помогало открыть «окна» жизни и напоминать ему, что есть жизнь и за пределами прямоугольника футбольного поля.

Считать, как это недавно сделал бывший футболист Ромарио, что его суженное восприятие мира является доказательством того, что Месси страдает от синдрома Аспергера, то есть формой аутизма, – сильное упрощение. На самом деле это не так – и дело не только в том, что очень сложно диагностировать синдром Аспергера, но и в том, что этот синдром никогда не диагностировали у Лео. Очень опасно непрофессионально жонглировать медицинскими терминами.

Но, по правде говоря, когда Месси слишком сильно сосредотачивается на своих делах, его реакции могут показаться довольно странными. В конце матча между Перу и Аргентиной в четвертьфинале Кубка Америки в 2007 году, перед входом в туннель, ведущий в раздевалку, на Лео с высокой трибуны попыталась прыгнуть поклонница, чтобы обнять звезду. На видеозаписи можно увидеть, как Месси смотрит вверх, пытаясь убедить девушку не прыгать, одновременно продолжая идти. Внезапно на землю с четырехметровой высоты падает тело, дважды судорожно перегибается, а потом хватает футболиста, который на мгновение останавливается, а затем продолжает свое движение к раздевалке. Кто-то просит у Лео футболку, и он разговаривает, советуясь, давать ее или нет, так, как будто несколькими секундами ранее ничего не произошло.

Так это выглядело со стороны. Месси объясняет, что он при этом чувствовал: «Ой, это было невероятно. Я показывал, что не надо прыгать, но она все равно прыгнула. Клянусь вам, я не знал, что делать. Там было, по крайней мере, четыре метра высоты. Она чуть не погибла, и что еще хуже, служащие просто избавились от бедного ребенка как можно быстрее, даже не посмотрев, все ли с ней в порядке».

А когда он плачет после игры? Как можно объяснить обе крайности в одном и том же человеке – холодное спокойствие перед выполнением пенальти и слезы? «Футбольный матч не терпит слез», – говорят в Аргентине. Если кто-то все же плачет, то значит, это нечто большее, чем просто игра в футбол. Во что же Лео играл 90 минут, если это заставило его плакать? Психолог говорит, что поражение для Лео – не пустой звук, пока он остается погруженным в свой внутренний мир и сосредоточенным до предела, там он чувствует, что не проигрывает, а гибнет. В такой ситуации слезы вполне естественны.

«Лео – совершенно особенный, – говорит Пике. – Когда он проигрывает, вы думаете: «да, не хотел бы я быть его женой или подругой». Можно представить себе, как он идет домой и проводит всю остальную часть дня, не говоря ни слова. Так оно и это происходит – после проигрыша Лео не говорит ни с кем и запирается в своей комнате. Месси мог даже на следующий день приехать на тренировку с опозданием или вовсе не явиться. Недостижение победы и незабитые голы ужасно на него влияют. Ему требуется день, два или три, чтобы справиться с этой стеной тишины, но он ничего не может сделать. И в следующий раз, когда Лео проигрывает, происходит то же самое».

Он должен добиться победы, после чего Лео уходит с ощущением хорошо сделанной работы. Говорят, что после крупных выигрышей приходит период своеобразной депрессии, снижение уровня физического и духовного благополучия. Все это является следствием значительного напряжения. «И это – все? Все усилия ради этого?» – спрашивают себя спортсмены высокого уровня в этот момент. Обычно такое состояние длится всего несколько минут. Лео чувствует удовлетворение от того, что он достиг своей цели, и знает, как это отпраздновать. Но до этого он наверняка переживает своеобразный приступ «депрессии чемпиона» – он уже увидел новые задачи, новый вызов. «Гении отличаются от остальных людей, – говорит Сильвиньо. – Иногда они кажутся не совсем людьми. Они хотят все большего... Мне это нравится, потому что, если я вижу игрока, который может сделать больше и у него есть к этому талант, но он не делает этого... тьфу. Жаль. Лео не нуждается в деньгах, не хочет обладать красивыми вещами. Он просто стремится к еще большему успеху, хочет больше выигрывать».

Достижение подобной степени сосредоточенности – самый важный фактор для движения вперед. «Публичность часто смущает игрока, – пишет журналист *El País* Сантьяго Сегурола. – Общественность обязывает его быть лучшим в мире в каждом своем движении, а это невозможно. Я не верю, что игроки готовы к столь невероятному прессингу, который создают журналисты, критики, успех, известность, знаменитость, переезды, непрерывные требования спонсоров. Все это отвлекает вас и замедляет развитие».

Но Лео ничего не отвлекает. Бывший игрок «Реал Мадрида», родившийся в Росарио, – Санти Солари, – став тренером молодежной команды, сказал своим первым ученикам: не тратьте время впустую, максимально используйте возможность получить футбольное образование, вместо того чтобы отвлекаться на вечеринки и молодежные развлечения. Он говорил это 15-летним мальчишкам, которые были в том возрасте, когда не могли ни о чем другом и думать, кроме веселого времяпрепровождения. Те, кто понял, о чем говорил Солари, те, кто был достаточно безумен, чтобы принять его слова и последовать за ним, те ребята обладали «футбольным геном». Их ничто не могло отвлечь.

В то время, когда Лео входил в молодежную команду Тито Вилановы, «Барселона» получила от «Ювентуса» предложение забрать его. Месси не хотел уходить: он уже наметил свой путь и стремился добиться триумфа в «Барселоне».

«Лео живет, думает, наслаждается или печалится только в связи с игрой – все его эмоции и мысли связаны с футболом, – говорит Ферран Сориано, бывший вице-президент «Барселоны», а теперь – руководитель «Манчестер-Сити». – Совершенно ясно, что он уверен: чтобы быть лучшим в мире, он должен обладать особым типом сосредоточенности: он играет в футбол, тренируется для футбола и даже развлекается на PlayStation в футбольные «игрушки». Помню, как несколько лет назад я обедал с Фернандо Алонсо. Я уехал с тем же впечатлением, которое было у меня от общения с Месси: все, о чем он говорит – это гонки и автомобили, больше ничего. Чем они будут заниматься после завершения их карьеры?»

ЧТОБЫ «УЗНАТЬ КАК, КАК УЧИТЬСЯ», НЕОБХОДИМО:
4. ПОСТОЯНСТВО

«Мама и папа говорили мне, что уже в два-три года меня интересовал футбол. Еще будучи очень маленьким, я знал, что мне нравится играть, и это именно то, что я хотел делать. Когда я вырос, я больше узнал обо всем… И еще больше захотел заниматься футболом».

(Лео Месси в рекламе Audemars Piguet, «Решающий момент»)

«Месси понимает футбол так, как будто он уже сто лет играет»

(Санти Солари)

«Я никогда не видел лучшего футболиста, чем Лео, никого, кто мог бы превзойти его по эффективности. Он с невероятным постоянством отдает себя победе, и всегда будет удивлять нас чем-то новым, как художник — очередным блестящим ударом кисти по холсту».

(Хорхе Вальдано)

«Он был одарен великим талантом, но если бы у него не было почти безумной силы воли, чтобы добиваться всего и развиваться, это бы ему не помогло»

(Родриго Месси в интервью France Football)

> «Люди покупают билеты только для того, чтобы посмотреть, как играет Месси, и он демонстрирует нечто уникальное. Назовите мне любого другого игрока, который удерживался на этом уровне в течение четырех лет. У кого еще есть эти невероятные физические возможности, кто еще сражается так, как он? Я никогда не видел никого, кто был бы столь упорен.., возможно, я еще слишком молод, но я никогда не видел товарища по команде вроде него или, как тренер, игрока вроде него. Он превосходит остальных, у него особый дар».
>
> **(Пеп Гвардиола в 2011 году)**

Не существует коротких путей к вершине. Вы должны учиться методом проб и ошибок. Когда кажется, что вы больше не способны делать что-то, нужно думать, что вы все еще можете. А когда вы добираетесь до вершины, то должны ясно понимать, что это не конечная точка, а остановка в пути. Графический и образный пример этого – реклама, в которой Криштиану Рональдо мучает его альтер эго. «Он появляется в конце каждой игры, – говорит Рональдо. – Он следует за мной. Он преследует меня. Даже если я выиграл и игра прошла великолепно. У него всегда есть что сказать. Он – моя головная боль. Я должен был получить этот пас, я должен был справиться с тем мячом, каждый штрафной удар должен заканчиваться голом. Его любимое выражение? Если вы будете думать, что вы уже достигли совершенства, вы никогда его не достигнете. И он идет вперед, вперед, вперед... каждый день. Семь дней в неделю. Но знаете что? Мне нравится этот парень».

Именно так думают великие люди. Без подобного мышления они не достигли бы своей великой цели. Но что еще заставляет их достигать таких высот? Какой путь они избирают? Как этому можно научиться? Можно ли это повторить?

В течение многих столетий мы полагали, что успех связан с талантом и генами. «Я стал чемпионом Британии по настольному теннису в 1995 году», – объясняет Мэтью Сайед, по совместительству журналист «Таймс», исследующий тему успеха в своей невероятной книге «*Bounce*»? «Это потрясло спортивное сообщество Великобритании. Я был очень молод, и мало кто верил, что я доберусь до вершины так быстро. Я рос на Сильвердэйл-роуд в Рединге – симпатичной, но самой обыкновенной улице. Обыкновенной, за исключением одного: в 1980-х годах из этого небольшого сообщества вышло больше великих игроков в настольный теннис, чем из остальной части Соединенного Королевства. Теперь, если вы по-прежнему думаете, что причиной этого была генетика, тогда почему она сосредоточилась на одной определенной улице?» Сайед добавляет еще один факт: «Спартак» Москва, бедный теннисный клуб в предместьях российской столицы, создал больше великих теннисистов, чем все Соединенные Штаты Америки. Следует пересмотреть идею о генетической основе успеха.

Мэтью Сайед, говоря о Лео Месси, отвергает использование таких слов, как «гений», «чудо» или «природный талант», потому что, по его мнению, превосходство Месси преимущественно (хотя и не полностью) связано с непрерывной и упорной тренировкой. Автор бросает вызов убеждению, что гений рождается, а не создается: превосходство возникает вследствие приложенных усилий, а это, в свою очередь, часто приводит к успеху. Так что приветствовать следует тяжкий труд, не талант.

Лео всегда и постоянно играл с мячом. Помните четыре игры через день, когда его тренером был Кике Домингес? Или те дополнительные часы, которые он обычно проводил на тренировках в Ла-Масии, когда другие ребята уходили домой? Есть еще много примеров.

В ходе различных исследований изучалась возможность того, как людям вроде Месси, Рональдо и Марадоны удается делать то, что они делают. Высказывались предположения, что, возможно, у них создавалась более широкая картина игрового поля, чем у обычного футболиста, и что это позволяет им видеть больше товарищей по команде и соперников. Но нет никаких доказательств, подкрепляющих эту теорию.

На самом деле лучшие футболисты собирают больше информации в результате одного-единственного взгляда. Сайед говорит, что лучшие шахматисты запоминают доску не как 32 отдельные клеточки, а как группы по пять или шесть клеток. И у них в голове есть в десять, а то и в сто раз больше комбинаций для этих групп, чем у более слабых игроков. К тому же гроссмейстеры получают доступ к этой долговременной памяти намного быстрее и более надежным способом.

Когда Месси бежит или получает мяч, он видит варианты игры там, где все остальные видят просто игроков или мяч. Это напоминает фильм «Матрица». В фильме Нео видит единицы и двойки вместо пуль, и это позволяет ему избегать их. Это не значит, что Лео замечает что-то раньше других, это значит, что он видит то, чего не видят другие. Сайед объясняет в своей книге: «Когда Роджер Федерер играет в теннис, он не выбирает лучший удар из своего ментального информационного склада, скорее, он видит и слышит мир абсолютно иначе, чем остальные», – точно так же, по сути, как эскимосы в состоянии видеть больше вариаций белого цвета, чем любой другой человек, поскольку они живут в условиях арктической белизны.

«Вы были бы удивлены тем количеством информации, которую Месси может собрать, обведя вокруг всего одним взглядом, – добавляет Хуанхо Брау. – Он в состоянии сказать вам, где что находится, он – человек с невероятным визуальным откликом, человек, который видит все». Таким образом экстраординарные спортсмены развивают интуицию, инстинктивный, подсознательный метод решения проблем. Создание подобных комбинаций позволяет им ожидать и решать сложные проблемы наилучшим способом из всех возможных.

«Лео обладает чувственным восприятием, которое позволяет ему всегда знать, что он должен сделать. Его естественная среда обитания – игровое поле, – объясняет Хуанхо Брау. – Месси – чрезвычайно умный игрок, мастер в своей профессии, маэстро. Он в состоянии видеть то, что никто больше не может заметить. Он бьет, чтобы забить гол, а не в ворота – это разные вещи. Другие игроки, которые добираются до вратарской площадки, видят три куска дерева и сетку. Он видит эти три куска дерева, вратаря и вычисляет правильный момент, чтобы обойти его... и все это – за десятые доли секунды».

Если Лео стоит на месте, которое он считает подходящим, и не получает мяч, он начинает сердиться. У него нет времени подумать, что объект его гнева вернулся на поле после травмы или слишком юн. Просто в тот момент кто-то – обычно форвард или крайний нападающий его команды – тот, кто последним пасовал, совершил ошибку, не согласившись с ним. Манель Эстиарте, звезда водного поло, также орал на любого, кто не делал то, что он считал правильным, подходящим, наилучшим. Как часто говорил Лео Пеп Гвардиола: «Ты забываешь, что другие игроки не так хороши, как ты». Скорее всего, он имел в виду, что они не видят того, что видит он.

А сколько усилий необходимо, чтобы развить подобные невероятные способности? Десять тысяч часов упорной практики. Сайед соглашается с утверждением Малкольма Гладуэлла в *Outliers*, что основной, хотя и не единственный, компонент спортивного совершенства оттачивается тренировками в течение, как минимум, 10 000 часов, то есть примерно 3 часов тренировок каждый день в течение 10 лет. Хотя дело не только в количестве, но и в качестве приложенных усилий, поскольку требует высокого уровня мастерства и наблюдательности тренера.

Таким образом, Сайед и Глэдуэлл дополняют теорию психолога Андерса Эрикссона, который в начале девяностых проанализировал успех студентов Музыкальной академии Восточного Берлина. Он разделил их на три группы – от самых умелых до наименее способных. Его заключение было категоричным: единственной разницей между ними было количество часов практики (10 000 – лучшие, 6000 – худшие).

«Различие между профессиональными музыкантами и обычными взрослыми людьми – следствие их упорства в течение всей жизни, их постоянного стремления улучшить свой уровень мастерства», – писал Эрикссон. Еще одно исследование подтвердило, что группа британских музыкантов, достигших высокого положения, не обязательно учится быстрее, чем те, кто добился меньшего, просто они провели больше времени за своими инструментами.

Как пишет Сайед, Моцарт к шести годам имел уже 3500 часов практики, он изучал музыку в течение 18 лет, прежде чем в возрасте 21 года написал свое первое крупное произведение – «Концерт для фортепиано с оркестром № 9». О нем говорят как о музыкальном чуде, но его потрясающие музыкальные способности проявились только после более чем 10 000 часов практики. Тайгер Вудс начал бить по мячу для гольфа, когда ему было всего два года. Серена Уильямс начала свою карьеру, когда ей было три года, ее сестра Венера – в четыре года. Месси уже в возрасте трех лет пинал мяч, который был едва ли не больше него самого.

Как объясняет Джанет Старкес, профессор кинезиологии в канадском университете Макмастера в Гамильтоне, штат Онтарио, в книге «*Bounce*»: «Использование более полной информации приводит к временному парадоксу, согласно которому кажется, что опытные исполнители имеют уйму времени. Выявление семейных сценариев и группировка перцепционной информации в значимое целое ускоряет процесс». Все это – не врожденное качество, а следствие упорной практики и постоянного соперничества.

Но есть и еще кое-что: одного только опыта недостаточно. Кроме него необходима максимальная сосредоточенность. «Каждую секунду каждой минуты каждого часа нужно заставлять ум и тело действовать как единое целое и все время раздвигать свои границы, погружаться как можно глубже в свою работу, так, чтобы к концу тренировки вы в буквальном смысле чувствовали себя совершенным новичком», – пишет Сайед.

Эти новые теории хоронят многочисленные мифы. Летом 2013 года, в сороковую годовщину музея Ван Гога в Амстердаме хранители продемонстрировали результаты восьмилетнего исследования личной жизни художника. Выставка «Ван Гог за работой» опрокинула все ранее существовавшие идеи: художник не изолировался от своих коллег. Да, конечно, когда дело доходило до поддержания любовных отношений, он не демонстрировал отточенного мастерства, но у него был постоянный и производительный контакт с другими художниками, особенно с импрессионистами. И это при том, что у него не было врожденного дара к живописи. Он был не гением от рождения, а неустанным тружеником, который для того, чтобы изучить свое ремесло, понять принципы рисунка и использование цвета, скопировал 197 иллюстраций из руководства по рисованию Чарльза Барга, который считался классиком. И не один, а целых три раза!

По этой причине мы должны соблюдать осторожность: признание мальчика «прирожденным талантом» означает потенциально отодвинуть на задний план борьбу и жертвы, необходимые для развития его способностей. Ведь если человек подумает, что у него есть врожденные способности, он может начать считать, что ему вообще не нужно прилагать никаких усилий.

Даже самые талантливые не подозревают о постепенном процессе, который делает их лучше, чем бо́льшинство прочих, поэтому обучить этому в школах невозможно. Очень трудно собрать и объяснить всю эту информацию, потому что ее очень трудно уловить, и она включает различные способы физического взаимодействия, а также сложные психологические моменты, так что потребовалась бы целая вечность только для того, чтобы систематизировать данные.

В результате даже десять тысяч часов занятий не обязательно приведут к мастерству. Вы можете направить интерес учеников и игроков, вы можете указать им, что следует, а чего не следует делать. Но не больше.

Как это ни парадоксально, неудачи (или, скорее, то, как реагируют на них великие спортсмены) тоже являются следствием их превосходства по сравнению с другими. «Я сам – свой критик номер один. Я фанатик. Я злюсь, если играю ужасно, потому что не желаю проигрывать», – говорит Лео Месси. Он учится на своих ошибках, у него невероятная способность управлять собственным поведением. Он не просто ставит перед собой задачи и контролирует свое развитие, но и объективно оценивает свои цели.

Что заставляет некоторых людей, особенно великих спортсменов, неуклонно и неустанно стремиться к совершенству? Почему, взобравшись на одну вершину, они тут же, задержавшись лишь на мгновение, рвутся взбираться на другую? Откуда идет это стремление? Мэтью Сайед считает, что нашел ответ: «Они способны испытывать чувство разочарования намного быстрее и намного глубже, чем остальные люди. Все мы испытывали огорчение, но скорость, с которой лучшие игроки возвращаются к реальности после того, как завоевали важный титул, просто невероятна: кажется, что они как будто дистанцировались от той цели, которой, возможно, добивались годами. Опустошенные, они должны как можно быстрее заполнить освободившееся внутри место достижением следующей цели, и снова, и снова, и снова, вперед и вперед...»

С этим тесно связано то, что у Лео высокая терпимость к боли – это заставляет его вставать после того, как его ударили. Эта особенность проявилась еще в раннем детстве: интуиция или тренировка выработала в нем способность справляться с болью от удара в самое короткое время. Несмотря на то, что соперник, скорее всего, сделал это нарочно, чтобы остановить его, Месси думает только о том, чтобы продолжить движение.

Ясно, что у Лео, как и у многих из тех, кто достиг вершин, взгляд на окружающий мир сильно отличается от остальных людей.

5. ПРЕДАННОСТЬ И ЖЕРТВЕННОСТЬ

«Я всегда хочу продемонстрировать свою преданность клубу. Поначалу я делал это более заметно и грубо. Теперь это что-то более привычное. Мой клуб — это мой дом. Я обязан «Барселоне» всем. Я всегда говорил о том, что счастлив здесь».

(Лео Месси в интервью El País, 2012 год)

«Он много раз играл с травмированной лодыжкой. Я знаю это, потому что Хуанхо Брау не раз говорил, что играть невозможно, а затем Лео идет и играет».

(Жерар Пике)

Сила эмоций, которые футболист испытывает к своему клубу, в значительной степени влияет на его игру.

Игра только ради денег будет явно отличаться от игры с реальной преданностью клубу, особенно, как в случае Лео, президенту клуба, готовым его защитить, и тренеру, способным понимать.

«Преданность клубу и энтузиазм в игре, который демонстрирует Лео, дали ему шанс вырасти. Они питают его энергией, которая поддерживает и дает силу, чтобы продолжать двигаться вперед, доходить до предела и переступать через него, бороться с любыми неудачами», – говорит Педро Гомес. Лео чувствует сильную ответственность перед Карлесом Решаком и президентом клуба, Хоаном Лапортой, которые поняли его потребности, приложили усилия, чтобы помочь ему, и сдержали свои обещания на различных фазах продвижения Месси в клубе сине-гранатовых.

Бывший президент «Барселоны» улучшил контракт с Лео, переведя на регулярную основу, и был первым, кто сделал Месси самым высокооплачиваемым игроком в клубе. В момент кризиса президент преобразовал клуб (и не только первую команду) так, чтобы Лео мог процветать и стать лидером. «Барселона» «всегда будет делать все необходимое, чтобы Месси был счастлив в клубе, и мы знаем, что Месси полностью предан клубу», – сказал Лапорта в 2009 году. Это объясняет, почему в начале этапа игр с первой командой Лео целовал свой значок, когда забивал гол: с особым энтузиазмом он сделал это, выиграв хет-трик в матче против «Реал Мадрида» в 2007 году. Он хотел, чтобы мир связывал его с клубом, футболку которого он носил.

Лео предан своему клубу, но также, учитывая прошлое, и тем, кто был ему близок когда-то, он никогда не забывает, откуда пришел.

> «С самого раннего возраста я хотел быть профессионалом, я мечтал об игре в первом дивизионе. Да, мне пришлось многим пожертвовать. Я должен был уехать из Аргентины, когда мне было всего тринадцать лет, и начать с нуля: завести новых друзей в городе, где я никого не знал».
>
> **(Лео, разговор с Одемаром Пиге)**

Обязательство, которое он взял на себя, являлись следствием его главной потребности – реализовать свою мечту, чтобы мальчишка, который хотел быть футболистом, не остался в грязи, разочарованный и нереализованный. Кроме того, он не был готов допустить, чтобы это случилось с его семьей, с теми, кто от него зависел.

Жертвы, которые он принес, были не чем иным, как ценой, которую должен был заплатить человек, чтобы осуществилось его предназначение.

6. СКРОМНОСТЬ

> «Моя первая цель — появиться в списке игроков, отобранных для участия в чемпионате мира»
>
> **(Лео Месси после прибытия в Аргентину, во время подготовки к чемпионату мира в Южной Африке, 2010 год)**

> «Нет, я не думаю, что это был мой лучший год. Меня больше интересуют командные награды, чем личные призы за то, что мне удалось побить рекорды или за некие индивидуальные действия. Были годы, когда мы выигрывали больше и были лучше».
>
> **(Лео Месси после завоевания своего четвертого «Золотого мяча»)**

«Я люблю Месси, не только за удовольствие видеть его игру, но также и потому, что, несмотря на то, что он является лучшим игроком в мире, кажется, что он не понимает этого. Месси, кажется, не верит, что он — Месси!»

(Эдуардо Галеано, писатель)

«Если он уже преодолел фазу уверенности, что он — Марадона, тогда у него не будет проблем с преодолением фазы веры в то, что он — Месси. А затем он может стать футболистом, подобного которому мы никогда не видели, столь великим, что ему даже имя будет не нужно».

(Мартин Капаррос, аргентинский писатель)

Первое проявление смирения – понимание достоинств и недостатков, признание ограничений. В этом весь Лео. Слова его друга Оскара Устари объясняют, как к нему относятся его товарищи по команде.

«То, что неожиданно выходит за рамки его футбольного мастерства – это то, как Лео подает себя. Он очень естественен, очень непретенциозен. И это в профессиональном футболе, где эго игрока обычно распространяется на все вокруг. Но с Лео этого не происходит. Сегодня он может иметь все, что хочет, просто подняв руку: нередко футболист измеряет свой успех своим имуществом. Лео совсем не такой. Мы много раз ходили в рестораны в Барселоне или в Буэнос-Айресе, и он всегда один и тот же – скромный Лео. Он все еще удивляет меня, несмотря на то, что я часто вижусь с ним. У каждого из нас были друзья, которые стали известными или важными персонами, и внезапно стали вести себя по-другому. Но Лео остается Лео. И это просто замечательно.

Аргентинская Федерация хотела устроить ему чествование за то, что он сто раз сыграл за свою страну, но он отказался. В товарищеской встрече он, возможно, принял бы участие, но не в официальном матче с национальной командой. Ему это не нравится, он не нуждается в этом, ему не по душе участвовать в подобных мероприятиях.

«На днях я потревожил его, – я вообще-то не люблю беспокоить Лео, – потому что клуб в моем городе, где я начинал играть, праздновал столетие, и я хотел, чтобы он послал им сообщение, потому что сегодня все маленькие дети хотят быть похожими на Месси. Я спросил его, не мог бы он сделать мне одолжение и послать им приветствие. Он находился в Боливии, это был день перед игрой. И Лео сказал мне: «Хорошо, а что ты хочешь, чтобы я им сказал?» И я ответил: «Не знаю, что-нибудь! Пошли им поздравление, им сто лет!» Он сидел на скамье, похожей на студию звукозаписи, скрестил ноги и начал: «Ну что, я – Лео

Месси...» – и сразу послал им поздравление. Невероятно! Не каждый станет это делать».

«Он никогда не говорил «благодаря мне...», – говорит Хуанхо Брау. – Лео никогда ничего у меня не просил, он сам дал мне все. Он из тех людей, которые всегда предпочитают давать, а не брать. А вы уже решаете, берете или нет. Он человек немногословный, но способен на сильные чувства. Я хотел бы, чтобы люди узнали его таким, каков он в действительности. Люди не знают, какой он».

Как говорит Хорхе Вальдано: «Он похож на самого обычного парня. Но он пришелец на поле. Или, говоря иначе, Лео Месси – джинн в образе обычного человека».

Писатель Эдуардо Сакери полагает, что, если вы посмотрите на Месси с эмоциональной точки зрения, то не сможете обнаружить различные составляющие, которые обогащают его игру: «вы не сможете заметить, как он забивает голы, или какие препятствия ему пришлось преодолеть. Например, что он делает после того, как забьет гол? И это только одно из того, что я больше всего люблю в Месси. Он всегда высматривает товарища по команде, который передаст ему мяч. Он не из тех людей, кто бегает сам по себе, следя за тем, чтобы хорошо выглядеть на снимках в то время, когда он бьет себя в грудь и бежит к защитнику.

Лео пробегает десять метров, а затем поворачивается так, чтобы его товарищи могли догнать его, и ищет того, кто передаст ему мяч. Когда он помогает кому-то забить гол, он тоже радуется этому. Этот мальчик понимает в футболе. Обратите внимание на то, что, несмотря на то, что он – лучший, Лео в достаточной степени обладает смирением для того, чтобы понимать, что футбол – игра, в которую играют одиннадцать человек, а не он один. У этого человека есть и этика, и эстетика для того, чтобы играть футбол. Этика – это не то же самое, что страсть. Этика – интеллектуальная конструкция. Он понимает это и умом, и сердцем».

ЧТОБЫ «ПРОДЕМОНСТРИРОВАТЬ ИЗУЧЕННОЕ», НЕОБХОДИМО:

7. УВЕРЕННОСТЬ В СЕБЕ И ЛИДЕРСТВО

«Я всегда был самым маленьким. Я не отдаю приказы на поле. Если мне есть что сказать, я делаю это с помощью мяча. Я не мастак говорить».

(Лео Месси)

«Месси повлиял на меня, то, что он делает, — потрясающе. Я копирую его движения».

(Неймар)

«Лео понял, что должен управлять игрой, а не игра — им. Остальными управляет игра, и мы принимаем решения согласно тому, как игра развивается. Я не часто принимаю решение, которое я хочу или которое считаю правильным, — я делаю то, что могу сделать в каждый конкретный момент. Иногда я ошибаюсь. Лео сам решает, когда он берет мяч, когда — нет, когда нужно обходить трех игроков, когда — нет, когда делать пас, ведущий к голу, а когда забивать гол самому… Он сам все решает, вот в чем дело: он решает, когда вступать в игру, а когда — нет».

(Хавьер Маскерано)

Если кто-то задумывает стать лучшим, достичь вершины, именно в этот самый момент он начинает создавать условия, которые сделают мечту явью. Сила позитивного мышления удивительна: посредством врожденных и внутренних процессов мы способны создать оптимистические сценарии, в которые будем верить со всем пылом. Лео очень позитивен, у него гипертрофированная вера в силу своего таланта, он убрал из своего сознания малейший след сомнений, который может стать самым опасным ядом для любого элитного спортсмена: сомнение притягивает страх перед поражением, парализует и распространяется вокруг со скоростью света. Скорее всего, это еще одна причина того, почему Лео плачет, когда проигрывает: ему и в голову не может прийти возможность поражения.

Эта уверенность в своих способностях помогает высматривать Месси возможность просочиться мимо противника. Одну. Вторую. Третью. Второй титул, третий. Вера в собственные способности позволяет ему, почти подсознательно, выглядеть расслабленным, уверенным в себе, тем самым предотвращая возникновение гипнотизирующего (а когда это происходит с вами, глубоко депрессивного) психологического блока, известного как удушье.

Возможно, самым известным примером этого был французский гольфист Жан ван де Вельде, который пострадал от злобных выкриков на «British Open» в 1999 году. К тому времени, когда он добрался до восемнадцатой метки, казалось, что единственное решение, которое оставалось – это выбрать, выпить шампанского в честь победы одному в джакузи или с друзьями. Даже при «двойном боги» ему гарантировали приз – высшая ступень для скромного гольфиста. Ван де Вельде начал бродить вокруг лунки, касаться песка, смотреть на озеро, он тратил слишком много времени, глядя на траву, меняя клюшку, проверяя направление ветра, пытаясь управлять шумом толпы. Он сорвался – его смял прессинг. В конце концов, он прошел лунку с «тройным боги», что означало повторную игру против Пола Лори.

Он проиграл. Его спуск в середнячки продолжился и дальше.

Этот ментальный блок, от которого страдают спортсмены на пике своей карьеры, часто является следствием внешнего давления, возможно, семейных проблем. Он возникает, когда они внезапно осознают наличие мастерства, которое они подсознательно лелеяли и совершенствовали в течение многих лет.

Совершенствуясь в своей профессии, элитный спортсмен рассчитывает свое выступление, и в итоге в голове формируется матрица из миллионов сложных деталей, которую хранит его подсознание. Все идет отлично, пока спортсмен не пытается сознательно расшифровать матрицу, понять то, что он делал подсознательно в течение многих лет. На этом этапе он начинает испытывать страх, который был у него в детстве – что он может и не справиться, может не пробежать достаточно быстро, не попасть по мячу и не забить гол. Уровень мастерства снижается.

В случае Лео неизвестно ни о каких блоках, несмотря на то, что он, бывало, пропускал странные пенальти в достаточно важные моменты. Это – просто неудача. С другой стороны, его уверенность в себе на наиболее важных матчах и его многократные яркие выступления в наиболее значимые моменты объясняют его лидерство в клубе, городе, стране. Как говорит Педро Гомес: «За ним идут миллионы полных надежд ловцов мечты». Или, как выразились в своей книге «Лидер в трудные времена» (Liderar en tempos diftciles) писатель Хуан Матео и тренер Хуанма Лилльо: «Подлинный лидер помогает увеличить число членов своей команды. Он не приносит свет во тьму, на самом деле он отыскивает места, о существовании которых никто и понятия не имел. Лидер – фабрика идей. В его голове возникает взрыв невиданных образов, импульсивных и изобретательных возможностей. Он ощущает энтузиазм и невольно преобразует его в противоядие от безделья, того паразита, который размножается при любой возможности».

Другими словами, лидер способен вдохновлять.

У ног Лео лежит весь мир, потому что все мы хотим быть в том месте, где он находится – спокойное, мирное место и пример для всех, показывающий, что, приложив определенные усилия, можно добиться всего, чего захочешь.

8. ВОСПРИИМЧИВОСТЬ К ЭМОЦИЯМ И КОНТРОЛЬ НАД НИМИ

«Я мысленно зрительно представляю себе игру за мгновение до выхода на поле. Всю неделю я не думаю ни о чем таком. Я заранее разогреваюсь в раздевалке. Я не нервничаю. Ну, не часто нервничаю».

«На поле я не думаю. Ну, я просто думаю о том, чтобы получить мяч и суметь разыграть его. Когда мяч у меня, я играю».

«Я не планирую ни один из проходов, которые делаю. Это получается само собой. В течение недели я занимаюсь только физподготовкой и выполняю требования тренера, но мне действительно неважно, кто мой противник. Я не беспокоюсь».

«Мне нравятся те стадионы, где нас — меня и мою команду — принимают в штыки. Это меня мотивирует. Заставляет меня хотеть выложиться на полную. Например, когда мы играем с «Реал Мадридом», я предпочитаю играть в Мадриде. Мне нравится такое соперничество».

(Лео Месси на церемонии «Золотой мяч», 2012 год)

На одном из первых торжеств, посвященных вручению награды «Золотой мяч», которые посетил Лео, к нему подошел один из организаторов и сказал, что тот должен сказать что-нибудь на английском языке. «Нет, я не говорю по-английски». Ему предложили: «Хорошо, просто скажите «спасибо». Ответ Лео был ясен: «Нет, если я должен буду говорить на английском языке, то совсем не выйду». В конце он все-таки вышел на сцену, но по-английски говорить не стал.

Если застать Лео вне футбольного поля, то он сделает все, что в его силах, чтобы не ввязываться в разговор и не выходить из привычной зоны комфорта. Дело не в застенчивости. Дело в самозащите, замкнутости. У него все должно быть под контролем.

Для него весь мир – футбол, и больше всего он боится выгорания. Его ограниченный мир (клуб, его футболка, его бутсы, мяч) ограничивает общение Месси с более широким миром. Костюм Лео от Dolce & Gabbana в горошек, который он надел на празднике в 2012 году, позволяет предположить, что он начинает чувствовать себя более комфортно, оторвавшись от мяча, но этого не будет на интервью или перед аудиторией, собравшейся где-нибудь, кроме футбольного стадиона, где находится настоящий Лео. Интервью не позволяют заглянуть в глубину его души. «Лучше пусть другие говорят обо мне», – отвечает Месси обычно.

Когда Лео оставит футбол и уйдет в отставку, то продолжит жить в мире мяча. Это – то, что он знает лучше всего. С точки зрения поверхностного анализа, это навязчивое увлечение игрой означает, что вне игрового поля Месси – человек достаточно простой. Но разные уровни интеллекта, о которых мы уже говорили, позволяют предположить нечто совсем иное.

В жизни Лео неизбежно присутствует тревога, нервные ситуации, недоверие, плохое настроение, стремление к безопасности, поиск мотивации, стрессы и то, как он с этим справляется, может улучшить или ухудшить его игру. При правильном отношении эти эмоции приносят с собой мудрость, если же отпустить вожжи, жизнь превратится в хаос. Эмоциональный интеллект – существенное дополнение к способности принимать правильные решения.

В начале девяностых преподаватель психологии Михай Чиксентмихайи создал теорию о том, что он назвал «состоянием потока». «Он предположил, – объясняет Педро Гомес, – что на высшем уровне деятельности существует нечто, названное «потоком», в котором некоторые люди демонстрируют высший уровень контроля над своими эмоциями, настолько сильный, что они могут активировать и применить этот контроль в том виде деятельности, которым занимаются. Эта способность настолько эффективна, что может блокировать все остальное и заставить полностью сосредоточить внимание на том, что человек делает, таким образом, время используется с максимальной пользой. Их действия отмечены большой четкостью, несмотря на попытки соперников нарушить их концентрацию. Такой человек не рассуждает, он предчувствует. Он не играет, он наслаждается. Он эффективно действует на автопилоте. Игрок и игра становятся единым неразделимым целым. Другими словами, чтобы вам лучше понять... Месси совершенно естественно проводит игру за игрой!»

Это не похоже на «несложный духовный мир». Рафаэль Надаль признался, что мысленно тренировался уже в четыре года. Мастерство Лео отчасти является следствием того контроля над своими эмоциями, к которому он приучал себя, начиная с самого раннего возраста.

Месси также воспитан в рамках культуры, которая приветствует еще один вид ума – хитрость. «Мне больше всего нравится в нем его хитрость», – говорит Альфредо Ди Стефано. Поклонники «Espanyol» до сих пор вспоминают, как он забил гол, помогая себе рукой, в тот же самый сезон, что и свой знаменитый головоломный гол в ворота «Хетафе».

Еще один пример хитроумия Лео: он научился защищать себя от ударов, которыми его награждали в начале матча. «Когда он берет мяч левой ногой, обратите внимание, что, как только к нему собираются подойти справа, он поднимает ногу, чтобы защитник врезался в шипы на бутсе, – рассказывает Хосе Мария Куартетас, владелец одного из любимых ресторанов Лео в Барселоне. – Пеле раньше часто проделывал такое и Марадона тоже – в результате первым удар получает противник. В следующий раз этот защитник дважды подумает, прежде чем нападать, или решит бить сильнее, чем облегчит рефери принятие решения».

9. УДОВОЛЬСТВИЕ

«Я намереваюсь выходить на поле и наслаждаться, как я делал, когда был ребенком. Я знаю, что несу ответственность за игру, и сегодня играю, чтобы победить, но в то же самое время я наслаждаюсь игрой — всегда».

(Месси, в рекламе «Audemars Piguet»)

«Я не знаю, что бы делал без футбола. Если бы я мог, то играл бы каждый день».

(Лео Месси)

«Оба — и Марадона, и Месси — просто излучают удовольствие от игры. Эти двое радуются, проводя время с мячом... И говорят: «пошли, поиграем».

(Франк Райкард)

«Это похоже на трюк с тремя монетами. Рука быстрее глаза. Магия Лео в том, что он делает ногами то, что другие делают руками. Это умение возникло в незапамятные времена, оно шло рука об руку со страстью и удовольствием от футбола, поэтому каждый раз, когда вы видите Месси с мячом, он похож на мальчика с шоколадным лакомством».

(Фернандо Синьорини, тренер по физподготовке спортивного клуба университета Сан-Мартин де Поррес (Лима) и бывший член технического штата аргентинской национальной сборной)

«Он плачет, когда понимает, что будет не в состоянии играть. Когда он получает травму, его единственная мысль: «в воскресенье я не смогу играть».

(Хуанхо Брау, физиотерапевт ФК «Барселона»)

«Лео любит футбол, потому что родился, чтобы играть в него. Мы шли куда-нибудь, и он всегда просил взять мяч. У нас ничего не было, тогда он просил дать ему что-то, что он мог бы гонять ногами. Лео может вести ногами все, что угодно. Если бы вы отпасовали ему тапочку, он бы устроил чеканку и с ней».

(Хуан Крус Легуизамон, бывший товарищ по команде Лео в младших разрядах «Ньюэллса»)

Когда Лео был ребенком, он никогда не занимался специальной подготовкой. Он просто играл в футбол для удовольствия. Я опросил сотни футболистов, что они сделали бы, если бы в тот момент, когда они гуляли в парке, им к ногам подкатился мяч, которым неподалеку играли какие-то ребята. Подавляющее большинство из них ответило, что они не стали бы гонять этот мяч. Однако Дэвид Бэкхем, конечно, начал бы играть с детьми. Лео тоже. Они любят спорт, который сделал их богатыми и известными людьми. Но есть многие (Батистута, например, заявил об этом публично), кому футбол вообще не нравится.

Лео – «футбольный человек». Он знает об игре практически все – вы можете спросить его об игроках из любой точки мира, статистику выступлений, историю, результаты: кто забил гол, кто победил – на такие вещи у Лео удивительно цепкая память. Он знает о футболе все – но, в основном, об аргентинском. «Месси радуется футболу, или, скорее, относится к футболу с детской непосредственностью, – анализирует Эдуардо Сакери. – Вы смотрите на него и видите ребенка в парке, совершенно не замечающего, что происходит вокруг. Когда что-то идет не так, он злится. Когда все идет как по маслу, он счастлив. Когда его бьют, его способ взять реванш заключается в пренебрежительном отношении к тому, кто его бьет. Это футбольный кодекс, которому он следует».

Как и многие элитные футболисты, несмотря на то, что юность Лео была скомкана, он сохранил творческую энергию и детскую эмоциональность. В этом коренится суть мастерства и привлекательность лидерства Месси.

У Эрнана Касьяри, аргентинского писателя, живущего в Барселоне, есть выразительный эпизод в *Revista Orsai*, где он подводит итог размышлениям о характере Лео. «Все началось этим утром: я безостановочно просматриваю голы Месси на YouTube, чувствуя себя виноватым, потому что работа с шестым номером журнала в самом разгаре, а я смотрю футбол. Случайно я выхожу на коллекцию видеоматериалов, которые не видел прежде. Странная подборка: на видео сотни изображений, приблизительно по две-три секунды каждое, на которых Месси получает очень сильный удар, но не падает. Не бросается на землю, не стонет. В каждом кадре он следует глазами за мячом и одновременно старается восстановить равновесие. Лео прилагает нечеловеческие усилия, пытаясь добиться того, чтобы происходящее не считалось нарушением, чтобы защитник противника не получил желтую карточку. Внезапно я с ошеломлением понял, что вижу нечто знакомое. Я просмотрел кадры в замедленном режиме и заметил, что глаза Месси всегда сосредоточены на мяче, однако я вспомнил об этом отнюдь не в футбольном контексте. Где же я видел этот взгляд? У кого? Я поставил видео на паузу. Увеличил масштаб изображения глаз. А затем я вспомнил: это были глаза Тотина, когда тот сходил с ума, охотясь за губкой. В молодости у меня была собака по кличке Тотин. Пес не был особенно умным. В дом могли прийти грабители, а он стал бы смотреть, как они воруют телевизор. Звонил дверной звонок, а он, казалось, даже не слышал его». Месси, говорит Касьяри, был похож на его собаку: он – с мячом, Тотин – с губкой. В глазах обоих было одно и то же выражение. «Это моя теория, и мне очень жаль, если вы ожидали большего. Когда футбол начинался, так и было. Прежде в футбол играли так же, как играют Месси и Тотин. Каждый просто двигался за мячом, и ничего больше». «Месси, – добавляет он, – явно из той эпохи, и, продолжая аналогию с собакой, подобен собаке с костью. Лео побил прежние рекорды, потому что после пятидесятых в футбол стали играть люди-собаки. Затем ФИФА предложила всем говорить о законах и статьях, и мы забыли о том, что было по-настоящему важно – о том, что было «губкой».

«У техники есть свои пределы, которые определяются координацией, – говорит Кике Домингес. – Всему остальному можно научить, но чтобы стать великим, нужно выйти за пределы технического уровня: Лео жмет вам руку, говорит с вами, но вы можете видеть, что он незаметно ищет мяч. В вас должна гореть страсть, вы должны быть преданы футболу».

10. НАСЛЕДСТВЕННОСТЬ

«Он может забивать голы, помогать в этом другим, самостоятельно дестабилизировать защиту, бежать со скоростью сто миль в час и менять направление. Это нелегко сделать. Попробуйте! А затем вернитесь и расскажите мне, что вам удалось».

(Арсен Венгер, менеджер «Арсенала»)

«Хорошо… Серьезно, кто-то должен проверить гены Месси… Я начинаю твердо верить в то, что Месси — ребенок Кларка Кента, «Супермена».

(Бар Рафаэли, модель)

«Его физические возможности — нечто абсолютно естественное, но любопытно, что это только свойства Лео, потому что он — единственный из всех братьев, кто обладает этими особенностями».

(Фернандо Синьорини)

Нет никакого гена, который делает ребенка гением. Никто не рождается гением. До немыслимых высот вам помогают добраться множество тренировок и некоторые врожденные свойства. Как полагают некоторые ученые, возможно, очень важна родственная связь, выражающаяся в принуждении, заставляющем добиваться поставленных целей.

«Кто эти люди, которые оставляют свой след в истории человечества, в футболе, науке, искусстве, культуре? – задается вопросом спортивный психолог Лилиана Грабин. – Это уникальные, неповторимые личности, которые оставляют после себя ценное наследство, в этом нет сомнений. Они – мастера. Наука до сих пор не знает, откуда это берется».

Лео Месси обладает уникальным сочетанием скорости движений и мастерства. В мире мало людей с подобными особенностями. Например, Марко Ройс из «Borussia Dortmund» очень быстро и мастерски двигается с мячом в ногах, но у него более крупный шаг. К тому же, по большому счету, ему трудно обойти несколько противников подряд, в то время как аргентинец может обойти трех, четырех и более противников, забрав мяч. Ноги у Месси перемещаются быстрее, чем у любого другого футболиста, и это дает ему преимущество: ритм шагов Лео, в целом естественный, также уникален: 4,5 шага в секунду, это лучше, чем 4,4 шага в секунду Асафы Пауэлла, ямайского спринтера, побившего в 2007 году мировой рекорд в беге на 100 метров. Еще одно преимущество Месси – способность выполнять на этой огромной скорости мягкие удары, один за другим. Кроме того, его умение резко разворачиваться на этой скорости в сочетании с координацией является еще одним физическим признаком, который помогает Лео избавляться от своих противников.

«Это от природы, – говорит Фернандо Синьорини. – Вы не сможете этого добиться, даже если изобретете 800 000 различных упражнений на координацию, потому что, как говорит Армандо Панчери, аргентинский футболист, неожиданность не приходит в результате индивидуального планирования».

Лео прибыл в «Барселону», когда там искали футболиста, отличающегося от игроков соперников («Espanyol», «Real Madrid») и обладающего хорошими техническими данными. Часто такие игроки (10, 11, 12 лет) хороши технически, но имеют намного более хорошую координацию, чем их самые высокие товарищи, они блистают, потому что способны удерживать мяч и обходить противников лучше, чем прочие, что доказывает их отличную координацию. Невысокие мальчики созревают и развиваются быстрее и становятся более умелыми с точки зрения техники.

Попутно «Блоха» разработал стратегию быстрых движений, позволяющих ему компенсировать свои физические недостатки и избежать ситуации, когда противник просто сбивает его с ног. При этом было необходимо аннулировать преимущество более крупного мальчика, который мог преодолеть то же самое расстояние за меньшее количество шагов. Или, говоря иначе, хотя скорость движений является следствием генетики, упорная практика позволила улучшить и расширить возможности Лео в игре как на улице, так и в футбольной школе.

С течением лет многие игроки, высокие или низкие, достигают одного и того же уровня с точки зрения координации и техники. Лео поднял свое мастерство на значительно более высокий уровень. И это не генетическое свойство, а результат страсти и настойчивости.

Лео всегда считал, что он намного выше всех по скорости, мастерству и умению обойти противников, поэтому всегда хотел делать это при каждом движении, в каждой игре. Лучший способ одержать победу в жизни – сконцентрироваться на ваших сильных сторонах. Именно поэтому Месси воспринимает игру как последовательность обходов противника, игру один на один.

Добавьте невероятное желание преуспеть, и вы поймете, что из себя представляет Лео Месси.

Позвольте мне добавить к списку еще одно, то, что предложил Педро Гомес.

11. ИНТУИЦИЯ, УДАЧА И БЛАГОПРИЯТНОЕ СТЕЧЕНИЕ ОБСТОЯТЕЛЬСТВ

Говорили, что величайшим игроком того знаменитого поколения 1987 года рождения, который выделялся в «Барселоне», был Виктор Васкес, в комментарии которого содержатся интересные мысли и элементы истины. Он мог бы быть лучшим, но этого не случилось. Послушаем его объяснения:

– Виктор, кто становится победителем, а кто – нет?

– Я думаю, что побеждают хорошие игроки, но удача также играет не последнюю роль. Вы можете иметь много травм или столкнуться с тренером, которому не нравится ваш стиль. Не то чтобы Месси просто повезло, он был лучшим, но ему было легче, потому что он всегда мог делать то, что умеет. Другим – мне, например, – тоже нужно немного удачи. У меня была травма. Лучше, чтобы ее не было, но что я мог сделать?

Я дебютировал при Райкарде. Позже, при Пепе Гвардиоле, я принимал участие во многих играх. Последняя игра вместе с Лео была против команды «Рубин Казань» в «Камп Ноу», когда мы выиграли со счетом 2:0. Я забил второй гол. Пеп ввел меня в команду во время матча против донецкого «Шахтера». Две недели спустя я повредил колено во время матча против команды «Вильярреал» и не мог играть в течение 14 месяцев. Очевидно, что я не смог вернуться к прежнему уровню. Кроме того, там было много более сильных игроков на моей позиции лучше, чем я: Хави, Иньеста...

Сегодня ВикторВаскес играет в клубе «Брюгге» в Бельгии. Кике Домингес согласен с Виктором: «Когда меня спрашивают, что нужно, чтобы игрок стал успешным, я говорю, что это похоже на три ножки стола: способности, преданность и удача». Спортсмен обычно способен прямо повлиять на сочетание удачи и обстоятельств, и это часто помогает ему одержать победу.

Даже тысяча интервью с Лео Месси не может объяснить то, что стало основой для его целеустремленности, настойчивости, желания добиваться все более значимых результатов, как объяснить его знание, куда двинуться с мячом. Сам он понятия не имеет, как это происходит.

Одно бесспорно. Как говорит Хорхе Вальдано, мы не ожидали увидеть в двадцать первом веке такого игрока, как Лионель. «Мы ожидали увидеть футболиста со множеством положительных характеристик, делающим его похожим на Криштиану Роналду: с великолепными физическими данными, прекрасным телосложением, созданным при помощи множества упражнений в спортзале». В любом случае Месси – результат совпадения ряда обстоятельств, которые позволили ему использовать свой талант. Редко встречающаяся комбинация, приводящая к столь великолепному результату. Невероятная ситуация.

В нашем обществе весьма приветствуются успешные люди, одержавшие победу своими силами и реализовавшие свою личную «американскую мечту». Но как говорит Малкольм Гладуэлл, «те, кто добрался до вершины, неизменно являются обладателями скрытых преимуществ, невероятных возможностей и культурного наследия, которые позволяют им упорно трудиться и понимать суть окружающего мира иначе, чем другие».

Могли ли появиться другие Месси? Могли, но те, у кого был такой шанс, не были удачны, чтобы добраться до вершины, или, что более вероятно, не смогли увидеть свое стечение обстоятельств, или родились не в той стране.

И последнее. Лео всегда помнил о багаже убеждений, знаний и опыта, который он несет, и в старости он будет счастливым человеком просто потому, что делает сегодня все возможное, чтобы быть самым лучшим, каким только можно. Не как Тринче. Быть Тринче легче.

Трудно быть Лео Месси.

Глава 7
ОБЩЕНИЕ С МАРАДОНОЙ

«Я уже знал, что Лео будет представлять национальную команду на чемпионате мира в Голландии, хотя, возможно, еще год будет играть в команде «до 20 лет». Я организовал встречу с ним у себя в комнате и сообщил ему новости. «Учитель сказал мне». Он посмотрел на меня. «Пекерман — мой учитель. Тебя позовут на следующий чемпионат мира. Это наш с тобой секрет, ладно? Если тренер узнает, что я тебе сказал это, он меня убьет». Он улыбнулся и ушел. Он немногословный человек. Обычно я использую для общения рисунки. Помню, как я нарисовал ему на чемпионате мира 2006 года машину «Формулы-1». Ему еще предстояло пройти много кругов до финиша. Ему еще не пришло время выиграть гонку. Именно это изображал рисунок.

(Херардо «Профессор» Салорио)

Дяди Месси часто говорили в шутку, что он будет играть на чемпионате мира 2006 года в Германии. «Они упоминали дату, но только смехом. Я никогда не думал, что буду играть в подобных соревнованиях, и даже не предполагал, что приму участие в одном из них, том, которое было так близко», – вспоминал Лео несколько лет спустя. Но начало его жизни в национальной сборной было не простым.

Аргентинский журналист Луис Кальвано помнит, как он шагал позади Лео к месту встречи национальной команды в Будапеште на стадионе «Ференца Пушкаша». Это было первое приглашение Лео в национальную сборную, и он не знал, что следует делать. Из аэропорта начали прибывать другие игроки, они шли группами, и некоторые из них проходили мимо новичка, думая, что это помощник администратора по экипировке. Месси ожидал указаний, стоя у стены с опущенной головой и нервно играя шнуром от своих шорт. Первым, кто узнал его, был Лучано Фигероа, который бросился к Лео и начал представлять команде.

Месси дебютировал два дня спустя и был отослан с поля через 90 секунд. После той игры, проходившей летом 2005 года, «Блоха» оставался в команде Хосе Пекермана в течение нескольких месяцев вплоть до отъезда в Германию. За пределами поля, на заднем плане, почти невидимый для остальной части группы. Он помнил, как это происходило в раздевалке «Барселоны», и что ему необходимо пройти те же самые стадии привыкания в национальной сборной, чтобы добиться ее одобрения и принятия. Прыжок вперед, который он сделал в «Барселоне», стал в национальной сборной, по крайней мере, в настоящий момент, шагом назад. Он понял, что побывал в двух разных мирах.

Месси обычно сидел с Оскаром Устари или Пабло Сабалетой, игроками из команды чемпионата мира «до 20 лет», а позднее – с Хавьером Маскерано, с которым он сразу же очень сблизился. «В первый раз я увидел Лео как раз перед чемпионатом мира», – говорит Маскерано. Несмотря на то, что он был травмирован, Пекерман, который намеревался использовать полузащитника в Германии, попросил, чтобы Маскерано присоединился к их группе в Швейцарии, где Аргентина должна была играть товарищескую встречу против Англии. «В той поездке мы провели несколько дней вместе. Впервые мы встретились с Лео в его комнате, он был не из тех, кто постоянно куда-то ходит. В те дни он был очень тихим, очень замкнутым. У нас были общие друзья, и, естественно, это очень помогало в разговоре. Но когда вы приезжаете на новое место, у вас возникает определенная застенчивость и вам бывает довольно трудно открыться, не так ли? Это еще сильнее выражено, когда вы еще мальчишка». Лео чувствовал сильное смущение и не хотел влезать в уже устоявшиеся товарищеские отношения, поэтому большую часть времени он проводил в своем гостиничном номере. «Я был так же молод, мне было двадцать два года, ему – восемнадцать, таким образом, в некотором смысле мы росли вместе и стали друзьями».

Начиная с очень раннего времени президент федерации, Хулио Грондона, понял, что «талант «Блохи» сделает его одним из лидеров национальной команды. Более того, единственным лидером. Правда, в соответствующее время». Быстрая организация двух товарищеских встреч команд «до 20 лет» продемонстрировала организационную поддержку, которую он намеревался получить, одновременно перебежав дорогу Испании. Грондона научился справляться с совершенно неуправляемым Диего Армандо Марадоной, но он хотел сделать Лео своим любимым сыном, своим творением. «Я хочу, чтобы это была команда вашего сына, я говорил ему об этом», – сказал он однажды Хорхе Месси. Он был не менее откровенен с самим Лео, настаивая на том, что Аргентина должна быть его командой и в будущем он станет капитаном. Как это часто происходит в европейском футболе – возможно, это следствие футбольной культуры в целом – нарукавная повязка капитана находит огромный отклик в аргентинской душе. Он становится для команды путеводной звездой.

На чемпионате мира 2006 года капитаном был Хуан Пабло Сорин. Пока у капитана есть поддержка старших и наиболее влиятельных игроков, владелец нарукавной повязки одерживает верх в любых спорах, которые могут произойти. Это объясняло отсутствие Хуана Себастьяна Верона в команде, отобранной для Германии. «Драка Хуана Себастьяна Верона с Хуаном Пабло Сорином на матче между «Интером» и «Вильярреалом», свидетелями которой стали миллионы телезрителей всего мира, продемонстрировала глубокие внутренние распри в аргентинской команде, – писали в *El Clarín* в апреле 2006 года. – В результате Сорин остался в команде – капитаном, – а Верону пришлось уйти. Все в окружении этого игрока были убеждены, что именно благодаря Сорину Верона не выбрали для участия в последних матчах...»

Когда Даниэль Пассарелла был тренером и бессменным стартером при Марсело Бьелсе, Верон оказывал на всех очень сильное влияние, несмотря на то, что капитаном команды был центральный защитник Роберто Айала. Но как только Пекерман был назначен тренером, Верона перестали звать в команду. Пекерман, в отличие от Биельсы, который позволял своим игрокам проводить голосование, выбрал Сорина, несмотря на давление со стороны некоторых старших игроков, требовавших отдать нарукавную повязку Роберто Айале.

Но иерархию следовало уважать. Лео Месси явился частью группы «новых мальчиков» и, как и Оскар Устари, мог отправиться только на турнир «до 20 лет». Они должны были слушаться и ждать своей очереди. Тем временем итоговый состав команды выбирался очень по-аргентински: на сборах в мае, в испанском городе Боадиллья, отсутствовал Пабло Аймар, который проводил очень успешный сезон в «Валенсии». Пекерман не собирался звонить ему, вызывая на чемпионат мира, и оправдал его отсутствие, упомянув физическую слабость игрока – в апреле того года он перенес острую форму вирусного менингита. Лидеры команды, которых возглавлял Хуан Роман Рикельме, стояли на своем, и их «совет», в конце концов, был все же принят тренером. Таким образом, Аймар, единственный идол, признанный Лео, был вызван на турнир. Лео переодевался в одной раздевалке с ним.

«По мере того, как я рос и учился, я изучал его движения, то, как он играл. Я шел следом за ним», – признавался Лео. У него дома есть все футболки Пабло Аймара («Бенфика», «Валенсия», Аргентина), которые он сумел заполучить. «Я один мог обеспечить материал для целой коллекции», – говорит Ааймар.

Несмотря на свою молодость, Месси, который только что подписал контракт с Adidas, расставшись с Nike, стал в лето чемпионата мира одной из звезд немецкой компании спортивной одежды. Он снялся в отмеченной наградами рекламе («История гонится за мной, но я быстрее»), в которой «Блоха» рисует маленькую куколку, играющую в футбол с большими куклами, и описывает свою мечту о том, что он не останется незамеченным, несмотря на то, что он самый слабый. Лицо Лео смотрело с огромных плакатов в крупнейших городах мира, для него была разработана специальная пара бутс с двумя звездами и надписью «Рука Бога» и датой 22 июня 1987 года. Этот маркетинговый подход устраивал не всех игроков в команде – некоторые считали, что вокруг мальчишки поднимается слишком много шума.

В любом случае Лео только что вошел в команду, которая должна была отправиться на чемпионат мира. После того как в марте он сам нанес себе травму в матче против «Челси», он пережил и другую неудачу, в апреле, и Райкард не счел его достаточно здоровым для игры в финале Лиги чемпионов в мае.

Он, конечно, не был физически готов к матчу, но не хотел ехать в Германию только для того, чтобы число игроков соответствовало норме. Он хотел помочь команде сделать что-то, хотя, по правде говоря, не имел никакого права думать об этом в его возрасте и с его физическими ограничениями.

За несколько дней до отправления в Германию на смешанный матч между национальной сборной и командой «до 20 лет» на «Monumental Stadium», Пекерман ввел его в игру в последние полчаса игры, чтобы посмотреть, как он выступит после 79 дней простоя. Это был способ дать ему волю: тренер заметил возрастающее беспокойство Лео. Он закончил матч, и все, как считал менеджер, выглядело хорошо. Лео быстро направился в туннель с опущенной головой, а затем начал плакать. «Ты снова получил травму? Что не так, Лео?» – спросил представитель медиков команды. Месси покачал головой – дело было не в этом. А затем в отчаянии закричал: «Я – ходячее бедствие, я не могу так играть!» Это говорила его гордость, потребность быть в хорошей форме перед чемпионатом мира. Лео и его вечное недовольство.

Частью «крещения» Лео в новой команде были очень четкие правила относительно того, кто отвечает за команду. На пресс-конференции с Роберто Айалой и Габриэлем Хайнце, проходившей перед чемпионатом мира в Нюрнберге, на совершенно безобидный вопрос: «Как команда проводит свободное время?» – прозвучала резкая критика в адрес новых молодых игроков. «Они помалкивают», «Они не приходят выпить *мате*», «Они всегда играют на своих PlayStations», «Наше поколение все делает по-другому». Сильная группа раздевалки неохотно приняла приход Оскара Устари, друга Лео, благодаря которому он стал самым молодым аргентинским вратарем, выбранным для участия в чемпионате мира. Он был взят вместо Германа Люкса, вратаря «Ривер Плей», который в 2004 году завоевал титул чемпиона Олимпийских игр, сохранив свои ворота в неприкосновенности, благодаря чему за последние три года его приглашали на каждый проходивший матч.

Согласно аргентинской прессе, перед турниром произошел инцидент. Если уметь читать между строк, станет ясно, что в начале карьеры Лео было трудно произвести впечатление на своих новых коллег. На тренировке Месси провел мяч между ногами Хайнце. В неписаном кодексе аргентинского футбола за это следовало отомстить, и Хайнце непрерывно наезжал на Лео, но был удивлен: вместо того чтобы принести извинения, «Блоха» посмотрел ему прямо в глаза и предупредил: «Больше этого не делай».

18-летний мальчик, который к тому времени провел 25 игр на поле и 14 – вне его, собирался стать частью команды, отправляющейся на чемпионат мира. «У каждого из нас была своя комната, они соединялись между собой дверью, – вспоминает Устари. – Однажды я вошел в свою, а Лео последовал за мной. В каждой комнате было две кровати, и он сказал: «Тебе не спится в одиночестве здесь, мне – там». В результате Месси спал в моей комнате. И постоянно, весь день занимался чеканкой. С чем угодно. Даже с чайным пакетиком! Я приносил с собой маленькие шарики *мате*, и он делал десятки ударов. В три часа утра! Лео дали два небольших футбольных мяча, и он, прислонившись к спинке кровати, прямо в постели, подбивал их оба в воздух – бум, бум, бум. Два мяча, одновременно!»

Еще Лео каждый день играл на PlayStation. «В тренировочном лагере в Германии я видел, как он приглашал всех детей других игроков, четырех- и пятилетних сыновей Креспо в свою комнату, чтобы поиграть на PlayStation, – вспоминает «Профессор» Салорио. – Я смотрел на Лео и однажды увидел, как он давал им конфеты, а дети вились вокруг него».

И Месси прибыл на величайшее шоу на земле. Чемпионат мира. Больше всего он мечтал о победе Аргентины.

Хавьер Савиола и Эрнан Креспо были двумя форвардами, выбранными для игры против команды Кот-д`Ивуара.

Пекерман не ввел Лео в игру, и победа со счетом 2:1 была хорошим началом, несмотря на то, что игра прошла не самым блестящим образом.

Затем были матчи с Сербией и Черногорией.

Марадона спустился в раздевалку, чтобы поприветствовать парней. Отведя Лео в сторону, он сказал ему: «Соберись с силой, будь храбрым и забей гол».

Переполненный стадион в Гельзенкирхене видел, как он в матче против Сербии на семьдесят пятой минуте двинулся вперед вместо Макси Родригеса. На табло уже высветился счет 3:0, отражая превосходство аргентинской команды, которая максимально использовала скорость и эффективность игроков. Это был дебют Лео на чемпионате мира, причем в более юном возрасте, чем у Марадоны.

За те 16 минут, которые Месси провел на поле, он обеспечил Креспо возможность забить еще один гол, после чего сам забил последний, шестой, доведя счет до 6:0 – единственный гол, который до того момента забил для своей страны в финалах чемпионата мира. Марадона встал, чтобы эмоционально поприветствовать Лео с трибуны.

Ничья в следующем матче свела в следующем круге Аргентину с Голландией. Результат принес пользу обеим командам, а когда предполагается, что события пойдут определенным образом, обычно все так и происходит. Обе команды внесли несколько изменений в свой стартовый состав. Лео оказался рядом с Карлосом Тевесом. По словам ESPN, Аргентина продемонстрировала «немного Лео и много Тевеса» – случайные вспышки воодушевления в начале, а затем немного дриблинга и отчаянно смелых действий.

Но в матче 1/8 финала против Мексики Савиола и Креспо снова были форвардами, которых выбрал Пекерман. Лео вышел на поле на восемьдесят четвертой минуте трудной игры, когда счет был 1:1. После дополнительного времени победила Аргентина. «С открытой душой, когда страдание разрывало их тела, с душой, полной надежд и ожиданий, Аргентина продолжала идти вперед, и теперь готовилась к матчу с Германией в четвертьфинале», – сообщила следующим утром *El Clarín* в своем типичном сентиментальном стиле. Лео продемонстрировал блестящий стиль игры, которая отбросила Мексику назад.

Матч происходил в день рождения Лео. Это также был день рождения Рикельме, который был на девять лет старше. В тот вечер Лео удалился в свою комнату, но решил забежать на вечеринку товарища по команде. Он открыл дверь, вошел, и Рикельме, повернувшись к нему, раздраженно заявил: «Идиот! Ты что, стучать не умеешь? Тебя что, надо учить, как стучать в дверь?! Какого черта ты себе думаешь, а?» Бледный Месси опустил голову, развернулся и ушел. Процесс обучения продолжался.

«Знаете, все мы относились к нему как к игроку, который уже в то время был, скажем, довольно необычным, – говорит Хавьер Маскерано. – Ему исполнилось девятнадцать на чемпионате мира, но уже тогда можно было понять, что он был футболистом, который делал все иначе, чем остальные».

Месси не было в стартовом составе матча четвертьфинала против Германии, потому что там были Савиола и Креспо. Он сидел на скамье запасных с наушниками на голове.

Никто не обсуждает, должен Лео быть в стартовом списке команды или нет. Все говорят о том, что произошло во время игры.

В первой половине матча Аргентина доминировала, не создавая большой опасности для противника.

Это продолжалось до тех пор, пока Айала не вывел свою команду вперед ударом головой от угла.

Страна-организатор чемпионата вынуждена была броситься в атаку. Оказывая прессинг на поле, они надеялись возвратить себе владение мячом и атаковать Аргентину. В результате позади их четырех не особенно быстрых защитников осталось значительное незащищенное пространство.

И затем, внезапно, за девять минут, чемпионат мира был проигран.

Вратарь Роберто Аббонданциери получил травму. Пекерман был вынужден внести изменения. На поле вышел Лео Франко.

Камбиассо сменил рассерженного Рикельме.

Пекерман принес извинения Хуану Роману. Он надеялся наполнить центр свежими силами.

Осталась одна замена. Быстрый игрок мог бы нанести большой ущерб. Так теперь говорят все. Задним умом все крепки.

Пекерман думал, что в тот момент был нужен высокий нападающий, тот, кто мог бы послужить дополнением Тевесу – очень полезное подспорье в случае, когда на команду оказывается сильный прессинг со стороны Германии. Его присутствие также сработало бы оружием защиты, позволяющей избежать самой большой опасности немецкой команды: детально спланированной тактики игры.

Оставалось 11 минут.

На смену Эрнана Креспо вышел Хулио Крус, форвард внушительного вида.

Месси остался на скамье запасных. Понимая, что ему ничего не светит, он даже снял бутсы. Потом его ругали за это.

Много говорили и писали, что никогда не удастся понять, почему Пекерман принял решение не выпускать Лео на поле. Поговаривают о динамике группы и иерархии в ней. О том, что команда была разобщена. Что Хулио Крус в то время имел большой вес в команде и принадлежал к той части группы, которая верховодила в раздевалке. Даже о том, что это – тайна, которую тренер унесет с собой в могилу.

По правде говоря, кажется, что никто не хочет слушать самого Пекермана. Как это всегда бывает, проигравшему даже не дают оправдаться.

У подобных решений всегда несколько причин, и они не принимаются только на основании личных отношений. Что бы стали говорить, если бы Клозе не забил гол спустя минуту после того, как заменили Креспо, доведя счет до 1:1, или если на дополнительном времени Айала и Камбьяссо не пропустили бы пенальти? Стали бы обсуждать то, что Месси снял бутсы? Поражение вызывает сумятицу и разброд, граница между победой и поражением очень тонкая.

«Все критикуют нас за замену – мы побеждали со счетом 1:0 и не выпустили на поле Лео, – говорит Хуго Токалли, помощник Пекермана. – Если бы можно было переиграть матч заново, мы сделали бы то же самое. Давайте не будем забывать, что в предыдущей игре мы сыграли вничью со счетом 1:1 и на поле выходили и Месси, и Аймар. То есть дело не в том, что мы страдали капризами или имели зуб на Месси».

Оглядываясь в прошлое, это решение можно счесть несправедливостью, но следует учитывать тот факт, что это был всего лишь 19-летний мальчик, который играл всего 122 минуты на чемпионате мира и недавно вернулся после травмы. Не следует забывать, что в тот момент он не был тем Месси, которого мы знаем сегодня.

«Эти решения принимали тренеры, но в Аргентине они активно обсуждались в течение долгого времени, – объясняет Маскерано. – Это типичные пересуды, которые возникают по поводу любых великих спорстменов, как Месси. Но после того чемпионата мира дебаты закончились. После этих событий Лео стал бесспорным автоматическим стартером».

На том чемпионате мира Херардо Салорио был членом технической команды Пекермана, и у него нет никаких сомнений: «Он не играл, потому что тренер за десятую долю секунды, которая была у него на принятие решения, не смог отделаться от убеждения, которое возникло у него с первых двадцати минут игры: что единственный способ, которым противник мог забить нам гол, был удар головой. Именно поэтому Пекерман вывел на поле Круса, главным образом, для защиты. Травма нашего вратаря потрясла нас, иначе Лео вышел бы на поле и, возможно, изменил ход игры за последние пятнадцать минут. Немцы были совершенно убиты... но все же... судьба решила иначе».

Вернувшись в раздевалку, Лео зарыдал. И он был не единственным. Казалось, Аргентина уже завоевала кубок, но... Такое «но» есть в истории всех национальных сборных мира.

А бутсы? «Я странный, иногда я предпочитаю побыть в одиночестве... Я делаю глупости, но мои страдания не зависят от того, играю я или нет. Иногда я дико злюсь. Как футболист, я страдаю. Я знаю, поговаривали, что я не переживал из-за нашего проигрыша. Им кажется, что я ничего не чувствую, что сделан из камня и что не могу переживать» [Лео, июль 2006 года].

Впоследствии Месси больше не посмотрел ни одного матча турнира.

Но он умеет быть благодарным. Он не забыл, что Клаудио Вивас, тренер Пекерман и его помощник Хуго Токалли запланировали его игру в сборной Аргентины уже за два года до этих событий. «Я думал, что буду больше играть. Я был вынужден сделать шаг назад из-за травмы и оказался в сборной как раз вовремя. Я всегда буду благодарен Пекерману за то, что тот согласился взять меня [Лео в 2009 году]».

Месси только что дебютировал на чемпионате мира и унес с собой ощущение родины. Боль от национального поражения даже тринадцать лет спустя оставалась открытой раной.

В следующем году Аргентина отправилась в Венесуэлу на Кубок Америки. Они были фаворитами, и Лео Месси входил в стартовый состав. Он играл все 90 минут открывающего матча против команды Соединенных Штатов (4:1) бок о бок с Креспо, который был в отличной форме и забил два гола за один матч. Воодушевление и мастерство «Блохи» были замечены репортерами. Во втором матче против Колумбии он снова был в стартовом составе. Против него было допущено нарушение, вследствие чего назначен пенальти, после которого счет стал 1:1. Месси помог создать выгодную ситуацию для второго гола (его забил Рикельме), и бело-голубые решительно завершили матч со счетом 4:2. Когда переход на следующий этап был гарантирован, Лео отдыхал в начале матча с Парагваем и вышел только в последние 25 минут.

Месси забил второй гол в четвертьфинале в матче против Перу, который закончился победой с общим счетом 4:0. Он забил гол в матче против Мексики в полуфинале (3:0), и это был не обычный бросок.

Лео подхватил мяч в правом углу штрафной площадки, где его ждал центральный защитник, и как только он вошел туда, то сразу нанес резаный удар по ожидающему его вратарю. Он не имел для этого никакой возможности – условия, в которых находился Месси, совершенно не подходили для этого гола.

«Только гении способны на то, что сделал Месси. После этого им следовало закрыть стадион», – сказал тренер Коко Базиль, который в тот день подменил Пекермана.

В течение двух лет Месси становился чемпионом в соревнованиях «до 20 лет», дебютировал на чемпионате мира и вошел в финал Кубка Америки, приняв участие в матче против бразильской команды, которая привезла на соревнования много дублеров (Рональдиньо и Кака оставались дома), их звездным игроком был Робиньо. Несмотря на банальность коллективных действий, «Кариоки» добрались до финала благодаря блеску отдельных игроков, почти никто не поддерживал их. Казалось бы, после почти 15-летнего отсутствия результатов бело-голубые могли завоевать титул чемпионов.

Но Аргентина была полностью разбита со счетом 3:0.

Olé подвел итог тому, что чувствовала страна в четырех предложениях: «Мы не заслужили подобного конца. Все были влюблены в нашу команду, но они разбили наши сердца в матче против Бразилии. После этого потрясения Базиль должен все поменять и начать сначала. В Венесуэле круг замкнулся».

Команда, которой не хватало единства, жила за счет своих ведущих фигур и умерла вместе с ними. Но, как заявила одна аргентинская газета, ее разрушили ожидания, которые граничили с невозможным: «Рикельме не был Зиданом, Месси не был маленьким Марадоной». Лео простили из-за его возраста и уровня, и вся резкая критика была нацелена на Рикельме.

Хуану Роману Рикельме, лидеру поколения, которое в 1997 году победило в чемпионате мира «до 20 лет», было поручено стать «спасителем отечества». На этом Кубке Америки он начал свое фатальное падение. Рикельме стал известен как «Tristelme» (игра слов, имя игрока переделано с использованием слова *triste* – «грустный»). Он боролся, на поле и вне его, за то, чтобы поддержать свой статус и избавиться от роли защитника новой звезды – Лео. По правде говоря, он вряд ли когда-либо играл эту роль: центральный полузащитник всегда считал, что каждый должен сам платить по своим счетам. Вы должны начинать с самой первой ступеньки, независимо от того, сколько раз вас обнимет Хулио Грондона – Рикельме президент федерации только однажды пожал руку. В разговорах о «Барселоне» Рикельме всегда упоминал значимость Хави и «гения» Иньесты, но всегда старательно игнорировал Месси. Рикельме страдал, видя восхождение «Блохи» к вершинам.

Месси чувствовал, что путь к лидерству узок, а Рикельме стоял на этом пути. Но он ничего не требовал: и дела стали идти намного хуже, прежде чем Месси все же приложил усилия к созданию более гармоничной национальной сборной. В следующем году, на Олимпийских играх в Пекине, Рикельме получил последний шанс.

В аргентинской сборной период упадка начался в 2008 году с поражения в матче против Чили на отборочном этапе чемпионата мира 2010 года. Бело-голубые оказались на семь очков позади лидеров – сборной Парагвая. В то время что-то сломалось, и золотая медаль на Олимпийских играх в Пекине в команде «до 23 лет» не компенсировала неудачи.

Лето 2008 года было чрезвычайно напряженным для семьи Месси. Лео хотел отправиться на Олимпийские игры, но «Барселона» поначалу попыталась отказать ему в этом, потому что, вследствие пагубного третьего места, с которым был завершен предыдущий сезон, клубу предстоял отборочный раунд Лиги чемпионов, который надо было выиграть. Международный спортивный арбитражный суд (CAS) предоставил юридическому отделу «Барсы» право самому решать будущее Лео относительно Олимпийских игр. Жоан Лапорта потребовал, чтобы Месси, который присоединился к национальной сборной для подготовки, вернулся в Соединенные Штаты, где проходил тур клуба, и не пропускал очень важный матч против «Wisła Kraków»: один промах, и «Барселона» не попала бы на главное европейское соревнование.

«Поговаривали, что Лео не собирается ехать с нами, – вспоминает Оскар Устари, запасной вратарь в команде «до 23 лет». – Он сказал мне: «не волнуйтесь, я сделаю все возможное, чтобы приехать».

Гвардиола, только что прибывший в «Барселону» в качестве тренера, после ухода Роналдиньо и Деку решил сделать Лео Месси центральной фигурой команды, но, разговаривая с ним по телефону из нью-йоркского отеля, он понял, насколько сложным был тот месяц для «Блохи». До того момента Лео всегда старался быть в распоряжении клуба, но в той беседе Месси, который помнил о том, что Пеп некогда сам был игроком и надеялся, что тот сможет понять его, попросил, чтобы он не настаивал на его возвращении. «Играй на Олимпийских играх и завоюй золотую медаль», – сказал ему Пеп. На следующей пресс-конференции Гвардиола признался в этом, отметив «сильное эмоциональное напряжение. Я видел, что ему было очень сложно в той ситуации – это было неправильно – пытаться возвратить его. Мысленно Месси уже был в Пекине».

Аргентина: с Маскерано, Лео, Куном Агуэро и Рикельме, единственным, кому было больше 23 лет, защищали свою золотую медаль, завоеванную в Афинах, и им это удалось. Имя Месси было в списке команды. Они выигрывали каждую игру (1:0 в финальном матче против Нигерии), не уступая ни одного гола. Месси забивал гол дважды и участвовал в пяти других.

Тот Олимпийский турнир запомнят благодаря трем событиям.

Одно из них видели все: на глазах у всех Роналдиньо, со спущенными носками и пустым взглядом, обнял Лео, который замер почти на 30 секунд после исторической победы бело-голубых со счетом 3:0 над Бразилией в полуфинале. Это стало символом передачи эстафетной палочки в «Барселоне».

Было еще кое-что, что видели далеко не все, но что осталось запечатленным в памяти немногих. Устари рассказывает: «Было удивительно видеть, как Кобе Брайант идет, чтобы поприветствоваать моего друга, не знаменитого Лионеля Месси, но моего друга Лео! «Кобе Брайант идет по этой счастливой траве!» – сказал я. Вот как это произошло: мы вошли в столовую, я снимал все на пленку и сказал: «у нас есть один или два лучших игрока в мире» – и в этот момент вошли Роман Рикельме и Лео, и я снял их. Потом продолжил: «мы можем также видеть лучших в мире баскетболистов». Кобе был все еще на некотором расстоянии от них, и я навел на него камеру. И я увидел, что он подошел к нам, у меня задрожала рука с камерой! Лео воспринял все спокойно, в действительности он просто не знал, что делать. Он казался смущенным, видя, как Брайант подходит к ним, и не мог поверить в это. И мы, конечно, снялись все вместе».

И, в-третьих, произошло нечто, что никто не заметил и даже не почувствовал. «Между чемпионатом мира «до 20 лет» и Олимпийскими играми произошло важное изменение, – продолжает Устари. – Мы все повзрослели. Учитывая надежный и приятный характер Лео, он становился лидером». А что происходило с Рикельме?

В том году Аргентина, которую знал Лео, изменилась. «Блоха» возвратился в Барселону, с благодарностью своему новому тренеру, и вдохновленный новым успехом национальной сборной.

Это был трамплин для быстрого взлета.

«Упадок» национальной сборной продолжался и в 2008 году, положение Коко Базиля стало совсем шатким. Рассчитывая потопить тренера под грузом обвинений, Марадона выбрал Лео в качестве козла отпущения, обвинив его в неудовлетворительной работе команды. С настроем человека, который полагает себя всегда правым, он вызвал недоверие к Месси в умах обычных аргентинских фанатов, которые воспринимали слова Марадоны как цитату из Евангелия.

Аргентина только что сыграла с Перу вничью со счетом 1:1, и Марадоне было что сказать по этому поводу. «Иногда, Месси играет для себя. Он настолько высокомерен, что забывает о своих товарищах по команде, – сказал он в телефонном интервью *«Fox Sports»*. – Это – ФК «Месси». Если бы он больше играл с Агуэро или Рикельме, у защитников противника было бы больше поводов для волнения. Матч не выигрывают, бросаясь в атаку всякий раз, когда к вам приходит мяч, нужно знать, когда следует нападать. Над этим стоит поработать».

«Однако, – утверждает Диего, – есть и другие игроки, достойные внимания поклонников. Я надеюсь, что Месси лучше меня, но сейчас Маскерано важнее для Аргентины, чем Рикельме и Лионель. И команда должна намного больше заботиться о Тевесе: все, о чем он просит – безопасность. Не звание капитана или что-либо невероятное. Ненадежность заставляет его делать больше, чем то, с чем он может справиться, и сейчас он совершенно подавлен».

«Лео не хватает силы характера», – говорил он, считая, что Месси не вложил достаточно сил в борьбу против «Барселоны» в ее конфликте с Аргентинской футбольной ассоциацией перед Олимпийскими играми. В действительности же Месси боролся, не заявляя об этом в СМИ. Чего же добивался Марадона? Достаточно ли хорошо он знал о прессинге, связанном с ношением бело-голубой футболки, сознавал ли он, что Месси в тот момент был только 21 год?

Месси становился объектом критики прежде, чем сумел созреть в национальной сборной. Был создан негативный образ Месси, и поскольку большинство критиков выражали сильную озабоченность, их мнение изменилось бы в лучшую сторону, если бы он смог своими силами выиграть соревнования. И чемпионат мира, если получится. Так же, как это некогда сделал Марадона. Невероятная задача.

Эти слова причинили Лео и его семье сильную боль. После еще одного долгого путешествия из Буэнос-Айреса, где он играл за национальную сборную, Лео отреагировал на это заявление по прибытии в Барселонский аэропорт: «Я привык к высказываниям Диего. Мы все знаем, каков он».

В Аргентинской футбольной ассоциации циркулировали разговоры о том, что для того, чтобы заставить Марадону прекратить свои непрерывные нападки на Месси, лучше всего сделать его тренером бело-голубых. Если он преуспеет – превосходно. Если нет – ему больше нечего будет сказать. Ошибки и плохие результаты на отборочных матчах к чемпионату мира 2010 года заставили Базиля уйти из национальной сборной после поражения в матче с командой Чили, и осенью 2008 года тренером сборной Аргентины был назначен Диего Марадона.

Спустя чуть больше года после гола в духе Диего – того, который Месси забил в ворота «Хетафе», а также после гола рукой в матче против «Espanyol», сам Марадона, не получив лицензии тренера и всего с тремя победами за два срока в качестве менеджера в «Mandiyú» и «Racing Club» в девяностых, вот-вот должен был оказаться на том же самом поле, что и его наиболее вероятный преемник.

Одной из первых задач, стоявших перед новым тренером, была необходимость попытаться вписать талант Месси в команду – то, о чем он ранее никогда не думал, критикуя его с кромки поля. Некоторые аспекты игры Лео, конечно, вызывали беспокойство: его несвязанность с центром, малое количество альтернатив для передачи мяча, небольшое число получаемых им пасов и настойчивость бежать вперед в одиночестве, когда нет должной поддержки. Команда должна была измениться, для чего следовало поменять решения, принимаемые Месси, и его игру.

У Марадоны, которому нужно было как можно скорее добиться хороших результатов для возврата отборочной кампании Аргентины в первоначальное состояние, был один плюс: Лео был теперь свободен от тех, кто, осознанно или нет, не давал ему развернуться в «Барселоне». Благодаря этому он смог проявить себя с самой лучшей стороны под руководством нового тренера команды Пепа Гвардиолы.

Марадоне нужно было создать правильную атмосферу в Аргентине, чтобы Месси мог показать аналогичные результаты и в национальной сборной.

У Диего и Лео было два года, чтобы разобраться во всем, направив все свое внимание на подготовку к чемпионату мира в Южной Африке в 2010 году.

Так начались тяжкие испытания Лео перед лицом аргентинской общественности. Хотя Карлитос Тевес был «деревенским игроком» – более популярным, чем Лео в родной Аргентине, именно Месси официально стал «спасителем отечества».

— Пеле и Марадона были лучшими футболистами за всю историю футбола. Когда вы видите, как они играют, то непроизвольно говорите: «Ничего себе! Как же здорово он это делает?»

— Они замечательны во всем. Я видел мало видеозаписей Пеле, Ди Стефано или Круиффа. С другой стороны, я видел все, что делал Марадона, а в детстве даже видел, как он играет, вживую.

— Серьезно?

— Да, в детстве. Я ничего об этом не помню, но мне сказали, что я видел его на стадионе «Ньюэллса» против «Emelec».

— Конечно, это было в 1993 году. Вам тогда было шесть лет.

— Да.

(На экране появляется лицо Марадоны, который говорит: «Лео, ты знаешь, что я очень люблю тебя, пусть люди говорят, что хотят, но ты будешь лучшим игроком в истории. Мы определим это, когда ты повесишь свои бутсы на гвоздь. Сегодня же продолжай делать то, что ты делаешь, и я надеюсь, что ты и твоя семья будете счастливы. Я очень люблю тебя, Лео».)

— Это здорово, верно? То, что у вас такие отношения с Диего. Потому что многие считают, что вы не ладите.

— Мы ладим, и когда он был тренером национальной сборной, наши отношения были близки, как никогда. Я видел его после матча против «Реал Мадрида». У меня все из рук валилось после него, но мне радостно было видеть Диего. Я тоже утешал его. Я не видел его в течение долгого времени, но вы не услышите от меня ни одного плохого слова в его адрес.

— Он наблюдал за игрой в штрафной площадке Криштиану, немного странно, но зная, каков Диего…

— Впоследствии я все выяснил, где-то прочитал, неважно.

(Лео Месси, интервью с Мартином Соуто
для «Спортивных состязаний» канала ТуС, март 2013 года)

Отец Лео взял с собой своего шестилетнего сына на стадион «Олд Ньюэллс Бойз», чтобы насладиться игрой уже идущего на спад Диего Марадоны, который готовился к чемпионату мира 1994 года. Клуб организовал товарищескую встречу против команды «Emelec» из Эквадора, и, как и в других подобных случаях, Лео попросили приехать на поле, чтобы выполнить чеканку с мячом, который, казалось, был вдвое больше того, с которым играли взрослые. «Никаких проблем, я с удовольствием сделаю это», – сказал он отцу, когда тот передал ему это предложение. Он не нервничал, не чувствовал нажима. Люди кричали ему «Марадоооо, Марадоооо!».

Но Лео ничего этого не помнит. Он помнит, как забил два гола в своей первой игре за «Грандоли» в возрасте четырех лет. Но никаких воспоминаний о том дне, когда проходил матч с «Emelec», не осталось. Марадона был идолом Хорхе Месси (он периодически просматривал видео с игрой кумира) и других представителей его поколения. Это почитание подхватило и следующее поколение его приверженцев. И следующее, и следующее.

«Лео рассказал мне историю, которая все объясняет, – говорит Кристина Куберо. – Я спросила его о Диего, и он ответил: «Я знаю, что вы не понимаете обожания Марадоны. Для аргентинцев он нечто намного большее, чем просто футболист, и с самого раннего детства, когда я приходил к своим двоюродным братьям с обеих сторон семьи, мы первым делом садились смотреть запись с голом в матче против Англии. Я вырос, смотря его игру на пленке. Наше приветствие друг другу звучало так: «а пошли, посмотрим голы Марадоны!»

Так с самого раннего возраста Месси вошел в мир футбольных героев, злодеев и эпических побед, а также легендарных голов, которые были зафиксированы на старых видеопленках.

Без малейшего труда Марадона просочился через защиту англичан на чемпионате мира в Мексике, забив, как говорит социолог Эдуардо Аркетти, самый прекрасный аргентинский гол – «смесь площадок в парках (свобода творчества) и детского нахальства»: «Это был необычный гол, романтичный, которого больше не встретишь в наш, такой рациональный, век».

«Когда мяч был введен в игру, я сразу понял, что для Марадоны наступил переломный момент, – сказал Хорхе Вальдано в журнале *Jotdown*. – Я сказал ему, когда он был в душе: «Ну вот, теперь именно ты взошел на трон Пеле». Затем он начал описывать тот кусок игры. Я всегда говорю, в шутку, что именно я вернул мяч в игру из-за ворот. Никто ничего не знает об этом. Я бежал, чтобы отдать ему мяч. После гола я чувствовал, что должен сделать что-то полезное, а не просто обнять его».

Вальдано, отличный наблюдатель и аналитик, полагает, что Марадона помог Аргентине выиграть одну из худших ее игр – «единственную, которую, без сомнения, мы не выиграли бы без Диего». Этот матч был также глубоко символичен, поскольку совсем недавно закончилась Фолклендская война. «В тот день Марадона, в силу своей яркой личности и футбольного гения, стал новым всеобщим Генералом Сан-Мартином», – завершает Вальдано, сравнивая его с одним из освободителей испанской Южной Америки.

Аргентинцы обрели своего героя, хотя позднее он будет показан как трагическая фигура, полная недостатков, о которых станут говорить по телевидению. Все любили его. Не осознавая этого, Лео Месси, выполняя на поле различные трюки, пошел по дороге, ведущей к той же футбольной судьбе, что и у Марадоны, который будет в различные моменты его жизни спутником, Немезидой, зеркалом, требовательным голосом, светом, облегчающим путь, и тенью, мешающей идти вперед.

Первый разговор Лео и Диего произошел в 2005 году, в первый значимый для карьеры Месси год, сразу после первого гола в матче против «Альбасете». Лео обедал дома, когда услышал звонок по мобильному телефону. «Поздравляю», – произнес Диего. Он сказал, что следил за ним в течение последних нескольких игр и что Лео отлично играл. Заверил мальчика, что у него блестящее будущее и он должен продолжать забивать голы.

Через некоторое время произошла другая беседа по телефону: после победы над Бразилией в чемпионате мира «до 20 лет» журналист *La Gazzetta dello Sport,* который находился тогда в Голландии, передал ему свой мобильный телефон.

«Что ты делаешь, чудовище? – сказал ему Диего. – Надеюсь, что мы когда-нибудь сможем встретиться лично».

Диего и Лео договорились встретиться в августе, чтобы принять участие в «*La Noche del 10*», телевизионной программе, которую Марадона вел на 13-м Канале.

Месси приехал в студию очень рано и сидел в комнате вместе с отцом, дядей и кузеном.

«Впервые в жизни я чувствовал сильное волнение, – сказал он спустя несколько лет после этого события. – В тот вечер я был на седьмом небе, у меня потели руки. Внезапно дверь открылась, и появился Диего. Обратившись ко мне, он произнес несколько слов. Мне казалось, что у меня лопнет сердце».

Лео сказал Диего, что его мать мечтала о том, чтобы когда-нибудь он стал менеджером ее сына. «Ты легко и естественно станешь номером десять», – сказал ему Марадона.

На своей программе Диего обычно играл в футбольный теннис. В тот раз в игре сошлись четыре лучших латиноамериканских игрока. С одной стороны – старая гвардия, представленная Франсисколи и Марадоной. С другой – наследники трона: Месси и Тевес. Первые, кто дойдет до 10 очков, будут победителями.

Это начиналось как товарищеская игра, но напряжение и темп скоро увеличились. Руки Лео больше не потели, он вступил в соперничество. Правила были выработаны, очки установлены. Тевесом и Диего. Лео и Франсесколи наблюдали за этим издали, не принимая участие в обсуждении.

Никто не хотел проигрывать. Но одной команде это все же предстояло.

Когда счет был 7:7, Тевес пожаловался, что противники украли очко. Счет был изменен. Молодежь вырвалась вперед.

Все делали ошибки. Под угрозой было нечто большее, чем игра в футбольный теннис.

В конце Лео и Тевес победили Марадону и Франсесколи со счетом 10:6.

Единственный проигрыш Диего за все матчи.

По возвращении в Барселону Месси все время говорил об этом. «Даааа! Я видел его, ура, лучшего в мире, моя мечта осуществилась. Потрясающе!» – повторял он раз за разом.

«Месси всегда должен быть Месси», – сказал тогда Марадона. Но не все были готовы позволить этому произойти.

Когда Лео услышал, что он был возведен в сан «Преемника» (с большой буквы «П»), он сказал: «Это – большая честь для меня – услышать такое, но я только начал свой путь. Есть только один Диего, и другого никогда не будет, а я постараюсь пойти своим путем и развиваться дальше». Однако футбольная общественность всего мира сомневалась относительно того, насколько хорош Месси по сравнению с Марадоной. Многие журналисты, обладавшие значительным влиянием на общественное мнение, не могли смириться с существованием нового бога. «Ах, они там, в Европе, ничего понимают и не могут правильно оценить Месси», – говорили некоторые. Сомнения относительно Лео постепенно усиливались, особенно в связи с неудовлетворительной игрой аргентинской команды Марадоны, которая изо всех сил пыталась завоевать право поехать на чемпионат мира в Южной Африке.

Как уже говорилось, нет никакого совпадения в том, что игрок, который мог бы стать соперником Марадоны с точки зрения поклонения, появился именно в Аргентине. Хотя это происходило спустя десятилетие после его отставки и было похоже на голливудское кино, всем пришлось выбирать между одним и другим – именно так живет аргентинское общество. «Мы, аргентинцы, фанатично относимся к бесчисленному множеству вещей, – говорит Кике Домингес. – Если мы преданы одному клубу, то ничего не принимаем от других. Мы фанатичны в религии и не терпим разночтений, мы фанатичны в любви к своему городу, и так далее... И нам пришлось решать – быть с Лео или с Диего».

Вместо того чтобы принять оба невероятных таланта и радоваться обоим, страна начала ссориться из-за того, кого считать лучшим. Честно говоря, такое происходит не только в Аргентине: похоже, нигде нет места больше, чем для одной легенды.

> «Если самое важное — успех, Ди Стефано никогда не выиграл бы чемпионат мира. И Круифф, а затем Пеле, который никогда не играл в футбольных клубах Европы. Если бы Марадона был бразильцем, а Пеле — аргентинцем, кого считали бы в Аргентине лучшим футболистом в мире?»
>
> **(Фернандо Синьорини)**

Очевидно, что, когда люди спорят о том, кто лучший футболист в истории, они на самом деле говорят не о футболе – или не совсем о нем. Лео и Диего дебютировали в своих клубах в очень раннем возрасте, оба блестяще владели левой ногой, оба были 10-м номером, оба носили нарукавную повязку капитана национальной сборной. Они оба – футболисты, которые определили свою эпоху, с ними аргентинцы связывали свои надежды на успех в чемпионате мира. Эти игроки также стали причиной пересудов, главной озабоченностью аргентинцев. Каждой стране нужны свои звезды, но возникает проблема с определением слова «звезда»: для аргентинцев блестящий игрок выглядит более привлекательным, если он обладает «врожденным талантом», появляется как бы по волшебству и способен обычно достичь «невозможных» целей, который, в конце концов, заканчивает трагически, всеобщим осуждением. Месси же является символом тяжкого труда, жертв и компромисса между профессией и телом; но его трудно принять в качестве звезды, потому что при всем при том у него есть имидж в глазах общественности (который он сам выбрал), который не дает пищи для пересудов, его частная жизнь закрыта от публики и лишена драматизма.

Быть лучшим недостаточно для того, чтобы считаться лучшим. «Месси – плакат, Марадона – флаг», – писал аргентинский писатель Хьюго Аш в статье, иронически названной «Месси – иностранец».

Марадона демонстрирует свойства сообразительного, ушлого латиноамериканца. Месси забил гол рукой, но всего один раз за 90 минут, за сезон, его генетическая хитрость появляется крайне редко. Когда Лео получает мяч, у него, как у Диего, всегда имеется трюк в рукаве, но он не отходит от правил, чтобы добиться преимущества.

Месси слишком правильный и пристойный для страны, в которой нравятся те, кто нарушает правила. Всенародное восхищение им заканчивается в тот момент, когда он пересекает боковую линию и направляется к раздевалке – он перестает быть частью их мира. В то время как сдержанность Месси делает большинство его интервью бессмысленными, Марадона себя не сдерживает. Ему нравится доводить до предела любую обсуждаемую тему, ставить себя с одной стороны баррикад и указывать врага на другой. Он мастерски управляется с глаголами и активно использует язык, вводя в речь уличные выражения («насадить», «десница господня», «они вырубили меня»). Он отпустил фразу, что Серхио Батиста (сменивший его в должности тренера национальной сборной) «должен будет нарядиться как

Pinon Fijo – аргентинский клоун и певец-сочинитель песен, чтобы сделать Месси счастливым».

Иногда замашки Марадоны позволяли предположить, что он нуждается в СМИ больше, чем они в нем. Именно поэтому он позвонил из Объединенных Арабских Эмиратов в телепрограмму, занимавшуюся продажами товаров, чтобы решить несколько личных проблем. Его друг и журналист отправился навестить его в Клинику Шено (в Швейцарии), где он пытался похудеть. Они ходили по улицам, где их никто не останавливал, и друг сказал ему об этом: «Это изумительно, правда?» Ответ Марадоны был знаменательным: «Еще один квартал, и я умру».

«Диего был очень взрывным человеком, что сделало его богатым источником информации для СМИ, постоянно востребованным товаром что на поле, что вне его», – говорит Хорхе Вальдано в *Jotdown*. «Однажды в Неаполе я пришел навестить его. Его поведение напоминало беспрерывный карнавал. Он вышел из дома и сел в свой автомобиль, двадцать или тридцать мальчиков на мотоциклах ждали его внизу. Они отправились за ним, некоторые догоняли его и выкрикивали: «*Arriva Maradona*!» Затем вышел владелец магазина, парень из бара... Каждый день возникали ситуации, которые могли происходить только с человеком с характером Марадоны. Я не могу себе представить подобный эпизод с Месси в Барселоне».

Единственным заявлением, отдаленно напоминающим политическое, было выступление Лео в защиту каталанского языка, в то время как Диего, даже когда играл, показал себя активным ниспровергателем авторитетов, позволяя крепкие выражения против Ватикана или правых политических деятелей. Он был рупором людей с улицы, не имеющих права голоса, хотя позже закончил тем, что стал другом тогдашнего президента страны, Карлоса Менема, и кубинского лидера Фиделя Кастро. Это продемонстрировало одну из его многочисленных противоречивых черт характера, которые позволяют предположить нестабильность его личности: одно дело – быть мятежником, другое – постоянно искать все новые пути. Похоже, он влезал во все, не будучи частью чего-либо.

Значительные пороки Марадоны стали достоинствами в глазах его фанатов. «Все это явственно продемонстрировало характер аргентинцев – не тех, кем мы, аргентинцы, являемся, а тех, какими хотим себя видеть: изобретательно справляющимися с бедственной ситуацией, стихийными, импульсивными, героическими, страстными», – говорит Эдуардо Сакери.

Диего – типичный аргентинец, как сказали бы некоторые люди. Месси же называли «иностранцем», несмотря на то, что, как это ни парадоксально, он, согласно мнению Кристины Куберо, был самым аргентинским из аргентинских футболистов, которые жили в Барселоне. Это драма любого иммигранта – его не принимают дома и считают иностранцем за границей.

Диего Марадона рассказывал, что пришел с улицы. Он взлетел на вершину – и не нашлось никого, кто рассказал бы ему, как жить на такой высоте. О нем никто не заботился – вместо этого ему самому пришлось заботиться о многочисленных близких. Лео всегда был защищен.

Марадона получал образование на улице, на *Villa Fiorito,* в компании братьев, где преуспевает тот, кто сильнее, мужественнее, хотя бедные районы более богатых семидесятых не были заброшенными трущобами девяностых, где, например, рос под звуки орудийных разрывов Карлос Тевес. Месси – городской мальчик, а Марадона всегда будет мальчиком из трущоб. А тот, кто вышел из низов, всегда несет в себе стремление показать миру, что он родился не там.

Лео уехал из Аргентины не потому, что этого хотел, а потому, что в то время был кризис, и его семья искала выход из создавшегося положения. Аргентина молодого Марадоны была более красочной, жестоко протекционистской, и это позволило Диего остаться дома, играя в «Argentinos Juniors», а впоследствии, до 1982 года – в «Boca Juniors». Игроком, который попадает в Высшую лигу, а затем уезжает, чтобы завоевать Европу, восхищаются. Но чтобы получить статус национального героя, Марадоне потребовался чемпионат мира 1986 года – это был источник радости для всей страны, травмированной диктатурой и обесценившимся аустралом (бывшая денежная единица Аргентины).

Впоследствии история Марадоны выглядела как «впечатляющая» трагедия взлета и падения героя. «В этом смысле, с позиции нашей истории и особенностей нашего характера, Марадона является типичным аргентинцем. Он не выставляет нас в наилучшем свете, но ярче всего показывает, какие мы», – говорит социолог Серхио Левински. Марадона любит жить на грани, бросать вызов смерти. С другой стороны, Месси любит жизнь и бросает вызов ей.

Очень часто восторгаются крикунами, которые реагируют на все подряд, а тех, кто спокойно сидит в углу, терпеливо собирая паззл, игнорируют. Именно поэтому существует «Церковь Марадоны», а у Лео не будет даже маленькой часовни. Вот что говорит Хорхе Вальдано в интервью *Jotdown*: «Очень нелегко быть Марадоной. Недавно я отправился в Барилоче в Аргентину и увидел флаг с изображением Че Гевары, Эвиты, Гарделя и Марадоны. Конечно, если вы умерли, для вас это не будет проблемой, но быть живой легендой – тяжкое бремя».

Если Месси – поклонник «кумбии» (это его любимая музыка), то Марадона любит латиноамериканский рок (Карлес Гарсия, Хавьер Каламаро) как альтернативу меланхоличной и чрезмерно сладкой поп-музыке («Pimpinela»).

Ни один из них не любил танго – мрачную музыку потерь, расставаний, часто бывшей песней побежденных, которые оплакивают свое поражение. Хотя Месси, чтобы выжить, пришлось создавать кусочек Росарио в Барселоне, у него была лучшая жизнь и любовь. Он потерял только землю, на которой жил. Но, как говорил Вальдано, такова Аргентина для большинства аргентинцев, поэтому Диего не нужно было доказывать, откуда он родом. Месси должен был продемонстрировать какие-то признаки своего происхождения – его просили стать немного более похожим на Марадону. Но Лео, каталонец в Аргентине и аргентинец в Каталонии, не собирался всегда просить разрешения быть аргентинцем. По правде говоря, его все сильнее раздражали эти требования, с каждым поражением, с каждым критическим заявлением в его адрес.

С тех пор как Лео появился на сцене, ему на плечи навалились десятилетия аргентинского разочарования и расстройства. Несмотря на то, что он завоевывал призы вместе со своим клубом и личные титулы, от него ждали, что он выиграет чемпионат мира, чтобы быть принятым своей страной. А если он потерпит неудачу, пытаясь сделать это, ему будет раз и навсегда сказано: «Вот видите, мы знали! Он не Марадона». «Почти невозможно бороться с иконой», – говорит Хорхе Вальдано. Надо сказать, что Лео никогда и не пытался это сделать.

«У меня есть теория, хотя она не основана ни на одном научном факте. Я думаю, что Месси — уникальное явление в истории человечества, потому что футбол заложен в его ногах. Говорили, что мяч прилипает к ногам Марадоны, но, кажется, что у Месси он прирос к ногам, что с научной точки зрения необъяснимо. Однако, когда вы видите семь, одиннадцать, двадцать два соперника, которые пытаются отобрать у него мяч и ни у кого это не получается, приходится признать, что что-то необъяснимое в этом есть».

(Эдуардо Галеано)

«Лео или Диего? Это две разные эпохи. Диего действовал в эпоху персональной игры».

(Карлос Билардо)

«С физической точки зрения Лео является типом атлета со стремительным ускорением. У него тормозная система последнего поколения и периферийное зрение. Я думаю, что через ветровое стекло он видит все позади себя, не оборачиваясь. То же самое умел делать Диего. Они — исключительные игроки, редкость. Мой друг — врач — сказал мне, что Диего стал бы превосходным военным пилотом благодаря своей способности видеть картину в целом. И более того, у обоих есть удивительное чувство момента — они могут точно оценить время и расстояние. Эта пара могла бы сформировать впечатляющую двойку. Стоит посмотреть их ДНК, чтобы понять, нет ли у них гена бабочки, потому что кажется, что они, как бабочки, ногами ощущают окружающее пространство. И очень точно».

(Фернандо Синьорини)

Но что объединяет и что разделяет их на поле?

«В отношении футбола у них нет ничего общего, – говорит Хуго Токалли. Марадона был дирижером. Лео – нет. Они играли в различных позициях – Месси – скорее игрок последней трети. Они – представители двух разных эпох». Роль номера 10 отображает различия в футболе между восьмидесятыми годами и сегодняшним днем и имеет большое значение для объяснения того, что их отличает.

Тридцать лет назад номер 10 был знаковой фигурой, дирижером оркестра, который постепенно исчез из центра, прежде чем появиться в ставшей очень популярной системе 4–4–2, где он либо располагался на фланге, становясь вторым форвардом при отсутствии основного, или отступая назад, как опорный полузащитник, перед защитой. Эта позиция перестала иметь ту значимость, которую имела прежде, и в результате пострадала игра. Затем при Пепе Гвардиоле номер 10 вновь возник в испанской команде, но в ином положении на поле: забивающий нападающий исчез и был заменен ложной девяткой.

При более плотной, более дружной и более силовой защите больше не может существовать игрок, подобный Марадоне, игрок, который организовывал бы все из центра.

Центр действия – движущая сила команды – передвинулся ближе к штрафной площадке в положении, известном как «*mediapunta*» по-испански, из которого сегодня исходит значительное воздействие на атаку. Если бы Марадона добился успеха в наши дни, он был бы таким, как Месси. Мы увидим, сможет ли Лео, когда начнет терять темп, отступить и превратиться в организатора, каким был Марадона. Многим кажется, что это вполне возможно.

Статистические данные в пользу Лео: в возрасте 25 лет он уже завоевал 21 титул, тогда как Марадона – пять (Пеле завоевал 18, включая два чемпионата мира). Лео сыграл в клубе 311 матчей и забил 34 гола в играх за сборную. Столько же Марадона забил до завершения своей карьеры в возрасте 38 лет. Это ясно отражает их стиль игры – Лео проводит намного больше времени на поле или около него, чем Диего.

В любом случае статистика не имеет большого значения: «Сложно сравнить и определить, кто лучше – Диего или Лео. Месси кажется прекрасной машиной, способной побить все возможные рекорды, хотя, по правде говоря, не знаю, будет ли он когда-либо в состоянии выступать на поле не хуже Марадоны». Так считает известный журналист *Olé* Луис Кальвано.

Что касается остальных людей, то эта футбольная история полна мифов. Говорят, что чемпионат мира 1986 года Марадона выиграл практически в одиночку, играя в команде не лучшей, чем сегодняшняя аргентинская сборная. Неоднократно писали о том, что он играл за каждого игрока в разрушенной чьей-то злой волей команде. Но на самом деле без защитной системы Билардо они не выиграли бы чемпионат мира, а без хороших игроков невозможно было бы создать какую-то пристойную систему. Когда Диего играл недостаточно хорошо, команда поддерживала его. Точно так же в Неаполе и на Italia '90, когда Аргентина заняла второе место, у Марадоны была хорошая команда защитников, которые охраняли его.

Говорят, что «Барселона» играла за Месси. Его окружили восемью чемпионами мира и другими выдающимися фигурами (Это'о, Рональдиньо, Иньеста, Хави, Бускет, Виллья). Однако «Барселона» без Месси не победила бы: это была отличная команда, но ей недоставало лидера, убийцы в штрафной площадке.

Пришло время быстрой игры: если бы ввести 25-летнего Марадону в команду «Барселоны» под руководством Пепа, где бы он играл? Хави или даже Месси сегодня занимают позицию, которую в прошлом занимал номер 10. Диего был взрывным и виртуозным игроком, что позволяло ему играть намного дальше на поле. Он просто заколачивал мяч в ворота. Но сегодня игроки покрывают намного большее расстояние, чем в те времена, а учитывая то, что Марадона постоянно вел весьма вольный образ жизни, ему было бы трудно продержаться в течение всего сезона. А теперь представьте Месси в футболке Марадоны, когда тот играл в «Наполи». В игре против жесткой обороны, которая выбиралась, чтобы справиться с забивающим, его интеллект и эффективность сделала бы его звездой команды. Пространство, тактика, даже мяч – теперь все по-другому, намного тяжелее и сложнее. Марадона мог бы обнаружить, что ему намного труднее ускользнуть от своего противника.

Интересное, но в принципе бессмысленное мысленное упражнение.

«О Пеле можно сказать, что он играл в эпоху, когда футболисты еле двигались, и, хотя я надеюсь, что Месси приведет Аргентину к победе на чемпионате мира, это не будет легко, потому что все знают, как он играет. В последней игре против «Милана» его просто зажали в клетке. Он – великий человек, но я искренне уверен, что являюсь величайшим игроком в истории футбола».

Кто это сказал? Вы угадали – Марадона.

Когда Диего Марадона руководил национальной сборной, круг замкнулся. Спустя четыре месяца после его первого появления в качестве тренера Хуан Роман Рикельме, бывший в то время успешным лидером «Boca Juniors», ушел из национальной команды, утверждая, что у него «иные правила» и «иной образ мыслей», чем у тренера. У них не получалась совместная работа.

Короче говоря, Рикельме подверг критике неблагоприятное развитие событий: по радио он услышал, что его не собираются звать на товарищескую встречу, а из телепередачи узнал, что Марадона поставил под сомнение его присутствие в стартовом списке команды из-за якобы обнаружившихся «проблем с физическим состоянием». «В таком виде он для меня бесполезен», – публично заявил Марадона. Рикельме сообщили о том, что представители лагеря Марадоны потребовали от группы игроков, чтобы те организовали «сложную обстановку» для тогдашнего менеджера аргентинской сборной Коко Базиля, который всегда защищал Рикельме. Если заговор, о котором подозревал футболист, существовал, то он сработал, и теперь Рикельме ощущал на себе его последствия.

Лидер сменился.

За год до чемпионата мира Марадона перестал критиковать «Блоху» и обратил внимание своей команды на звезду «Барселоны», чтобы попытаться максимально использовать его талант. Марадона, человек, склонный к публичным жестам, символически предложил Лео футболку с номером 10 для своей первой официальной игры в качестве тренера в матче против Венесуэлы – победа была важна не только в плане распределения состава участников чемпионата, но также и для того, чтобы обеспечить доверие новым порядкам. Лео хотел получить этот символический номер, но не просил об этом. Когда он принял его, он уже знал, что Марадона поговорил об этом с капитаном Хавьером Маскерано и ветераном команды Вероном. Оба дали свое согласие. «Это огромная честь», – сказал Лео в ответ на предложение Диего.

Люди мечтали о том, что эти двое будут работать вместе и много говорили об этом. Поначалу все действительно шло хорошо. «Было большим удовольствием ежедневно видеть Месси в такой хорошей форме», – сказал Марадона после убедительной победы над Венесуэлой со счетом 4:0, в которой 21-летний Месси был в центре событий: он забил первый гол, обеспечил второй и показал себя в нападении, где рядом с ним были Карлос Тевес и Серхио Агуэро. У футболки с номером 10, которая таким тяжким грузом опускалась на плечи Ариэля Ортеги, Марсело Галлардо, Пабло Аймара, Андреса Д'Алессандро и Рикельме, появился новый владелец. «Я был очень счастлив оттого, что Диего дал мне десятый номер. Две мои прежние футболки я отдам матери и брату», – сказал Месси в конце игры. Та, которая оказалась в руках Матиаса Месси, теперь передана в музей, который город Росарио создал в честь Лео и других спортивных звезд, вышедших из этого города.

«Романо мертв, да здравствует Лионель», – объявила газета *El Comercio*.

Да будет долгой его жизнь, и да будет долгой его способность выживать в этих условиях. «Диего беспокоился, что Лео может пострадать от грубого обращения – это больше всего беспокоит при работе с детьми, которые крайне важны для команды, – объясняет Синьорини. – Поскольку если у вас в команде нет подобной фигуры, но вы полагаетесь на шесть или семь игроков, которые играют более или менее аналогично, и один из них вылетает, значит, вы делаете ставку на другого. Но Диего думал – ого, если Лео выведут из строя, вообще никого не останется».

«В августе 2009 года мы отправились на товарищескую встречу в Россию, – вспоминает Маскерано, – и за день до матча Лео получил травму, казалось, Диего ударили молотком по голове. Марадона любил Лео. Я думаю, что это было больше, чем просто любовь, казалось, он помолодел и вернулся в прошлое на тридцать лет назад, он видел себя в Лео. Так или иначе, но в тот день он был в ужасе. В то время как доктора осматривали Лео, Диего в одиночестве ушел на середину поля. И это была всего лишь товарищеская встреча! Лео был нужен Марадоне».

После победы в первых трех играх, включая игру в Москве (счет 3:2), в которой Лео не принимал участия, команда Марадоны была оскорблена поражением 1:6 в Ла-Пасе в матче с Боливией. Это поражение в немалой степени объяснялось высотной болезнью, из-за которой Лео сильно рвало. За год до этого Марадона принял участие в матче, организованном боливийским президентом, Эво Моралесом, чтобы призвать ФИФА снять запрет на любой матч, сыгранный в высоте больше 2750 метров. Поэтому он позволил тренеру Фернандо Синьорини («Это похоже на допинг») и Лео («Лично я думаю, что здесь играть невозможно, даже при том, что другие игроки приезжают сюда и играют. В равной степени это не может использоваться в качестве оправдания за поражение») объяснить трудности, с которыми столкнулась команда.

Уже в тот момент его пребывания на должности тренера началась серьезная критика режима Марадоны. «Никогда прежде его не связывали с футбольными ошибками. Он совершенно неправильно составил стратегический план», – написал Хуан Пабло Варски в Canchallena.com.

Аргентина играла не слишком хорошо, и запутывающие указания тренера не улучшали игру команды. «Марадона привел все в полный беспорядок, – говорит Кристина Куберо, которая регулярно посещала матчи аргентинской сборной. – Марадона был великим футболистом, но ужасным менеджером: его тактика никогда не срабатывала, это была полная анархия. Тренировки были ужасны – игра в футбол без каких-либо исправлений, порядка или организации. Немного брюзжания – вы же видели, как я бью по мячу, верно? Ну, так и делайте то же самое».

Месси также проявил себя не с самой лучшей стороны. На него возложили ответственность за команду, назначив ее лидером, но он действовал утрированно, слишком часто индивидуально, появляясь на чужой половине поля. Но не все было потеряно – Аргентина была отобрана на чемпионат мира.

Они с трудом добрались до конца матча с Колумбией и проиграли Эквадору, прежде чем оказаться лицом к лицу с Бразилией в Росарио – просьба Месси, которую удовлетворили. Оставалось четыре игры, и они должны были выиграть, по крайней мере, две из них.

Этот матч проходил на поле команды «Сентрал Росарио» – Gigante de Arroyito Stadium, и все его друзья и родственники должны были увидеть там Месси. Бразилия выиграла со счетом 3:1 – результат, который гарантировал им попадание на чемпионат мира в Южной Африке. Последующее осуждение не пощадило ни прошлого, ни нынешнего идолов. И Лео, и Марадона получили сполна. «В сражении «тузов» Кака получил огромное удовольствие и поколотил Месси», – таков был заголовок в *El Clarín*.

Olé не считала, что партнерство Тевес-Месси способно принести плоды: «Тевез бежит всюду и сталкивается с Месси. Именно поэтому «Блоха» сближается с Вероном, оказываясь в более глубокой позиции. А тогда у Маскерано нет места, чтобы распорядиться мячом. Команда в полном беспорядке». Хуан Пабло Варски размышлял над мнением большинства комментаторов о Лео: «Они говорят, что проблема в нем. Он не играет ни с кем, кроме Верона. В «Барселоне» он просто играет, здесь же постоянно стремится забить гол не хуже, чем в матче с «Хетафе»... Месси плохо сыграл в матче против Бразилии. Он хотел получить мяч, но редко делал то, что требовалось по ходу игры. В то время как номер 10 Аргентины каждый раз, получив мяч, играл ради своего престижа, номер 10 Бразилии – Кака делал все просто и естественно».

Еще одно поражение, на сей раз в матче против Парагвая, опустило Аргентину на одну позицию ниже того места, на котором им нужно было находиться, чтобы пройти отборочные соревнования. *Olé* предупредила перед игрой, что «до сих пор Марадона все делал неправильно и не в состоянии дальше скрывать свои недостатки как тренера национальной сборной». Раз за разом появлялись одни и те же ошибки, они же повторились и в матче против Парагвая (непродуманная тактика, неправильные замены, необъяснимое отсутствие игроков), но спортивная газета указала обвиняющим перстом и на игроков: «Именно они должны помочь Марадоне».

Месси пытался наброситься на защитников там, где этого не следовало делать, не держал мяч там, где это было наилучшим вариантом. Он вообще не понимал, в чем была его роль, и чем хуже играла команда, тем больше он ошибался, пытаясь совершить серию героических обходов противника. Лео стал подтверждением того, что команда была слабее, чем каждый ее игрок по отдельности. В «Барселоне» Гвардиолы рядом с ним была команда, усиливающая его потенциал, а в Аргентине именно Месси должен был спасти команду. «Он играет повсюду и не играет нигде. Он и Тевес не подходят друг другу», – писали в то время на Mdzol.com.

Бывший тренер национальной сборной Сесар Луис Менотти говорит более определенно: «Месси – не стратег, он лишь доводит стратегию до совершенства. В Аргентине все в беспорядке, и это сказывается на его игре. В «Барселоне» Месси играет, в национальной сборной – бегает». Марадона попросил, чтобы Лео играл, как хочет, но не создал необходимых условий, чтобы футбольные таланты Лео могли проявиться во всем своем блеске. В любом случае, «Блоха» знал, что не помог команде и чувствовал себя ответственным за то, что произошло.

Но было нечто, что причиняло боль как Лео, так и его семье, причем до такой степени, что он потерял желание играть за национальную сборную – личные нападки. В октябре 2009 года в электронном журнале «Minutouno.com» была опубликована статья, в которой исследовались причины его плохих выступлений. Авторы пришли к удивительным заключениям. «Ответ мог бы быть найден в эмоциональных конфликтах в голове игрока. Психологи полагают, что, уехав из Аргентины еще ребенком, Месси мог ощущать потерю корней и негодование к своей родной стране: «Вместо того чтобы ощутить негодование в отношении родителей, он перенес эти чувства на свою страну, – объясняет психоаналитик Кристина Каррильо. – Ребенку, который рос вдали от своей страны, трудно позитивно воссоединиться с ней». Ему было «трудно защищать футболку бело-голубых из-за той «нерешенной ситуации в его детстве».

Лео знал о том, что писалось повсюду, и раздражался. Он чувствовал себя не просто аргентинцем, но *истинным* аргентинцем. И все же игра за свою страну становилась для него болезненным делом – в этом не было никакого удовольствия, только самопожертвование, поскольку на него набросилась с осуждением пресса и фанаты, которые идентифицировали национальную сборную, которую он возглавлял, с неудачей на чемпионате.

После матча с Парагваем *El Clarín* вышла с ужасным заголовком: «Хуже играть невозможно, Аргентина». Поражение означало, что период руководства Марадоны ознаменовался двумя победами и четырьмя поражениями – самой плохой статистикой за 25 лет. Был только один выход из этого положения: они должны были разбить Перу и Уругвай в последних двух отборочных матчах.

Мартин Палермо забил гол в дополнительное время, из положения вне игры, под проливным дождем, когда казалось, что Аргентина могла выбыть из чемпионата мира. Рефери засчитал гол, и Марадона бросился на землю и в ликовании заскользил по траве на коленях.

Бело-голубые также выиграли у Уругвая. На поле Centenario Stadium в Монтевидео место в чемпионате в Южной Африке теперь было обеспечено. Абсолютно счастливый Марадона кричал прессе под проливным дождем: «Получили, мать вашу!!», обнимая технического тренера Карлоса Билардо.

Тренер хотел, чтобы его выживание было сочтено хорошо сделанной работой, но СМИ вместо этого предпочли сосредотачиваться на плохой игре, отсутствии системы, необоснованных изменениях в стартовом составе, который никогда не повторялся, а также на постоянно меняющемся составе команды (на 13 игр было приглашено 55 игроков). В этом случае Месси был не только раскритикован за свое выступление – фанаты призвали его к ответу за то, что он не присоединился к празднованию победного гола Марио Болатти в матче против Уругвая.

Окружению Месси это трудно было пережить. Почему такая критика, такое нетерпение? Он был не единственный, кто играл ужасно. Был ли это вызов футбольный легенде, имя которой – Марадона? Несколько дней после каждого вызова в национальную сборную Хорхе и Селия видели своего удрученного 22-летнего Лео. Когда он вернулся в Барселону, то почти не говорил, его беседы с матерью по Интернету были односложными, даже отец не мог вывести его из состояния меланхолии. Время от времени он ходил как старик, со сгорбленными плечами. «Если они будут продолжать так долбить его, мы больше не вернемся», – сказал однажды один из членов семьи Месси. Никому не нравится видеть, как их сын страдает.

Марадона отлично понял, что происходит, и использовал пресс-конференции, чтобы защитить Лео. Но он должен был пойти дальше. Прежде, чем отправиться на чемпионат мира, ему нужно было поговорить с Лео один на один, чтобы тот почувствовал его поддержку и любовь. Диего любил говорить с присущим ему остроумием, поэтому его разговор с Месси по телефону был «труднее, чем разговор с Обамой» – поздняя интерпретация – «тяжелее, чем разговор с Кристиной Кирхнер, президентом Аргентины». Наконец он решил сам отправиться в Барселону.

Диего сделал это в конце марта 2010 года, за несколько месяцев до начала чемпионата мира.

Марадона направился к тренировочному полю, чтобы поприветствовать Пепа Гвардиолу, а позже встретился с Месси один на один в отеле «Majestic». Лео выслушал Диего и менеджера, который был взволнован тем, как играла команда. Затем менеджер взял листок бумаги и попросил, чтобы Месси схематически изобразил систему, в которой будет чувствовать себя на поле наиболее комфортно. Поначалу Лео удивился и не стал ничего рисовать, но Марадона настаивал.

Месси, который любил атакующие команды, подумал, что знает, что пошло не так, как надо, с национальной сборной. При таком количестве талантливых игроков на передней линии нужно было лишь правильно расставить их, чтобы обеспечить наиболее эффективную работу. Он сам мог играть в любом положении, которое послужит надежным орудием организации игры, но также позволит ему повлиять на результат и на счет.

Лео предложил обойтись без схемы 4–4–2, которую Марадона использовал чаще всего, с двумя крайними нападающими (Анхель Ди Мария и Джонас Гутьеррес), двумя центральными полузащитниками (Маскерано и Верон) и двумя форвардами (Месси и Иген). Вместо этого он предложил, схемы 4–3–1–2 или 3–4–1–2 – эффективная тройка на переднем плане, но с достаточным количеством игроков в защите. Кто-то очень быстрый, такой, как Джонас или Ди Мария, мог стать одним из крайних нападающих, двигаясь вперед и назад, чтобы и защищать, и нападать. Карлос Тевес и Гонсало Хигуаин могли быть форвардами. Лео смешался бы с двумя центральными защитниками и тремя или четырьмя полузащитниками, которые будут защищать его. Таким образом, он всегда оказывался бы близко к мячу.

Марадона согласился.

Внезапно у Лео улучшилось настроение, когда он подумал о чемпионате мира. Несмотря на трудности отборочного турнира, он подумал, что они с Диего нашли некоторые точки соприкосновения. После того как «Барселона» выиграла в сезоне 2009/10 года титул чемпиона лиги, команда отправилась праздновать это событие со своими поклонниками в «Камп Ноу». Как диктует традиция, игроки взяли на поле микрофон, чтобы передать всем своим поклонникам сообщение. «*Bona nit*» («Добрый вечер!» по-каталански) – начал Лео свое краткое выступление, в то время как на трибунах начали скандировать его имя. «Я не скажу в этом году ничего необычного. Просто, держись, Аргентина, твою мать!» – боевой клич в адрес своей страны.

До чемпионата мира оставался один месяц.

Вот как El País с другой стороны океана и с беспристрастностью, которую обеспечивает географическая отдаленность, охарактеризовал аргентинскую команду, которая прибыла в Южную Африку:

Марадона поджидает Месси.

Тренер поручает форварду капитанство в бело-голубой команде точно так же, как это сделали в «Барсе». До сих пор «Блоха» чувствовал себя иностранцем в собственной национальной сборной.

Это будет Аргентина Марадоны? Или это будет Аргентина Месси? Или, возможно, магия чемпионата мира заставила аргентинского бога и лучшего игрока в мире забыть разногласия, чтобы совместно добиться триумфа. Их сосуществование до сих пор шло по очень тернистому пути. Аргентина, как никогда прежде, пострадала уже на отборочной стадии, стремясь добраться до чемпионата мира. Команда была смята и дезориентирована заменами, произведенными Марадоной и его странными действиями. Игроки рассматривали его скорее как почитаемую фигуру, идола своей юности, чем как тренера, от которого они могут узнать о необходимой тактике. В неизменном тренировочном костюме Марадона ранее показал себя беззастенчивым и своевольным словоблудом, красующимся перед микрофонами. Сочетание его решений со скамьи и общий хаос, которым стал стиль игры аргентинцев, обошлись Месси дороже, чем что-либо еще. Он — суперзвезда в «Барселоне» и тень своего обычного Я в национальной сборной, потому что вокруг него не играет оркестр, как в «Барсе». Нет никакого оркестра, только группа солистов. Они все каждый сам по себе, потому что Марадона лез из кожи вон, обращаясь то к одному, то к другому (даже к игрокам, которые были неспособны играть или травмированы).

«Блоха» подвергся нападкам со стороны своих соотечественников. Высмеивание все возрастало вследствие воображаемого отсутствия привязанности к своей стране, так как он еще мальчиком упаковал чемоданы и уехал в «Камп Ноу». В то время как Месси является знаковой фигурой в «Барселоне», в своей национальной сборной он чувствует себя чужаком. Марадона точно не сделал его жизнь легче. Гвардиола освободил Лео от всех цепей, и маленький форвард разразился голами — 47 голов за сезон, от «Золотого мяча» до «Золотой бутсы» — он добивался невозможного. Марадона говорит, что теперь хочет скопировать модель сине-гранатовых в поисках ключа, способного решить все его проблемы. До сих пор Аргентина играла без своего стиля, в темпе слоновьей поступи Верона. Список нападающих страшен, учитывая, что Агуэро, Хигуаин, Тевес, Диего Милито и даже Палермо (включенный из-за его удивительного гола в матче против Перу) все выступают рядом с Месси. Два победителя Лиги чемпионов (Камбиассо и Дзанетти) и Гаго из «Реал Мадрида» попали в немилость. Рикельме нигде не видно, а он был сердцем команды, пока он не вступил в борьбу с самим Диего.

Страстное желание Марадоны всегда быть главным героем чревато тем, что он может «съесть» Месси. Бывший герой любит поговорить и хочет быть всегда в центре внимания, тогда как нынешний вне поля ведет себя тихо, на поле же он – настоящий монстр. Страна прощает ошибки Марадоны точно так же, как требует от Месси намного большего, как будто тренер был хорошим парнем, а форвард – плохим. Занятия в школе были приостановлены, поскольку во время чемпионата мира были включены все телевизоры, чтобы ученики могли смотреть матчи. С одной стороны кромки поля стоял Марадона, с другой – Месси. Надо еще посмотреть, обнимутся ли они. Кажется, как будто Марадона не хочет, чтобы Месси занял его место на алтаре поклонников, как будто это важнее, чем результат матча.

Аргентина надеется, что прошлое и настоящее будет вместе торжествовать в Южной Африке.

Первый матч чемпионата в группе был против Нигерии, куда еще входили Южная Корея и Греция. На пресс-конференции перед матчем Марадона сказал: «Аргентина остается «Роллс-Ройсом», но теперь его ведет Месси».

У команды был Лео, помимо Тевеса и Хигуаина, причем последний регулярно дрейфовал на фланге с Вероном, Маскерано и Ди Мариа, четверкой защиты. Джонас Гутьеррес, атакующий крайний защитник, начал игру как правый защитник.

Очень скоро лучший игрок в мире оправдал это звание – Лео, без сомнения, был лучшим на поле, возможно, наряду с нигерийским вратарем Винсентом Эниэама, который взял все, кроме удара головой Габриэля Хайнце на шестой минуте. «Блоха» связывал нападение и защиту, бил по мячу, делал кроссы. Он обходил игроков противника, оказывал давление на команду Нигерии и сумел выполнить восемь ударов по воротам. Он сделал больше пасов, чем какой-либо другой игрок, но у двух нападающих был неудачный день.

Замены Марадоны привели к путанице, к концу игры измученная команда распалась на отдельные фрагменты и не представляла собой плотный оборонительный монолит. Однако все это было замаскировано результатом игры, объятием и рукопожатием между Марадоной и Лео после матча: Диего оторвал его от земли, а также дважды поцеловал.

На пресс-конференции, прошедшей после матча, Лео так выразил охватившее его счастье: «Это был хороший матч. У меня была достаточная свобода перемещения, и меня очень поддерживали товарищи по команде». Марадона наслаждался счастьем Лео: «Лео счастлив с мячом в ногах, и, пока он радуется этому, мы все гордимся результатом».

В матче против Южной Кореи Марадона сделал еще один шаг по направлению к тому, чтобы максимально использовать отличную форму Лео. Хавьера Маскерано попросили заполнить разрыв, поставив Лео перед собой. Четыре игрока должны были воспользоваться его вдохновенной игрой: Макси, Тевес, Ди Мария и Хигуаин, который сделал хет-трик. Лео участвовал во всех голах, приведших к решительной победе со счетом 4:1, хотя решение переместить его дальше от штрафной площадки имело определенные последствия после конца турнира.

Аргентина получила право играть в 1/8 финала. Пары матчей было недостаточно для того, чтобы зарыть топор войны, но это многих успокоило. Когда Лео спросили о том, что происходило в течение предыдущих месяцев, он не скрывал своих чувств: «В национальной сборной я не был тем, кем был в

«Барселоне», и чувствовал, что должен был сделать больше. Но я всегда чувствовал поддержку Диего и изменил ситуацию благодаря вере в меня товарищей по команде».

Поддержка Диего, логичная с точки зрения спорта, нуждается в некотором разъяснении. Хулио Грондона, который всегда верил в Месси, часто напоминал Марадоне, что он должен сделать с Лео то же, что Билардо сделал с ним на чемпионате мира 1986 года: заставить почувствовать себя номером один, дать ему нарукавную повязку капитана. Безусловно, Диего относился к своему новому номеру 10 как к великому футболисту, но никогда не заявлял, что Месси станет уникальным, непревзойденным игроком в истории футбола. Это место было уже занято. Возможно, он был лучшим в мире. В то время. И, как следствие, делал Месси основным элементом команды, но Марадона не был готов на большее.

Уже в 2008 году Марадона по любой причине старался выдвинуть на первый план дефекты Месси, как тогда, когда он сказал, что Лео должен был «решить все для себя перед Олимпийскими играми. Пора стать мужиком. Это прекрасная возможность повзрослеть». Немного позднее он пожаловался на то, что Месси все еще не стал явным лидером: «Я надеюсь, что Лео изменит свой характер, потому что я не вижу, что он готов идти и бороться за награды, сказать что-то товарищу по команде, мотивировать его или сказать ему «передай мяч мне». Я надеюсь, что со временем Лео постепенно становится более явным футболистом и что через два-три года мы сможем сказать: Лео – лидер». Как раз одновременно с этими высказываниями Марадона отправился на Олимпийские игры в Пекине в качестве зрителя и навестил своего зятя, Серхио Агуэро, жившего в одной комнате с Лео. Месси старался уйти всякий раз, когда приходил Диего.

Послания от Марадоны принимали форму публичных жестов. В январе 2009 года, в первые несколько месяцев его руководства национальной сборной, Марадона пошел посмотреть матч «Атлетико Мадрид» против «Барселоны», игру, в которой Месси отлично проявил себя. Марадона, сидя на трибуне, не поднялся, чтобы поприветствовать ошеломляющий гол Лео – стремительный «шимми» мимо вратаря. Затем Марадона поехал в Португалию, чтобы увидеть Анхеля Ди Мария в «Бенфике». Крайний нападающий забил гол, менее красивый, чем Лео, и аргентинская пресса обратила внимание на реакцию Диего: его сфотографировали, когда он встал, чтобы поприветствовать этот гол, хотя больше из зрителей никто не стал этого делать.

После того как Марадону назначили тренером национальной сборной, он постепенно начинал в глубине души восхищаться тем, что не смог увидеть снаружи. Он начал понимать, что Лео был весьма честолюбивым игроком, понимающим футбол, который стремился стать частью национальной сборной, и что он хотел предложить команде все, что имел, но не умел красиво говорить. Диего, помня слова Грондоны, решил вознаградить отношение Лео теперь, когда понял его немного лучше.

В день перед матчем против Греции, который завершил групповой этап, Марадона появился в комнате Лео. Он хотел протянуть руку помощи, добиться позитивного психологического состояния группы и предложил Месси звание капитана. Лео, полный эмоций, смущенный, принял это предложение.

Он также попросил совета у Хуана Себастьяна Верона, с которым «Блоха» жил в одной комнате и кто не мог спать из-за храпа Лео. «Я видел Лео нервничающим всего однажды, – вспоминает бывший полузащитник. – Это был день перед матчем с Грецией, когда Марадона предложил ему нарукавную повязку капитана. Но дело было не в ответственности, накладываемой обязанностями лидера. Основная проблема была в необходимости держать речь перед товарищами по команде». Что касается храпа, то, согласно Верону, решение было простым: «несколько ударов подушкой, и дело сделано».

Следующее утро было холодным. Когда стартовые одиннадцать игроков образовали круг, чтобы выслушать слова нового капитана перед игрой со сборной Греции, Лео не мог собрать слова даже в одно предложение. Хуан Себастьян выкрикнул несколько слов, и команда выскочила на поле.

Аргентине, с полузащитой в лице Болатти, Верона – в своей последней игре он был стартером – и Месси, не нужно было включать пятую передачу, чтобы победить команду Греции, которая попыталась бороться с командой Марадоны на физическом уровне. Финальный результат – 2:0: Аргентина перешла на следующий этап в качестве победителя группы. Не пытаясь достать луну с неба, но работая достаточно эффективно, бело-голубые теперь, спустя три дня после двадцать третьего дня рождения Лео, должны были противостоять Мексике. Все праздновали его день рождения, но, к огорчению Карлоса Тевеса, никто не вспомнил о дне рождения их товарища по команде Хавьера Пасторе, который был четырьмя днями ранее.

Пришло время дать команде послабление – эта работа относилась к обязанностям тренера по физподготовке и официального специалиста по разминке Фернандо Синьорини. Он решил раздать книги. «Некоторые смотрели на них с удивлением, потому что явно не были любителями чтения. Например, Маскерано бродил с книгой «Почему я не христианин» Бертрана Рассела. А Хайнце получил историю уругвайских парней, которые оказались после крушения самолета в Андах. Я подарил Карлитосу Тевесу *Las fuerzas morales* Хосе Инхеньероса – он ходил вокруг Эзейзы, который держал эту книгу». А Лео? «Он был с Вероном в их комнате, так что они, должно быть, вместе занимались чем-то». Месси за всю свою жизнь открыл только две книги – Библию и, по его словам, в 12-летнем возрасте он начал читать биографию Марадоны, которую так и не закончил.

Синьорини обнаружил, что Лионель полностью сосредоточен, несмотря на окружающий его шум. «У меня есть привычка идти по полю и, видя, что игрок направляется ко мне с мячом, спокойно иду и – бам! Я забирал мяч или делал вид, что забираю, и говорил: «Ты должен следить за полем». Однажды тренировка закончилась, и я увидел, как Лео движется ко мне с мячом. Он шел прямо на меня на расстоянии приблизительно в тридцать сантиметров. Он начал отводить взгляд, и я быстро двинулся к нему и – бам! Но Лео отвел мяч мимо меня в сторону прежде, чем я оказался рядом с ним! Я ничего не сказал ему, но он сделал меня! Конечно, я хотел отобрать у него мяч. Но не смог – он был начеку».

1/8 финала, Аргентина против Мексики.

Марадона разбил команду надвое с Маскерано в качестве главного звена. До того момента это срабатывало, но следующие противники представляли более серьезную проблему. Начали становиться очевидными трудности с созданием голевых возможностей при неизменно недостаточной численности центра. Лео, снова пребывая в той же странной позиции полузащитника, стоящего перед Маскерано, сделал то, что многие склонны делать в таких случаях: слишком многое. Находясь вдали от штрафной площадки, он взял на себя ответственность за все происходящее, зашел слишком глубоко, чтобы достать мяч, и это повредило ему как физически, так и тактически. Мексиканскому тренеру Хавьеру Агирре удалось остановить его, и идеи команды были исчерпаны. Лео использовал все свои блестящие возможности, чтобы забить гол, но это также не сработало.

Победа Аргентины со счетом 3:1 была напрямую связана с ошибкой рефери Роберто Розетти, который не заметил, что Тевес был вне игры во время первого гола, и ошибки мексиканского защитника во время второго.

Верон, которого не было в стартовом списке, вышел на поле на шестьдесят девятой минуте при счете 3:0. Он выпал из команды после того, как Марадона разместил Лео согласно новой стратегии: двое нападающих перед Лео, как и в «Барселоне», превратились в четырех. Вместо того чтобы максимально использовать скорость Лео в заключительной трети, Диего хотел превратить его в маленького Марадону. При таком раскладе Верон оказался лишним.

В тот вечер Верон и Лео болтали в гостиничном номере. Теперь «Блоха» слушал своего друга, который чувствовал себя оторванным без какой-либо разумной причины от центра событий, происходящих с командой.

Фактически ни один из футболистов не ушел после игры с Мексикой убежденным в достоинствах новой системы. В раздевалке говорили, что, может быть, в игре против Германии дела пойдут лучше.

Фернандо Синьорини: «Помню, что как раз перед началом четвертьфинального матча против Германии я подошел к Лео и обхватил его лицо обеими руками. Я сказал ему: «Малыш, не волнуйся, ты становишься величайшим игроком всех времен. Сегодня единственное, что от тебя требуется, – выложиться по полной, и больше ничего, потому что ты еще очень молод и в твоей жизни будут еще другие Кубки мира, так что ни о чем не беспокойся. И, как всегда, те, кто смотрит на тебя со стороны, там должны и остаться. Просто сосредоточься на том, чтобы сделать все возможное для тех семи или восьми человек, которые никогда не подведут тебя. Играй для них так, чтобы весело провести время. Будь счастлив, потому что, если ты несчастлив и не наслаждаешься игрой, ты не сможешь доставить кому-либо удовольствия, а это означает, что ты играешь ужасно». Ему только что исполнилось двадцать три года. Мы часто говорили с Диего о том, что если наша команда начнет побеждать, то любой команде будет трудно вернуться к предшествующему уровню. Проблема могла возникнуть, если бы мы пропустили гол, потому что многие парни были в отличной форме, но им не хватало опыта. У нас были Ди Мария – двадцать один год, Агуэро – двадцать один год, Хигуаин – двадцать два года, столько же было Хавьеру Пасторе, Николасу Отаменди...»

Игра прошла ужасно. Аргентина была оскорблена.

Четыре года спустя в матче с тем же самым противником история повторилась. В команду Германии пришло новое поколение (Мюллер, Ёзил, Хедира), за ними шли Лам, Подольски,

Швайнштайгер. Капитаном команды был Клозе. В предыдущем раунде в результате решительной победы они выбили Англию со счетом 4:1 и в четвертьфинале наголову разбили бело-голубых.

Гол Томаса Мюллера на начальном этапе поставил Аргентину именно в то положение, которого так боялся Диего. А где был Лео?

Месси, который снова играл, имея четырех игроков перед собой и Маскерано, который защищал его, получил удар уже в первые пятнадцать минут. Как его проинструктировали, он вернулся к центральному кругу, чтобы взять мяч, и полагал закончить движение. Лео запутался в дриблинге и беспорядочной игре, и немцы даже не считали необходимым нарушать правила, чтобы его остановить. Он двенадцать раз терял мяч и ни разу не мог вернуть его. Будучи умным игроком, Лео обнаружил возможность и создал свободное пространство, но товарищи по команде не видели его.

Во второй половине игры немцы представляли собой паровой каток, который невозможно было затормозить. После великолепной игры Швайнштайгера Мирослав Клозе и Арне Фридрих сделали игру для людей Марадоны невозможной. Они не знали, что делать. Прямо в конце игры Месси послали занять более атакующую позицию. Чтобы посмотреть, что будет. Слишком мало, слишком поздно.

Восемьдесят девятая минута. Клозе завершил контратаку, чтобы довести счет до 4:0. Месси, упавший духом, опустив голову и с отрешенным взглядом, вошел во вратарскую площадку – ему снова пришлось оказаться в проигравшей команде.

В первой же крупной игре чемпионата мира команда Аргентины рухнула как карточный домик, которым, собственно говоря, и была.

Забивший в «Барселоне» 47 голов Месси закончил пять игр без единого гола, несмотря на то, что был игроком с наибольшим числом ударов и дважды попадал в перекладину ворот. На том чемпионате мира, где победила Испания и героем стал Иньеста, другие знаменитости разочаровали зрителей: Уэйн Руни, Франк Рибери, Криштиану Роналду, Кака.

Лео был безутешен. Гнев, расстройство и боль – когда игра закончилась – все это вскипело в нем. Марадона поцеловал и обнял его перед камерами, прямо на поле. Лео просто смотрел в пространство.

Несколько секунд спустя Фернандо Синьорини увидел, как Лео упал в обморок в раздевалке: «Он кончился. Он не плакал, он кричал от безнадежности. Он кричал, да, да, да. Это выглядело, как... как будто он не мог справиться с собой, это шло изнутри его... Я несколько раз удерживал его, но не было никакой возможности остановить его. Он был похож... в раздевалке скамьи были установлены у стены, между ними оставалось свободное пространство, и он сидел в одном из этих промежутков, на полу, подтянув к себе согнутые ноги, почти как эмбрион, и кричал. Он почти бился в конвульсиях».

«Настроение было ужасное... Я сказал им: «Ну вот, все кончено. Теперь идите, возвращайтесь к семьям, к детям, все хорошо, все замечательно, вы сделали все, что могли, не мучайтесь из-за этого слишком сильно».

Но Лео умер. Каждое поражение для него – маленькая смерть.

Эмоциональный Марадона рассказал на пресс-конференции, как Лео мучительно кричал в раздевалке.

«Ему было плохо, очень плохо, – вспоминает Билардо. – Я видел, как он рыдал. Он плакал, потому что страдал. Дело в том, что Марадона, у которого было все, всегда хотел только победы. Лео тоже».

Тот чемпионат мира начался с бешеных криков Марадоны в Монтевидео. В Южную Африку отправился тренер с более серьезным отношением к делу, в сером костюме, с ухоженной бородкой. В конце это был упавший духом, но все еще дерзкий человек, сомневающийся в своем будущем.

Тем летом Марадона оставил бело-голубых. Вечный номер 10 попытался добиться финальной победы для себя, но для поражения он нашел других авторов.

При Марадоне у Лео был худший голевой результат: три гола в шестнадцати играх. Марадона ничего не смог добиться с помощью Месси и при этом ярко продемонстрировал свою неспособность как тренера. Это последнее поражение национальной сборной интерпретировалось как глобальное явление: «Послушайте, но разве не заявлялось, что Месси – настоящий гений?»

Подобный анализ был оскорбительным и беспринципным. Писали и говорили, что Лео должен был довести среднюю команду до состояния чемпионов мира, но он оказался неспособен сделать это, то есть повторить то, что некогда сделал Марадона.

Многие в Аргентине задавались вопросом, хотел ли Марадона, чтобы Месси хорошо сыграл на чемпионате мира. Какой вздор! Это высказывание показывает, что люди, которые говорили подобное, не понимали сути этих спортсменов. Однако верно то, что, имея возможность изучить, как Гвардиола, Коко Базиль или Панчо Ферраро работают с Лео, Диего все же предпочел, чтобы Лео одержал победу «а-ля Марадона», заставив его играть как разносторонний полузащитник, которым Месси не был. Тренер забыл о беседе в Барселоне, где была придумана схема для чемпионата мира. Потрясающий шанс так и не был использован.

«Сборная Аргентины оказалась слабой командой из городского парка», – писал Goal.com. – Глупости Марадоны сказались на команде. Упорство Диего и его неспособность признать свои ошибки привели Аргентину к разгрому». В *El Clarín* излагались те же мысли: «Марадона так и не смог создать сильную команду. Вся ответственность пала на Месси, а он – не Марадона. Тренер оказался некомпетентным. Игроки обнаружили, что Деда Мороза не существует: Марадона оказался не тем, кем они его себе представляли».

Анализируя чемпионат мира для *El País*, Лео поставил точку в истории с турниром в Германии: «Произошло нечто отвратительное, это было следствием того, как все складывалось. Необходимо было идти вперед, и у нас была команда, чтобы сделать это. Мы еле-еле проползли на чемпионат, команда была не в лучшей форме. По-моему, на самих играх мы действовали достаточно хорошо – до матча с Германией. Это была еще одна неудача. Они выиграли совершенно заслуженно, очень рано забили гол и доминировали в течение всего матча. Это ужасное разочарование, что мы не смогли продвинуться дальше».

На этих двух чемпионатах мира и даже на Кубке Америки 2007 года игра Лео была нестабильной. Без него было бы еще хуже, но совершенно ясно, что не удалось создать команду, которая могла извлечь максимальную пользу из игры самого талантливого футболиста своего поколения.

Месси спровоцировал жаркие дебаты в футбольном мире еще до того, как стало известно о том, что Марадона больше не будет тренером национальной сборной. «Мы должны снова начать с нуля», – сказал он. Возможно, это было разумным анализом ситуации, но на самом деле чемпионат мира в Южной Африке продемонстрировал увеличение пропасти между аргентинскими поклонниками и Месси. И никто не собирался молчать об этом: хлынул поток обвинений, повальный, нескончаемый. «Лео спасовал после поражения в матче против Германии. Если бы ему платили в евро, то он играл бы лучше. Он не радовался голу с достаточной страстью. Он был высокомерен. Жесток. Ему покровительствует Грондона. Он аутичный». Все это неоднократно произносилось и писалось.

Лео выслушивал эти заявления, и они убивали его. Он все еще не понимал причины происходящего. Дружественно настроенные профессионалы защитили его, все, включая Марадону. «Я думаю, что пресса имела непосредственное отношение к тому, что в головы людей были вколочены разные нелепые идеи: Лео то, Лео это, а надо помнить, что ему двадцать четыре года! Я выиграл чемпионат мира в двадцать шесть! Его возраст отлично подходит для того, чтобы быть полностью сложившимся игроком и показать аргентинской общественности, что они совершенно неправы».

Лео устал от непонимания и почти был готов сдаться. Он решил, что или его примут таким, каков он есть, или он не будет стремиться быть принятым вообще – вне зависимости от последствий. «Общество не понимает Месси, потому что тот не поет государственный гимн, – говорит Херардо Салорио. – Лео из тех, кто не выставляет напоказ свои эмоции. Нам здесь нравится девиз «хлеба и зрелищ», мы такие, мы так привыкли. Серьезные люди не одерживают победу в нашей стране, герой должен быть чем-то вроде марионетки. Именно поэтому серьезность Биельсы отлично подошла Бильбао. Такой серьезный аргентинец не может существовать на нашей родине, как произошло с самим Хосе Пекерманом, Панчо Ферраро, Хуго Токалли...»

«Я спросил Лео, потому что это помогло бы ему в обдумывании сложившейся ситуации, – какое отношение государственный гимн имеет к футбольному матчу? – сказал Синьорини. – С чем связан государственный гимн? Ведь когда вы думаете о любом государственном гимне, это навевает мысли об эпических битвах. Вы сразу думаете о жестокости войн».

Вы могли спокойно писать против Месси: это стало модным. Проблема заключалась в том, что его личная жизнь все время перемешивалась с футбольной. В октябре 2011 года прославленный писатель Мартин Капаррос начал резкую критику Лео в прессе, которую прочитало множество людей: «Лео пытается быть аргентинцем, и три миллиарда человек подтверждают – да, он аргентинец, но только его воображаемые соотечественники сомневаются в этом. В нем все еще не пробудилась привязанность к родине или ощущение близости к нам: Месси – парень, который делает невероятные пируэты с мячом на другой стороне земли, к счастью, он играет за нас на чемпионатах мира. Конечно, это заставляет нас гордиться – гордость возникает у аргентинцев так же легко, как и жалобный крик, – но эта гордость немного искусственная, как будто мы боимся, что в любой момент эта уловка будет обнаружена».

Без поддержки СМИ, которая была у Рикельме (он помог некоторым журналистам подняться по карьерным ступенькам на телевидении) или Марадоны, Лео все больше становился чужаком на своей собственной земле. Это – очень типичный пример аргентинской ревности. Месси уехал и одержал победу; во время кризиса он упаковал чемоданы, предпочтя не оставаться и не переживать трудности, как все остальные. «Возможно, это не чисто аргентинское качество, но это заметно», – объясняет Серхио Левински. Существовала давняя традиция – не брать на чемпионат мира игроков, если они раскрутились в Европе. Аргентина отправилась в Швецию в 1958 году и потерпела неудачу – в команде не было ни Альфредо Ди Стефано, ни Энрике Омара Сивори. Они были лучшими игроками в мире, но, поскольку они играли в Европе, их считали «отрезанным ломтем». Даже у Марадоны между 1982 и 1985 годами был период, когда его не признавали, потому что он играл в Европе.

Лео описывает свой дом в Кастельдефельсе как «нормальный»: в нем много предметов, напоминающих о Росарио, как и в доме его матери или брата. В Росарио – его корни. Однако в родном городе Месси вы почти не найдете его следов. Только в 2013 году местный совет по туризму впервые издал листовку с «маршрутом Месси». Составляются планы относительно создания спортивного музея. Месси настаивает, что, когда он уйдет в отставку, то будет работать в «Ньюэллсе»: «Я не знаю, когда это будет, но я этого хочу. Я хочу играть в аргентинском футболе». Его слова искренни, но все чаще напоминают призыв понять и принять его.

Но, как сказал Эдуардо Сакери в *El Grafico*: «Это не ошибка Месси – что мы, аргентинцы, неспособны покончить с трауром по Диего».

> «Я всегда говорил: Аргентина относится к нему несправедливо. Мы поступаем очень плохо, верно? Мы, игроки, всегда говорили: не Лео должен спасти нас, мы должны помочь ему, чтобы он мог сделать все, что обычно делает. Если команда не поддерживает Месси, это очень плохо. Я чувствовал, что команде не удавалось дать ему все, чтобы он мог по-настоящему развернуться. Он всегда играл за Аргентину очень хорошо, да, в какие-то моменты он не блистал так, как в «Барселоне», но при этом нельзя сказать, что он играл ужасно. Очень трудно увидеть плохое выступление Лео, потому что обычно решения, которые он принимает, являются правильными».
>
> **(Хавьер Маскерано)**

«Ди Стефано, Гарринча, Пеле, Круифф или Марадона, Платини или Зидан, — они нуждались в том, чтобы с ними нянчились ради того, чтобы они могли играть? Разве они не так же играли за свои команды одновременно с игрой в национальной сборной, с различными поездками, разными тренерами и товарищами по команде? Они когда-либо нуждались в тренерах, которые будут выстраивать команду вокруг них так, чтобы они могли воссиять? Или быть капитанами? Или носить номер десять? Или их семьи подскакивали, чтобы защитить их? У кого-нибудь в какой-либо национальной сборной было пять лет и пятьдесят матчей? Месси в определенной степени ответственен за то, что происходит с национальной сборной, или, как говорят его защитники, виноваты все вокруг? Тишина».

(Фернандо Араухо Велес, журналист El Magazín)

Аргентина не выигрывала в крупных турнирах с 1993 года. Оглядываясь назад на первые 50 игр Лео в сборной, можно сказать, что были важные голы, красивые, но им так и не удалось пережить день славы на последних этапах турнира. Серхио Батиста заменил Марадону и захотел повторить прошлое, поэтому решил использовать систему Гвардиолы, дав Лео полную свободу. Но там не было ни Хави, ни Иньесты, которые бы помогали ему, при этом команда не была построена с эффективным использованием Пуйоля и Пике. Новый тренер строил дом, начиная с крыши, организуя построение прежде, чем создал условия для максимального использования талантов, имеющихся в его распоряжении, но сама природа ответственности за национальную сборную предлагает мало альтернатив и совсем не оставляет времени.

Он также повторил то, что Пеп сделал с Рональдиньо и Деку: Батиста поговорил с Тевесом, который впоследствии исчез со сцены. Есть множество теорий на этот счет: Тевес был одним из немногих, кто после поражения в Германии поддержал Марадону, давнего врага Батисты. На товарищескую встречу с Бразилией в Дохе Тевес не поехал из-за придуманной мышечной травмы, но несколько дней спустя играл за «Манчестер-Сити». Тут же последовало замечание из лагеря Батисты: «Это демонстрирует, что ему не хватает преданности сборной».

Можно добавить еще несколько примеров из мира футбола: Батиста заявил, что собирается выстроить команду вокруг Месси. Необходимо выбрать стилистику игры. Тевес предложил борьбу и боевой дух, но это дорого ему обошлось; он был более удобен, играя в качестве одинокого нападающего.

Тренер поехал в Англию, чтобы посмотреть нескольких игроков, и даже не позвонил Тевесу. Казалось, в его будущем сомневаться не приходится, однако существовала одна проблема.

Это был 2011 год – год Кубка Америки, который должен был проходить в Аргентине. Тевес, человек скромного происхождения, окрещенный Марадоной «игроком из народа», имел в то время большую популярность, чем Лео: его лицо мелькало в рекламе на телевидении и на плакатах по всей стране. Компании, спонсирующие национальную сборную, оказали огромное давление, чтобы удержать его в команде. За несколько дней до начала турнира Батиста позвонил Тевесу: он решился пригласить его в команду.

Как это всегда бывает, вокруг лидеров начали формироваться группировки. Лео делил стол, время, игры и беседы с Пабло Сабалетой, Маскерано и с Габриэлем и Диего Милито. Начиная с Южной Африки, их называли «*Ferran Adrias*» – в честь известного каталонского повара. Имя было бы оставлено, поскольку оно постепенно становилось наименованием самой влиятельной группы.

Для того турнира Чечо Батиста выбрал схему 4–3–3: Эстебан Камбиассо, Хавьер Маскерано и Эвер Банега в качестве трех центральных полузащитников, хотя двое из них должны были скорее действовать от штрафной до штрафной и шире, чем обычно. Эсекьель Лавесси присоединился к дуэту Тевес/Месси впереди.

С первой минуты матча-открытия против Боливии стали очевидны проблемы. Месси и Тевес делали одни и те же пробежки, использовали одинаковые места и не сочетались между собой. Поскольку игра продолжалась с равным счетом, оба прошли достаточно глубоко, чтобы помочь выстроить атаку. То же самое произошло в следующем матче против Колумбии. И публика заставила себя послушаться: они предпочли Тевеса. На Лео полетели выкрики и оскорбления, и он ушел, оставив поле сопернику. Вокруг него раздавалось то же шипение, которое он слышал, начиная со своего дебюта в национальной сборной пятью годами ранее.

Пресса не позволяла ему идти вперед.

«Вы сразу влюбляетесь в Аргентину, когда приземляетесь в аэропорту или слышите пение государственного гимна».

(El Clarín)

«Это 11 психов. Это не Месси».

(Olé)

Хорхе Месси выступил на «Радио 10»: «Лео приходится очень нелегко. Впервые он был освистан, чего не ожидал. Это действительно жестоко... Люди вольны думать все, что им хочется, но то, что говорит пресса – особенно раздражает. СМИ формируют несправедливое отношение к Лео. Они подливают масло в огонь. Аргентинская пресса может критиковать, потому что это – их работа. Сборная Аргентины играет ужасно, но им следует немного больше заботиться о своей команде».

СМИ формировали общественное мнение, но Хорхе смог увидеть нечто большее, чем просто невинные дебаты по поводу футбола: «Я не понимаю зависти. Кроме того, есть люди, которые формируют общественное мнение и рассуждают о чьей-то личной жизни. Это травмирует и раздражает. Лионель сейчас плохо себя чувствует из-за того, что, когда он прибыл в страну всего несколько дней назад, люди сплачивались вокруг него, поддерживали его». Отчуждение между командой и поклонниками футбола, которым отказали в возможности получить подпись на фотографии или снять своих героев в отелях, возникшее вследствие того, что федерация запретила это делать, ухудшило атмосферу в обществе.

Лео должен был ответить на это по-своему – на поле. Именно поэтому так важна была победа в матче против Коста-Рики.

Матч происходил в Кордове на стадионе «Марио Кемпес», и на этот раз поклонники не давали никому спуску: команда и Лео чувствовали их оценку. В свою очередь, Месси продемонстрировал свою самую лучшую игру. У него все получалось, когда рядом с ним были Кун Агуэро, Ди Мария и Хигуаин, которые ждали пасов от него или от Фернандо Гаго. Последний легко контролировал темп игры, ожидая подходящего момента, когда Лео мог сыграть решающую роль в игре.

Тевес остался на скамье запасных. Месси обеспечил помощь в одном из двух голов Агуэро, а также дал пас Ди Марии. Финальный счет – 3:0.

«Следовало лелеять и заботиться о Лео. Именно так считала толпа на «Марио Кемпес», скандируя его имя. Перед игрой. Во время игры. И сразу после каждого (блестящего или нет) действия этого лучшего игрока в мире».

(*Olé*)

«Месси был просто невероятен... Он изумил костариканцев, которые ни разу не смогли остановить его, но он также свел с ума жителей Кордовы, Корриентеса и Санта-Фе».

(*El Clarín*)

В конце игры игроки Коста-Рики стояли в очереди, чтобы Лео подписал их футболки.

В четвертьфинале, на Ла-Плата *clásico,* Аргентина выставила ту же самую команду, но Уругвай, который в течение 48 минут играл, имея на одного игрока меньше, выиграл по пенальти. Тевес, который проиграл один мяч по пенальти, больше не надевал футболку бело-голубых. Пребывание Месси в национальной сборной снова стало под вопросом. Теперь критика была нацелена на Батисту.

«Национальная катастрофа»

(Olé)

«Так дальше не может продолжаться. Без сердца, без защиты, без тактической идеи, без поддержки Месси»

(Olé)

«Лионель Месси, лучший в мире, пиковый туз, Дамоклов меч».

(Даниэль Аркуччи)

Как только погас свет после заслуженного триумфа Уругвая, снова начали звучать старые личные обвинения в адрес Месси. Поклонники раздражались из-за того, что он, казалось, предпочел защищаться молчанием. Это отсутствие ответов на публичную критику разжигало стасти, и ругань стала звучать еще резче, чем прежде. Это было невыносимо.

Лео Месси начал подумывать о том, чтобы навсегда уйти из национальной сборной.

— Люди на улице выкрикивали: «он не аргентинец» и прочую чушь. Есть аргентинские игроки, вы их знаете, которые уезжали в Италию и уже через несколько месяцев говорили по-итальянски. Как с этим обстоит в Барселоне?

— Я приехал из Росарио, и каждый раз, когда я открывал рот, мне отвечали: «Что? Что вы говорите?» Мне пришлось прикладывать усилия, чтобы говорить, как они, чтобы избежать необходимости повторяться. Так продолжалось до тех пор, пока я не добрался до первого дивизиона, где говорили на многих языках, и все говорили, как им нравится.

— Но вы сделали лучше, вы смогли…

— Да. Я по-прежнему заказываю цыпленка — «пошо» (аргентинский испанский), а они поправляют меня: «пойо» (каталанский испанский).

— Пару раз я видел, как играл государственный гимн, а вы не пели его. Я написал в Твиттере: «Мне нравится, что Месси не поет государственный гимн» — и вот вопрос: это должно сделать, или: «отцепитесь от меня, я не собираюсь его петь»?

— Да, потому что я думал, что мне скажут — это смешно. Я был расстроен, и я так отреагировал после того, как я услышал все это. Мне наговорили много всякой ерунды.

— Людям не нравилось, что вы его не поете.

— Естественно. Меня критикуют за всё, и за это тоже — с 2006 года, когда начались злобные выкрики в мой адрес. Сейчас все приутихло, но неприятный осадок остался.

— Но насмешки также и движущая сила.

— Да, в меня было нацелено столько злых и мерзких насмешек, сколько и в национальную сборную, я все их слышал. Люди, которые говорят сегодня, очень хорошо говорят обо мне, да, хорошо…

— Что самое неприятное из того, что вы слышали?

— Я в курсе, что неважно выступил в национальной сборной, но я был не единственным плохим игроком. Команда выступила плохо. Люди, или, точнее говоря, пресса, ожидали, что я войду в национальную сборную и в одиночку выиграю состязания. Такого не бывает, ни в национальной сборной, ни в какой-либо другой команде. Я знал, что был не в лучшей форме, но я не хотел этого. Я — первый, кто хочет хорошо играть за мой клуб и мою страну.

— Вы полагаете, что все, что говорилось, было несправедливым?

— Да. То, что говорилось, не имело отношения к плохой или хорошей игре. Именно это причиняет мне боль, потому что я привык к критике за то, что я делаю на поле. Я играю в футбол и привык к тому, что люди говорят мне как приятные вещи, так и неприятные.

— Но нужно ли петь государственный гимн? Я скажу вам больше. Я даже слышал слова: «Он его не знает!»

— Как я уже Вам сказал, говорили столько всего…

— Вы собираетесь петь гимн теперь? Или нужно оставить этот вопрос на потом?

— Давайте оставим его на потом, для более торжественного события.

(Лео Месси, интервью с Мартином Соуто на «ТуС Sports», март 2013 года)

Оскар Устари: В 2011 году, во время Кубка Америки, когда Месси зверски раскритиковали за то, что он не чувствует себя аргентинцем, я пошел навестить его. У меня была операция на колене, и я не принимал участия в играх. Я пошел поприветствовать своих товарищей по команде, и Лео и какое-то время оставался с ним в одной комнате. Он, конечно, успокоился, но видеть его со слезами на глазах – это очень сильное впечатление.

Пабло Сабалета: Лео действительно пришлось нелегко, когда на него вылилось столько злобной ерунды, особенно после Кубка Америки 2011 года, когда мы ясно увидели, что он сыт по горло футболом и Аргентиной.

Хуанхо Брау: Когда ваша собственная страна относится к вам плохо, это оставляет зарубки в душе, но я сказал ему: «Не волнуйся, ты это преодолеешь». Я знаю, каков он, я знаю его лучше, чем он сам себя знает. И я знал, что он способен все изменить.

Пабло Сабалета: Все это является следствием того, что Лео уехал из страны и имел успех за границей, не добившись его дома. К тому же результаты на крупных турнирах были не слишком хороши.

Хавьер Маскерано: Проигрыш действительно причиняет Лео боль, он травмирует душу. Я думаю, что в национальной сборной это ранило его еще сильнее, не столько из-за того, что о нем говорили, но из-за того, как он чувствовал себя в своей родной стране, а также из-за ответственности перед командой. Его ранила та чушь, которую ему приходилось выслушивать, когда то, что он делал, было прямо противоположным...

Хуанхо Брау: Ясно, что бывают моменты, когда сложно подбодрить человека в подобном состоянии. Вы должны заставить его понять, что он — лучший в мире...

Карлос Билардо: То же самое было с Диего, его очень сильно не любили. Мне говорили — нет, нет, такой не годится, его клуб — это одно, а его страна — другое. А я отвечал, что Диего будет моим капитаном, и все злились. Если вы прочитаете журналы и газеты того времени, то за голову схватитесь. Многие молодые люди читают это теперь и говорят мне: «Они что, правда говорили все это?» А я отвечаю: «Да, они действительно писали все это о Марадоне».

Хуанхо Брау: Я всегда езжу с ним, и мне кажется, что должен находиться в определенном месте, так, чтобы, повернув голову, он меня видел. И когда он говорит мне: «Хуанхо» — я отвечаю: «Что?» — так, чтобы ему не приходилось повторять это.

Хавьер Маскерано: Реакция Лео на обратном пути была разной. Плохой результат, неважная работа сильно влияли на него, потому что он всю дорогу молчал.

Хуанхо Брау: По возвращении в Барселону Лео нужно было щелкнуть выключателем. Ему нужно было взять с собой рюкзак и все отвратительное складывать в него. Было время, когда он бы полнехонек.

Эйдур Гудьонсен: Я видел, что, приехав, Месси как будто сбросил с себя груз, хотя он был более тихим, чем обычно. Он вернулся в среду, где его не критикуют постоянно, где его любят, где он мог быть самим собой. Мы смотрели матчи, где Лео в национальной сборной был тенью самого себя. Мы говорили бы об этом между собой — казалось, это два разных Месси.

Хуанхо Брау: В первый день по возвращении на тренировочное поле после пребывания в Аргентине мы обычно говорили о том, как тут шли дела, пытаясь растормошить его. Приходили его товарищи по команде, но ничего не получалось! Звучали ли в раздевалке шутки о результатах Аргентины? Никто не осмелился... возможно, где-нибудь в сторонке. Лео — весьма уважаемый человек.

Карлос Билардо: Два года назад я сделал некоторые заявления: «Не говорите ему больше ничего, не критикуйте Месси больше, потому что он разозлится и не приедет, он просто не захочет приезжать. Поскольку там он — идол, а приезжая домой, получает одни оскорбления, Лео просто перестанет приезжать, и двадцать пять миллионов наших граждан должны будут отправиться в Барселону, чтобы увидеть его игру».

Дома Лео спрашивал себя, почему это происходит со мной? Что я им сделал? Он чувствовал гнев и непонимание, потому что знал, что при соответствующих обстоятельствах мог быть полезен национальной сборной. Период между 2005 и 2011 годами был для семьи Месси очень трудным. Они не раз обсуждали возможность больше не возвращаться в национальную сборную. Возможно, следовало позволить другим выйти вперед, возможно, тренерам стоило построить команду для других звезд.

Целую неделю после Кубка Америки 2011 года Лео серьезно обдумывал идею не возвращаться больше в национальную сборную.

Но время шло, и он снова пришел к тому же заключению: нужно жить с этим. Нужно научиться жить с этим. Это – цена, которую приходится платить за то, чтобы быть лучшим, а к этому он стремился всю свою сознательную жизнь.

Это помогло ему, Лео покинул Аргентину и вернулся в Барселону, где его ждал Пеп Гвардиола. С видами на будущее.

Часть 3

НА ПИКЕ УСПЕХА

Глава 1
РЕКОРДЫ

«Гвардиола постепенно передал свою бешеную энергию всем, кто пришел в «Барселону», и со временем добился всеобщего доверия. Шло время, и стало радостнее работать, игроки снова обрели энтузиазм. Мы видели, что дела идут хорошо. Гвардиола невероятно много знает о футболе и щедро делится своей мудростью, так что на поле играть стало намного легче».

(Лео Месси на Uefa.com 2009 год)

«Гвардиола пришел в то время, когда мы уже два года не могли ничего завоевать. Настроение у всех было паршивым. Команда была разрушена. Его манера работать, транслировать нам свои идеи, доверие, которое он взрастил, — именно это помогло все переменить. Его яркая личность позволяет тренеру ставить перед каждым почти невыполнимую задачу, ясно и четко излагая свои мысли».

(Интервью Лео Месси с Мартином Соуто, TyC Sports, март 2013 года)

«Сейчас я живу в Мюнхене. Я буду там, когда вам понадоблюсь».

Именно так Пеп Гвардиола сообщил мне, что с ним можно обсудить годы, проведенные с Месси. Уникальная эпоха, которая продлилась четыре сезона, со всеми рекордами и шестью титулами за один год, ставшая стартовой площадкой, откуда Лео начал свое вознесение в заоблачные футбольные высоты. В тот период футбол расцвел, как никогда.

Этот период начался с того, что Лео был изолирован от друзей и «приемного» отца, а Пеп никак не мог наладить отношения со своей великой звездой. А закончился он сердечным объятием в «Камп Ноу» после того, как Лео забил четвертый гол против «Espanyol» в заключительном сезоне Гвардиолы. Как проходила их синхронизация? Каковы были взаимоотношения? Были ли это обычные отношения между тренером и игроком? Кто кому помог?

Я встретился с Гвардиолой в Мюнхене в начале сентября 2013 года. Сезон только начался, но в глазах его новой аудитории – поклонников «Бавария Мюнхен», немецкой прессы и правления нового клуба – репутация Пепа была очень высока. Фактически Пеп был в моде: его первая биографическая книга продавалась во всех крупных книжных магазинах города, став темой бесед поклонников, которые в тот день пришли на тренировочное поле, чтобы посмотреть на команду, подкошенную отсутствием иностранных игроков, отправившихся в свои национальные сборные. Все боролись за его внимание (Пеп, Пеп... привет, сфотографировать, взмах рукой!). Они обсудили, что было нужно Гвардиоле: что изменилось, насколько сложно улучшить команду, которая уже и так выиграла все, что только было можно.

В то время Пеп надеялся провести такую игру, в которой команда смогла бы продемонстрировать свою гармонию. Такой матч вскоре произошел – 2 октября 2013 года против «Манчестер-Сити» на групповом этапе Лиги чемпионов. Он закончился победой со счетом 3:1 и подтвердил, что Пепу удалось добиться признания игроков. Мало того, что они победили, но они еще и играли так, как их проинструктировал Гвардиола. Именно с этого начался новый этап его работы.

На пути к своему кабинету – современной комнате с высоким потолком, большим окном из цветного стекла напротив стола, с доской, ручками и DVD-плеером, Гвардиола говорил «привет» на немецком языке всем, кого видел, и кратко пообщался с администратором по экипировке, с игроком, со своим секретарем. Никому не пришлось исправлять ошибки в новом для него языке. Начиналось его погружение в новый клуб.

Сев на одно из вращающихся кресел с высокой спинкой, Гвардиола глубоко вздохнул. Когда он выдохнул, вы почти могли услышать, как в здании повсюду захлопываются двери. Скрытый от внешнего мира, Пеп начал снова перебирать в памяти период работы с Лео – годы побед и тревог.

Слушая, что говорит Гвардиола, казалось, как будто время, проведенное им в Барселоне, было похоже на одно незабываемое лето: интенсивный, плодотворный период, о котором вспоминают с глубокой меланхолией, как нечто неповторимое, то, что никогда не забудется. Но когда наша беседа закончилась, стало ясно, что отношения, созданные в то время, принадлежат исключительно тому времени – их невозможно восстановить сегодня.

Лео и Пеп виделись потом только однажды, так как каждый из них пошел своим собственным путем. Краткое приветствие и обмен шутками на церемонии «Золотой мяч» в начале 2013 года. И все.

Лео Месси – футболист. Пеп Гвардиола был его тренером. Пеп все сделал для Лео. Лео будет вечно благодарен Пепу. Но Месси теперь находился на другой планете. И, возможно, Пеп тоже.

Даже когда «Барселона» проводила товарищескую встречу перед началом сезона в Allianz Arena против «Баварии», их пути не пересеклись. «Я не видел его», – сказал тогда Лео.

Возможность со стороны заглянуть внутрь и увидеть дистанцию между ними не так болезненна, как для самих участников этих отношений. Один раз они увиделись, но ни один не кинулся навстречу другому. Но почему так происходит? Неужели футбол сделал Лео настолько жестким, что он не чувствует потребности поделиться чем-то с тренером, который так о нем заботился? Или интенсивный и практичный стиль работы Гвардиолы требует периода охлаждения страстей, обдумывания и переговоров прежде, чем отношения смогут быть возобновлены, пусть даже личные?

Чтобы понять все и попытаться найти ответ, нужно вести рассказ с самого начала.

Пеп Гвардиола: Впервые я увидел его, когда был в Nike, где раньше работал мой брат Пере. Nike заключил контракт с Лео. Мы случайно столкнулись в магазине. Там находился его отец, и меня ему представили. Лео поприветствовал меня, я увидел, что он довольно застенчив, и мы попрощались: это был наш первый контакт. Некоторое время спустя мы болтали с Тито Вилановой. Он сказал мне, что у него есть фантастический игрок, который добьется очень многого. Тогда я узнал о его достоинствах и начал следить за игрой Месси по телевидению. Тито попал в точку.

Еще один ключевой игрок команды Пепа Гвардиолы, Месси, сегодня наконец узнает, сможет ли он совершить поездку в Аргентину, чтобы присоединиться к национальной сборной на Олимпийских играх с 8 по 24 августа. Каталонский клуб сделал все возможное, стараясь предотвратить эту поездку.

Правление «Барселоны» утверждает, что Месси — очень важный игрок и что они не могут позволить себе роскошь отпустить его в национальную сборную, когда приближается такой важный календарный матч. Отборочные матчи Лиги чемпионов будут играться 12 или 13 и 26 или 27 августа против «Wisła Krakow».

> ▶ После нанесения поражения шотландской команде «Hibernian» с шестью голами (один забил Месси) сохраняется конфликт интересов в отношении Месси... «Право Лео отправиться на Игры не обсуждается», — объявил на предыдущей неделе Хорхе Месси, его отец. В раздевалке поговаривают, что голова этого игрока уже в Пекине... «Если в Players' Status Committee пришли к заключению, что мы должны освободить Месси, мы пойдем в CAS», — объявил Жоан Лапорта, президент «Барселоны». Бундеслига публично поддержала его, клуб получил факсы от итальянских и сербских организаций, поддерживающие их в отношении решений ФИФА.
>
> *El Pais*, **21 июля 2008 года**

1. РАЗНОГЛАСИЯ В СЕНТ-ЭНДРЮСЕ, ШОТЛАНДИЯ. МЕЖСЕЗОНЬЕ

В первые дни межсезонья в Сент-Эндрюсе Пеп Гвардиола представился команде и потребовал соблюдать дисциплину. Он обещал им, что работать придется очень тяжело. Лео Месси пришлось попрощаться с друзьями, с которыми он вырос. Из группы, которая заботилась о нем, «остались только Хосе Мануэль Пинто, Рафа Маркес и я, – вспоминает Сильвиньо. – Это был первый случай, когда Лео прошел перетасовку команды. Конечно, я привык к нему. Но он пережил изменения лишь с некоторой грустью». У руля был поставлен тренер с опытом работы в один год, руководивший «Барселоной B» в третьем подразделении. Лео слышал о нем много хорошего и знал, что Пеп был легендарным капитаном «Барселоны», но любой тренер в каждой раздевалке в мире поначалу вызывает определенное недоверие.

Хорди Киксано описал в *El Pais* одну ситуацию: «Месси довольно безразлично выслушивал слова Пепа Гвардиолы о тактическом расположении, во время встречи в Шотландии он даже насмешливо улыбался в некоторых моментах». Франк Райкард обещал Лео, что, когда придет время, он поставит его играть центральным защитником, посередине, то есть практически сказал, что команда будет высматривать его, пасовать ему мяч и смотреть, куда он ведет команду. При голландце этого все-таки не произошло, но развитие подобной тактики находилось на стадии осуществления. Об этом Лео и думал, и фактически после ухода Роналдиньо все это приняли. «Блоха» просто ждал подтверждения.

Пеп знал, что в его распоряжении оказалась группа превосходных игроков, несмотря на то, что у них пострадало чувство собственного достоинства после того, как два года они были не у дел. Лео был очень важным игроком: в глазах тренера он уже был лучшим футболистом в мире. Лео не знал, был ли Пеп лучшим тренером в мире, поэтому первым делом Гвардиоле нужно было убедить Месси, что он собирается сделать его еще лучше. Пеп собирался осуществить серию действий, которые были необходимы для роста Лео. Рональдиньо и Деку ушли, Это'о тоже нужно было разрешить уйти: по мнению Гвардиолы, он был лидером, который не хотел ни с кем делиться этой ролью. Тьерри Анри не представлял собой проблемы, потому что, хотя он и требовал особой заботы, все же не имел достаточного веса в команде, чтобы претендовать на ведущую роль, и не стремился к ней. Пеп считал, что вместо «Папы Это'о» Лео нужен «отец», который приложит реальные усилия, чтобы как следует понять его, позаботиться о нем, кто всегда будет знать, в чем он нуждается. Эту роль тренер решил играть сам.

Как вспоминает Жоан Лапорта, Это'о удивил Пепа на тренировке: он показал себя скромным, трудолюбивым и готовым бороться за свое место. Месси понял, что Рональдиньо был лучшим игроком в мире в значительной степени благодаря Это'о, поскольку максимально использовал его пасы. «Лео сказал нам, что хотел бы играть с Это'о в этом сезоне, – вспоминает Лапорта, – это очень обрадовало меня, потому что я также хотел, чтобы Это'о остался». Старшие игроки сказали Гвардиоле, что Это'о мог бы быть очень полезен, если с ним правильно обращаться. В первых двух товарищеских встречах (против «Hibernian» и «Dundee United») Лео забил четыре гола. Во втором матче Месси и Это'о играли вместе во второй половине, они в паре забили четыре гола. Казалось, комбинация этих двух игроков работала.

Но если говорить о потребностях, Лео все еще хотел поехать на Олимпийские игры. Его история в аргентинской сборной началась хорошо, и он хотел помочь добавить новую награду к той золотой медали, которую его страна получила четырьмя годами ранее. «Барселона» решила выступить против поездки. «С одной стороны, мы думали: у нас нет оснований отпустить Лео, – объясняет Чики Бегиристайн, в то время бывший директором отдела футбола. – От нас ушли Ронни и Деку, а теперь национальная сборная Аргентины хотела забрать нашего лучшего игрока. В тот момент самым важным матчем в истории клуба был отборочный матч Лиги чемпионов, который должен был проходить приблизительно в тот же период. Но с другой стороны, мы знали, что он был бы счастлив, если бы смог поехать в Пекин. Это был довольно напряженный момент». Решение проблемы затянулось на несколько недель.

Лео чувствовал себя недовольным сложившейся ситуацией. А когда происходит нечто подобное, он не способен скрывать свои чувства.

На первой тренировке Пеп обнаружил, что принял правильное решение: выбрал Лео в качестве центра операций команды, потому что у него была особая искра. Лео эффективно действовал перед воротами противника, демонстрируя ту же форму, которую показывал в предыдущем сезоне, когда Роналдиньо ушел из профессионального спорта. Но вдали от футбольного поля Лео был очень сдержан и холоден, и Гвардиола опасался, что, если он не завоюет его симпатию и не перетянет на свою сторону, жизнь Месси в клубе сильно усложнится. В конце тренировки Пеп взял Лео за руку и спросил, что происходит, но Лео не ответил. Гвардиола в первый раз увидел враждебный взгляд этого мальчика из Росарио.

В первые дни пребывания в Шотландии Пеп предпринимал попытки пробиться сквозь броню Лео, но аргентинец предпочитал избегать его взгляда и отказывался открыто говорить о том, что его беспокоит. Он оставался молчаливым и даже не затрагивал волнующие его темы в разговорах со своими товарищами по команде, хотя все знали, что его тревожит – он отчаянно пытался попасть на Олимпийские игры. «Клуб не говорил с Месси об этом, шли переговоры между «Барселоной» и аргентинской федерацией, – говорила в то время его мать Селия. – И Лео ничего не говорил, не спрашивал. Он просто ждал, когда ему скажут, что следует сделать».

Шли дни, резолюции не было, и на тренировках он выглядел все более напряженным. Во время одной тренировки Рафа Маркес попытался остановить его сзади с невероятной, необычной для матчей силой. Лео отпрыгнул от него, развернулся и произнес несколько сердитых слов. При обычных обстоятельствах неодобрительного взгляда было бы достаточно и все вернулись бы к игре. Но Лео был зол. В тот день он ушел в душ первым, опередив всех.

«Наблюдается явный конфликт интересов, и мой сын находится в его центре, – заявил в то время Хорхе Месси. – Они используют моего ребенка в качестве пушечного мяса. Вы не можете и не должны ставить двадцатиоднолетнего футболиста в подобную ситуацию, потому что она может привести к различным проблемам. Это безумие, что игрок должен принимать подобные решения. Смешно, что власть имущие не могут договориться между собой. Мы не знаем, что делать».

Правая рука Пепа Гвардиолы, Манель Эстиарте, при всяком удобном случае звонил Хорхе. «Знаете, Хорхе, это очень нехорошая ситуация. С вашим сыном что-то не в порядке. Что мы можем сделать?» Эстиарте, который за несколько лет до этого был лучшим игроком в водное поло в истории, понял, что Лео очень похож на него: если Пеп хотел завоевать его доверие, он должен приложить усилие, чтобы показать тонко и аккуратно, на чьей он стороне и кого поддерживает. Пеп и Манель детально все обсудили и решили добиться удовлетворительного отклика.

Тито Виланова, который тренировал Лео еще в подростковом возрасте, сдвинул дело с мертвой точки, сказав ему, что и Пеп, и он должны позаботиться о Лео. Если он хотел, чтобы Хуанхо Брау, его личный тренер, путешествовал с ним, это следовало организовать. Но Виланова знал, что дело не только в этом. «Что еще вам необходимо? – спросил он Лео. – Всякий раз, когда вам что-либо нужно, приходите ко мне, и у вас это будет».

В течение первых нескольких дней перед началом сезона Лео заметил, что Пеп была требовательным, дотошным тренером с очень четкими представлениями о том, кто будет помогать им побеждать. Но Пепу было необходимо вмешаться в решение проблемы с Олимпийскими играми, чтобы убедить Лео, что он действительно был «на его стороне».

Месси почти никогда не говорил о своей ситуации, но даже без особых демонстраций он очень ясно показал, чего он хочет. Он присоединился к аргентинской команде в Китае, ожидая новостей. «Барселона» продолжала борьбу за то, чтобы удержать его, но, тем не менее, позволила ему поехать на Олимпиаду: «Если мы получим то, что хотим, вам придется возвратиться». Лео принял условия.

«Барселона» отправилась на гастроли в Соединенные Штаты Америки. Аргентина готовилась к Олимпийскому турниру в Пекине.

«Хорхе, я должен поговорить с вашим сыном, но нигде не могу его найти». Гвардиола принял решение, но хотел сначала поговорить с Лео. «Он в тренировочном лагере в Шанхае», – сказал ему отец Лео. «Соедините меня с ним», – попросил тренер. Пеп организовал встречу в своем нью-йоркском гостиничном номере, на которую были приглашены президент Жоан Лапорта, Чики Бегиристайн и Рафа Юсте, спортивный вице-президент.

Гвардиола убедил Лапорту, что самый лучший вариант – позволить Месси играть на Олимпиаде в Пекине.

Пеп набрал номер, который дал ему Хорхе Месси, и впервые услышал эмоциональный вопрос Лео. Он определенно не хотел возвращаться. Все ощутили в его словах напряжение, которое он пережил в то лето.

Пеп сказал ему о своем решении: «Играй на Олимпийских играх и завоюй золотую медаль», – сказал он Месси.

ГБ (Гильем Балаге): В Сент-Эндрюсе вы с Лео должны были приспособиться друг к другу.

ПГ (Пеп Гвардиола): Даже когда я смотрел игру Лео по телевизору, он уже казался мне совершенно необычным футболистом. Такой игрок всегда наблюдает за происходящим на поле, наблюдает за вами, чтобы понять, что вы делаете и чего не делаете, старается понять, полезно ли для него то, что вы делаете... Он отличается от нас. Вы должны приспособиться к подобному типу игрока. В истории футбола таких игроков очень немного, и вы должны приспособиться к ним, понять их, а не наоборот. Они не глупы, они более интеллектуальны, чем средний человек. Возможно, интеллектуальный – не слишком подходящее слово, у них сильнее интуиция, чем у среднестатистического человека. Мы заметили, что поначалу он был немного подавлен, но следовало попытаться понять его, поговорить с ним. В течение первых нескольких дней в Сент-Эндрюсе я много говорил со всеми игроками, не только с ним. Необходимо было познакомиться со многими людьми, понять, что произошло с ними за предыдущие годы. Я много разговаривал со всеми.

ГБ: В течение того периода вы также избавились от трех из его приемных «братьев». Кроме того, внезапно ушел и его спортивный «отец». А затем была целая сага с Олимпийскими играми. Я не знаю, присутствовал ли Лео на тренировках или это был его клон.

ПГ: Я помню, что в первые годы он всегда тренировался очень хорошо. Мы всегда стремились сделать так, чтобы Лео было комфортно. Если бы мы не смогли сделать этого для игрока столь высокого уровня, то у него мог бы появиться другой тренер – если бы наши действия не принесли результата, то кому-нибудь пришлось бы уходить: мне или ему. Столкнувшись с подобной перспективой, мы решили, что должны обеспечить Месси необходимый комфорт. Он должен был наслаждаться игрой, и это было самым важным. Я всегда в той или иной степени придерживался этой концепции, начиная с работы с резервом и до моего сегодняшнего положения в Германии: результат есть только тогда, когда игра доставляет радость. Если вы радуетесь только в том случае, когда забиваете гол, работа не имеет смысла. Но клуб, Чики и я сам – все мы решили позволить Месси отправиться играть в Пекин. Нам было ясно, что мы должны отнестись к его недовольству серьезно, потому что знали, что в руки попал совершенно необыкновенный игрок.

ГБ: Как вы говорите с Лео? Он – один из тех игроков, кого вы можете спросить, «Что случилось?», а он отвечает: «Ничего»?

ПГ: Когда как. Лео всегда говорит: «Когда я прячусь, то прячусь и не говорю ни с кем, мне лучше побыть одному», – и это нужно уважать. Поначалу мне было трудно понять его, но постепенно вы узнаете его все лучше и лучше. Вы понимаете, что Месси не похож на остальных. Точно так же, как у всех прочих, у него бывают моменты плохого настроения, и в эти дни его следует оставить в покое, а когда вы замечаете, что он хочет, чтобы вы поговорили с ним, вы идете и разговариваете с ним. Что касается Олимпийских игр: в этом вопросе главным был Лапорта. Естественно, я сказал заключительное слово, но он знал Лео намного лучше, чем я на тот момент. Помню, он сказал мне: «Мы сделаем ошибку, если заставим Лео возвратиться. Если он хочет поехать на Олимпийские игры, ему нужно разрешить это». Я уже знал, что означали для него Олимпийские игры; я знал, что для него значит это событие. В тот момент вы думаете: «Мы будем играть отборочный матч Лиги чемпионов без нашего лучшего игрока, давайте посмотрим, как это получится». Но, в конце концов, какой смысл использовать игрока, который хочет быть на Олимпийских играх? Если его сознание там, а не здесь, зачем мне стремиться задействовать его в отборочном матче Лиги чемпионов в наш первый сезон? Я никогда не верил в принуждение в футболе. Другими словами, сколько бы мы ни убеждали Лео играть, если я не смогу достучаться до его сознания, от его игры не будет толка. В результате мы с президентом Лапорта поговорили с Лео по телефону и сообщили о нашем решении позволить ему отправиться на Олимпийские игры.

ГБ: Это было одним из тех решений типа «ты будешь мне должен»?

ПГ: Нет, нет. В тот момент я понял, что для него будет лучше получить возможность поехать и насладиться игрой. Поездка на Олимпийские игры – то, что происходит раз в жизни. Это было единственным аргументом и единственной причиной решения. Я считал, что когда Лео вернется, он постарается играть очень хорошо – сегодня, завтра и послезавтра. Но не потому, что будет мне что-то должен.

Но Лео Месси всегда будет благодарен тренеру за это: «Гвардиола всегда говорит мне, что я не должен благодарить, что это было лучшим решением на тот момент», — объяснял он тем летом. Первый матч на Олимпийском турнире проходил 7 августа. Противником Аргентины был Кот-д`Ивуар. Лео забил первый гол и помог Лаутаро забить второй. Это была трудная победа, закончившаяся счетом 2:1. Три дня спустя Аргентина с трудом пробилась к победе в матче с Австралией. Во время третьей игры Серхио Батиста оставил Лео на скамье запасных, чтобы он был полон сил в четвертьфинальной игре против Голландии. В этом матче Лео забил первый гол, но Голландия сравняла счет, и команда нуждалась в его помощи, чтобы Ди Мария мог забить победный гол. В полуфинале Аргентина встретилась со сборной Бразилии, в которой играл Рональдиньо.

Ронни уже принял окончательно решение о переходе в «Милан», и на пресс-конференции Месси настоял, что его бывший товарищ по команде – лучший футболист, с которым он когда-либо играл, и всегда таким останется. «Совершенно естественно, что ему не хватало присутствия этого выдающегося человека, – признает крайний нападающий «Барселоны» Педро Родригес. – Когда вы постоянно чувствуете очень мощную поддержку, которую Рональдиньо оказывал Лео, а потом он уходит, вы чувствует себя довольно одиноко. Но с ним были игроки, с которыми он много лет играл в одной команде: Виктор Вальдес, Андрес, Хави и Пуйоль, которые всегда были готовы оградить и защитить его». Лео окружали игроки, ставшие частью клуба. С этими игроками начиналась эпоха Гвардиолы – или эра Месси. Называйте, как хотите.

В полуфинале Аргентина одержала убедительную победу над своими вечными соперниками со счетом 3:0. Все будут помнить знаменательное объятие, ознаменовавшее передачу эстафетной палочки от Рональдиньо к Месси. Лео принял на себя обязанность заменить его, и, несмотря на публично высказанное нежелание, в глубине души он чувствовал себя способным на это. «Он хотел добиться в «Барсе» успеха», – говорит Кристина Куберо, которая держала Месси в курсе того, как идут дела в «Барселоне» – он провел с ней в Пекине много времени вместе. – Он сказал мне: да, я хочу добиться успеха и собираюсь завоевать медаль, а затем мы выиграем все с «Барселоной». Я хочу быть лидером команды». Так говорил 21-летний парень, который оказался взрослее своего реального возраста и считал, что достиг своего первого триумфа. «Барселона» в своих поисках славы выбрала именно его, чтобы он указал им путь к победе.

«Полагаю, мысленно он согласился с этим: «Я знаю, чего хочу: победить в Лиге чемпионов, попасть на чемпионат мира, хочу титулов, рекордов... Я хочу все это, потому что могу добиться этого», – объясняет Ферран Сориано, финансовый вице-президент, который в то лето ушел в отставку, разочарованный стилем руководства Хоана Лапорты. «Я всегда ясно видел, что, хотя Лео ни слова не говорил об этом, он не сомневался в том, что способен стать лидером команды: он был убежден, что отношение и поведение позволят ему пойти далеко и достичь небывалых высот. Он был готов к этому и соответсвующие события не заставили себя ждать».

23 августа Аргентина играла в Олимпийском финале. Победа со счетом 1:0 над Нигерией принесла им золотые медали. «Это

был ни с чем не сравнимый приз», – заявил «Блоха», который вскоре после этого возвратился в Барселону. После победы над краковской командой «Wisla» со счетом 4:0 клуб почти гарантировал себе прохождение на игры Лиги чемпионов на групповом этапе. Заключительный матч проходил спустя три дня после финала в Пекине. Лео смотрел его по телевизору у себя дома в Кастельдефельсе. Матч закончился не особенно значимым поражением со счетом 0:1.

Когда команда вернулась из Польши, Лео присоединился к ней. Испанская лига была готова начать борьбу, был заложен фундамент, на котором игроки могли строить дальнейшую работу. В первом составе «Барселоны» Месси носил футболку с номером 30, потом – с номером 19. В то лето он получил футболку с номером 10. «Когда мне дали футболку с номером десять, я чувствовал себя очень гордым и счастливым оттого, что мне довелось носить ее», – объяснил он в рекламе Audemars Piguet. «Это футболка, которую носили многие великие игроки клуба, до меня ее носил Рональдиньо – человек, который так много сделал для клуба. Я чувствовал невероятную ответственность».

Но если теперь лидером был Лео, что следовало сделать с Самуэлем Это'о? В то время как Месси брал Пекин штурмом, а кроме того, услышав, что думает о нем «Блоха», Пеп Гвардиола и Чики Бегиристайн однажды утром решили, что камерунец останется в клубе. Хотя они подозревали, что Это'о хотел быть главным, казалось, он принял лидерство аргентинца. Кроме того, Лео и старшие игроки были им довольны: Это'о был одним из величайших голеадоров в мире. Если бы он играл в отборочном матче Лиги чемпионов, то был бы привязан к кубку и больше не мог бы быть продан. Таким образом, утром, на завтраке перед матчем первого этапа против команды «Wisla» было решено, что он может начать играть, и должным образом сообщили об этом Это'о и президенту Хуану Лапорте. «Удивительно», – думал Лео, осмыслив свою роль, и, вернувшись в «Барселону» с золотой медалью, подтвердил решение Пепа прессе.

Ум оценивается по способности понять и приспособиться к новым возможностям. Способность принять и максимально использовать их является признаком храбрости и целеустремленности. В течение лета Лео показал, что у него имеются все эти качества. Он также продемонстрировал неоднозначность своего характера: у него имелось ясное представление о том, по какому пути ему следует идти, и он хотел, чтобы другие тоже вписывались в эти его представления. Тренер должен был уметь извлечь все лучшее из него и знать, как им управлять.

У Пепа было всего несколько дней до начала сезона, чтобы объяснить свои идеи и попытаться найти правильный баланс сил в команде. С самого начала победа была жизненно важна для того, чтобы заложить первые несколько кирпичей в фундамент здания, которое строил тренер.

Гвардиола воспользовался отсутствием Месси, чтобы поразмышлять над проблемой своих отношений с «Блохой» – и понял, что был особый способ обращаться с ним: с Месси нельзя сталкиваться лоб в лоб, иначе дело может закончиться катастрофой. Пеп соединил обсуждения тактики с Месси один на один в своем офисе с непосредственными инструкциями перед группой: «Сегодня форварды осуществляют сильный прессинг, потому что Лео будет делать это, и мы не можем оставить его в одиночестве». Так он указывал Месси, что следует делать, не говоря этого напрямую. Да, он хотел, чтобы к нему относились по-особенному, с уважением, потому что в этом случае игрок чувствовал большую поддержку.

После присутствовавших поначалу сомнений Лео наслаждался тренировками, во время которых обязательно присутствовала работа с мячом. Пеп знал, что игроки скучали при обсуждении тактики. Именно поэтому, когда он усаживал их для разговора, его речи были короткими и доброжелательными.

«Я помню, что время перед началом сезона было заполнено мелкими изменениями в тактике, – объясняет Эйдур Гудьонсен. – Он не заставлял нас скучать, потому что очень грамотно смешивал тактическую часть с игрой, объяснением стоящих перед нами задач. Он оставлял нас в покое, в то время как мы делали то, о чем он нас просил, но внезапно требовал, чтобы мы сконцентрировались на двух или трех деталях, которые были подготовлены для этого конкретного дня. Гвардиола хотел, чтобы мы стали делать это автоматически и именно поэтому те первые тренировки часто повторялись: речь шла о позициях, которые мы должны были занимать, или, если мяч был у противников, как именно нападающие должны осуществлять прессинг... много полезных мелочей. Неожиданно, через две или три недели, ему больше не приходилось кричать нам – мы инстинктивно знали, чего от нас ожидают».

Иногда он спрашивал Лео, равно как и других важных игроков, что тот думает о последней тренировке, что они чувствуют. Но ему приходилось делать это все меньше и меньше: Месси понял, о чем его спрашивали, и улыбался. Совершенно ясно, что он был готов к предстоящему сезону.

«То время перед началом сезона было захватывающим, действительно захватывающим, – говорит Чики Бегиристайн. – Они были готовы на все сто, по силе, желанию, ответственности, знанию деталей». А затем «Барселона» проиграла свой первый матч в Лиге против совсем непритязательной команды «Numancia».

> «В этом сезоне у нас будет много матчей, и хорошо, что вся команда готова играть в любое время. Такая система ротации мотивирует всех, потому что вы никогда не знаете, кто именно будет играть. Всегда есть новые товарищи по команде, которые заставляют вас сосредоточиться и помогают сконцентрироваться на следующей игре, если пришла ваша очередь играть. Гвардиола очень близок игрокам, он похож на еще одного члена команды, еще одного игрока. Он посвящает нам очень много времени и сил, постоянно инструктируя и обучая тому, что он хочет, чтобы мы сделали. Одновременно мы изо всех сил стараемся впитать все понемногу и сделать как можно лучше. Он требует от меня того же самого, что и от остальных парней: активного прессинга, группового и хорошо организованного, но, когда приходит пора играть, он дает мне большую свободу, хотя всегда в рамках общей структуры. Я надеюсь, что в этом году мы сумеем завоевать титул чемпионов, а если удастся — то и добиться большего!»
>
> **(Лео Месси на веб-сайте клуба, октябрь 2008 года)**

> Мартин Соуто: Гвардиола поначалу действовал вам на нервы?
>
> Лео Месси: Нет, потому что сразу было ясно — парень знает свое дело. В период перед началом сезона он проводил тренировки, которых потом у нас больше не было. Он подготовил нас к началу сезона, и все мы знали, какой он хочет видеть игру, какие перемещения хочет получить от защиты, центра и краев. Оставалось несколько незначительных деталей, но в целом он уже преподал нам все необходимое».
>
> Мартин Соуто: Кто учил вас больше других? Не говорите «все» — потому что не все способны учить.
>
> Лео Месси: Ну, человек, который преподал мне больше других, — Гвардиола. Не только потому, что он знал очень много, но и потому, что он взял меня под свое крыло, в то время, когда я развивался наиболее активно, на стадии, когда я мужал и активно набирался знаний.
>
> **(Лео Месси, интервью с Мартином Соуто, TyC Sports, март 2013 года)**

2. МАТЧ ПРОТИВ «SPORTING GIJON» ПОСЛЕ ОДНОГО ОЧКА ИЗ ШЕСТИ

Проигрыш «Барселоны» в матче с «Numancia» со счетом 0:1 не продемонстрировал доминирование каталонской команды или их постоянного прессинга. «Мы проходили переходный период, немного похожий на то, что я испытал при Жозе Моуриньо в «Челси», – вспоминает Эйдур Гудьонсен. – Был заложен качественный фундамент, а теперь просто следовало восстановить само здание. И мы проиграли первую игру против одной из самых малозначимых команд. Гвардиола был разъярен. Он сказал нам, что мы забыли все, что делали перед началом сезона, и разочаровали его. Лео уставился в пол – он знал, что Гвардиола прав».

Лео Месси на фланге, при Это'о в центре и Генри – слева от линии нападения, ударил в штангу ворот.

Как писал Луис Мартин в *El Pais*, «Блохе» и «Барселоне», безусловно, не хватило «щепотки соли и нескольких минут готовки». Но помимо позиционных ошибок и неудовлетворительного результата, Пепа раздражало кое-что еще. Самуэль Это'о, следуя практике, принятой в предыдущие сезоны, созвал перед игрой собрание игроков и оставил Гвардиолу и всю техническую команду за дверью раздевалки. Он произнес перед командой речь – это была явная угроза власти тренера, который всегда с подозрением относился к видимым уступкам камерунца. Готовность команды приспособиться к новому лидерству вела к возникновению сложных моментов в работе команды.

Хотя были установлены новые правила, Лео дистанцировался от всего и всех; он, как утверждает один из игроков, видевший его вблизи, «ждал, желая посмотреть, как все обернется».

После поражения от «Numancia» игроки присоединились к своим национальным сборным, после чего Месси – только что вернувшийся из Буэнос-Айреса – был оставлен на скамье запасных до последнего получаса игры против «Racing Santander» в «Камп Ноу», благодаря чему имел достаточно сил для игры в матче против «Sporting Lisbon», который проходил четыре дня спустя. Но «Барселона» смогла сыграть только вничью – и заработала одно очко из шести в лиге.

«Чувствовалась неуверенность, все были возбуждены, – вспоминает Сильвиньо. – Говорили: «что же делает эта новая Барселона, и что Гвардиола делает в «Барселоне»? Он неправильно действует с первой командой, он недостаточно жесткий». Но глядя изнутри, я понимал, что мы выбрали правильный путь».

ПГ: Неделя после поражения «Numancia» оказалась очень длинной.

ГБ: После ничьей с «Racing» у вас было лишь одно очко из шести. Вы находились в нижней половине таблицы.

ПГ: После первого появления на международной встрече мы играли с «Racing» и сыграли вничью. Следующий матч в Лиге чемпионов был с «Sporting Lisbon», который мы выиграли со счетом 3:1, а затем мы играли с «Sporting Gijón».

ГБ: были ли у вас какие-либо сомнения в тот момент? Вы получали какие-либо сообщения поддержки со стороны команды, и были ли они все убеждены, что вы на правильном пути?

ПГ: Мы знали, что идем в правильном направлении. Единственный, от кого я получил сообщение, был Андрес Иньеста. Он приехал в мой офис и сказал: «Не волнуйтесь, все идет чертовски хорошо, мы все делаем правильно, все будет отлично» – я не думаю, что многие верили в нас в те несколько первых дней после поражения в матче с «Numancia» и после ничьей с «Racing». Но это было нормально. Мы были на самом нижнем уровне, и поначалу очень немногие верили в нас. Я всегда думал: «Так даже лучше». Когда мало кто верит в то, что все будет хорошо, вы меньше разочаровываетесь. Это было нелегкое время, но я помню, что сказал себе однажды: «Знаешь, мы сделаем то, что, как мы считаем, мы должны сделать, мы будем идти вперед. Мы будем играть так, как мне хотелось бы, чтобы команда играла. Вот так-то». Чики в тот момент был на моей стороне. Я чувствовал – это слово подходит больше всего – что он мне очень близок. Он верил в меня больше, чем я сам.

В футболе я не могу просто прийти со своими идеями и быстро реализовать их. Нет, при этом приходится пробовать – поставить одного игрока туда, другого – сюда... а для этого нужно время в этом мире, где время очень дорого».

Барселона отправилась в «Хихон» с некоторыми опасениями.

ИГРОВОЙ ДЕНЬ 3 (21 СЕНТЯБРЯ 2008 ГОДА)
«SPORTING GIJÓN» 1:6 «BARCELONA»

«Барселона»: Вальдес; Альвес, Маркес, Пуйоль, Абидаль; Хави, Баскетс (Касерес, 81-я минута), Кейта (Гудьонсен, 71-я минута); Месси, Это'о (Бохан, 67-я минута) и Иньеста. Неиспользованные запасные: Пинто, Пике, Педро.

«Sporting Gijón»: Серхио Санчес; Састре, Жерард Аутет, Хорхе, Канелла; Андреу, Матабуэна (Микель, 45-я минута); Мальдонадо (Кики Матео, 62-я минута), Кармело, Кастро; и Билик (Барраль, 59-я минута). Неиспользованные запасные: Пику Келлар; Колин, Иван Эрнандес и Камачо.

32-я минута: Это'о направляет мяч в ворота после удара головой Пуйоля, стоявшего на линии ворот после углового. 0:3.
48-я минута: Хорхе, собственный гол. 1:3.
50-я минута: Мальдонадо финиширует в штрафной площадке.
56-я минута: Жерар Аутет удален за нарушение против Месси.

В тот день Жерард Аутет, бывший тренер молодежной команды «Барселоны», дебютировал в лиге. Ему было 30 лет. Сбылась мечта центрального защитника – мелкая деталь в контексте игры. В клубе «Sporting» знали о давлении на «Барселону» и попробовали использовать его в своих интересах. Аутет, другой центральный защитник и крайний фланговый защитник попытались придумать план, как остановить Месси: нужно будет попытаться приставить к нему двух человек и бдительно следить, чтобы вовремя оказать им поддержку. Но игроки «Барселоны» с самого начала матча испытывали невероятное возбуждение, особенно Иньеста на левом фланге и Лео, который перемещался впереди. Было невозможно держать рядом с ним двух игроков. Когда он получал мяч, разворачивался и бросался навстречу противникам, не оставляя защите достаточно времени на то, чтобы отреагировать на его действия. Пути Аутета и Месси несколько раз пересекались в первой половине игры, но после счета 3:1 длинный, но неточный удар вратаря «Sporting» привел к тому, что мяч оказался в ногах у Месси, который встал лицом к лицу с дебютировавшим центральным защитником. Это противостояние один на один не предвещало защитнику ничего хорошего.

Аутет думал о подобном моменте. Что делать? Он пришел к интересному заключению: это – Месси, поэтому нужно отнестись к проблеме со всем возможным вниманием, но без дополнительного прессинга, поскольку Лео наверняка попытается обойти его. Проблема в счете 3:1 – у команды «Sporting» все еще был шанс выиграть. Как это часто бывает, в тот момент было легче сказать, чем сделать. Аутет совершил нарушение и заслужил красную карточку. «Барселона» не была настроена прощать подобное.

1:4. 70-я минута: Иньеста максимально использует мяч, подсеченный Месси.

1:5. 85-я минута: Месси на лету вбивает мяч после кросса Иньесты.

1:6. 89-я минута: Месси забивает гол головой.

El País: «Барса» всю игру провела на территории соперника. «Было крайне важно осуществлять сильный прессинг, — объяснил Гвардиола, — потому что благодаря давлению на нападающих удавалось часто отбирать мяч». Месси согласился с ним: «Мы с самого начала играли в очень быстром темпе. «Барселона» — это большая скорость, именно так нам хочется играть, хотя мы должны продолжать развиваться».

Эта решительная победа стала точкой невозврата для команды Гвардиолы. «Победив «Sporting Lisbon» в Лиге чемпионов, а затем – «Хихон», мы начали выигрывать. Лео, который чувствовал себя в своей тарелке, наслаждался», – вспоминает Жерар Пике. Критика закончилась, Самуэль Это'о перестал играть роль лидера за пределами поля (он ведь даже не был капитаном) и сосредоточился на том, чтобы лучше стыковаться с Лео. Месси начал утверждаться в качестве центра команды, хотя в свое время в основном находился на правом крыле. Обычно въедливый Пеп, который чаще всего гнул свою линию и просил Месси выполнить ряд защитных действий, что Лео и делал – по крайней мере, поначалу, – не мешал ему.

ГБ: Вы все решили, что лидером на поле должен быть Лео, но это произошло в то время, когда Месси все еще находился на правом фланге. Вы уже планировали переставить его в середину?

ПГ: Нет, нет, нет. Не тогда. У нас был Это'о, который являлся лучшим центральным нападающим из всех, кого я когда-либо тренировал. Нет, я не ставил его на фланг, чтобы затем перевести в середину. Это был совершенно иной процесс. В то время я понял, что Лео отлично способен постоять за себя на поле. Там он все расставляет по своим местам. Месси делает это само собой: выходя на поле, он как будто говорит: «теперь слово за мной», ежедневно забивая по два или три гола. Это важный момент, которому он научился как спортсмен: мы часто много говорим, обсуждаем – слухи, толки, пересуды. Лео же говорит на поле. Тем самым он учит нас, и это его важное достоинство: показать, что ты не должен быть никем иным, кроме как футболистом. Все нерешенные дела должны быть улажены там, на поле. У меня создается впечатление, что великие люди не ищут оправданий: действовал тренер лучше или хуже... Лео играет не для того, чтобы вам понравиться. Лео не скажет: «это – ваша ошибка» – когда дела идут ужасно. Великие люди не ищут оправданий: на эту позицию меня поставил тренер, или мне не удалось сделать это в таком месте. Мне всегда кажется, что Лео думает так: организуйте для меня команду, чтобы я был готов ко всяким неожиданностям, а об остальном я сам позабочусь. Другие порой просят отдать им то место, которое Лео заработал на поле, чтобы играть важнейшую роль в решающие моменты, но затем наступает момент истины, и они, в отличие от Лео, терпят неудачу. Проигрывают раз за разом. А затем находят оправдание своей неудаче. Лео делает иначе: вы даете ему мяч, и он берет на себя всю ответственность, после чего выигрывает матч. Сразу видно, что это за парень. Он думает: «Если вы не сумеете хорошо организовать команду, это ваша ошибка. Если нам придется поссориться, значит, так и будет, потому что я здесь, чтобы добиться известности, чтобы достичь более высокого статуса, которого достигают только великие люди. Поэтому я играю не для того, чтобы вам понравиться, я играю, чтобы каждый день становиться все лучше и лучше. И я буду делать это, но вы должны обеспечить мне исходный материал и создать оптимальную ситуацию, в которой я смогу добиться успеха. Об остальном я позабочусь».

Пеп Гвардиола описал Альберту Пуигу, написавшему книгу «Сила мечты», как строятся отношения между футболистами и тренерами. «Хотя они и профессионалы, игроки все равно боятся проигрыша и ищут того, кто даст им ключ к успеху, кто скажет им: «Слушай! Действуй вот так...» Именно это и должны сделать тренеры. Мы обязаны придать им уверенности и дать гарантии посредством своих решений». Месси признал, что новый тренер не только требователен, но также способен находить правильные решения, которых не видели игроки. Гвардиола создавал условия, в которых он мог чувствовать себя свободным, и Лео был готов идти вслед за этим тренером.

Но Пеп пришел не один: он представил первой команде врачей и диетологов, которые должны были изменить пищевые привычки команды. Цель состояла в том, чтобы улучшить отдачу игроков и предотвратить мышечные травмы за счет правильного питания. В общих чертах, это должно было также модернизировать тренировки, при этом все большее внимание стало уделяться анализу личности футболистов.

В памяти Гвардиолы накрепко запечатлелись слезы Месси после разрыва мышцы бедра во время матча против «Celtic». Повреждение мышцы, которая позволяет человеку бегать, было восьмой травмой аргентинца за два года в первом дивизионе, причем половина из них приходилась на одну и ту же мышцу: в общей сложности за последний сезон Райкарда он отсутствовал на поле из-за проблем со здоровьем в течение двух с половиной месяцев.

«В какой-то момент пищевые привычки изменились, — говорит Хуанхо Брау. — По мере того, как вы увеличиваете требования к мотору, необходимо улучшать качество топлива. Когда Лео вырос, и физически, и как футболист, ему пришлось постепенно менять свою жизнь. Чтобы двигаться со скоростью пятидесяти миль в час, достаточно просто вести нормальный образ жизни, но чтобы бегать быстрее, нужно сделать свой образ жизни практически совершенным».

Было проведено комплексное исследование физического состояния Месси, были выявлены некоторые недостатки. «Лео начал замечать, что Пепа беспокоит его питание, – вспоминает Жоан Лапорта. – В то время Месси был еще мальчиком, который, как и вся молодежь, ел сосиски, пил «кока-колу» и любил фастфуд. Мы узнали об этом и приставили к нему собственного диетолога, который проделал впечатляющую работу. В результате при Гвардиоле Лео практически не имел травм. По-моему, Лео действительно оценил эту заботу».

Гвардиола заставил всех игроков есть вместе в учебном городке, завтракать перед тренировкой, а затем обедать перед уходом домой. Целью этих действий было не только стремление выработать дух товарищества, но и желание проследить за их питанием: из трех приемов пищи клуб обеспечивал два.

Для Лео это было концом его любимых конфет, шипучих напитков, аргентинских барбекю, пицц и отбивных «миланезе», но зато он открыл для себя рыбу, от которой до этого момента всегда отказывался. Почти ничего жирного, много глюкозы, фруктов, овощей... Пеп применил тактику, которую он еще раньше выработал для общения с Лео: он «рекомендовал» Лео следовать инструкциям. «На мой взгляд, это было бы для тебя полезным». И Лео принял, пусть и с определенным нежеланием, эти изменения: все мы знаем, что человек – раб привычки. Но результаты были впечатляющими: травмы прекратились. Месси увидел пользу от этих суровых изменений, и, в конце концов, они стали его образом жизни. Лео постепенно научился заботиться о себе и слушать свое тело – тому, о чем просил его Франк Райкард несколько лет назад.

Лео пил много воды и повышал тонус организма, как ему было сказано, он отдыхал согласно требованиям специалистов – хотя всегда был поклонником сиесты, но теперь дневной сон должен был быть в определенное время и длиться не более одного часа. С Хуанхо Брау он тренировался по индивидуально составленному плану. Эти тренировки начались еще при Райкарде. «Лео – совершенно уникальный игрок, а к таким спортсменам и подход должен быть особенный, – говорит Брау. – Естественно, пока это не затрагивает стабильность группы». Команда приняла особое отношение к Месси, потому что они знали, что это должно было помочь победить всем.

С тех пор Брау всегда был с Лео перед матчами, чтобы провести определенные разогревающие упражнения и растяжки, чтобы он мог после этого присоединиться к своим товарищам по команде на поле для коллективной работы. Хуанхо практически не говорит с ним во время этих разминок. Он просто дает ему короткие резкие приказы: «Контролируй это. Обрати внимание». Если будет опасность травмы, но это – важный матч, один из тех, в которых Лео необходимо играть, то Брау напомнит ему, что тот должен следить за ощущениями своего тела. «Не заводись, делай только необходимые пробежки, слушай себя, тело само скажет о проблемах. Если заметишь что-нибудь, просто подними руку»... Футболистам приходится выполнять не только тактические инструкции.

В конце тренировки или матча Брау снова подходит к Лео и спрашивает о проблемах с мышцами. «Нам сегодня надо что-нибудь делать? Сейчас следует провести успокаивающую часть тренировки для ног». Тем самым он выясняет у Лео, что требуется его мышцам, и подготавливает его к восстановлению тела до исходного состояния на процедурном столе. Его сила и скорость работают на команду, профилактика травм находится в руках Брау и подкрепляется образом жизни Лео. Это важные элементы физической подготовки.

Исследование закономерностей строения тела Месси также привело к изменениям на поле. Его часто обвиняли в остановках во время матчей, что он не участвует в прессинге, даже в бездействии. Оказалось, что у этого имеется научное объяснение, так что Пеп попросил его использовать эти данные в своей игре. Мышцы Лео потребляют очень много энергии, быстро растрачивают ее и почти так же стремительно восстанавливаются. Но перед следующим усилием необходим период отдыха. «Лео не может постоянно носиться по полю, потому что его мышцы не отвечают подобным требованиям», – объясняет Хуанхо Брау.

Месси попросили расходовать энергию более экономно. Ему объяснили, что, поскольку мышцы настолько точно настроены и столь физически требовательны, он не может постоянно добиваться идеала на каждом отрезке игры. Дело не в том, что он неспособен найти этот идеал, а в том, что для его тела лучше выбирать наиболее выгодные моменты. «Лео – настоящий профессионал, и его футбольный уровень зрелости помогает прикладывать усилия наиболее плодотворно», – завершает Брау.

Таким образом, хрупкое тело постепенно становилось телосложением высококлассного атлета. После травмы, полученной в матче против «Celtic» в марте 2008 года, и до ухода Гвардиолы из «Барселоны» четыре года спустя «Блоха» не играл по причине травмы всего десять дней. В те сезоны он принял участие в 219 играх. Гвардиола не хуже армейского старшины постоянно контролировал, чтобы он не отклонялся от привитых ему правильных привычек.

Если молодежная команда подарила Лео коллективный менталитет и понятие структуры, а Райкард вселил в него уверенность в себе, то Пеп Гвардиола привнес в жизнь Месси упорядоченность. Когда Лео прибыл в Барселону, он был 143 сантиметра ростом и весил 35 килограммов. При Пепе он остановился на 169 сантиметрах и 69 килограммах, но, что еще важнее, открыл для себя язык тела.

«Есть один момент, о котором я не раз говорил на пресс-конференциях, когда речь заходила о лидерстве, – добавляет Ферран Сориано. – Месси описал мне Пепа Гвардиолу одним коротким предложением: «Он удивительный, потому что строгий, но правильный». Он сумел заставить команду работать в тот момент, когда никто особенно не напрягался».

После победы над «Sporting Gijón» начался период, который потребовал от команды «Камп Ноу» всего: местного героя – Пепа – который получил футболистов, сытых по горло плохой дисциплиной лучших игроков, группы отечественных игроков, которые установили очень высокие стандарты, и Месси, который достиг своего пика.

Надвигался девятый вал.

3. ПОБЕДА НАД «БАВАРИЕЙ МЮНХЕН» СО СЧЕТОМ 4:0. НО ПРОБЛЕМЫ ПОКА ЕЩЕ ЕСТЬ

Мартин Соуто: Почему вы никогда не принимаете спокойно, когда вас выводят с поля? Почему? Бывают игры, которые вы выигрываете со счетом 3:0, и ясно, что вы не остаетесь на поле, пусть даже можете забивать голы, но если вас хотят заменить, вы сердитесь.

Лео Месси: Потому что я не люблю, когда меня снимают с игры. Мне нравится играть до конца, как бы она ни шла. Я предпочитаю выходить на игру, а не уходить с нее. Я хочу играть. Мне не нравится, когда события разворачиваются без моего участия, а я сижу на скамье запасных.

Мартин Соуто: И однажды вы рассердились, верно? Вас сняли с игры, вам это не понравилось, и вы не пошли на последовавшую за матчем тренировку, предположительно потому, что у вас была температура, но на самом деле вы были раздражены тем, что вас сняли с матча. Это было в эпоху Пепа, верно?

Лео Месси: Да, после матча против «Валенсии». Мы выиграли со счетом 4:0.

Мартин Соуто: 4:0? Вы с ума сошли!

Лео Месси: Да, это было глупо. Потом я с этим справился.

(Интервью Лео Месси с Мартином Соуто, TyC Sports, март 2013 года)

В самом начале своего пребывания у руля в команде основного состава Пеп Гвардиола обнаружил одну из болевых точек Лео. Тренер рассказал Мартину Соуто, как однажды Месси впал в ярость, когда на восемьдесят первой минуте его заменили — вышел Педро. Матч уже был практически выигран со счетом 4:0, Пеп хотел дать ему отдых для подготовки к игре с «Реал Мадридом» через семь дней. Тьерри Анри сделал хет-трик, но Лео был спокоен. Согласно информации каталонской радиостанции RACi, на следующий день «Блоха» вернулся на тренировочное поле, но не стал переодеваться. Было ясно, что он злится на ход матча и замену.

Месси раздражался, когда его заменяют, а также — когда ему не дают мяч в тот момент, когда, по его мнению, он должен его получить. Но, как однажды Эстиарте сказал Лео, другие футболисты просто не видят игру так же, как он: «Я раньше был, как ты. Я ясно видел игру, но дело в том, что для других это не столь очевидно. Они не так хороши, как ты».

«Знаете, я тоже раздражаюсь, когда мне не пасуют, а я вижу щель и не получаю мяч», — объясняет Густаво Оберман, игрок аргентинской национальной сборной, который пришел к победе в чемпионате мира «до 20 лет» вместе с Месси. «Возможно, его гнев более заметен, ведь на него направлено столько камер. Но то же самое чувствует каждый игрок, от лучшего в мире до деревенского мальчишки, гоняющего мяч с друзьями. Я чувствую это, потому что мне кажется, что у меня наилучший момент для удара, а бывает, что и я не пасую, потому что не вижу другие благоприятные возможности. Дело не в эгоизме или личных амбициях, потому что в игре Лео часто помогает другим игрокам, а не только забивает сам».

Это был тот же Лео, то же невероятное стремление к соперничеству, которое Пеп видел даже на товарищеских встречах. Диего Милито говорит о том, что раньше Месси кричал: «Пасуй мне, я разберусь», — если его команда проигрывала на игре во время тренировки. Лео действовал согласно футбольному кодексу, который он усвоил в Аргентине: в своей книге «Когда мы никогда не проигрываем» Хуан Вильоро рассказывает о тренировке, на которой Серхио Бускетс мчался с мячом во весь опор и нанес травму Месси, ударив его по ноге. Тренировка продолжилась, и в раздевалке полузащитник пошел принести ему извинения. «Жертва ответила спокойным голосом, — продолжает Вильоро, — указывая на рану, он сказал: «говорят, это сделал Серхио Баскетс». Но Лео не собирался забывать этого —

за Баскетсом был должок. «Несколько дней спустя, когда инцидент позабылся, он здорово ударил Баскетса и улыбнулся почти с ребяческим ликованием: пришло время дать сдачи». Вильоро объясняет, что во время игры против «Espanyol» – главных соперников – на их стадионе «Cornella», Лео праздновал победу со счетом 5:1, обегая крыло, ближе всего расположенное к скамьям, и время от времени бросая косые взгляды на тренера соперников, аргентинца Маурисио Почеттино.

Время от времени, если крайний нападающий или форвард, бывшие рядом с ним, не пасовали Лео мяч, он демонстрировал свое недовольство. Гвардиола понял, что это были две стороны одной медали. А еще он понял, как с этим справляться.

С самого начала своей карьеры, еще игроком, Пеп всегда знал, что есть футболисты, к которым нужно относиться по-особенному. Он видел таких игроков в барселонской раздевалке, например, Христо Стоичкова и Ромарио. Когда он начал мыслить как тренер, он размышлял, как справляться с таким своего рода фаворитизмом, чтобы это не влияло на остальных. Когда в 2003 году команда играла в Брешии, он решил позвонить аргентинскому волейбольному тренеру Хулио Веласко, дважды чемпиону мира, чтобы попросить у него совета.

«Есть такой аргентинский тренер Хулио Веласко, который преобразовал волейбол в Италии и сумел выиграть абсолютно все награды, – объяснил Гвардиола в интервью Банко де Сабаделла. – В какой-то момент я постарался встретиться с ним. Когда наша встреча произошла, он сказал мне, что другие тренеры постоянно говорят: «Все игроки одинаковы, для меня вы все равны». Это – самая большая ложь в спорте – сказал мне Веласко. Они не все одинаковые, но при этом надо относиться к ним с равным уважением... Чтобы вытащить из кого-то все самое лучшее, вам, возможно, придется пригласить его куда-нибудь пообедать или, возможно, вызвать в свой офис, а, может быть, вы не должны никогда говорить с ним о тактике, а поболтать о том, что он делает в свободное время. Вы должны найти подход к каждому, и это является очень важной частью нашей работы – что сказать или что сделать, как обмануть или как обольстить, чтобы перетащить спортсмена на свою сторону и вытащить из него все самое лучшее. Кажется, что мы стоим выше их – именно так они нас видят. В действительности же мы ниже, потому что зависим от игроков, и именно мы хотим «обмануть их», чтобы получить то, на что рассчитываем».

«Пеп сказал мне, что видел меня на телевидении и хочет пообщаться. В конце концов, мы встретились в Риме, — вспоминает Веласко на веб-сайте canchallena.com. — Гвардиола задал мне множество вопросов, и я понял, что он хочет сказать, потому что сам шел по тому же пути. Особенно его интересовало, как управлять командами игроков, и я открыто рассказал ему о том, что думаю — не нужно ко всем относиться одинаково, потому что у каждого человека есть свои психологические особенности. Управление группой — искусство, и я вижу, как он применяет эти ключевые принципы».

Хуанхо Брау знает, как справляться с не самой дипломатичной стороной Лео. Он ничего от него не требует, он просто предлагает. «Месси знает, что я на его стороне, так что, по крайней мере, он обращает внимание на мои слова», — говорит физиотерапевт. Лео получает информацию. И если о чем-то нужно договориться, например, об упражнениях, массажах или о чем бы то ни было, Брау предоставляет Лео возможность самому сделать выбор: «Когда тебе будет удобнее сделать это?» — спрашивает он. Предлагая ему самому взять ответственность за свои решения, Брау делает так, что его работа становится меньше похожей на насилие. В результате спортсмен становится более покладистым.

Пеп быстро понял, что, по сути, лучший способ управлять Лео заключается в том, чтобы разобраться с его молчанием. Некоторые игроки выражаются очень открыто, но Месси — немногословный человек. Если он сердит, то задача тренера — узнать, почему. Месси редко говорит, что, по его мнению, идет не так, это нужно «вытягивать из него клещами». Нужно правильно интерпретировать поведение Лео и его капризы. Чтобы найти правильное решение, вам нужно разобраться в характере и узнать его хорошо. Именно это Пеп и имеет в виду, когда говорит о том, что необходимо понимать игроков: каждый из них — целый отдельный мир.

Гвардиола пригласил Тьерри Анри на обед, чтобы попросить постараться влиться в команду: казалось, он очень далек эмоционально от происходивших перемен. Анри ответил тренеру, выиграв хет-трик в матче против «Валенсии». Но Пеп никогда не думал о том, чтобы вытащить Лео на обед: беседы между ними всегда проходили на тренировочном поле.

Следуя совету Веласко, во время первых рождественских каникул с первой командой Пеп разрешил Месси и остальным южноамериканским игрокам праздновать дольше, чтобы они могли побыть со своими семьями. Тем не менее Лео возвратился раньше, чем его просили, потому что ему надоело бездельничать и он скучал по футболу и команде. Он хотел возвратиться к тренировкам.

В качестве демонстрации привязанности к новому лидеру команды, на пресс-конференциях Гвардиола называл Лео лучшим игроком в мире. Многократно. Он пришел к выводу, что, несмотря на то, что Лео ощущал защиту любящей семьи, он нуждался в этом обожании. Увидев в нем жаждущего признания ребенка, Гвардиола открыл для Лео двери своего дома, чтобы он мог приходить и уходить, когда ему захочется. Пеп предложил ему менее взрослый диалог, чем просто ученик – учитель.

Определив манеру общения, Гвардиола продолжал пытаться убедить Лео, что то, что он предлагает с точки зрения футбола, сделает его еще лучшим игроком.

С самого первого дня он задал очень строгую тактическую схему, в которой все должны были выполнять свои роли и обязанности. А Месси? На старших игроков, таких как Хави и Иниеста, был возложен больший груз ответственности, чем при предшествующем режиме. Лео должен был помогать команде на поле с крайне важного, но не столь результативного места на фланге. Крайние нападающие Пепа должны были подмять под себя боковую линию, чтобы заставить защитников задуматься, что им делать – давить их или попытаться не дать центральной тройке продвинуться вперед. Месси был очень важным игроком, ключевым, но поначалу команда сосредоточилась вокруг Хави, который без труда общался с тренером. Центральный полузащитник и другие игроки молодежной команды поддержали тактический план Пепа, и Месси должен был принять свою роль и обязанности: действовать свободно, осуществлять защиту от крайнего нападающего, участвовать в прессинге противника и поддерживать Это'о, который должен был играть роль центрального нападающего.

Но Лео больше не был тем крайним нападающим, который устраивал дуэли с Дель Орно из «Челси». Тогда он покорно принял свою роль в команде, в которую только что пришел и где бесспорным центром внимания был Рональдиньо. При Пепе он постепенно стал покидать фланг и стал заходить более глубоко, ближе к середине – он претендовал на то, чтобы играть главную роль.

Пеп продолжал настаивать, чтобы Месси строго следовал тактическим инструкциям, он хотел, чтобы аргентинец проявлял больше активности в случае, когда команда теряла мяч. Но когда Месси терял мяч, он часто терял и концентрацию, и команды свободно нападали на его фланге. Гвардиола начал понимать, что будет трудно заставить его оставаться на одной стороне поля и что выполнение его требований будет опасным для команды.

«Гвардиолина» — нагоняй в стиле Гвардиолы. Вежливым голосом, без криков, точно по пунктам, но не указывая ни на кого пальцем и никого не оскорбляя, надеясь убедить игрока конструктивными аргументами», — писал аналитик Марти Перарнау. — В одном случае, в начале его первого сезона, два игрока получили подобные нагоняи, но, чтобы подсластить пилюлю, они сопровождались еще тремя, так, чтобы ситуация не вышла из-под контроля. Само собой разумеется, этими двумя игроками были Месси и Анри. Они получили «Гвардиолину». Именно они были теми, кто не повиновался основным правилам «Барсы». В матче против «Espanyol» и «Лиона» другие игроки сделали больше роковых ошибок, но они не привели к нарушению плана игры команды «Барселоны» в обоих матчах».

Когда мяч перешел к соперникам, Лео и Тьерри перестали прессинговать защитников и напрягаться. Они с удовольствием играли, когда мяч был у них в ногах, но бросали игру, когда приходило время перейти к защите. В матче против «Лиона» французская команда легко захватила середину поля. «Это — матч, который обеспечил нас большим количеством рекомендаций на будущее, — сказал Гвардиола. — Он будет использоваться для того, чтобы совершенно ясно проиллюстрировать игрокам, чего от них ожидают, и если они поймут это, мы сможем добиться чего угодно». Как сказал Перарнау, Пеп встретился с Месси и Анри в присутствии Иньесты, Глеба и Педро и дал распоряжение «больше не распускаться».

ГБ: Был ли какой-то матч, когда вы сказали: мы должны все изменить?

ПГ: Игра с «Лионом» в первый год и со «Штутгартом» – во второй, разгром противника на Лиге чемпионов стали для меня хорошими уроками. Их левое крыло создало нам много проблем... Не только потому, что Лео не выполнял своих обязанностей защитника... Это также произошло потому, что Лео нечасто включался в построение атаки. Вы могли бы сказать, что этот парень должен был играть в позиции, где смог бы больше иметь мяч. Именно этого мы хотели добиться в конце.

ГБ: Когда вы в первый год тренерства выиграли со счетом 4:0 у «Баварии», он был все еще на фланге.

ПГ: В первый год, когда мы выиграли все титулы, Лео играл на фланге в 95 процентах игр. Хорошо, когда есть система, но иногда достаточно простого анализа: нужно понимать, что этот парень должен что-то делать, каждый раз, когда он касается мяча, что-то произойдет. Если вы ставите его в середине, он будет получать мяч чаще, чем на фланге. Я имею в виду следующее: если убедить Лео, что он должен играть в центре середины поля, в будущем он станет потрясающим полузащитником.

Таким образом, постепенно выработалась первая тактическая модификация, разработанная, чтобы максимально использовать безостановочное развитие «Блохи»: в течение того первого сезона работы Пепа в качестве тренера Месси играл главным образом на фланге «ложным» крайним нападающим, прорывался в середину и перемещался там, а когда получал мяч, ему часто удавалось добиться весьма значительных результатов.

К апрелю он забил 30 голов (за предыдущий сезон, при Райкарде, он забил 17), при этом неоднократно демонстрировал выдающуюся игру. «Барселона» играла в Лиге на таком уровне, который удивил даже тренера. Они шли к завоеванию титула чемпионов лиги.

Но путь не всегда был гладким.

Перед запланированной ответной игрой с «Лионом» в 1/8 Лиги чемпионов Гвардиола понял, что команда попала на трудный участок пути, и это подтверждалось не только статистикой (одна победа и два поражения в шести матчах, включая ничью после ожесточенной борьбы со счетом 1:1 на первом этапе в матче против французской команды), но было видно даже невооруженным глазом. Команда нуждалась в психологическом стимуле, поддержке, своего рода активизации. Это один из тех периодов спада, через которые каждая команда проходит несколько раз за сезон: сочетание физической и душевной усталости.

Гвардиола попросил сделать компилированное видео, в котором хотел показать все, что они сделали в течение целого сезона. В него были включены все голы, видео было положено на саундтрек песни «Human» группы The Killers, который, как пишет Рикард Торквемада в своей книге «Формула Барсы», в конце той кампании стал настоящим гимном команды. «Лион» был разбит в пух и прах со счетом 5:2. Месси попросил сделать ему копию записи матча на DVD.

Выведя из игры французскую команду, они встретились с «Баварией Мюнхен» – их ждали две игры в четвертьфинале. Шансы в этих двух играх считались приблизительно равными. Первый матч играли в Барселоне. «Бавария» только что проиграла «Вольфсбургу», который в этом сезоне выиграл Бундеслигу, со счетом 5:1. Команда «Баварии» и представить себе не могла, что ожидало их в «Камп Ноу».

8 АПРЕЛЯ 2009 ГОДА. ЧЕТВЕРТЬФИНАЛ ЛИГИ ЧЕМПИОНОВ, ПЕРВЫЙ ЭТАП.
«БАРСЕЛОНА» — «БАВАРИЯ МЮНХЕН», СЧЕТ 4:0

«Барселона»: Вальдес; Алвес, Маркес, Пике, Пуйоль, Хави, Туре (Баскетс, 81-я минута), Иньеста, Месси, Это'о (Боян, 89-я минута) и Анри (Кейта, 74-я минута). Неиспользованная замена: Пинто, Касерес, Гудьонсен и Сильвиньо.

«Бавария Мюнхен»: Бутт; Оддо, Демичелис, Брено, Лелл; Швайнштайгер, Ван Боммель, Зе Роберто (Соса, 77-я минута); Альтинтоп (Оттль, 46-я минута), Рибери и Тони. Неиспользованная замена: Ренсинг; Подольски, Лам, Боровски и Бадштубер.

Голы: 1:0. 9-я минута: Месси с подачи Это'о.

2:0. 12-я минута: Это'о, с подачи Месси.

3:0. 38-я минута: Месси забил гол после кросса Анри.

4:0. 43-я минута: Анри после паса Ван Боммеля.

El País: Месси сделал три голевых удара, забил два гола, один раз мяч попал в штангу ворот. В том сезоне он забил восемь голов в восьми играх в Лиге чемпионов. Он был лучшим голеадором в Европе и, забив еще два года в тот вечер, теперь имел 32 гола, начиная с начала сезона. Он также сделал две голевые передачи, одну — Это'о и одну — Анри, своим товарищам по команде, помогая им забить голы.

Лелл потянул ногу в движении, похожем на пенальти, и рефери показал Месси желтую карточку. Это привело стадион в бешенство — зрители сочли, что аргентинца наказали за чужую симуляцию. Даже Гвардиола был удален.

Месси снова вышел, чтобы примкнуть к Анри и Это'о. Аргентинец добавил рывок хорошего бомбардира к великолепному кроссу француза, а затем роли поменялись. Он завершил движение, применив свою аргентинскую магию. И половины этого было достаточно, чтобы «Барса» уничтожила «Баварию»: счет 4:0.

Эти четыре гола были забиты в первой половине матча, названной Лапортой «лучшими сорока пятью минутами в истории клуба». Команда была в ударе и наслаждалась каждой минутой матча.

Слова президента клуба вскоре устарели.

4. ПОБЕДА В ИГРЕ С «БЕРНАБЕУ» СО СЧЕТОМ 6:2

El Pais: Были ли матчи с «Реал Мадридом» Моуриньо особенно трудными?

Лео Месси: Все матчи трудные, но игры против «Реал Мадрида» — особенно, из-за способностей игроков этой команды.

El Pais: Что вам особенно нравится в этой команде?

Лео Месси: Мне очень нравится играть с «Бернабеу». Это — великий клуб с великой историей.

El Pais: А что вы скажете о команде Моуриньо?

Лео Месси: «Мадрид» может убить вас запросто. У них есть невероятно быстрые нападающие, они проламывают защиту за пять секунд, и вот — гол. Им даже не нужно хорошо играть, чтобы забить три гола. Они создают много отличных голевых ситуаций для своих игроков. Мне повезло достаточно хорошо узнать Хигуаина и Ди Мариа. Хигуаин неожиданно оказывается рядом, дважды бьет по мячу и забивает вам два гола. «Реал Мадрид» способен забивать голы на ровном месте, совершенно неожиданно.

El Pais: Что вы думаете о Моуриньо?

Лео Месси: Ничего не могу сказать. Я его не знаю, никогда не встречался с ним. Я могу только говорить о том, чего он достиг — это множество разных титулов. Я слышал, что его игроки говорят о нем чрезвычайно хорошо, но я его не знаю.

El Pais: Какой матч против «Мадрида» стал для вас самым незабываемым событием?

Лео Месси: Я помню все матчи, в которых мы победили. Больше всего мне запомнилась игра, в которой мы победили эту сильную команду.

(Интервью Лео Месси с Рамоном Беса и Луисом Мартином, El Pais, 30 сентября 2012 года)

Лео Месси обедал со своим товарищем по команде, когда ему позвонил Гвардиола. Ему нужно было что-то показать Лео. Пеп попросил его прийти в тренировочный центр, где он обдумывал, как разбить «Реал Мадрид» – первый матч clasico молодого тренера. Игра попадала в интервал между первым и ответным матчами полуфинала Лиги чемпионов, играли против «Челси», и это потребовало от «Барселоны» полной концентрации. Это были решающие две недели сезона, которые должны были определить успех новой эпохи команды. Гвардиола заявил, что собирается ехать в Мадрид за победой. Он полагал, что понял, как этого добиться. Тренер подготовил несколько записей и хотел убедить Лео внести в тактику изменения, которые могли поколебать защиту «Реала».

ГБ: Счет 6:2. Вы подготавливали позицию Лео как следствие его развития и влияния в команде, или это просто явилось результатом понимания того, что два центральных защитника противника были довольно медленными и предпочитали иметь дело с забивным нападающим?

ПГ: Мы вместе просмотрели несколько кадров и разобрались, как они двигаются, и что если Лео переместится на внутреннюю часть поля, он сможет чаще включаться в игру. Это было очень важно и всегда было нашей основной целью: активнее вовлечь Месси в нашу игру.

ГБ: И как вы это сделали? Вы показали ему видео?

ПГ: Да, мы нашли некоторые кадры и...

ГБ: Вы были вдвоем?

ПГ: Да, я позвонил ему и сказал: «приезжай и посмотри на это». Он посмотрел видео и засмеялся. Вот так.

ГБ: Он смеялся, потому что это было настолько очевидно!

ПГ: Я полагаю, что он думал: «я буду там один-одинешенек в этой позиции!» Я полагаю, что именно так он и подумал. Но это, конечно, были только цветочки. Было и еще кое-что, более важное. «Передо мной открывается свободное пространство, но теперь я должен преодолеть эти последние четырнадцать или восемнадцать метров и забить гол». Конечно, не существует никакого видео, которое решит за вас эту проблему. Когда мы говорим о тактике, мы всегда говорим об игроках. Без них тактика не имела бы смысла. В конце концов, тренеры для того и существуют, чтобы помогать лучшим игрокам. Я всегда старался сделать так, чтобы звезды играли в наилучших позициях, получая мячи в нужных местах.

ГБ: Лео принес с собой из Росарио свой стиль игры. «Барселона» обеспечила безопасность, помогла стать профессионалом и помогла понять свое тело. Вы совершенствуете команду, но, по сути, он всегда играл так, как привык. Вы соглашаетесь с этим?

ПГ: Лео – игрок с ярко выраженной интуицией, поэтому необходимо дать ему свободу. Некоторые игроки просят дать им свободу, не зная, что с ней делать, когда получают ее. В «Барселоне» Лео научили понимать игру, с самого юного возраста показали, где следует располагаться, чтобы пробраться в узкие свободные щели, объясняли, почему кто-то играет лучше или хуже в той или иной позиции. Таким образом, я полагаю, что, имея собственные идеи и представления о футболе, Месси способен сделать выводы: «черт возьми, точно, если сделать так, я буду играть лучше, а вот так мне не подходит». И постепенно это обучение помогло ему выработать собственный стиль игры.

После разговора Пепа с Лео перед монитором все стало ясно: это было идеальное тактическое решение матча. «В беседе перед игрой Пеп сказал нам, как Лео будет играть, – вспоминает Пике. – Я не думаю, что нам даже удалось хотя бы неделю потренироваться. Лео собирался играть в качестве ложного номера девять с Сэмюэлем Это'о на фланге».

Пеп Гвардиола не изобретал понятие ложного номера 9, более того, он никогда не утверждал этого. Это понятие родилось в известной венгерской команде пятидесятых с Нандором Хидеккути. Альфредо Ди Стефано был полноценным игроком, который наносил ущерб противнику с позиции ложного нападающего (он был также ложным центральным полузащитником, ложным крайним нападающим...). В семидесятые Ринус Михелс время от времени давал эту роль Йохану Круиффу, а позднее она вернулась к Микаэлу Лаудрупу, игроку команды «Dream Team», тренером которой был Йохан Круифф. Молодой Пеп Гвардиола играл там под номером 4.

Сильвиньо вспоминает, что в те дни перед матчами было проработано много интересных моментов: «Была стратегия уменьшить фланг за счет Тьерри, переместить Сэмюэля. Все мы – я имею в виду Гвардиолу, команду, группу – создавали великий матч. Мы проиграли, и, казалось, что все пошло коту под хвост»...

Следовало учитывать еще один дополнительный фактор: перед игрой старшие игроки напомнили Лео и команде, что не следует искать возможности мести за «коридор почета», который они вынуждены были сформировать для новых чемпионов в предыдущий сезон. Но Лео и те, кто играл в тот день, не могли спрятать мучившую их рану. «Это было как заноза для нашей команды, – сказал Месси в интервью *La Gazzetta dello Sport*. – Фактически, мы меньше страдали от проигрыша, чем от унижения, что нам пришлось организовать «коридор почета». В тот вечер «Барселона» проиграла чемпионам Лиги со счетом 4:1. До извлечения мучившей команду занозы оставалось совсем немного времени.

По мысли Пепа и Лео, размещение его в центре вызовет опасения у центральных защитников. Если один из них организует ему там прессинг, то всегда оставался шанс на дуэль один на один с другим защитником, и либо форвард, либо сам Лео должен быть в состоянии пройти мимо первого центрального защитника. «План сработал блестяще, – вспоминает Пике. – «Мадрид» никогда не рассматривал подобную возможность, защитники не смогли перегруппироваться и не знали, что им делать. В результате у Лео появилось обширное пространство, для того чтобы поменять тактику и атаковать их».

ДЕНЬ МАТЧА 34 (2 МАЯ 2009 ГОДА)
«РЕАЛ МАДРИД» — «БАРСЕЛОНА», СЧЕТ 2:6

«Барселона»: Вальдес; Алвес, Пуйоль, Пике, Абидаль, Туре (Баскетс, 85-я минута), Хави, Иньеста (Боян, 85-я минута); Месси, Это'о и Анри (Кейта, 62-я минута). Неиспользованные запасные: Хоркера, Касерес, Сильвиньо, Гудьонсен и Глеб.

«Реал Мадрид»: Касильяс; Серхио Рамос (Ван дер Ваарт, 71-я минута), Каннаваро, Метзельдер, Хайнце; Гаго, Ласс; Роббен (Хави Гарсия, 79-я минута), Рауль, Марсело (Хантелаар, 59-я минута); и Хигуаин. Неиспользованные запасные: Дудек; Торрес, Дренте, Фобер и Савиола.

Голы: 1:0. 13-я минута: Хигуаин. 1:1. 17-я минута: Анри. 1:2. 19-я минута: Пуйоль. 1:3. 35-я минута: Месси. 2:3. 56-я минута: Рамос. 2:4. 58-я минута: Анри. 2:5. 75-я минута: Месси. 2:6. 82-я минута: Пике.

El Pais: Месси забил свой первый гол в «Бернабеу». Гвардиола переместил его с фланга так, чтобы он мог как можно чаще атаковать двух центральных защитников «Мадрида» — Каннаваро и Метголдера. Он их просто уничтожил. Не только их, но также и двух центральных полузащитников, учитывая, что Месси удавалось проникнуть достаточно глубоко в центр. Месси брал мяч рядом с Хави, делая несколько коротких взаимных пасов с Анри. Один из них оставил Анри один на один с Касильясом, что привело к первому голу «Барселоны».

Пике/Хави /Иньеста/Месси — были ядром того незабываемого матча.

Рамон Беса, El Pais: «Месси называют ключом к clásico. Секрет заключался в перемещении Месси из его обычного положения справа на центральную линию в качестве ложного номера 9 или четвертого полузащитника. «Блоха» двигался между линиями, соединяясь то с Хави, то с Иньестой, почти организовывая ситуации трое против Гаго и Ласса — персональных опекунов двух полузащитников «Барселоны» — и завлекая двух центральных защитников намного дальше вперед, чем обычно. Их сбивало с толку то, что Анри и Это'о, которые всегда находились на линии, теперь забрались намного глубже, чем ранее. Тренеры «Барселоны» хотели помешать тому, чтобы их противники играли в игру «анти-Месси» и убедили аргентинца, что он должен играть так, как он играл в течение короткого периода в Севилье и против «Валенсии» в «Камп Ноу». Сине-гранатовые выиграли, имея в середине Хави /Месси и Иньесту, а на флангах — Анри и Это'о, которые были принесены в жертву. Они казались изолированными, но, тем не менее, участвовали в действиях, что показал шестой гол. Даже Это'о признал: «Босс был очень умен, когда поставил меня на фланге и вывел Месси на середину». Как только эгоизм был отброшен ради блага команды, добиться исторического триумфа «Барсе» стало не в пример проще…

На пресс-конференции Пеп сказал: «Месси, Хави и Иньеста могут сделать отличной любую идею».

«Раздевалка напоминала сумасшедший дом, — вспоминает Сильвиньо. — Я радовался так же, как и те, кто играл. Всю команду охватило невероятное чувство удовлетворения. Все, над чем мы работали, что изучали, о чем говорили — все это легло в основу девяноста минут прекрасного футбола». Изменение тактики увенчалось успехом. Лео вернулся на фланг к своей позиции, поскольку ложный номер 9 не будет вновь появляться вплоть до финала Лиги чемпионов — матча против «Манчестер Юнайтед».

Алекс Фергюсон подготовился противостоять обычной «Барселоне» как раз в тот момент, когда команда решила кардинально измениться.

5. ФИНАЛ ЛИГИ ЧЕМПИОНОВ. МАТЧ ПРОТИВ «МАНЧЕСТЕР ЮНАЙТЕД» И ЧЕМПИОНАТ МИРА СРЕДИ КЛУБОВ ПО ВЕРСИИ ФИФА 2009 ГОДА. ШЕСТЬ ИЗ ШЕСТИ

На втором этапе полуфинала Лиги чемпионов в матче против «Челси» «Барселона» использовала нападение с Иньестой слева, Это'о — внизу в середине, а Лео начинал игру на правом фланге, но перемещался свободно, выискивая возможность для нападения. Ничья со счетом 0:0 на первом этапе в «Камп Ноу» сделала матч в Стэмфорд-Бридже еще труднее, Микаэль Эссьен забил гол на восьмой минуте, а Эрик Абидаль был удален на шестьдесят шестой. Гус Хиддинк, вероятно, ошибся, когда за двадцать минут до конца заменил Дидье Дрогба защитником Хулиано Беллетти. В любом случае инициатива была у «Барселоны», несмотря на то, что они не создавали голевых моментов. Это было очень напряженное столкновение. На девяносто третьей минуте, практически в самом конце матча, Месси сделал пас Иньесте, который ошеломляющим ударом, нанесенным снаружи штрафной площадки, наконец пробил мощную защиту «Челси» и добавил новую славную страницу к истории клуба.

Незадолго до финала Лиги чемпионов «Барселона» должна была играть в финале Copa del Rey против «Athletic de Bilbao». Они были на пути к славе, в трех шагах от невероятной победы — завоевания всех возможных титулов в сезоне. «В среду 13 мая, — рассказывает Луис Мартин в интервью *El Pais*, — когда команда уже садилась на самолет, чтобы лететь в Валенсию, где в тот вечер должен был проходить финал Copa del Rey, Иньеста, который остался в Барселоне, чтобы восстановиться после травмы, подошел к Месси и сказал: «Привези мне кубок, а я обеспечу тебе в Риме «Золотой мяч».

Это был первый финал с Лео в основном составе. «Барселона» одержала решительную победу со счетом 4:1, но счет открыл «Athletic». Лео участвовал в трех из этих четырех голов, один забил сам, доведя счет до 2:1 в той части игры, которая будет в дальнейшем многократно повторяться. Получив мяч, он болтался какое-то время без дела, удерживая его, пока не находил зазор между десятками ног и получал возможность провести его мимо защитников противника.

Три дня спустя «Барселона» стала чемпионом лиги, даже без матча против «Майорки». «Реал Мадрид» проиграл «Вилльяреалю» и отставал на восемь очков от лидеров, причем им оставалось сыграть еще две игры: вечные соперники сдались *сине-гранатовым* после такого мастер-класса в Бернабеу. «Барса» выиграла пятый дубль в истории.

В Риме, на финале Лиги чемпионов, их ждал «Манчестер Юнайтед» с Криштиану Роналду.

О том матче было сказано следующее: «Манчестер Юнайтед» был очевидным фаворитом (согласно английской прессе), и два лучших игрока в мире собирались сойтись лицом к лицу. «Без сомнений, это были лучшие игроки на тот момент, для каждого из них это был фантастический сезон», – сказал сэр Алекс Фергюсон. «Алекс предпочитает Роналду, мы предпочитаем Лео», – добавил Пеп. «Интересно будет увидеть игру обоих в финале», – завершил шотландец.

Общественность и особенно СМИ решили, что единственно возможные отношения между Лео и Криштиану – ненависть. В помешанном на Twittere, 140-символьном, черно-белом мире вряд ли было место для чего-либо еще. Однако всякий раз, когда тем вечером их пути в Риме пересекались, они показывали смесь чувств, которая существует у избранника судьбы к сопернику, которого вы должны победить, но кто заставляет вас стремиться стать лучше. Между ними нет привязанности, но нет и неприязни. Высокомерные и колючие комментарии друг о друге – часть их работы, но их личные отношения основываются на взаимном уважении.

В *El País* Луис Мартин приводит историю, которая произошла за двадцать четыре часа до игры. «Месси не мог поверить тому, что он увидел, когда во вторник пришел в отель. Он позвонил Эстиарту. «Вы можете подойти в мой номер? У меня проблема». Ангел-хранитель Гвардиолы расправил крылья, чтобы защитить ученика своего друга любым возможным способом и, не теряя времени, помчался туда, беспокоясь, что произошло что-то, с чем он не сможет справиться, потому что Месси никогда не жаловался. «Посмотрите, Манель, кровати нет», — сказал ему Лео. Эстиарт вдохнул с облегчением: у проблемы имелось решение. Служащий по связи с игроками Карлос Наваль позаботится обо всем».

В остальное время Лео бродил по коридорам отеля команды с билетом на финал, заказанным так, как будто не происходило ничего необычного. «По правде говоря, все было нормально, все как обычно, вплоть до матча, это был такой же день, как и любой другой. Мы были очень спокойны и уверены в своих силах», — сказал Месси спустя несколько дней после финала. Он знал, что люди поговаривали, что он не в состоянии выиграть у английской команды. И принял вызов.

«Мы испытали вариант с ложным номером девять на тренировках перед финалом, — вспоминает Педро. — Пеп сказал нам, что это самый лучший способ разбить противника, потому что у них было два очень высоких центральных защитника, которых не очень-то запрессуешь. В центре Лео мог забрать мяч и создать опасную для противника ситуацию».

Лео, как отметили его члены семьи и лучшие друзья, сидевшие на трибунах вместе с остальными родственниками членов команды, прокомментировал, что финал был похож на игру в «Камп Ноу». Он наслаждался наэлектризованной атмосферой итальянского стадиона.

27 МАЯ 2009. ФИНАЛ ЛИГИ ЧЕМПИОНОВ.
«БАРСЕЛОНА» — «МАНЧЕСТЕР ЮНАЙТЕД».
ОЛИМПИЙСКИЙ СТАДИОН, РИМ. 2:0

«Барселона»: Виктор Вальдес; Пуйоль, Туре, Пике, Сильвиньо, Хави, Баскетс, Иньеста (Педро, 90-я минута); Месси, Это'о и Анри (Кейта, 70-я минута). Неиспользованные запасные: Пинто; Касерес, Гудьонсен, Боян и Муньеза.

«Манчестер Юнайтед»: Ван дер Сар; О'Шеа, Фердинанд, Видие Эвра, Парк (Бербатов, 65-я минута), Андерсон (Тевес, 46-я минута), Каррик, Руни; Гиггз (Шольс, 74-я минута) и Роналду. Неиспользованные запасные: Кушчак; Рафаэль, Эванс и Нани.

Голы: 1:0. 9-я минута: Иньеста пасует Это'о, который проходит мимо Видича и бьет по Ван дер Сару ударом с носка. 2:0. 70-я минута: Месси бьет головой в дальний угол по мячу, полученному в результате кросса Хави.

El Pais: «Месси лучше всех». «Блоха» забивает гол головой и демонстрирует Криштиану Роналду, кто тут главный, кто настоящий король.

Луис Мартин, El Pais: Месси не оставил Эвре ни одного шанса, потому что ни разу не атаковал на левом фланге. «Этот день не был его самым замечательным, — как обычно говорит Гвардиола, — Месси никогда не играет ужасно. Это был его вечер, когда он должен был показать себя, и он это сделал. Он почти всегда заставлял центральных защитников «Манчестера» перегруппировываться и пару раз находил лазейки в лесу белых футболок, не доставляя Ван дер Сару никаких проблем до тех пор, пока ему не удалось просочиться мимо защитников и забить второй гол после кросса Хави». Гвардиола сообщил об этом на пресс-конференции, когда его спросили, забил ли Лео гол головой после кросса, чтобы быть лучшим в мире. «Я не рекомендую вам проверять это, потому что однажды он забьет гол головой и заткнет вас всех», — пророчил представитель Santpedor... И на Олимпийском стадионе 20 000 culés скандировали имя Месси, кричали «Блоха». При 12 голах в Лиге чемпионов и со всеми завоеванными титулами сомнений больше быть не может. Иньеста сдержал слово, сомнений нет: Месси — лучший.

Марти Перарнау, Sport: Пока еще никто не нашел правильных слов, чтобы воздать Месси должное. Это невероятный человек с мячом, прилипшим к его ноге, пилот глайдера, который всегда вовремя находит щель, куда можно нырнуть. Он движется, как исполин, творящий новую эпоху, даруя вечную радость верным поклонникам сине-гранатовых, как хозяин своей судьбы. Месси выражает все те достоинства, которые объединяют «Барселону»: смирение и преданность, свежесть и талант, молодость и амбиции, способность идти на жертвы и чувствовать единство, прилагать усилия и ощущать счастье от игры.

ГБ: наступил финал Лиги чемпионов. И через десять минут ритм матча изменился.

ПГ: Мы опробовали этот ритм в матче против «Реал Мадрида». Против «Челси» мы играли по-другому: не возвращались к ложному номеру 9 до самого финала. Мы сказали: в течение первых десяти минут мы будем играть так, как они предполагают, а вот потом...

ГБ: Так это было запланировано.

ПГ: Да, через десять минут Сэмюэль переходит на фланг, а Лео – вниз в середину. Но в первую минуту Лео не следит за Эвра, и создается опасный момент, о котором я говорил вам, рассказывая о европейских играх. А затем Криштиану выполняет штрафной, а Виктор отражает удар – отличный шанс. Сэмюэль заслуживает огромного уважения, потому что он сумел приспособиться к тому, что мы от него требовали... Я очень хорошо помню, что когда у нас было много проблем в матче против «Лиона», он также сумел приспособиться. Я поставил его на фланг на 35 или 40 минут, а Лео – вниз в середину так, чтобы вся команда оказалась более уравновешенной, и мы смогли усилить защиту. Сэмюэль сумел также помочь нам продвинуться вперед, потому что он обладает прекрасными качествами, позволяющими делать великолепные диагональные пробеги с фланга. Без Сэмюэля мы бы не смогли сделать все это ни в мой первый сезон, ни в том матче. Он – еще один важный игрок в значимых матчах. Он очень редко разочаровывает нас в важные моменты игры.

ГБ: Перемены в тактике удивили «Манчестер Юнайтед» – англичане не изучили особенности матча с «Реал Мадридом».

ПГ: Даже если бы они озаботились этим, команде было трудно остановиться и перестроиться. Поскольку вы вынудили центрального защитника передвинуться из его обычной позиции, им это не понравилось. В Англии да и во всей остальной части мира в центральные защитники привыкли брать высоких, сильных центральных нападающих, и в этой ситуации они чувствуют себя комфортно. А если им приходится защищаться от игроков различного вида, маленьких, динамичных, если они чувствуют себя вынужденными переместиться с занимаемой позиции, даже если это перемещение всего в десять метров, они чувствуют сильное напряжение.

Лео не только выполнял свои обязанности защитника, следуя инструкциям Пепа и собственной интуиции, но также имел возможность забивать голы. И после броска наперехват идеально нацеленного мяча от Хави он послал крученый мяч поверх вратаря, забив гол, который Ван дер Сар с тех пор неизменно отказывался обсуждать как публично, так и в личных беседах. Во время удара бутса Лео слетела, и казалось, что он должен был растянуться, чтобы достигнуть необходимой высоты, поэтому нога внезапно уменьшилась. Это была бутса от Adidas – лучшей рекламы и придумать нельзя.

«Пепу понравилось быть в курсе дел своих игроков, чувствовать их настроение, знать, когда у них все в порядке, а когда – нет, – говорит Педро. – Очень важно, чтобы был кто-то, кто видит нас насквозь и понимает и во время тренировки в любом из матчей. Не бывает двух одинаковых дней – сегодня вы можете быть в приподнятом настроении на тренировке или матче, а на следующий день настроение может резко упасть. Вам необходим человек, который будет требовать полной отдачи, но при этом, когда вы в этом нуждаетесь, будет понимать вас практически без слов. Пеп требовал от Месси многого, но Лео знал, что босс всегда рядом с ним, и в удачные дни, и в неудачные, а в ответ тот отдавал игре всего себя.

Таким образом, когда Гвардиола внес изменения в тактику, они позволили Лео блистать, и Месси знал это, – продолжает Педро. – Когда все шло хорошо, как, например, в финальном матче в Риме, можно было видеть, что между ними имеется особая связь, как будто они говорили: «Действуем, как договорились». Впервые Лео и Пеп обнялись, когда снова встретились в раздевалке римского стадиона. Им не нужны были слова. Это был их способ сказать: «мы это сделали».

«Да, это было красиво, это всегда потрясающе – забить гол, и тем более – в том матче в том финале, это было что-то невообразимое, как сон, это было просто удивительно. После матча мы все были безумно счастливы, устраивали вечеринки, радовались и веселились», – вспоминал Месси несколько лет спустя. Он объяснил в интервью *El Pais*, что стояло за всей этой радостью, за тем ликованием, которое всегда приносит такая победа. «В 2006 году проходил финал Лиги чемпионов, в котором я, к сожалению, не мог играть из-за травмы, полученной в матче с «Челси» в 1/8 финала, после которой мне тогда не удалось своевременно оправиться. Я сказал тогда, что хочу выиграть Лигу чемпионов, участвуя в игре, и это было действительно здорово».

«Это был действительно счастливый момент, и в то же время очень сложный матч для меня», – вспоминает Сильвиньо. Защитник знал, что его время в «Барселоне» заканчивается – клуб все еще не предложил ему продление контракта, и в конечном счете не стал этого делать. Ему было 35 лет, он играл почти во всех играх кубка и во многих матчах Лиги – это произошло вследствие травм Пуйоля и Абидаля, которые вынудили Пепа сделать перестановки в защите. Он также начал играть в финале Лиги чемпионов в качестве левого защитника после временного удаления с поля Абидаля и просьбы Кейты к Гвардиоле не переводить его из занимаемого им положения, как это планировал тренер: Кейта сказал ему, что при этом команда может пострадать.

Когда Сильвиньо после победы шел вокруг поля Олимпийского стадиона, он мысленно вернулся к поездкам с Роналдиньо, беседам с Райкардом, к тому дню, когда Деку пригласил Лео сесть с бразильцами за их стол. Он вспомнил крики аргентинца уборщику-китайцу в отеле. Он попросил у Месси сфотографироваться с ним. «Ликуя на поле, я уже знал, что это не просто заканчивается дружба – это еще и конец важной части моей жизни. Это был конец карьеры. И я знал, что Лео будет одним из тех людей, с которыми мне было бы трудно продолжать контактировать, и мне будет больно не видеть его рядом как члена команды, как друга. Это был очень трудный вечер. Лео тогда не понимал всего, но я крепко обнял его и даже заплакал, потому что он больше не будет со мной рядом столько, сколько мне бы хотелось. И я все время повторял про себя: «для меня все закончилось».

Счастливый Лео обнимал Сильвиньо, но тот был очень печален. «Я сыграл в финале: какой прекрасный способ завершить карьеру! И в то время, пока я был с ним, я прощался без слов. Это был вечер смешанных чувств». Недавно Сильвиньо послал Лео фотографию, на которой они обнимались на поле. «Черт возьми, Сильвио, какая удивительная фотография!» – ответил ему Лео. «Помнишь, как это было?» – спросил его Сильвиньо. «Да, конечно помню», – ответил Месси. И только тогда пораженный Лео наконец понял причину того эмоционального объятия.

«Я помню, когда мы обедали с семьями после финала в Риме, поклонники подходили к Месси, и он принимал их со спокойствием и смирением», – вспоминает Педро.

По сути, этот вечер стал для «Блохи» настоящим кошмаром. «Барселона» организовала празднование в замке под Римом – теоретически это было частное мероприятие, но оно стало парадом любителей поживиться на чужой счет. Как сказал один из игроков: «даже кошки пришли». Чтобы пробиться сквозь толпу, приходилось бороться, и в результате игроки почти не могли провести время со своими семьями. Преследование было таким яростным, что стало просто невозможно наслаждаться праздничным вечером. Подобное шоу никак не подходило для такого исторического события.

Утром, в самолете, настроение изменилось. Как вспоминает Хуанхо Брау: «Во время перелета домой Месси схватил микрофон. Лео никак не мог перестать смеяться, он отпускал шутки о своих товарищах по команде, наполненные тонкой аргентинской иронией».

«Лео показал всем, что он лучший игрок в мире, – завершает Пике. – Мы уже говорили это, но нам никто не верил. После того вечера всем все стало ясно». Месси стал главным голеадором соревнования, забив девять голов, на два больше, чем Стивен Джеррард из Ливерпуля и Мирослав Клозе из «Баварии Мюнхен». Кроме того, в глазах большинства комментаторов он был лучшим игроком в мире.

В «Камп Ноу», после поездки на автобусе по улицам Барселоны, празднование развернулось втрое шире. Лео, в каталонских шарфе и шапке, схватил микрофон и кричал немного охрипшим от алкоголя голосом: «В следующем году мы продолжим и выиграем все, и снова отпразднуем это! *Visca el Barça i visca Catalunya!*» Хорхе Месси наблюдал это со смесью замешательства и гордости.

ГОЛЫ В СЕЗОНЕ 2008/09 ГОДА

Месси: Лига, 23; Copa del Rey, 6; 9 в шести играх Лиги чемпионов: всего = 38.

Анри: Лига, 19; Copa del Rey, 1; 6 в пяти играх Лиги чемпионов: всего = 25

Это'о: Лига, 30; 6 в пяти играх Лиги чемпионов: всего = 36

В следующем сезоне Пеп Гвардиола решил обойтись без услуг Самуэля Это'о. Он говорил о «чувстве» (используя английское слово на пресс-конференции), чтобы избежать необходимости объяснять, что у Это'о не было желания продолжать занимать второстепенное положение по отношению к новой звезде. На одной из тренировок Это'о накричал на Гвардиолу, напоминая, что он – форвард, и знает, что делает. В конце кампании между тренером и игроком уже не оставалось ни понимания, ни терпения. Пеп понимал, какое огромное усилие Это'о приложил в том году, но их отношения зашли в тупик. Решение тренера было неизбежно: развитие «Блохи» требовало всей той свободы действий, которой Это'о требовал для себя.

ГБ: Как вы объясняете уход Самуэля Это'о?

ПГ: Это было тактическое решение, и ничего больше. Никаких других причин не было. Было бы невозможно выиграть все в тот первый год без Сэмюэля. Он приспособился к Лео, когда я приказал это, приспособился к тактическим планам в «Бернабеу» и в Риме. Но я решил, что Лео будет регулярно играть внизу в середине, и считал, что будет несправедливо просить Сэмюэля играть каждую игру на фланге. Я не считал, что было бы правильно просить его приспосабливаться к Лео восемьдесят игр в сезоне, это не самое правильное отношение. Педро, Хеффрен, Боян... они смогли бы, но не Сэмюэль.

«Рональдиньо вернул сине-гранатовым надежду, и Это'о очень сильно помог в достижении победных результатов, ставших следствием этого, – объясняет Жоан Лапорта. – Я взял на себя ответственность сообщить Сэмюэлю, что он больше не будет играть в клубе. Для столь темпераментного игрока, как он, трудно принять это понятие «чувства», о котором говорил Пеп, при том, что он, возможно, сделал очень многое, чтобы понравиться тренеру. Это не было прихотью Пепа, скорее решением, которое нам всем вместе было очень трудно принять. В том году мы хотели подписать контракт с Вильей, Форланом или Ибрагимовичем. Прежде всего, мы попробовали Вилью, но это оказалось невозможным в финансовом отношении. Наконец выбор пал на Ибрагимовича. Нам было нужно согласие Это'о прежде, чем мы могли привести ему замену, но Сэмюэль не хотел идти в аренду «Валенсии», хотя согласился на «Милан». К тому же Ибрагимовича предпочел технический штат. «Манчестер Сити» предложил за Это'о 32 миллиона евро, но туда он тоже не хотел идти, потому что они все еще не имели право играть в Лиге чемпионов». Златан стоил €20 миллионов, в которые был оценен Это'о, плюс €46 миллионов, что сделало его самым дорогим игроком в истории клуба.

Новый тактический подход обеспечил возможность осуществления классической голландской схемы 4–3–3 с форвардом в лице Ибрагимовича, способным удерживать мяч и играть спиной к воротам, что обеспечило возможность чаще играть длинные мячи, помимо того, что этот талантливый футболист мог создавать голевые ситуации и забивать голы. Пеп играл при такой схеме при Луи Ван Гаале с Патриком Клуивертом в качестве центрального защитника.

Но для того, чтобы все сработало, необходимо было установить плодотворные отношения между Златаном и остальными центральными защитниками, особенно с Лео, который должен часто заходить на середину опасными диагональными пробегами. Это было проблемой ближайшего сезона и достигло пика в декабре, когда клуб надеялся соединить воедино все, что было сделано за последние полтора года. Для этого им надо было выиграть шестой титул из шести – победить на чемпионате мира среди клубов ФИФА в Абу-Даби.

У Лео была легкая травма лодыжки, и он проводил укрепляющие сеансы с Хуанхо Брау на пляже в Абу-Даби. Он еще не был готов участвовать в полуфинале против мексиканского клуба «Atlante» и остался на скамье запасных. Игра шла тяжело после того, как «Барселона» пропустила гол на четвертой минуте. Даже «Atlante» не был готов к этому – они знали, что играют с лучшей командой года, и чувствовали, что у них нет никаких шансов. «Ребята, мы в глубокой защите, и надо надеяться, что мы не пропустим пять», – сказал один из старших игроков перед тем, как выйти на поле. Но, учитывая возникший шанс, мексиканцы не собирались уступать. На тридцать пятой минуте Баскетс сравнял счет, но было трудно создавать голевые ситуации при столь мощной защите «Atlante». На пятьдесят четвертой минуте Ибрагимович создал голевую ситуацию для Лео, который только что вышел на поле, и тот забил мяч в ворота, доведя счет до

2:1. Педро забил заключительный гол, доведя счет до 3:1, став в этот момент единственным игроком, который забивал голы во всех матчах того года.

Перед финальным матчем против аргентинской команды «Estudiantes de la Plata» Месси стал свидетелем одной из самых впечатляющих речей Пепа, которые Гвардиола когда-либо произносил перед своей командой. Он закончил ее словами: «Если мы проиграем сегодня, то мы все еще будем лучшей командой в мире. Если победим – войдем в вечность».

Но «Estudiantes» забили первый гол, а затем прошли глубоко на чужую половину поля, чтобы закрепить свое преимущество.

19 ДЕКАБРЯ 2009 ГОДА. ЧЕМПИОНАТ МИРА КЛУБОВ ФИФА.
«ESTUDIANTES» — «БАРСЕЛОНА». АБУ-ДАБИ

«Барселона»: Вальдес; Алвес, Пуйоль, Пике, Абидаль; Хави, Баскетс (Туре, 79-я минута), Кейта (Педро, 46-я минута); Месси, Ибра и Анри (Джеффрен, 82-я минута).

«Estudiantes»: Альбиль; Родригес, Селлей, Дезабато, Ре (Рохо, 90+1 минута); Диас, Бенитес (Санчес — 76-я минута), Верон, Брана; Энцо Перес (Макси Нунес, 79-я минута) и Бозелли.

Голы: 1:0, 37-я минута: Бозелли. 1:1, 89-я минута: Педро. 1:2, 110 минута; Месси.

Рамон Беса, El Pais: У Месси есть не только ноги и голова, хотя, скорее всего, лучшие в мире, но с грудью у него тоже все в порядке. Он забивает голы сердцем, выигрывает чемпионаты так, как вчера сделал это в Абу-Даби. Такова особенность футбола. Нечто настолько серьезное, даже великое, как чемпионат мира среди клубов ФИФА, закончилось практически детской игрой — грудь Месси, ноги Джеффрена, голова Педро... Педро забил гол в дополнительное время в предпоследнюю минуту. Гол был забит в результате атаки «Барселоны», и когда Альбиль был сметен, нужно было только отправить мяч грудью в ворота после кросса Дани Алвеса. Лучший «малыш» закончил тем, что нанес поражение своим аргентинским соотечественникам.

Луис Мартин, El Pais: Повинуясь легчайшему движению, чуть-чуть изменившему траекторию, мяч пришел к Месси, идеально вписываясь в ситуацию последнего удара, и кто-то другой мог бы надеяться встретить его головой. Но не Месси — он уже показал, что может делать головой — в Риме, в тот день, когда с его ноги слетела бутса и «Барселона» выиграла Лигу чемпионов. Вчера Лео изобрел гол грудью. Или это было его сердце? Он оказался спиной к Верону и Селлею и грудью к мячу. Альбиль мог только наблюдать за тем, как мяч влетает в ворота. «Я остался там, чтобы удостовериться, что это — все. Я пробил по мячу грудью и сердцем», — объяснил аргентинец. А затем Месси убежал, сияя от счастья. Товарищи по команде обнимали его, и когда он выбрался из группы игроков, то воздел руки к небу в благодарность своей умершей бабушке, Селии. Матч был закончен. Раньше никто и никогда не делал то, что совершила «Барселона» Гвардиолы в тот вечер: за один год — шесть титулов. И Месси принимал участие во всех матчах. Он праздновал победу на поле и за его пределами, где ему пришлось признать: «Долгое время мы уходили ни с чем, что заставляет нас особенно ценить то, чего мы достигли, но это великолепно. Сегодня нам трудно это осознать. Любому будет очень трудно повторить это, потому что ни одна другая команда никогда не делала ничего подобного». Слова Лео.

«Я чувствовал себя достаточно уверенно, выполняя этот удар, потому что находился слишком близко к вратарю, чтобы попробовать ударить головой. Мяч пришел ко мне под странным углом, мы много тренировались, и когда я оказался так близко, я подумал, что мне скорее надо подправить его движение, чем бить головой», – сказал Лео Мартину Соуто в интервью для *ТуС*. Лео объяснил в интервью *El Pats*, что «попытался направить мяч. Я видел, что вратарь двинулся в одном направлении, и я думал, что пошлю его в другую сторону».

Это был день, когда Пеп Гвардиола рыдал на поле, это была кульминация невероятных полутора лет прессинга, наслаждения и ярких результатов. Благодарный Лео первым обнял его, прежде чем пожать руку всем своим соперникам, всем побежденным аргентинцам.

«Барселона» многим обязана Пепу за все, что он для них сделал, – объяснил Лео после победы. – Он пришел, когда мы пережили два плохих года и не могли реализовать ни одну из поставленных перед нами целей, и изменил менталитет команды».

Сейчас Лео был, несомненно, одним из главных героев команды, которая вошла в историю, и частью коллектива, который считал его своим маяком, а это жизненно важно для группы людей, играющих в футбол.

Игроки сфотографировались в раздевалке со своим последним трофеем, а потом была вечеринка. Веселились все вместе и каждый по отдельности. Ибрагимович со своими соотечественниками, Лео – с братьями.

Жоан Лапорта вспоминает: «Я помню, как он танцевал, когда мы праздновали победу в Абу-Даби в 2009 году. И он, как обычно, дурачился, когда старшие игроки (Хави, Пуйоль, Иньеста, Вальдес) подошли ко мне и попросили свои бонусы. Когда это произошло, Лео был там, наблюдая, потому что они могли поделиться с ним окончательным решением одним взглядом».

Ибрагимович никогда не понимал уступчивую натуру старших игроков.

6. ЧЕТЫРЕ ГОЛА В ЧЕТВЕРТЬФИНАЛЕ ЛИГИ ЧЕМПИОНОВ В МАТЧЕ ПРОТИВ «АРСЕНАЛА», 2010 ГОД

Через четырнадцать месяцев Лео Месси подписал два новых контракта: один в июле 2008 года с годовым окладом в €7,8 миллиона с премией в размере €1,5 миллиона за сыгранные матчи, общая стоимость его контракта достигла €150 миллионов. Но в сентябре 2009 года «Барселона» предложила Месси новое соглашение, которое отразило успех в первом сезоне Гвардиолы: его зарплата достигла €12 миллионов. Если команда выиграет Лигу или Лигу чемпионов, и Лео сыграет в 60 процентах игр, то ему будет добавлена премия до €2 миллионов как фиксированная заработная плата в следующем сезоне. Контракт завершался в 2016 году и также имел пункт о выкупе. Если кто-то захотел бы заключить с Лео контракт, не проведя переговоры с «Барселоной», то его цена теперь возрастала до €250 миллионов.

После победы на чемпионате мира среди клубов ФИФА игроки уехали на каникулы. По возвращении они должны были играть с «Вильярреал». Эти рождественские каникулы, в отличие от предыдущего года, были использованы до конца, и Лео возвратился лишь за день до матча. Гвардиола хотел оставить его для кубкового матча против «Севильи», который должен был состояться три дня спустя. Игрок сказал, что готов к матчу Лиги, но Пеп гнул свое. После того как игра с «Вильярреал» закончилась вничью со счетом 1:1, тренер смешал в матче против «Севильи» нескольких непостоянно участвующих в матчах игроков (Пинто, Чигринского, Максвелла, Тиаго и Бояна, который играл под номером 9) с игроками первой команды. Фактически, вся скамейка запасных, за исключением Ибрагимовича, играла как в финале Лиги чемпионов, так и в финале чемпионата мира клубов ФИФА. Месси начал игру на фланге.

«Севилья» применила простую, но эффективную тактику: они выдвинули защиту очень глубоко на территорию противника и начали бить длинные мячи за них. Видя, что после поражения игроков охватывает разочарование, Пеп почувствовал, что расстроил их и, полный решимости вознаградить их за целеустремленность, выставил в заключительной части самую сильную команду за исключением Пинто в воротах, который был вратарем на кубке.

Через восемнадцать месяцев «Барселона» под руководством Гвардиолы все еще не проиграла ни одного матча.

Действия его игроков в матче с «Севильей» был великолепны для реального кубкового матча, игравшегося под проливным дождем, что сделало это соревнование поистине эпическим подвигом: непрерывно совершались попытки забить гол в ворота, которые защищал великолепный Палоп, особенно во второй половине матча.

«Лео пылал яростью», – вспоминает Жерар Пике. Он тихо плакал, закрывая лицо футболкой. Вдали от всех. «Если бы вы не смотрели на него внимательно, то даже ничего бы не поняли». При тех обстоятельствах лучше всего было оставить его в покое, что и сделали в тот вечер большинство его товарищей по команде.

5 ЯНВАРЯ 2010 ГОДА. ПЕРВЫЙ ЭТАП. «БАРСЕЛОНА» 1:2 «СЕВИЛЬЯ»

«Барселона»: Пинто; Алвес, Милито (Баскетс, 66-я минута), Чигринский, Максвелл; Тиаго (Хави, 71-я минута), Маркес, Иньеста; Месси, Боян и Педро (Ибрагимович, 46-я минута). Неиспользованные запасные: Вальдес, Анри, Пуйоль и Пике.

«Севилья»: Палоп; Конко, Эскуде, Драгутинович, Наварро; Ромарич, Лоло (Душер, 81-я минута); Капель, Навас (Ренато, 46-я минута), Перотти и Коне (Негредо, 69-я минута). Неиспользованные запасные: Дани Хименес, Кала, Хосе Карлос и Редонду.

Голы: 0:1. 60-я минута: Капель забивает гол после кросса Ренато. 1:1. 73-я минута: Ибрагимович забивает после паса от Маркеса. 1:2. 75-я минута: пенальти Негредо.

Хорди Киксано, El Pais: Месси возвратился из Аргентины, привезя с собой причудливый и фантастический футбол. Два прорыва из крыла стали основными моментами матча. После первого он сделал опаснейший удар, который Палоп сумел отклонить в сторону. Затем блестящим движением, почти не имея места для удара, этот гениальный футболист закрутил сильный мяч в стойку.

13 ЯНВАРЯ 2010 ГОДА. ВТОРОЙ ЭТАП. «СЕВИЛЬЯ» 0:1 «БАРСЕЛОНА»

«Барселона»: Пинто; Алвес (Педро, 84-я минута), Пике, Пуйоль, Абидаль; Хави, Баскетс, Иньеста; Месси, Ибрагимович (Боян, 84-я минута) и Анри. Неиспользованные запасные: Вальдес; Милито, Чигринский, Максвелл и Джонатан.

> *«Севилья»: Палоп; Конко, Эскуде, Драгутинович, Наварро; Навас, Душер (Лоло, 58-я минута), Ромарич (Кала, 92-я минута), Адриано (Капель, 64-я минута); Ренато и Негредо. Неиспользованные запасные: Хави Варас; Коне, Хосе Карлос и Станкевичус.*
>
> *Гол: 0:1 63-я минута: Хави аккуратно вкладывает мяч рядом со стойкой ворот с края поля.*
>
> Марти Перарнау, Спорт: у Хосе Мануэля Пинто и Лео Месси уже есть нечто общее помимо принадлежности к одному клубу и завоевания шести кубков за год: они отчаянно рыдали в то раннее утро среды, не стесняясь присутствия товарищей по команде в раздевалке. Соотечественник Месси, Габи Милито, человек, который действует как телохранитель для форварда сине-гранатовых, попытался утешить его... Это пример человека, который сражается до предела своих спортивых способностей, в свой срок переживает триумф или горькое поражение. Общество слишком приучено к взмаху полотенца при малейшей трудности. Современный мир больше не нуждается в звездах, ему нужны примеры.

Это был первый титул, который Гвардиола не завоевал.

Пеп отправился утешить Лео. Аргентинец чувствовал себя виновным в вылете и сказал об этом тренеру. «Никто не виноват, – ответил ему Гвардиола. – И если необходимо указать на кого-нибудь пальцем, то этим кем-то должен быть я, потому что не понял, как именно следует привести вас на следующий круг».

ГБ: Что вы говорите Лео, когда он плачет? Или лучше оставить его поплакать в одиночестве?

ПГ: Лучше оставить его в покое. Вы смотрите на Лео и думаете: «С ним все будет в порядке». Вы понимаете, что тренеру лучше иметь такого игрока, а не тех, кто после поражения начинает играть в покер и смеяться по дороге домой. Вы предпочтете парня, который – да – может в конце играть в покер, но кто также ясно показывает, что он очень не хочет проигрывать.

ГБ: В Аргентине говорят: игра не должна заставлять вас плакать. Но если вы все же плачете после поражения, это значит, что, играя, вы сражались за свою жизнь.

ПГ: Возможно, все именно так, как вы говорите. Страсть к победе, дух соперничества... он такой же монстр, как Тайгер Вудс, Майкл Джордан или Рафаэль Надаль. Эти атлеты уникальны, и единственное, что вам надо сделать, когда вы сталкиваетесь с ними, – постараться понять их. Вы не можете сказать: «Я тренер, у меня есть моральный авторитет, потому что клуб поставил меня сюда, и вы будете делать все, что я захочу». Эти люди – редкий вид, который следует понять, пусть даже для этого потребуется приложить значительные усилия. Вы должны проникнуть внутрь их головы. Манель Эстиарте считал это ключевым моментом тренировки, став лучшим в своем виде спорта. В начале карьеры Манель постоянно хотел получить мяч, он хотел все делать по-своему, бывали дни, когда он вообще не хотел ни с кем разговаривать. Когда Лео стал таким же, Манель сказал: «Позвольте ему быть таким, каков он есть. Через несколько дней попробуйте поговорить с ним еще раз. Затем еще». Но вы не должны позволять ему делать все, что ему захочется, вы должны многое требовать от него, всегда стараясь соотнести это с его способом мышления. Ум Месси – это ум элитного, уникального игрока, поэтому особенно важно попытаться понять, как именно он мыслит.

ГБ: Как вы полагаете мотивировать этого спортсмена?

ПГ: Выражение лица и язык тела Лео говорят о том, что он чувствует. И, исходя из этого, становится очевидно, что он соперничает не для того, чтобы иметь фантастическую подружку или красоваться на обложке журналов или сняться в рекламе. Он сражается за то, чтобы победить в течение тех важных 90 минут, все остальное его не интересует. Он похож на Криштиану Роналду, решительного и властного. Тренеры должны дать Месси все необходимое, чтобы он мог выразить себя на поле и быть счастливым. Все остальное он сделает сам, для этого у него есть особый дар. Счастливее всего Лео бывает тогда, когда выходит на поле.

Это, конечно, если он побеждает. И забивает голы. В трех последовательных матчах в феврале удача была не на стороне команды Месси, и он действовал менее блестяще, чем обычно. Третьей была игра на первом этапе 1/8 финала Лиги чемпионов против «Штутгарта» – матч, на итоги которого Гвардиола очень рассчитывал. «Барселона» сыграла против команды из Германии вничью со счетом 1:1, и Лео был совершенно непримечателен. Что произошло? Любой другой тренер усадил бы футболиста, устроив ему перерыв, и позволил бы ему поразмышлять над случившимся. Пеп отреагировал иначе. Он обвинил себя в том, что не сумел вытащить из Лео все лучшее, что в нем есть, и вместе с помощником Тито Виланова изучил причины того, почему Месси проявил себя так бледно. Его заключение было неутешительным: талант Лео растрачивался впустую на фланге.

В обычной схеме 4–3–3 с Ибрагимовичем в центре нападения Пеп приказал Месси начинать игру на фланге, но затем играть в центре так часто, как он хочет. Но при существующих обстоятельствах Лео получал мяч редко.

Кроме того, Лео больше не бегал вдоль боковой линии. Эти диагональные пробеги к центру привели к серьезным проблемам в его собственной команде: пострадала защита. «Они убили нас на том фланге», – было сказано в одном частном разговоре после матча в Германии. Кристиан Молинаро, левый защитник, совершенно свободно продвинулся вперед, поскольку Лео не вернулся назад. Пеп, который помнил о последствиях аналогичных проблем в матче против «Лиона», после матча пришел к выводу, что Лео больше не будет играть на фланге, он явно не хотел этого и не должен был делать: риск был слишком велик, и на Кубке Европы это могло обойтись команде очень дорого.

Пеп знал, как Месси проявляет себя на поле, и эти постоянные диагональные рывки открытым текстом сообщали: «Это – моя игра». Это была его среда обитания, область, в которой он хотел иметь наибольшее влияние, иметь пространство между защитниками и центральными полузащитниками.

Была еще одна проблема: когда он делал эти пробеги, присутствие других нападающих, его собственных товарищей по команде, буквально блокировало его путь к голу – они оказывались у него на пути. Нужно было что-то делать. С этого момента началось неизбежное тактическое развитие Лео и, как следствие, остальной команды.

Когда Пеп нашел момент для разговора, увидев, что Лео готов к общению, он сказал, что, по его мнению, Лео не чувствует себя комфортно, ему нравится играть по-другому. Лео никогда не говорил ему, что Ибрагимович должен уйти, но за сезон Гвардиола понял, что эти двое тактически несовместимы, и даже без мяча возникает очень много проблем.

Он знал, что Лео может играть намного эффективнее, если будет окружен четкой организационной структурой – он намерен сам быть нестабильным элементом игры, и рядом с ним должны находиться стабильные элементы схемы, игроки, которые обеспечат наступательную тактику. Если все остальные будут понимать, что Месси собирается делать, то они могли бы действовать таким образом, чтобы предоставить ему возможность максимально использовать свои творческие способности. Это облегчило бы решение другой важной задачи: перехват мяча. Если бы они нападали организованно, так, чтобы каждый человек, за исключением Лео, находился на своем оговоренном месте, то было бы легче обеспечить мощный прессинг. Гвардиола хотел получить контроль над тем участком, откуда исходит опасность со стороны противника, и предпочел, чтобы она шла по центру; Кейта и Педро, с их более выраженной защитной тактикой игры и готовностью быстро отойти назад, должны были в крупных играх играть более широко.

Гвардиола сказал Лео: «С этого момента ты будешь играть по центру и уходить в глубь территории соперников. И будешь забивать множество голов, по три или четыре за игру». Спустя четыре дня после игры вничью с Германией Пеп опробовал схему 4–2–3–1, с Ибрагимовичем на острие и Месси позади него. «Он не очень активно сотрудничал. Нам было нужно, чтобы он принимал большее участие в игре, – объяснил Пеп эти перемены на пресс-конференции. – Месси способен играть очень хорошо во всех позициях. В прошлом году он 90 процентов времени играл на правом фланге. Он знает, что, даже играя там, может смещаться внутрь всякий раз, когда захочет. Но если он играет как крайний нападающий, мы становимся более предсказуемыми».

В ответном матче против «Штутгарта» в «Камп Ноу» Ибрагимович оставался на скамье, а Месси передвинулся на середину: «Барселона» выиграла со счетом 4:0, причем два гола забил «Блоха», который также принимал участие в третьем. Ухудшение формы было забыто: в трех матчах Лео забил семь голов. С этого момента его способность забивать голы резко возросла. Месси не был бы в состоянии сделать это, находясь на фланге или действуя как классический номер 9 – центральные защитники просто съели бы его.

Нашел ли Гвардиола ту позицию, в которой Лео действовал лучше всего, или сам Лео продолжал стучать в дверь, пока не получил то, чего хотел? Внимательный взгляд на развитие событий показывает, что здесь имело место и то и другое.

На пресс-конференции в Буэнос-Айресе летом 2013 года Пеп подробно объяснил: «Когда я начал играть в «Барселоне», Лаудруп проходил дальше в середине, а я, полузащитник, мог передать мяч в любую точку. Был еще один наш игрок в центре, мы превзошли численностью наших противников. И я думал – черт, а мне это нравится. Лео очень быстро понял суть. Он справился, если бы я сказал ему идти и играть левым защитником. Вы, конечно, скажете, что если у вас есть такой могучий игрок, то все легко. Вы смогли бы играть без Лео? Ну, возможно, нет».

Все, что Пеп делал в «Барселоне», было сделано для Лео, так, чтобы он забивал голы, а команда и Гвардиола выигрывали матчи. Поэтому можно сказать, что это было эгоистическим решением тренера: именно так понимает это сам Гвардиола. Или, говоря иначе, великодушное отношение Пепа к пожеланиям Месси было не единственным фактором. Но когда подошел момент принятия решения, то и во второй свой сезон работы тренером он отдал команду Лео.

ГБ: Когда Лео приехал в Ла-Масии и Родольфо Боррелль сказал ему: «Хорошо, ты начинаешь на фланге» – Лео ответил ему: «Нет, нет, я играю в самых трудных положениях». Все последующие тренеры, за исключением Тито, просили его сделать то же самое, несмотря на то, что его естественная среда обитания – середина поля. И в конце он стал играть как второй нападающий с Гратакосом в «Барселоне B». Райкард снова вернул его на фланг и, когда пришли вы, полагаю, Лео надеялся передвинуться на позицию, в которой он мог бы чаще получать мяч. Его нетерпение заставляет стремиться быть в центре важных для команды действий?

ПГ: Нет. Да, действительно, вы чаще получаете мяч в середине поля, чем на фланге. На фланге вам приходится проявлять больше терпения. В действительности же команды постепенно научились справляться с опасностью, которую Дани Альвес и Лео представляли на фланге, и, в конце концов, бывало, что этот парень не касался мяча в течение двадцати минут. Лео – лучший игрок, который у нас есть, и мы должны сделать так, чтобы он чаще получал мяч. Все очень просто. Я понял, что, особенно когда мы играли в Европе, где игра требует больших физических усилий и где вы должны уделить больше внимания защите, Лео иногда не включался в игру. Он просто исчезал из матча, что создавало определенные проблемы. Нужно просто уметь понимать поведение игроков.

ГБ: Лео чувствовал себя очень комфортно, играя в середине, так, как он играл еще мальчишкой. Почему ему понадобилось так много времени для того, чтобы начать играть в столь естественной для него позиции?

ПГ: Вы задаете себе вопросы: чего я хочу достичь с этими игроками, как я хочу играть, что мне нужно? И вы постепенно подбираете тактику. Игрокам трудно это понять, потому что они никогда не ставят себя на место тренера, у них нет глобального видения, зато имеются собственные предубеждения. Вы пытаетесь заставить их понять, почему вы приняли те или иные решения и почему они принесут пользу всем – с помощью разговоров или объяснения причин побед или поражений. Одни понимают вас, другие – нет. Самая большая проблема, стоящая перед тренером, состоит в том, чтобы заставить игроков понять, что хорошо для них и для команды в целом и что у каждого из них есть своя роль.

«Барселона» отправилась в Лондон, чтобы встретиться там с «Арсеналом» Сеска Фабрегаса на первом этапе четвертьфинала Лиги чемпионов. Тьерри Анри пострадал от последствий изменения тактики и остался на скамье запасных. Француз никогда полностью не принял сложившуюся ситуацию и объяснил другим игрокам несколько лет спустя: «Однажды я попросил пас, и никогда больше не затевал игру». Для Анри его понижение оказалось неожиданным сюрпризом.

ВикторВаскес, который играл с Лео в нижних разрядах, объясняет все по-другому: «Когда я увидел Лео в середине, это напомнило мне нашу молодежную команду. Один игрок должен быть принесен в жертву. Тогда это был Сонго'о, он раньше играл центральным нападающим благодаря своим физическим данным, а не мастерству. Сонго'о был монстром, настоящей электростанцией, он валил людей, как кегли в боулинге. Когда в команду пришел Лео, Сонго'о пришлось отодвинуться на правое крыло вместе с Тони Кальво, и им обоим пришлось соперничать за одно и то же место: Месси был номером десять, ему необходимо было пространство, оставленное Сонго'о».

Во время того матча в Лондоне возникла странная ситуация: когда Ибрагимович попытался играть первую скрипку, «Барселона» в первой половине игры была на высоте, сильнее, чем когда либо, отходя от стиля *culé*. Тем не менее после перерыва он забил два великолепных гола, выведя команду вперед, хотя игра закончилась с интригующим счетом 2:2. Это был пик успеха в клубе для шведа, который до сих пор забил 15 голов в Лиге и четыре – в Европе, на два больше, чем Это'о на этом этапе в предыдущем сезоне. Лео играл позади Ибрагимовича и был почти незаметен. Хави и Иньеста прямо сказали ему: они ждали от него большего, он выглядел незаинтересованным и не принимал активного участия в игре.

Лео прислушался к словам Хави и Иньесты. Он знал, что оба были не только великолепными центральными полузащитниками, но и помогали ему расти, он нуждался в них. Они не выказывали свои эмоции на поле, но имели большую власть в раздевалке и несли огромную ответственность. В то же время администратор по экипировке аргентинской национальной сборной, которого все знали под именем Марито, приехал в Барселону, чтобы понаблюдать за тренировками Гвардиолы. Месси представил его игрокам в раздевалке. Когда «Блоха» был занят, разбираясь со своим комплектом, Марито подковырнул его. Он прокричал Месси: «Лео, послушай, что они говорят о тебе. Они считают, что ты играешь хорошо только благодаря Иньесте». На что Месси ответил, засмеявшись: «Они правы».

Хави и Иньеста были его партнерами на поле, теми, кто пасовал ему мяч при каждом удобном случае, так что они могли играть в его игру, Пинто, Дани Альвес и Габи Милито стали его Преторианской Гвардией. Последний занял место Сильвиньо. Если кто-либо пихал Лео на тренировке, то Милито выходил из себя: «Эй, осторожно!»

Лео знал, что он играл ужасно в матче против «Арсенала» и заслужил осуждение своих товарищей по команде: он должен был оправдаться в ответном матче.

ПГ: Эта игра на выбывание с «Арсеналом» была поистине прекрасна. «Арсенал» играет в хороший футбол, матчи в Англии всегда проходили захватывающе. На первом этапе мы сыграли хорошо, но они всегда устраивали нам проблемы своими быстрыми контратаками. Дело в том, что у нас были некоторые игроки, которые... ну...

В течение того сезона перемен Месси еще до матча с «Арсеналом» уже выиграл три хет-трика. Как говорит Рамон Беса, в тот вечер Лео вышел играть искренним, как ребенок. Посмотрите его знаменательный гол:

http://www.youtube.com/watch?v=r6BHyv6nkAs

После второго гола он вытянул руки и ноги, улыбаясь как ребенок. Казалось, он хочет сказать: «Посмотрите, что я сделал» – а не «я сделал это». После четвертого гола последовал еле заметный жест – во время торжествующей пробежки он двинул головой, переводя взгляд с одной команды на другую. Вы почти можете услышать его ребяческое скандирование: «Лалалалалала, четвертый гол против «Арсенала» в Лиге чемпионов...».

Британская пресса признала, что больше не было никаких сомнений относительно того, кто является лучшим игроком нынешнего поколения: они только что видели одно из величайших индивидуальных показательных выступлений на европейском соревновании.

6 АПРЕЛЯ 2010 ГОДА. ВТОРОЙ ЭТАП ЧЕТВЕРТЬФИНАЛА ЛИГИ ЧЕМПИОНОВ.
«БАРСЕЛОНА» 4:1 «АРСЕНАЛ»

«Барселона»: Вальдес; Альвес, Маркес, Милито, Абидаль (Максвелл, 53-я минута); Хави, Баскетс; Месси; Педро (Иньеста, 86-я минута), Боян (Туре, 56-я минута) и Кейта. Неиспользованные запасные: Пинто; Фонтас, Анри и Хеффрен.

«Арсенал»: Альмунья; Санья, Вермален, Сильвестр (Эбуэ, 63-я минута), Клиши; Денилсон, Дайяби; Уолкотт, Нарси, Росицки (Эдуардо, 73-я минута); и Бендтнер. Неиспользованные запасные: Фабиански; Траоре, Мерида, Кампбелл и Истмонд.

Голы: 0:1. 18-я минута: Бендтнер. 1:1. 21-я минута: Месси. 2:1. 37-я минута: Месси: 3:1. 42-я минута. Месси. 4:1. 88-я минута: Месси.

Marca (мадридская газета): Выдающаяся игра Лео привела «Барселону» в полуфинал. Месси пришел с небес, чтобы поставить все на свои места. Бендтнер забил первый гол в игре, но это было началом конца «Арсенала» — жертвы сверхчеловеческой игры Лео Месси, забившего четыре гола. Дело в том, что Лео уникален: он не играет в футбол, а занимается другим видом спорта — недостижимым для остальных людей. Он входит в избранную группу игроков, которые забили по четыре гола в игре Лиги чемпионов, встав рядом с Ван Бастеном, Симоном Инзаги, Пршо, Ван Нистелроем и Шевченко.

Луис Мартин, El Pais: Лео знает, что в другой команде и при другом тренере ему было бы трудно играть так, как он играет сейчас в «Камп Ноу». В этом случае мяч был бы у противников.

ПГ: Тито всегда говорил мне: «Вы можете организовать свою часть игры, расставить игроков, но позже, последние 15 метров... черт, способность обходить противников, бить по мячу и забивать голы... или вы можете или нет». У Лео есть та непринужденность, с которой он может выиграть вам игру за 15–20 минут, как он сделал это в тот день.

ГБ: В матче против «Арсенала» Месси забил четыре гола – это был великий день. Вы можете видеть, насколько он был счастлив... Он остывает, когда уходит в раздевалку, или продолжает праздновать?

ПГ: Нет, он счастлив: не торопится, принимает расслабляющий душ, дольше обедает. Так же, как все: когда я даю пресс-конференцию после победы, я более счастлив, чем тогда, когда мы проигрываем. Это естественно.

ГБ: Я пишу о его первом голе в матче против «Альбасете», и так же, как в матче против «Арсенала», можно увидеть «уход в детство» Лео: Ронни – еще один ребенок – сажает его на закорки. Но он не празднует, особенно в конце матча, потому что считает, что это первый гол из многих. Не уверен, что вы сможете найти много игроков с подобным менталитетом, столь понимающим, что впереди еще много голов.

ПГ: То, что для других стало бы почти эпохальным событием, для него не является грандиозным. Я уже говорил вам, он думает: «Я приехал сюда, чтобы выиграть Лигу, завоевать титулы. Я выигрываю Лигу, отлично, но я должен забить 40 голов, остальное для меня почти не имеет значения». Он всегда хочет все больше и больше. И вам очень повезет, как повезло мне, встретить такого игрока в своей профессиональной карьере. Я уверен, что единственное, о чем он сейчас думает, это чемпионат мира, – я имею в виду, что все остальное идет хорошо, но он готовится к чемпионату мира, я его знаю. Если он и Аргентина придут к этому соревнованию в хорошей форме, может произойти нечто очень интересное: если в хорошей форме будет только он, Аргентина окажется в числе фаворитов.

После игры с «Арсеналом» Лео оставил себе мяч в качестве сувенира. Это был трофей с того вечера. Он сделал это не по причине суеверия (есть нападающие, которые считают, что хранение предметов приносит удачу дому и карьере). Лео не верит в суеверия: «Нет, я не верю в суеверия. Просто перед игрой я думаю о своей семье», — написал он на веб-сайте УЕФА.

В полуфинале «Барселона» встретилась с командой «Интер Милан», которой руководил Жозе Моуриньо.

20 АПРЕЛЯ 2010 ГОДА. ПЕРВЫЙ ЭТАП ПОЛУФИНАЛА ЛИГИ ЧЕМПИОНОВ.
«ИНТЕР МИЛАН» 3—1 «БАРСЕЛОНА»

«Интер Милан»: Хулио Сесар; Майкон (Сиву, 72-я минута), Лусио, Самюэль, Дзанетти; Мотта, Камбиассо; Это'о, Шнайдер, Пандев (Станкович, 55-я минута) и Диего Милито (Балотелли, 75-я минута). Неиспользованные запасные: Орландони; Кордова, Мунтари и Матерацци.

«Барселона»: Вальдес; Альвес, Пике, Пуйоль, Максвелл; Хави, Баскетс; Педро, Месси, Кейта и Ибрагимович (Абидаль, 61-я минута). Неиспользованные запасные: Пинто; Маркес, Боян, Анри, Г. Милито и Туре.

Голы: 0:1. 18-я минута: Педро с подачи Максвелла. 1:1. 30-я минута: Шнайдер забивает при помощи Милито. 2:1. 48-я минута: Майкон забивает после паса Милито. 3:1. 61-я минута: Милито, удар головой.

«ESPN Deportes»: Команда провела еще одну из тех игр, в которых они были недостаточно эффективны на передовой, произошло то же самое, что и в субботней игре против «Espanyol» (0:0). Ибрагимович снова был в составе команды, но швед не получал четких пасов и не перемещался настолько умно, чтобы Месси, Хави или Баскетс могли найти его (...), Гвардиола снял бесполезного Ибрагимовича и попросил Абидаля перейти в позицию левого защитника за Максвеллом, а также переместил Месси в центр, чтобы он сражался там с двумя крупными центральными защитниками — Самюэлем и Лусио.

Пабло Эгеа, Марса: Впервые с тех пор, как Гвардиола принял первую команду, тренер выглядел хуже по сравнению со своим соперником и тактически не выиграл игру. В этом случае Моуриньо разбил его в пух и прах с помощью исследовательской работы и сумел свести на нет всю тактику последних победителей Лиги чемпионов. Кроме того, впервые лучший тренер прошлого года ошибся в своих заменах, и создалось впечатление, что он не контролирует игру.

Португальский тренер говорил о «навязчивой идее» своих противников, связанной с желанием попасть в финал в Сантьяго Бернабеу. Он снова уловил эмоциональную проблему этого матча. Это была игра на выбывание, в которой Гвардиола предал себя, и тактика, к которой он решил прибегнуть, увела его в сторону. Возможно, он потерял выработанное с Лео взаимопонимание. На первом этапе в Милане Пеп еще раз использовал Ибрагимовича в качестве номера 9, что шло вразрез с его интуитивным пониманием ситуации.

Пеп заменил Ибрагимовича в самом начале второй половины – единственная замена, которую он сделал за всю игру – придерживался идеи использовать шведа в качестве ориентира в центре в заключительной части игры, однако через час он изменил свое мнение. В «Камп Ноу» наступил конец Плана «Ибрагимович».

ГБ: Когда вы поставили на Ибрагимовича, как это произошло в матче против «Арсенала», казалось, что Лео превращается в черепаху: он уходит внутрь себя, ему трудно общаться, он окружает себя барьером, с которым сталкивались все его тренеры, когда события развиваются не в соответствии с его желаниями и талантом. Как справляться с подобной ситуацией?

ПГ: Нужно пытаться убедить его, раз за разом. И в нужный момент объяснить, почему вы считали необходимым сделать так или иначе, показывать преимущества выбранного пути, пользу от того и от другого. В том году мы выиграли Лигу с 99 очками, но не выиграли полуфинал Лиги чемпионов, потому что «Интер Милан», возможно, был лучше или, что более вероятно, потому что я не сумел правильно интерпретировать матч второго этапа. Такое происходит, потому что мы сделали все, для того чтобы Месси мог чувствовать себя комфортно. Тот сезон мы даже играли с двойным центром, так, чтобы он мог играть позади Ибрагимовича и швед мог использовать его магию в центре. Но решения всегда принимаются, исходя из пользы всей команды. Я неправ? Да, конечно. Двести раз. Но я не ищу оправданий. Бессмысленно их искать. Нужно идти дальше.

Ибрагимович, ощущая, что возвышение жаждущего игры 22-летнего Лео блокировало его собственное господство в игре, неоднократно спрашивал Пепа в том сезоне, что он должен сделать, чтобы еще больше помочь команде. В некотором смысле Пепу было нечего сказать ему – команда шла в ином направлении, и тренеру необходимо было принять важное решение.

28 АПРЕЛЯ 2010 ГОДА. ПОЛУФИНАЛ ЛИГИ ЧЕМПИОНОВ, ВТОРОЙ ЭТАП. «БАРСЕЛОНА» 1:0 «ИНТЕР МИЛАН»

«Барселона»: Вальдес; Пике, Туре, Габи Милито (Максвелл, 46-я минута); Альвес, Хави, Баскетс (Хеффрен, 63-я минута), Кейта; Месси, Ибрагимович (Боян, 63-я минута) и Педро. Неиспользованные запасные: Пинто; Маркес, Анри и Тиаго.

«Интер Милан»: Хулио Сесар; Майкон, Лусио, Самюэль, Дзанетти; Камбиассо, Мотта; Это'о (Марига, 85-я минута), Шнайдер (Мунтари, 66-я минута), Чиву; и Диего Милито (Кордова, 81-я минута). Неиспользованные запасные: Тольдо, Матерацци, Арнаутович и Балотелли.

Голы: 1:0. 84-я минута: Пике получает мяч от Хави в штрафной площадке, разворачивается и забивает гол.

Marca: Столько тяжелой работы, но команда умерла как раз тогда, когда показался долгожданный берег. У замечательной истории последних двух с половиной лет не было хорошего конца, «Барселоне» пришлось неожиданно проснуться. Пеп начал с трех центральных защитников, дав им свободу двигаться вперед, и использовал Альвеса в центре как еще одно оружие нападения, но не все пошло хорошо. Не имея достаточно свободного пространства и при излишне статичном Ибрагимовиче им не хватало хороших идей. Месси находился слишком далеко от штрафной площадки. Он хотел в одиночку разобраться во всех проблемах команды, но в футболе следует помнить, что, независимо от того, насколько хороши ваши игроки, это всегда 11 против 11.

«В футболе «Дирижер оркестра» или самый влиятельный игрок команды всегда обусловливали формирование команды, – объясняет Хосеп Мария Мингелья, который в течение шести сезонов был помощником Вика Бэкингема и Ринуса Мичелса в «Барселоне», а также работал агентом. – Ди Стефано обычно так делал, и Круифф, который полностью контролировал «Аякс». Когда есть игроки, которые беспокоят этого главного парня в команде, тренер ищет способ облегчить ему задачу, чтобы он расслабился. Мы не говорим о рабочих качествах Это'о или Ибрагимовича, двух потрясающих игроков, но если вы хотите определить стиль игры, который больше подходит вашему лидеру, вы их не имеете в виду. Вдобавок ко всему, полезно иметь превосходных, воспитанных игроков, которые ведут себя сдержанно в раздевалке, вместо сильных личностей, как те двое».

Что испортило отношения Пепа и Златана? Была ли это тактическая эволюция Месси, который требовал для себя пространства, или характер игрока, который не принимает изменений, приносящих пользу команде? Ибрагимович был главным героем во всех своих клубах, он стремился к этому, так что он не был готов освободить пространство для Лео. Отчасти это было следствием того, что необходимость создать пространство для «Блохи» шла вразрез с его стилем игры. А когда от игрока такого уровня требуют делать что-то, что не соответствует его стилю, отношения с тем, кто вынуждает, всегда портятся.

Ибрагимович по-своему рассказал эту историю в своей автобиографии «Я – Златан». Его история, несмотря на то, что она выражена языком улицы, не сильно отличается от версии Лео и Пепа. Иногда кажется, что он понимает побуждения, но негодует на способ, которым проблемы решались. В других случаях создается впечатление, что он ничего не понимает.

«Все начиналось хорошо, но затем Месси начал выступать. Месси замечателен. Чертовски невероятен. Я не слишком хорошо его понимаю. Мы очень разные. Он попал в «Барсу» в 13 лет и рос в культурной среде. У него нет проблем со всей этой школьной чепухой. Игра вращается вокруг него, и команде это кажется естественным. Он блистает, но я пришел и стал забивать больше, чем он. Тогда он отправился к Гвардиоле и сказал ему: «Я больше не хочу играть на правом фланге. Я хочу быть в середине». То есть там, где был я. Но Гвардиола не поддался. Он изменил тактику. Он перешел от схемы 4–3–3 на 4–5–1 со мной на острие, а Месси – позади, и он бросил меня. Каждый мяч шел к Месси, и я не мог играть по-своему. На поле я должен быть свободен, как птица. Я из тех парней, кто хочет играть решающую роль на любом уровне. Но Гвардиола пожертвовал мной. Это правда. Он заманил меня в ловушку. Ну, я могу понять его ситуацию. Месси был звездой. Гвардиола приходилось к нему прислушиваться. Но знаете ли! Я забивал в «Барсе» гол за голом, я тоже был крут. Он не мог ориентировать команду лишь на одного человека. Какого черта они заключали контракт со мной? Никто не платит столько денег только для того, чтобы задушить меня как игрока. Гвардиола должен был думать о нас обоих, и, конечно, атмосфера в правлении несколько изменилась. Я был их самым большим вложением и не чувствовал себя комфортно в новой команде. Я был слишком дорогим товаром, чтобы не чувствовать себя хорошо.

Спортивный директор Чики Бегиристайн подталкивал меня и говорил, что я должен поговорить с тренером. «Решите этот вопрос!»

Тогда я обратился к тренеру. Я подошел к нему на поле во время тренировки и осторожно задал вопрос. Я не хотел борьбы и сказал:

«Я не хочу войны. Я просто хочу кое-что обсудить».

Тренер кивнул, но казался немного испуганным, поэтому я повторил: «Если вы думаете, что я хочу борьбы, то мы оставим разговор. Я просто хочу поговорить».

«Хорошо! Я люблю разговаривать с моими игроками».

«Послушайте! – продолжил я. – Вы не используете мои способности. Если бы я не был голеадором, который вам нужен, вы должны были купить Инзаги или кого-то еще. Мне нужно пространство, я должен быть свободен. Я не могу постоянно перемещаться вверх и вниз по полю. Я вешу 98 килограммов. У меня для этого несоответствующее телосложение». Он остановился, задумавшись. Он часто делал так. «Я думаю, что мы можем играть так. А если не сможем... Ну, тогда лучше оставляйте меня на скамье. Со всем должным уважением, я понимаю вас, но меня приносят в жертву другим игрокам. Так не пойдет. Это похоже на то, как если бы вы купили «Феррари», но ведете его, как будто это «Фиат».

«Он задумался: «Хорошо, возможно это была моя ошибка. Это – моя проблема. Я подумаю над этим».

Я чувствовал себя счастливым. Он собирался подумать над этим... Казалось, беседа прошла успешно, но внезапно Гвардиола начал игнорировать меня».

После издания книги Златан объяснил ситуацию одним предложением: «Гвардиола пожертвовал мной ради Месси, и ему не хватило смелости сказать мне об этом». Однако Ибрагимович не говорит, что он потребовал от тренера изменений, которые пошло бы на пользу только ему: «Карлика надо свалить».

«Лео никогда не просил убрать Златана, – уверяет бывший директор департамента футбола Чики Бегиристайн. – Его игра требовала, чтобы тренер принял решение. Не в интересах «Барселоны» было продлевать этот процесс». Ситуация была ясной: интересы личности должны были быть принесены в жертву команде, а швед не хотел делать этого. В своей книге «Долгое путешествие Пепа» Марти Перарнау анонимно цитирует одного из игроков команды: «В «Барсе», когда мяч находится на одной стороне поля, команда знает, что каждый должен делать. Если мяч перемещается в другую область поля, обязанности меняются и все знают об этом. Есть некоторые установленные правила, и все мы им следуем. Никто не является исключением, но Ибрагимович вывел себя за рамки правил, он не хотел участвовать в общей игре. Когда у него не было мяча, он не следовал указаниям тренера. А когда у него был мяч, он выделывал свои пируэты и не сотрудничал с другими игроками».

Но Ибрагимович, который согласился с сокращением зарплаты, чтобы перейти в «Барселону», прав во многом: Пеп понял, что сделал ошибку, заключая с ним контракт, и принял сторону Лео. С тех пор швед настаивал только на одном: Лео – лучший в мире, и у него не было плохих отношений с ним. «Это – сплетня, которую кто-то распространяет. У меня никогда не было с ним конфликта», – объяснил он в шведской газете «Fotbollskanalen».

В итоге в конце того сезона Ибрагимовичем пришлось пожертвовать.

На втором году работы Гвардиолы «Барселона» выиграла Лигу, имея 99 очков, на три больше, чем у «Реал Мадрида», и всего с одним поражением. Лео забил 34 гола на внутреннем соревновании – это число раньше принадлежало другой эпохе. Самым близким к нему по результатам был Гонсало Хигуаин из «Реала», второй по результативности, забивший 27 голов. После передачи Златана в «Милан» в следующем сезоне пришел Давил Вилья. Ему велели забыть о том, чтобы пытаться стать главным голеадором команды, и попросили всегда бежать в освободившееся пространство и обеспечивать глубину.

Вилья, который думал, что подписывал контракт как номер 9, вскоре после прибытия понял ситуацию и принял предложенные условия.

7. 5:0 ПРОТИВ «РЕАЛ МАДРИДА» И ЧЕТЫРЕ CLASSICO ЗА ДВЕ НЕДЕЛИ

— Ты забияка, верно?
— Да.
— Ублюдок.
— Да, я — забияка. И даже больше, когда я играю за что-то важное. Мне не нравится проигрывать, и я волнуюсь, даже когда думаю о проигрыше.

(Интервью с Мартином Соуто на ТуС на шоу 2013 года с видеозаписью перепалки Месси с Марсело в clasico против «Реал Мадрида»):

После двух последовательных завований титула чемпионов лиги сезон 2010/11 года начинался с ощущением оптимизма. Яя Туре, Дмытро Чигринский, Тьерри Анри, Глеб, Рафа Маркес и Златан покинули клуб. Это означало, что команда должна была на шаг опережать своих соперников, которые теперь признали «Барселону» величайшей командой в мире, а Лео – величайшим игроком своего поколения. Помимо Давида Вильи пришли универсальный бразильский игрок Адриано и крайний нападающий Ибрагим Афеллей.

Лео страдал от другого разочарования, связанного с национальной сборной – Аргентина потерпела неудачу в четвертьфинале чемпионата мира против хозяев поля, команды Германии, и теперь надеялась, что в следующем 2011 году на Кубке Америки, который должен был проходить в Аргентине, сможет возместить убытки, вызванные этим поражением.

На чемпионате мира Лео нашел нового друга. Хавьер Маскерано, центральный полузащитник «Ливерпуля», все лето вбивал ему в голову, что Лео должен убедить Гвардиолу: он хотел перейти в «Барселону», с которой за двадцать месяцев до этого он почти подписал контракт. «На чемпионате мира Лео сказал мне, что Пеп искал центрального полузащитника, и теперь, когда Яя Туре ушел, я сказал ему: «Пожалуйста, поговори с ним». Лео ответил мне, «Да, я упомяну ему о тебе». «Скажи ему, что я не собираюсь быть одним из «плохих аргентинцев», – заявил в шутку «маленький босс» Маскерано. – Когда у вас в клубе есть кто-то вроде Лео и он дает вам хорошую рекомендацию, это может сильно помочь. И он, и Габи Милито – они оба помогли мне. Я могу жить и работать здесь во многом благодаря Лео».

Маскерано наконец попал в клуб, куда так давно стремился, потому что знал тех, кто был ему нужен для этого. «Я прибыл туда на полпути их развития, и, насколько я мог видеть, у Лео была особая связь с Пепом из-за всего того, что тот для него сделал. Откуда я это взял? Ну, вы замечаете, когда тренер удивляется тому, что способен сделать игрок, и выказывает это удивление, и также по тому, как Пеп говорил о Лео, с восхищением, даже страхом. Очень необычно».

Когда подписание контракта было подтверждено и Маскерано полетел в Барселону, Лео с нетерпением ждал возможности увидеться с ним, как только вся необходимая протокольная часть будет завершена. Маскерано сфотографировали со значком клуба в «Камп Ноу», он дал пресс-конференцию, а Месси, ожидая его, сидел в комнате, где семьи ждут окончания игры. «Добро пожаловать!» – сказал он.

«Маленький босс» обнаружил, что на поле его товарищи по команде смотрели главным образом на Лео, потому что вся команда была построена с ориентацией на его качества, им также было удобно играть благодаря тому, что Лео легко понимал ход игры. «Лео отлично читает игры, он знает, как приспособиться к любой складывающейся ситуации, – объясняет Педро Родригес. – Если противник очень сильно выходит вперед, Месси всегда формирует заднюю часть защиты. Если он оказывается сзади, то пытается продвинуться вперед, чтобы перехватить мяч и помочь нам организовать свободное пространство и наладить игру. Кажется, что это очень просто – знать, что происходит в каждый конкретный момент игры, знать, куда двигаться, но это не так». Связь с Педро и окружающими «Блоху» игроками (Хави, Иньестой, Баскетсом) стала настолько сильной, что им больше не нужны были слова. «На поле всегда возникают моменты, когда нам приходится скорректировать действия друг друга, – объясняет Педро. – «Слушай, прикрой здесь посильнее» – или «Уйди глубже», но обычно слов не требуется. В этой команде все работает как часы, мы очень хорошо знаем друг друга, мы провели много времени, играя подобным образом, так что все происходит совершенно естественно, нам почти не требуется что-либо говорить друг другу. Бывают моменты, когда я могу не говорить Лео ни слова в течение всей игры».

> Мартин Соуто: В игре «Барселоны» есть моменты, когда команда передает мяч с одной стороны поля на другую, и вы останавливаетесь где-то на минуту, а затем внезапно они пасуют вам мяч и — «гол». В этих ситуациях кажется, что вы берете передышку, чтобы позже иметь возможность обмануть их или это что-то естественное?
>
> Лионель Месси: Нет, это естественно, потому что я знаю, что будут делать наши игроки. Я знаю, что рано или поздно мяч обязательно попадет ко мне. Мне не нужно переживать об этом, и там, где я остановился, я вполне могу устроить противнику проблемы. Я жду подходящего момента, потому что знаю — наши игроки обязательно отдадут мне мяч. Мы уже привыкли практически все время держать мяч у себя.
>
> **(Лео Месси в интервью с Мартином Соуто на ТуС)**

Ясно, что у Лео Месси и «Барселоны» развилось то, что может показаться вечными симбиотическими отношениями. Вечными? Лео был близок к тому, чтобы уйти в «Интер» или «Реал», которые «ежегодно подкатывали к нему с предложениями», – по словам Хоана Лапорты.

С тех самых времен, когда Хорхе Вальдано был директором белых, «Реал Мадрид» всегда держал для Лео двери открытыми. Никто и никогда не вел переговоры с «Барселоной» напрямую, но посредники, близкие президенту клуба Флорентино Пересу, все время находились в тесном контакте с людьми, окружавшими Лео. «Я не обвиняю его, потому что Лео – лучший игрок в мире, и это нормально, что знаменитые клубы хотят его заполучить, – размышляет Лапорта. – В «Мадриде» есть люди, которые могут наладить контакт с окружением Лео, но он сам всегда прямо отвергал их авансы». Были предложения из Лондона и Манчестера, но они всегда игнорировались.

Известно, что президент «Реал Мадрида» восхищается Лео. Летом 2012 года Криштиану Роналду объявил в пресс-центре в Бернабеу, что ему было очень «грустно», когда он забил два гола в матче против «Гранады», и что он принял решение не праздновать это событие. Он подтвердил, что это решение было принято по «профессиональным» причинам, и «люди клуба» знали, почему. За день до этого Роналду встретился с президентом, чтобы сказать ему, что он не чувствует себя достаточно оцененным в клубе и хочет уйти. Согласно словам журналиста Хавьера Матальянаса, Флорентино Перес ответил ему: «Если вы хотите уйти, принесите мне деньги, чтобы я мог заключить контракт с Месси».

Естественно, матчи против «Реал Мадрида» отмечены на календаре Лео красным. В сезон 2010/11 года проходил первый матч clasico, соперниками руководил Жозе Моуриньо. Он был приглашен из «Интера», чтобы остановить сине-гранатовых и модернизировать клуб. Перед игрой Моуриньо настоял на том, что их действия должны стать «шкатулкой с сюрпризами», но не знал, как отреагирует на это команда. В тот вечер в «Камп Ноу» шла невероятная по накалу битва между умами игроков, поклонниками и тренерами, между идеалом и его практическим осуществлением.

ГБ: Был ли матч против «Реал Мадрида» для Лео чем-то особенным или таким же, как любой другой?

ПГ: Лео действует не в угоду мне, он действует ради себя. Есть игроки, которые делают что-либо для того, чтобы завоевать любовь своего тренера, чтобы их партнеры пели им дифирамбы и писали хвалебные отзывы. Лео же борется с собой так же, как со своими противниками. И, конечно же, он сражается со своими самыми ярыми соперниками, такими, как Криштиану, по аналогичной причине Роналду сражается против Месси, а «Барселона» противостоит «Реал Мадриду»... Мало того, что он сражается сам с собой, он еще и требует от себя большего, чем я сам когда-либо мог спросить с него. Он недоволен, когда играет не слишком хорошо, и чувствует, что подводит товарищей или подводит себя, не делая все, что мог бы сделать. Именно поэтому Месси достиг того, что имеет, поэтому способен поддерживать этот чрезвычайно высокий стандарт. Именно поэтому команда продолжает поддерживать его.

ДЕНЬ МАТЧА 13 (29 НОЯБРЯ 2010 ГОДА)
«БАРСЕЛОНА» 5:0 «РЕАЛ МАДРИД».

«Барселона»: Вальдес; Альвес, Пуйоль, Пике, Абидаль; Хави (Кейта, 86-я минута), Баскетс, Иньеста; Месси, Вилла (Боян, 7 6-я минута) и Педро (Хеффрен, 86-я минута). Неиспользованные запасные: Пинто; Адриано, Максвелл, Тиаго и Маскерано.

«Реал Мадрид»: Касильяс; Рамос, Пепе, Карвалью, Марсело (Арбелоа, 60-я минута); Кедира, Хаби Алонсо; Ди Мария, Озиль (Ласс, 46-я минута), Роналду и Бенцема. Неиспользованные запасные: Дудек; Альбиоль, Гранеро, Педро Леон и Иген.

Голы: 1:0. 10-я минута: Хави. 2:0. 18-я минута: Педро. 3:0. 55-я минута: Вилья. 4:0. 58-я минута: Вилья. 5:0. 90-я минута: Хеффрен.

Сантьяго Сигеро, Марса: Еще один сезон. «Барселона» показала «Реал Мадриду», какая огромная пропасть их разделяет. Весьма внушительный счет, пять голов, у которых могут быть существенные последствия для обеих команд. Игра снова выявила различия между командой, которая знает, чего хочет, и другой, которую еще надо выстроить... Снова Месси. Он не забил гол, но снова разбил «Мадрид». Белая команда, как никто другой, страдает от таланта аргентинца. Гвардиола поставил его на несколько метров глубже, чем обычно. Находясь в не слишком выгодном положении во второй части игры, он все время пасовал мячи через головы защитников «Реала».

Чувствуя, что его команда сейчас сильнее, чем когда-либо, Моуриньо надеялся сойтить с «Барселоной» лоб в лоб. Но он сделал несколько ошибок. Например, попросил физически хрупкого Озиля прикрыть слишком большое пространство, включая те моменты, когда у Лео был мяч. Игрокам «Реала» пришлось выдерживать очень сильный прессинг по центру, в конце они совсем перестали реагировать на атаки, игроки находились слишком далеко друг от друга с огромными щелями, в которые легко было пройти к воротам, — истинная радость для Лео. У центральных защитников не было никаких опорных ориентиров, потому что «Блоха» перемещался по всей зоне нападения, а Кедира и Хаби Алонсо всегда оказывались в меньшинстве. Во второй половине матча Моуриньо вывел Ласса Диарру как третьего центрального полузащитника, предвосхищая то, что будет делать в дальнейших встречах.

ГБ: Что вы помните об этих 5:0, что вы просили Лео сделать?

ПГ: Мы приспособились к контратакам Криштиану. Опираясь на его положение, наш защитник должен был продвигаться вперед или уходить назад. Это было вопросом защиты: по прошлому опыту мы знали, что, будучи командой Моуриньо, они будут атаковать на любом свободном пространстве. Мне было ясно, что они будут выжидать, когда мы потеряем мяч, чтобы напасть на нас, как можно быстрее за спиной наших защитников, особенно Криштиану, который всегда старался действовать изолированно, ожидая возможности нанести контрудар. Атакуя, нужно было высматривать Лео. Мы должны были определить, на каком месте поля он находится, свободно продвинуться и забить гол. Любопытно, сам он не забил ни одного гола, но посодействовал в создании несколько голевых ситуаций. Мы отлично сыграли.

ГБ: В тот сезон у Лео был и другой момент, который не имел никакого отношения к забиванию гола. Я помню, как он сделал невероятно длинный пробег, потерял мяч на половине противника, чтобы вернуть его, получив от Куна Агуэро. Использовали ли вы его когда-либо, чтобы сказать: «Смотрите, если такой игрок делает это...»?

ПГ: Да, иногда мы использовали наших форвардов, которые вкладывали много сил в защиту, чтобы сказать: поскольку мы – команда, бегать должны не только защитники, никогда не забывайте об этом. Тот инцидент стал широко известен. Лео все время нужен вызов, сложная задача, в тот момент шли споры о том, кто лучше – Кун или Лео. Так что это была своего рода персональная дуэль: теперь я пробегу и возьму у тебя мяч. Вероятно, все дело в стоящих перед каждым задачах: когда у игрока они есть, проблем не возникает.

ГБ: с 17 апреля по 3 мая были сыграны те четыре известных и спорных матча clasico. Во-первых, Лига, финал Copa del Rey, а затем – полуфинал Лиги чемпионов. Каким был Лео в те дни небывалого напряжения?

ПГ: Ну, самое сильное давление он ощущает внутри себя. Мы порой забываем о давящем на него тяжком грузе того, что он является лучшим игроком в мире, что за ним целая страна и клуб, который надеется, что он сможет приносить им победы. И так каждый день. Я твердо убежден, что он является лучшим в истории игроком именно потому, что способен не прерываясь делать то, что делает. Я убежден, что Круифф изменил футбол, Пеле, конечно, Марадона, но все они – люди другой эпохи. Да, конечно, сейчас больше камер и потому меньше агрессии, чем прежде. Говорят, что раньше было намного больше ударов ногой, и игра была более жесткой, чем теперь. Но также верно и то, что сегодня все намного лучше подготовлены физически. Примите также во внимание тот факт, что у этого парня есть способности в это время и в этом возрасте забивать по 50, 60 голов и выходить на поле в каждой игре, каждый день. Молодому человеку очень трудно все время быть в таком тонусе. Это важнее, чем все титулы, которые он завоевал. Никто не изменит моего мнения о нем, выиграет Лео чемпионат мира или нет. Если он выиграет – мои поздравления, но если он не сделает этого, мое мнение о нем не изменится. Месси – уникальный игрок, и теперь перед ним стоит новая цель – чемпионат мира. В те дни матчей clasicos он наверняка чувствовал сильный прессинг, но, по-моему, выглядел так же хорошо, как и всегда. Возможно, я больше был занят решением задачи, найти способ победить, вместо того чтобы интересоваться тем, как себя чувствуют окружающие. Я целыми днями обдумывал и изучал то, что делали мы и наши соперники и что мы должны сделать, чтобы победить, кто есть у нас в наличии... в день полуфинала Лиги чемпионов, Иньеста получил травму, и нам пришлось выставить Кейта... мне постоянно приходится решать множество подобных вопросов.

ГБ: Лео в любое время мог подойти к вам и сказать: успокойся, мы победим. Ведь он говорил это тренеру на чемпионате мира «до 20 лет» Панчо Ферраро и некоторым тренерам в Ла-Масии.

ПГ: Нет. Он никогда не говорил мне этого лично. Но были моменты или определенные жесты, которые заставляли меня думать: этот парень постарается сегодня принести нам победу. Вы ловите взгляд, смотрите на него, а затем говорите себе: он будет стараться выиграть. Он должен быть убежден, что мы твердо намерены верить в это.

Первый *clasico* в течение тех двух недель проходил в Бернабеу. «Мадрид» отставал от «Барселоны» на восемь очков, сыграв семь игр, но Жозе Моуриньо использовал этот матч в качестве способа начать боевые действия, используя все, что у него было в запасе, для завоевания кубка, но прежде всего – Лиги чемпионов. Траву оставили длинной и сухой, чтобы помешать выполнять удобные пасы. «Мадрид» играл с защитным трио в центре, одним из которых был центральный защитник Пепе. Цель заключалась в том, чтобы закрыть все щели, в которые мог пройти Лео. Обе команды равно контролировали игру и обе остались довольны ничьей 1:1: титул чемпиона лиги теперь третий год подряд принадлежал «Барселоне».

Но игра была довольно напряженной: семь желтых карточек, красная для Альбиоля и два пенальти. Поклонники «Мадрида» оскорбляли Лео каждый раз, когда он касался мяча, во время пенальти с трибун ему в глаза был направлен луч лазерной ручки. Тем не менее пенальти он пробил и забил гол. Усилия Моуриньо эмоционально дестабилизировать «Барселону» начинали приносить плоды. Почти в конце матча Лео бросился за мячом и не смог догнать его. Тогда он решил выбить его в трибуны, чуть-чуть задев бывшего тренера Мадрида Джона Тошака и корреспондента Sky Sports, которые сидели на уровне поля.

Игра продолжилась на пресс-конференции и на тренировках: Моуриньо хотел сохранить напряженность, напоминая испанским игрокам, что они не должны расценивать своих коллег по национальной сборной как друзей, он обвинил игроков в том, что они постоянно пытались повлиять на рефери, назвав «актерами». Более того, он попросил, чтобы директора «Мадрида» попытались прекратить полив поля Mestalla, где должен был проходить финал Copa del Rey, однако они не удовлетворили его просьбу.

Поражение сильно ударило по команде. Лео чувствовал, что сделал мало – он оказался неспособен найти решение, позволяющее справиться с тактикой «Мадрида». Это было двойное разочарование.

20 АПРЕЛЯ 2011 ГОДА. ФИНАЛ COPA DEL REY.
«БАРСЕЛОНА» 0:1 «РЕАЛ МАДРИД». СТАДИОН MESTALLA

«Барселона»: Пинто; Альвес, Пике, Маскерано, Адриано (Максвелл, 118-я минута): Баскетс (Кейта, 107-я минута), Хави, Иньеста; Педро, Месси и Вилья (Афеллей, 105-я минута). Неиспользованные запасные: Пинто; Адриано, Максвелл, Тиаго и Маскерано.

«Реал Мадрид»: Касильяс; Арбелоа, Рамос, Карвалью (Гарай, 118-я минута), Марсело; Пепе, Хаби Алонсо, Кедира (Гранеро, 103-я минута); Ди Мария, Роналду и Озиль (Адебайор, 69-я минута). Неиспользованные запасные: Дудек; Альбиоль, Гранеро, Леон и Хигуаин.

Голы: 0:1, 103-я минута: кросс от Ди Марии закончился ударом головой, выполненным Криштиану Роналду вне досягаемости Пинто.

Каэтано Рос, El Pais: Месси отчаянно пытался практически из любого положения просочиться вглубь и вширь на территорию противника, но без успеха. Его зигзагообразное движение неизменно заканчивалось в ловушках защиты «Мадрида». «Блоха» не справлялся, потому что в первой половине игры его команда пасовала мяч меньше, чем когда бы то ни было. После перерыва все изменилось, и его глубокий пас Педрито был превосходен, несмотря на то, что судья на линии не засчитал гол, сочтя ситуацию вне игры. Месси отошел вправо, немного разгрузив центр поля. Начали появляться зазоры, в которые смогли проникнуть игроки, а затем команда нашла в Вилье в качестве центрального нападающего тот ориентир, которого им так не хватало.

Вне поля Моуриньо отлично растолковывал игру «Барселоны» и опасность, поджидающую Месси. При введении третьего полузащитника на пути Месси возникло новое препятствие. Пепе мог взять на себя обязанность остановить частые внутренние диагональные пробеги аргентинца, и это планировалось Моуриньо как крупная азартная авантюра для момента, когда две команды встретятся в полуфинале Лиги чемпионов.

Напряжение нарастало. Пеп Гвардиола увидел, что команда сильно удручена, и решил взять быка за рога. Он произнес перед командой вдохновляющую речь в Мадриде на пресс-конференции перед матчем – хорошо продуманный шаг.

Тренер «Барселоны» заявил, что Моуриньо – «el puto amo» – «хозяин гомосексуалистов пресс-конференций». Он сказал, что награждает его этим титулом, а другой титул они завоюют на поле. На первом матче Моуриньо призвал к большему прессингу противников, рефери, больше перехватов мяча и контратак, но без риска: победитель получит все в ответном матче в «Камп Ноу». Но его план не удался, потому что Пепе с силой ударил шипованной бутсой Дани Альвеса, который извлек из сложившейся трудной ситуации максимальную пользу: результатом была красная карточка центральному защитнику. Моуриньо также был удален. Это был очень напряженный и эмоциональный момент. До конца игры оставалось всего полчаса. В тот момент матч нуждался в человеке, который возьмет все в свои крепкие руки.

27 АПРЕЛЯ 2011 ГОДА. ПОЛУФИНАЛ ЛИГИ ЧЕМПИОНОВ, ПЕРВЫЙ ЭТАП. «РЕАЛ МАДРИД» 0:2 «БАРСЕЛОНА»

«Барселона»: Вальдес; Альвес; Пике, Маскерано, Пуйоль; Хави, Баскетс, Кейта; Педро (Афеллей, 71-я минута), Месси и Вилья (Серхио Роберто, 90-я минута). Неиспользованные запасные: Пинто, Хеффрен, Милито, Фонтас и Тиаго Алькантара.

«Реал Мадрид»: Касильяс; Арбелоа, Рамос, Альбиоль, Марсело; Хаби Алонсо, Пепе, Ласс; Озиль (Адебайор, 46-я минута), Ди Мария и Роналду. Неиспользованные запасные: Адан, Кака, Бензема, Гранеро, Гарай и Хигуаин.

Голы: 0:1. 76-я минута: Лео Месси наносит завершающий удар после паса справа от Ибрагима Афеллея. 0:2. 87-я минута: Лео Месси, индивидуальное усилие.

Хосе Самано, El Pais: В этом clasico одним достались интриги и оправдания, футбол — «Барселоне», а слава — их самому великому представителю: Месси. «Блоха» — самый яркий символ «Барселоны».

Команда «Мадрида» выбыла, имея жалкие 26,4 процента случаев владения мячом. Статистика — более убедительная штука, чем выбывание. Месси и «Барселона» избежали жалких 0:0, о которых мечтал Моуриньо... Месси все больше проявляет себя как прославленный полузащитник. Ему, возможно, не столь часто удавалось забивать голы, как прежде, но он все еще умееет появляться в нужных местах в нужное время. Вездесущий «Блоха» помогает забивать голы другим и забивает сам.

> Хорди Киксано, El Pais: Месси. Две версии, один результат. В начале он находился слишком далеко от последних метров, от ворот Касильяса, и тратил слишком много времени на дриблинг на дальних подступах. Как только команда «Барселоны» обнаружила, что играет против десяти противников, она закрутила гайки, и Лео понял, что это его игра. Сначала он успешно принял кросс от Афеллея, а позже он забил гол после виртуозного, запутанного дриблинга. Две игры, два гола.

Самый интернациональный *clasico* из всех матч, о котором шло больше всего разговоров, закончился демонстрацией мастерства и эмоциональной стабильности Лео в глубоких тылах Криштиану Роналду. Но и потоком обвинений. Напряжение вышло из-под контроля в туннеле, ведущем к раздевалкам, сопровождаясь словесными и физическими столкновениями. Пуйоль и Пепе обменялись ударами. Месси решил дистанцироваться от разворачивающейся потасовки.

Моуриньо заявил: «Если я скажу рефери и УЕФА то, что я думаю, моя карьера сегодня же закончится». Его спросили, почему с ним всегда происходит нечто подобное на матчах против «Барселоны». «Мадрид» осудил «Барселону» за то, что они назвали неспортивным поведением Гвардиолы и восьми других игроков (Лео среди них не было), подав жалобу в Комитет по дисциплине и Контролю УЕФА. Это обвинение было снято.

Моуриньо смотрел ответный матч в барселонском отеле, где остановилась команда. «Мадрид» впервые за время работы португальского тренера надеялся устроить прессинг на половине противников – тактика, которую предпочитали игроки его команды.

«Мы хотим, чтобы у Месси была свобода, что позволит ему дать полную волю своим творчеству и таланту, – сказал Гвардиола в конце игры. – Это доставляет ему огромное удовольствие. Он может себе это позволить, потому что у него есть поддерживающие игроки вроде Педро и Вильи».

> 3 МАЯ 2011 ГОДА. ПОЛУФИНАЛ ЛИГИ ЧЕМПИОНОВ, ВТОРОЙ ЭТАП.
> «БАРСЕЛОНА» 1:1 «РЕАЛ МАДРИД»
>
> *«Барселона»: Вальдес; Альвес, Пике, Маскерано, Пуйоль (Абидаль, 90-я минута); Баскетс, Хави, Иньеста; Педро, Месси и Вилья (Кейта, 74-я минута). Неиспользованные запасные: Олазабаль, Хеффрен, Фонтас и Тиаго Алькантара.*

«Реал Мадрид»: Касильяс; Арбелоа, Карвалью, Альбиоль, Марсело; Ласс Диарра, Хаби Алонсо; Ди Мария, Кака (Озиль, 60-я минута), Роналду; Хигуаин (Адебайор, 55-я минута). Неиспользованные запасные: Дудек, Бензема, Гранеро, Гарай и Начо Фернандес.

Голы: 1:0, 54-я минута: Педро. 1:1, 64-я минута: Марсело.

Луис Мартин, El Pais: Всегда Месси, с голами или без них. «Блоха» пробежал больше восьми километров, продемонстрировав невероятную отдачу и работая как землекоп, а не как звезда, потому что именно этого требовала от него игра. Месси не забил гол, но его талантам трудно что-либо противопоставить. Вчера аргентинец из Росарио играл просто великолепно, но вряд ли это можно назвать новостью. Он праздновал гол так, как будто забил его сам. «Блоха» прыгал от радости в своих оранжевых бутсах, радуясь успеху своей команды.

Вряд ли стоит удивляться, что в отношении Месси было совершено больше нарушений, чем против кого бы то ни было в Лиге чемпионов: бывали дни, когда единственным способом, которым его можно было остановить, становилось нарушение правил. Нередко после огромного количества таких нарушений он был совершенно истощен физически.

И вот наступил момент торжества. Месси позволил себе насладиться праздничной атмосферой «Камп Ноу», обнимая Педро и Баскетса. Это была минута и его славы. Он был переполнен эмоциями. До такой степени, что, похоже, не мог сдержать слез — безусловно, это были слезы радости, и Пеп Гвардиола, его покровитель и защитник, вышел, чтобы обнять его.

Моуриньо использовал все оружие, которое было в его арсенале, и эти усилия принесли определенные плоды. Ему удалось сделать так, чтобы в будущих матчах clasicos пришлось следить за тем, что происходит за границей игрового поля. Матч испанского Суперкубка, который проходил следующим летом (тот самый, где палец Моуриньо оказался в глазу Тито Вилановы), был непростым и неспокойным для Лео. Сыграв вничью со счетом 2:2 в гостевом матче двухматчевого раунда, только-только вернувшись с каникул и выйдя на матч против команды «Мадрида», готовой забрать свой первый трофей в этом сезоне, «Барселоне» лишь в последние минуты ответного матча в «Камп Ноу» удалось завоевать титул чемпионов.

Почти в конце игры Месси плюнул неподалеку от скамьи запасных команды «Мадрида», и Моуриньо поднял палец к носу, показывая, что Лео ведет себя неподобающим образом. За две минуты до конца матча возник момент, когда можно было довести счет до 3–2: гол аргентинца, второй в этот день. Забив гол, Месси сделал жест в сторону скамьи «Мадрида», открывая и закрывая левый кулак, изображая тем самым приглашение продолжать говорить. Вскоре после этого у него произошло серьезное столкновение с Фабио Коэнтрау, который не знал о присутствии «Блохи». Камеры не зафиксировали те несколько ударов, которые получил Месси, и едва ли кто-то видел удар по лодыжке, сзади, той самой, которая постоянно травмировалась.

«Он появляется в своих шлепанцах и забивает три гола в матче против «Мадрида», – сказал Хави после той игры.

В матче лиги, пять месяцев спустя, Пепе умышленно наступил ему на руку, и португальский защитник, в конце концов, принес извинения за свои действия на веб-сайте «Реал Мадрида». Он сказал, что это был непроизвольный жест. В последующие годы, пока Моуриньо сидел на поле, происходили и более личные стычки. Становилось все труднее наслаждаться матчами *clasicos* – они больше не были интересными играми, становясь вместо этого генеральными сражениями и клеветническими кампаниями. Постоянные выступления Лео, который сравнялся с Альфредо Ди Стефано по голам, забитым в матчах между этими двумя командами, подтвердили, что он был игроком для серьезных игр, но в ходе последнего матча *clasicos* стало ясно, что Моуриньо первым сумел найти противоядие их игре, показав другим командам, как можно подвергнуть сомнению господство «Барселоны».

Моуриньо своими постоянными сомнениями относительно законности триумфов «Барселоны» добавил кое-что еще: люди устали наблюдать за победами этой команды. Вот как это понимает Лео и как он это объяснил в интервью с Мартином Соуто на TyC.

Мартин Соуто: Как по-вашему, почему люди радуются, когда «Барселона» проигрывает, хотя при этом не являются поклонниками «Мадрида»? Возможно, это ревность?

Лионель Месси: Я не знаю. Одно время Гвардиола говорил, что при постоянных и многократных победах люди устают от них и именно поэтому некоторые из них хотят, чтобы мы проиграли. Однако причин может быть множество. Что касается болельщиков «Мадрида», то дело в том, что они — болельщики «Мадрида».

Мартин Соуто: Но то же самое происходит и в Аргентине?

Лионель Месси: Нет, по правде говоря, я не думаю об этом, это меня не интересует. Я знаю, что многие ждут, когда мы наконец провалимся и расплатимся за все, но меня это не беспокоит.

8. ВТОРОЙ МАТЧ ФИНАЛА ЛИГИ ЧЕМПИОНОВ. «МАНЧЕСТЕР ЮНАЙТЕД» — «БАРСЕЛОНА», 2011 ГОД

Представьте себе сцену: «Барселона» летит из Валенсии, где команда играла с «Levante» и выиграла титул чемпионов лиги. В середине полета начинается веселье, некоторые игроки встают, другие аплодируют им со своих мест, слышны песни. «Медленнее, медленнее, медленнее... мы сбили спесь с этих задниц», — это, конечно, относилось к «Реал Мадриду». Из динамиков звучит голос: «Это говорит ваш капитан. Активирована одна из дверей запасного выхода. Пожалуйста, сейчас важная фаза полета. Я знаю, что вы все очень счастливы, но постарайтесь немного сдерживаться». Не понимая серьезности ситуации, Лео активировал дверь во время празднования. С дерзкой ухмылкой он посмотрел себе за спину, на случай, если кто-то видел, что он сделал это. Смех продолжался, пока они не достигли Ciudad Condal.

Это была очень жесткая игра. Давление «Мадрида» было очень сильным, они сумели сделать так, чтобы Месси было чрезвычайно трудно играть. Моуриньо нашел формулу, которая предотвратила его диагональные пробеги и взаимодействие игроков: агрессивный полузащитник ждал его в начале каждой половины игры, намереваясь не дать ему перейти даже на вторую передачу. Вдобавок ко всему, игроки «Реал Мадрида» прочно упаковали центр. В конечном счете, они даже подняли рубеж обороны, чтобы уменьшить пространство для маневра. Так была создана модель, позволявшая остановить «Барселону».

Но далеко не у каждой команды было достаточное число умных и способных игроков, которые могли нанести серьезный ущерб в контратаке, как у «Реал Мадрида». Перед финалом Лиги чемпионов Месси забил 52 гола и принял участие еще в 24 на всех соревнованиях. «Как вы останавливаете этого парня?» — задала вопрос спортивная газета *Marca.*

Большинству команд ответ был неясен. На этот счет есть забавная история левого защитника «Атлетико Мадрид» Мариано Перниу, рассказанная им в программе *Extra Time* TyC Sports во время транслировавшейся по телевидению дружеской встречи с другими аргентинскими игроками: «Самое ужасное про Месси, самое ужасное... мы проиграли 3 или 4:1 в Кальдероне, и он остановился посередине поля. Он просто остановился, замер абсолютно неподвижно. Буквально. Он замер! Я был в семи-восьми метрах от него и сказал себе: «О, черт... Ну, ладно, я иду туда... больше по обязанности... И... Я не знаю, что он сделал со мной, я просто не знаю!» Лео ждал, когда Перниа подойдет, и сделал вид, как будто решил двинуться, но его ноги твердо стояли на земле. А затем его там уже не было. Защитник остался далеко позади. «Я возвратился домой, и моя подруга сказала мне: «Что он с тобой сделал?» А я говорю: «Откуда я знаю?! Скажи мне сама. Ты же видела его по телевизору!» Клянусь, не знаю. Я двинулся, чтобы перекрыть ему путь, поскольку он собирался вступить в игру, но он и не стал этого делать, и я даже не знаю, что он сотворил».

Чтобы не дать защитникам подавить его силой, Лео нарастил мышцы.

Хосе Мария Куартетас заметил изменения после чемпионата мира 2010 года: «Он уехал в Аргентину, а когда возвратился, трое из нас, кто работал в ресторане в тот день, сказали: «Лео что-то сделал, наверное, провел лето в спортзале». Все видели, что он стал более мускулистым. Теперь его ноги были более развиты, с более четко проработанной мускулатурой, руки – тоже, грудь стала мощнее. Мы говорили об этом с его отцом, но Хорхе сказал нам, что Лео ничего не делал, просто тренировался, как обычно. Вы видите его сегодня – на него налетают, а он способен с этим справиться».

«Так как же вы защищаетесь от него?» – «Даже если вам кажется, что вы знаете, какое движение он собирается сделать, то Месси мгновенно обманывает вас и рвется с такой скоростью, что вы все равно его теряете, – говорит Сеск, который наблюдал за ним во время матчей с «Арсеналом» и сотен тренировок. – Это похоже на игру перед зеркалом, когда вы стоите за спиной у какого-то человека и должны следовать за его движениями. Вы никогда не будете успевать сделать то же движение в то же мгновение».

«У Месси объединяется прекрасный удар с невероятным проворством и отличным ускорением, – объясняет тренер Хенк тен Кейт. – Он часто меняет позицию уже через первые два метра. Это совершенно обескураживает защитников. Самое прекрасное заключается в том, что он делает все это прямо на краю штрафной площадки. Поэтому практически каждое движение Месси создает опасность для ворот с того момента, как он получает мяч».

Футбол – спорт реакций на действия, и поэтому команды постепенно меняли свои стратегии, так же, как и Лео поменял свою. Когда он играл как крайний нападающий, защитникам приходилось следить за ним. Вдобавок ко всему, как сказал Пеп на пресс-конференции в Буэнос-Айресе: «У него была боковая линия, которая является лучшим защитником».

«В матче кубка Copa del Rey он играл главным образом внизу справа, – объясняет Фернандо Наварро, бывший игрок «Барселоны», играющий теперь в «Севилье». – Вы всегда пытаетесь надавить на него снаружи, поскольку он левоногий, это менее опасно. Во второй половине я попытался нажать снаружи, но он выполнил удар, который попал в штангу. Мой вратарь, Андрес Палоп, накричал на меня: «Дави его изнутри, Фернандо!» Несколько позже он снова пробежал мимо меня, зашел внутрь и снова попал в штангу. И я сказал Палопу: «Андрес, не говори мне, куда идти, потому что он все равно просочится мимо меня!»

«Я много раз сталкивался с ним, поначалу Месси некоторое время играл под номером тридцать, я хорошо это помню, потому что у меня есть его футболка, она хранится у меня дома», – объясняет бывший аргентинский игрок команды «Сарагосы» Леонардо Понсио в интервью *El Grafico.* – Вы идете, чтобы защитить от него ворота, зная, на что он способен. Пустые хлопоты. В «Камп Ноу» ничего не получалось, потому что там очень большое поле... Но на нашем стадионе, если вы окружаете его двумя игроками и всегда держитесь рядом с ним, вам удается держать его под присмотром немного дольше».

Когда Лео играл в качестве крайнего нападающего, никто не знал, как его остановить, кроме нарушения правил: он легко справлялся с противником один на один, поэтому полузащитники, осуществлявшие защиту, начинали сотрудничать. «Даже если вы думаете, что знаете, что Месси собирается сделать, он такой быстрый и настолько хорошо чувствует момент, что его действия становятся почти безошибочными, – признает Фернандо Наварро. – Лео ждет подходящего момента, чтобы изменить направление движения. Сколько раз он забивал гол, начиная справа и двигаясь внутрь, еще глубже, почти заканчивая на противоположном фланге и пробивая мяч в дальний угол? Много раз. И его по-прежнему трудно остановить».

«Когда он оказывался поблизости, – вспоминает Понсио, – я не говорил ему: «Не проходи больше мимо меня, мы оба из «Ньюэллса». Если они побеждали со счетом 4–0, я говорил: «Снизь передачу, достаточно». Он слушал, что я говорю, но никогда не принимал мое предложение».

Когда Месси начал свои диагональные пробеги, в конце эпохи Райкарда и на первом году работы Гвардиолы, его тактической проблемой стали собственные товарищи по команде: он проходил мимо противников на такой скорости, что его собственная команда мешала ему на пути к воротам. Партнерам Месси по команде пришлось научиться освобождать для него пространство, и в течение долгого времени единственным выходом для номера 9, который находился на участке, необходимом для Лео, было просто исчезнуть.

Когда Месси наконец перешел на середину, противникам было трудно определить, кто именно должен его «пасти», кто должен выйти вперед, когда мяч у Лео: центральные защитники предпочли ждать его на краю штрафной площадки, но к тому времени он уже начал свой пробег, и при его мастерстве ему не составляло труда просочиться мимо них. Что касается центрального полузащитника, то он был ошеломлен присутствием большого числа игроков «Барселоны» сильнее, чем его товарищи по команде.

«Обсуждать варианты защитной тактики против Месси практически бесполезно», – говорит бывший тренер «Вильярреал» Хуан Карлос Гарридо. – Они все были испытаны: к нему приставляли персональную опеку, устраивали глубокую защиту, но никакая тактика не срабатывала, пока Месси был в своей лучшей форме».

«Он слишком хорош, чтобы его можно было персонально опекать, – говорит Джио ван Бронкхорст. – При столкновении один на один Месси всегда находит возможность пройти». У его соотечественника Марка ван Боммеля, который делил раздевалку с Месси в сезон 2005/06 года, есть решение: «Иногда, когда он слишком наглеет, я яростно стараюсь отобрать у него мяч. Этому маленькому сорванцу нравится устраивать проброс мяча между ваших ног. Однажды он проделал со мной такое дважды, так что я устроил ему довольно крутую блокировку. Райкард был разъярен: «Нельзя делать ничего подобного на тренировках, но во время матча – можно!» Паоло Монтеро, бывший игрок сборной Уругвая и команды «Ювентус», соглашается с ним: «Единственный способ – тот, который использовали в старой школе: выбить Месси – это единственное, что приходит мне на ум».

Команды знали, что они не смогут просто опекать Месси, им придется защищаться от «Барселоны» в целом. Они начали собираться группой в центре, оставляя фланги свободными для команды Гвардиолы: оттуда те могли причинить вред только в том случае, если мяч находился в штрафной площадке, но у *сине-гранатовых* не было нападающего, способного выигрывать воздушные сражения.

Итак, в мае 2011 года у «Манчестер Юнайтед» был набор защитных стратегий.

В финале, проходившем в Уэмбли, «Барселона» могла рассчитывать на Эрика Абидаля, который играл несколько минут в полуфинале против «Реал Мадрида» в один из самых ярких моментов сезона. В марте этот французский игрок перенес операцию на печени, поэтому стартовал в матче против «Манчестер Юнайтед».

ПГ: Во втором матче финала против «Манчестер Юнайтед» мы знали друг друга намного лучше: играли вместе в течение трех лет и осознавали значимость матча: первый был похож на подарок, сделанный каждому игроку. Столкнувшись с проблемой, созданной облаком вулканического пепла, пришедшим из Исландии, которое могло задержать полет, нам пришлось отправиться в Лондон несколько раньше. Благодаря этому у нас образовалось четыре относительно свободных дня, когда мы смогли расслабиться, что бывает очень редко. Мы были вдали от Барселоны, от давления поклонников, от друзей и семьи. Мы имели возможность тренироваться на поле «Арсенала», и у нас было время, чтобы хорошо подготовиться и подумать о том, что мы должны были сделать, не оставляя нерешенных вопросов. В финале стало совершенно очевидно, что мы отлично играем и являемся лучшей командой. Первый финал в Риме был более ровным, но во втором, в Уэмбли, мы были лучшими.

ГБ: Через десять минут после начала матча вы внесли еще одно тактическое изменение, перебросив Лео в зону Хави в центре, а позднее – поставив его рядом с Баскетсом, все время стараясь иметь на одного игрока «Барселоны» больше, чем соперник, в каждой части поля. Или это было решение самих спортсменов, основанное на том, как развивается логика игры?

ПГ: В Уэмбли «Манчестер» уже знал, что мы намеревались доминировать в центре, потому что мы всегда играли подобным образом. Очень трудно остановиться: вы вынуждаете центрального защитника уйти со своей позиции на незнакомую территорию.

ГБ: Игроки поняли, что требуется сделать в этом матче...

ПГ: Хави при необходимости очень естественно подавался назад. Такого игрока, как Хави, почти ничему не нужно учить. Просто шепните ему, что требуется, а он сам сделает остальное.

Гвардиола попросил игроков команды быть самими собой, быть больше «Барселоной», чем когда бы то ни было, и оставаться верными избранному стилю.

28 МАЯ 2011 ГОДА. ФИНАЛ ЛИГИ ЧЕМПИОНОВ.
«БАРСЕЛОНА» 3:1 «МАНЧЕСТЕР ЮНАЙТЕД». СТАДИОН УЭМБЛИ, ЛОНДОН

«Барселона»: Вальдес; Альвес (Пуйоль, 88-я минута), Пике, Маскерано, Абидаль, Баскетс, Хави, Иньеста; Педро (Афеллей, 92-я минута), Месси и Вилья (Кейта, 86-я минута). Неиспользованные запасные: Олазабаль, Боян, Адриано и Тиаго Алькантара.

«Манчестер Юнайтед»: Ван дер Сар; Фабио (Нани, 69-я минута), Фердинанд, Видич, Эвра; Валенсия, Каррик (Шольс, 76-я минута), Гиггз, Парк; Руни и Хавьер Эрнандес. Неиспользованные запасные: Кушчак, Оуэн, Андерсон, Смоллинг и Флетчер.

Голы: 1:0, 27-я минута: Педро. 1:1, 34-я минута: Руни. 2:1, 54-я минута: Месси. 3:1, 69-я минута: Вилья.

Луис Мартин, El Pais: Как всегда благородный, Месси играл ради команды, а не для себя самого, он проводил великолепные комбинации и искал проходы. Он управлял игрой, это был кошмар: «дьявол против Красных дьяволов». Игроки «Манчестер Юнайтед» никак не могли подобраться к нему. Внутренне Лео был твердо намерен забить гол, так что он бы не ушел без своего приза: находясь за пределами штрафной площадки, он выполнил резкий удар, на который Ван дер Сар даже не смог среагировать. «У меня было свободное пространство, вратарь вышел, и, к счастью, мяч попал в ворота», — так описывал случившееся сам Месси. Это, возможно был не самый красивый его гол, но он вывел «Барселону» вперед в тот момент, когда она нуждалась в этом больше всего. Лео закричал, как никогда прежде, отбегая в угол, чтобы отпраздновать гол. По пути он, как обычно, ударил по микрофону и рекламному щиту. Хотя он не бросился на трибуны, чтобы обнимать поклонников, но был очень близок к тому, чтобы сделать это.

Вот что написал Марти Перарнау в Твиттере в тот день: «Они оставили двери открытыми, и Хави, Иньеста с Месси решили прошвырнуться по полю... Быстрые удары Хави, Иньесты и Месси позволили выбить противников из колеи и превзойти их численностью. Когда они замечают слабость и усталость, они бьют... Пеп и Хави — хранители футбольного языка. Месси и Иньеста — магическое зелье. Пуйоль — капитан и хранитель ценностей. Столпы территории сине-гранатовых... восемьдесят девятая минута: восемь игроков из молодежной команды на поле, еще трое на скамье, еще трое — на трибунах. Ла Масия — это нечто большее, чем просто молодежная команда... Конечно, в отношении будущего просматриваются вопросительные знаки. Будущее Пепа — один из них. Жажда игры Месси — другой. Гвардиола отослал в клуб двусмысленное сообщение: не берите никого, кто потревожит Месси. Берите тех игроков, которые поддержат, окружат и помогут Месси продолжать расти.

Это был матч, идеально сыгранный Месси и командой. Изящный с точки зрения взаимосвязи игроков, причем влияние Лео было в нем решающим фактором. Лига чемпионов была выиграна, возможно, самой лучшей командой в истории футбола. И они добились победы как благодаря мастерству, так и предварительно полученным знаниям. «Основываясь на ходе игры, Пеп говорил Лео: «Иди по центру» или что-то в этом духе, – говорит Педро. – И мы сразу же меняли схему игры, очень быстро. Мы действительно всю неделю усиленно работали над тактикой – именно поэтому все у нас происходило настолько естественно».

В Уэмбли это не было обычной игрой Месси: диагональные пробеги или дриблинг, его роль в той игре заключалась в создании численного преимущества в центре за счет него, Хави, Баскетса, Иньесты и Абидаля. Лео помог «Барселоне» получить 68 процентов владения мячом и 22 голевых удара. «Манчестер Юнайтед» смог собрать только четыре. Он забил второй гол и принял участие в третьем. «Мы играли невероятно хорошо. Я думаю, что мы даже не понимали, чего достигли сегодня», – сказал Лео в тот вечер.

Сэр Алекс Фергюсон вышел на поле, чтобы поздравить Лео.

«Мы никогда не могли контролировать Месси, нас предупреждали об этом. Нам не удавалось в достаточной степени закрыться в центре, чтобы нейтрализовать их», – объяснил он позже.

ПГ: Со временем я понял, что самые великие тренеры – это тренеры из подчиненных. Тактика очень важна, но Фергюсоны, Моуриньи и прочие проявляют высокое мастерство при общении с теми, кого они обнаруживают в раздевалке.

ГБ: Несмотря на два года, прошедшие после поражения в Риме, в течение которых было много различных высказываний по поводу того, что он знает, как играть против «Барселоны», Фергюсон не представлял, как можно нейтрализовать вашу игру.

ПГ: Они пришли туда не для того, чтобы защищаться. Когда мы хороши, нас трудно остановить. Мы передавали мяч по кругу и постепенно отодвигали их назад. Они решили не защищаться в своей штрафной площадке, но нам удалось отодвинуть их обратно. Их идея заключалась в том, чтобы наседать на нас с мячом, как это было в первые 10 или 15 минут в Риме и в Лондоне. Но мы знали, как обеспечить превосходство, и «Манчестер Юнайтед», великая команда, потерял контроль над матчем.

Гвардиола по очереди обнимал всех и, подойдя к Лео, поблагодарил его.

«Он – лучший игрок, которого я видел, и вряд ли увижу лучше, – заявил Гвардиола о Месси на пресс-конференции, повторяя слова, которые он произнес на испанском Суперкубке в августе 2009 года. – Мы могли сражаться на очень высоком уровне, но без него мы не сможем делать качественный рывок... Я надеюсь, что ему не наскучило и что мы способны заставить его чувствовать себя комфортно, потому что, когда это происходит, Лео не знает неудач».

Эрик Абидаль играл весь матч. Карлес Пуйоль отдал ему нарукавную повязку капитана, и он играл на чемпионате Европы, четвертом в истории клуба.

Месси назвали Человеком матча, и после празднований на поле он сказал прессе: «Мы хотим продолжать выигрывать. Сегодня мы были намного лучше и закономерно победили. Теперь мы празднуем. Да, я отправлюсь на Кубок Америки, но сначала давайте отметим это!»

Лионель Месси отправился в Аргентину на отдых, чтобы затем принять участие в Кубке Америки.

9. ПЯТЬ ГОЛОВ В МАТЧЕ С «БАЙЕР ЛЕВЕРКУЗЕН»

Спустя полтора месяца после Уэмбли сборная Аргентины с Лео Месси была разбита на пенальти в четвертьфиналах Кубка Америки, в матче, проходившем на поле в его собственной стране. В Барселоне «Блоха» забил 53 гола за сезон, но ни одного – в составе национальной команды начиная с марта 2009 года, то есть больше, чем за два года. Критика в его адрес стала просто жестокой: даже бывшие профессионалы пользовались возможностью позлословить о Лео: «Личность Диего Марадоны была иной, он был ошеломляющим, заразительным, в Лео Месси я этого не вижу», – заявил Габриэль Батистута, знаменитый голеадор Аргентины.

Когда были подтверждены увольнение Серхио Батисты и назначение Алехандро Сабелья, новый тренер национальной сборной, поехал в Барселону, чтобы пообщаться с Пепе Гвардиолой. Тот посоветовал ему не разговаривать с Лео слишком часто, окружить его товарищами по команде, которые будут уважать его и облегчать ему работу, прислушиваться к его скупым репликам и никогда, никогда не заменять его, «даже если за это вас ждут овации стоя».

Лео возвратился в Барселону после каникул на несколько дней раньше из-за участия в Кубке Америки. «Барселона» подписала контракт с Сеском из «Арсенала» и с Алексисом из «Удинезе». Им предстоял матч с «Реал Мадридом» Жозе Моуриньо.

14 АВГУСТА 2011. СУПЕРКУБОК, ПЕРВЫЙ ЭТАП.
«РЕАЛ МАДРИД» 2:2 «БАРСЕЛОНА»

«Барселона»: Вальдес; Альвес, Пике, Абидаль, Адриано, Хави Эрнандес, Кейта, Иньеста, Месси, Вилья, Родригес.

«Реал Мадрид»: Касильяс; Рамос, Пепе, Карвалью, Марсело; Хаби Алонсо, Кедира; Озиль, Ди Мария, Роналду; Бензема.

Голы: 1:0. 13-я минута: Озиль. 1:1. 35-я минута: Вилья. 1:2. 45-я минута: Месси. 2:2. 53-я минута: Хаби Алонсо.

Диего Торрес, El Pais: Последнее, что стало известно о Лионеле Месси в понедельник прошлой недели, до возвращения к тренировкам перед началом сезона, что он провел несколько дней со своей подругой Антонеллой на яхте, которая бросила якорь в Форментере. С тех пор прошло семь дней. Пяти тренировок ему было более чем достаточно, чтобы войти в форму, прибыть в Бернабеу и играть на испанском Суперкубке. Забудьте о товарищеских встречах. Не вспоминайте про летние туры. Играем в серьезных матчах. Именно это он и сделал.

За первые полчаса Месси сделал только одно: низкий пас Вилье позади Рамоса. Пас был прекрасен, как летящая по криволинейной траектории ракета, попавшая в нападаюшего, который потерял своего персонального опекуна. Рефери заствистел, объявляя положение «вне игры». На тридцать пятой минуте Месси снова использовал левую ногу, на сей раз находясь ближе к центру.

Хосе Самано, El Pais: Когда появились предзнаменования тяжелых времен для «Барселоны», игра приобрела неожиданный оборот. До этого момента Месси был незаметен. Но Месси, который никогда не нуждается в особой поддержке, чтобы играть, наконец проявил себя, и после первого удара Вильи послал мяч по траектории, напоминающей банан. Мяч полетел по невероятной кривой, облетев Касильяса и оставив игроков «Мадрида» в недоверчивом изумлении. Коварный Месси понял, что его соперники движутся беспорядочно, и использовал в своих интересах слабую координацию действий Хедиры и Пепе, чтобы забить гол.

В ответном матче все было завершено.

17 АВГУСТА 2011 ГОДА. СУПЕРКУБОК, ВТОРОЙ ЭТАП.
«БАРСЕЛОНА» 3:2 «РЕАЛ МАДРИД»

«Барселона»: Вальдес; Альвес, Пике, Маскерано, Абидаль, Баскетс (Кейта, 85-я минута), Хави, Иньеста, Педро (Сеск, 82-я минута), Вилья (Адриано, 73-я минута) и Месси.

«Реал Мадрид»: Касильяс; Рамос, Пепе, Карвалью, Коэнтрау; Хаби Алонсо, Кедира (Марсело, 45-я минута); Ди Мария (Хигуаин, 63-я минута), Озиль (Кака, 78-я минута), Роналду и Бензема.

> *Голы: 1:0, 15-я минута: Иньеста. 1:1, 19-я минута: Роналду, 2:1, 44-я минута: Месси. 2:2, 82-я минута: Бензема. 3:2, 88-я минута: Месси.*
>
> Хосе Самано, El Pais: Месси уникален. Аргентинец принес «Барселоне» победу в борьбе за Суперкубок после жестокого поединка с «Реал Мадридом». В настоящее время команда «Мадрида» не может справиться с Месси, лучшим бомбардиром в истории клуба, несмотря на то, что команда Моуриньо полностью выкладывается в игре против «Барселоны». Но Месси уникален — когда он впереди, команда играет свободно.
>
> Каэтано Рос, El Pais: Месси, яростный, нетерпеливый, мотивированный, аргентинец, твердо наметил забить еще два гола своим любимым соперникам, не доводя до дополнительного времени игры против обновленного «Реал Мадрида». Видя, что его действия сковывает персональный опекун в лице Пепе, он заскочил в центр, где мог глотнуть немного свежего воздуха. Там он стряхнул с себя Кедиру прежде, чем послать пас Иньесте, который открыл счет, сделав из этого невероятное зрелище. Хотя он еще не был на пике формы, ему удалось собраться с силами, чтобы выполнить еще один удар с Пике — почти произведение искусства: Пике выполнил удар пяткой, оставив Месси один на один с Касильясом. На этот раз Лео решил вопрос аккуратным укороченным ударом правой ногой по вытянутому телу вратаря «Мадрида». Месси завершил начатое залпом, который достоин Суперкубка.
>
> Сантьяго Сигеро, Marca: Месси разбил «Реал Мадрид». Практически в одиночку аргентинец еще раз уничтожил команду, которая сочла, что Месси — ее проклятие. Дело в том, что в тот момент коллектив «Реала» был лучше «Барселоны», но индивидуально Месси выигрывает по сравнению с Криштиану Роналду. Он — Ди Стефано клуба «Барселона».

Сезон, который так хорошо начался, не обошелся без неприятностей, из-за которых команда чувствовала себя эмоционально опустошенной: в ноябре 2011 года Тито Виланова узнал, что у него рак околоушной железы, в марте следующего года клуб объявил, что Абидалю предстоит пересадка печени вследствие рецидива раковой опухоли. Защитник потерял 19 килограммов веса и должен был пережить не меньше пяти операций. Только год спустя он смог вернуться на поле.

Лео молча страдал, узнав, что у близкого члена семьи рак. Трудно было справиться с контрастом между радостью завоевания титулов и этими реальными трудностями, но Месси сделал все, что мог, чтобы избежать неудач, которые становились все очевиднее на тренировочном поле. Внезапно мир стал сложным взрослым местом. Он больше, чем когда-либо, тянулся к семье и дистанцировался от всего, что считал тривиальным и незначительным. Он также старался отстраниться от некоторых сотрудников Пепа, которые пытались быть рядом с ним в этот сложный для него период.

Несмотря на рост опухоли, Абидаль был назван членом команды в игре чемпионата мира среди клубов против Сантуса Неймара младшего, который, как говорили, мог вскоре стать одним из величайших игроков в мире. У Месси была другая цель: поддержать свой статус-кво.

Отчасти вследствие прихода Сеска Фабрегаса Гвардиола стремился максимально выразить свой футбольный идеал в том, чтобы поставить пять полузащитников и Месси, который становился смесью номера 8 (создатель ситуаций), 9 (голеадор) и 10 (помощник). Дани Альвес и Тиаго должны были играть как ложные крайние нападающие в этом футбольном королевстве кривых зеркал, в котором никто не был тем, кем казался.

18 ДЕКАБРЯ 2011. ФИНАЛ ЧЕМПИОНАТА МИРА СРЕДИ КЛУБОВ ФИФА.
«САНТУС» 0:4 «БАРСЕЛОНА»

«Барселона»: Вальдес; Пуйоль (Фонтас, 85-я минута), Пике (Маскерано, 56-я минута), Абидаль; Альвес, Баскетс, Хави, Тиаго (Педро, 78-я минута); Иньеста, Сеск и Месси.

«Сантус»: Кабрал; Данило (Элано, 30-я минута), Драсена, Родриго, Дюрваль, Лео; Хенрик, Ароиса, Гансо (Ибсон, 83-я минута); Борхес (Кардес, 78-я минута) и Неймар.

Голы: 1:0, 17-я минута: Месси. 2:0. 24-я минута: Хави. 3:0, 45-я минута: Сеск. 4:0. 82-я минута: Месси.

Луис Мартин, El Pais: «Пусть его судит история», — призывал Маскерано, говоря о Месси, который вчера снова продемонстрировал, почему он, безусловно, получит 9 января свой очередной, уже третий, «Золотой мяч». У Месси, названного Человеком матча и Человеком турнира, сегодня нет соперника, способного противостоять его таланту. Неймару не удалось справиться с ним, когда он оказался лицом к лицу с чудом, носящим прозвище «Блоха».

ФИФА была сердита на «Барселону», потому что Месси не появлялся целую неделю, чтобы обеспечить финал. Он не шел в зону прессы после победы в полуфиналах и не принимал участие в официальной пресс-конференции в субботу. Он тренировался, отдыхал и выходил на прогулку с семьей, а затем отправлялся на ужин со своей подругой только в те дни, когда у него было на то разрешение. Но он ничего не говорил до вчерашнего дня. На поле. И в другом финале. «Барселона» выиграла тринадцатый титул из 16 возможных, начиная с появления Пепа Гвардиолы на тренерской скамье. И как всегда, Месси снова забил гол. Теперь он на всех соревнованиях забил 17 голов в финалах.

Марти Перарнау, «Спорт»: Первые полчаса этого финала были апофеозом рондо, наивысшей сублимацией подмены ролей. Рой маленьких ос взял под свой контроль мяч, жаля бразильский «Сантус», который казался тенью самого себя. Неймар был похож на человека, страдающего от посттравматического шока. Он подвел итог матча в одном предложении: «Сегодня мы узнали, как нужно играть в футбол».

«Барселона» одержала свою десятую победу в 11 финалах. И Месси сравнялся с рекордом Педро, установленным двумя годами ранее, по голам, забитым во всех соревнованиях: казалось, не оставалось уже ни одного непобитого рекорда, и борьба за них удовлетворила его тщеславие. Более того, он принимал участие в других голах, так что можно сказать, что он превзошел своего товарища по команде. Успехи Лео казались просто заоблачными.

Месси встретился с Неймаром на церемонии вручения наград, и они завязали разговор, ставший фундаментом их будущих отношений. Лео, который знал об интересе «Барселоны» к бразильцу, попросил его приехать к ним в клуб. Неймар уверил его, что сам мечтает об этом, но, по правде говоря, с бразильцем у каталонцев уже было достигнуто определенное соглашение.

После финала Кубка мира среди клубов Месси отправился в Росарио на отдых, где, помимо всего прочего, основал Фонд Лео Месси, который с 2007 года начал направлять деньги на проекты для маленьких детей и подростков, находящихся в группе риска. В то время Гвардиолу спрашивали, почему он позволил Месси столь долгие каникулы. Тренер отвечал уклончиво, ощущая беспокойство Лео по поводу болезни близкого ему члена семьи: «Я решаю, они – нет. На это есть причины. Лео справляется с личными проблемами, и я хочу, чтобы он провел Новый год со своей семьей».

Вернувшись после Рождества, Месси продолжил тактическое развитие и увеличил свою превосходную статистику: он снова забил гол для Аргентины и в марте стал всего в 24 года самым результативным голеадором в истории «Барсы», побив рекорд в 23 года Сесара Родригеса.

Тем не менее кое-что в этом великом спортсмене остается неизменным.

Перед некоторыми играми Лео все еще страдает от тошноты и рвоты. «Это довольно распространенное явление. Многие игроки страдают от этого, – говорит Педро. – Иногда их начинает рвать. Это – адреналин, напряжение перед игрой. Со стороны ничего этого не видно. У нас всегда есть обязанность победить, быть в хорошей физической форме. Но так не всегда получается. Нужно быть готовым ко всему».

Некоторые футболисты говорят, что это чувство похоже на то, что испытывает борзая перед гонкой или автомобиль, увеличивающий скорость, как раз перед изменением передачи. «Когда Лео тошнит, он пытается остаться один, протому что это – очень личный момент, – говорит Маскерано. – Это происходит со многими из нас, я – не исключение. Каким бы опытным вы ни были, адреналин никуда не уходит. Перед игрой, при сильном нервном напряжении, он порой вызывает тошноту. Как только игра начинается, все проходит».

«Была одна игра против «Osasuna», когда Лео болел гриппом, – вспоминает «маленький босс» Маскерано. – У него был озноб. Он забил два гола! Серьезно, он играл с температурой! Доктора запретили ему играть, потому что на него нельзя было рассчитывать, но он хотел играть. И он вышел на поле, да...» Утром он был болен, у него поднялась небольшая температура, были симптомы гриппа и озноб, но за три часа до матча против «Osasuna» за кубок Copa del Rey он сказал Пепу, что готов играть. «Когда он сказал мне это, я посадил его на скамью», – сообщил Пеп. Месси вышел на поле за полчаса до конца матча, и этого времени ему хватило, чтобы забить два гола.

Перед матчем 1/8 финала Лиги чемпионов против «Байер Леверкузен» в «Камп Ноу» Лео чувствовал себя нездоровым. Он страдал от головной боли. Ему дали парацетамол. «Да? Я только что узнал об этом», – признается Маскерано.

ГБ: В матче против «Байер Леверкузен» Лео страдал от головной боли. Вы видели, что его рвет перед играми?

ПГ: Со мной это тоже раньше случалось. Если вы напряжены, нужно справиться с нервами, вот тогда и просходит нечто подобное.

ГБ: Но мне кажется, что вы начинаете возбуждаться. А Месси, похоже, более спокойный типаж.

ПГ: Вероятно, он все держит в себе. Поставьте себя на его место. На его плечах лежит груз ответственности, он должен сделать то, что делает постоянно, и я уверен, что время от времени это бывает трудно. Ну, я так полагаю, потому что, по правде говоря, я не знаю, как он выносит на своих плечах столь тяжкий груз.

ГБ: Казался ли он более тихим в день матча с «Леверкузеном», чем обычно?

ПГ: Я не помню ничего подобного. Я не вхожу в раздевалки команды перед игрой, потому что не хочу видеть их, это их личный момент, я был в своем офисе. Мы собираемся вместе прямо перед выходом на поле.

ГБ: Вы говорили ему что-либо особенное после тех пяти голов?

ПГ: Не помню. Полагаю, я поздравил их всех. На матчах Лиги чемпионов, когда вы выходите в следующий круг, вы всегда думаете о том, что впереди еще две игры в Европе. Вы никогда не знаете, когда это закончится. Со временем я стал поздравлять меньше людей, наверно, это следствие возраста. У нас, технического штата, были свои радостные моменты, и часто я оставался в своем офисе, чтобы отпраздновать успех в своем кругу. В той игре я не помню, пошел я его поздравить или нет. Обычно на матчах Лиги чемпионов я это делал, потому что игра в Европе проходит очень красиво.

7 МАРТА 2012 ГОДА. МАТЧ 1/8 ФИНАЛА ЛИГИ ЧЕМПИОНОВ, ВТОРОЙ ЭТАП.
«БАРСЕЛОНА» 7:1 «БАЙЕР ЛЕВЕРКУЗЕН»

«Барселона»: Вальдес; Альвес, Пике, Маскерано, Адриано (Муньеза, 63-я минута); Баскетс, Хави (Кейта, 52-я минута), Сеск; Педро, Месси и Иньеста (Телло, 52-я минута).

«Байер Леверкузен»: Лено; Кастро, Швааб, Топрак, Кадлец; Ренато Аугусто (Очипка, 67-я минута), Рейнарц, Рольфес, Бендер (Шуррль, 55-я минута); Кисслинг и Дердийок (Беллараби, 55-я минута).

Голы: 1:0.25-я минута: Месси. Получает пас от Хави в штрафной площадке и бьет по вратарю. 2:0. 42-я минута: Месси. Получает пас от Иньесты и забивает гол после блестящих индивидуальных действий. 3:0. 50-я минута Месси. Пас от Сеска и гол. 4:0. 55-я минута: Телло: 57-я минута: 5:0 Месси. Вратарь промахивается по мячу, и он атакует. 6:0. 62-я минута: Телло. 7:0. 84-я минута: Месси. Удар левой ногой с края штрафной площадки. 7:1. 90-я минута: Беллараби.

Рамон Беса, El Pais: Месси — ураган. Его следует поблагодарить за желание постоянно играть, за то, что он не делает различия между товарищескими и официальными матчами, легкими или трудными, важными или проходными, что он не позволяет заменить себя, даже когда результат предрешен, и неважно, в форме он или нет, жарко или холодно, у себя он или вдали от дома, в среду идет игра или в субботу. «Блоха» не придерживается никаких формальностей, а меньше всего на Лиге чемпионов, где он уже забил 12 голов в семи играх, после его пяти голов против «Байера» — ранее неслыханное явление в истории турнира. В каждом матче никто не требует от Месси больше, чем он сам, каждая его игра превращается в незабываемое зрелище, поэтому он берет на себя вину за соревнования, которые прошли не блестяще. Никто не находит щели, в которые можно сделать пас, лучше, чем Пике, Хави и Иньеста. Мяч всегда приходит на нужное место и в точное время, попадая в ноги гения, которым является Месси.

Роберт Альварес, El Pais: Месси прибыл в «Камп Ноу» с головной болью. Однако, поскольку он не хотел, чтобы его отослали домой, он попросил у доктора Рикарда Пруны болеутоляющее. Тренер «Барселоны», который уехал после игры с аргентинским боссом, Алехандро Сабелья, объяснил это свойство «Блохи»: «Не имеет никакого значения, идет дождь или холодно, бьют его или нет. Я уверен, что в свое время Ди Стефано, Марадона, Круифф, Пеле были лучшими. Теперь он сидит на троне, и только он решит, когда следует сойти с него».

«Это была игра в Лиге чемпионов или Месси резался в PlayStation2?» — с иронией спросил Фалькао из «Атлетико». «Месси — нереален. На мой взгляд, он лучше, чем кто-либо», — сказал Руни из «Манчестер Юнайтед». Нет слов, чтобы описать, как играет «Барселона». Это, без сомнения, нечто невероятное. «Без Месси «Барселона» — лучшая команда в мире, с ним они — люди из другой галактики», — завершил мысль тренер «Байера» Робин Датт.

10. ЧЕТЫРЕ «ЗОЛОТЫХ МЯЧА»

El Pais: Вы говорите, что не интересуетесь тем, сколько голов можете забить, что вы предпочитаете титулы. Какова ваша мотивация?

Лео Месси: Я предпочитаю завоевывать титулы вместе с командой, чем получать индивидуальные призы, а возможность забить больше голов вообще для меня — самое главное. Мне важнее быть хорошим человеком, чем быть лучшим футболистом в мире. Вдобавок ко всему, в конце, когда все закончится, что останется? Я хочу, чтобы, когда я уйду, меня запомнили хорошим парнем. Мне нравится забивать голы, но предпочитаю иметь друзей среди игроков, с которыми я играл. Это здорово, когда люди ценят вас как человека и имеют о вас хорошее мнение.

El Pais: Таким образом, вас не слишком беспокоит завоевание четвертого «Золотого мяча»?

Лео Месси: Премии — вещь хорошая. Конечно, я благодарен за них. Но, в конце концов, люди интересуют вас больше, и вы всегда спрашиваете, кто лучше — тот или этот? Хави или Иньеста? Кто знает... Команда определенно делает меня лучше. Без помощи моих товарищей по команде я был бы никем и ничего бы не забил. Никаких титулов, никаких призов, ничего бы не было.

(Интервью с Лео Месси в El Pais, с Рамоном Бесой и Луисом Мартином, 30 сентября 2012 года)

В книге *El largo viaje de Pep* Марти Перарнау пишет, что приблизительно в октябре того года у Гвардиолы был разговор с его игроками, в котором он попросил, чтобы они забыли о сравнениях и не размышляли, какая команда лучше. Это было работой журналистов и ток-шоу. «Смотрите, – сказал он им, – вопрос не в том, лучше мы, чем та или эта команда», – пишет Перарнау. – «Одни думают одно, мы – другое. Истинную картину, как в хороших фильмах, можно увидеть только спустя много лет, когда вы снова посмотрите разные игры и обсудите их. Они станут классикой. Сейчас мы не можем все оценить, – сказал тренер, – но о вас будут говорить через пятнадцать лет. Определенно. О вас будут говорить, и в тот момент весь мир признает, что мы были великой командой».

ГБ: Родриго Месси говорит, что Лео в возрасте 13 лет сказал, что хочет завоевать «Золотой мяч».

ПГ: Он это говорил? Он был прав, не так ли? Я был счастлив, когда Месси завоевал этот приз после финала Лиги чемпионов в Риме. Мы сказали ему в тот вечер: «Приз твой» – было ясно, что Лео его получит. Эти призы всегда делали игрока очень счастливым, он всегда получал их как то, чего он очень хотел добиться. Я полагаю, что Майкл Джордан хотел быть лучшим защитником, главным забивающим и лучшим игроком, действующим на подборах в NBA... Ну, Лео такой же. Вы спрашиваете, почему Лиги, Лиги чемпионов и «Золотого мяча» недостаточно? Почему Лео хочет большего? Потому что они такие. Считалось, что Надаль дошел до конца и завоевал все, что можно. И я уверен, что Джордан подумывал о том, чтобы вернуться в 50. Мы сделаны из иного материала, пришли из другого места, рождены от иных родителей. Мы рвемся в бой, нам нравится побеждать, но у вас другой образ мыслей, вы говорите: послушай, ты проиграл сегодня, ты плохо себя чувствуешь, но что поделаешь, это жизнь. Вы знаете свои ограничения и говорите себе: «Я не могу этого сделать, потому что я многого не знаю». Лео так не делает, он всегда уверен в том, что, если с ним все в порядке, он победит.

ПЕРВЫЙ «ЗОЛОТОЙ МЯЧ» В 2009 ГОДУ, И ПРЕМИЯ «ИГРОК ГОДА» ПО ВЕРСИИ ФИФА

По версии журнала *France Football*, в 2007 году Лео Месси был третьим претендентом на «Золотой мяч» (позади Кака и Роналду), вторым в 2008 году (приз получили португальцы): но в 2009 году, в 22 года, мало того, что был назван в конце лета лучшим игроком в Лиге чемпионов и лучшим нападающим в соревновании, но он также взял самый престижный приз со значительным статистическим отрывом: никогда прежде не было столь значительного разрыва между первым и вторым местом, между Лео Месси и Криштиану Роналду. Хави Эрнандес, также представляя барселонскую команду, которая завоевала все награды, шел третьим.

Церемония награждения проходила в Париже, и вся семья Лео приехала вместе с ним. Селия, его мать, посетила это событие в изящном красном платье, а Хорхе, более худой, чем обычно, и нездоровый на вид, смотрел на сцену и вспоминал принятые решения, поездки, напряженные отношения, расстояния. В окружении четырех своих детей, с Лео, держащим награду, во время обязательной фотосессии Хорхе заплакал. «Я достиг цели, которую поставил для себя в жизни: у меня есть четыре феноменальных ребенка, в их жизни все отлично. Я сделал это».

На следующем матче в «Камп Ноу» против «Espanyol» мать вручила Лео «Золотой мяч» прямо на поле, в то время как стадион, его товарищи по команде, капитан противников и даже рефери Итерролд Гонсалес устроили ему овацию стоя.

«У Лео есть преимущество, которое помогло ему возмужать без потерь: поддержка семьи, — говорит Жоан Лапорта. — Это очень сплоченная семья. Я видел его на первом вручении «Золотого мяча», мы все пошли туда вместе, и было очень приятно видеть, как они говорили друг с другом».

Лапорта, четыре брата и родители обедали вместе с организаторами событий. «Лео был очень взволнован. Конечно, он был на седьмом небе от счастья, потому что чувствовал, что достиг того, о чем столько мечтал, его сны стали явью, – вспоминает бывший президент «Барселоны». – Это правда, конечно, потому что Лео... едва выражает свои чувства вне поля, у него всегда на лице блуждает этакая вредная полуулыбка, как будто происходящее не имеет к нему никакого отношения. Я уверен, что он с удовольствием играл бы на PlayStation на всех этих формальных церемониях».

«Его отец дрожал, как желе, – рассказывает Чики Бегиристайн. – Его брат и мать тоже. Они волновались! Но я не знаю, знают ли они, что чувствовал Лео на самом деле».

ФИФА также присудила ему премию за звание Игрока года. Церемония награждения проходила в Цюрихе 21 декабря. За титул «Золотого мяча» проголосовали журналисты, тогда как за звание «Игрока года по версии ФИФА» проголосовали международные менеджеры и капитаны национальных сборных. Он снова победил с самым значительным отрывом в истории этого приза. Барселонская делегация встретилась в вестибюле гостиницы, где они остановились, планируя ехать вместе во Дворец Конгресса, где будут вручаться премии. Лео нигде не было видно. Его искали повсюду. «Пойдите к нему в комнату, посмотрите, может быть, он там», – сказал Лапорта. Там он и оказался. Лео сидел на кровати, заканчивая игру на PlayStation с братьями Родриго и Матиасом. Они поспешно начали надевать галстуки-бабочки друг другу, но не знали, как это делается: Хорхе пришлось прийти им на помощь.

ВТОРОЙ «ЗОЛОТОЙ МЯЧ» ПО ВЕРСИИ ФИФА, 2010 ГОД

10 января 2011 года Месси получил первый «Золотой мяч» по версии ФИФА – сочетание двух премий, которые присудило ему жюри из 450 человек, включающее тренеров национальных сборных, капитанов и журналистов. Это был год, когда «барселонцы» трижды получили награды: приз за то, что «Барселона» и Ла-Масия сделали для футбола, награда за первую победу на чемпионате мира испанской национальной сборной. Иньеста был фаворитом. В Испании говорили, что в противном случае следовало надеяться, что приз завоюет Хави. Два центральных полузащитника вскоре обнаружат, что испанские игроки не име-

ли того же уважения на международном уровне, которое они имели дома.

Лео не надеялся забрать премию домой: никто действительно не был уверен в его выигрыше. Наверно, именно поэтому он чуть было не оставил свой черный смокинг Dolce & Gabbana и галстук-бабочку дома. В этом случае его родители и сестра пошли с ним на церемонию, так же как тетя, дядя и кузен. Семь игроков «Барселоны» были включены в «Команду года», и Пеп Гвардиола, названный тренером года, также поехал с ними. В конце концов, этот приз отошел к Моуриньо, победившему в Лиге чемпионов вместе с командой «Интер».

Для прессы самым крупным фаворитом был Андрес Иньеста, который забил гол, завершивший чемпионат мира победой Испании. Nike подготовил 10 000 футболок, чтобы отпраздновать премию. Что с ними произошло, неизвестно. Мир футбола, начиная с президента УЕФА Мишеля Платини, счел, что пришло время воздать должное Хави за его поездки, за его титулы, за его стиль игры с большим числом случаев получения мяча.

Объявить победителя выпало на долю Гвардиолы. «И, победитель... ай-яй-яй», – сказал тренер перед тем, как прочесть вслух имя Лео Месси. Группа «Блохи» заметила определенную холодность в выражении лица Гвардиолы, которую им трудно было проигнорировать.

Считается, что Хави победил, потому что был лучшим. Дискуссии о футбольных достоинствах Хави и Иньесты остались тем, что и были – просто словами. Когда началось голосование, кто-то должен был быть первым, и человек, который был объявлен лучшим в этой игре, был выбран большинством голосов.

Говоря речь, Лео пришлось импровизировать. Он нервно облокотился на стойку микрофона: «Добрый вечер и большое спасибо за аплодисменты. Эээ... Правда. Я не ожидал сегодня, что смогу победить... Мне было вполне достаточно быть здесь с моими двумя товарищами по команде, но выиграть еще раз, ну... Для меня это совершенно особый день. Я хочу разделить его с моими товарищами по команде и поблагодарить их, поскольку очевидно, что без них меня бы здесь не было. Я хотел бы разделить свою радость со всеми, кого я люблю, кто всегда поддерживал меня и был моей командой. И я хочу разделить ее со всеми поклонниками «Барселоны» и с аргентинцами. Большое спасибо». Несмотря на ощущение неоднозначности при озвучивании его имени, Лео, Андрес и Хави казались ближе, чем когда-либо. Иньеста знал, что у него не будет другого такого шанса. *La Gazzetta dello Sport* даже объявила, что именно он будет победителем. Он чувствовал себя несколько разочарованным, но никогда не скрывал своего восхищения Лео.

«Все имеют право на собственное мнение, не было никаких проблем с решением, вообще никаких, – говорит Иньеста. – Мы были рады побывать там, видеть, как Лео получает второй «Золотой мяч». Я думаю, что следует ценить номинацию – этого очень трудно достичь. Мы чувствовали, что нас ценят, ощущали привязанность и уважение людей. Мы трое знали, что речь шла обо всей команде, мы были там как отдельные люди, но награда была коллективной, и мы все отлично понимали это».

Хави ничего не ожидал. В конфиденциальном разговоре он сказал, что и не сомневался в том, кто получит премию: Лео, конечно, потому что он был лучшим. Каталонский центральный полузащитник не мог поверить, что был номинирован на получение приза, которому он не придавал особого значения. В том году его больше волновало, будет ли сезон хорош для сбора грибов.

«Это было удивительно, – объясняет Хави. – Лео победил, и, на мой взгляд, это было правильно: он – экстраординарный футболист и заслужил награду. Мы наслаждались присутствием на историческом событии: футбол «Барселоны» и молодежная система «Барсы» победили, и это доставляло мне особую радость».

Хави был одним из тех, кто облегчил путь Лео, когда тот пришел в первую команду, одним из тех, кто с самого начала напоминал ему, что, если он оказывается один против четырех защитников, лучше передать мяч назад, а если один или два, можно начать игру. Чаще всего разговоры Хави и Лео были посвящены проблемам футбола, с приходом Пепа они больше сосредоточивались на развитии Месси. Хави нравилось видеть, как «Блоха» начал делать то, чего не делал до того, как Гвардиола начал руководить командой, правильно передавая пас в нужное время и в правильном месте, постепенно включаясь в построение, которое они обсуждали на тренировках.

Лео чувствовал огромную благодарность людям, которы помогли ему достичь всего. И в том году он ощущал свой долг перед Хави и Иньестой за то, что они во многом содействовали его карьере. Вернувшись из Швейцарии, он ясно выразил свою благодарность, как публично, так и конфиденциально.

«Давай, Лео, тост!» – кричал Пике, который часто снимал подобные события.

В самолете Лео сидел рядом с матерью, Иньеста – позади него. Его попросили сказать несколько слов, поскольку бутылки были открыты. «Я хочу поднять бокал в честь Хави и Андреса, которые заслужили премии так же, если не больше, чем я, несмотря на то, что я получил ее». Фотографии были сделаны, бокалы подняты, все лица сияли улыбками.

Оставался один вопрос, на который никогда не будет получен ответ. Что произошло, если бы Иньеста или Хави победили? Игроки приготовились позаботиться о Лео на случай такой возможности, но необходимости в этом не было.

Тем не менее Лео не понравилась реакция испанской и международной прессы, насмехающейся над УЕФА, ФИФА и остальной частью футбольной общественности за столь несправедливое решение. *La Gaceta* вышла с заголовком «Этот мяч не сделан из золота». ABC заявила, что «ФИФА оказывает неуважение к чемпионам мира», а *La Stampa* утверждала, что «футбол заблудился»: «Месси ничего не выиграл на наиболее значимых соревнованиях». Именно это Лео осознал наутро после получения премии.

В тот день, когда игроки «Барселоны» вернулись к тренировкам, «Блоха» почувствовал, что ему есть что доказать футбольному миру. Его репутация подвергалась сомнению.

Пеп Гвардиола до сих пор помнит ту тренировку.

«Он играл колоссально на тренировке, абсолютно невероятно, — вспоминает Чики Бегиристайн. — Пеп сказал мне: «черт, это надо было видеть».

В матче шесть на шесть, организованном в тот день, Месси забил все пять голов из пяти. Он просачивался мимо противников, бил по воротам, прорывался вперед, помогал и контролировал игру больше, чем кто-либо. Это было то, за что он был награжден. Затем он принял душ и пошел домой.

Лео расставил все по своим местам.

ТРЕТИЙ «ЗОЛОТОЙ МЯЧ» ПО ВЕРСИИ ФИФА, 2011 ГОД

9 января 2012 года Лео Месси получил свой третий «Золотой мяч», сравнявшись с рекордом Платини, который был единственным, кто последовательно завоевывал этот приз три года подряд. Йохан Круифф и Марко Ван Бастен также имели по три приза. Криштиану Роналду был вторым в том голосовании, третьим — Хави. Месси снова надел темно-серый бархатный пиджак, белую водолазку и черный галстук-бабочку от Dolce & Gabbana. Его улыбка больше не была робкой, он широко улыбался.

Лео получил 47 процентов голосов. Роналду — 21, а Хави — 9. Он принял премию, стоя между Рональдо Насарио, Зеппом Блаттером и Мишелем Платини. Если он колебался на первой премии, на второй был настоящим комком нервов, то в третий раз он принял поздравления футбольного мира с достаточным изяществом и уверенностью.

В его речи он не забыл о своем товарище по команде, Хави, хотя Роналду в тот вечер отсутствовал: на следующий день ему предстоял матч на приз Copa del Rey.

Затем, упрощенно, как это часто бывает при анализе событий в футболе, Роналду был сделан злодеем из пантомимы, настолько страшным, что был почти очаровательным – антитеза успеха и добрых дел «Барселоны». Месси был представлен благородным рыцарем, классическим героем, красивым, образованным, с огромным талантом, всегда успешным. Естественно, отношения между Криштиану и Лео намного сложнее, чем изображают подобные клише, так что, как мы увидим позднее, не следует им доверять.

«Мне особенно хочется разделить этот приз со своим другом Хави. Мы в четвертый раз приехали на это торжество вместе. Ты тоже его заслуживаешь, – сказал он. – Это огромное удовольствие – быть рядом с тобой здесь и на поле». Хави не ожидал такого признания. «Мы – очень хорошие друзья. Он – великий человек, – говорит Хави. – Это было замечательно. То, что сделал Лео, стоило больше, чем какая-либо премия». Неймар, присутствовавший здесь из-за впечатляющего гола, который он забил в матче против «Flamengo», провел весь вечер, с восхищением глядя на Месси.

ЧЕТВЕРТЫЙ «ЗОЛОТОЙ МЯЧ» ПО ВЕРСИИ ФИФА, 2012 ГОД

7 января 2013 года Месси стал первым игроком в истории футбола, который завоевал четвертый «Золотой мяч». Он отпраздновал это событие шикарным костюмом в горошек.

Платини, Ван Бастен и Круифф получали этот приз по три раза. Беккенбауэр, Ди Стефано и Роնальдо – дважды. Криштиану Роналду – один раз. За предшествующие шесть лет произошло мало ротаций, что служит доказательством того, как сложно достигнуть вершины: Роналду был на подиуме пять раз, Иньеста – два, Хави четыре. Месси – на всех церемониях.

Лео не голосовал за Роналду (он голосовал за Иньесту, Хави и нападающего «Манчестер-Сити» Куна Агуеро), и Роналду не голосовал за Лео (его голос был отдан за соотечественника Бруно Алвеша, который шел следом, а затем за Радамеля Фолькао и Робина ван Перси).

В то время как Месси шел к сцене, камеры безжалостно увеличили искривленное лицо Роналду, которому было трудно выжать из себя улыбку. Месси получил 41 процент голосов, Роналду – 23, а Андрес Иньеста – 10.

В тот год Родриго Месси сказал «L' Equipe», что его брату было все ясно самого начала: «Я отлично помню, как он сказал мне, что хотел бы выиграть «Золотой мяч». Ему тогда было тринадцать лет».

Хотя, как было известно, он был фаворитом, речь давалась Лео нелегко: «Я хочу разделить награду и поблагодарить моих товарищей по команде, особенно Андреса. Я горд, что нахожусь здесь сегодня рядом с вами и играю каждый день. Я благодарен моим аргентинским товарищам по команде. Тем, кто голосовал за меня, и капитанам, и тренерам». Здесь Лео остановился. «Я не знаю... Я очень волнуюсь. Я благодарен моей семье, моим друзьям и, наконец, и особенно, моей жене и сыну, – это самое прекрасное, что подарил мне Господь». Позже он объяснил, что произошло: «Я был очень рад и сильно нервничал, так что у меня не было заготовлено речи. По правде говоря, я не привык выступать перед таким количеством людей. Я говорил правду, но очень волновался».

Тиаго «пока ничего не понимает» – сказал он позже на пресс-конференции, но он хотел пригласить на торжество его и свою подругу Антонеллу. Он также хотел отдать дань Тито Виланове и Эрику Абидалю, но слишком переволновался: «Очевидно, эта премия дана и Тито тоже. Как я недавно говорил, в тот момент мне трудно было говорить. Эта победа для Тито и Абидаля. Это был жестокий удар для всех нас, но я надеюсь увидеть их снова, это сделает нас очень счастливыми. Самый большой приз, который мы можем получить, – чтобы они снова были вместе с нами».

2012 год был годом взлетов и падений для команды, они победили *только* на испанском и европейском Суперкубке, Copa del Rey и на чемпионате мира среди Клубов ФИФА. Тем не менее в адрес Месси звучали и личные восхваления: «Я смотрю на последние годы с точки зрения завоеванных титулов. К сожалению, мы не смогли завоевать многие из них, самыми лучшими были годы, когда мы завоевывали различные титулы».

Бывший игрок «Реал Мадрид», а ныне тренер Санти Солари, описывал в *El Pais* новое достижение аргентинца: «Никакой другой игрок не мог столь же естественно соединить дух соперничества профессионального спортсмена со спонтанностью уличного футбола. Никакой другой игрок не способен так часто разгадывать тактические загадки, как будто играет рядом со своим домом. И ни один другой игрок не мог столь эффективно соединить количество с качеством. Глядя на игру Месси, чувствуешь себя так, как будто путешествуешь во времени: когда он наиболее результативен, он как бы приоткрывает щель, через которую мы можем увидеть саму сущность футбола. Каждый раз, когда он двигается вперед, то берет нас в путешествие на деревенский футбол, которым развлекаются на переменке, на детской площадке, на маленьких пыльных полях по всей его стране. Это путешествие к самым глубоким корням, к той детской свободе игры ради самой игры».

На скромном праздновании, стремясь максимально использовать приезд «Малаги» в «Камп Ноу» на кубок, Лео разделил с поклонниками свой приз, который был вручен ему главным сотрудником по связям с общественностью Карлосом Навалем. Месси, которому Adidas подарил черные бутсы и футболку с шелкографией четырех золотых мячей, которые он надел на матч, сфотографировался с четырьмя призами в руках. И одновременно выиграл в матче против «Малаги», забрав мяч у Веллингтона и забив гол Камени.

Любопытно, что в то время, как Лео бил рекорды (он забил 91 гол в 2012 году) и получал индивидуальные премии, «Барселона» пережила несколько трудных моментов.

Гвардиола хотел сохранить порядок, который принес им успех. Но приход Сеска в том сезоне несколько видоизменил команду, что постепенно влияло на идеи Пепа. Контроль и баланс, обеспеченный Хави и Иньестой, главными защитниками его стиля, рушились. Команда тянулась за лидерством Сеска и его желанием как можно скорее добраться до ворот.

Это также соответствовало естественному стремлению Лео наброситься на защитников, то, что было некогда усмирено Хави, Иньестой и, позднее, Пепом, который настоял на том, что Лео должен помочь игре развиваться постепенно, быть терпеливым, держать мяч.

Постепенно Пеп начал ощущать, что люди устали от одной и той же игры и одних и тех же лиц. Он чувствовал, что команда ускользает у него из рук.

11. ПРОЩАНИЕ С ПЕПОМ

El Pais: Правда ли, что Пеп указал вам путь?

Месси: Да, Пеп указал нам путь, по которому мы все еще идем. Он заставил нас играть с инициативой, всегда стремиться забивать голы. Он привил нам правильное отношение к игре, ощущение, что мы должны победить. Он был очень ярким и выдающимся человеком, помимо того, что много знал как тренер. То, как Пеп анализировал матчи, как он готовился к ним... Я не думаю, что когда-либо у нас будет другой такой тренер.

(Интервью с Месси, Рамоном Беса и Луисом Мартином, El Pais, 30 сентября 2012 года)

После того как Сеск Фабрегас в Лондоне и Месси в Барселоне целый год играли вместе на PlayStation онлайн, они снова воссоединились в одной раздевалке. Перспектива возвращения домой после восьми лет, проведенных в Англии, шанс играть под руководством Пепа и рядом с Лео манили этого центрального полузащитника. Спустя три месяца после прибытия лучшие игроки поколения ‘87 провели вместе 90 минут на поле. Это был матч против «Viktoria Plzen» в Лиге чемпионов. Объединение двух талантов наэлектризовывало атмосферу: Месси забил хет-трик, в одном из голов помог Пике, а Сеск забил еще один гол, доведя победный счет до 4:0.

Аргентинец продолжал забивать голы и увеличивать и без того солидную статистику. Но сомнения относительно коллективной игры не исчезали. Введение Сеска в команду добавило нового пасующего полузащитника, и Пеп попытался следовать идее Круиффа, согласно которой всегда нужно использовать самых лучших игроков. Но приехавший Фабрегас в течение многих лет сам был «Месси» в «Арсенале», свободно бегая в центре, и было трудно навязать ему позиционную игру и строгие тактические требования, призванные извлечь из Лео все самое лучшее, что в нем есть.

Поначалу Сеск был в великолепной форме: команда победила «Реал Мадрид» и завоевала три титула (испанский и европейский Суперкубки, а также Кубок мира среди клубов). Лео играл каждую минуту матчей. Ну, почти каждую минуту.

В первый сезон работы Гвардиолы Лео получил точные инструкции относительно питания, но тренер постепенно признавал тот факт, что никто не знает собственную силу лучше, чем сам футболист, рядом с которым всегда находился Хуанхо Брау. Поэтому, если он чувствовал себя хорошо, то мог играть. Но, возможно, три года спустя пришло время пересмотреть идею ставить Месси на каждую игру. Пеп объяснил ему, что команда, конечно, более защищена, когда он на поле, но, возможно, будет разумным выполнять ротацию. Время от времени он мог выходить в наиболее решающие 20 минут, не находясь на поле все 90, и Пеп хотел дать ему передышку. Лео не смог принять это решение.

После того как в предыдущий сезон его оставили на замену в матче против «Севильи», закончившемся победой со счетом 4:0, он не явился на тренировку. *El Pais* сообщил, что игроки не поняли, что Месси сердится, и, не увидев его на следующий день, подумали, что он простудился или что-то в этом роде. «Когда он огорчен или проигрывает, ему не хочется ничего делать, — объясняет Кристина Куберо. — Но в целом он больше не плюет на тренировки или на то, что нужно сделать на следующий день».

В сезон 2011/12 года последний раз Месси был замечен на скамье запасных во время матча против «Real Sociedad», проходившего после трансатлантического перелета, когда ему пришлось играть за национальную сборную. «Барселона» довела счет до 2:0, но местная команда отыграла два мяча и довела счет до 2:2. Месси вышел на поле на шестьдесят второй минуте, но матч так и закончился с ничейным результатом. Согласно версии *El Pais*, на следующий день Лео не вышел на тренировку, снова чувствуя раздражение из-за того, что ему не дали играть с самого начала матча. За подобные реакции некоторые комментаторы называют Месси «чемпионом-малолеткой».

Когда Месси сердился, он мог по нескольку дней не разговаривать с Гвардиолой – это обычная реакция Лео на конфликт: возвести стену. Он делает так в отношениях со всеми, даже со своей матерью. Затем, несколько дней спустя, его настроение улучшается, и дверь снова приоткрывается. «Говорите со мной» или «я вернулся» – читается в его глазах.

Когда Лео реагирует подобным образом, он с трудом переносит самого себя. «Когда я замолкаю, я просто с ума схожу», – сказал он в интервью *El Mundo Deportivo*. Это свойство его характера, и именно так было понято его поведение в раздевалке. Однако Гвардиоле было слишком трудно вынести это дистанцирование, которое устраивал Лео в периоды пестования своей обиды.

Гвардиола понял, что своим успехом в качестве тренера он в немалой степени был обязан Месси, помогшему ему достигнуть пика успеха в обмен на то, что Пеп сделал его счастливым, создав команду, обеспечивающую раскрытие его таланта. Но он также считал, что Месси прислушивался к нему и действовал согласно его советам. В тот четвертый сезон тренер начал чувствовать, что Лео все меньше и меньше прислушивается к его словам. Становилось все труднее и труднее объяснять ему свои идеи.

В итоге Гвардиола сдался: он решил выставлять Месси на игру всякий раз, когда тот был здоров. Если это было то, чего Месси хотел, если это делало его счастливым, то пусть он получит то, чего хочет.

До самого Рождества Месси играл в каждой игре. Он смог отдохнуть десять дней в Росарио, в течение которых спал, забыл о диете и практически не тренировался. Ему это было просто необходимо, и по возвращении казалось, что он потерял форму. Это подтвердило подозрения «Блохи»: лучше продолжать играть и не терять физическую форму, необходимую для того, чтобы играть решающую роль в команде.

ГБ: Вам было трудно объяснить Лео, что он не может играть в каждой игре? Вы думаете, что теперь он лучше осведомлен о пределах своего тела?

ПГ: В этом есть что-то от любителя. Есть люди, которые говорят: каждый футболист хочет играть. Нет, не каждый. Бывают дни, когда они счастливы, что не играют. У Месси таких дней нет, он хочет играть всегда. Я некоторое время не разговаривал с ним и не знаю, понял ли он свои пределы или нет. Очевидно, что он знает свое тело лучше, чем кто-либо еще. Я сделал все, что было в моих силах.

Несмотря на годы, проведенные вместе, Лео Месси часто трудно понять, что он до сих пор остался для Гвардиолы закрытой книгой. Поначалу ему было трудно понять, что менталитет Лео отличался от его собственного. Он задавался вопросом: «Как он может по три дня ходить, не говоря мне ни слова?» Но потом Пеп обнаружил, что нужно мыслить как Лео, Майкл Джордан или Тайгер Вудс. Ему пришлось приложить значительные усилия, чтобы понять спортсмена, вместо того чтобы заставить действовать по-своему или управлять им.

Он попытался найти баланс между уступками звездному игроку и принятием решений, идущих на пользу всему коллективу, между количеством голов и триумфами. Пеп предоставил Месси возможность реализовывать свои планы, позволил ему играть, потому что именно этого Лео и хотел, а также потому, что он забивал для него по два или три гола за матч. Это была политика, которая принесла успех.

Но в конце периода своей работы Гвардиоле стало ясно, что тренеры – это просто инструменты, используемые великими людьми (такими, как Майкл Джордан, Марадона или Пеле) для того, чтобы добиться максимальной реализации своего потенциала. Пеп наконец понял, что Лео выше него и выше «Барселоны», так же, как Пеле был выше «Сантоса», а Марадона – «Napoli». Все они строят здание, которое используют для того, чтобы достигнуть цели, установленной ими тогда, когда они были детьми. А когда один тренер уходит, приходит другой. Все очень просто. В действительности, тренер лишний.

Пеп взял на себя ответственность за уход Это'о, Ибрагимовича и Бояна, молодого крайнего нападающего из молодежной команды, который счел, что Гвардиола недооценивает его, поскольку тренер перестал регулярно ставить его на игры, несмотря на многообещающее начало карьеры. Но эти решения были приняты для того, чтобы создать условия для максимально эффективной игры Месси на поле и сделать его лучшим в мире игроком в футбол. Месси не должен просить удаления других форвардов – тренер сам сделает это для него.

Что же происходит в голове Лео? Должно быть, он думает: конечно, вам приходится выбирать, и вы должны сделать тот выбор, который принесет пользу мне, потому что я – лучший и потому что я выигрываю состязания. Чистая логика. Лео должен думать, что тренер сделает все необходимое, чтобы он оставался счастливым, потому что это входит в его обязанности.

Кстати говоря, «Барселона» постепенно усваивала политику удовлетворения амбиций Лео, позволяя ему чувствовать себя особенным. Из-за этого в 26 лет на его плечи легла огромная ответственность за всемирно известный клуб и надежды целой страны. Жизнь Лео стала чрезвычайно сложной. Как жить нормальной жизнью, когда вам потворствуют и дают все, чего вы хотите, пока вы продолжаете завоевывать титулы? Мы живем в другом мире, мы не способны увидеть то, что видит Лео, мы понятия не имеем, как жить с этими ожиданиями. Но совершенно ясно, что именно вследствие этого давления он открыто требует мяч у Давида Вильи, Куэнчи или Теллье. Лео уверен, что они ошибаются, если теряется шанс испольовать щель, которую он ясно видит в игре.

Успех Гвардиолы был также следствием усилий феноменальной группы людей, с которыми Лео делит раздевалку. Было почти невозможно объединить замысел Пепа в одной команде, четвертый лучший игрок в мире подыгрывал третьему, третий – второму, и все они – Месси. Так кто же завоевал 14 из 19 титулов – невероятное число, достигнутое в эпоху Гвардиолы? Успех принадлежит Лео, его товарищам по команде, тренеру? Некоторые говорят, что за все, что «Барселона» дала ему, Месси должен быть вечно благодарен каталонскому клубу. Но Гвардиола добавляет, что Месси честно заработал на поле все то, что он получил от «Барселоны».

Гвардиола начал свою тренерскую карьеру с идеи диктовать команде со скамьи, где каждый игрок имеет свою четко прописанную роль, и все они должны приспособиться к его философии. Но постепенно жизненный опыт заставил его признать магию футболистов, их роль в игре.

Подчинение тренера Лео и организация им команды таким образом, чтобы заставить его чувствовать себя комфортно, вылилось в просьбу тренера всей группе выполнять указания звезды. А подобное неизбежно приводит к потере баланса.

Именно в этом коренится так называемая «мессизависимость», которая в тот сезон стала частой темой для обсуждения: товарищи по команде начали избегать брать на себя ответственность за игру и всегда передавали ему мяч, а Лео всегда хотел его получить. Становилось трудным уравновесить дух товарищества с потребностями аргентинца – то, с чем до сих пор Пепу удавалось успешно справляться.

Но эта зависимость от «Блохи» создала еще одну проблему. Было очень трудно прийти из другого клуба и сразу же вписаться в новую команду. «Барселона» была хорошо смазанной машиной. Ей нужны были игроки, способные привнести в игру свой талант и индивидуальность, а центральный защитник Чигринский, Ибрагимович, Афеллей или Алексис не стали приобретениями, которые сделали команду лучше. С каждым неудавшимся контрактом команда все пристальнее смотрела на Месси, ожидая его решений.

Как это всегда происходит, время постепенно разрушает отношения команды, и отношения Пепа с Лео также начинали портиться. «Не следует надеяться, что группа игроков останется неизменной навечно, люди – не машины», – объясняет Хосеп Мария Мингелья, человек, который знает все входы и выходы в «Барселоне» лучше, чем кто бы то ни было. «Люди по-разному себя ведут, есть ревность, различные эго, перемены в иерархии, в списке игроков, и все это вызывает усталость и напряжение, с которыми нужно уметь справляться. Это происходит постоянно: появился «Аякс», а затем исчез, то же самое произошло с «Миланом»... Пришло время «Барсы» и Пепа. Но, учитывая личные данные Гвардиолы с его практичным подходом, от которого игроки устают, а также естественные перемены в самих футболистах, невозможно надеяться, что все будет оставаться неизменным бесконечно».

Все ясно видели, что Пеп вымотан, и даже его подруга, Кристина, открыто обсуждала с родственниками игроков, что требования, накладываемые работой, были невероятно тяжелыми и оказали на него негативное воздействие. Но его уход произошел довольно сложно, это была не просто просьба об отдыхе.

Возможно, в конце у Гвардиолы уже не было сил, чтобы снова собрать команду вокруг Месси. Или он больше не знал, как сделать Лео счастливым. После рождественских каникул произошла размолвка: Месси возвратился позже, чем было запланировано, и это было сделано так, как будто у него на это было разрешение клуба, хотя он его не получал. Манель Эстиарте разбирался с этими проблемами, чтобы избежать дальнейшего напряжения отношений с Гвардиолой, который уже начинал терять энтузиазм, необходимый для продолжения работы. Лео обеспокоило, что тренер не поговорил с ним сам. Такое происходит, когда вы проводите много времени вместе: мелочи начинают казаться большим, чем они есть на самом деле.

Пеп думал, что наступил конец, которого он так боялся, который он предвидел еще в самый первый день, когда только появился в раздевалке первой команды. Отношения с Лео и некоторыми старшими игроками постепенно портились, в них все чаще проскальзывали нотки панибратства. Решения тренеров подвергались сомнению; сообщения не доходили до игроков, сколько бы усилий он ни прилагал к этому. Он попытался оградить игроков, появляясь на каждой пресс-конференции, но это создало вокруг Гвардиолы своего рода мифологию на грани религиозного поклонения.

Это была команда Гвардиолы.

А как же игроки? Чрезмерное стремление Пепа играть главную роль в глазах поклонников и комментаторов вызывало недовольство игроков, и дистанция между ними все увеличивалась, заставляя тренера страдать все сильнее.

Если Пеп хотел бы возвратить авторитет в команде, он должен был принять важные решения, преобразовать основную идею и команду, но он предпочел этого не делать. Он больше не хотел, не мог или не знал, как вернуть игроков в заданные рамки. Он принял решение не исправлять ситуацию.

Как всегда говорил Гвардиола, футбольные циклы длятся два или три года. Фактически его революционная эра продлилась на год больше, чем он ожидал, но, поддавшись магии игроков и тому, что они делали для клуба, он не мог найти в себе силы избавиться от некоторых из них и начать все сначала.

Вот почему Пеп решил оставить ФК «Барселона». Он сделал это не из-за Лео Месси, как упрощенно представляли это журналисты.

Время шло, разъедая силы, расслабляя после нескольких лет побед. Было потеряно понимание между тренером и игроками, которое так хорошо работало в течение трех лет, на поле постепенно исчезала коллективная организация, особенно без мяча – это первое, что теряет команда, когда дела идут не так, как надо. Игроки склонны к комфорту так же, как все люди во всех профессиях – а комфорт означает, что вы делаете то, что вам нравится, а не то, что нужно делать.

Каталонские СМИ предпочли игнорировать настораживающие признаки. Они единодушно поддержали Гвардиолу и хотели, чтобы он как можно быстрее подтвердил, что собирается возобновить свой контракт еще на год, который станет пятым по счету. Начали появляться предположения, что футболисты потеряли страсть к игре, которая до этого позволила им столь многого добиться. Но команда достигала на соревнованиях все большего и большего: «Реал Мадрид» казался сильнее, чем в предыдущие годы, но, тем не менее, не сумел продвинуться в Лиге достаточно далеко. Какое-то время это позволило замаскировать возникшие трещины.

Поскольку у журналистов нет доступа на тренировочное поле, для поддержки некоторых мнений или суждений теперь приходилось использовать различные обрывки информации. На тренировочном поле произошел инцидент, который был извлечен из контекста теми, кто решил, что проявилась другая, «темная» сторона личности Месси. Лео отреагировал на сильный удар молодого игрока Марка Бартры, который привел к поверхностной травме голени и помешал ему играть в товарищеской встрече против «Гамбурга». Имели место громкие и публичные взаимные обвинения. В предшествующие годы нечто подобное происходило с Тиаго Моттой или Серхио Бускетсом – никому не нравится, когда их сильно бьют на тренировках.

Бартра пытался показать себя в свой первый сезон в команде, и его понятный энтузиазм привел к тому, что он выбрал неудачное время для удара сзади, который, возможно, серьезно травмировал Лео. Реакция Месси была, как считают некоторые люди, далекие от клуба, доказательством его новообретенного «невоспитанного» поведения. Для его товарищей по команде, некоторые из которых даже набросились на Бартру с кулаками, это был просто типичный ответ на излишнее применение силы.

В этой сложной атмосфере Гвардиоле было необходимо все взвесить и принять решение относительно своего будущего. «Было трудно найти ему замену. В течение четырех лет «Барселона» играла блестяще во многом благодаря Пепу», – сказал Месси в марте того сезона. – На мой взгляд, Гвардиола важнее для клуба, чем я. Мы, как и все остальные, ожидали его решения – останется он или нет». А что произойдет, если Пеп решит уйти? «Клуб продолжит жить, и мы тоже. Но без Гвардиолы все будет иным».

18 АПРЕЛЯ 2012 ГОДА. ПОЛУФИНАЛ ЛИГИ ЧЕМПИОНОВ, ПЕРВЫЙ ЭТАП.
«ЧЕЛСИ» 1:0 «БАРСЕЛОНА»

«Челси»: Иванович, Терри, Кахилл, Коул; Майкель, Лэмпард, Мата (Калу, 74-я минута), Мейрелеш, Рамирес (Бозингва, 88-я минута) и Дрогба. Неиспользованные запасные: Тернбулл; Эссьен, Торрес, Малуда и Стерридж.

«Барселона»: Вальдес; Альвес, Пуйоль, Маскерано, Адриано; Хави (Куэнча, 87-я минута), Баскетс, Сеск (Тиаго, 78-я минута); Алексис (Педро, 66-я минута), Месси и Иньеста. Неиспользованные запасные: Пинто; Пике, Бартра и Кейта.

Голы: 1:0. 45-я минута +2: Дрогба, с подачи Рамиреса слева.

> Марти Перарнау на www.martiПерарнау.com: «Челси» хотели сделать только одно — взять мяч, пусть только один раз, и отдать его Дрогба, чтобы тот забил гол. И у них был только один шанс: именно тот, который он и использовал. В неудачный момент, когда Месси потерял мяч, Дрогба забрал его, контратаковал и ударил... Дрогба — футболист с большой буквы, каким всегда и был. Игрок для важных игр.
>
> Английский клуб закрыл все каналы и установил непроницаемую сеть. Терри и Кэхилл использовали тактику «Леванте»: ожидание Месси, не наскакивая на него. В прошлую субботу защитники «Леванте» только один раз попытались заняться Месси — и он забил гол. Сегодня же два центральных защитника «Челси» не попали в эту ловушку и ожидали его, зная, что именно это причиняет аргентинцу боль и создает проблемы.

Наступил апрель, ключевой месяц сезона, когда «Реал Мадрид» вышел вперед на внутреннем соревновании, и «Барселона» играла в полуфинале Лиги чемпионов. Их противником был «Челси». Технические сотрудники были удивлены тем фактом, что Месси, пойманный в ловушку защитниками английской команды, выполнил всего три высокоскоростных пробега за весь матч. «Челси» не играл 4–5–1, как предполагалось, а выбрал схему 4–4–1. Рауль Мейрелеш был одиннадцатым игроком, стоящим как фонарный столб на левой стороне поля там, где Месси надеялся начать свои пробеги, и его единственной задачей было помешать сделать это.

Три дня спустя в *clasico* в «Камп Ноу» решалась судьба Лиги. При четырех сыгранных играх «Мадрид» шел на четыре очка впереди.

Согласно мнению Диего Торреса, высказанному им в его книге «*Prepárense para perder*», игроки «Мадрида» с удивлением обратили внимание на то, что Месси играл в основном урывками, как будто берег травмированную часть тела. «Местный герой двигался шагом, осматривался, обдумывал ситуацию. Он оберегал себя? От чего? Что-то шло неправильно в хозяйстве Гвардиолы, и «Мадрид» бросился в атаку с Криштиану на острие». Это была вторая победа Моуриньо в *clasico*, после его победы в финале Copa del Rey в предшествующем сезоне.

Решение Пепа дать старт Телью и оставить Пике, Сеска, Педро и Алексиса на скамье запасных вызвало обсуждение в раздевалке. Что подразумевал Гвардиола этим решением? Решил ли он, как подозревали некоторые игроки, наказать кого-то, кто не был так послушен, как должен был? Куэнча был в стартовом составе для матча против «Челси» – решение, которое многие считают еще одной ошибкой. Посмотрите на скамью.

ДЕНЬ МАТЧА 35 (21 АПРЕЛЯ 2102 ГОДА)
«БАРСЕЛОНА» 1:2 «РЕАЛ МАДРИД»

«Барселона»: Вальдес; Пуйоль, Маскерано, Адриано (Педро, 74-я минута); Тиаго, Хави (Алексис, 69-я минута), Баскетс, Иньеста; Альвес, Месси и Телью (Сеск, 80-я минута). Неиспользованные запасные: Пинто; Пике, Кейта и Монтойя.

«Реал Мадрид»: Касильяс; Арбелоа, Рамос, Пепе, Коэнтрао, Кедира, Хаби Алонсо; Ди Мария (Гранеро, 74-я минута), Озиль (Кальехон, 88-я минута), Роналду; и Бензема (Хигуаин, 93-я минута). Неиспользованные запасные: Адан; Кака, Марсело и Олбайоль.

Голы: 0:1. 17-я минута: Кедира. 1:1. 70-я минута: Алексис. 1:2. 73-я минута: Роналду.

Сантьяго Сигеро, Marca: Гол Криштиану, завершивший контратаку, уничтожил «Барселону» и приблизил завоевание титула «Мадридом», который проделал в «Камп Ноу» эффективную работу. Спустя несколько мгновений после того, как «Барселона» уравняла счет, португальцы получили точный пас рядом с Озилем. Этот гол мог означать, что после трех лет доминирования «Барселоны» «Мадрид» наконец выиграет Лигу. И, возможно, это могло также быть началом нового цикла перемен, о котором так долго мечтали поклонники этой команды.

Ole (Аргентина): В этом случае поединок между Месси и Роналду был выигран португальцем, который забил победный гол в «Камп Ноу» и обошел Месси по голам, имея 42. Но до этого после правильных действий защиты лучший игрок в мире сделал гениальный пас, который довел счет до 1:1.

25 АПРЕЛЯ 2012 ГОДА. ПОЛУФИНАЛ ЛИГИ ЧЕМПИОНОВ,
ВТОРОЙ ЭТАП. «БАРСЕЛОНА» 2:2 «ЧЕЛСИ»

«Барселона»: Вальдес; Пуйоль, Пике (Альвес, 26-я минута), Маскерано; Хави, Баскетс, Сеск (Кейта, 74-я минута); Месси; Куэнча (Тельо, 67-я минута), Алексис и Иниеста. Неиспользованные запасные: Пинто; Адриано, Тиаго и Педро.

«Челси»: Чех; Иванович, Кэхилл (Бозингва, 12-я минута), Терри, Коул; Лэмпард, Микель; Мата (Калу, 58-я минута), Мейрелеш, Рамирес и Дрогба (Торрес, 80-я минута). Неиспользованные запасные: Тернбулл; Эссьен, Малуда и Стерридж.

Голы: 1:0. 35-я минута: Баскетс. 2:0. 43-я минута: Иниеста. 2:1. 45-я минута +1: Рамирес. 2:2. 92-я минута: Торрес.

Рамон Беса, El Pais: Говорят, что Бог дает и забирает обратно. Но не следует думать, что все титулы «Барселоны» свалились на нее только после периода Пепа Гвардиолы. Футбол сине-гранатовых пленяет всех, кому нравится эта игра. Теперь казалось, что мяч, который когда-то регулярно оказывался в сетке ворот, постоянно попадает по их стойкам, и поражения сегодня приходят с той же регулярностью, с которой раньше приходили победы. Те же самые соперники, которых раньше «Барселона» укрощала своим брендовым «джазовым» футболом, теперь рассчитываются с командой, применяя стиль игры «рок и месть», а нападающие, ранее имевшие жалкий вид рядом с Месси, стоят в очереди вокруг «Камп Ноу» в жажде реванша. Это уже произошло с «Мадридом» в субботу, и вчера случилось во время матча с «Челси». Замученная, хрупкая и очень неудачливая «Барселона» теперь не попадает в финал Лиги чемпионов.

Марти Перарнау на www.martiПерарнау.com: Игра, в которой история повторилась. День Сурка: «Интер» 2010 год; «Челси» 2012 год. Полное доминирование, подавление соперников, мощная бетонная стена, великолепная работа на выживание команды «Челси», ослабленной травмой Кахилла и отставкой Терри, ставшей следствием странных действий этого опытного капитана команды. Гвардиола хорошо спланировал игру. Он открыл фланги, поставил двойной ложный номер 9 в виде Месси и Сеска. Игра напоминала вариант гандбола с передачами мяча поперек поля и дальним прицелом на прорыв посередине.

Мобильная защита Месси, который раз за разом пытался прорваться к воротам с поддержкой Хави и Баскетса, постоянно разбивалась о белую стену. «Барселона» — команда, которая стала неукротимой, вероятно, самая сильная, сплоченная и конкурентноспособная в истории футбола, обнаружила свою ахиллесову пяту: противники нашли способы справиться с ними, и теперь «Барселоне» предстояло поставить перед собой новые цели и найти решения для новых задач.

В раздевалке Педро был в слезах, как и Лео, который уже забил 63 гола в том сезоне, но не забил пенальти, из-за которого счет был 3:1, попав в перекладину ворот, так же, как в другом случае он попал в стойку. «Это был финал, в котором мы хотели играть, и удача отвернулась от нас, – вспоминает родившийся на Канарских островах крайний нападающий. – И это была игра, где, возможно, я видел Месси невероятно расстроенным и страдающим, возможно, потому что он не справился с пенальти, а, может быть, потому что он не попал в финал. Я полагаю, что важно и то, и другое».

На следующее утро Пеп организовал собрание во главе с президентом. Подозревая, что его уволят, Лео послал несколько эмоциональных текстовых сообщений тренеру, пытаясь убедить его не делать этого. Пеп хранит их и сегодня. Но маленькие ранки, которые появлялись на бывшей некогда прочной коже команды, начали гноиться.

Два дня спустя Пеп на тренировочном поле сказал своим игрокам, что он уходит.

До этого момента игроки не были уверены, действительно ли Гвардиола уйдет из клуба. Но после получения подтверждения на тренировочном поле начались разговоры о будущем. Кто займет его место? После тренировки команда уже знала, что на место Пепа придет Тито Виланова, и команда вздохнула с облегчением: это было самое лучшее решение. «После потери самого успешного тренера в истории клуба нам было очень приятно сознавать, что есть кто-то, столь близкий клубу», – говорит Маскерано, вспоминая шок, который они испытали на той очень легкой тренировке.

После занятий Пеп, в сопровождении президента, Сандро Розеля, и спортивного директора, Андони Субисарреты, объявил о своем решении на пресс-конференции. Лео там не было, но Пуйоль, Хави, Иньеста, Баскетс, Вальдес, Сеск, Пике и Педро пришли.

«Время подтачивает все, и мои силы закончились, – сказал Гвардиола. – Я пуст и должен снова наполниться. Я искренне уверен, что следующий тренер сможет сделать то, на что я уже не способен. Чтобы сидеть здесь каждые три дня, тренер должен быть сильным, энергичным, страстным. Я должен вернуть все это, а это возможно, только если я смогу отдохнуть и дистанцироваться. Я уверен, что в противном случае мы причинили бы боль друг другу... Я знаю, что оставляю позади, но полагаю, что поступаю правильно».

«Лео здесь! Лео здесь! Я получил от него много знаков искренней привязанности за последние дни», – заверил Гвардиола, когда его спросили, почему аргентинца нет на пресс-конференции.

Месси не понимал того, что происходило после тренировки. «Он был разъярен тем, что Пеп объявил о своем уходе, и не пошел на пресс-конференцию, – говорит Пике. – В команде произошел сбой передачи информации». Четыре капитана (Вальдес, Хави, Иньеста, Пуйоль) получили известие об объявлении в прессе и начали распространять его, но сообщение дошло не до всех. К тому же поначалу считалось, что на пресс-конференцию должны пойти только четыре представителя команды. Те, кто пошел, были удивлены, не увидев там Месси – так и возникла эта путаница. Как только Лео и Маскерано отметили присутствие некоторых игроков, равно как и старших товарищей по команде, они поняли, что их отсутствие обязательно вызовет различные слухи.

Несколько часов спустя «Блоха» повесил на Facebook следующее объявление: «Я хочу от всего сердца поблагодарить Пепа за все, что он сделал для моей профессиональной карьеры и меня лично. Из-за того, что я очень эмоционально переживаю уход Пепа, я предпочел не посещать эту пресс-конференцию. Я хотел быть вдали от СМИ, прежде всего, потому, что знаю, что они будут искать выражение печали на лицах игроков, а я решил не демонстрировать своего огорчения».

Оставалось сделать только одно. «Барселона» должна была встретиться с «Espanyol» в тридцать седьмом матче лиги того сезона. Клуб воспользовался возможностью показать, что последний матч в «Камп Ноу» будет данью уважения Пепу. Лео Месси забил четыре гола за игру. После первого «Блоха» указал на Гвардиолу. Затем последовали еще два.

Перед игрой Лео сказал отцу, что ему грустно из-за ухода Пепа: «Блоха» ощущает любое серьезное изменение как трагедию. Лео понимал, что Пеп сделал много хорошего для него и для команды, и считал, что Гвардиола заслужил некий публичный жест. Как раз перед четвертым голом Хавьер Маскерано сказал Месси, что если он снова забьет мяч в ворота, было бы здорово подойти к Пепу.

И когда Лео забил четвертый гол, он подбежал к скамье, чтобы обнять своего тренера.

Если объятие с Рональдиньо было своего рода сменой поколений, благодарностью мальчика своему наставнику, который заботился о нем, то в тот день в «Камп Ноу» поклонники увидели жест благодарности боссу, который сумел понять все его потребности. «Спасибо за все», – сказал Пеп Месси на ухо. «Я сделал это, чтобы поблагодарить его и потому что так чувствовал тогда», – сказал Лео после игры.

Затем они стали чемпионами Copa del Rey, выиграв матч против «Athletic de Bilbao» со счетом 3:0. Второй гол забил Месси. После завоевания четырнадцатого титула за время своего пребывания тренером Пеп снова сказал «Блохе»: «Спасибо Лео. Мы вместе завоевывали награды, но без тебя мы не выиграли бы и половины».

Несколько дней спустя Лео уехал в национальную сборную Аргентины и оттуда прислал несколько слов о Гвардиоле. «Я был удивлен и опечален, узнав, что он уходит. Я всегда буду испытывать к нему чувство уважения и восхищения. Теперь начинается новый этап, и мы надеемся продолжить так же, как действовали при Пепе. Гвардиола всегда говорил, что все, что он делал, он делал вместе с Тито Виланова. Мы надеемся, что у Тито все будет хорошо и это пойдет на пользу команде».

Лео Месси и Пеп Гвардиола больше не разговаривали друг с другом. Они потеряли контакт.

Они виделись на церемонии награждения «Золотой мяч» в январе 2013 года, поприветствовали друг друга, но ничего больше. Они не встречались, когда «Барселона» играла товарищеский матч против «Баварии Мюнхен» в конце лета 2013 года. «Я не видел его», – сказал Лео после игры.

Игроки и тренеры не должны вести себя как отец и сын. Они даже не обязаны любить друг друга.

Но, скорее всего, Пеп нуждается в еще одном теплом объятии Лео. Он сделал для него все, что мог. И, конечно, Лео хотел бы выразить ему свою привязанность и благодарность.

Некоторую холодность можно, безусловно, объяснить необходимостью выхода из состояния стресса, в котором были все после четырех крайне напряженных лет. «Должно пройти какое-то время, вам не кажется? – размышляет Жоан Лапорта. – С течением времени вы понимаете, что он сделал, можете оценить успех, которого он добился, команду, которую он собрал. Соревнования, в которых им приходилось участвовать, несут столь сильное ментальное давление, которое никак нельзя назвать нормальным. Так что вам потребуется время, чтобы посмотреть на все свежим взглядом. У команды и Пепа существует взаимная привязанность, я уверен в этом».

Пеп всегда будет помнить, что в его команде был лучший игрок в истории футбола. И он знает, что Лео любит его.

А еще знает, что Месси просто не знает, как выразить это.

Они оба ощущают, что были взаимно полезны друг другу. И в какой-то момент, когда они уйдут на покой или встретятся снова, они обязательно опять обнимутся. Им не нужно будет говорить что-то еще.

Но после ухода Пепа Лео в основном волновался о том, как теперь пойдут дела при новом тренере.

Глава 2
КУДА ДВИЖЕТСЯ ЛЕО?

1. КРИШТИАНУ РОНАЛДУ

— В жизни друзья приходят и уходят. Очень редко удается сохранить с кем-то отношения в течение тридцати лет, исключением могут быть лишь братья и сестры, а также родители.

— В первую очередь это касается отношений, которых у вас не было ни с кем больше: вы можете пройти через одну и ту же ситуацию, пережить сходный момент в жизни, но в разное время. Многие люди побеждали в своей жизни. Мы никогда не находились в одинаковом эмоциональном состоянии, но бывали в схожих ситуациях. Это позволяет нам до конца сопереживать другому человеку.

— Тем не менее очень странно, что мы способны сохранять такое уважение и ощущение близости, несмотря на постоянные попытки переплюнуть друг друга и взаимное стремление раздражать. Ты определенно был частью моей повседневной жизни, нравится мне это или нет, потому что я должен был соперничать с тобой и читать о тебе каждый день.

— Знаешь, у меня имидж жесткого человека, но твой имидж тоже очень крутой, и я смеялся, потому что знал, что я круче. Так было, я говорю это не для того, чтобы похвастаться или что-то еще.

— Ты был похож на безе со стальным шариком внутри, а я был стальным шариком с начинкой из овсянки.

— Ты был настолько мягким внутри, настолько уязвимым, настолько эмоциональным, а я был стойким, упрямым. Люди по-разному представляли себе, какие мы на самом деле.

— Я думаю, что контраст только укрепляет здоровое соперничество, инь и янь, черное и белое, то чем мы были — ты и я. В глазах публики мы были двумя противоположными полюсами. Я был более пассивен в игре, ты — более агрессивен, более эмоционален. Я был холоден. Сильный контраст, тебе не кажется?

— Самым очевидным был контраст стилей, но эмоциональный компонент был еще заметнее, потому что я просто не мог держать эмоции внутри себя. Мне нужно было выплескивать их в матчах.

— Я не понимал, как ты мог рыдать на поле. Я попытался понять, почему ты не в состоянии справиться с собой перед лицом шестидесяти миллионов человек, наблюдающих за тобой по телевизору, но, с другой стороны, я восхищался тобой, потому что ты был способен, не сдерживаясь, демонстрировать свои эмоции.

— Вы были одними из лучших соперников в истории футбола.

— Я долгое время ревновал к тебе. Я не хотел, чтобы ты побеждал. В других случаях я восхищался твоей честностью — ты говорил от чистого сердца. Я держал свои мысли при себе — я не буду говорить плохо на пресс-конференции ни о ком, потому что мать говорила мне: «Если ты не можешь сказать чего-то хорошего, лучше вообще ничего не говори». Я всегда хотел быть похожим на тебя. Я уважал тебя и восхищался тобой.

— Никто не хочет проигрывать в игре, но моей самой сильной мотивацией было стремление проверить свои силы и победить самого себя. Я соревновался с самим собой.

— Ты доминировал так, что я не мог найти ни одной трещины в твоих доспехах, ни одной возможности победить. Мне пришлось стать внутренне более сильным.

— Я видел заголовки в прессе, где нас представляли как борьбу положительного героя против злодея, и это ранило меня. Я был злодеем, и это причиняло мне боль. Мне это не нравилось, но что я мог поделать? Когда произносили твое имя, все аплодировали. Когда произносили мое, некоторые свистели. Я ревновал к тебе и из-за этого тоже.

**(Выдержка из беседы между теннисистами
Крисом Эвертом (любимый спортсмен Америки)
и Мартины Навратиловой (бесстрастная теннисистка чешского происхождения)
в захватывающем документальном фильме ESPN «Непревзойденные»)**

Возможно, у Роналду и Лео однажды по требованию ESPN будет шанс провести выходные вместе, как у Эверта и Навратиловой. Было бы очень интересно послушать беседу между этими двумя гигантами, их восхищение и гнев против своей судьбы. «Месси и его поэтичность не должны затмевать другого избранного – Криштиану Роналду – исключительного игрока, который также определяет свое время», – считает журналист Хосе Самано.

Один – высокий, красивый, с сильным ударом, ускорением спринтера. Другой – маленький, виртуозно ведущий мяч, играющий на поле самые разные роли: он может быть голеадором, умеет отлично пасовать или организовывать игру. Оба играли в командах, которые были построены таким образом, чтобы они могли максимально проявить свои возможности. Оба из простых семей. Лео не нуждается в расположении публики, так же, как и Роналду нужно, чтобы его просто приняли. У аргентинца есть малочисленный отряд защитников, тогда как вокруг португальца вращаются различные компании, заботясь о его деньгах и его образе.

Криштиану представляет собой типичного игрока мирового класса, которых мы сейчас привыкли видеть: он добивается расположения папарацци, ведет образ жизни голливудского актера. Месси – полная его противоположность. Возможно, он – первая звезда, которая хочет просто быть футболистом. Лео знает, что рядом с ним могла бы стоять супермодель, но он предпочел кузину своего друга, Антонеллу, с которой вырос.

Но это – поверхностный образ, культивируемый СМИ. В действительности же у них есть как много общего, так и того, что их разделяет: у них одинаковая страсть к соперничеству, они оба пожертвовали жизнью, чтобы осуществить мечты. В их жизни есть и общее: удары противников, требования, которые к ним предъявляются, сильнейшее желание победить, боль поражения. Они ценят, ищут и стремятся к коллективным наградам, но они также хотят добиться индивидуальных достижений и как можно большего числа забитых голов.

Вот, на мой взгляд, очень знакомая история.

Криштиану Роналду Душ Сантуш Авейро родился в феврале 1985 года на острове Мадейра. Он был четвертым ребенком Марии Долорес, поварихи, и Хосе Диниса, садовника. У семьи были финансовые затруднения. Хосе не только любил футбол, это была часть его мира, поскольку он заведовал снаряжением в своей деревенской команде. Криштиану жил с мячом в ногах, и, когда у него не было кожаного мяча, он делал себе мяч из чего угодно, что находил под рукой. «Sporting Lisbon» заключил с ним контракт, и в 12-летнем возрасте он впервые в жизни уехал с Мадейры. В клубе смеялись над его акцентом, который в Лиссабоне считался акцентом бедняков. За один сезон он сыграл в «Sporting Lisbon» на пяти разных уровнях, включая первую команду.

Криштиану, отец которого скончался в 2006 году, говорит о сэре Алексе Фергюсоне – тренере в «Манчестер Юнайтед», как о втором своем отце. У Лео есть Хорхе – менеджер и отец, две роли, которые очень трудно объединить. Мать Роналду соединяет роль матери с ролью наперсницы и защитника и всегда готова помочь позаботиться о ребенке ее сына-холостяка. Старший брат Месси, Родриго, часто действует, как его отец. Таким образом, у обоих – у Месси и у Роналду – сходные обстоятельства, касающиеся тесных семейных связей и людей, которым они доверяют, причем эти близкие люди должны играть различные и часто меняющиеся роли.

У обоих есть дети, которые привели к изменению их характера и заставили их созреть и возмужать. Они оба в разное время своей карьеры консультировались с психологом, хотя каждый реагировал на это по-своему: Лео не считал, что это принесло ему пользу, тогда как Роналду ходил к психологу в течение нескольких лет работы в «Реал Мадриде». Этот специалист помог ему изменить публичную репутацию и научил сдерживать себя. Оба в молодости фантазировали о своем будущем: каждый сказал себе, что будет лучшим, как будто это было написано в книге судеб.

В 2009 году немецкий журнал *Der Spiegel* заявил, что Роналду – «самый быстрый футболист на планете». Это свойство было результатом «невероятно тонкой настройки крайне мощного мотора»: он регулярно делает 3000 приседаний, каждую ночь спит по восемь часов и обладает невероятной внутренней мощью. Тысячи часов тренировок с мячом позволяют ему подсознательно принимать решения и знать, даже не глядя на поле, как будет развиваться игра: он просачивается мимо соперников на максимальной скорости, глядя им на ноги (он может обойти 13 конусов за восемь секунд). Он способен точно оценить расположение противников, величину доступного и необходимого пространства, даже в темноте он способен чувствовать, куда попадет мяч, что он продемонстрировал, когда его попросили для фильма сделать удар по намеченной крестом точке и при выключенном свете.

Криштиану забил гол в обоих случаях: время его реакции составляло 300 миллисекунд. Он забил даже тогда, когда не мог видеть ногу того, кто пасовал ему мяч, потому что свет был выключен. Его удар, известный как «томагавк», при котором мяч взлетает и падает как ракета, является следствием каждодневного выполнения 25–30 свободных ударов по мячу.

Но люди решили, что один – злодей, высокомерный, самоуверенный, нахальный, а другой – неустанный скромный труженик. Именно так они часто описываются в латинском мире. CR7 (Криштиану Роналду и его номер на футболке) часто демонстрирует свои чувства, именно поэтому поклонники противника пытаются оттолкнуть его криками «Месси, Месси», тогда как Лео большую часть времени держит свои эмоции под контролем. Люди питаются соперничеством, это такой же факт, как то, что Роналду поощряет это сравнение, не дающее ему никакого снисхождения. Но тут уж ничего не поделаешь: это трагедия тех, кто идет на шаг позади, пусть даже своим, не менее экстраординарным способом.

Педро Пинто (CNN): Мы будем говорить об имиджах, не о футболе. Вам не кажется, что порой вы – жертва своего собственного имиджа?

Криштиану Роналду: Я не придаю этому особого значения, но иногда думаю – да, это так.

Педро Пинто: Почему?

Криштиану Роналду: Почему? Возможно... Я никогда не знаю 100-процентно правильного ответа, потому что порой я действительно просто не знаю его. Возможно, я иногда готов согласиться, возможно, у меня плохой имидж на поле, потому что я слишком серьезен... Но, если вы действительно хорошо знаете меня, если вы – мой друг, если вы вхожи в мой дом, если вы проведете со мной целый день... вы поймете, что я очень не хочу проигрывать!

Спустя четыре года после перехода в «Реал Мадрид» поклонники этого клуба все еще не могут прийти к согласию относительно того, какой Криштиану в действительности. «Люди думают, что его жизнь составлена из последовательности ежедневных кризисов, – пишет Диего Торрес. – В действительности же они не знают его, кроме тех моментов, когда его стремление к соперничеству берет верх. Он простой парень, образованный, благородный, уважающий своих противников, умеющий достойно вести себя в городе, который он ценит».

В незабываемой сцене из фильма «Гонка» – истории соперничества между Джеймсом Хантом и Никки Лауда – можно услышать слова недавно на тот момент женившегося австрийского гонщика «Формулы-1»: «Счастье – враг, оно ослабляет вас, внезапно у вас появляется то, что вы можете потерять», «наличие врага – благословение». Так что это не совпадение: 28 января 2013 года Роналду отпраздновал три гола в матче против «Хетафе». Несколько часов спустя, в «Камп Ноу», Месси забил четыре гола в матче против «Osasuna». «Уровень мастерства, который они требуют от себя, меняется и увеличивается, когда увеличиваются достижения противника», – написал для этой книги писатель и тренер по физподготовке Педро Гомес. «Мелкие мысли заставляют нас лишь немного приподняться. Если ежедневно не стимулировать рост, поднимая планку уровня, который мы требуем от себя, мы перестаем развиваться. Если бы одного из них не существовало, то другой удовлетворился бы, став лучшим забивающим с двадцатью пятью голами». Каждый из них делает другого лучше – то же самое, что было с Навратиловой и Эвертом.

Но в настоящее время общепринятое мнение таково: Месси на шаг впереди Роналду. В то время, когда они были игроками «Мадрида» и «Барселоны» (с 2009 года), «Барселона» выиграла 15 титулов, «Мадрид» – три. Месси получил четыре «Золотых мяча», Роналду – один. Месси также выиграл в битве за «Золотую бутсу» как главный забивающий в Европе, 3:1. И, согласно публикации Международного центра футбольных исследований ФИФА, рыночная стоимость Лео Месси составляет €250 миллионов, в то время как цена Криштиану Роналду колеблется между 102,2€ и €118,7 миллионами.

Роналду больше страдает от этого сравнения: должно быть, больно быть вторым, несмотря на все усилия, жертвы, амбиции и талант. И Месси для него – нечто вроде навязчивой идеи: он – его ориентир. Он требует, чтобы его клуб относился к нему так же, как «Барселона» – к Лео, с той же привязанностью.

Пока они соревнуются, их отношения будут отмечены борьбой за пространство, то небольшое пространство, на котором существуют эти великие люди. Но как они живут? Что они говорят друг другу, когда встречаются? Когда на них не направлены прожектора?

На праздновании по поводу вручения «Золотого мяча» 2013 года Рууд Гуллит счел, что он заметил «странные отношения между Криштиану и Месси: они только приветствуют друг друга и все». Отношения в присутствии других холодные, но не плохие: почтительные, но отстраненные. Они не ненавидят друг друга, как могли бы полагать некоторые люди, в частности, члены семей обоих. Беседа обычно не выходит за рамки «привет, как дела, все хорошо?» На публичных мероприятиях Месси всегда окружен собственной командой, или рядом с ним Хави и Иньеста, тогда как Роналду обычно ходит один, потому что общение с незнакомыми людьми его напрягает.

Когда спортсмены видятся вне публики, бывает трудно сломать лед. В сентябре 2012 года выбирали лучшего игрока сезона по версии УЕФА. Перед тем как выйти на сцену, Иньеста, Месси и Роналду ждали в отдельной комнате. Никого больше там не было. По версии *El Mundo*, один из трех сделал первый шаг. Криштиану посмотрел на Лео и спросил его о проведенном лете и о недавних матчах. Месси ответил, Иньеста включился в беседу, которая стала вполне дружественной и была посвящена футболу. Оба барселонца были удивлены, впервые увидев такого отзывчивого Роналду, и это в разгар эпохи Жозе Моуриньо!

Диего Торрес в своей книге «Подготовка к поражению» вспоминает историю, которая иллюстрирует отношения этих двух звезд. Это произошло на вручении премии «Золотой мяч» 2012 года, в день, когда президент «Реал Мадрида» Флорентино Перес больше всего боялся, что Роналду мог оказаться в «Барселоне». Андрес Иньеста, Пеп Гвардиола и Висенте дель Боске были свидетелями следующего:

«7 января 2013 года президент стоял один в углу зала Kongresshaus Zürich, следя за Месси, в то время как у него брали интервью для телевидения. В другой стороне зала внезапно появился Криштиану. Тогда произошло именно то, чего так боялся президент. Месси позвал Криштиану, тот подошел, и они обнялись, как дети. Перес признался своим друзьям, что наблюдать эту сцену ему было мучительно. Он чувствовал опасность. Он представлял себе последствия. В январе 2015 года Криштиану был бы свободен, а затем любой клуб, включая «Барселону», мог заключить с ним контракт, не ведя переговоры с «Мадридом».

За год до этого Роналду пришел в офис Переса в Бернабеу, чтобы выразить свое негодование по поводу поведения клуба, дистанции, которую ему продемонстрировали, и медлительности переговоров по возобновлению его контракта. Игрок угрожал уйти из «Мадрида». «Если это вопрос денег, то я приду завтра со ста миллионами евро», — сказал Роналду президенту. Флорентино парировал: «Нет не сто, ваш контракт стоит €1 миллиард... Если вы хотите уйти, принесите мне эти деньги, чтобы заключить контракт с Месси».

Они не друзья, но публично ведут себя вежливо по отношению друг к другу. Все остальное – выдумка СМИ.

Месси восхищается силой удара головой Криштиану, но он устал от сравнений. Лео понимает, что Роналду это тоже не нравится, и без малейшего удовольствия наблюдает за своим воображаемым заклятым врагом, гневно реагирующим на публичные приставания тех, кому нравится видеть, как они воюют. Роналду, который впервые примет участие в рекламе планшетов Google Nexus 11 вместе с Лео, не считает, что их следует сравнивать: «Месси и я столь же различны, как «Феррари» и «Порше».

Роналду (возможно, это признак незрелости, который можно заметить у очень многих футболистов) считает необходимым принимать храбрый вид перед своими товарищами по команде, не бояться Месси и принимать вызов. Все они настоящие мачо, и все это – ложь. Именно поэтому, согласно мнению некоторых игроков «Реал Мадрида», у CR7 прозвище «негодяй», и если он видит, как кто-то из его клуба разговаривает с Лео, то также называет его «негодяем». В этой среде обычно сравнивают их отношения с взаимоотношениями между Ирландской Республикой и Соединенным Королевством. У игроков «Мадрида», с их не слишком изящным чувством юмора, есть длинный список шуток, среди которых Месси называют «собачкой Роналду», «марионеткой» или говорят, что «Блоху» можно спрятать в дизайнерской сумочке, принадлежащей португальскому игроку. Есть и гораздо более пошлые шуточки.

Роналду соответствует бизнес-плану «Реал Мадрида» и вписывается в их поиск звезд. Месси соответствует более романтичному образу «Барселоны». Именно поэтому «Барса» не может даже представить, что продает своего ведущего футболиста: если бы клуб действовал согласно правилам бизнеса, то Лео был бы продан на пике формы, когда можно получить самую высокую плату за передачу игрока. Если эта романтическая идея будет поддерживаться, то Месси не разрешат уйти до тех пор, пока он не решит перейти в «Ньюэллс» на закате карьеры.

Агент Роналду Хорхе Мендес предложил его «Барселоне» до того, как тот расписался за «Манчестер Юнайтед», и в 2010 году, уже играя в «Мадриде», он сказал: «Вы никогда не можете сказать «никогда», потому что не знаете, что может произойти в будущем». Вы можете вообразить Месси и Роналду вместе? Теперь это невозможно – оба клуба проследили за тем, чтобы их заработная плата и плата за контракт перешли – или вскоре перейдут – все общепринятые границы. Роналду возобновил контракт в сентябре 2013 года и теперь получает чистый доход в €21 миллион. «Барселона» торгуется с Месси, и цель состоит в том, чтобы объявить о возобновлении контракта в декабре, спустя десять месяцев после последнего подписания предыдущего документа. Лео мог заработать, включая бонусы, чистый доход в €23 миллиона.

«Оба действительно очень хороши, – говорит бывший тренер сборной Аргентины Карлос Билардо. – Месси приближается к вам, и вы понятия не имеете, куда он двинется дальше. Однако люди, связанные с футболом, знают, в каком направлении бьет Роналду. Месси, безусловно, лучший».

«Это ужасная неудача для Криштиану, что он совпал по времени с Месси, – уверяет бразильский Роналдо. – Эти двое оставили остальных далеко позади, хотя – по-моему – Месси немного лучше».

«Они очень разные. Единственное, что есть у них общего – это голы. У них различные стартовые позиции, и Криштиану предпочитает входить от фланга, чтобы поискать возможность забить гол, а Месси перемещается везде, где захочет», – объясняет Висенте дель Боске.

«Месси очень трудно остановить, он совершенно непредсказуемый, – говорит тренер «Валенсии» Мирослав Джукич. – По положению Криштиану ясно, когда он намерен совершить удар, он добивается большего успеха, если перед ним есть свободное пространство. Он также хорош в воздухе. Он – чистая сила. Месси – лучший командный игрок во всех трех категориях, что-то совершенно ненормальное. Он очень хорош в игре один на один и на ограниченном пространстве».

Жерар Пике придумал фразу, позволяющую провести сравнение между ними: «Месси – инопланетянин, а Криштиану – лучший из людей».

Но, в конце концов, это совершенно бессмысленные дебаты. Нет никакого точного способа измерять личные способности людей в командной игре. Но одно кажется ясным. Чемпион – это не то же самое, что звезда. У чемпиона очень ясное мышление: он гармоничный, творческий. Звезда может пропасть в любой момент, потому что у него очень большое и хрупкое эго. Чем труднее ситуация, тем больше усилий прикладывает чемпион. Вы не можете установить границы для чемпиона, вы не сможете воспрепятствовать его успеху, потому что он приносит вам голы и титулы.

Так что, несмотря ни на что, и Роналду, и Месси – бесспорные чемпионы.

2. ТИТО ВИЛАНОВА, НОВЫЙ ЛИДЕР

Мартин Соуто: Не преувеличено ли значение тренера? Можно сказать: «Мы и так уже отлично знаем друг друга, так что не нуждаемся в тренерах»?

Лео Месси: Нет. Я думаю, что тренер сейчас очень важен, возможно, важнее, чем когда-либо. Вы можете знать друг друга, играть инстинктивно, но наставник нужен вам для того, чтобы подсказать множество мелких деталей, чтобы подготовиться к игре. Когда Тито отсутствовал, мы скучали по нему. При всем должном уважении к Хорди Роура, который стал нашим тренером и идет одной дорогой с нами, пытаясь помочь, в начале года нашим тренером был Тито, и его отсуствие стало для нас серьезным ударом.

Мартин Соуто: Тито проделал большую работу в эпоху Пепа, не так ли?

Лео Месси: Да, и впоследствии он выполнял ее по-своему. Тито — очень умный человек, который очень много знает о футболе. Он совершенно не похож на Гвардиолу и совсем иначе доносит до нас свои мысли. С самого первого дня, когда он еще был вторым номером, мы все очень уважали его, так что переход от Пепа к Тито прошел довольно гладко.

(Лео Месси, интервью с Мартином Соуто, TyC Sports, март 2013 года)

Когда Лео узнал, что Виланова должен стать преемником Пепа, он широко улыбнулся. Это было именно то, в чем он нуждался. Бывший помощник Гвардиолы не только был его первым тренером, который поставил его позади главного нападающего в Infantiles, но они также общались в течение четырех лет эпохи Пепа. Месси радовался преемственности. «Он – нормальный, открытый человек. Прямой, говорит в лицо, что думает. Он мне нравится», – сказал Месси *El Pais.* Тито должен был стать футбольным тренером и никем больше – клуб наконец принял на себя часть ответственности, которую передал опустошенному ныне Гвардиоле.

В первое лето после ухода Пепа в составе команды не происходило существенных изменений. Тито Виланова искал центрального защитника и центрального полузащитника, или кого-то, кто мог исполнять обе роли: он думал о Джави Мартинесе, но из «Арсенала» пришел Алекс Сонг. Заключили контракт с Хорди Альбой из «Валенсии» – чрезвычайно активным в наступлении защитником. Сейдоу Кейта ушел, но, в целом, в сезоне 2012/13 года команда была физически не слишком сильной.

В предыдущем сезоне «Барселона» завоевала только незначительные титулы – Copa del Rey, чемпионат мира среди клубов и испанский Суперкубок – но создавалось ощущение, что требовалась лишь небольшая настройка – особенно в работе без мяча. Команда также должна была найти новые варианты нападения, но Тито считал, что всего этого можно было добиться с игроками, имевшимися в его распоряжении.

При Гвардиоле Лео забил 211 голов в 219 играх, или, говоря иначе, 150 в последних 135 матчах. Увеличенное число голов было прямо пропорционально его возрастающему влиянию на игры. Психологическое состояние команды может быть измерено распределением голов. Когда их по большей части забивает один и тот же человек, то в хрупком состоянии равновесия, в котором пребывает футбольная команда, начинают появляться трещины.

Имелось две проблемы. Новый тренер должен был гарантировать, что никто не станет уклоняться от выполнения своих обязанностей. В то же самое время Лео должен был позволить другим игрокам расти рядом с собой: в этом случае у противников возникало больше поводов для волнения.

Но Виланова принял еще одно решение: его господство началось с договора с игроками. Статус-кво сохранялся, изменения в тактике и иерархии были минимальными. Он даже снял требование, чтобы игроки ели вместе – тонкая форма контроля над питанием, наложенная Гвардиолой.

Начало сезона было обнадеживающим. Футбол стал более прямолинейным: Лео меньше получал мяч, чем при Пепе, но он продолжал играть очень важную роль. Это был лучший старт в Лиге, чем когда бы то ни было.

Управлять также означало потерять контроль над игрой. Лео и Сеску, в соответствии с их стилем игры, нравилось пытаться закончить игру, как можно быстрее, их действия больше не были терпеливым наращиванием напряженности, как у Хави и Иньесты.

В разговорах Тито с командой он все еще настаивал на владении мячом, но не только. Ключом к успеху «Барселоны» Гвардиола считал организационную структуру, при которой каждый должен был находиться на заданном месте, чтобы оказывать наиболее сильное давление на поле, когда они теряли мяч. Алексис, Вилья и Педро ждали на флангах, без мяча, в то время как остальная часть команды создавала игру.

В том, что они делали, был определенный порядок.

Трое из них, Алексис, Вилья и Педро, знали, что должны сделать, и знали, что другие готовы к взаимодействию. Но когда эта чрезмерная строгость и контроль исчезли, команда стала больше зависеть от индивидуальной игры, а не от координации усилий команды – все начали реализовывать собственные решения. Эта проблема началась еще при Пепе, но еще сильнее это стало заметно при снисходительном лидерстве Тито.

И затем, в самый разгар реализации этой программы, возвратилась болезнь Вилановы. С этого момента оценка его работы делалась не столько с профессиональных, сколько с сентиментальных позиций.

В мае 2012 года врачи объявили, что он полностью восстановился после операции по поводу опухоли околоушной железы. Но 19 декабря было объявлено, что Тито оставит скамью «Барселоны» и отправится на еще одну операцию, намеченную на следующий день.

С этого момента Тито приходит на тренировочное поле и уходит, смело пытаясь соединить восстановление после операции с подготовкой команды к матчам. На второй неделе января 2013 года он на несколько дней поехал в Нью-Йорк на консультацию, а на следующей неделе возвратился в Соединенные Штаты, чтобы получить сеансы химиотерапии и радиотерапии. Он не присутствовал при поражении в матче с «Real Sociedad» со счетом 3:2, хотя в следующей игре команда ответила разгромом «Osasuna» со счетом 5:1.

Из Нью-Йорка Тито позвонил по телефону, чтобы подобрать команду для игр, во время матчей он был в прямом контакте через Whatsapp с Хорди Роура, который заменял его во время отсутствия. Два месяца спустя он вернулся к команде.

По возвращении Тито объяснил команде, что у него все в порядке. Не только Лео внимательно его слушал, или, по крайней мере, производил такое впечатление: во время обычных разговоров его взгляд блуждает, ни на чем не останавливаясь. Но на этой встрече Лео смотрел прямо в глаза Тито, ловя каждое его слово. Лео, как и все остальные члены команды, страдал от свалившихся на них ударов судьбы.

В ноябре Эрик Абидаль вернулся к тренировкам, несмотря на то, что поначалу действовал вдали от команды: в декабре доктора подтвердили, что он здоров и может снова играть, после чего он принял участие в пяти играх, включая один полный матч. Игроки надеялись на восстановление француза, видя, как Тито спокойно идет вдоль кромки поля в шарфе, скрывающем шрамы от хирургической операции на шее.

Это была странная, аномальная ситуация. Директора клуба делали ставки на Хорди Роуру, который анализировал игры и готовил досье на соперников для Гвардиолы. По сути это означало оставить команду управлять собой самостоятельно, обеспечивая душевный покой, благодаря которому команда оказалась способна разумно справиться с любой ситуацией. Руководили всем старшие игроки, включая Лео.

Однако ситуация была довольно сложной. Большинство тренировок длилось 40 минут: 20 минут разминки и 20 минут футбола. Не хватало внимания к деталям. Динамика, имевшаяся в начале сезона, предполагавшая сильный прессинг на поле, терялась. Если вы не предъявляете футболисту повышенные требования, первой уходит его способность обрабатывать мяч.

В те дни самоуправления Месси был максимально активен, стремясь принимать участие в создании плана игры и в его реализации.

2012 год стал одним из выдающихся достижений Месси, некоторые из которых превзойти кажется почти невозможным. Мало того, что он побил 40-летний рекорд Герда Мюллера по голам за календарный год, забив 91 гол и завоевал четвертый «Золотой мяч» подряд, но в том году у него были и другие достижения: (любезность @MessiStats): лучший забивающий чемпионата Европы четыре года подряд, единственный игрок, забивший пять голов в одном матче Лиги чемпионов (против «Bayer Leverkusen»); наибольшее число хет-триков в Лиге за один сезон; футболист, забивший в самом большом числе последовательных матчей Лиги; игрок, забивший больше всего голов в год игроком сборной Аргентины (этот рекорд он разделяет с Габриэлем Батистутой); игрок, забивший большую часть голов за один сезон чемпионата Европы; игрок «Барселоны», имеющий наибольшее число хет-триков в Лиге; игрок «Барселоны», забивший наибольшее число голов в clasicos; игрок, забивший наибольшее число голов в Лиге за сезон; игрок «Барселоны», забивший наибольшее число голов на европейских соревнованиях. Кроме того, он забивал по голу в течение каждых 63 минут во время игр 2012 года за клуб и свою страну и стал игроком «Барселоны», забивший больше всего голов в Лиге и большинство голов на всех соревнованиях, побив рекорд в 232 гола Сесара Родригеса Альвареса...

И это далеко не все...

Месси сумел добавить еще одну интересную статистическую величину к своему растущему списку рекордов: он забивал приблизительно 15 процентов своих голов правой ногой – «плохой ногой»: стремление увеличить свои возможности принесло законные плоды.

Без тренера команда все чаще смотрела на Лео, что началось еще при Гвардиоле. И «Блоха», как обычно, захотел больше: больше мячей, больше голов, больше влияния.

«Гвардиола сделал все, чтобы создать систему под Месси, – пишет Марти Перарнау в газете *Sport*. – Вначале это привело к тому, что все играли для Хави, так, чтобы тот мог активировать способности Месси». Перарнау сослался на интервью с каталонским центральным полузащитником в *Suddeutsche Zeitung*, который так объяснил ситуацию. «Если я замечаю, что Месси не касался мяча в течение приблизительно пяти минут, я думаю: «Это неправильно. Этого не может быть. Где он?» В результате я нахожу его и говорю: «Стань ближе, давайте начнем играть». Месси – нападающий, а игроки иногда притормаживают, как будто выключаются. Но когда Лео возвращается в центр, он начинает наслаждаться игрой».

Но когда Сеск начал проходить мимо Хави, чтобы быстрее добраться до Месси, начали закладываться основы «мессизависимости».

Поскольку команда начала все сильнее зависть от Лео, он стал еще более требовательным к себе, более заинтересованным в том, чтобы команда не пошла на спад, и более жестким к любому, кто не отвечал ему тем же. Его ребяческие черты личности стали более заметными, хотя в то же самое время он действовал как взрослый, который следил за всем, делал все необходимое, отвечал за все.

Таков парадокс, с которым сталкиваются великие звезды, и причина, по которой нам трудно их понять: редко когда мужчины 20 или 30 лет сталкиваются с уровнем ответственности, который упал на Лео, когда ему было 26 лет.

Футболисты позволяют себе говорить о тактике, как это сделал Лео в феврале на *Barça TV* после тяжелого матча против «Севильи» в «Камп Ноу»: «Команда продолжает держать мяч, не создавая те же самые опасные ситуации. Нам нужно пройти в глубь поля, чтобы сломать защиту». Он предложил решение. «Наличие такого ориентира, как Давид Вилья, означает, что центральные защитники остаются на своих позициях и не выходят вперед. Все это помогает создать большее пространство для всех остальных». С Вильей Месси играл более свободно, и тот, играющий между двумя противостоящими центральными защитниками так, чтобы Лео мог получить больше пространства и сам мог оказаться ближе к воротам, в итоге забил голы в трех играх, что сделало его вторым по результативности голеадором в команде.

Во время этой кампании часто обсуждались отношения между Давидом Вилья и Месси, особенно после очень публичного обмена мнениями, который произошел между этими двумя игроками в первой половине пятого матча сезона между «Барселоной» и «Гранадой», после того, как Вилья не передал мяч Лео, когда он был в очень выигрышном положении. «Канал+» передал следующую запись:

Месси: «Веди его передо мной, впереди! Веди его там!»

Вилья: «Но ты же не можешь вести его! Черт возьми, парень. Он у меня был, и я передал его тебе!»

Месси: «Вон туда, черт возьми!» (указывая на пространство, где он должен был получить мяч).

Вилья потерял позицию в первой команде после серьезной травмы на чемпионате мира среди клубов в декабре 2011 года. Тито счел, что Алексис будет лучше сочетаться с Лео в нападении, а Вилья, чемпион мира, не из тех игроков, кто охотно соглашается на замену.

«Я сказал, что не стоит искать проблемы там, где их нет, поищите их где-нибудь в другом месте, – сказал Лео в интервью *El País* в то время. – Нет никаких проблем. Мы – команда, которая функционирует выше и вне спорта, хорошо и эффективно. Мы были вместе в течение долгого времени, и мы отлично работаем вместе на человеческом уровне. Никто не знает, сколько удовольствия мы получаем от игры, а после стольких лет это не так-то легко».

В матче против «Glasgow Celtic» все закончилось вторым поражением клуба за сезон, однако Вилья решил бить по воротам в тот момент, когда у него была возможность паса Лео. От ругани стоял дым коромыслом.

Несмотря на то, что предложение Лео о включении Вильи в основной состав работало на команду, стало очевидно, что Месси, как и сама команда, нуждались в ком-то, кто сможет правильно нацелить его талант, инстинкты и потребности. Футбол в «Барселоне» стал обменом ударами с противником – ворота на обоих концах поля и никакого контроля над игрой. Это никому не приносило пользу и сокращало футбольную жизнь Лео: при наличии разумных ограничений, ясно поставленных задач и определенных целей она могла продлиться намного дольше: его действия на поле более эффективны, когда есть ясные параметры и направляющие принципы.

Без ясного лидерства начинается путаница. В игре против «Bayer Leverkusen» Алексис дважды забил гол, но также получил втык от Лео за то, что не сделал пас, когда должен был это сделать. Игроки, которые получали втык от Месси, были форвардами и крайними нападающими, то есть теми, кто должен был пасовать ему мяч: требования Лео коренятся в логике футбола. Но он был также одной из ведущих фигур в раздевалке, как Роналдиньо до него, а растут лишь те, кто смеет бросить вызов общепринятым установлениям, как это в свое время сделал Лео, попав в первую команду. Те, кто не может справиться с этой проблемой, оказываются за бортом.

Мартин Соуто: Я должен спросить у вас это. Вы когда-либо дрались с товарищами по команде?

Месси: Да, но до серьезной потасовки дело не доходило. Для меня то, что было в прошлом, остается в прошлом. Это остается на поле. Я могу злиться день, два, но затем все проходит.

Мартин Соуто: Но это произошло с действительно близким другом?

Месси: Да. Это произошло с Пинто на тренировке в короткой игре, которую они выиграли, а затем начали веселиться, и мы начали спорить и бороться. Но он знает меня, и он подошел ко мне через день, посмотрел на меня, и мы начали смеяться вместе — все.

(Лео Месси, интервью с Мартином Соуто, TyC Sports, март 2013 года)

Удивительно, но Пинто, приятель и защитник Лео, является вратарем, как Оскар Устари и Хуан Крус Легуизамон, двое из его лучших друзей. Лео всегда чувствовал себя с ними тепло и по-домашнему, больше, чем с другими. Возможно потому, что они – «отличающиеся» (el distinto), как писалось в книге о Месси, изданной *Ole* в 2013 году.

В любом случае напряженность на поле и футбольные споры проявились как результат отсутствия лидера. Мальчик, который приложил такие большие усилия, чтобы добраться до высшего уровня, теперь оказался перед другой проблемой: как справиться с успехом. Борьба не кончилась, она только немного изменила форму.

Год закончился двумя важными для Лео событиями: во-первых, 2 ноября родился Тиаго, его сын, первый ребенок Лео и Антонеллы. Точно в 17.14. Четырнадцать минут шестого днем Twitter сошел с ума: сначала из-за хороших новостей, потому что время рождения, 17.14, является годом поражения каталонцев от испанских Бурбонов во время испанской оккупации, в честь которого в Каталонии объявлен государственный праздник.

А во-вторых, Лео возобновил свой контракт.

После телефонного звонка Лео дал знак, что возобновляет контракт, о котором объявили в то же самое время, что и о контрактах с Хави и Пуйолем, стараясь сохранить гармонию отношений в команде. Два старших игрока и звезда команды обещали свое будущее клубу. Хорхе Месси получил – и отверг – сенсационное предложение от российского клуба, готового заплатить €400 миллионов за его сына; Лео получил бы €32 миллиона в год.

Пункт покупки за €250 миллионов остался на месте, его фиксированная заработная плата повысилась до чистого дохода в €13 миллионов (всего €22 миллиона), и он получал бонус €3,2 миллиона в год, если будет играть 60 процентов матчей.

«Барселона», несмотря на сомнения относительно их стиля игры, устойчиво продвигалась по пути к победе в Лиге, в то время как в «Мадриде» возрастал уровень напряженности и недоверия. Взрыв произошел спустя всего несколько месяцев после того, как их вечные соперники выиграли Лигу.

Жозе Моуриньо разработал тактический план для своей команды, которая сильно затруднила игру Лео. Лео сравнялся по рекордам с Альфредо Ди Стефано – 18 голов в clasicos, но высокий рубеж обороны мадридцев душил его и удерживал вдали от ворот. «Мадрид» выбил «Барселону» из борьбы за кубок после игры вничью со счетом 1:1 в «Бернабеу», за которой последовала победа со счетом 3:1 в «Камп Ноу».

Согласно тому, что написал Диего Торрес в своей книге, Моуриньо приказал игрокам касаться лица Месси – действие, которое, по мнению португальца, приведет его в бешенство. Альваро Арбелоа и Хаби Алонсо сделали это, удивив Лео, который ошеломленно повернулся к судье на линии.

В конце игры ожидаемый инцидент произошел с преданным помощником Моуриньо, Айтором Каранкой (очевидно, Лео сказал ему, «Какого... вы на меня смотрите, марионетка Моуриньо?»), и также с Арбелоа, над которым он провел навесную передачу, заявив: «Что ты тут высматриваешь, клоун? Я буду ждать тебя в Барселоне».

На пресс-конференции после матча Хосе Кальехон, один из игроков Моуриньо, объяснил: «Я видел стычку с Айтором, потому что стоял позади него. Возможно, это естественно, потому что на поле мы немного перевозбуждены и говорим то, о чем позднее сожалеем. Но профессионал, ждущий от часа до полутора, чтобы оскорбить другого профессионала, который стоял со своей женой – это чересчур».

«Барселона» покинула стадион спустя 45 минут после окончания игры, и свидетели утверждают, что Лео двигался к автобусу, когда Арбелоа вышел из своего автомобиля, но все говорят, что никакого разговора не было. Пако Гарсия Каридад, престижный журналист мадридской газеты *Marca*, сказал в прямом эфире и в Twitter: «Попытки дискредитировать Месси доходит до гротеска. Кто сливает информацию о том, что, как предполагается, сделал Месси? Моу? Его верная тень? Мы знаем, кто распространяет слухи, но должны ли мы после этого пачкать облик Месси?» Тем не менее задача нападавших на Месси была ясна: подлить масла в огонь кампании, которая началась несколькими месяцами ранее, совпав с перепалкой Месси с Вильей. Задача кампании – уничтожить Лео. В любом случае его голы и последовательные действия Иньесты маскировали проблемы, которые начинали угрожать команде. Травмы Хави и Пуйоля, двух старших игроков, сделали их более слабыми, в то время как другой ветеран, Виктор Вальдес, сказал клубу, что, завершив свой контракт летом 2013 года, намерен уйти. На тренировках была заметна недостаточная интенсивность занятий, игроки стали сильнее злиться. На поле футболисты не объединялись в единые тактические связки, и командам, игравшим против них, стало легче забивать им голы. «Барселона» пропустила голы в тринадцати играх подряд. Это все стало обычным делом — проблема была в недостаточной точности ударов и отсутствии тактического единства.

Затем наступил апрель — самая важная стадия сезона — в этом месяце обычно решается судьба наиболее важных титулов. Рамон Беса в *El Pais* подвел итог того, в чем команда испытывала недостаток. «Необходимо закрыть спортзал и клинику, сделать перекличку на тренировке и вернуться к практике напряженных тренировок». В течение этих недель Лео выглядел не слишком счастливым. «Обычно он выглядит вполне нормально, даже хорошо, — говорил Дани Альвес в интервью *El Mundo* в то время. — Но я не лицемер, и не буду придумывать того, чего нет. Совершенно ясно, что в последних нескольких играх боевой дух Месси был очень низок. Почему? Я не знаю и не пытался узнать. Я готов знать только то, чем люди сами хотят поделиться со мной. А если кто-то не хочет поделиться со мной чем-то личным, то зачем лезть? Я уважаю его личное пространство. Но я заметил, что Лео несколько более замкнут и грустен, чем обычно».

Несмотря на огромную эффективность игры в Лиге, где ему удалось забивать в 19 последовательных играх и забить 38 голов в 25 матчах, Месси был практически незаметен в игре на Кубке clasicos и еще раз, когда «Барселона» встретилась с «Атлетико Милан» на ответном матче 1/8 финала Лиги чемпионов, где поражение со счетом 2:0 ярко продемонстрировало недостатки команды.

Марсело Соттиле, помощник секретаря газеты *Ole*, объяснил настроение команды. «Игроки «Барселоны» кажутся подавленными. Зеркало не отражает самых лучших, самых прекрасных. Теперь вы просто видите одиннадцать удрученных лиц: мало индивидуального вдохновения, мало тактического понимания и даже мало физической нагрузки — результат или усталых ног, или усталых умов — того, что может изменить ритм и победить стратегии «Милана» и «Мадрида», которые разбили их с помощью своей организации и отличного футбола».

Лео проявил себя как лидер и объявил на ESPN: «Команда немного потускнела. У нас было несколько плохих результатов, и теперь пришла пора собраться, поверить в себя и сделать то, что мы делали в течение многих лет».

> 12 МАРТА 2013 ГОДА. ЛИГА ЧЕМПИОНОВ,
> ВТОРОЙ ЭТАП 1/8 ФИНАЛА. «БАРСЕЛОНА» 4:0 «МИЛАН»
>
> *«Барселона»: Вальдес; Альвес, Пике, Маскерано (Пуйоль, 77-я минута), Альба; Хави, Баскетс, Иньеста; Месси; Педро (Адриано, 83-я минута) и Вилья (Алексис, 75-я минута). Неиспользованные запасные: Пинто; Сеск, Сонг и Тельо.*
>
> *«Милан»: Аббиати; Абате, Мехес, Запата, Констант; Монтоливо, Амброзини (Мунтари, 60-я минута), Фламини (Боян, 75-я минута); Боатенг, Нианг (Робиньо, 60-я минута) и Эль Шааравай. Неиспользованные запасные: Эмилия; Бонера, Де Шильо и Носерино.*
>
> *Голы: 1:0. 5-я минута: Месси с края штрафной площадки. 2:0. 39-я минута: Месси, с края штрафной площадки. 3:0. 55-я минута: поперечный удар Вилья после паса Хави. 4:0. 92 минута: Хорди Альба после контратаки в результате паса от Алексиса.*
>
> Рамон Беса, El Pais: Не «Милан» исполнит реквием по «Барселоне» Месси, полуколоссу-полувоину, порой достигающему поистине эпического размаха. Лучшие победы часто приходят после самых ужасных поражений. Номер 10 разрушил одну из лучших организованных защит в мире. Господство Месси — господство доброжелательной диктатуры с благодарностью и добротой, которая более чем когда-либо позитивно проявила себя вчера. Объединившись вокруг номера 10, «Барселона» вела величественную игру, хорошо организованную как с эмоциональной, так и с тактической точек зрения, играла головой и ногами, и это отлично видели как тренеры, так и игроки, которых приветствовали восторженные поклонники. «Барселона» смогла осуществить невероятный прессинг, игра шла в основном на половине «Милана».
>
> Марти Перарнау: Все возвратилось и стало так, как должно было быть, это уже совсем не то, что мы видели в последние несколько недель. Каждый на своем месте, и никто не занимает ничье пространство.

Они должны были вернуться в «Камп Ноу» на ответный матч. Однако оказалось, что это была лебединая песнь клуба.

В то время Лео спросили на ТВ Barça, нужно ли ему отдохнуть, так как он принимал участие в каждой игре. «Мне полезно накопить время игры, потому что так я не теряю свой ритм», — ответил он.

2 февраля 2013 года. Следующий раунд Лиги чемпионов, четвертьфинал против «PSG». Месси, который забил первый гол в игре, чувствует боль в правой ноге и заменен в пере-

рыве. Хуанхо Брау научил его слушать свое тело, и он попросил о замене. Ибрагимович сравнял счет за десять минут от конца. Игра заканчивается со счетом 2:2 после пенальти Хави на восемьдесят девятой минуте и ошибки Вальдеса в дополнительное время.

3 апреля 2013 года. Медицинский осмотр показывает разрыв бедренного бицепса. Снова мышца, используемая для спринта и смены темпа. Месси не участвует в следующей игре против «Майорки».

10 апреля 2013. Месси сидит на скамье в ответном матче против «PSG». Французы берут на себя инициативу после гола Пасторе: они играют на отличной скорости и очень смело, пугая «Барселону». Рефлекторным движением после забитого гола Месси надевает носки, глядя на поле и ожидая на скамье: если дела пойдут не слишком хорошо, его участие – часть плана, хотя ясно, что для полного заживления травмы требуется больше времени.

Он выходит на поле через двенадцать минут после гола.

Технические сотрудники сажают своего Сида на круп лошади.

Испуганный «PSG» отступает.

«Номер 10 устранил «PSG» одной игрой, одним ударом, одним пасом и одним шансом. Властвовавшая в течение часа французская команда сдалась при одном виде Месси. Разбитые, потерянные, побежденные, в последние полчаса сине-гранатовые почувствовали себя неукротимыми, когда их номер 10 вышел на поле», – написал Рамон Беса.

«Это – эффект Лео, – говорит Сеск Фабрегас. – Как только он вышел на поле, настроение команды поднялось».

«Когда он вышел, все мы чувствовали себя мощнее, сильнее», – признал Пике.

«Это то, что создает Лео, – сказал Маскерано. – Противники доминировали на поле, мы вот-вот должны были выбыть из борьбы: и вот он выходит с одной ногой и оказывается в состоянии привлечь к себе трех игроков и создает ситуацию, в которой Педро смог забить гол. На одной ноге!»

Гол Педро довел счет до 1:1. Ничья позволила пройти в полуфинал Лиги чемпионов.

11 апреля 2013 года. Сделанные медицинские анализы показали, что, несмотря на игру с «PSG», травма не усугубилась.

23 апреля 2013 года, полуфинал Лиги чемпионов, Месси отдыхает в течение трех матчей, его имени нет в стартовом списке на матч против «Баварии» (4:0). Пришло время узнать, сработал ли план самоуправления.

23 АПРЕЛЯ 2013 ГОДА, ПОЛУФИНАЛ ЛИГИ ЧЕМПИОНОВ, ПЕРВАЯ ИГРА. «БАВАРИЯ» 4:0 «БАРСЕЛОНА»

«Бавария Мюнхен»: Нейер; Лам, Боатенг, Данте, Алаба; Мартинес, Швайнштайгер, Роббен; Мюллер (Писарро, 82-я минута), Рибери (Шакири, 89-я минута) и Гомес (Луис Густаво, 71-я минута). Неиспользованные запасные: Тарке; Ван Бейтен, Рафинха и Тимощук.

«Барселона»: Вальдес; Альвес, Пике, Бартра, Хорди Альба; Хави, Баскетс, Иньеста; Алексис, Месси и Педро (Вилья, 83-я минута). Неиспользованные запасные: Пинто; Монтойя, Абидаль, Сеск, Тиаго и Сонг.

Голы: 1:0. 25-я минута: Мюллер, от угла. 2:0. 49-я минута: Марио Гомес, от другого угла. 3:0. 73-я минута: Роббен бьет поверх Вальдеса. 4:0. 82-я минута Мюллер забивает после кросса от Алабы.

Рамон Беса, El Pais: Продвижение сине-гранатовых в Лиге чемпионов было похоже на крестный путь страданий. Они находили избавление в «Камп Ноу» до вчерашнего дня, когда «Барселона» была замучена командой из Мюнхена. Казалось, что команда исчерпала себе еще до того, как пасть побежденной. Ни один клуб сегодня не играет так, как «Барселона», привыкшая к победам. Не стоит ждать, что придет Месси, чтобы спасти положение, настолько робкой сейчас выглядит команда «Барсы». Им не удалось доковылять до победы против «Баварии Мюнхен».

Луис Мартин, El Pais: Месси присутствовал на поле, но не играл. Официальные статистические данные УЕФА показывают, что Месси сделал всего один удар за весь матч, но в воспоминаниях людей о том вечере сохранится момент, когда «Блоха» вышел на поле, но не играл. Из 11 возможностей уйти в отрыв он реализовал только две.

Поражение оказалось неизбежным и подтвердило, что команда потеряла свой боевой дух.

27 апреля 2013 года. Лео в течение получаса играет против «Athletic Bilbao», обеспечивая помощь Алексису, и забивает совершенно невероятный гол. Находясь в очень сложной ситуации, он убегает от своих противников, которые, похоже, сбегаются к нему отовсюду, но не могут остановить, а затем бьет с края штрафной площадки потрясающе точным ударом, после которого мяч оказывается вне досягаемости вратаря Горки Ираисоса. «Как он это сделал?» – спрашивает игрок «Athletic Bilbao» Андер Эррера. «Он находился спиной ко мне и просто сделал резкий разворот. Я опекал его, а он просто пошел. В следующий раз, когда я увижу Месси, попрошу, чтобы он толком объяснил мне все произошедшее». Клаудио Вивас, помощник Марсело Бьелсы в баскской команде, увидел нечто большее, чем просто точный удар. «В том голе отразилось все расстройство того сезона».

«Барселона» сыграла вничью со счетом 2:2.

Но травмы мышц очень коварны. Было ли правильным решение играть против «Athletic Bilbao», когда приближались игры Лиги? Не было бы лучше попытать шансы в более важной игре, оставить силы для заключительной игры в полуфинале против «Баварии»? Возможно, он снова получил травму в Сан-Мамесе? Штат и игрок приняли решение, чтобы Месси следует принять участие в игре, чтобы возвратиться к должной физической форме.

30 апреля 2013 года. Лео Месси объявляет: «Нам нужно обеспечить необходимый прессинг. Мы сможем вернуться к прежним успехам, если сами поверим в них».

1 мая 2013 года. За час до начала матча промчался слух, что Месси не будет в стартовом списке.

Виланова оправдывал отсутствие Лео, объясняя, что тот странно себя почувствовал в конце игры в Бильбао. «В понедельник он не тренировался, и этим утром, после тренировки, поговорив с врачами и физиотерапевтами, я пообщался с Лионелем, когда он вернулся в отель. Учитывая физическое состояние, был риск, что он сорвется. Месси чувствовал себя некомфортно из-за того, что оказался не в состоянии помочь команде». Лео сидел на скамье на тот случай, если Тито решит рискнуть и выпустить его в финале игры.

5 мая 2013 года. Матч против «Betis». Месси вновь появляется в час пик. Он выводит со скамьи запасных на пятьдесят шестой минуте при счете 2–2. Вскоре его присутствие становится весьма ощутимым: Лео забивает два года в этом трудном для «Барселоны» матче (4:2). Без сомнения, эта Лига стала триумфом Месси.

1 МАЯ 2013 ГОДА. ПОЛУФИНАЛ ЛИГИ ЧЕМПИОНОВ,
ВТОРОЙ ЭТАП. «БАРСЕЛОНА» 0:3 «БАВАРИЯ»

«Барселона»: Вальдес; Альвес, Пике, Бартра (Монтойя, 86-я минута), Адриано; Сонг, Хави (Алексис, 55-я минута), Иньеста (Тиаго, 65-я минута); Педро, Сеск и Вилья. Неиспользованные запасные: Пинто; Душ Сантуш, Месси и Тельо.

«Бавария Мюнхен»: Нейер; Лам (Рафинха, 76-я минута), Боатенг, Ван Бейтен, Алаба; Джави Мартинес (Тимощук, 74-я минута), Швайнштайгер (Луис Густаво, 66-я минута), Мюллер; Роббен, Рибери и Мандзукич. Неиспользованные запасные: Старки, Данте, Сакири и Гомес.

Голы: 0:1. 48-я минута: Роббен. 0:2. 72-я минута: Пике (самостоятельно). 0:3. 7-я минута: Мюллер.

Рамон Беса, El Pais: До свидания, Европа. Вылет «Барселоны» был настолько оскорбителен, что будет трудно поднять дух команды, чтобы спеть «aliron» — песню, которую поют после победы на главном турнире. Отдавая должное Лиге, возможно, даже слишком, в Европе была продемонстрирована слабость команды. С самого начала она была неспособна оказать достойное сопротивление, и еще больше — после произошедших изменений.

Насмешливое отношение публики все усиливалось. Барселонисты сопровождали свою команду до ворот «Камп Ноу», где узнали, что Лео не играет. Некоторые владельцы абонементов захотели пойти домой, чувствуя удивление от происшедшего и раздражение и испытывая ощущение, что их обманули. Никто не верил в успех игры или возвращение прежнего уровня команды. Поклонники были ошеломлены, увидев номер 10 на скамье запасных. Травмы Месси стали такой же большой тайной для зрителей, как и его игра — для защитников: до этого было известно лишь то, что Лео никогда не прятался за спины своих товарищей и даже был способен играть на одной ноге. Отношение к травме Месси тревожит.

12 мая 2013. Лео уходит на шестьдесят седьмой минуте матча против «Атлетико Мадрид» в Висенте Кальдерон, снова ощутив разрыв в бедренном бицепсе правой ноги. Тито уже осуществил три изменения состава, так что «Барселоне» приходится провести часть игры вдесятером. Тем не менее команда побеждает со счетом 2:1.

Что произошло с Месси?

Лео отлично знает свое тело и свою ахиллесову пяту – травму бедренного бицепса. Он знал, что сделал что-то, что помешало его восстановлению, но потребности команды заставили его выйти за пределы своих возможностей. Та же самая травма у игрока, который не нуждается во взрывчатом смене темпа, у кого меньше изнашиваются мышцы, может пройти через две недели, но физические характеристики Лео предполагают очень высокое использование мускульной энергии.

После разрыва мышцы во встречном матче с «PSG» Месси прошел курс лечения с Хуанхо Брау, которое не соответствовало величине травмы, – с ней надо было работать несколько иначе и намного больше отдыхать. Эти двое семь-восемь часов в день работали для того, чтобы Лео мог набрать необходимую форму для игры, которая произошла восемь дней спустя. Они никогда так не рвались домой. Цель их упражнений состояла в том, чтобы Лео был в состоянии играть, по крайней мере, 15 минут – и 35 минут при наилучшем варианте развития событий.

В матче в «Камп Ноу» против французской команды Лео приказали строго следовать инструкциям, чтобы играть максимально эффективно при его возможностях: «Двигайся только к тому мячу, который ты сможешь забить, привередливо выбирай варианты пробегов», — сказал ему Хуанхо Брау. Тренер по физподготовке знал, что Лео может контролировать игру и консультировать товарищей в случаях, когда у него не было мяча («Когда у тебя нет мяча, оставайся на месте, не изнуряй себя, потому что если это произойдет, то долгое время потом ты не сможешь выйти на поле», — сказал Хуанхо Лео). Хуанхо добавил еще один совет, в котором, как он знал, вряд ли была особая необходимость: «Когда получаешь мяч, делай, что должен». Когда Лео получает мяч, он только делает то, о чем думает в тот момент, никогда не просчитывая последствия.

«Мы проигрывали, и я помню, что, когда Месси вышел разогреться, атмосфера на стадионе изменилась, равно как и эмоциональное состояние поклонников, — говорит Брау. — Они говорили себе: «Теперь мы можем победить». Иногда у нас много бензина, но ни у кого больше нет той искры, которой он его воспламеняет».

И лечение сработало: Лео сумел провести на поле достаточно долго, чтобы изменить динамику игры.

На первом этапе игр против «Баварии Мюнхен» Лео не порвал мышцу снова, как об этом говорили, но факт остается фактом — никаких чудес не было. Несмотря на серьезную работу, проведенную тренерским составом за 21 день до матча после травмы в игре с французами, Лео не мог соперничать с немцами на хорошем уровне. Так зачем тогда было играть против «Athletic Bilbao» между двумя этапами полуфинала?

Тренеры всегда будут говорить, что в футболе вы должны побеждать, что вы не можете ждать еще неделю, и получение очков в Сан-Мамесе помогло им приблизиться к титулу чемпионов лиги, которое было так важно для всех: тренерский состав хотел завоевать этот титул через год после ухода Гвардиолы, игроки хотели показать, что они могут выигрывать и без Пепа, а также — что самоуправление не только необходимо, но и эффективно.

После этого матча — третьего за три недели, когда он не должен был играть ни одного, Лео ощущал сильный дискомфорт, одно из обычных последствий травмы бедренного бицепса. Несмотря на то, что мышца зажила, внезапные приступы боли полностью не исчезли.

Тито и Лео решили, что при дефиците 4:0 аргентинец, который начиная с момента травмы все еще не играл полные девяносто минут, встанет со скамьи только при абсолютной необходимости.

«Я много говорил с ним, – рассказывает Сеск. – Тебе нужно вылечить эту травму. У меня был ужасный год в «Арсенале», когда травма возвращалась целых семь раз, если у тебя случится что-то подобное, ты пропал. Я сказал ему, что он должен обязательно полностью вылечиться. Но когда в тебе возникает необходимость и ты играешь с травмой, травма возвращается. Ты сам загоняешь себя в ловушку, усложняя проблему как на умственном, так и на физическом уровне». Между играми Лео обычно говорил, что он «de puta madre» («затрахан»). Но тренировался без проблем. Ведь тренировка – это не матч.

«Кто скажет Месси, что он не может играть? Тренер? Я так не думаю, – объяснял испанским СМИ аргентинский врач национальной сборной Омеро Деагостино. – У Месси высочайшее положение и огромная духовная сила, которую никто не может остановить. Но бедный Лео чувствует себя обязанным соблюдать все взятые на себя обязательства. Он неспособен сказать «нет».

К травме Лео относились подобным образом вследствие особенностей того сезона: было много сложных моментов, и один из них был связан с мышечной травмой. Когда игрок несет столь огромную ответственность, среда, клуб, тренеры, как это ни парадоксально, заставляют его выматываться быстрее. «Мы не можем позволить себе ненужных инцидентов, поэтому Лео всегда становится решением проблемы. Дело не в способностях, дело в износе, потому что он такой же человек, как и любой из нас», – говорит Хуанхо Брау. Весь мир считает себя вправе говорить о Месси, но мы часто забываем, что есть и другой Лео: тот, который встает по утрам. За способность всегда быть на высоте приходится платить очень высокую эмоциональную цену. Сколько времени он сможет продержаться на этом уровне?

«Барселона» выиграла двадцать второй титул чемпионов лиги, и статистика Месси продемонстрировала, что победа была главным образом его заслугой: он забил 40,5 процента всех голов и был главным голеадором с 45 голами из 61 в трех соревнованиях, в которых участвовала команда. Впервые футболист забивал голы в каждом матче в первой половине сезона. Он перекрыл рекорд в 345 голов, забитых Марадоной в течение всей его карьеры. В 25 лет.

В интервью на *TV Azteca* Лео попросил понять, что год для него был очень трудным: «Когда пришел Тито, мы чувствовали себя очень хорошо, потому что фактически ничего не изменилось. Но когда он ушел, мы заметили перемены; не потому что Роура или кто-то другой из его людей работали плохо, но потому, что мы скучали по нашему первому тренеру, нам не хватало человека, с которым мы общались с самого первого дня». Проигрыш «Баварии», по его мнению, доказал, что клубы теперь знали, как играть против «Барселоны»: «В течение многих лет мы играли по одной и той же схеме, и тренеры, как и команды соперников, изучили нас. Но мы не должны сходить с ума из-за того, что произошло в этом году. Мы не можем изменить стиль «Барселоны», потому что именно он является нашей самой яркой характеристикой».

На своей первой пресс-конференции после возвращения из Нью-Йорка Тито Виланова сказал, что он чувствует в себе силы руководить командой в следующем сезоне. Однако он не сообщил, что в январе, перед тем как отправиться в Соединенные Штаты Америки, он отдал свое будущее в руки правления клуба. Если бы они хотели поискать ему замену, то он понял бы их. После завоевания титула он снова предложил клубу свою отставку. Президент клуба Сандро Розель в обоих случаях настаивал, что, если доктора скажут, что все в порядке, он сможет продолжить тренерскую работу.

В пятницу 19 июля Тито Виланова, как обычно, вышел на тренировку. Игроки должны были прийти в половину восьмого. Тито попросил их собраться вокруг него перед выходом на поле и сообщил новость: «Это было мечтой всей моей жизни, но теперь я должен уйти». Он поблагодарил всех за их работу и помощь. А затем он отправился домой, чтобы попытаться вылечиться от рецидива рака.

Была отменена запланированная поездка команды в Польшу, где они должны были играть в товарищеской встрече. Официальное заявление сделали Розель и Андони Субисаррета. В первом ряду пресс-центра сидели Карлес Пуйоль, Месси, Пинто и Маскерано, единые в своем горе.

Лео также испытывал тревогу за одного из близких родственников, страдающего от той же болезни. Тито был тренером, которому он мог доверять, тем, кто был с ним рядом, когда он делал первые шаги в основной команде. Он чувствовал долг по отношению к нему и хотел вернуть ему все, что получил от него.

Этого не должно было случиться.

3. ИМИДЖ ЛЕО

Чтобы максимально использовать международную известность «Блохи», Adidas решил организовать визит в Лондон — одна из тех идей, которая возбуждает маркетинговых руководителей, но которую неизменно не удается реализовать. 15 сентября 2010 года Месси, как и было намечено, собирался играть в футбольном матче с группой 15-летних ребят в Хакни Марч в Ист-Энде Лондона. Вертолет приземляется, из него появляется Лео, а затем тренер ставит его вместо одного из своих игроков. Мальчики начали игру и не знали, что должно произойти, но они подозревали, что затеивается что-то необычное, когда увидели появление камер «*Sky Sports*».

Лео прилетел на вертолете.

Он сделал не больше десяти шагов, когда на него налетела толпа из сотен поклонников, которые узнали о том, что должно произойти, из подсказок, которые Adidas распространил на своих социальных сетевых каналах. В результате служащим Adidas пришлось быстро вытаскивать его и перевозить к следующему месту пиар-хода: раздаче футбольных бутс в бутике на знаменитом рынке Брик-Лейн. Это ему удалось сделать.

И, наконец, он должен был пойти в Тауэр-Хамлетс, лондонский рабочий район, в котором сплелись самые разные культуры, и сыграть матч в мини-футбол с первыми девятью мальчиками, которые придут на поле, скрытое в тени скромных многоквартирных домов. Так как здесь ему не могли гарантировать безопасность, было решено отменить этот заключительный этап. Лео и компанию, организующую данное событие, обвиняли в «демонстрации неуважения к поклонникам». Несмотря на это, Adidas удалось в тот день привлечь внимание всего мира к этому мероприятию.

На самом деле Лео поехал в Тауэр-Хамлетс (он был в фургоне с тонированными стеклами, припаркованном около поля), но вскоре стало ясно, что будет почти невозможно доставить его вовремя в Лондонский городской аэропорт. Оператор, ожидавший вместе с корреспондентом «*Sky Sports*» в центральном круге поля, произнес слова неуклюжего оправдания и покинул поле — действие, которое чуть было не закончилось инцидентом. Вскоре, узнав, что Лео уехал из Лондона, молодежь начала бросать на поле бутылки, банки и всякий мусор — все, что они смогли найти, и полиции пришлось очистить улицы.

Это была опасная затея, и спонсор сделал из нее необходимые выводы, хотя и после того, как имиджу Лео был нанесен ущерб.

Летом 2013 года были и другие инциденты, угрожавшие репутации Лео.

В то время, когда Месси уже сумел завоевать сердца аргентинцев, после очередного года, принесшего множество рекордов, титулов и похвал, его фотографии внезапно начали появляться на обложках журналов, посвященных сплетням, и в неспортивных разделах газет. Вот некоторые примеры: некто выдает информацию о том, что однажды Месси бросил вызов Гвардиоле, выпив банку безалкогольного напитка, который был им запрещен, и обещал любому, кто усомнится в его словах, подать на него в суд – это позволяет предположить, что источником информации был член той самой команды. И Лео, и Пеп, с которыми я консультировался при написании этой книги, отрицают тот факт, что инцидент имел место, но опровержение разошлось менее широко, чем история о воображаемой конфронтации между самым великим футболистом и самым великим тренером в мире.

Затем прозвучала другая абсурдная история: аргентинский журнал опубликовал фотографии с вечеринки в Лас-Вегасе, на которой Лео замечен прячущим лицо в широкой груди стриптизера; многие не понимают, что эти фотографии были фальшивкой, они помнят только лицо Лео, смотрящее на камеру. В то лето вышла книга, в которой, согласно мнению членов семьи Месси, написана ложь о Пепе и Лео, включая придуманные детали об оплате за его гормональное лечение, но слова подобраны настолько искусно, что семья Месси не может подать в суд, как бы им ни хотелось это сделать.

А затем и самый серьезный момент из всех: испанские финансовые власти обвинили семью в уклонении от налогов.

Нападки на Лео сыпались со всех сторон.

Лео не знал об этом, но в печати появились сообщения, что полиция действовала очень жестко и что, когда информация достигла ушей Лео, он решил попросить о замене во второй половине игры и уехал, даже не приняв душ. Это было неверно, но опровержение, поступившее из лагеря Месси, заняло в газетах намного меньше места.

Следующая товарищеская встреча в Los Angeles Memorial Coliseum была отменена, что вызвало шквал обвинений. Лео решил не участвовать из-за грабительских цен на билеты на мероприятие, которе предполагалось благотворительным матчем, но еще важнее то, что не было сказано – что промоутер, который обеспечивал путевые расходы и оплату игроков, не получил достаточно денег от компании, которая продавала билеты на это мероприятие. Кто-то попытался быть слишком умным, но обвинили Месси, после того как было раскуплено 50 000 билетов. Лео выразил на Facebook свое «разочарование организацией» – но его образ снова был запятнан.

Что происходило? Мадридская пресса предположила, что наконец все увидели настоящего Месси. Некоторые люди из окружения Лео также начали спрашивать себя, не была ли его поддержка каталанского языка на мероприятии Turkish Airlines «началом конца» его любви с народом Испании.

Ведь мир, конечно, устал, постоянно видя одно и то же лицо и тех же самых победителей, не так ли? Теперь, когда Неймар был в «Барселоне», у спонсоров и публики был новый выбор, который привлекателен по той же самой причине – появилось новое лицо. Кроме того, Nike надеялся сделать Неймара своим представителем на чемпионате мира в Бразилии, а Лео, хотя он некогда и носил тот же самый бренд, теперь принадлежит Adidas. Спонсоры, особенно крупные, никогда не прощают подобной неверности.

Окружение Лео невелико и довольно сдержанно ведет себя в отношении его коммерческих интересов. До сих пор они полагали, что это шло на благо человеку, который хотел только играть в футбол и абсолютно не интересовался спонсорством и коммерцией. Следовательно, когда Лео почувствовал тем летом, что на него направлен огонь жесткой и несправедливой критики, те, кто заботились о его интересах, изо всех сил попытались справиться с возникающими проблемами.

«В течение некоторого времени мы были семейным бизнесом, но дело в том, что доход шел не в семью, а Лионелю, – объясняет Хорхе Месси в книге Сика Родригеса «Обученные побеждать». – Это – способ защитить его будущее. Это – его бизнес. Все вращается вокруг него. Все делается ради него. Это – наш способ защитить его». Его отец эффективно действует как его агент, его брат Родриго заботится о его расписании и вместе с бывшим сотрудником «Барселоны» Пабло Негре организует для него различные мероприятия и заключает договоры со СМИ. Его мать Селия и брат Матиас заботятся о Фонде Лео Месси и других личных и профессиональных делах в Росарио. У них есть несколько адвокатов и многое другое.

«С точки зрения отношений с прессой, окружение Месси намного сложнее, чем у Роналдиньо или Марадоны», – говорит Рамон Беса в *El Pais.* Месси говорил через своего агента, Хорхе Ситершпилера, или своего помощника – Хорхе Бланко. У Роналдиньо, который держал определенный уровень недоступности, представителями работали члены его семьи. «Но люди, которые окружают Месси, неизвестны, потому что он похож на ребенка... Кто такой Месси? С кем вы должны говорить, чтобы узнать, что он думает? С его отцом? Антонеллой? Добраться до Месси очень сложно», – завершает Беса.

Беса вспоминает, как спросил итальянского журналиста, который брал интервью у Месси в Барселоне, как все прошло:

«Ужасно, потому что, чтобы взять интервью у Месси, вы готовитесь так же, как защитник готовится играть против него, и вы не знаете, как это происходит, но в конце концов он все же обманывает вас. Другими словами, я не получил ничего из десяти вопросов, которые я ему задал». Журналист говорит здесь об оборонительной тактике Лео и его семьи. Месси рассматривает интервью не как способ воссоединиться со своим поклонниками, но как попытку изучить его как человека. В мире Месси слово «Вы уже знаете, на что похож Месси» — просто другой способ закрыть дверь перед вмешательством. Его мир закрыт, почти как у ребенка, защищенного своей семьей. И он доволен этой защитой, она ему подходит, она соответствует его личности. Кроме того, это недоверие, возможно, возникло вследствие того, что были люди, которые находились рядом с ним и кто закончил тем, что попытался обмануть его. С некоторыми из них пришлось разбираться в суде.

«Хавьер Мариас в книге «Дикий и сентиментальный» отмечает, что футбол возвращает нас к детству, но в тот момент, когда вы становитесь взрослым коммерческим продуктом, вы больше не можете продолжать вести себя так, как будто вы все еще ребенок». «Думал ли кто-нибудь о том, что означает «мир Месси»? Я полагаю, что они живут за рамками позитивной динамики матчей, вне голов, но, возможно, однажды он не сможет забивать столько, сколько сейчас, возможно, однажды кто-то заставит его понять, что никто больше не хочет писать его историю».

Образ Лео связан исключительно с его выступлением на поле, с его результатами. Он никогда не хотел продавать ничего, что не соответствует его *естественной* сфере деятельности. У Месси нет маркетинговой политики, как, например, у Дэвида Бэкхема, который иллюстрирует другую крайность. Для Дэвида имидж — все.

Эстеве Кальсада, специалист по связям с общественностью и бывший барселонский директор по маркетингу, приводит ясный пример в своей книге «Покажите мне деньги»: «Когда на праздновании в декабре 2010 года Лионеля Месси позвали на сцену, чтобы вручить ему второй «Золотой мяч», он был так удивлен, что не знал, что сказать или как себя вести перед микрофонами — ясная демонстрация того, что у него не было ничего заготовлено. При этом он не упомянул своих товарищей по команде — Хави и Андреса Иньесту. На следующий год, снова получая приз на той же самой сцене, было ясно, что он был обучен своими советниками и подготовил речь, в который были слова благодарности и особое посвящение приза своему товарищу по команде, Хави, который также был номинирован на приз».

Лео действует так, как будто он лучший, но он никогда не говорит о себе так – он всегда говорит об успехах футбольной команды. «Они всегда хотели, чтобы образ Лео был достаточно закрытым, хотя у них была возможноть нанять одно из крупнейших рекламных агентств, – говорит бывший финансовый вице-президент «Барселоны» Ферран Сориано. – Это напоминает механизм защиты: «Я ничего не хочу». У этого есть преимущество – никто не может надавить на вас. Есть и неудобство – вы не можете извлечь максимальную прибыль. Он зарабатывает двадцать с чем-то миллионов евро, играя в футбол, и за рекламу получает приблизительно пятнадцать или двадцать. Если вы получаете сорок миллионов в год, чего еще желать?»

Семья Мессии очень аккуратна с тратами. У них довольно консервативный финансовый менталитет, они не тратят деньги впустую и отслеживают каждый потраченный евро. «Они знают, что могут заработать больше, но это их не интересует», – завершает Сориано.

До сих пор Лео был лицом безалкогольных напитков, авиакомпании (реклама с Коби Брайантом для Turkish Airlines превысила 105 миллионов кликов в Интернете, став в 2012 году одной из десяти наиболее просматриваемых), часов, нарезанного хлеба, спортивной одежды и даже японского бренда косметики, в рекламе которого ему пришлось сказать несколько слов на японском языке. И, согласно отчету *liga* BBVA, выполненному Brand Value Solutions, Месси на 11 процентов чаще присутствует в СМИ по сравнению с остальными игроками; у Роналду этот показатель составляет 9,2 процента. Теперь, когда аргентинцы возвели его на пьедестал, если он хочет помешать росту испанского неодобрения, то должен больше сосредоточиться на своем имидже. Конечно, у Неймара и Роналду больше двадцати профессионалов, заботящихся об их имидже, но в этом ли решение проблемы?

В 2013-м семья Месси наняла крупнейшее рекламное агентство в мире, чтобы защитить Лео и найти способ эксплуатировать его личный образ.

Другая сторона этой параллельной вселенной, с которой приходится бороться Месси, нравится ему это или нет, – его умение одеваться. Его друг, Доменико Дольче, для линии Dolce & Gabbana которого Лео даже послужил моделью, может многое сказать об этом. Месси носил одежду D&G на церемонии вручения «Золотой мяч» и в течение некоторого времени был постоянным клиентом этих модельеров. Возможно, он был выбран СМИ потому, что больше напоминает человека с улицы, а не мужчину с идеальным телом, – образ, типичный для многих других футболистов. Хотя Лео не заморачивается выбором одежды, его модный бренд создал более утонченный образ, и тот факт, что он надевал вечерний костюм в горошек на четвертую церемонию вручения «Мяча», многое говорит о том, что он в значительной степени продвинулся в своем развитии. Кроме того, если Месси, с его довольно средним телосложением, оказался достаточно смелым, чтобы носить такую одежду, то и другие могут решиться на что-то подобное. Именно для этого делается реклама, в которой снимаются звезды.

Совершенно ясно, что Лео оставил позади мальчика, который вышел на сцену в свой двадцатый день рождения, чтобы сыграть на музыкальных инструментах и подбодрить публику, позволив группе, игравшей *кумбию*, продолжить выступление. Удивительно, но это оказалась та же самая группа, которая сочинила «El pibe de oro» («Золотой мальчик») в честь аргентинца.

Он не только оставил застенчивого парнишку далеко позади, но и научился защищаться. Ему пришлось делать это довольно быстро, потому что тяжелое лето 2013 года принесло с собой серьезные обвинения в финансовом мошенничестве, — это была очень сложная ситуация, в которой семье Месси потребовалась защита от гражданских органов власти, которые, предположительно, согласились с тем, что сообщили им налоговые чиновники.

Когда возникли проблемы с налоговыми органами, сложилась ситуация, отчетливо отражающая состояние нашего общества. С одной стороны, высокий процент испанской и международной (главным образом спортивной) прессы решил, что он виновен, хотя не было доказано обратное, а с другой стороны, новости вышли за рамки футбольного поля.

Ничто полностью не оправдывает наивность, с которой семья Лео выполнила рекомендации консультанта по вопросам финансов и налогообложения, но само собой разумеется, что все должно рассматриваться в соответствующем контексте.

В 2013 году Agencia Tributaria приказала инспекторам принимать меры против знаменитостей, которые, по их мнению, недоплатили налоги, и таким образом ситуация попала в СМИ. В результате повар Серджи Арола, наследница Лилиана Годия и Лео Месси попали под наблюдение и обвинялись в налоговых нарушениях. Цель заключалась в том, чтобы повысить пошатнувшийся авторитет властей — их обвиняли в том, что они слишком снисходительны к известным людям. В период финансового кризиса власти попытались на примере Лео и других обвиняемых показать свою активность: люди осуждали звезд, считая подобно поведение предосудительным.

«То же они сделали со мной в 79-м году, – объясняет Йохан Круифф в интервью газете *La Vanguardia*. – Когда вы – публичная личность, власти используют вас для запугивания обычных людей. И Месси стал одним из них. Я не верю, что Лео виновен, потому что он знает о налогах столько же, сколько я, то есть ничего. Виноваты люди из его окружения, которые занимаются этими делами. Пресса и правительство используют его, чтобы сказать всем: «посмотрите, кого мы поймали!» Они делают из него козла отпущения и устрашающим примером для остальных. То же самое они сделали и со мной, и мне пришлось ждать девять лет до того момента, когда они признали, что я невиновен».

В футболе, как и во всех других профессиях, люди ищут способы платить меньше налогов, и управление правами на изображения – официальный метод для клубов и футболистов уменьшить затраты. Элитные игроки, которые принадлежат к самой высокой налоговой категории, предпочитают, чтобы клубы часть зарплаты преобразовали в права на изображения, которые затем выплачиваются созданной игроком компании. Налоговые обязательства в этом случае ниже. Таким образом, налогов «избегают», а не уклоняются от них.

Контракт с Лео предусматривает 85 процентов денег в виде зарплаты, а остальные 15 процентов переводятся как права на изображения, что позволяется испанскими законами. Вообще-то «Барселона» никогда не хотела впутываться в бизнес, связанный с его изображением. Согласно мнению клуба, это постоянный источник конфликтов, так как игроки обычно не готовы отдать часть денег, заработанных в результате коммерческих соглашений. «Реал Мадрид» смотрит на это по-другому: они удерживают на это 50 процентов дохода игрока. «Барселона» требует обеспечить правильный процент прав игрока на изображения, а с остальным Лео может делать что хочет.

Возвращаясь к обвинениям в мошенничестве, идея обмана налоговых органов может показаться невозможной североевропейскому англосаксонскому человеку, но это врожденная часть латинской культуры, выросшей на такой классике литературы, как *El lazarillo de Tormes* или *El Buscon* Кеведо. В Испании или Аргентине уклонение от налогов не осуждается столь же широко, как в других странах, возможно, из-за недостаточной веры властям и все возрастающее число случаев коррупции. Другими словами, если они воруют, то почему я или мой сосед не должны этого делать?

Конечно, никто не безупречен: в 2010 году в Англии десятки британских футболистов получили письма от Налогового управления, уведомляющего их, что началось расследование случаев уклонения от налогов. Редко какой человек не сделает попытки уклониться от налогов, но на семью Месси началась настоящая охота.

В чем суть мошенничества? Футболисты обязаны заплатить налог из своей заработной платы в той стране, в которой они играют, но налоги на права на изображения платятся в стране, в которой зарегистрирована владеющая ими компания, то есть деньги «утекают» из стран с очень высокими налоговыми ставками и появляются в странах с намного более низким уровнем налогов. Такой обход может быть честным, а может быть нет. Когда в стране получения возникают призрачные, реально не существующие компании, мы можем говорить о мошенничестве.

Лео и его отец – не финансовые эксперты. Месси никогда не имел дел с подобными вещами; он даже не знает, сколько у него денег на счете в банке. Его отец передал все дела в руки Родолфо Шинокка, в течение прошлого десятилетия бывшего финансовым советником семьи, который попытался перехватить права Месси на изображения. Шинокка обещал безумные деньги, и семья Месси просто влюбилась в него. Советник создал систему, посредством которой он перехватывал большую часть денег. Когда семья Месси поняла это, Шинокка и родители Лео подали жалобы друг против друга – судебный процесс против семьи Месси был отклонен аргентинским Верховным судом, в то время как процесс против Шинокки продолжается.

Когда испанские налоговые органы начали расследовать дела с компаниями игроков за границей, имя Месси оказалось в списке. Лео и Хорхе обвинялись в уклонении от налогов на сумму больше 4 миллионов евро – это было связано с правами на изображения в период между 2007 и 2009 годом. Обвинитель осудил Хорхе Месси и Шинокку за то, что они создали паутину холдинговых компаний со штабом в налоговых оазисах (главным образом, Белиз и Уругвай). Из этих стран по контрактам с Danone, Adidas, PepsiCo и Telefonica выставили счет. Кроме того, было заявлено, что «инициатива обмана шла от Хорхе Месси» и что в 2006 году «Лео Месси ратифицировал мошенническую инициативу своего отца у нотариуса».

4 сентября 2013 года семья Месси передала €5 миллионов (€4,1 миллиона плюс бонус) суду, чтобы погасить долг и попытаться уменьшить свои правовые обязательства. При разговоре с судьей Хорхе взял на себя всю ответственность за создание сети, что должно было привести к отказу от судебного процесса против игрока, поскольку тот не знал о преступлении. В доку-

менте, представленном отцом Месси, он реабилитирует своего сына и обвиняет бывшего партнера Шинокку в обмане, берет на себя ответственность за недостаточный контроль над своими финансовыми советниками и выражает готовность сотрудничать с законом.

Одновременно Месси представил заявления о дополнительных доходах за 2010 и 2011 годы и дополнительные 10 миллионов евро, которые решали юридические вопросы за эти годы.

27 сентября Хорхе и Лео были вызваны в суд. Выступая свидетелем, Лео дрожал, как желе. Хорхе обвинял себя. «Мой сын не знает, как движутся его деньги», – объяснил он.

На следующий день Лео получил травму – маленький разрыв в его правом подколенном сухожилии, который не давал ему играть в течение трех недель. Такое почти никогда не происходит случайно.

В июле на пресс-конференции Месси сказал, что начал предстоящий сезон «расслабленно, так как мой отец ведет все дела с адвокатами и советниками, и мы доверяем им, поскольку они – те люди, которые должны решать все вопросы. Сам я ничего не понимаю в этом». Он сказал, что больше не будет ничего говорить по этому поводу. Но этот случай заставил семью Месси почувствовать, что поддержка клуба недостаточна: когда вопрос стал достоянием общественности, президенту Сандро Розелю понадобился целый день, чтобы позвонить Хорхе, а другие директора в личных беседах критиковали то, как семья Месси управляет состоянием Лео, но никто не предложил семье помощь в решении спорных вопросов.

«При условии соблюдения законности мы делаем все, о чем просит нас Месси, – объяснил Розель несколько недель спустя. – Мы поможем ему в любом случае, если это возможно. Если он продолжит быть номером один в клубе, то, конечно, его заработная плата повысится, поскольку каждый год он демонстрирует, что заслуживает все большего. Для меня он – лучший игрок в истории клуба и в футболе в целом. Но ясно, что мы не будем давать ему деньги, чтобы оплатить проблемы с налоговыми органами».

Тем не менее «Барселона» с самого начала поддерживала Фонд Лео Месси – идея, которая, согласно словам Хорхе Месси в книге Сика Родригеса *Educados para ganar*, возникла «после того, как Месси посетил больницу для неизлечимо больных в Соединенных Штатах».

В тот день рядом с ним была Кристина Куберо. «Мы пошли в Бостонскую больницу для детей, больных раком. Когда мы были в одной из палат, к нему подошла мать ребенка и сказала ему: «Я аргентинка, моя дочь хочет познакомиться с вами». К нему подошла девочка, отекшая, лысая... ему сказали, что девочка неизлечимо больна. Я была уже снаружи, а Месси, в слезах, вышел, увидел и обнял меня, он цеплялся за меня целых четыре минуты. Рыдал, как ребенок. Он всегда говорил мне, что начал сотрудничать с обществом борьбы с раком после того, что увидел там».

В книге Родригеса отец Лео говорит, что сам футболист сказал ему, что «часть дохода нужно было переинвестировать в общество. Наш фонд работает с детьми, имеющими различные проблемы – от проблем со здоровьем до проблем социального отчуждения».

Это не единственное проявление социального сознания, родившегося в Росарио Месси: он посол доброй воли ЮНИСЕФ. Лео дал свое имя компании в Росарио, чтобы они могли производить продукты для детей, процент от продажи которых идет в Фонд Месси, который затем инвестирует деньги в социальные проекты.

Лео пожертвовал приблизительно 790 000$ на ремонт в Росарио детской больницы, в то время как у Фонда также есть различные соглашения с каталонскими больницами: он принимал участие в реформе Can Ruti, вложил капитал в департамент работы с детьми с онкологическими проблемами в поликлинике Санта Хоана де Деу. Он также финансирует обучение аргентинских врачей и учреждает гранты на проведение исследований.

Кроме того, Месси сотрудничает с «Сармьенто» – футбольным клубом, имеющим базу в той местности, где он родился. «Мы не управляем клубом, просто у нас есть несколько игроков в «Бока», «Ривер», «Ньюэллс», «Сентрал», – говорит Хорхе Месси в интервью журналу *Kicker*. – Сейчас это пустошь, но затем мы намерены расширяться – это будут отличные раздевалки и всепогодные поля».

Некоторые суммы были переданы в клуб «Ньюэллс Олд Бойз», где Месси планирует закончить свою игровую карьеру.

4. ПРИХОД НЕЙМАРА

В финале чемпионата мира среди кубов ФИФА, когда «Сантос» Неймара встречался с «Барселоной», бразильская звезда сказал Лео Месси, что хотел бы играть в его клубе. «Месси ответил ему, что он будет очень счастлив в «Барселоне», – говорит Сандро Розель. Фактически уже на том финале 2011 года бразилец дал согласие присоединиться к сине-гранатовым.

С того момента планы по его переходу вышли на стадию реализации: «Никто не может быть под стать Месси», — сказал бразилец с намеком на Лео, а не на «Барселону».

Перед приездом в новый для него город Неймар был известен своими голами (172 начиная с дебюта в 2009 году), своей взрывчатой скоростью движения по левому флангу или в качестве mediapunta, своей невероятной способностью обходить противников и тем, что он привел Бразилию к победе в матче против непобедимой испанской команды в финале Кубка Конфедераций.

Его стиль игры сформировался под влиянием футзала, он был очень бразильским: Неймар играл с улыбкой и с применением многочисленных технических приемов. Но прежде всего у него была душа победителя и страсть к завоеванию титулов: он выиграл Copa Libertadores в 2011 году, последовательно три региональных чемпионата Сан Паоло, кубок Бразилии 2010 года и вместе со сборной страны чемпионат Южной Америки 2010 года «до 20 лет».

Его история очень знакома: «Сантос» нашел его в возрасте 12 лет, он сильно страдал от плохого отношения родителей других детей из-за его стиля игры. Некоторые директора «Сантоса» не хотели вкладывать капитал в его будущее, во-первых, потому что они считали его слишком маленьким, а во-вторых, из-за зависти, которую он вызвал.

Неймар дебютировал в первой команде в возрасте 17 лет и в третьем матче открыл счет выигрышей. Несмотря на хороший сезон в год южноафриканского чемпионата мира и давление СМИ, тренер национальной сборной Дунга принял решение не брать его. Игрок дебютировал в сборной Бразилии со следующим тренером, Мано Менезешем, в августе 2010 года, в матче против Соединенных Штатов. Это было начало его лидерства в команде.

В ранние годы интервью с Неймаром практически не приносили интересной информации. Неймар был застенчив и односложен, хотя сиял улыбкой. Он «прост и скромен», говорит его товарищ по команде Дани Альвес. Но когда игрок возмужал, его поведение на поле время от времени начало приобретать привкус дерзости. В Бразилии у него была репутация игрока, слишком часто вырывающегося вперед — результат его желания быть одним из главных героев дня, но, попав в «Барселону», он изменил свои привычки.

Он обаятелен, дружелюбен к СМИ, очень заметный. Публике он нравится — они копируют его постоянно меняющиеся прически. Неймар увлекается социальными сетями. Он зарабатывает €22 миллиона в год. Его отец, который играл за клубы в более низких эшелонах, является его агентом и тщательно следит за имиджем, деньгами и распорядком дня спортсмена, особенно за регулярным посещением церкви. Его подруга Бруна Маркезина — актриса, снимающаяся в бразильских мыльных операх. У него есть сын, Давид Лакка, который родился в августе 2011 года в результате предыдущих отношений.

Идеальный мальчик для фанатов футбола.

Мир спонсоров широко открыт для Неймара. В мае 2013 года, согласно рейтингу американского спортивного журнала *SportsPro*, Месси и Неймар были признаны самыми дорогими игроками, Криштиану был восьмым. «Нет сомнения, что Месси — лучший игрок в мире, но мы также знаем, что он не особенно харизматичен вне поля, при этом он не выглядит особенно или уверенным перед камерами», — подтвердил Дэвид Кушнан, главный редактор *SportsPro*.

Взлет Неймара начался сразу же после серьезного выступления поклонников Месси в день матча против «Баварии Мюнхен» в «Камп Ноу», когда многочисленные фанаты, уже двинувшиеся к стадиону, решили вернуться домой, обнаружив, что Месси не будет играть. Это был полуфинал Лиги чемпионов. Возможно, по этой причине в каталонской прессе прибытие Неймара в «Барселону» освещалось со смешанными чувствами. *«Спорт»* спрашивал, хорошая ли это идея — ввести еще одного «петушка»: «Присутствие Неймара в СМИ непропорционально его вкладу на поле, и возникающее недовольство вызывает тревогу: Неймар, вследствие его цены, зарплаты и лечения за счет клубов, приехал сюда, чтобы быть одним из ведущих игроков команды. Какое положение в иерархии будет теперь у Хави, Иньесты и Сеска? «Барселоне» будет трудно оправдать тот факт, что Неймар зарабатывает больше, чем Месси».

Согласно информации из клуба, они заплатили €57 миллионов за свою новую звезду, Неймару платили семь миллионов с бонусом в один миллион в случае достижения оговоренных целей. Но за лето появилась другая интерпретация контракта: приблизительно €40 миллионов комиссии должны были быть выплачены отцу Неймара в течение пяти лет, пока длится контракт с его сыном. Если вы добавите эти суммы к заработной плате игрока, то они дойдут до €15 миллионов и сделают его самым высокооплачиваемым игроком в команде, выше даже, чем Лео в тот момент.

В результате приход Неймара дестабилизировал команду, и ничего удивительного в том, что внезапно начали возникать самые разные проблемы. Виктор Вальдес объявил о своем неизбежном уходе, Давид Вилья был передан «Атлетико Мадрид»,

«Бавария» купила Тиаго. Представители Сеска Фабрегаса, который опустился на один уровень в иерархии и все еще зарабатывал €4 миллиона в год, вступили в контакт с новым менеджером «Манчестер Юнайтед», который надеялся заключить с ним контракт. Агент Андреса Иньесты попросил заключить с игроком новый контракт.

«Барселона» попыталась успокоить бурю, поднятую прибытием Неймара, начав переговоры о новом контракте с Месси всего спустя шесть месяцев после подписания предыдущего. Включая фиксированную зарплату и премии, Лео мог заработать чистыми больше €20 миллионов в год.

Все это создало впечатление, что клуб решил контролировать рынок, скупив лучших игроков из доступных (возможно, чтобы поддержать или заменить своих звезд, возможно, чтобы помешать соперникам заключить с ними контракт, как это пытался сделать «Мадрид»), не думая о последствиях.

После ухода Гвардиолы и Тито Вилановы, после потери европейской короны, перешедшей к «Баварии», «Барселона» оказалась на перепутье и должна была возродиться. Шли дебаты о методах, идеологии, ценностях, потому что клуб оказался на неизведанной территории без лидера, командующего со скамьи.

А затем, поскольку сомнения не утихали, клуб решил продемонстрировать свою силу, заключив контракт с Неймаром. Йохан Круифф предсказал, что с прибытием бразильца начнется шторм. «Два капитана на одном судне? Нужно извлекать уроки из прошлого», – советовал он, возможно, вспоминая время, когда Марадона и Бернд Шустер не могли найти общий язык. Он дал президенту Розелю, своему заклятому врагу, совет: «При заключении контракта с Неймаром я буду рассматривать возможность продажи Месси, хотя некоторые и против такого решения».

Это не был такой же конфликт, как в случае с Роналдиньо-Это'о, который анализировал Круифф, – весь мир знал, что бразилец был номером один. Ситуация больше напоминала случай с Льюисом Гамильтоном – Фернандо Алонсо, когда обе группировки боролись за одну корону.

Жоан Лапорта также выразил сомнения: «У Неймара огромный талант. И мне нравится то, как он ведет себя, начиная с момента прибытия, оказывая поддержку команде и Лео. Ставя себя на место Месси, мне не хочется думать, что меня хотят сместить».

В зале заседаний некоторые директора задались вопросом – как пойдут дела, если Неймар проведет весь сезон на левом фланге? «Для нас Неймар – приоритетом, он нам нужен», – говорит Тито Виланова, который помнил, как в год золотого хет-трика форвардами были Месси, Это'о и Анри, и это отлично работало. Тито, который наконец признал, что команда нуждалась в новом искреннем таланте, сильно беспокоился по поводу сложившейся ситуации, потому что, как он часто говорил, Месси был наименее требовательным из футбольных гениев, и не составляло труда делать так, чтобы он был счастлив.

«У нас страна с раздвоением личности, – анализирует Рамон Беса. – У нас есть мудрость и безрассудство, сине-гранатовые и бело-голубые, Круифф и Решак, Рональдиньо и Месси. Несколько лет назад два моих хороших друга сказали мне, что Рональдиньо – пляж, Средиземноморье, девочки, солнце; Месси – *barrio*, городской район, нужный ему по работе, чтобы не было времени на ерунду. И эта аналогия возникла, когда Рональдиньо был иконой, а Месси – учеником. Теперь, когда роли поменялись и мальчик из района стал выше парня с пляжа, мы увидим, годится ли это сравнение».

Сандро Розель, который много лет работал на Nike, рассматривает подписание контракта с Неймаром как один из крупных своих успехов, еще одну победу над «Мадридом», в то время как в команде были сомнения относительно необходимости еще одного форварда его класса. Ощущая лидерство Месси и сильную личность Неймара, скрытую за его улыбкой, старшие игроки команды спрашивали, что произошло бы, если бы бразилец выиграл хет-трик в «Камп Ноу» и веселился на стадионе. Никто не хотел быть на месте Тата Мартино, преемника Тито Вилановы.

А Месси?

Его первое заявление, в июле, было разоблачающим: «Неймар – великий игрок, и у нас обоих не возникнет никаких проблем с притиркой, как на поле, так и вне его. Я не слишком хорошо его знаю, но он кажется мне хорошим парнем, и проблем со мной не будет. Я не знаю, почему люди говорят всякое, – сказал он в СМИ, высказывая свое мнение любому, кто имел сомнения по этому поводу. – Неймар принесет команде много пользы, потому что может быть ключевым игроком. Мы создаем много шансов игры один на один, и Неймар в этом очень силен. Давайте будем надеяться на него и на команду и верить, что он забьет множество голов, потому что именно к этому мы должны стремиться, и это будет лучше для всех».

Лео спросили о подписании контракта с Неймаром прежде, чем клуб продолжил работу над документом, как принято действовать с лидерами команды. «Никаких проблем», – сказал он правлению. Но ему, должно быть, было неприятно, когда несколько месяцев спустя шли торги по поводу его последнего контракта, в то время как Неймар, который должен был еще подтвердить свою значимость, стал самым высокооплачиваемым игроком в 21 год. Все дело в футбольном этикете – четыре «Золотых мяча» заслуживают большего уважения.

Когда газета *Marca* спросила Йохана Круиффа, не будет ли с Неймаром того же, что случилось с Это'о, Ибрагимовичем или Бояном, голландец объяснил то, что становится ясным только тогда, когда вы вхожи в раздевалку: «Вы говорите так с позиции, что Месси – диктатор. Когда у вас есть шанс быть лучшим игроком в каждой игре, вы *должны* быть чем-то вроде диктатора, потому что это не просто команда, в которой вы играете, но это также элемент вашего статуса как игрока номер один, вашего престижа. В этом смысле давление на Месси огромно, потому что тот, кто пришел на стадион, хочет видеть виртуозную игру. А чтобы эти чудеса на поле возникли, все должно функционировать должным образом. Если же все пойдет не так, как задумано, первый, на кого обрушатся упреки – вы. Это и есть сложность статуса игрока номер один, и именно поэтому вы должны быть очень требовательными ко всей команде. На поле и вне его».

Включая контракт с Неймаром, «Барселона» за пять лет потратила €205 миллионов на форвардов, стараясь найти правильного компаньона для Лео. Но, как объясняет Рамон Беса, ситуация с Месси отличалась от прихода Рональдиньо: «Это не была активация позитивного круга политики Лапорты, когда спортивный успех питает экономику, и наоборот, как это произошло десять лет назад с Рональдиньо. Это, скорее, было изменение команды, которая часто действует по привычке. Единственное, что интересует номер 10 – победа, и в результате он позволяет самым лучшим футболистам играть в его команде».

Часто новый игрок приходит как прямой соперник лидеру, а не как сопровождающий игрок, что создает напряженные отношения для тех, кто стремится защищать завоеванное ими пространство. Если к тому же, как в случае с Лео, лидер понесет утрату в лице своего тренера и друга, как Тито, то спортивные психологи подтвердят, что для игрока трудно проявить себя с наилучшей стороны. По сути, в случае с Лео все эти события совпали еще и с рецидивом травм в конце сезона и новыми травмами в начале следующего.

То мучительное лето 2013 года закончилось, согласно мнению некоторых комментаторов, страхом перед повторением явления, которое имело место во многих клубах, включая ФК «Барселона»: звезды поднимают на недосягаемую высоту, но позволяют рухнуть оттуда. Так произошло с Рональдиньо.

Наконец наступил день представления Неймара «Камп Ноу».

3 июня. На огромной пресс-конференции с 334 журналистами со всех континентов Неймар совершенно ясно продемонстрировал, что знает правила: «Я не стремлюсь стать лидером команды и оказаться лучшим игроком в мире. Лучший уже здесь, и он – Месси. Мне выпала удача и огромная честь играть рядом с ним и помочь ему продолжить быть лучшим, чтобы он мог завоевывать новые «Золотые мячи».

Теперь «Барселона» может рассчитывать как на лучшего игрока в мире, так и на того, кто со временем, как говорят, его заменит. И это очень интересное время: Лео Месси поднял свои личные рекорды на новую высоту за последние два года, но в то же самое время «Барселона» перестала завоевывать важные титулы: всего одна лига и один кубок за два года. Могло ли случиться так, что то, что хорошо для звезды, не обязательно хорошо для клуба? По крайней мере, эту мысль стоит обдумать.

Отсюда возникает другой вопрос – обсуждал ли клуб важность прихода Неймара для Месси, лидера лучшей команды в истории «Барселоны»? Думали ли они о последствиях исправления экосистемы команды? Рамон Беса предлагает гипотетический сценарий с тренером из «Santpedor». «Гвардиола выше того факта, что в конце он пережил очень напряженные моменты. Он говорит: в тот день, когда приедет Неймар, я приму его, попрошу сесть рядом и скажу, что он должен делать». Вместо этого возникает впечатление, что бразилец просто приехал и ему не передали речь Пепа.

Нужен ли был Неймар Лео? Или контракт с Неймаром был, прежде всего, ведомственным триумфом? Не создаст ли его приход бразильскую клику с Альвесом, Адриано и Неймаром рядом с аргентинцами Месси, Маскерано и Пинто?

На все эти вопросы должен был ответить Тата Мартино.

В начале нового сезона все, казалось, шло гладко: команда побила рекорд побед в Лиге, и Неймар с непринужденностью приспособился к игре на левом фланге. Заголовки в каталонских газетах также изменились: Неймара часто видели идущим по Барселоне и напевающим песню на YouTube своей подруге. Он занимал больше заголовков, чем Месси, который в конце октября получил еще одну травму бедренного бицепса.

Неймар показал свой потенциал, максимально используя отсутствие Лео в игре против «Вальядолида» в октябре в «Камп Ноу» (4:0), где играл на позиции аргентинца: забил всего один гол, но игра всей команды вращалась вокруг него.

Но по мере приближения к финалу Лиги, он обнаружил, что трудно оказывать влияние на команду, когда он пытался слишком часто делать слишком много, игнорируя инструкции, которые давал ему Тата Мартино, – оставаться на фланге и наносить урон противнику, когда создаются подходящие условия. Слишком часто Неймару казалось, что каждый мяч был шансом повлиять на игру.

Так же вел себя Лео: он жил и дышал, когда впервые попал в первую команду.

Есть большая разница между Неймаром и другими игроками (Это'о, Боян, Ибрагимович и Вилья), которые потерпели крах или не продержались достаточно долго, играя рядом с Лео в качестве форвардов. Кроме шведа, другие игроки были похожи на звезд; даже Ибрагимович не пришел в команду с аурой Неймара. Лео нуждался в пространстве, которое они занимали на поле, и тренер решил поддержать аргентинца: остальным пришлось уйти.

Неймар – не номер 9, поэтому он не мешает пробегам Лео к воротам, не занимает его место. К тому же он принял роль второго, которую ему предложили. Никогда прежде вопрос не задавался столь открыто – примет ли Лео вновь прибывшего, будет ли Неймар наследовать Месси? И Лео почувствовал себя обязанным настоять на том, что, конечно, он откроет Неймару все двери, что-либо меньшее было бы недопустимо. Мир смотрит «Блоху», чтобы понять, действительно ли он принял присутствие другого великого футболиста, сможет ли он жить с этим и пережить эту новую проблему.

Не видя причин для недовольства, Месси принимает и радуется приходу Неймара, что заставило замолчать всех, кто сомневался в его реакции.

Но однажды Неймар захочет выйти вперед.

Возможно, тогда Месси, который на пять лет старше бразильца, будет уже в «Ньюэллсе». Но если нет, то возникающая ситуация будет невероятной и совершенно непредсказуемой.

5. ТАТА МАРТИНО

Лео Месси, которого Жерар Пике и Сеск Фабрегас встретили по прибытии в Барселону, не был уже тем застенчивым мальчиком, с которым они делили раздевалку молодежной команды. Он все еще радовался победам, но футбол сделал его сильнее. Хотя одно осталось: Лео по-прежнему доминировал в группе, как тогда, когда они были молоды. В его отсутствие они чувствовали то же самое беспокойство.

«С тех пор, как он играл в молодежной команде, Лео обрел чувство ответственности, – объясняет Педро. – От него всегда требовалось блистать и забивать голы для каждой команды, в которой он играл. И теперь у него статус лучшего игрока в мире, который невероятно трудно поддержать, потому что каждый день приходят новые игроки, которые хотят к нему приблизиться. И он продолжает показывать свой высокий уровень и брать на себя огромную ответственность. Обратная сторона – когда его нет. Сам я пропускаю все, что он творит на поле».

Что следует сделать, когда настолько велико влияние одного футболиста? Продолжить создавать условия, чтобы он забивал больше голов? Или искать замену? Что говорят об этом великие тренеры?

Пеп Гвардиола сравнил доминирование Лео Месси в футболе с доминированием в баскетболе великого Майкла Джордана. Они лучшие и были лучшими в течение многих лет. Американец прошел через ситуацию, подобную той, в которой сейчас оказывается Месси: команда не могла жить без него, и он изо всех сил пытался завоевать различные титулы.

Легендарный тренер NBA Пэт Райли объясняет в своей книге Showtime, что такое «болезнь желания большего». Для бывшего игрока « Los Angeles Lakers» и его тренера «часто успех становится первым шагом к бедствию». Этот процесс он пережил с «Los Angeles Lakers» после завоевания титула чемпионов в 1980 году. Все стали более эгоистичными: игроки победили как единая команда, но они хотели получить награду как отдельные люди: больше денег, больше времени игры, больше признания. Они проводили больше часов в бассейне звезды Голливуда, чем на тренировочном поле. Они потеряли перспективу и перестали делать то, что помогало им побеждать, – и перестали выигрывать. Это было настоящее бедствие, и следствием стали плачевные результаты в сезоне после победы 1980 года.

Когда вас пригибает к земле груз победы, вы перестаете побеждать.

Пэт Райли считал, что решение в укреплении власти тренера, если у него есть ясные представления о цели и сильная личность. И если он не боится принимать жесткие решения.

Эта проблема возникла в «Барселоне» в эпоху Виловы, но, как уже говорилось, стремление Месси и великолепная игра Иньесты позволили им выиграть Лигу. Тем не менее неустойчивость ситуации стала очевидной. Слишком много зависело от Лео.

Когда Фил Джексон стал в 1989 году тренером «Чикаго Буллс», он унаследовал команду, в которую входил лучший игрок в мире – Майкл Джордан и которая переживала подобные сложности. Джордан был главным забивающим, помогающим забивать и действующим на подборах, но «Быки» не выигрывали с ним титулы. Хотя с Лео «Барселона» выиграла все возможные титулы, пример оставался подходящим, потому что Джексон начал реструктурировать команду, учитывая возможности своей звезды.

Джексон приложил сознательное усилие, чтобы сбить Майкла Джордана с его пьедестала, настойчиво повторяя слова буддистского монаха: «Никто не может быть островом. Ни у кого нет своего отдельного пути. То, что я сделал другим людям, возвратится ко мне». Спортсменам, которые вошли в элиту, нелегко слышать подобные слова, поскольку они привыкли к тому, что им говорят, какие они уникальные, особенные, ответственные за победы. Таким образом, Джексон часто спрашивал их: «Вы понимаете, что я говорю? Никто никуда не движется в одиночку. Мы идем все вместе».

«У меня были очень хорошие отношения с Майклом, – говорит Фил Джексон. – Я ни секунды не считал, что Джордан – бог. Мне приходилось просить его, чтобы он делал меньше, чем он мог. «Я не хочу, чтобы ты был тем, кто приносит больше всего очков. Те, кто приносит больше всего очков, не выигрывают чемпионаты», – сказал я ему».

Но Джордан хотел по-прежнему быть главным забивающим.

Новый тренер подписал контракты с хорошими игроками, чтобы усилить стартовую пятерку, но пресса продолжала сосредотачиваться на звезде, которая могла сломать единство, выстраиваемое Джексоном.

И Джексон, и Джордан сделали один и тот же вывод: игрок может продолжать улучшать статистику выигрышей, даже если среднее число его очков снизится. Чтобы позволить расти окружающим его игрокам, Джордан предложил уменьшить свое влияние; это было решено после разговора с тренером, а точнее, он думал, что предложил это сам. В любом случае Джордан принял тот факт, что умаление «Я» привело к победному «Мы».

То, что произошло с «Чикаго Буллс» в том сезоне, потребовало огромной личной и коллективной силы воли, и эта философия позволила команде выиграть шесть титулов NBA.

Любопытно, что Майкл Джордан не выиграл ни одного чемпионата без Фила Джексона, но последний выигрывал титулы без Майкла. Фактически он добился того же результата с Коби Брайантом. Даже лучшие игроки нуждаются в руководстве.

«Барса» работали с Ромарио, Лаудрупом, Стоичковым, Коэманом, Это'о, Роналдиньо, – объясняет Карлес Решак, помощник Йохана Круиффа в Команде Мечты сине-гранатовых. – У нас всегда были звезды и важные игроки; проблема в том, как ими управлять». Карлес считает, что тренер должен знать, как ежедневно задавать границы так, чтобы все могли играть с наилучшим результатом.

«Ключом ко всему является хороший, умный тренер, – размышляет Решак. – Человек, который объясняет: «Месси хорош, потому что он делает то-то и то-то, другой хорош, потому что делает что-то другое...» Он говорит новым парням: «Что вы должны делать? Почему с вами заключили контракт? Делайте как можно лучше то, что вы сделали в своей старой команде. Но как только вы сделаете что-то, чего от вас не ждали – вы уволены!» Вот как это происходит».

«В следующем году все, что тебе остается, это побить собственные рекорды», – сказал известный тренер Лео в конце сезона 2012/13 года. Лео засмеялся. В действительности же задача, стоящая перед ним в следующем сезоне, была гораздо сложнее.

Статистика, подтверждающая, что Лео – лучший в мире, должна быть уравновешена улучшением игры команды, которая потеряла часть своей индивидуальности и страдала от последствий нехватки лидера.

Заменить Виланову предложили Эрнесто Вальверде и Мануэлю Пеллегрини. Когда Тито пришлось уйти, обратились к Луису Энрике. В конце концов, спустя четыре дня после объявления об уходе, тренером был выбран бывший игрок «Ньюэллса» из Росарио. Он собирал информацию обо всех аргентинских игроках и помнил, как маленький Лео выполнял чеканку посередине поля. Его единственный опыт работы в Европе – игра за команду «Тенерифе» в течение нескольких месяцев.

Есть много причин выбора Херардо «Тата» Мартино: он только что выиграл Лигу и добрался до полуфинала Copa Libertadores с командой «Newell's Old Boys», которая одобрила сильный прессинг и захват мяча. Он не знал Лео Месси лично, но знал его отца, Хорхе, а также рекорды «Барселоны». «Нет никаких других команд, которые играют, как мы, но есть культура игры, которую мы создали, – пишет Андони Субисаррета в журнале клуба. – Мы можем найти решения, которые не обязательно будут самыми близкими к дому».

Сандро Розель был знаком с Мартино в течение многих лет, и они часто говорили о футболе, когда президент «Барселоны» работал в Nike. Он попросил их общего друга, президента Парагвая, дать ему номер телефона Таты и немедленно позвонил ему. «Давайте поработаем», – ответил Мартино, когда ему предложили пост тренера, и немедленно оставил идею пропустить год. «Несмотря на удаленность, он отлично понимал наше положение», – говорит Субисаррета.

Годом ранее Лео сказал *Ole*, что восхищается «эль Тата», возглавляющим его любимый «Ньюэллс». «Мне нравится Мартино, он действительно великий тренер. Вы могли видеть, что он делал с командой, на соревновании Clausura – хорошие результаты, отличный футбол. Он нашел правильный состав, заставил их правильно играть и добился уважения спортсменов».

«Я знаю, что семья Месси говорила с «Барсой», и благодарен им за это, – сказал новый тренер перед переездом из Буэнос-Айреса в Барселону. – Я уверен, что Лионель и Хорхе оказали влияние на решение и говорили с правлением клуба».

Матиас Месси написал на своем аккаунте в Твиттере: «Как замечательно, что Мартино был выбран в качестве тренера этой команды». День спустя, после товарищеской встречи против «Баварии Мюнхен» в Allianz Arena, Лео объявил: «Я ничего не сделал, чтобы Мартино пришел к нам, и полагаю, что должен дать объяснения. Приглашение Мартино – дело президента Розелла и клуба».

Мартино «принял» то, что сам «*эль Тата*» был вынужден отрицать на своей первой пресс-конференции в «Камп Ноу». В своей книге Сандро Розель также отрицает, что семья Месси имела какое-либо отношение к его приходу в клуб. Но то, что Мартино разделял взгляды Лео, несомнено: с точки зрения географии, с позиции симпатии к одному клубу, и потому, что до сих пор успех «Барселоны» был связан с теми условиями, в которых их звезда могла сиять самым ярким светом – так что приход тренера, который был бы способен понять Лео, стал вполне логичным шагом.

Новый тренер «Барселоны» участвовал в крупном проекте, работая в нижних разрядах в «Ньюэллсе», который ему пришлось передать в руки бывшего игрока команды сборной Аргентины «до 20 лет» Хорхе Тейлера. Клуб Малаги, который хотел подписать контракт с Мартино, а также «Real Sociedad» вложили в программу деньги и некоторое время пытались убедить Хорхе и Лео Месси принять в ней участие. Адриан Кория, бывший тренер Лео в Росарио, стал частью технической команды, которую «*эль Тата*» взял с собой в Барселону. В Росарио говорят, что связь между Месси и Мартино не заходит дальше этого.

Еще до первой встречи, при представлении нового тренера, обсуждалась фигура Лео и его роль в команде: «За последние годы Лео играл в самых различных позициях. Недавно он выступал в роли центрального нападающего, что полностью соответствует его стилю. Он также проявил себя как активный голеадор, чего не было в предшествующие годы. Учитывая это, я сказал бы, что он продолжит играть в той же позиции. Для идеального сценария нужна команда, которая будет отходить назад, чтобы заботиться о нем. Это довольно тяжелая ситуация, потому что «Барселона» выиграла все, что только можно, и было трудно предложить что-то новое. Я хочу, чтобы Месси чувствовал себя непринужденно в команде, хочу позволить ему заботиться об остальных».

Мартино знал, что принял звездную команду с великими футболистами, но хотел ясно дать понять, что они начнут работу с чистого листа. И он сделал это очень умно, объявив в своем вступительном слове, что он ничего не хочет менять. «Не уставайте от побед», – сказал он и объявил, что хотел бы возвратить сильный прессинг лучших лет Гвардиолы.

Даже тренер по физподготовке, профессор Эльвио Паолороссо, настаивал на том, что все будет продолжаться по-прежнему – методология «Барселоны» была хорошо отработана, и он не намерен вводить много изменений. «Моя единственная цель состоит в том, чтобы сделать вас счастливыми и чтобы мы были единым целым», – завершил Паолороссо.

В тот день «*эль Тата*» внимательно присматривался к Лео. У аргентинца была сенсационная тренировка – прессинг, дестабилизация, забивание голов, перехват мяча. После прибытия Мартино команда выглядела очень сосредоточенной

Во время тренировки состоялся разговор между Лео и «*эль Тата*», позднее у Мартино была встреча с капитаном Карлесом Пуйолем, в разговоре с которым он подчеркнул те же самые ключевые моменты: он сказал, что тот может не волноваться, поскольку не планирует менять тренировки и позволит команде собираться в день игры – любимое воспоминание об эпохе Пепа.

В целом его речь сводилась к следующему: «Парни, статус-кво останется прежним».

Первый матч Лиги против «Levante» продемонстрировал пример новых действий: на семьдесят первой минуте «*эль Тата*» заменил Лео. Месси не заменяли с мая 2010 года, за исключением случаев травм. Неймар вышел на поле на шестьдесят четвертой минуте – его интеграция в команду шла постепенно. Он играл на левом фланге.

Мартино объяснил на пресс-конференции: «Нужно беречь время. Лео очень умен, и мы очень быстро достигли соглашения. Я говорил с ним несколько недель назад о том, как важен отдых. Различные части матчей, когда вы сидите на скамье, похожи на отдых в течение целой игры. Я не буду заменять его в трудной игре. Ни я, ни кто-то другой. Это было бы безумием». «Барселона» разбила «Levante» со счетом 7:0.

Таким образом, Мартино говорил о необходимости ротации после того, как команда выглядела в последние месяцы сезона совершенно опустошенной. И в то же самое время тренер отвел Неймару место, которое подходило ему больше всего: бразилец собирался играть, чтобы принести пользу.

Мартино попросил, чтобы защитники меньше выдвигались вперед, крайние нападающие старались играть более активно, а полузащитники – больше входить в штрафную площадку и не заходить слишком глубоко, центральные защитники – спокойно вести мяч и начать выполнять диагональные пасы крайним нападающим. Защитники должны были опекать противников и не давать им выполнять длинные пасы, а вратарь временами должен был выбивать мяч достаточно далеко. Он также потребовал восстановить сильный прессинг на поле.

Несмотря на то, что Мартино сказал на своей первой пресс-конференции, он обсудил с Лео возможность его игры в иной позиции и даже использование системы, подобной той, которую играли в сборной Аргентины с Лео позади нападающего, как Хигуаин. Лео согласился, что в некоторых играх это станет хорошим сюрпризом для соперников, что он и сделал в первом же матче Clasico сезона La Liga в «Камп Ноу».

Таким образом, Мартино все же начал изменения. С самого первого дня.

Получилась более прямолинейная игра, как с Вилановой, она отлично подходила для таких игроков, как Месси, Сеск и Неймар, которые постепенно обретали достаточное пространство для маневра.

Примененная концепция подходила для современного тренера, который лишь несколько видоизменил модель «Барсы», достигшую своего пика при Хосепе Гвардиоле.

Но Лео, который был доволен тактическими изменениями, пояснил в марте 2013 года (в интервью с Мартином Соуто на *TyC Sports*), что, по его ощущениям, команда должна была заново все обдумать и поискать альтернативу:

Лео Месси: Самыми трудными для нас были матчи, в которых наши противники расслабляются и позволяют нам атаковать по флангам. Именно так поступали «Челси» и «Интер», которые выигрывали у нас. «Реал Мадрид» использовал эту тактику против нас...

Мартин Соуто: Да, но если вы остаетесь сзади и они делают то же самое, мяч останется посередине, вы не сможете играть в футбол...

Лео Месси: Мы должны владеть мячом, мы действительно не знаем, как играть иначе, и это иногда стоит нам победы. Мы говорим об этом перед всеми важными играми. В матче за кубок произошло то же самое. Им пришлось выйти вперед, чтобы попытаться добиться результатов, и первый гол стал следствием нашего быстрого свободного удара, затем мы потеряли мяч, и тут же последовал встречный удар Роналду, когда он был один на один с Пике...

Мартин Соуто: Да, а вы говорили об этом? Говорили вы: «Сними ногу с газа, давай отдадим им мяч на некоторое время»?

Лео Месси: Да, но я могу вам сказать, что мы к этому не привыкли. Мы привыкли стремиться выигрывать состязания и играть.

Предложение Мартино получило полное одобрение. «Мы вернули автоматизм, который был надолго потерян из-за отсутствия Тито», – сказал Хави, который добавил: «В прошлом году мы мало занимались тактикой на тренировках». Альвес, Баскетс, Пике (кто говорил о том, что они становятся рабами тактики), Вальдес, имеющие большое влияние на команду, публично поддержали изменения, хотя в прессе шли дискуссии о достоинствах нового стиля, который отличался от того, который вознес их на футбольный Олимп, особенно тогда, когда впервые за четыре года противник (скромная команда «Rayo Vallecano») больше владел мячом в матче, чем «Барселона». Лео присоединился к похвалам: «Чем больше вариантов тактики у нас есть, тем лучше».

«Эль Тата» необходимо было найти ответ еще на один вопрос, чтобы гарантировать движение по правильному пути, как в этом сезоне, так и в последующих: смена лидерства. В жизни четырех капитанов происходила фаза преобразования: Виктор Вальдес покидал клуб, Карлес Пуйоль прикладывал колоссальные усилия, чтобы выздороветь после последней травмы колена, Хави больше не мог играть так же часто, как в предыдущие годы, а Иньеста теперь предпочел оказывать влияние на группу в поле. Жерар Пике, Хавьер Маскерано и Сеск Фабрегас постепенно обретали все большее влияние на команду в результате их сильных характеров и действий на поле.

В это время Лео начал сезон довольно неровно с точки зрения физического состояния: 22 августа на первом этапе Суперкубка в матче против «Атлетико Мадрид» он получил травму — ушиб бедренного бицепса левой ноги. До этого момента он полностью играл только в одном матче из 25, проиграв со счетом 4:0 «Баварии Мюнхен». Он снова был травмирован 29 сентября в матче против «Альмерии» — это была травма мышцы правого бедра, та же самая, которая пострадала в матче против «PSG». В тот раз ему сказали, что есть серьезная вероятность того, что травма повторится.

В клубе говорили, что Лео недостаточно отдохнул за лето, но бригада врачей сообщала минимум информации — не для того, чтобы скрыть ее, но чтобы успокоить Лео, поскольку ему было трудно быть без мяча.

Это был год чемпионата мира, и Лео хотел бы подойти к концу сезона в отличном состоянии, как физически, так и душевно.

В результате он уменьшил уровень интенсивности тренировок, которые выполнял по специальной программе, составленной для него Хуанхо Брау. Он снова отдал себя в руки диетолога, на сей раз нанятого за пределами клуба, потерял два килограмма и в сентябре набрал мышечную массу.

Тело Месси отреагировало и справилось с травмами, позволяя ему вовремя вернуться в строй. Сезон шел хорошо. «Реал Мадрид» потерял очки в начале игр в Лиге, в Европе команда также работала отлично.

26 октября, в первом матче *clasico* эры Мартино, в «Камп Ноу» были введены изменения: предвидя, что «Реал Мадрид» собирался играть с тремя полузащитниками и одним центральным защитником, Серхио Рамосом, который попытается остановить пробеги Лео от центра, Мартино решил поставить Месси справа в нападении, что отвлекло защитников и позволило Неймару с другой стороны и Сеску, как ложным девятым номерам, получить больше пространства.

Произошло несколько важных событий: Месси во второй своей игре в сезоне, через пять дней после трехнедельного отсутствия вследствие мышечной травмы, потратил часть своей энергии на отход назад и на прессинг защитников «Мадрида»: когда у них был мяч, он предпочел пробежки, поскольку еще не был физически готов к интенсивной 90-минутной игре. В результате его влияние в игре стало меньше, и команда больше ориентировалась на Неймара, поскольку игроки чувствовали, что он играет сильнее, чем «Блоха».

Несмотря на победу со счетом 2:1 (голы забили Неймар и Алексис), а также молодой игрок «Реала» Джезе, отправивший мяч в свои ворота на девяносто второй минуте, в том матче также прозвучали и тревожные сигналы. «Барселона» – команда, которая может только защищаться с мячом, но настойчивость Неймара и Месси, стремящихся как можно раньше завершить атаку, без медленной подготовки с Хави и Иньестой, вынудила команду бегать вверх и вниз по полю намного больше, чем обычно. Они никак не могли найти правильные позиции на поле. Это истощило энергию большинства игроков, и во второй половине матча «Барселона» опустилась очень глубоко – «Реал» смог получить в этой игре, по крайней мере, одно очко. Чтобы добиться победы в крупных матчах, Мартино нужно было сбалансировать команду.

Тем не менее результаты показывали, что влияние «эль Тата» приносило свои плоды: ротация команды становилась делом регулярным, приход нового таланта позволил принимать новые решения, Месси стал играть новые роли в команде, авторитет тренера восстановился. История Фила Джексона и Майкла Джордана повторилась.

В тот первый год Неймар, Лео и «*эль Тата*» действовали вместе, они должны были объединить усилия. Самая большая проблема новой эпохи должна была возникнуть после чемпионата мира, поскольку последствия изменений могли поколебать установившуюся в команде иерархию.

6. АЛЕХАНДРО САБЕЛЬЯ

ВСЕ ПУТИ ВЕДУТ НА ЧЕМПИОНАТ МИРА В БРАЗИЛИИ

Это – турнир, на который Лео попадет в 27 лет – на пике своих возможностей. Он будет проходить в Южной Америке, а аргентинская национальная сборная традиционно чувствует себя более комфортно, когда соревнование проходит на своем континенте. Они намерены выиграть турнир в глубоких тылах своего самого серьезного соперника. Команда вращается вокруг звезды, родившейся в Росарио, в сборной были созданы необходимые условия для того, чтобы добиться максимума не только от его возможностей, но и от способностей его товарищей по команде в нападении – Серхио Агуэро, Гонсало Хигуаина, Анхеля Ди Мария. Это – «Реал Мадрид» национальных сборных: они любят играть на виражах, в темпе, прессингуя без мяча, но при необходимости не позволяя завладеть мячом противнику.

Лео готовится и духовно, и физически, чтобы подойти к чемпионату в идеальной форме.

Это чемпионат мира Лео.

Что произойдет, если он его выиграет? Поскольку он приедет спустя всего месяц после игры на чрезвычайно жестком и требовательном соревновании, это означает, что психологическое напряжение во время подготовки к турниру будет огромным. Весь его багаж, все, чему он научился, все усилия, вложенные для того, чтобы национальная сборная поняла его, – все будет задействовано в июне в Бразилии. Если он выиграет его, то вздох облегчения и расслабление будут не только необходимы, но и неизбежны.

И он возвратится в Барселону с чувством хорошо выполненной работы. Возможно, это будет момент, когда мы увидим другого Месси, сделавшего новый шаг в своем тактическом развитии и ставшего творцом вместо исполнителя, каковым он является в настоящее время.

Возможно, это позволит ему продлить свою спортивную карьеру. Несколько сдав нынешние позиции, он был бы в состоянии использовать другие особенности своей игры, которые не всегда требуют взрывчатости и максимума мускульных усилий. На примере логичного снижения физических возможностей Хави, Лео мог бы стать организатором команды и помощником Неймара. «Теперь я – тот, кто заставляет других играть», – мог бы быть его девиз после чемпионата мира.

А если он не выиграет это грандиозное соревнование?

Психологическое давление увеличится и оставит ощущение опустошенности. Он скажет себе – да, я – великий игрок, но я оказался неспособен привести свою страну к победе на чемпионате мира, как Пеле, Марадона и даже Зидан. Какой будет реакция? Его желание хорошо сыграть, быть значимым, продолжить доказывать миру, что они были неправы, может усилиться, что принесет пользу команде (он будет хотеть продолжать забивать голы и выигрывать больше игр), или сделает работу Тата Мартино по преобразованию его в Майкла Джордана победной команды «Чикаго Буллс» более трудной. Лео будет стремиться доказывать, что он – лучший в мире, и тренеру придется думать, как с этим справиться.

В любом случае сделано абсолютно все, чтобы Аргентина и Лео приехали в Бразилию как серьезные претенденты на титул чемпионов.

И наконец. Необходимо было появление нового тренера национальной сборной.

Несмотря на убедительную победу со счетом 4:1 в 2010 году против недавно коронованных чемпионов мира — команды Испании, — и несмотря на удовольствие, которое он испытал, слыша, как его имя скандируют поклонники, Серхио Батисте, в то время бывшему руководителем сборной, не удалось объединить растущее футбольное мастерство «Блохи» с командой. Он попробовал схему 4–3–3, взятую у «Барселоны», и вывел Карлоса Тевеза из национальной сборной, потому что понял, что тот не соответствовал новой динамике группы, но результаты были плачевными: он потерпел неудачу на Кубке Америки, проходившем в Аргентине, проиграв Уругваю в четвертьфиналах. Безусловно, вратарь противника Фернандо Муслера был Человеком матча, но этот факт не утихомирил местных фанатов, которые яростно демонстрировали команде свое нетерпение. Это были худшие моменты в карьере Месси со сборной.

Пришла очередь Алехандро Сабелья избавиться от сухих ветвей и начать новый проект, который должен был начаться с талантливого актива, имевшегося в его распоряжении. В свои 56 лет он использовал опыт не только футболиста, но и помощника Даниэля Пассареллы — тренера, который вел Аргентину к чемпионату мира 1998 года. Его сдержанная позиция помогла без особого шума поднять дух команды, а жесткость в футбольных вопросах сподвигла на те решения, некоторые из которых были довольно болезненными: не вернули ни Тевеза, ни Рикельме. Все контракты и стиль команды постепенно становились последовательными и вращались вокруг одной и той же группы.

Четыре форварда (Месси, Ди Мария, Кун Агуэро и Хигуаин) становились костяком состава команды. В центре предполагалась комбинация тактической дисциплины Хавьера Маскерано и ударной силы Фернандо Гаго, что вместе с их опытом и балансом делало их лидерами на поле и вне его.

За Месси были Гаго и Агуэро, который был его партнером на обоих чемпионатах (чемпионат мира «до 20 лет» и на Олимпийских играх). При Сабелье они вновь играли вместе.

Лео оказался рядом с товарищами по команде, которые отлично понимали его без слов, что позволяло ему играть более свободно. В пределах штрафной площадки и вокруг нее он начинал становиться Месси «Барселоны».

«Единственное, что я сказал, как только взялся за национальную сборную, — что его нужно оставить в покое, — объясняет Алехандро Сабелья в книге «El distinto». — Однажды он пропустил пенальти, и поднялась шумиха, как будто астероид ударил в землю! Со всех сторон началось: «возможно, Лео в депрессии», «что происходит с Месси»... А потом он забил пять голов в следующих двух матчах. Мы должны понимать, что Месси – живой человек».

Сабелья нуждался в совете Пепа Гвардиолы: «Защитите его игроками, которые упростят ему работу. И заставьте его чувствовать себя любимым». Обдумав эти слова, новый тренер полетел в Барселону, чтобы дать Месси звание капитана.

Хавьер Маскерано: *Я был капитаном и тем, кто передал Лео это звание. Я поговорил с ним здесь, на тренировочном поле «Барселоны». Я сказал Месси, что больше не буду капитаном. Я еще не поговорил с тренером, но сказал, что это больше буду не я. Я чувствовал, что капитаном должен был быть Лео – он слишком многое значил для нас. Я уже думал об этом прежде. Я хотел сделать это перед Кубком Америки, но тогда этого не произошло... и вот настал момент, когда я сказал: «Смотри, Лео, теперь ты должен стать капитаном вместо меня. Я уверен, что ты лучше всего будешь представлять всех нас».*

Гильем Балаге: *Когда точно это произошло?*

Хавьер Маскерано: *В 2011 году, после Кубка Америки. Очевидно, что есть новый тренер, и выбор должен сделать он. Сабелья тоже сказал: «Я хочу, чтобы Лео был капитаном...» И спросил Лео. Очевидно, Месси принял это.*

Гильем Балаге: *И что сказал Лео, когда вы сказали ему о своем решении?*

Хавьер Маскерано: *В тот момент он не хотел этого. Он заявил мне: «Нет! Как? Ты – капитан!». А я сказал ему: «Нет, Лео, это должен быть ты. Тот, кто будет лучше всех представлять нас. Это будет правильно».*

Звание капитана подходило Лео во всех отношениях, оно наполнило его спокойствием. Если только не брать в расчет его первую речь перед матчем с Грецией на чемпионате мира 2010 года. «Он сказал мне на днях, – объясняет Жерар Пике, – что в Аргентине у них есть традиция – капитаны должны произносить речь перед каждым матчем. Когда ему дали нарукавную повязку и наступила его очередь сказать речь, он встал и сказал: «Сегодня не будет никакой речи. Давайте пойдем на поле!» Это был его первый матч как капитана!»

Но постепенно Месси приспосабливался к новым обязанностям, включая то, что было для него наименее привлекательным. «Вначале он говорил с нами индивидуально, – вспоминает Пабло Сабалета. – Но теперь он говорит: «Это – Аргентина, давайте с самого начала помнить о верности своей стране»... Общее для всех и несколько индивидуальных указаний. Он хорошо играет свою роль». И Пабло перестал подсказывать ему, как он делал это, когда Лео был мальчишкой: это был уже совсем другой Месси.

«Это не вопросы тактики, об этом тренер говорит в отеле, — объясняет Оскар Устари. — Когда мы возвращаемся с разминки, мы переодеваемся, шумим, выкрикиваем разное («давайте, парни, мы — Аргентина, мы победим!»). Затем Лео, перед тем как мы выйдем на игру, собирает нас в круг. Он успокаивает нас или говорит о команде, поклонниках, которые приехали, чтобы посмотреть на нас. Он может добавить что-то еще в туннеле. И в перерыве, когда приводит в порядок свои бутсы, вы можете услышать слова капитана: «Мы будем продолжать в том же духе, мы отлично действуем...»

Фернандо Синьорини, бывший тренер национальной сборной по физподготовке, предлагает иное видение нарукавной повязки капитана: «Месси вообще не нуждался в звании капитана. Кроме того, я думаю, что Маскерано — намного больше капитан, чем Лео, и Лео сам признает это, он не глуп. Но это — часть игры, это восходит к тому времени, когда звание капитана дал Билардо Диего Марадоне, потому что это доставляло звезде особый кайф. Но сейчас, в наше время, капитан как лидер фактически больше не существует: изменились культурные нормы. В то время к лидеру относились с большим почтением. Сегодня это все повод для дебатов, и это хорошо, потому что дела идут ужасно, как в футболе, так и в обществе. На самом деле нужно убедиться, что человек чувствует свою ответственность как футболист. Просто позвольте ему играть».

Марадона был капитаном, который боролся с соперниками и на поле, и вне его, делая политические намеки, критикуя папу римского или хваля Фиделя Кастро, тогда как Лео просто хочет выразить свое мнение о системах игры.

«Ему помогают два уверенных лидера — Забалете и Маскерано, — заявляет «профессор» Салорио. — Иногда хорошо иметь одного лидера с двумя за его спиной. В любом случае Лео, с которым я познакомился на чемпионате мира «до 20 лет», не таков. Этот Лео — требовательный парень в истинном значении этого слова. Когда он требует, то требует то, что должен, когда он спрашивает, он просит то, что должен. Он не нонконформист, как Диего».

На тренировке Лео говорит, не говоря ни слова, не жалуясь на то, что его снова сбили с нарушением правил, постоянно желая получить мяч, так что он может принять на себя ответственность, звоня своим травмированным товарищам по команде из «Барселоны», отклоняя особые привилегии или участвуя в организации поездок.

Журналист Эсекьель Фернандес Моорес пишет в *El Pais* о его первом решении после получения нарукавной повязки капитана: «Десятки детей выскакивают на поле на Стадионе IBK в Калькутте. Полицейские фотографируются с Лионелем Месси. Его присутствие в Индии имеет успех.

Промоутер матча радостно заплатил ему 200 000$ сверху. «Парни, – говорит новый аргентинский капитан, собрав в круг своих товарищей по команде, – я страдаю от жары так же, как и вы, я был в пути так же, как вы, и мне делали прививки, как и вам. Эти наличные – для всех». Это было 2 сентября 2012 года – товарищеская встреча, на которой аргентинская сборная победила Венесуэлу со счетом 1:0. Дебют нового тренера Алехандро Сабельи».

В июне 2013 года гватемальская футбольная ассоциация согласилась выплатить гонорар $1 миллион аргентинской федерации за товарищескую встречу между национальными сборными этих стран. Участие Лео было под сомнением из-за некоторых проблем, затянувшихся после его травмы в матче против «PSG». Если бы играл Месси, то они заплатили бы еще полмиллиона. Лео отправился в поездку и играл в Гватемале. Дополнительные полмиллиона, который были заработаны благодаря его участию, были распределены среди выбранных для матча игроков.

«Я видел, как он прикрыл правого защитника в Перу, лучший в мире, – добавляет Оскар Устари. – Упал, чтобы защитить. Это было на квалификационном матче. Он лучший из всех, и он здесь, с нами. Невозможно не проникнуться этим чувством, если здесь, рядом с вами, товарищ по команде, который выиграл все возможные титулы. Конечно, стоит выстроить команду вокруг такого человека».

Во время квалификационных матчей постепенно накапливались очки, но произошло странное недоразумение. Лео забивал гол за голом. Хотя сборная проиграла на чемпионате мира в Южной Африке или на Кубке Америки 2011 года, после прихода нового тренера он забивал почти по голу в каждую игру.

«Есть нечто очень интересное в аргентинской сборной Сабельи, – говорит Карлос Билардо. – Прессинг на трех четвертях поля означает, что Лео не нужно много бегать. То есть он покрывает меньшие расстояния, чем ему пришлось в Южной Африке. Всякий раз, когда на поле появляется Лео, противнику приходится выделить для него, по крайней мере, трех игроков.

В это время у других игроков Аргентины появляются время и пространство, чтобы нанести ущерб сопернику».

Экосистема наконец обрела гармонию.

Но каждому королю нужна коронация, и Лео вышел в жару в Барранкилье, Колумбия.

Сабелья объясняет, почему это было сделано, в предисловии этой книги. Это был день, когда все встало на свои места.

Аргентина только что проиграла в матче против Венесуэлы – историческое поражение, и сыграла вничью с Боливией. Колумбия забила первый гол в Барранкилье. Жара – еще один противник – была просто невыносимой. И Кун спас его, как лучший товарищ на передовой.

15 НОЯБРЯ 2011 ГОДА. КОЛУМБИЯ 1:2 АРГЕНТИНА.
СТАДИОН РОБЕРТО МЕНЕНДЕСА, БАРРАНКИЛЬЯ

Колумбия: Оспина; Сунига, Москера, Йепес, Армеро; Пабон (Д. Морено, 61-я минута), Боливар, А. Агуилар (Ариас, 76-я минута), Х. Родригес; Рамос и Дж. Мартинес (Кинтеро, 76-я минута). Неиспользованные запасные: Кастильо, Запата, Энрикес, Валенсия, Вальехо, Гутьеррес, Марруго.

Аргентина: Ромеро; Сабалета, Ф. Фернандес, Бурдиссо (Десабато, 36-я минута), К. Родригес; Соса, Маскерано, Гинасу (Агуэро, 46-я минута), Брана; Месси и Иген (Гаго, 85-я минута). Неиспользованные запасные: Андухар, Орион, Демишелис, Монзон, Альварес, Гаитан, Пасторе, Денис и Лавесси.

Голы: 1:0. 45-я минута: Пабон. 1:1. 61-я минута: Месси. 1:2. 84-я минута: Агуэро.

Каэтано Рос, El Pais: Агуэро улучшает игру «Блохи», и их партнерство помогло Аргентине вернуть себе прежнее положение в матче против Колумбии. Первый гол Месси забил самостоятельно после кросса Сосы. Он играл на Хигуаина, чтобы забить второй, но его удар был отбит Оспино, и Агуэро вколотил последний гол, оставив Колумбию в полном отчаянии. Несмотря на страшную жару и влажность, невероятное аргентинское атакующее трио нападения загубило колумбийскую инициативу в Барранкилье в четвертом квалификационном матче чемпионата мира.

«Основываясь на том, что нравится аргентинцам, тот квалификационный матч против Колумбии, когда мы возвратились после захватывающего спектакля Лионеля во второй половине игры, оказался ключевым, – вспоминает Эдуардо Сакери. – Нам было суждено проиграть тот матч, квалификационная игра была сложной, и он заставил нас победить. Это была целая эпопея: слабеющий Месси, умирающий от жары, на грани истощения... И он сумел поспорить с судьбой в тех сложнейших условиях, в игре против очень опасных соперников. Нам нравятся подобные истории».

С этого момента аргентинское общество начало примиряться с Лео. Последовали победы сборной в Чили и Парагвае, они также вышли непобежденными в Кито и Ла-Пасе – четыре матча, которые закончились поражением в квалификационных играх для чемпионата мира в Южной Африке.

«До этого момента не было сделано точного определения роли Лео на поле, – объясняет Салорио. – Теперь у него есть фиксированная позиция. Мне не нравилось, что Месси нужно заходить слишком глубоко, чтобы получить мяч, именно для этого есть Гаго – прекрасный товарищ по команде. Я всегда говорил, что различие между «Барселоной» и сборной в том, что у первых есть Фрэнк Синатра с хорошими музыкантами. Аргентина не набрала хороших музыкантов для Фрэнка Синатры. Но теперь она собирает оркестр».

2012 год продолжался в том же духе. За эти 12 месяцев Лео забил 12 голов, сравнявшись с рекордом Батистуты, хотя последний добился такого результата через год после чемпионата мира. Он присоединил к своим успехам хет-трик на товарищеской встрече против Бразилии, проходившей в июне.

Первый гол он забил, завершив контратаку после того, как Хигуаин сумел отобрать мяч. Второй – после игры в стенку с Ди Марией. И завершен его хет-трик был феноменальным голом снаружи штрафной площадки, который привел к счету 4:3 за шесть минут до конца матча после пробега, подобного тем, которые делал «Хетафе», но без противостоящих ему игроков.

Матч против Венесуэлы, проходивший на стадионе Ривера в марте 2013 года, снял все остававшиеся сомнения, если таковые были. Это был аншлаг. Тысячи футболок Месси с номером 10 стекались на стадион в Буэнос-Айресе, чтобы отпраздновать тот факт, что национальную сборную страны можно называть лучшей в мире.

На трибунах выставили приветственные плакаты. «Устрой бучу, Месси» – «*Messiento enamorado*» (каламбур, *siento enamorado* – «чувствую себя влюбленным»), «Лео Месси – гордость нации» и «Бог и Мессии».

В тот день Аргентинская футбольная ассоциация устроила торжества в ознаменование 100-го матча сборной. Это был очень разумный шаг. Мемориальная доска, аплодисменты после объявления по громкоговорителям. Восьмидесятиоднолетний президент Хулио Грондона поцеловал Лео Месси, игрока, которому он предложил национальную сборную, – или, по крайней мере, именно так хотел бы видеть написанной эту историю. А затем был матч.

Стадион поднимался на ноги каждый раз, когда Месси выполнял один из своих пробегов.

И внезапно скандирование поднялось до такого уровня, которым раньше приветствовали только Диего Марадону. «Давай, давай, пой со мной, ты найдешь друга, Лионель Месси, который возьмет тебя за руку, и все мы пойдем в хороводе». Упомянутая рука была бесславной «рукой Бога» Марадоны в матче против Англии.

Было четыре случая, когда трибуны скандировали имя Лео.

Победа была еще более убедительной, чем можно было предположить на основании счета – победа со счетом 3:0, один гол забил «Блоха» на пенальти, а Хигуаин с помощью Лео забил два года за один матч – его точнейшие пасы можно видеть на реплее при телевизионном показе матча.

В 25 лет Месси завоевал полное и безоговорочное восхищение своих поклонников.

Есть одна маленькая деталь, которая, возможно, способна точно определить команду, собравшуюся на поле для квалификационного матча, дающего право попасть на чемпионат мира в Бразилии. Время от времени мяч проходил в нескольких метрах от Месси, и он не мог до него добраться. Теперь ему разрешили это сделать. У него было разрешение распределить энергию на всю игру и сосредоточиться на своей работе с мячом, он мог сам выбирать, куда нацелить удар. «При другой технической команде или в другое время он попытался бы быть Месси в течение первых десяти минут, а затем превратиться в пепел, – убежден Эдуардо Сакери. – Мне кажется, что сейчас Месси чувствует себя счастливым в национальной сборной, так, как он никогда не чувствовал себя прежде. И, наконец, мы оказались способны понять и принять, что проблема в нас, а не в Месси».

При Сабелье Лео увеличил свой вклад в успех команды – ранее эта проблема существовала только на трибунах, на скамье или в СМИ. «Я знал, что не особенно хорошо играл для национальной сборной, но я был не единственным, кто играл плохо, – сказал Лео Месси в марте 2013 года. – Национальная сборная не играла как единая команда. Люди или пресса ожидали, что я пойду и выиграю все самостоятельно, но такое никогда не происходило, ни в одной команде. Я знал, что не показал все лучшее, на что я способен, и мне хотелось исправить ситуацию».

Его игра при Сабелье (20 голов в 22 играх, тогда как при предыдущих тренерах он забил 17 в 61 матче) соответствовала достижениям команды – Лео, Ди Мария, Хигуаин и Агуэро забили 90 процентов голов Аргентины на квалификационных матчах.

«Блоха» утверждал, что новый тренер очень помог команде. Это было «важное изменение в способе строить команду, располагать нас на поле и организовывать тактику игры». Сам Сабелья сделал свой вклад в фольклор, придумав новое прилагательное, определяющее нападающего: *immessionante* – сочетание испанских слов «Месси» и «впечатляющий». Оно вошло в выпуск словаря Santillana 2013 года.

Квалификационный матч для чемпионата мира против Парагвая был выигран со счетом 5:2. Два гола забил Месси, однако остались некоторые вопросы о хрупкости защиты. Страна начала мечтать о хороших итогах на чемпионате мира. В задней части комнаты, наполненной восторженными и полными надежд аргентинцами, сидел ветеран других сражений – Фернандо Синьорини. Тренеру по физподготовке национальной сборной в Южной Африке было что сказать.

«Тревожит одно – большое число матчей, в которых заставляют играть Месси, потому что это выматывает его, – говорит он. – Я надеюсь, что Лео оставят в покое, так что он сможет на недельку отправиться позагорать со своей женой, чтобы «подзарядить батареи» – в противном случае будет так, как было в Южной Африке, куда он прибыл после шестидесяти с лишним матчей, сыгранных от начала и до конца. И прибавьте к этому тренировки с национальной сборной – вы не заставляете их особенно выкладываться, но все еще остается необходимость тренироваться, что означает, что вы продолжаете уставать. Даже самая чистокровная лошадь не может устанавливать рекорды на скачках в Сан-Исидро каждое воскресенье. Власти должны проявлять большее уважение по отношению к игроку и его поклонникам, которые хотят увидеть полноценное шоу со здоровыми атлетами».

Синьорини рассказывает, как однажды, в то время когда они оба были в команде Марадоны, он убедил Лео не играть в одном матче – товарищеской встрече против сборной Каталонии. Это было нелегко сделать.

«Я знал, что он приедет усталым, ужасно усталым. Затем я поговорил с Диего и сказал ему: «Лео не должен играть в этом матче. Что он представляет для нас? Еще 200 000$ для Аргентинской футбольной ассоциации? Не все сводится к интересам AFA. Мы должны подумать и о человеке».

«В результате я сказал члену технической команды: «Когда Лео приедет, пошлите его ко мне». Он приехал. Как только он вошел, я сказал:

– Как дела?
– Отлично.
– Травма левой лодыжки, верно?
– Нет, сэр.
– Да, да, она отекла, не заливай. Ты не будешь играть в этом матче. Знаешь, что мы сделаем? Я уже поговорил с Диего, расслабься, уезжай, мы уладим все с барселонской бригадой медиков, закажем тебе билет, лети в Буэнос-Айрес, в Росарио... Ты не играешь в этом матче. Идет? Оставь это мне.

Я взъерошил ему волосы, а затем он уехал. Как маленький ребенок! И все давали ему советы. Но кто, черт возьми, прошел через то, что пришлось пережить ему, чтобы иметь право давать ему советы?!»

Мысль о том, что можно не победить в Бразилии, даже не приходит Лео голову. Он отрицает эту возможность так же, как раньше отрицал вероятность не войти в первый состав «Барселоны». Месси гложет мысль о том, что, хотя он чувствует себя номером один, он все же считает, что пока еще не вошел в историю. И, возможно, он все еще не может справиться со старым сомнением в том, что его приняли.

«Когда мы вернемся после четвертьфиналов, его снова будут критиковать, – размышляет Сакери. – Если он совершит множество своих необычных волшебных трюков, но мы все равно проиграем, даже тогда... А если Месси принесет победу, возможно, Диего согласится поставить его рядом с собой. Или мы сами поставим их на один алтарь, как отца и сына. Преимущество христианства в том, что мы можем поклоняться нескольким божественным персонам».

Теперь, когда Месси привык быть Месси, его цель – завоевать Кубок мира.

И тогда его имя запишут среди звезд.

7. ТИАГО: БЕСПОВОРОТНО НОМЕР 10

Фернандо Синьорини говорит, что Лео рискует. «Атауальпа Юпанки некогда сказал: «Тщеславие – человеческий сорняк, который отравляет каждый сад». Он говорит о том, что в Аргентине, если вы добились успеха, вам в вену вводят «яд тщеславия». Синьорини говорит, что Лео может не справиться с этой опасностью. «По правде говоря, я хотел бы, чтобы он не ездил в Аргентину слишком часто, или, по крайней мере, проводил там столько времени, чтобы насладиться поездкой, не теряя спонтанности и свежести восприятия. Посмотрите на то, что происходит с Диего – его заставляют жить в аду. Он в тюрьме, созданной обожанием людей, ставших счастливыми благодаря его таланту».

Поскольку Лео приходится сталкиваться с возможностью победы на чемпионате мира и давлением вследствие того, что футбол стал компенсацией за многие лишения в обычной жизни аргентинцев и потому что люди нуждаются в «звезде», Синьорини дает несколько советов: «Он должен сделать семью своей скалой. Теперь это – он, его подруга, сын и будущие дети. Все остальное – неважно. Лео – замечательный человек, Антонелла – тоже – я знаком с ней, и, по-моему, они являются замечательной парой, которая вызывает улыбку и заставляет говорить: «Посмотрите, как они любят друг друга. Им так хорошо, подумать только, сколько всего им приходится пережить...»

Перед Лео стоит много новых задач... Например, еще один «Золотой мяч». Каждый год ему звонят из разных клубов, которыми управляют мультимиллионеры, но до сих пор все их предложения отклоняются. Неизвестно, попытал бы Лео когда-нибудь счастье в Англии, где сосредоточены наиболее предприимчивые и богатые лиги в мире, если бы там были иные погодные условия: в течение многих лет к Лео проявляли интерес как «Манчестер-Сити», так и «Челси». Однако после попытки «Интера» несколько лет назад переманить Лео никогда больше не возникало реальной опасности, что он покинет «Барселону».

Хотя отношения Лео с Сандро Розелем не столь гладкие, как те, которые сложились у него с Хоаном Лапортой, это продолжает выглядеть как более или менее гармоничный брак, к тому же необходимый: Лео должен чувствовать себя комфортно, чтобы играть как можно лучше, а «Барселона» готова продолжать удовлетворять потребности своих звезд, чтобы они продолжали расти.

Кто первым продемонстрирует признаки спада – сам Лео или его тело? Согласно данным одного нового исследования, у детей, которые вошли в профессиональный спорт до 15 лет, увеличивается риск травм и изнеможения в два – два с половиной раза. Это известно очень давно: Адриано, Робиньо, Кака, Оуэн, Кассано, Рональдиньо – все они побывали на вершинах футбольного мира, но они не смогли долго удерживать эту высочайшую способность к борьбе.

Эти спортсмены были ошеломлены успехом и оказались неспособными жить с этим ощущением.

Синдром выгорания, впервые описанный Фрейденбергером в семидесятые годы XX века, скорее психологический, чем физический фактор, это дисбаланс между принимаемыми игроком требованиями и его способностью соответствовать им. Огонь, который потребляет энергию и горит, не угасая, постепенно сжирает мотивацию игрока.

Месси всегда был способен смело встречать лицом к лицу все новые трудности и справляться с ними, но в какой-то момент ему придется изменить свое мышление и представления о действительности. «Для него умственный тренинг станет более важным делом, чем физическая, техническая или тактическая тренировка, – объясняет тренер Педро Гомес. – Лео будет толкать к игре главным образом его собственная мотивация. Какое-то время он сможет продолжать играть, как будто остается прежним мальчишкой!»

Карлес Решак мастерски описывает этапы развития футболиста. «Вы не начинаете спуск вниз до двадцати девяти или тридцати лет, так что у вас есть еще несколько лет в запасе, но внезапно вы замечаете, что после каждого матча вам требуется больше времени, чтобы прийти в себя. Есть и другой эффект, который даже хуже, чем физическая усталость: вы все меньше и меньше наслаждаетесь игрой, вам не позволяют ей наслаждаться. В двадцать лет вы играете с ощущением свободы, вы болтаетесь на поле, сколько хотите. Постепенно вам вменяют в обязанность решать судьбу матча, вы должны выигрывать.

А затем наступает следующая фаза, когда вы выигрываете со счетом 3:0, вы забили один или два гола, и тренер выводит вас из игры во второй половине матча, потому что необходимо выиграть и следующую игру. Даже если вы жалуетесь и говорите, что хотите играть больше, чтобы получить удовольствие от игры, тренер отвечает вам, что это невозможно, что кто-то еще хочет весело провести время. Поэтому, как только вы становитесь старше, вы играете только для того, чтобы победить».

Скоро они начнут забирать мяч у Лео. А затем – отстранять его от мяча.

«На Лео наваливается все больше и больше ответственности, и ему все труднее поддерживать свой уровень, – размышляет Решак. – Месси взял на себя ответственность за команду и удерживает ее. Но ему также нужны игроки, которые придут на смену, кто будет забивать голы, когда его не будет на поле, так, чтобы мы могли выигрывать даже без него: в такие дни происходит три поражения, и мы можем проиграть».

«Смею утверждать, что Месси придется кое-что изменить, — говорит бывший двадцать восьмой номер сборной Аргентины, — что-то щелкнуло у меня в голове, заставляя меня захотеть стать тренером. Я вижу, что он всегда хочет играть. Когда Лео будет тридцать три, тридцать четыре года, он все еще будет хотеть играть. Но ему необходимо подготовиться к изменениям за оставшиеся годы, не теперь, но позже, чтобы понять, что он хочет делать дальше».

В апреле 2013 года Хорхе Месси объяснил в журнале *Kicker*, как он видит преобразования на поле: «Я представляю, что Лео будет играть глубже, как нападающий, то есть делать то, что он уже делает время от времени в «Барсе». Многие эпизоды игры он начинает из глубины поля».

Пеп Гвардиола доверяет уму и интуиции Лео, которые подскажут, когда нужно сделать следующий шаг. «Центральный полузащитник? Нет. Ну, я не знаю. Он сам выберет, как мне кажется. Просто я знаю, что если с ним все будет в порядке, его команда всегда будет фаворитом и сможет выиграть любое состязание, в котором будет играть Лео, до того дня, когда он уйдет в отставку. До тех пор, пока он будет в хорошей форме. Совершенно очевидно, что вы не сможете оставаться на высшем уровне в течение одиннадцати месяцев в году в течение пятнадцати — двадцати лет спортивной карьеры. Но если Месси вобьет себе в голову, что он вполне здоров, никакая команда не сможет остановить его». Изменения тактики, его эволюция — все это является также результатом успехов и развития команд соперников, которые стали очень компактными в середине, чтобы Месси не мог нанести ущерб их игре. Месси сейчас на пике физической формы, это его лучший момент в спортивной карьере, вы не можете говорить о физическом спаде, но на его пути расставлены ловушки, так, чтобы он не мог улучшить свою игру. Возможно, сейчас пришло время, когда он приводит в ужас соперников, высматривая товарищей по команде, не только для того, чтобы использовать их для игры «в стенку» и завершить игру, но и чтобы стать ложным номером 10. Как говорит его отец, эволюция человека, который вдохновляет команду и творит ради нее, уже началась. Чтобы команда «Барселона» оставалась эффективной, «*el Tata*» Мартино придется перестроить ее.

Однажды Лео отправится домой, чтобы играть, быть со своим народом и снова просто наслаждаться футболом. В «Ньюэллсе».

В конце концов, Месси перестанет играть. Мы больше не будем видеть его каждые выходные.

Ди Стефано бросил игру. Пеле отступил. Марадона ушел.

О Месси придется хорошо позаботиться, чтобы он смог достойно перенести эту потерю. И те, кого он любит, должны быть готовы к этому. Все, кто входит в понятие «*Лео*», который однажды перестанет быть этим Лео. «Это именно так и происходит, я говорил об этом с женой на днях, – объясняет Хорхе Месси в интервью журналу *Kicker*. – В тот день, когда Лео перестанет играть, думаю, я перестану волноваться о футболе, даже прекращу смотреть матчи. Я очень люблю футбол, и мысль о том, что однажды Лео уже не будет играть, беспокоит меня. Я даже не хочу думать об этом».

Мартин Соуто: [о том, не будет ли он тренером], вам это нравится? В будущем вы планируете…?

Лео Месси: И… Я всегда говорю «нет», сегодня я не собираюсь быть тренером, но я не знаю, как все обернется в будущем. Возможно, я захочу попробовать.

Мартин Соуто: Посмотрим… давайте притворимся, поиграем… как будет играть команда Месси?

Лео Месси: Я многому научился у каждого своего тренера. За то время, когда я играл за «Барсу», мне повезло познакомиться с Райкардом, Гвардиолой. Те же самые идеи, та же самая философия игры, но я могу вам сказать, что на сегодняшний день даже не думаю о том, что стану тренером.

(Интервью Мартина Соуто с Лео Месси на ТуС, март 2013 года)

В том же самом интервью Лионель объясняет, как однажды, совсем недавно, он пошел посмотреть, как его брат Матиас играет в деревне с мальчиками, с братьями Эвера Банеги. «Блоха» хотел присоединиться к ним, но они ему не позволили.

Месси не было в списке игроков той любительской лиги, и противники не соглашались с тем, чтобы он присоединился к команде его брата.

Естественно.

Мартин Соуто: Когда вы покончите с футболом, хотели бы вы жить в Аргентине?

Лео Месси: Да, сегодня я говорю — да, но не знаю, что произойдет завтра. Мой сын вырастет и наверняка пойдет в школу здесь, и я не знаю, когда я возвращусь домой. Я хотел бы жить в Росарио. Но не уверен, будет ли так, потому что пустил здесь очень прочные корни. Я прожил здесь много лет, это — мой дом. Я хотел бы возвратиться в Росарио, но не знаю, что будет дальше.

Новорожденный сын часто становится стимулом для развития. Многие родители начинают и заканчивают тренировку, отдаваясь ей со всей страстью, на которую способны, чтобы быстрее вернуться домой и поиграть со своими сыновьями. Пике, Сеск и Лео принадлежат к этой группе людей, поскольку они стали отцами приблизительно в одно и то же время.

Как при любых переменах, есть приобретения, но есть и потери. Лео вырос рядом со своей семьей, кто-то был ему ближе других, но только географически. Эмоционально они все были единой скалой. И теперь пришла его очередь отколоться от них и жить со своей женой и своим сыном. Когда это происходит, игрок, который знает, что его родственники пожертвовали для него всем, иногда переживает определенное чувство долга, и это немного ломает его. Новооткрытая независимость иногда сопровождается физическими изменениями – сменой дома, города, среды. Возникает напряжение. Это также может привести к травмам.

Рождение сына приносит новые тревоги.

Антонелла часто говорила Лионелю, что ребенок есть и будет самым прекрасным, что может произойти с человеком. «Пока у тебя нет ребенка, ты не сможешь оценить это, – размышлял «Блоха» на передаче ТуС. – Это просто невозможно объяснить».

Тиаго родился на седьмом этаже больницы, выходящей окнами на «Камп Ноу». Поклонники «Ньюэллс» отпраздновали это событие баннером «Приветствуем Тиаго Месси в МИРЕ «LEPROSO». Тиаго Месси, игрок номер 2.288.152». Забавная попытка сделать его членом клуба, которым он не является. Вполне понятно, какую команду он поддержит, но Лео еще не зарегистрировал сына.

Теперь он меняет подгузники Тиаго, купает его и говорит, что однажды ребенок даже помочился на него...

«Вы больше не думаете о себе. Вы думаете о ребенке, чтобы у него никогда не было проблем. Да, все меняется, особенно ваше восприятие», – сказал Месси в интервью *El País.*

«Лео – разноплановый человек, – говорит Оскар Устари. – Когда я прошу, он посылает мне фотографии, моего сына даже зовут Баутиста Лионель – в честь Лео. «Ты подгузники меняешь?» «Да», – говорит он мне. Тиаго – его новый мяч, намного более важный, чем прежний. В личной жизни он очень веселый человек, который всегда отпускает шутки с людьми, с которыми чувствует близость, постоянно теребит их. А теперь он – отец».

«Тиаго на первом месте, все остальное – после», – сказал он ESPN. В своем первом матче после рождения сына он надел бутсы с именем Тиаго на пятках, а несколько недель спустя – браслет с надписью: «Я люблю тебя, Тиаго». В День отца он вытатуировал его имя на голени.

Сейчас почти все по-новому: это его первое Рождество в качестве отца. «Теперь сын со мной, и я все время обнимаю его. Я учусь быть папой», – признался он в интервью *Olé*.

Но не все меняется. Лео все еще проводит восстанавливающую сиесту на диване или в постели. Перед тем как заснуть, он смотрит на свой телефон, где на экране видит лицо сына.

По окончании тренировки Лео идет домой к Тиаго, и если он спит, то будит сына. Он выйдет на прогулку с женой или поедет в дом своего отца, чтобы провести там весь день. Когда он путешествует с командой, Тиаго ищет его, не понимая, почему папы нет, и Лео звонит и говорит, что скучает по нему и не может дождаться возвращения, чтобы побыть с ним. Тиаго слушает, еще не понимая всех слов. Это вечная история всех родителей.

Лео говорит, что даже его племянницы и племянники называют его Месси. «Я говорю им: «Вы тоже Месси!» Возможно, ему придется объяснить своему сыну, кто такой «Блоха».

И однажды он возьмет Тиаго в парк, чтобы поиграть с ним в футбол. Когда ему будет десять лет, Лео будет приблизительно 37.

И он сделает пас сыну.

ПОСЛЕСЛОВИЕ
Сандро Розеля,
президента ФК «Барселона»

Лео Месси – уникальный игрок, на мой взгляд, он лучший, кого я видел за всю историю этой игры. Лео – футболист, способный сделать невероятное на огромной скорости и с такой точностью, которые недостижимы для остальных игроков. Он имеет огромное значение сам по себе, но, что важнее, является объединяющей силой команды, способен играть в поддержку остальных спортсменов, и по этой причине он забивает голы с той же непринужденностью, с которой готов помочь забить гол другим. Пройдет много времени, прежде чем мы сможем увидеть игрока с его человеческими и спортивными достоинствами.

Лео-человек находится на том же самом уровне, что и Лео-игрок, и это – самый большой комплимент, который я могу ему сделать. Он воплощает все те ценности, которые клуб старается донести до своих юных игроков, а именно: скромность, сплоченность, взаимовыручка и стремление бороться за каждый гол. Месси – застенчивый, спокойный, скромный молодой человек, который способен получать удовольствие от мелочей. Он ведет за собой действием, а не словами. Он руководит на поле, и делает это лучше, чем кто-либо.

Я сказал бы, что нынешняя «Барселона» – одна из величайших команд всех времен и народов, возможно, не справилась бы без него. Ничего бы не получилось.

Месси очень повезло в том, что его тренером в основном составе был Франк Райкард. Он знал, как воспитать его без насилия и спешки. Возможно, в какие-то моменты Лео не понимал, почему он не играл столько, сколько хотел, но я знаю, что впоследствии смог поблагодарить тренера за то, что тот всегда делал только лучшее для него. Я также хотел бы подчеркнуть работу Хосепа Коломера, человека, который проложил путь для Лео до момента передачи его Райкарду в основной состав. Ведение переговоров относительно этого также было достаточно трудным делом, возможно, даже еще тяжелее, чем организация дебюта в первом составе.

Между Роналдиньо и Лео возникли прекрасные отношения. Роналдиньо принял Месси, когда тот пришел в первую команду и защищал его как старший брат. Общительный характер Роналдиньо являлся полным контрастом застенчивости Месси, но бразилец помог ему обрести уверенность в себе, стал мостом для отношений с остальной частью его товарищей по команде.

Победа над «Мадридом» со счетом 5:0. Вероятно, это была самая лучшая игра «Барселоны», которую я когда-либо видел. Месси отчетливо показал миру, что он – номер один в футболе. Он не забивал гол, но это был исключительный матч. Он стал настоящим кошмаром для защиты, обеспечил два гола, был повсюду, оказывал давление, забирал мяч. Никто не мог его остановить. Радость на его лице в конце игры ясно продемонстрировала это.

День, когда он получил «Золотой мяч» 2010 года, с Хави и Иньестой на втором и третьем местах, был одним из самых счастливых дней, которые я могу вспомнить, не только потому, что Лео получил этот приз, но и потому, что лучшие три игрока были спортсменами «Барселоны», что в действительности было признанием всего мира Ла-Масия и нашего стиля футбола. Это – золотая страница в истории клуба. Несмотря на то, что приз не считается титулом, это произошло одновременно с победой в Лиге чемпионов. Месси был очень рад получить этот приз, и я убежден, что он был бы так же счастлив, если бы приз получили Хави или Иньеста.

Самым счастливым днем моей жизни как президента ФК «Барселона» был день 28 мая 2011 года – финал Лиги чемпионов. Гол Месси на пятьдесят четвертой минуте, который вывел нас вперед со счетом 2:1, была ключевым моментом, когда рухнуло сопротивление «Манчестер Юнайтед». Сильный, неостановимый удар левой ногой. Но я также отлично помню радость Лео, смесь ярости и счастья. Я полагаю, что гол был для него моментом освобождения.

Что касается назначения нашего нового тренера, несмотря на то, что люди могли думать об этом, Месси не имел абсолютно никакого отношения к выбору в июле 2013 года Херардо Мартино. Они даже не знали друг друга и никогда прежде не разговаривали. «Эль Тата» принес с собой собственные идеи, которые вполне гармонируют с тем, что принято в «Барселоне». Но, кроме того, Мартино, как и Месси, из Росарио, он – тренер, которому нравится прямо и открыто говорить с игроками, что приносит пользу не только Месси, но и всем другим членам раздевалки. Я вижу, что Лео очень счастлив. В его профессиональной жизни наступил исключительный период – он созрел как человек и как игрок, и тот факт, что он стал отцом, говорит о том, что он счастлив в личной жизни. Лео всегда любил детей, это можно сразу понять, когда видишь его с племянницами и племянниками.

Еще одним историческим моментом в карьере Лео было награждение его призом «Золотой мяч» в январе 2013 года. Он стал первым футболистом, который получил эту премию четыре раза подряд, и я убежден, что этот раз – не последний. Месси способен побить любой мыслимый рекорд, потому что ему всего 25 лет, и каждый год он становится только лучше. Очень трудно представить себе, где потолок Лео. Он будет лучшим столько, сколько захочет, до тех пор, пока не иссякнет честолюбие и пока футбол будет оставаться в числе главнейших приоритетов.

В ГЛАВНЫХ РОЛЯХ

(ЧАСТЬ 1, ГЛАВА 2. ОЖИДАНИЕ ЛЕО)

Эдуардо Абраамьян: бывший игрок «Ривер Плейт», а затем лидер отделения Infantiles.

Леандро Бенитес: защитник и левый защитник, бывший товарищ Месси по команде «Машина'87». Его последним клубом был «Quilmes Atletico».

Нестор Касаль: бывший товарищ по работе Хорхе Месси.

Франко Казанова: товарищ по команде Месси в команде «Машина'87».

Адриан Кория: тренер Лео в младшем составе «NOB».

Габриэль Дижероламо: тренер Лео Месси в начале его игры в «NOB».

Энрике «Квике» Домингес: тренер Лео Месси (1998–1999), в возрасте, когда ему было 11–12 лет. Его команда называлась «Машина'87». Это был его последний год в школе «Ньюэллса».

Гаццо: ведущий на радио, ведущий программы «*Baby Gol*».

Леандро Хименес: бывший игрок.

Лилиана Грабин: специалист по спортивной психологии.

Джерардо Григини: товарищ Месси по команде «Машина'87».

Хуан Крус Легуизамон: вратарь «Ньюэллса» в команде «Машина'87», друг Месси. В настоящее время он играет в «Central Córdoba».

Серхио Левински: писатель, социолог и аргентинский журналист.

Кевин Мендез: Кубок Дружбы 1996 в Перу был организован Cantolao, командой, в которой играл Кевин Мендес, сын Уильяма Мендеса, в чьем доме Лео жил после выяснения у тренеров «NOB», кого они считают своим лучшим игроком. Сегодня

Кевин – профессиональный повар, у него до сих пор сохранилась первая майка Лео, которой он обменялся с другим игроком.

Уильям Мендез: Летом 1997 года Месси жил в доме семьи Мендез в Пуэбло Либре, Перу, во время турнира. Уильям – отец мальчика, который играл с Месси в этом турнире.

Роберто Менси: член правления «Ньюэллса», отвечающий за СМИ. Также является спортивным репортером. Продюсер www.morenoycordoba19hs.com.ar. Обозреватель на www. elrojinegro.com.

Хорхе Месси: отец Лео Месси.

Матиас Месси: старший брат Лео, младший брат Родриго.

Бруно Миланесио: бывший игрок-юниор в «NOB».

Диего Ровира: номер 9 в «NOB» и лучший бомбардир в те времена, когда Месси был игроком в команде ‘87.

Нестор Розин: бывший директор «Ньюэллса»; ведущий бизнесмен в Росарио.

Анхель Руани: отец Лули Руани, товарища по команде «Машина’87».

Роберто Савиано: итальянский писатель, автор «Gomorra». Он автор книги о Лео Месси.

Лукас Скалья: говорят, что он лучший друг Лео, товарищ по команде в «NOB» и кузен жены Месси, Антонеллы. Теперь играет в «Deportivo Cali» в Колумбии.

Диего Шварцштейн: врач в Росарио, который лечил Месси от дефицита гормонов роста.

Федерико Вайро: ведущая фигура в Fifties and Sixties. Впоследствии стал супервайзером отборочных игр «*Infantiles*» в «Ривер Плейт».

Хорхе Вальдано: бывший футболист, аргентинский тренер, Чемпион мира, входивший в сборную Аргентины в 1986 году на чемпионате мира в Мексике. Играл в нападении, его первым клубом был «NOB».

Эрнесто Веккио: технический директор, у него Лионель Месси провел больше всего времени в детской команде «красно-черных». Известный тренер.

Клаудио Вивас: тренер и координатор школы Malvinas (его отец был основателем). Он также является руководителем четвертой и пятой команд «Ньюэллса». Помощник Бьелсы на поле в национальной сборной. Один из творцов, наряду с Токалли и Пекерманом, кто добился того, чтобы Месси играл за национальную сборную.

«Diario Ole»: аргентинская спортивная газета.

«Футболист»: престижный немецкий спортивный журнал.

ДОПОЛНИТЕЛЬНЫЕ ИСТОЧНИКИ

Abrahamain, Eduardo and Vairo, Federico: цитирование по Martínez, Roberto, *Barcargentinos*,

De Vecchi Ediciones, 2013

Benítez, Leandro: статья 'Messi, el gen argentino', *Cabal*, Argentina, www.revistacabal.coop

Casanova, Franco: цитирование по статье Federico Bassahún, *Perfi l*, Argentina, www.perfil.com

Digeralamo, Gabriel цитирование по *Informe Robinson: Messi*, Canal Plus. 2007

Mendes, Kevin and Mendez, William цитирование по статье Javier Saúl, *Canchallena*, Argentina, www. canchallena.lanacion.com.ar

Mensi, Roberto: цитирование по статье Maria Julia Andres, 'El Diego que hizo crecer a Messi', http://florecerdelupines. blogspot.com.es

Messi, Jorge: цитирование по Martínez, Roberto, *Barcargentinnos*, De Vecchi Ediciones, 2013; *Kicker*, Germany; *Informe Robinson: Messi*, Canal Plus, 2007

Messi, Matías: цитирование по*Informe Robinson: Messi*, Canal Plus, 2007

Rovira, Diego: цитирование по статье Ignacio Fusco, *Don Julio 1*, Argentina, www.revistadonjulio.com

Rozín, Nestor: цитирование по *Messi, la historia Argentina*, Canal 13, 2013

Valdano, Jorge: интервью с Enric Gonzalez, *JotDown*, www.jotdown.es

Vecchio, Ernesto: цитирование по *Canchaallena*, Argentina, www. canchaallena.lanacion.com.ar/www.rosariofutbol.com

БИБЛИОГРАФИЯ

(ВКЛЮЧАЯ ИСПОЛЬЗОВАННЫЕ КНИГИ, ЖУРНАЛЫ, СТАТЬИ И DVD/ВИДЕО)

КНИГИ

Агуинис, Маркос. *The Terrible Charm of Being Argentinian.* Planeta, 2001

Амес де Пас, Эдуардо. *Life Through Football.* Rosario: published by the author, 2002

Аркетти, Эдуардо. *The Paddock, the Track and the Ring.* Cultural Economic Foundation, Buenos Aires, 2001

Кальсада, Эстеве. *Show Me the Money.* Cabecera Books, 2012

Кубейро, Дж. С. и Гальярдо Леонор. *Messi, Falcao and Cristiano Ronaldo.* Alienta Ed., 2013

Diario Sport. *Stars of the Masía.* Diario Sport, 2010

Frieros, Toni. *Leo Messi: The Treasure of Barcelona.* Diario Sport, 2006

Гарсия-Отеро, Х. М. *Dreams of a Little Prince.* Madrid: Al Poste Editions, 2013

Джил, Джорди. *Discovering Cesc Fabregas.* Diario Sport, 2012

Хантер, Грэхем. *Barça: The Making of the Greatest Team in the World.* Back–Page Press, 2012

Ибрагимович, Златан. *I am Zlatan Ibrahimovi*´c. Albert Bonniers Förlag, 2011

Джексон Фил и Делеанти, Хью. *Eleven Rings: The Soul of Success.* Penguin Books, 2013

Мартин, Рамиро. *Messi: A Genius in the School of Football.* Lectio Editions, 2013

Мартинес, Роберто. *Barçargentinos.* De Vecchi Ediciones, 2013

Матео, Хуан и Хулио, Хуан Мануэль. *Leading in Diffi cult Times.* McGraw– Hill/Interamericana de Espana, SA, 2003

Мингеллья, Х. М. *Almost the Whole Truth.* Base Ed., 2008

Перарнау, Марти. *The Road of Champions.* Columna Editions, 2011

– *Pep's Long Journey.* Madrid, первая публикация, 2012

Перейра, Л. М. и Бандейра, Х. П. *Messi's Bible.* Prime Books, 2012

Пуиг, Альберт. *The Strength of a Dream. The Roads to Success.* Plataforma, 2010

Родригес, Гейри, Сике. *Taught to Win.* Now Books, 2011

Суед, Мэтью. *Bounce: The Myth of Talent and the Power of Practice.* HarperCollins, 2010

Торквемада Рикард. *Fórmula Barça.* Lectio Editions, 2012

Торрес, Диего. *Preparing to Lose.* Ediciones B, 2013

Уденио, Энрико. *The Argentinian Hypocrisy.* Книга выложена в сети, 2007

Вильоро, Хуан. *When We Never Lost.* Alfaguara Editions, 2011

DVD/ВИДЕО

Аудемарс Пигет «Решающий момент»

Баабур, Густаво. *Месси, Аргентинская История.* Специальная программа TN

Sports, транслировавшаяся 13/01/2013, TN Argentina News Channel

Гок, Гини. Лионель Месси, *Величайший игрок в мире* [документальный фильм]. ITV 4, 2012

Лакс, Лайза и Штерн, Нэнси. *Непревзойденный* [DVD]. Ханна Шторм, фильмы ESPN, 2010

Лео Месси: Рассказы о Блохе. Начало [ТВ программа]. Expediente Futbol, Fox Sports, 2012

Лопес, Г., Серрат, Х. и Репреса, П. *Порта 104: Месси, ADN blaugrana* [DVD]. ТВ Barca, 2009

Макдоуэлл, Майк. *Ronaldo, Tested to the Limit* [документальный фильм]. Castrol Edge, 2011

Оливерса, Лучано. *Мир Лео* [телевизионная программа]. DeporTV, 2013

Робинсон, Майкл. *Информ Робинсон: Месси.* Канал +, декабрь 2007 – *Информ Робинсон: Легенда о Тринче.* Канал +, ноябрь 2011

Соуто, Мартин. *Личная жизнь Месси. Особенный Либеро* [телевизионная программа]. Либеро, ТуС Sports, 2013

Различные видео от Punto Pelota, Intereconomía

Варски, Хуан Пабло. *Kun Agüero.* Интервью на Direct TV Sports

Статьи (специально заказанные для этой книги или заимствованные у других авторов):

Гомес Пикерас, Педро. «Погас ли в «Барселоне» огонь Лео?»; «Лео Месси, X фактор полноценный гений», «Десять эмоциональных сил Лео Месси», «Если вы достигнете финишной черты – вперед, вперед, вперед!»; «Эмоциональная восприимчивость и футбол», «FCB, Футбол в будущем»

Левински, Серхио. «Синдром «профессиональных мальчиков»

ИСПОЛЬЗОВАННЫЕ СТАТЬИ

Олтмен, Дэниел. «Экономика и футбол. Общие трудности. Опубликовано в Брандо (www.conexionbrando.com)

Аш Уго. «Отцы патриотизма». Опубликовано в Perfil.com

Кандансе, Пьетте. «Гордость аргентинского города – футбольная звезда Месси». Опубликовано в BBC News

Капаррос, Мартин. «Резкая критика Месси». Опубликовано в SoHo.com.co.

Карлин, Джон. «Пеп Гвардиола: наиболее востребованный тренер в футболе». Опубликовано в *The Financial Times Magazine* (www.ft.com)

Касас, Габриэль. «Месси, идол без эпичности». Опубликовано в Marcha.org.ar

Касьяри, Эрнан. «Месси – собака». Опубликовано в Orsai

Даскаль, Уриель. «Талант – не подарок. Это навык». Опубликовано на Soccerissue.com

Падилья Кастро, Нельсон. «Главные грехи Месси». Опубликовано в El Espectador (www.elespectador.com)

Савиано, Роберто. «Маленький большой человек». Опубликовано в приложении к *El Clarin*, Аргентина

Томпсон, Райт. «Идол без города». Опубликовано в ESPN Sports

Виель, Рикардо. «Неймар и Монстр». Опубликовано в El Puercoespin. (www. elpuercoespin.com.ar)

ЖУРНАЛЫ

AuGol, спортивный журнал, Аргентина (www.augol.com)

Canchallena, ежедневный цифровой спортивный журнал *La Nacion, Digital Cable Magazine* (www.revistacabal.coop), Аргентина

Don Julio, Eleven Stories of Football, Аргентина (www.revistadonjulio.com)

L'Équipe Sport Style, Франция (www.sportetstyle.fr)

ESPN Sports (http://espndeportes.espn.go.com/la-revista/)

Gente, еженедельный аргентинский журнал (www.gente.com.ar)

El Gráfico, спортивный журнал, Аргентина (www.elgrafico.com.ar)

JotDown, культурный журнал, Испания (www.jotdown.es)

Kicker, спортивный журнал, Германия

Negro & White, Аргентина (www.negrowhite.net)

Orsai, Аргентина (www.editorialorsai.com)

Panenka, футбольный журнал, Испания (www.panenka.org)

Worldsport 360 (www.worldsport36c.com)

XL Semanal, воскресное дополнение Vocento Group, Испания

ГАЗЕТЫ

AS, Мадрид, Испания (www.as.com)

La Capital de Rosario, Аргентина (www.lacapital.com.ar)

El Clarin, Аргентина (www.clarin.com)

El Comercio de Peru, Перу (www.elcomercio.pe)

Corriere della Sera, Италия (www.corriere.it)

La Gazzetta dello Sport, Италия (www.gazzetta.it)

Marca, Мадрид, Испания (www.marca.com)

Mundo D, спортивное приложение к La Voz, Аргентина (www.lavoz.com.ar)

El Mundo Deportivo, Барселона, Испания (www.mundodeportivo.com)

Noticias Hoy, Мексика (www.noticiashoy.com.mx)
El Pais, Мадрид, Испания (www.elpais.com)
Panorama, Венесуэла (www.panorama.com.ve)
Perfil, Буэнос-Айрес, Аргентина (www.perfil.com)
El Periodico de Catalunya, Испания (www.elperiodico.com)
La Razón, Буэнос-Айрес, Аргентина (www.larazon.com.ar)
El Sol, Мендоса, Аргентина (www.elsolonline.com)
Sport, Барселона, Испания, (www.sport.es)
La Vanguardia, Барселона, Испания (www.lavanguardia.com)
La Voz, независимая газета из Кастеллдефельса, Барселона, Испания (www. lavoz.cat)

БЛОГИ

Блог Алехандро Карнеро: мяч не гнется:
http://la-pelota-no-dobla. blogspot.com
Блог Роберто Мартинеса: Касание и дриблинг:
http://toqueygambeta.com
Блог Умберто Перосо: Из моей галереи
http://desdemiarqueriapanorama. blogspot.com.es/

БЛАГОДАРНОСТИ

Я только закончил написание биографии Пепа Гвардиолы, как Алан Сэмсон и Дэвид Лакстон предложили мне написать книгу о Месси. «Почему бы и нет?» – сказал я, не посмотрев на календарь. Это были очень полезные и напряженные месяцы, – я много ездил, читал и разговаривал, пытаясь понять, что было причиной действий и мотивами такого необычного человека, как Лионель Месси.

Но ничто из этого не имело бы особенного смысла, если бы я не поговорил с людьми, которые любят его больше всего на свете. Вы знаете, о ком говорю и как я вам благодарен.

Поговорим о деталях. Эта книга никогда не пересекла бы финишную черту, если бы Марибель Эррузо не отдала бы ей свое время, силы и любовь. Благодарности будет недостаточно, так что нам надо будет отправиться в Марокко. И большое спасибо Кике Дульсе за заботу о Марибель (особенно за приготовление еды!).

Величайшей удачей этого проекта было то, что рукопись прочитал Луис Мигель Гарсия – мой лучший друг и самый мощный мозг из всех, что я знаю.

Тысяча благодарностей Ориону и Алану за то, что они дали мне возможность разумно использовать свое время, сочиняя, вместо того чтобы тратить его впустую, например, расслабляясь. Честно говоря, это большая честь и привилегия – заручиться вашей уверенностью. Спасибо, Дэвид, за то, что ты слушал меня в любое время дня, – ты понял, что у меня отключилось понятие времени. Лусинда Макнейл воспользовалась самым изящным и очаровательным способом оказать на меня давление и предоставить свою поддержку. Питер Локайер все лето много трудился для того, чтобы эта книга обрела готовый вид, а энтузиазм Марка Джосса подтолкнул меня ускорить работу, придав энергию такому мощному мотиватору, как Уильям Глассвелл.

Серхио Левински всегда был рядом, излучая веселье, он был важным источником хороших новостей из Аргентины: обеспечил контакты и/или интервью с Алехандро Сабельей, «профессором» Салорио, Фернандо Синьорини, Панчо Ферраро, Лилианой Грабин, Карлосом Билардо, Густаво Оберманом, Эдуардо Сакери и Джерардо Григини. Брент Уилкс оказал нам всем огромную поддержку – благодаря ему весь проект не превратился в хаос.

Я снова должен выразить свою вечную благодарность Пепу Гвардиоле, который уделил мне время, позволив поговорить о совершенно уникальном времени в его жизни. То же самое следует сказать об Эстеве Кальсаде, который заложил первый кирпич в фундамент этого труда – я у вас в долгу, Эстеве.

Санти Солари оказался прекрасным гидом по Росарио, мы начали с ним беседу, которая продолжается до сих пор, несмотря на то, что его нет рядом. Педро Гомес позволил мне взглянуть по-новому на такой, казалось бы, простой, но при этом такой сложный мир футбола. Знания и поддержка Пепа Сегуры, Пако Айестарана и Вызнаетекого наполняют каждую страницу этой книги.

Все время, пока я писал и путешествовал, Стиви Роу и Скотт Минто справлялись с моими причудами и усталостью. Спасибо им за то, что они были такими понимающими людьми. Дамиан О'Брайен, Джеймс Уилер (спасибо вам за статистические данные!) и остальная часть команды Revista (Люк Артур, Джордж Лэнсдэйл, Адам Ченери, Грэм Хантер) никогда не жалели для меня слов поддержки, что было важнее, чем они думают.

Огромное спасибо президенту Сандро Розелю за то, что он нашел время в своем плотном графике, чтобы внести свой личный вклад в эту книгу. И я должен обед Иниго Хуаресу – выбирайте ресторан!

Я много узнал о Месси, футболе и жизни, разговаривая и слушая сэра Алекса Фергюсона, Эдвина ван дер Сара, Мичела Сальгадо, Стива Кларка, Фабио Капелло, Рафу Бенитеса, Хенрика Ларсона, Асиера дель Орно, Патрика Виейру, Клаудио Виваса, Пере Гратакоса, Хенка Тен Кэт, Ксави Льоренса, Алекса Гарсия, Кике Домингеса, Хуана Карлоса Гарридо, Родольфо Боррелля, Джерардо «Эль Тата» Мартино, Хави Эрнандеса, Андреса Иньесту, Панчо Ферраро, Карлоса Маркони, Карлоса Билардо, Алехандро Сабелью, Фернандо Синьорини, Херардо Салорио, Хуанхо Брау, Диего Шварштайна, Лилиану Грабин, Сеска Фабрегаса, Хавьера Маскерано, Педро Родригеса, Джованни ван Бронкхорста, Фернандо Наварро, Джерардо Рубена Григини, Гильермо Амора, Густаво Обермана, Жерара Пике, Сильвио Мендеса, Кампоса «Сильвино», Оскара Устари, Виктора Васкеса, Пабло Сабалету, Роберто Мартинеса, Рамона Беса, Феррана Сориано, Чики Бегиристайна, Жоана Гаспара, Джоан Лапорту, Карлеса Рейшака, Хосе Марию Куартетаса, Хосепа Марию Мингеллью и профессора Андреаса Сосу, Диану Торрето, Монику Домине, Сильвану Суарес, Кристину Кастанейру.

Мне была необходима помощь друзей – они всегда протягивали мне руку помощи и немедленно перезванивали: Чеми Терес, Жерард Аутет, Натан Смит, Педро Пинто, Ксави Алегриа, Серхио Алегре, Габриэль Маркотти, Рафаэль Хонигштайн, Эрнан Амес, Кристина Куберо, мой учитель и друг Мойзес Альварес, Питер Беннетт, Гаизка Мендиета, Джои Бартон и, конечно, Марк Райт.

Хочу выразить особую благодарность за потраченные время и труд Оскару Элиасу, Эухенио Веге, моей кузине Елене Круз, Оливеру Трасту, Мариахо Фернандесу (за помощь Марибель), Магде Гаскон (за ее помощь в отношении каталанского языка), Федерико Бассауну и Нэчо Фаско (редакторы *Дона Хулио*), Джерарду Нусу (за мудрую обработку записи речи Гвардиолы в Буэнос-Айресе), Луису Кальвано, Коко Вентуре, Диего Торресу, Хавьеру Санчесу Напалю (автор песни «Mundo Redondo»), Мартину Соуто (именно он взял фантастическое интервью с Лео для Тус Sports), и Брайану Звашке (за его предположения относительно Фила Джексона и Майкла Джордана).

Мой брат Густаво знает, как трудно работать в сжатые сроки, так что он всегда оказывал мне поддержку. Моя сестра Йоланда расшифровывала интервью – все приложили руку к этому труду! Моя мать заботилась обо мне даже тогда, когда сама изо всех сил пыталась справиться с головной болью. Она с удивлением смотрела, как мой отец читает книгу Пепа после того, как десятилетиями не открывал ни одной, а затем – как он ищет новые книги, которые мог бы прочитать: это было для меня самой большой наградой за мои труды.

Спасибо вам всем.

ПРЕДМЕТНЫЙ УКАЗАТЕЛЬ

ПРЕДМЕТНЫЙ УКАЗАТЕЛЬ

Издание для досуга
демалысқа арналған баспа

ИКОНЫ СПОРТА

Балаге Гильем

МЕССИ
ГЕНИЙ ФУТБОЛА

Ответственный редактор *А. Соседова*
Выпускающий редактор *А. Дружинец*
Художественный редактор *Е. Анисина*
Технический редактор *М. Печковская*
Компьютерная верстка *О. Шувалова*

ООО «Издательство «Эксмо»
123308, Москва, ул. Зорге, д. 1. Тел. 8 (495) 411-68-86.
Home page: **www.eksmo.ru** E-mail: **info@eksmo.ru**

Өндіруші: «ЭКСМО» АҚБ Баспасы, 123308, Мәскеу, Ресей, Зорге көшесі, 1 үй.
Тел. 8 (495) 411-68-86.
Home page: www.eksmo.ru E-mail: info@eksmo.ru.
Тауар белгісі: «Эксмо»
Қазақстан Республикасында дистрибьютор және өнім бойынша
арыз-талаптарды қабылдаушының
өкілі «РДЦ-Алматы» ЖШС, Алматы қ., Домбровский көш., 3«а», литер Б, офис 1.
Тел.: 8(727) 2 51 59 89,90,91,92, факс: 8 (727) 251 58 12 вн. 107; E-mail: RDC-Almaty@eksmo.kz
Өнімнің жарамдылық мерзімі шектелмеген.
Сертификация туралы ақпарат сайтта: www.eksmo.ru/certification

Сведения о подтверждении соответствия издания согласно законодательству РФ
о техническом регулировании можно получить по адресу: http://eksmo.ru/certification/

Өндірген мемлекет: Ресей
Сертификация қарастырылмаған

Подписано в печать 26.01.2017. Формат 60x90 1/16.
Гарнитура «NewBaskerville». Печать офсетная. Усл. печ. л. 39,0.
Доп. тираж 3000 экз. Заказ № 822.

Отпечатано с готовых файлов заказчика
в АО «Первая Образцовая типография»,
филиал «УЛЬЯНОВСКИЙ ДОМ ПЕЧАТИ»
432980, г. Ульяновск, ул. Гончарова, 14

ISBN 978-5-699-78710-4

Оптовая торговля книгами «Эксмо»:
ООО «ТД «Эксмо». 142700, Московская обл., Ленинский р-н, г. Видное,
Белокаменное ш., д. 1, многоканальный тел. 411-50-74.
E-mail: **reception@eksmo-sale.ru**

По вопросам приобретения книг «Эксмо» зарубежными оптовыми
покупателями *обращаться в отдел зарубежных продаж ТД «Эксмо»*
E-mail: **international@eksmo-sale.ru**

*International Sales: International wholesale customers should contact
Foreign Sales Department of Trading House «Eksmo» for their orders.*
international@eksmo-sale.ru

По вопросам заказа книг корпоративным клиентам, в том числе в специальном
оформлении, *обращаться по тел. +7 (495) 411-68-59, доб. 2261.*
E-mail: **ivanova.ey@eksmo.ru**

Оптовая торговля бумажно-беловыми
и канцелярскими товарами для школы и офиса «Канц-Эксмо»:
Компания «Канц-Эксмо»: 142702, Московская обл., Ленинский р-н, г. Видное-2,
Белокаменное ш., д. 1, а/я 5. Тел./факс +7 (495) 745-28-87 (многоканальный).
e-mail: **kanc@eksmo-sale.ru**, сайт: www.**kanc-eksmo.ru**

В Санкт-Петербурге: в магазине «Парк Культуры и Чтения БУКВОЕД», Невский пр-т, д.46.
Тел.: +7(812)601-0-601, www.bookvoed.ru

Полный ассортимент книг издательства «Эксмо» для оптовых покупателей:
В Санкт-Петербурге: ООО СЗКО, пр-т Обуховской Обороны, д. 84Е. Тел. (812) 365-46-03/04.
В Нижнем Новгороде: Филиал ООО ТД «Эксмо» в г. Н. Новгороде, 603094, г. Нижний Новгород, ул.
Карпинского, д. 29, бизнес-парк «Грин Плаза». Тел. (831) 216-15-91 (92, 93, 94).
В Ростове-на-Дону: Филиал ООО «Издательство «Эксмо»,
344023, г. Ростов-на-Дону, ул. Страны Советов, 44 А. Тел.: (863) 303-62-10. E-mail: info@rnd.eksmo.ru
В Самаре: ООО «РДЦ-Самара», пр-т Кирова, д. 75/1, литера «Е». Тел. (846) 207-55-56.
В Екатеринбурге: Филиал ООО «Издательство «Эксмо» в г. Екатеринбурге,
ул. Прибалтийская, д. 24а. Тел. +7 (343) 272-72-01/02/03/04/05/06/07/08.
В Новосибирске: ООО «РДЦ-Новосибирск», Комбинатский пер., д. 3.
Тел. +7 (383) 289-91-42. E-mail: **eksmo-nsk@yandex.ru**
В Киеве: ООО «Форс Украина», 04073, Московский пр-т, д.9. Тел.:+38 (044) 290-99-44.
E-mail: **sales@forsukraine.com**
В Казахстане: ТОО «РДЦ-Алматы», ул. Домбровского, д. 3а.
Тел./факс (727) 251-59-90/91. **rdc-almaty@mail.ru**

Полный ассортимент продукции издательства «Эксмо»
можно приобрести в магазинах «Новый книжный» и «Читай-город».
Телефон единой справочной: 8 (800) 444-8-444. Звонок по России бесплатный.

Интернет-магазин ООО «Издательство «Эксмо»
www.fiction.eksmo.ru
Розничная продажа книг с доставкой по всему миру.
Тел.: +7 (495) 745-89-14. E-mail: **imarket@eksmo-sale.ru**